W9-DDH-476

# OMNISCIENCES 9

**La série OMNISCIENCES, publiée aux Éditions de la Chenelière**

*OMNISCIENCES 7*
*OMNISCIENCES 8*
***OMNISCIENCES 9***
*OMNISCIENCES 10*

**La série SCIENCEPOWER™, publiée chez McGraw-Hill Ryerson**

*SCIENCEPOWER™ 7*
*SCIENCEPOWER™ 8*
***SCIENCEPOWER™ 9***
*SCIENCEPOWER™ 10*

**Les autres composantes de la collection**
*Guide d'enseignement*
*Feuilles reproductibles*
site Web : *http//www.dlcmcgrawhill.ca*

**Illustration de la couverture** Selon nos connaissances actuelles, quand deux galaxies entrent en collision, la matière tombe dans un immense trou noir à une vitesse proche de la vitesse de la lumière, ce qui produit un rayon d'énergie que nous pouvons détecter sur la Terre sous la forme d'un quasar, à des milliards d'années-lumière de distance.

# OMNISCIENCES 9

SCIENCES • TECHNOLOGIE • SOCIÉTÉ • ENVIRONNEMENT

***Auteurs***

**Elgin Wolfe**
*Toronto (Ontario)*

**Christina Clancy**
*Mississauga (Ontario)*

**Gordon Jasper**
*Calgary (Alberta)*

**Dawn Lindenberg**
*Edmonton (Alberta)*

**David Lynn**
*Belle River (Ontario)*

**Frank Mustoe**
*Toronto (Ontario)*

**Rob Smythe**
*Oakville (Ontario)*

***Consultants de l'édition anglaise***

**Malisa Mezenberg**
*Mississauga (Ontario)*

**Douglas A. Roberts**
*Calgary (Alberta)*

***Consultante de l'édition française***

**Nicole Cadieux**
*Rockland (Ontario)*

**Traduit de l'anglais par**
Pénélope A. Mallard et Pierrette Mayer



**Chenelière/McGraw-Hill**
MONTRÉAL • TORONTO

**Omnisciences 9**

Traduction de : *Sciencepower™ 9*
de Elgin Wolfe et coll. © 1999, McGraw-Hill Ryerson Limited
(ISBN 0-07-560361-6).



*Coordination*: Marielle Champagne
*Révision linguistique*: Michelle Martin
*Correction d'épreuves*: Richard Lavallée
*Coordination à l'infographie :* Josée Bégin
*Infographie*: Chenelière/McGraw-Hill

*Conception graphique*: Pronk & Associates/ArtPlus Limited
*Maquette de la couverture*: Pronk & Associates
*Image de la couverture*: Peinture par Don Dixon © 1999
*Illustrations techniques*: Imagineering Scientific and Technical Artworks Inc.
*Illustrations* : Paulette Dennis, Deborah Crowle, William Kimber, Dorothy Siemens, Tina Holdcroft, Malcolm Cullen, Alan Gaunt, Margo Pronk. ArtPlus Limited : Sue Ledoux, Paul Payer, Cory McCargar

**Chenelière/McGraw-Hill**
7001, boul. Saint-Laurent
Montréal (Québec)
Canada H2S 3E3
Téléphone : (514) 273-1066
Télécopieur : (514) 276-0324
chene@dlcmcgrawhill.ca



**ISBN 2-89461-315-6**

Dépôt légal : 1er trimestre 2000
Bibliothèque nationale du Québec
Bibliothèque nationale du Canada

Imprimé et relié au Canada

2 3 4 5 II 04 03 02 01 00



Nous reconnaissons l'aide financière du gouvernement du Canada par l'entremise du Programme d'Aide au Développement de l'Industrie de l'Édition pour nos activités d'édition.

# Remerciements

## Réviseurs pédagogiques

Nancy Dalgarno Aldred
Port Hope (Ontario)

Ray Bowers
Toronto (Ontario)

Stewart Buchanan
Moncton (Nouveau-Brunswick)

John Caranci
Toronto (Ontario)

Phonse Chiasson
Sydney (Nouvelle-Écosse)

Peter Chin
Kingston (Ontario)

Audrey Cook
Fredericton (Nouveau-Brunswick)

Gail de Souza
Mississauga (Ontario)

Barry Edgar
Edmonton (Alberta)

Dan Forbes
Ste. Anne (Manitoba)

Keith Gibbons
London (Ontario)

Derrick Grant
Stanley (Nouveau-Brunswick)

Greg Kingston
Saint John (Nouveau-Brunswick)

Steve Karrel
Truro (Nouvelle-Écosse)

David Knox
Ottawa (Ontario)

Ping Lai
Toronto (Ontario)

James Lewko
Toronto (Ontario)

Penny McLeod
Thornhill (Ontario)

Henry Pasma
Mississauga (Ontario)

Terry Price
Thornhill (Ontario)

Garry Rasmussen
Sydenham (Ontario)

Taunya Sheffield
Cambridge Station (Nouvelle-Écosse)

Susan Tanner
Halifax (Nouvelle-Écosse)

Paul Weese
Dresden (Ontario)

Sandy M. Wohl
Richmond (Colombie-Britannique)

## Réviseurs scientifiques

Gerry De Iuliis, Ph.D., Biologie
Lois Edwards, Ph.D., Biophysique
Tom Gamblin, Ph.D., Mathématiques
Eric Grace, Ph.D., Biologie
Dan Kozlovic, Ph.D., Biologie
Penny McLeod, Ph.D., Chimie
Lawrence Pitt, Ph.D., Astronomie

## Réviseure pour la sécurité

Margaret Redway
Delta (Colombie-Britannique)

# Table des matières

## Module 1 Le pouvoir de la reproduction

# Module 2 Les atomes et les éléments 152

# Module 3 Les caractéristiques de l'électricité 292

# Module 4 À la découverte de l'Univers 426

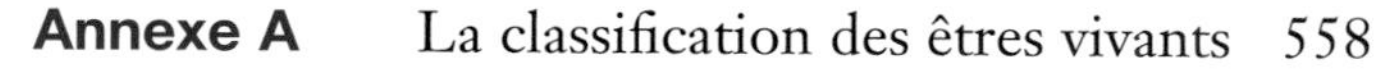

# À l'attention de l'enseignante ou de l'enseignant

Nous sommes heureux d'avoir fait partie de l'équipe chevronnée d'enseignantes, d'enseignants, de rédactrices et de rédacteurs scientifiques qui ont travaillé ensemble pour vous offrir, ainsi qu'à vos élèves, ce nouveau programme qui se compose des manuels ***OMNISCIENCES 7-10***, et de leurs équivalents anglais ***SCIENCEPOWER™ 7-10***. Les ressources d'***OMNISCIENCES*** et de ***SCIENCEPOWER™*** destinées aux élèves, aux enseignantes et aux enseignants ont été spécialement élaborées pour correspondre intégralement aux nouveaux programmes. Comme les titres ***OMNISCIENCES*** et ***SCIENCEPOWER™*** le suggèrent, ces ressources visent à encourager les élèves à percevoir toute la puissance de l'explication scientifique comme moyen de comprendre notre monde, d'une part, et à leur donner les moyens d'examiner de façon critique les problèmes et les enjeux dans une perspective sociale et environnementale, d'autre part.

***OMNISCIENCES 9*** et ***SCIENCEPOWER™ 9*** s'articulent autour de plusieurs dimensions.

- Ces manuels mettent la recherche scientifique au premier plan. C'est dans ce cadre que les élèves abordent les questions sur la nature des sciences, par l'entremise de vastes explorations et d'expériences ciblées. Les domaines de compétences que l'on privilégie sont les suivants : observer attentivement, poser des questions, proposer des idées, prédire, émettre des hypothèses, faire des déductions, élaborer des expériences, rassembler, traiter et interpréter des données, expliquer et communiquer.
- La résolution de problèmes technologiques est également à l'honneur. Il s'agit ici, pour les élèves, de trouver des réponses à des problèmes pratiques. La résolution de problèmes peut soit précéder l'acquisition des connaissances, soit fournir aux élèves des occasions d'appliquer leurs toutes nouvelles connaissances scientifiques de façon novatrice. Les domaines de compétences que l'on privilégie sont les suivants : comprendre le problème, déterminer ou comprendre les critères, élaborer un plan, mettre le plan en œuvre, évaluer et communiquer les résultats.
- L'accent est également mis sur la prise de décision dans une perspective sociale. Dans ce cadre, l'élève utilise les concepts scientifiques et technologiques qui lui permettront de traiter la question à l'étude. On encourage les élèves à accorder une attention particulière à la durabilité. Les domaines de compétences que l'on privilégie sont les suivants : cerner le problème, trouver des solutions de remplacement, faire des recherches, réfléchir et prendre des décisions, prendre les mesures nécessaires, évaluer et communiquer les résultats.

L'orientation principale d'un module dépend en partie du sujet. L'orientation principale et les orientations secondaires d'*OMNISCIENCES 9* et de *SCIENCEPOWER™ 9* sont les suivantes :

| Module d'*OMNISCIENCES* et de *SCIENCEPOWER™* | Orientation principale | Orientations secondaires |
|---|---|---|
| Module 1 Le pouvoir de la reproduction | Prise de décision d'ordre social | Recherche scientifique |
| Module 2 Les atomes et les éléments | Recherche scientifique | Résolution de problèmes technologiques |
| Module 3 Les caractéristiques de l'électricité | Résolution de problèmes technologiques | Recherche scientifique |
| Module 4 À la découverte de l'Univers | Recherche scientifique | Résolution de problèmes technologiques, prise de décision d'ordre social |

Dans le monde entier, la culture scientifique est devenue l'objectif des programmes d'enseignement des sciences et cet objectif s'est traduit, au Canada, par la création du *Cadre commun de résultats d'apprentissage en sciences de la nature, M à 12, Protocole pancanadien pour la collaboration en matière de programmes scolaires* (Conseil des ministres de l'Éducation, Canada, 1997).

« La culture scientifique est une combinaison évolutive des attitudes, des habiletés et des connaissances scientifiques que les élèves doivent acquérir. Ils doivent acquérir des habiletés à faire de la recherche, à résoudre des problèmes et à prendre des décisions afin de poursuivre leur apprentissage tout au long de leur vie et de continuer à s'émerveiller du monde qui les entoure. Pour bâtir une culture scientifique, les élèves doivent faire différentes expériences d'apprentissage qui leur donnent l'occasion d'explorer, d'analyser, d'évaluer, de synthétiser, d'apprécier et de comprendre les interrelations des sciences, de la technologie, de la société et de l'environnement, interrelations qui vont avoir une incidence sur leur vie, leur carrière et leur avenir. »

Grâce à différentes données textuelles, ***OMNISCIENCES 9*** permet aux élèves de comprendre les concepts de base en biologie (Module 1 : Le pouvoir de la reproduction), en chimie (Module 2 : Les atomes et les éléments) et en physique (Module 3 : Les caractéristiques de l'électricité), et de découvrir la Terre et les sciences spatiales (Module 4 : À la découverte de l'Univers). Le programme leur permet aussi d'acquérir des habiletés pour ce qui est de la recherche scientifique et de la faculté d'établir des liens entre les sciences, la technologie, la société et l'environnement.

Dans ***OMNISCIENCES 9***, les élèves apprennent les théories scientifiques et font des expériences liées à la division cellulaire et à la reproduction, aux structures atomiques et moléculaires, aux propriétés des éléments et des composés, aux principes de l'électricité, à l'Univers et à l'exploration spatiale.

Comme les autres manuels de la série, ***OMNISCIENCES 9*** s'appuie sur les trois principaux objectifs du programme et s'articule autour du trio essentiel composé des connaissances, des habiletés et de l'aptitude à faire le lien entre les sciences, la technologie, la société et l'environnement (STSE). Les sciences sont abordées à la fois sous l'angle intellectuel et comme une entreprise axée sur les activités, fonctionnant dans un contexte social.

Le *Guide d'enseignement* est fort complet et fournit de nombreuses stratégies de planification et de mise en œuvre que vous trouverez utiles et pratiques. Les *Feuilles reproductibles* vous proposent des documents que vous pouvez utiliser pour enrichir le vocabulaire, favoriser l'acquisition d'habiletés, clarifier les concepts et trouver d'autres types d'activités adaptées aux différents modes d'apprentissage de vos élèves. Ils contiennent aussi des formulaires d'évaluation des résultats des élèves pour le module en cours ainsi que d'autres documents qui mettent l'accent sur des habiletés bien plus vastes en matière de prise de décision d'ordre scientifique, technologique et social.

Nous sommes convaincus de vous avoir offert le meilleur programme possible pour aider vos élèves à atteindre l'excellence et un degré élevé de culture scientifique au cours de leurs études.

Les auteurs et les conseillers principaux du programme

# UN SURVOL DU MANUEL

Bienvenue dans ton manuel OMNISCIENCES 9. Tu y apprendras comment les cellules rendent possible la reproduction des êtres vivants, tu te familiariseras avec les atomes et les molécules qui sont à la base de notre existence, tu verras comment l'électricité nous « branche » sur le monde et tu t'émerveilleras devant l'immensité et la diversité de l'Univers. Mais avant, prends le temps de consulter les pages qui suivent pour bien comprendre l'organisation de ton manuel.

## INTRODUCTION AU MODULE

- OMNISCIENCES 9 contient quatre modules.
- Chaque introduction au module fournit un survol clair du contenu qui sera traité.
- L'introduction au module stimule l'intérêt pour le sujet en suggérant un problème auquel réfléchir, en présentant des concepts scientifiques à prendre en considération ou en présentant les grandes lignes d'un enjeu social à explorer.
- L'introduction au module donne le titre des chapitres contenus dans ce module.

MODULE 4

À la découverte de l'Univers

Les scientifiques sont des explorateurs. Certains d'entre eux ont voyagé dans des régions auparavant inconnues. Charles Darwin est allé aux îles Galapagos, Robert Ballard a visité le fond de l'océan Atlantique et Jane Goodall s'est rendue dans la forêt tropicale humide d'Afrique. D'autres scientifiques restent à la maison et utilisent des instruments pour faire des découvertes. Pense au biologiste, par exemple : il observe une multitude de créatures minuscules dans une goutte d'eau.

Pour étudier l'Univers, les scientifiques ont recours à ces deux méthodes d'exploration. Pendant des siècles, bien sûr, ils n'avaient pas d'autre choix que de rester à la surface de notre planète, la Terre. Voyager dans l'espace et marcher sur un corps céleste étaient de la pure science-fiction. Grâce aux télescopes, en réfléchissant et en se servant de leur imagination, les astronomes cloués au sol ont observé et appris quantité de choses sur notre système solaire et sur ce qu'il y a au-delà.

Avec le temps, la technologie a permis d'élargir le champ de ces explorations. Ainsi, l'homme a marché sur la Lune et des sondes spatiales sans équipage ont fait le tour de la plupart des planètes de notre système solaire. Certains de ces vaisseaux se dirigent déjà vers l'étoile la plus proche du Soleil. Il faudra 50 000 ans pour l'atteindre. Ces aventuriers commandés à distance ne nous envoient pas de cartes postales mais plutôt des images radio des endroits où ils sont allés. Nous avons suivi leur découverte de nouvelles lunes, de volcans, d'océans d'ammoniac liquide et d'orages dans d'autres mondes.

Dans ce module, tu verras comment les conceptions du système solaire ont changé avec le temps. Tu examineras aussi les découvertes qui ont conduit à nos connaissances actuelles.

426

Contenu du module



427

## INTRODUCTION AU CHAPITRE

- L'introduction au chapitre te présente clairement le contenu de chaque chapitre.
- Les questions de la rubrique *Pour commencer...* te permettent de réfléchir à ce que tu sais déjà (ou ne sais pas) sur les sujets traités dans le chapitre.
- Le *Journal scientifique* te suggère diverses façons de répondre aux questions de la rubrique *Pour commencer...* et te permet de garder un registre de ce que tu apprends, tout comme les scientifiques consignent leurs observations et les résultats de leurs découvertes.
- L'*Activité de départ* ouvre chaque chapitre de diverses manières. Comme les questions de la rubrique *Pour commencer...*, l'*Activité de départ* t'aide à réfléchir à ce que tu sais déjà (ou ne sais pas) sur les principaux sujets du chapitre.
- *Concepts clés, Habiletés clés* et *Mots clés* sont des rubriques qui attirent ton attention sur les grandes idées, les principales habiletés et le vocabulaire que tu devrais maîtriser une fois que tu auras étudié le chapitre.
- Les *paragraphes d'introduction* de chaque chapitre t'invitent à en apprendre davantage sur les sujets présentés et exposent clairement ce que tu apprendras dans le chapitre.

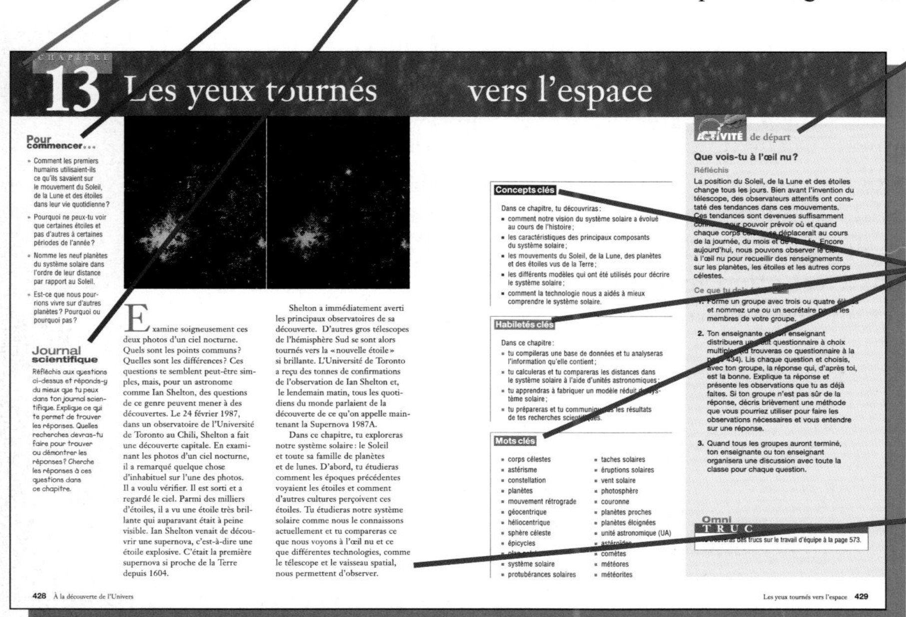

CHAPITRE 13 Les yeux tournés vers l'espace

**Pour commencer...**

- Comment les premiers humains utilisaient-ils ce qu'ils savaient sur le mouvement du Soleil, de la Lune et des étoiles dans leur vie quotidienne ?
- Pourquoi ne peux-tu voir que certaines étoiles et pas d'autres à certaines périodes de l'année ?
- Nomme les neuf planètes du système solaire dans l'ordre de leur distance par rapport au Soleil.
- Est-ce que nous pourrions vivre sur d'autres planètes ? Pourquoi ou pourquoi pas ?

**Journal scientifique**

Réfléchis aux questions ci-dessus et réponds-y du mieux que tu peux dans ton journal scientifique. Explique ce qui te permet de trouver les réponses. Quelles recherches devras-tu faire pour trouver ou démontrer les réponses ? Cherche les réponses à ces questions dans ce chapitre.

Examine soigneusement ces deux photos d'un ciel nocturne. Quels sont les points communs ? Quelles sont les différences ? Ces questions te semblent peut-être simples, mais, pour un astronome comme Ian Shelton, des questions de ce genre peuvent mener à des découvertes. Le 24 février 1987, dans un observatoire de l'Université de Toronto au Chili, Shelton a fait une découverte capitale. En examinant les photos d'un ciel nocturne, il a remarqué quelque chose d'inhabituel sur l'une des photos. Il a voulu vérifier. Il est sorti et a regardé le ciel. Parmi des milliers d'étoiles, il a vu une étoile très brillante qui auparavant était à peine visible. Ian Shelton venait de découvrir une supernova, c'est-à-dire une étoile explosive. C'était la première supernova si proche de la Terre depuis 1604.

Shelton a immédiatement averti les principaux observatoires de sa découverte. D'autres gros télescopes de l'hémisphère Sud se sont alors tournés vers la « nouvelle étoile » si brillante. L'Université de Toronto a reçu des tonnes de confirmations de l'observation de Ian Shelton et, le lendemain matin, tous les quotidiens du monde parlaient de la découverte de ce qu'on appelle maintenant la Supernova 1987A.

Dans ce chapitre, tu exploreras notre système solaire : le Soleil et toute sa famille de planètes et de lunes. D'abord, tu étudieras comment les époques précédentes voyaient les étoiles et comment d'autres cultures perçoivent ces étoiles. Tu étudieras notre système solaire comme nous le connaissons actuellement et tu compareras ce que nous voyons à l'œil nu et ce que différentes technologies, comme le télescope et le vaisseau spatial, nous permettent d'observer.

**Concepts clés**

Dans ce chapitre, tu découvriras :

- comment notre vision du système solaire a évolué au cours de l'histoire ;
- les caractéristiques des principaux composants du système solaire ;
- les mouvements du Soleil, de la Lune, des planètes et des étoiles vus de la Terre ;
- les différents modèles qui ont été utilisés pour décrire le système solaire ;
- comment la technologie nous a aidés à mieux comprendre le système solaire.

**Habiletés clés**

Dans ce chapitre :

- tu compileras une base de données et tu analyseras l'information qu'elle contient ;
- tu calculeras et tu compareras les distances dans le système solaire à l'aide d'unités astronomiques ;
- tu apprendras à fabriquer un modèle réduit [illegible] tème solaire ;
- tu prépareras et tu communiqu[illegible] les résultats de tes recherches scien[illegible].

**Mots clés**

- corps célestes
- astérisme
- constellation
- planètes
- mouvement rétrograde
- géocentrique
- héliocentrique
- sphère céleste
- épicycles
- [illegible]
- système solaire
- protubérances solaires
- taches solaires
- éruptions solaires
- vent solaire
- photosphère
- couronne
- planètes proches
- planètes éloignées
- unité astronomique (UA)
- [illegible]
- comètes
- météores
- météorites

**ACTIVITÉ de départ**

**Que vois-tu à l'œil nu ?**

Réfléchis

La position du Soleil, de la Lune et des étoiles change tous les jours. Bien avant l'invention du télescope, des observateurs attentifs ont constaté des tendances dans ces mouvements. Ces tendances sont devenues suffisamment [illegible] pour pouvoir prévoir où et quand chaque corps [illegible] déplacerait au cours de la journée, du mois et [illegible]. Encore aujourd'hui, nous pouvons observer le [illegible] à l'œil nu pour recueillir des renseignements sur les planètes, les étoiles et les autres corps célestes.

Ce que tu [illegible]

1. [illegible]orme un groupe avec trois ou quatre él[illegible] et nommez une ou un secrétaire [illegible] les membres de votre groupe.
2. Ton enseignante o[illegible] enseignant distribuera u[illegible] questionnaire à choix multiple[illegible] trouveras ce questionnaire à la [illegible]434). Lis chaque question et choisis, avec ton groupe, la réponse qui, d'après toi, est la bonne. Explique ta réponse et présente les observations que tu as déjà faites. Si ton groupe n'est pas sûr de la réponse, décris brièvement une méthode que vous pourriez utiliser pour faire les observations nécessaires et vous entendre sur une réponse.
3. Quand tous les groupes auront terminé, ton enseignante ou ton enseignant organisera une discussion avec toute la classe pour chaque question.

**Omni TRUC**

[illegible] trouveras des trucs sur le travail d'équipe à la page 573.

428 À la découverte de l'Univers

Les yeux tournés vers l'espace 429

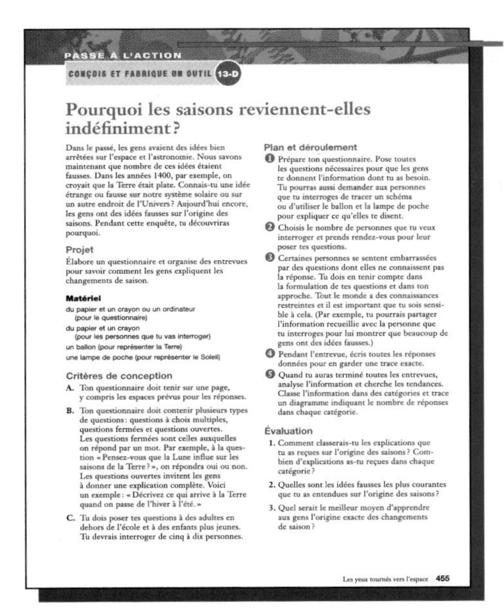

PASSE À L'ACTION

CONÇOIS ET FABRIQUE UN OUTIL 13-D

## Pourquoi les saisons reviennent-elles indéfiniment ?

Dans le passé, les gens avaient des idées bien arrêtées sur l'espace et l'astronomie. Nous savons maintenant que nombre de ces idées étaient fausses. Dans les années 1400, par exemple, on croyait que la Terre était plate. Connais-tu une idée étrange ou fausse sur notre système solaire ou sur un autre endroit de l'Univers ? Aujourd'hui encore, les gens ont des idées fausses sur l'origine des saisons. Pendant cette enquête, tu découvriras pourquoi.

**Projet**

Élabore un questionnaire et organise des entrevues pour savoir comment les gens expliquent les changements de saison.

**Matériel**

du papier et un crayon ou un ordinateur (pour le questionnaire)
du papier et un crayon (pour les personnes que tu vas interroger)
un ballon (pour représenter la Terre)
une lampe de poche (pour représenter le Soleil)

**Critères de conception**

A. Ton questionnaire doit tenir sur une page, y compris les espaces prévus pour les réponses.

B. Ton questionnaire doit contenir plusieurs types de questions : questions à choix multiples, questions fermées et questions ouvertes. Les questions fermées sont celles auxquelles on répond par un mot. Par exemple, à la question « Pensez-vous que la Lune influe sur les saisons de la Terre ? », on répondra oui ou non. Les questions ouvertes invitent les gens à donner une explication complète. Voici un exemple : « Décrivez ce qui arrive à la Terre quand on passe de l'hiver à l'été. »

C. Tu dois poser tes questions à des adultes en dehors de l'école et à des enfants plus jeunes. Tu devrais interroger de cinq à dix personnes.

**Plan et déroulement**

1. Prépare ton questionnaire. Pose toutes les questions nécessaires pour que les gens te donnent l'information dont tu as besoin. Tu pourras aussi demander aux personnes que tu interroges de tracer un schéma ou d'utiliser le ballon et la lampe de poche pour expliquer ce qu'elles te disent.
2. Choisis le nombre de personnes que tu veux interroger et prends rendez-vous pour leur poser tes questions.
3. Certaines personnes se sentent embarrassées par des questions dont elles ne connaissent pas la réponse. Tu dois en tenir compte dans la formulation de tes questions et dans ton approche. Tout le monde a des connaissances restreintes et il est important que tu sois sensible à cela. (Par exemple, tu pourrais partager l'information recueillie avec la personne que tu interroges pour lui montrer que beaucoup de gens ont des idées fausses.)
4. Pendant l'entrevue, écris toutes les réponses données pour en garder une trace exacte.
5. Quand tu auras terminé toutes les entrevues, analyse l'information et cherche les tendances. Classe l'information dans des catégories et trace un diagramme indiquant le nombre de réponses dans chaque catégorie.

**Évaluation**

1. Comment classerais-tu les explications que tu as reçues sur l'origine des saisons ? Combien d'explications as-tu reçues dans chaque catégorie ?
2. Quelles sont les idées fausses les plus courantes que tu as entendues sur l'origine des saisons ?
3. Quel serait le meilleur moyen d'apprendre aux gens l'origine exacte des changements de saison ?

Les yeux tournés vers l'espace 455

# PASSE À L'ACTION : CONÇOIS ET FABRIQUE UN OUTIL

Ces activités pratiques t'invitent à concevoir et à construire tes propres modèles, systèmes ou produits.

- L'icône du travail en groupe indique que tu feras ces expériences en équipe.
- Les critères de conception te fournissent un barème d'évaluation de tes résultats.
- Tes coéquipiers et toi devez ensuite concevoir et construire seuls l'outil, le système ou le produit.

## Activité de liaison

- Propose une courte activité d'exploration à réaliser en dehors de la classe.
- Activités ne nécessitant que peu d'équipement.

1000 avant J.-C., les Babyloniens prédisaient assez précisément les éclipses lunaires.

Les peuples de différentes cultures ont leurs propres mythes et leurs propres fables sur la formation des corps célestes. Par exemple, un mythe hindou raconte l'aventure de sept sages mariés à sept sœurs. Ils ont vécu tous ensemble pendant un certain temps dans le ciel du Nord. Six des femmes ont toutefois quitté leur mari et sont allées vivre dans une autre partie du ciel. Elles sont devenues les Pléiades, exemple d'un **astérisme** (un groupe d'étoiles formant un motif distinctif) Les sept maris sont devenus les sept étoiles de la Grande Ourse. La femme restée avec son mari est devenue l'étoile que nous appelons aujourd'hui Alcor. Elle demeure près de Mizar, dans la queue de la Grande Ourse.

Les Algonquins, les Iroquois et les Narragansett, représentent la **constellation** Ursa Major comme un ours qui fuit continuellement devant des chasseurs. Selon certains mythes, l'ours est assez bas pour se frotter aux érables pendant les soirées du début de l'automne, et c'est le sang de ses blessures qui colore les feuilles en rouge. Selon une légende des Snohomish, trois chasseurs et les quatre orignaux qu'ils poursuivaient sont devenus les sept étoiles de la Grande Ourse. L'un des chasseurs est accompagné d'un chien, que tu peux voir si tu regardes attentivement l'étoile au milieu de la queue de la Grande Ours.

ACTIVITÉ de liaison

**Les structures astronomiques**

La connaissance de l'astronomie était souvent liée à la religion. L'astronomie et la religion étaient des aspects très importants de la vie de nos ancêtres. D'ailleurs, les structures religieuses reposaient souvent sur des aspects de l'astronomie.

Ce que tu dois faire

Fais des recherches sur les anciennes connaissances en astronomie dans l'un ou plusieurs des pays suivants : Mexique et Guatemala, Chine, Égypte, Turquie, Perse (maintenant l'Iran), Angleterre et Grèce. Explique comment ces connaissances sont devenues une caractéristique de certaines structures importantes.

Qu'as-tu découvert ?

Résume tes résultats par écrit et fais un croquis ou ajoute une photo de chaque structure que tu as étudiée. Présente le résultat de tes recherches à la classe.

LIEN terminologique

Le ciel se divise en 88 régions. Chaque région correspond à une constellation. Par conséquent, il y a 88 constellations officielles, reconnues par l'Union astronomique internationale. « Astérisme » est un mot moins utilisé qui fait référence aux nombreux groupes d'étoiles qui ne sont pas reconnus officiellement. L'astérisme le plus connu se trouve dans l'hémisphère Nord. Il s'agit de la Grande Ourse, qui se trouve dans la région de la constellation Ursa Major. Trouve l'origine des mots « constellation » et « astérisme ».

Ursa Major

**Vérifie ce que tu as compris**

1. Comment la connaissance de l'astronomie aidait-elle nos ancêtres à planifier les activités de leur vie quotidienne ?
2. Que signifie l'expression « corps céleste » ?
3. **Réflexion critique** Quel pouvait être l'effet d'une éclipse totale du Soleil sur nos ancêtres ?
4. **Réflexion critique** Pourquoi différentes cultures ont-elles différents mythes pour expliquer ce que les gens voyaient dans le ciel ?

Les yeux tournés vers l'espace 431

## Lien terminologique

- L'origine des mots et une variété d'activités sur la langue permettent de faire des liens avec les arts du langage.

# PASSE À L'ACTION : RÉALISE UNE EXPÉRIENCE

- Des activités de laboratoire formelles de une à quatre pages qui te donnent l'occasion d'acquérir des habiletés en expérimentation grâce à l'utilisation d'équipement et de matériel divers.
- Ces expériences te donnent la chance de poser des questions sur les concepts scientifiques, de faire des observations et d'obtenir des résultats.
- Tu analyses ensuite tes résultats pour déterminer ce qu'ils te révèlent sur le sujet que tu étudiais.
- Les consignes de sécurité attirent ton attention sur les précautions que tu dois prendre pour faire en sorte que la classe soit un environnement sûr.

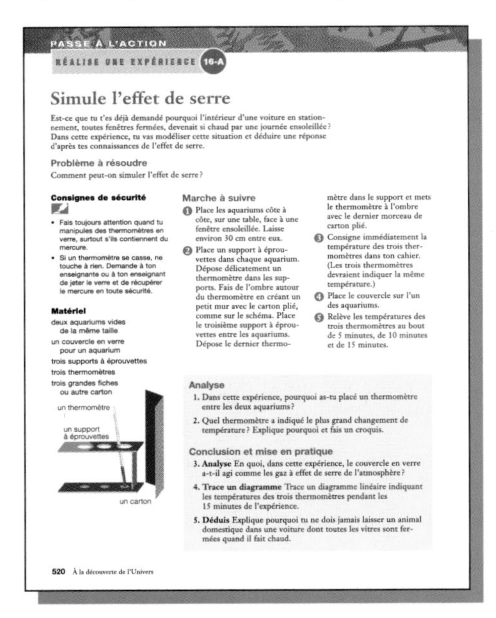

PASSE À L'ACTION

RÉALISE UNE EXPÉRIENCE 16-A

## Simule l'effet de serre

Est-ce que tu t'es déjà demandé pourquoi l'intérieur d'une voiture en stationnement, toutes fenêtres fermées, devenait si chaud par une journée ensoleillée ? Dans cette expérience, tu vas modéliser cette situation et déduire une réponse d'après tes connaissances de l'effet de serre.

**Problème à résoudre**

Comment peut-on simuler l'effet de serre ?

**Consignes de sécurité**

- Fais toujours attention quand tu manipules des thermomètres en verre, surtout s'ils contiennent du mercure.
- Si un thermomètre se casse, ne touche à rien. Demande à ton enseignante ou à ton enseignant de jeter le verre et de récupérer le mercure en toute sécurité.

**Matériel**

deux aquariums vides de la même taille
un couvercle en verre pour un aquarium
trois supports à éprouvettes
trois thermomètres
trois grandes fiches ou autre carton



**Marche à suivre**

1. Place les aquariums côte à côte, sur une table, face à une fenêtre ensoleillée. Laisse environ 30 cm entre eux.
2. Place un support à éprouvettes dans chaque aquarium. Dépose délicatement un thermomètre dans les supports. Fais de l'ombre autour du thermomètre en créant un petit mur avec le carton plié, comme sur le schéma. Place le troisième support à éprouvettes entre les aquariums. Dépose le dernier thermomètre dans le support et mets le thermomètre à l'ombre avec le dernier morceau de carton plié.
3. Consigne immédiatement la température des trois thermomètres dans ton cahier. (Les trois thermomètres devraient indiquer la même température.)
4. Place le couvercle sur l'un des aquariums.
5. Relève les températures des trois thermomètres au bout de 5 minutes, de 10 minutes et de 15 minutes.

**Analyse**

1. Dans cette expérience, pourquoi as-tu placé un thermomètre entre les deux aquariums ?
2. Quel thermomètre a indiqué le plus grand changement de température ? Explique pourquoi et fais un croquis.

**Conclusion et mise en pratique**

3. **Analyse** En quoi, dans cette expérience, le couvercle en verre a-t-il agi comme les gaz à effet de serre de l'atmosphère ?
4. **Trace un diagramme** Trace un diagramme linéaire indiquant les températures des trois thermomètres pendant les 15 minutes de l'expérience.
5. **Déduis** Explique pourquoi tu ne dois jamais laisser un animal domestique dans une voiture dont toutes les vitres sont fermées quand il fait chaud.

520 À la découverte de l'Univers

## Le croirais-tu ?

- Cette rubrique présente une série de situations étranges ou de faits bizarres.
- Elle te propose aussi des idées sur la façon d'intégrer les sciences aux autres matières du programme.

# ACTIVITÉ DE RECHERCHE

- Cette courte activité d'exploration te donne l'occasion de développer tes habiletés en recherche scientifique : faire des prédictions, estimer, formuler des hypothèses, etc.

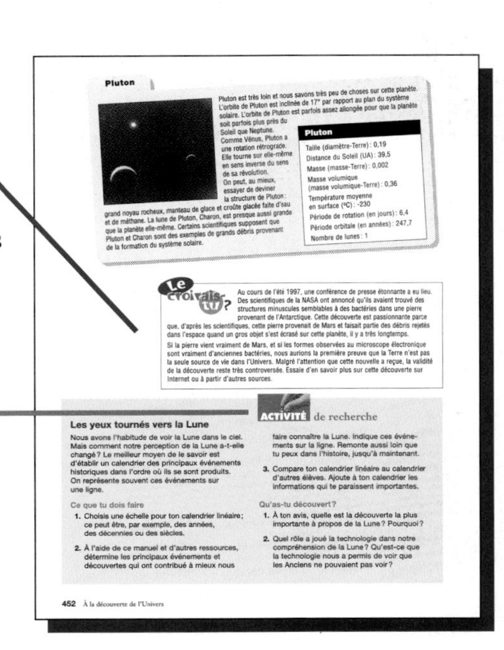

**Pluton**

Pluton est très loin et nous savons très peu de choses sur cette planète. L'orbite de Pluton est inclinée de 17° par rapport au plan du système solaire. L'orbite de Pluton est parfois assez allongée pour que la planète soit parfois plus près du Soleil que Neptune. Comme Vénus, Pluton a une rotation rétrograde. Elle tourne sur elle-même en sens inverse du sens de sa révolution. On peut, au mieux, essayer de deviner la structure de Pluton : grand noyau rocheux, manteau de glace et croûte glacée faite d'eau et de méthane. La lune de Pluton, Charon, est presque aussi grande que la planète elle-même. Certains scientifiques supposent que Pluton et Charon sont des exemples de grands débris provenant de la formation du système solaire.

| Pluton |
| --- |
| Taille (diamètre-Terre) : 0,19 |
| Distance du Soleil (UA) : 39,5 |
| Masse (masse-Terre) : 0,002 |
| Masse volumique (masse volumique-Terre) : 0,36 |
| Température moyenne en surface (°C) : -230 |
| Période de rotation (en jours) : 6,4 |
| Période orbitale (en années) : 247,7 |
| Nombre de lunes : 1 |

Le croirais-tu ?

Au cours de l'été 1997, une conférence de presse étonnante a eu lieu. Des scientifiques de la NASA ont annoncé qu'ils avaient trouvé des structures minuscules semblables à des bactéries dans une pierre provenant de l'Antarctique. Cette découverte est passionnante parce que, d'après les scientifiques, cette pierre provenait de Mars et faisait partie des débris rejetés dans l'espace quand un gros objet s'est écrasé sur cette planète, il y a très longtemps.

Si la pierre vient vraiment de Mars, et si les formes observées au microscope électronique sont vraiment d'anciennes bactéries, nous aurions la première preuve que la Terre n'est pas la seule source de vie dans l'Univers. Malgré l'attention que cette nouvelle a reçue, la validité de la découverte reste très controversée. Essaie d'en savoir plus sur cette découverte sur Internet ou à partir d'autres sources.

ACTIVITÉ de recherche

**Les yeux tournés vers la Lune**

Nous avons l'habitude de voir la Lune dans le ciel. Mais comment notre perception de la Lune a-t-elle changé ? Le meilleur moyen de le savoir est d'établir un calendrier des principaux événements historiques dans l'ordre où ils se sont produits. On représente souvent ces événements sur une ligne.

Ce que tu dois faire

1. Choisis une échelle pour ton calendrier linéaire ; ce peut être, par exemple, des années, des décennies ou des siècles.
2. À l'aide de ce manuel et d'autres ressources, détermine les principaux événements et découvertes qui ont contribué à mieux nous faire connaître la Lune. Indique ces événements sur la ligne. Remonte aussi loin que tu peux dans l'histoire, jusqu'à maintenant.
3. Compare ton calendrier linéaire au calendrier d'autres élèves. Ajoute à ton calendrier les informations qui te paraissent importantes.

Qu'as-tu découvert ?

1. À ton avis, quelle est la découverte la plus importante à propos de la Lune ? Pourquoi ?
2. Quel rôle a joué la technologie dans notre compréhension de la Lune ? Qu'est-ce que la technologie nous a permis de voir que les Anciens ne pouvaient pas voir ?

452 À la découverte de l'Univers

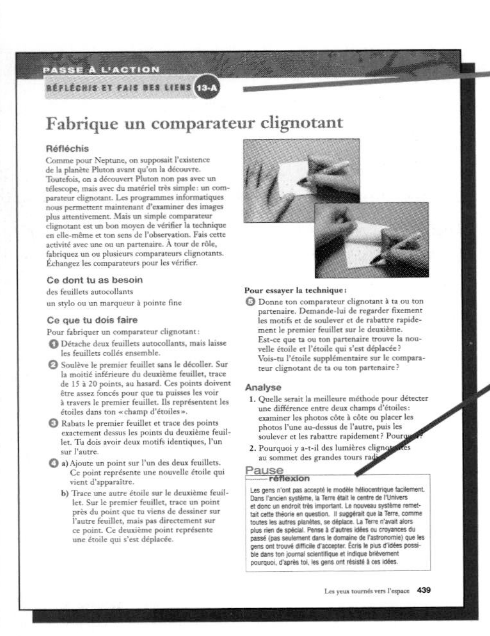
PASSE À L'ACTION

RÉFLÉCHIS ET FAIS DES LIENS 13-A

Fabrique un comparateur clignotant

Réfléchis

Comme pour Neptune, on supposait l'existence de la planète Pluton avant qu'on la découvre. Toutefois, on a découvert Pluton non pas avec un télescope, mais avec du matériel très simple : un comparateur clignotant. Les programmes informatiques nous permettent maintenant d'examiner des images plus attentivement. Mais un simple comparateur clignotant est un bon moyen de vérifier la technique en elle-même et ton sens de l'observation. Fais cette activité avec une ou un partenaire. À tour de rôle, fabriquez un ou plusieurs comparateurs clignotants. Échangez les comparateurs pour les vérifier.

Ce dont tu as besoin

des feuillets autocollants

un stylo ou un marqueur à pointe fine

Ce que tu dois faire

Pour fabriquer un comparateur clignotant :

1. Détache deux feuillets autocollants, mais laisse les feuillets collés ensemble.
2. Soulève le premier feuillet sans le décoller. Sur la moitié inférieure du deuxième feuillet, trace de 15 à 20 points, au hasard. Ces points doivent être assez foncés pour que tu puisses les voir à travers le premier feuillet. Ils représentent les étoiles dans ton « champ d'étoiles ».
3. Rabats le premier feuillet et trace des points exactement dessus les points du deuxième feuillet. Tu dois avoir deux motifs identiques, l'un sur l'autre.
4. a) Ajoute un point sur l'un des deux feuillets. Ce point représente une nouvelle étoile qui vient d'apparaître.
   b) Trace une autre étoile sur le deuxième feuillet. Sur le premier feuillet, trace un point près du point que tu viens de dessiner sur l'autre feuillet, mais pas directement sur ce point. Ce deuxième point représente une étoile qui s'est déplacée.

Pour essayer la technique :

5. Donne ton comparateur clignotant à ta ou ton partenaire. Demande-lui de regarder fixement les motifs et de soulever et de rabattre rapidement le premier feuillet sur le deuxième. Est-ce que ta ou ton partenaire trouve la nouvelle étoile et l'étoile qui s'est déplacée ? Vois-tu l'étoile supplémentaire sur le comparateur clignotant de ta ou ton partenaire ?

Analyse

1. Quelle serait la meilleure méthode pour détecter une différence entre deux champs d'étoiles : examiner les photos côte à côte ou placer les photos l'une au-dessus de l'autre, puis les soulever et les rabattre rapidement ? Pourquoi ?
2. Pourquoi y a-t-il des lumières clignotantes au sommet des grandes tours radio ?

Pause réflexion

Les gens n'ont pas accepté le modèle héliocentrique facilement. Dans l'ancien système, la Terre était le centre de l'Univers et donc un endroit très important. Le nouveau système remettait cette théorie en question. Il suggérait que la Terre, comme toutes les autres planètes, se déplace. La Terre n'avait alors plus rien de spécial. Pense à d'autres idées ou croyances du passé (pas seulement dans le domaine de l'astronomie) que les gens ont trouvé difficile d'accepter. Écris le plus d'idées possible dans ton journal scientifique et indique brièvement pourquoi, d'après toi, les gens ont résisté à ces idées.

Les yeux tournés vers l'espace 439

## PASSE À L'ACTION : RÉFLÉCHIS ET FAIS DES LIENS

- Ces expériences « théoriques » de une ou de deux pages te permettent d'étudier des concepts ou des idées qu'il serait difficile ou même dangereux d'expérimenter en laboratoire.
- Elles mettent l'accent sur une variété d'habiletés comme l'analyse de données, l'analyse d'un diagramme ou d'une chaîne d'événements et la formulation d'idées, d'opinions et de recommandations fondées sur l'analyse d'une étude de cas.

## Pause réflexion

- Cette rubrique te fournit des occasions de réfléchir à ce que tu sais ou ne sais pas, et de faire des liens entre les différentes idées présentées dans le texte.
- Comme elle revient souvent, cette rubrique t'encourage à apprendre continuellement de nouvelles choses par toi-même et t'aide à mieux comprendre comment le savoir se construit.

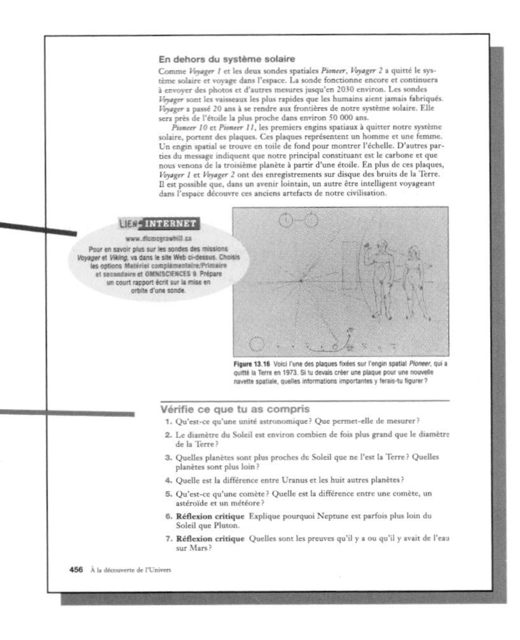
En dehors du système solaire

Comme *Voyager 1* et les deux sondes spatiales *Pioneer*, *Voyager 2* a quitté le système solaire et voyage dans l'espace. La sonde fonctionne encore et continuera à envoyer des photos et d'autres mesures jusqu'en 2030 environ. Les sondes *Voyager* sont les vaisseaux les plus rapides que les humains aient jamais fabriqués. *Voyager* a passé 20 ans à se rendre aux frontières de notre système solaire. Elle sera près de l'étoile la plus proche dans environ 50 000 ans.

*Pioneer 10* et *Pioneer 11*, les premiers engins spatiaux à quitter notre système solaire, portent des plaques. Ces plaques représentent un homme et une femme. Un engin spatial se trouve en toile de fond pour montrer l'échelle. D'autres parties du message indiquent que notre principal constituant est le carbone et que nous venons de la troisième planète à partir d'une étoile. En plus de ces plaques, *Voyager 1* et *Voyager 2* ont des enregistrements sur disque des bruits de la Terre. Il est possible que, dans un avenir lointain, un autre être intelligent voyageant dans l'espace découvre ces anciens artefacts de notre civilisation.

LIEN INTERNET

www.dlcmcgrawhill.ca

Pour en savoir plus sur les sondes des missions *Voyager* et *Viking*, va dans le site Web ci-dessus. Choisis les options Matériel complémentaire/Primaire et secondaire et OMNISCIENCES 9. Prépare un court rapport écrit sur la mise en orbite d'une sonde.

Figure 13.16 Voici l'une des plaques fixées sur l'engin spatial *Pioneer*, qui a quitté la Terre en 1973. Si tu devais créer une plaque pour une nouvelle navette spatiale, quelles informations importantes y ferais-tu figurer ?

Vérifie ce que tu as compris

1. Qu'est-ce qu'une unité astronomique ? Que permet-elle de mesurer ?
2. Le diamètre du Soleil est environ combien de fois plus grand que le diamètre de la Terre ?
3. Quelles planètes sont plus proches du Soleil que ne l'est la Terre ? Quelles planètes sont plus loin ?
4. Quelle est la différence entre Uranus et les huit autres planètes ?
5. Qu'est-ce qu'une comète ? Quelle est la différence entre une comète, un astéroïde et un météore ?
6. **Réflexion critique** Explique pourquoi Neptune est parfois plus loin du Soleil que Pluton.
7. **Réflexion critique** Quelles sont les preuves qu'il y a ou qu'il y avait de l'eau sur Mars ?

456 À la découverte de l'Univers

## Lien Internet

- Cette rubrique t'encourage à faire une utilisation productive d'Internet en te proposant des sites au contenu approprié.
- Elle t'indique des sites Web qui te feront économiser du temps dans tes recherches.

## VÉRIFIE CE QUE TU AS COMPRIS

- Une série de questions de révision apparaît à la fin de chaque section numérotée.
- Tu peux t'autoévaluer constamment à l'aide de ces questions.
- Si tu recherches les défis, les questions des rubriques *Mise en pratique* et *Réflexion critique* sont pour toi.

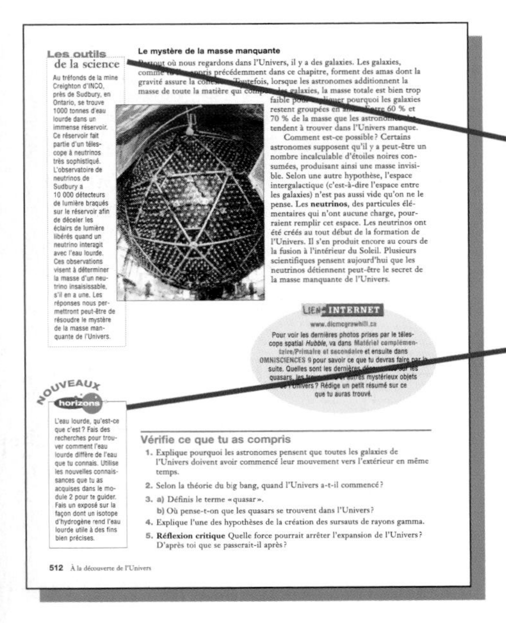
Les outils de la science

Au tréfonds de la mine Creighton d'INCO, près de Sudbury, en Ontario, se trouve 1000 tonnes d'eau lourde dans un immense réservoir. Ce réservoir fait partie d'un télescope à neutrinos très sophistiqué. L'observatoire de neutrinos de Sudbury a 10 000 détecteurs de lumière braqués sur le réservoir afin de déceler les éclairs de lumière libérés quand un neutrino interagit avec l'eau lourde. Ces observations visent à déterminer la masse d'un neutrino insaisissable, s'il en a une. Les réponses nous permettront peut-être de résoudre le mystère de la masse manquante de l'Univers.

Le mystère de la masse manquante

Partout où nous regardons dans l'Univers, il y a des galaxies. Les galaxies, comme tu l'as appris précédemment dans ce chapitre, forment des amas dont la gravité assure la cohésion. Toutefois, lorsque les astronomes additionnent la masse de toute la matière qui compose ces galaxies, la masse totale est bien trop faible pour expliquer pourquoi les galaxies restent groupées en [illegible] 60 % et 70 % de la masse que les astronomes s'attendent à trouver dans l'Univers manque. Comment est-ce possible ? Certains astronomes supposent qu'il y a peut-être un nombre incalculable d'étoiles noires consumées, produisant ainsi une masse invisible. Selon une autre hypothèse, l'espace intergalactique (c'est-à-dire l'espace entre les galaxies) n'est pas aussi vide qu'on ne le pense. Les **neutrinos**, des particules élémentaires qui n'ont aucune charge, pourraient remplir cet espace. Les neutrinos ont été créés au tout début de la formation de l'Univers. Il s'en produit encore au cours de la fusion à l'intérieur du Soleil. Plusieurs scientifiques pensent aujourd'hui que les neutrinos détiennent peut-être le secret de la masse manquante de l'Univers.

LIEN INTERNET

www.dlcmcgrawhill.ca

Pour voir les dernières photos prises par le télescope spatial *Hubble*, va dans Matériel complémentaire/Primaire et secondaire et ensuite dans OMNISCIENCES 9 pour savoir ce que tu devrais faire par la suite. Quelles sont les dernières [illegible] sur les quasars, les [illegible] et autres mystérieux objets de l'Univers ? Rédige un petit résumé sur ce que tu auras trouvé.

NOUVEAUX horizons

L'eau lourde, qu'est-ce que c'est ? Fais des recherches pour trouver comment l'eau lourde diffère de l'eau que tu connais. Utilise les nouvelles connaissances que tu as acquises dans le module 2 pour te guider. Fais un exposé sur la façon dont un isotope d'hydrogène rend l'eau lourde utile à des fins bien précises.

Vérifie ce que tu as compris

1. Explique pourquoi les astronomes pensent que toutes les galaxies de l'Univers doivent avoir commencé leur mouvement vers l'extérieur en même temps.
2. Selon la théorie du big bang, quand l'Univers a-t-il commencé ?
3. a) Définis le terme « quasar ».
   b) Où pense-t-on que les quasars se trouvent dans l'Univers ?
4. Explique l'une des hypothèses de la création des sursauts de rayons gamma.
5. **Réflexion critique** Quelle force pourrait arrêter l'expansion de l'Univers ? D'après toi que se passerait-il après ?

512 À la découverte de l'Univers

## Les outils de la science

- Cette rubrique présente de l'information sur l'équipement et les instruments qui aident les humains à explorer l'inconnu.
- Cette information se rapporte souvent à une variété d'occupations et de situations.

## Nouveaux horizons

- Cette rubrique propose des problèmes qui font appel à tes connaissances en mathématiques, tes habiletés en résolution de problèmes et ton imagination.

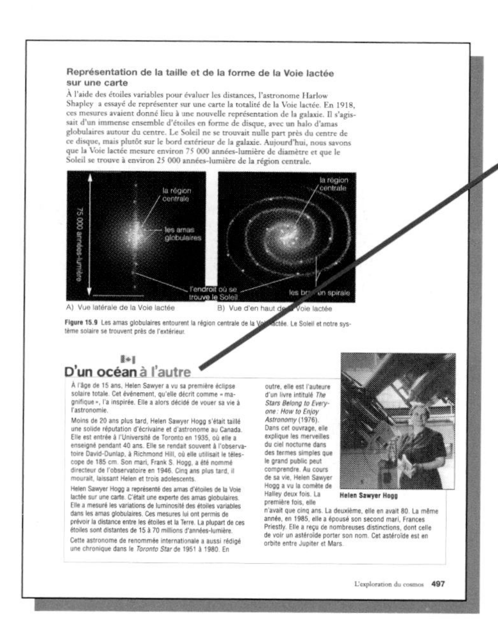

**Représentation de la taille et de la forme de la Voie lactée sur une carte**

À l'aide des étoiles variables pour évaluer les distances, l'astronome Harlow Shapley a essayé de représenter sur une carte la totalité de la Voie lactée. En 1918, ces mesures avaient donné lieu à une nouvelle représentation de la galaxie. Il s'agissait d'un immense ensemble d'étoiles en forme de disque, avec un halo d'amas globulaires autour du centre. Le Soleil ne se trouvait nulle part près du centre de ce disque, mais plutôt sur le bord extérieur de la galaxie. Aujourd'hui, nous savons que la Voie lactée mesure environ 75 000 années-lumière de diamètre et que le Soleil se trouve à environ 25 000 années-lumière de la région centrale.

75 000 années-lumière
la région centrale
les amas globulaires
l'endroit où se trouve le Soleil
les bras en spirale

A) Vue latérale de la Voie lactée
B) Vue d'en haut de la Voie lactée

**Figure 15.9** Les amas globulaires entourent la région centrale de la Voie lactée. Le Soleil et notre système solaire se trouvent près de l'extérieur.

**D'un océan à l'autre**

À l'âge de 15 ans, Helen Sawyer a vu sa première éclipse solaire totale. Cet événement, qu'elle décrit comme « magnifique », l'a inspirée. Elle a alors décidé de vouer sa vie à l'astronomie.

Moins de 20 ans plus tard, Helen Sawyer Hogg s'était taillé une solide réputation d'écrivaine et d'astronome au Canada. Elle est entrée à l'Université de Toronto en 1935, où elle a enseigné pendant 40 ans. Elle se rendait souvent à l'observatoire David-Dunlap, à Richmond Hill, où elle utilisait le télescope de 185 cm. Son mari, Frank S. Hogg, a été nommé directeur de l'observatoire en 1946. Cinq ans plus tard, il mourait, laissant Helen et trois adolescents.

Helen Sawyer Hogg a représenté des amas d'étoiles de la Voie lactée sur une carte. C'était une experte des amas globulaires. Elle a mesuré les variations de luminosité des étoiles variables dans les amas globulaires. Ces mesures lui ont permis de prévoir la distance entre les étoiles et la Terre. La plupart de ces étoiles sont distantes de 15 à 70 millions d'années-lumière.

Cette astronome de renommée internationale a aussi rédigé une chronique dans le *Toronto Star* de 1951 à 1980. En outre, elle est l'auteure d'un livre intitulé *The Stars Belong to Everyone: How to Enjoy Astronomy* (1976). Dans cet ouvrage, elle explique les merveilles du ciel nocturne dans des termes simples que le grand public peut comprendre. Au cours de sa vie, Helen Sawyer Hogg a vu la comète de Halley deux fois. La première fois, elle n'avait que cinq ans. La deuxième, elle en avait 80. La même année, en 1985, elle a épousé son second mari, Frances Priestly. Elle a reçu de nombreuses distinctions, dont celle de voir un astéroïde porter son nom. Cet astéroïde est en orbite entre Jupiter et Mars.

**Helen Sawyer Hogg**

L'exploration du cosmos 497

## D'un océan à l'autre

- Ces « mini-essais » présentent des notices biographiques sur des scientifiques canadiennes et canadiens qui font des recherches et des découvertes importantes.
- Cette rubrique vise à mieux faire connaître le travail des scientifiques canadiennes et canadiens. Les divers essais constituent aussi des modèles pour les élèves intéressés à faire une carrière scientifique ou des études plus poussées dans le domaine des sciences.

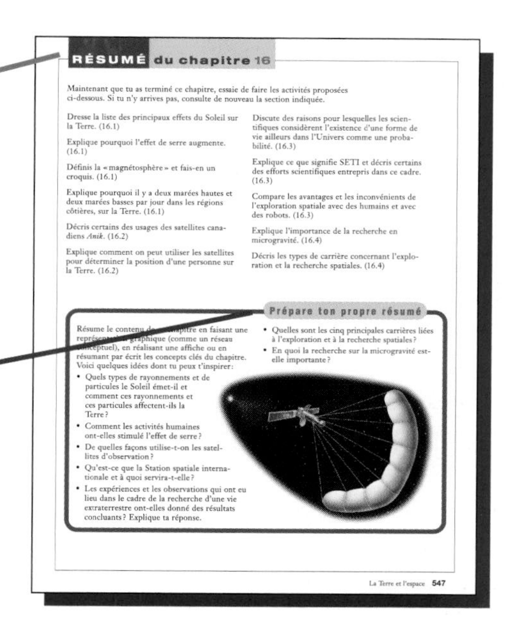

**RÉSUMÉ du chapitre 16**

Maintenant que tu as terminé ce chapitre, essaie de faire les activités proposées ci-dessous. Si tu n'y arrives pas, consulte de nouveau la section indiquée.

Dresse la liste des principaux effets du Soleil sur la Terre. (16.1)

Explique pourquoi l'effet de serre augmente. (16.1)

Définis la « magnétosphère » et fais-en un croquis. (16.1)

Explique pourquoi il y a deux marées hautes et deux marées basses par jour dans les régions côtières, sur la Terre. (16.1)

Décris certains des usages des satellites canadiens *Anik*. (16.2)

Explique comment on peut utiliser les satellites pour déterminer la position d'une personne sur la Terre. (16.2)

Discute des raisons pour lesquelles les scientifiques considèrent l'existence d'une forme de vie ailleurs dans l'Univers comme une probabilité. (16.3)

Explique ce que signifie SETI et décris certains des efforts scientifiques entrepris dans ce cadre. (16.3)

Compare les avantages et les inconvénients de l'exploration spatiale avec des humains et avec des robots. (16.3)

Explique l'importance de la recherche en microgravité. (16.4)

Décris les types de carrière concernant l'exploration et la recherche spatiales. (16.4)

**Prépare ton propre résumé**

Résume le contenu de ce chapitre en faisant une représentation graphique (comme un réseau conceptuel), en réalisant une affiche ou en résumant par écrit les concepts clés du chapitre. Voici quelques idées dont tu peux t'inspirer:

- Quels types de rayonnements et de particules le Soleil émet-il et comment ces rayonnements et ces particules affectent-ils la Terre ?
- Comment les activités humaines ont-elles stimulé l'effet de serre ?
- De quelles façons utilise-t-on les satellites d'observation ?
- Qu'est-ce que la Station spatiale internationale et à quoi servira-t-elle ?
- Les expériences et les observations qui ont eu lieu dans le cadre de la recherche d'une vie extraterrestre ont-elles donné des résultats concluants ? Explique ta réponse.
- Quelles sont les cinq principales carrières liées à l'exploration et à la recherche spatiales ?
- En quoi la recherche sur la microgravité est-elle importante ?

La Terre et l'espace 547

## RÉSUMÉ DU CHAPITRE

- Placée à la fin de chaque chapitre, cette rubrique te donne l'occasion de t'autoévaluer et de réviser la matière du chapitre.
- Elle donne aussi aux parents et aux tutrices et tuteurs une idée de ce que les élèves apprennent.

## Prépare ton propre résumé

- *Prépare ton propre résumé* t'encourage à résumer tes connaissances de différentes façons : schémas, chaînes d'événements, réseaux conceptuels, dessins, rédactions.

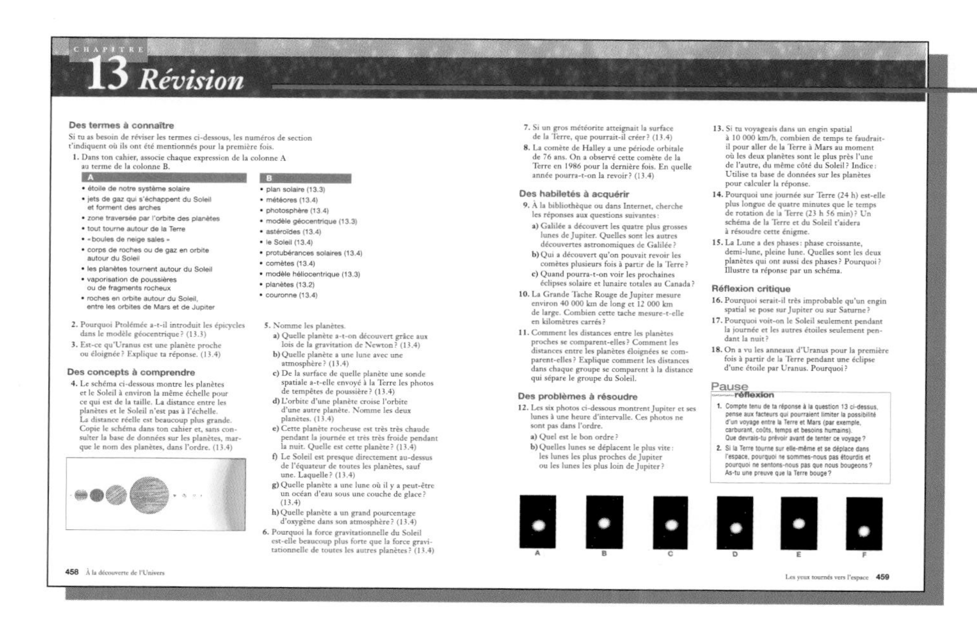

CHAPITRE 13 *Révision*

**Des termes à connaître**

Si tu as besoin de réviser les termes ci-dessous, les numéros de section t'indiquent où ils ont été mentionnés pour la première fois.

1. Dans ton cahier, associe chaque expression de la colonne A au terme de la colonne B.

| A | B |
|---|---|
| étoile de notre système solaire | plan solaire (13.3) |
| jets de gaz qui s'échappent du Soleil et forment des arches | météores (13.4) |
| zone traversée par l'orbite des planètes | photosphère (13.4) |
| tout tourne autour de la Terre | modèle géocentrique (13.3) |
| « boules de neige sales » | astéroïdes (13.4) |
| corps de roches ou de gaz en orbite autour du Soleil | le Soleil (13.4) |
| les planètes tournent autour du Soleil | protubérances solaires (13.4) |
| vaporisation de poussières ou de fragments rocheux | comètes (13.4) |
| roches en orbite autour du Soleil, entre les orbites de Mars et de Jupiter | modèle héliocentrique (13.3) |
| | planètes (13.2) |
| | couronne (13.4) |

2. Pourquoi Ptolémée a-t-il introduit les épicycles dans le modèle géocentrique ? (13.3)
3. Est-ce qu'Uranus est une planète proche ou éloignée ? Explique ta réponse. (13.4)

**Des concepts à comprendre**

4. Le schéma ci-dessous montre les planètes et le Soleil à environ la même échelle pour ce qui est de la taille. La distance entre les planètes et le Soleil n'est pas à l'échelle. La distance réelle est beaucoup plus grande. Copie le schéma dans ton cahier et, sans consulter la base de données sur les planètes, marque le nom des planètes, dans l'ordre. (13.4)
5. Nomme les planètes.
   a) Quelle planète a-t-on découvert grâce aux lois de la gravitation de Newton ? (13.4)
   b) Quelle planète a une lune avec une atmosphère ? (13.4)
   c) De la surface de quelle planète une sonde spatiale a-t-elle envoyé à la Terre les photos de tempêtes de poussière ? (13.4)
   d) L'orbite d'une planète croise l'orbite d'une autre planète. Nomme les deux planètes. (13.4)
   e) Cette planète rocheuse est très très chaude pendant la journée et très très froide pendant la nuit. Quelle est cette planète ? (13.4)
   f) Le Soleil est presque directement au-dessus de l'équateur de toutes les planètes, sauf une. Laquelle ? (13.4)
   g) Quelle planète a une lune où il y a peut-être un océan d'eau sous une couche de glace ? (13.4)
   h) Quelle planète a un grand pourcentage d'oxygène dans son atmosphère ? (13.4)
6. Pourquoi la force gravitationnelle du Soleil est-elle beaucoup plus forte que la force gravitationnelle de toutes les autres planètes ? (13.4)
7. Si un gros météorite atteignait la surface de la Terre, que pourrait-il créer ? (13.4)
8. La comète de Halley a une période orbitale de 76 ans. On a observé cette comète de la Terre en 1986 pour la dernière fois. En quelle année pourra-t-on la revoir ? (13.4)

**Des habiletés à acquérir**

9. À la bibliothèque ou dans Internet, cherche les réponses aux questions suivantes :
   a) Galilée a découvert les quatre plus grosses lunes de Jupiter. Quelles sont les autres découvertes astronomiques de Galilée ?
   b) Qui a découvert qu'on pouvait revoir les comètes plusieurs fois à partir de la Terre ?
   c) Quand pourra-t-on voir les prochaines éclipses solaire et lunaire totales au Canada ?
10. La Grande Tache Rouge de Jupiter mesure environ 40 000 km de long et 12 000 km de large. Combien cette tache mesure-t-elle en kilomètres carrés ?
11. Comment les distances entre les planètes proches se comparent-elles ? Comment les distances entre les planètes éloignées se comparent-elles ? Explique comment les distances dans chaque groupe se comparent à la distance qui sépare le groupe du Soleil.

**Des problèmes à résoudre**

12. Les six photos ci-dessous montrent Jupiter et ses lunes à une heure d'intervalle. Ces photos ne sont pas dans l'ordre.
    a) Quel est le bon ordre ?
    b) Quelles lunes se déplacent le plus vite : les lunes les plus proches de Jupiter ou les lunes les plus loin de Jupiter ?
13. Si tu voyageais dans un engin spatial à 10 000 km/h, combien de temps te faudrait-il pour aller de la Terre à Mars au moment où les deux planètes sont le plus près l'une de l'autre, du même côté du Soleil ? Indice : Utilise ta base de données sur les planètes pour calculer la réponse.
14. Pourquoi une journée sur Terre (24 h) est-elle plus longue de quatre minutes que le temps de rotation de la Terre (23 h 56 min) ? Un schéma de la Terre et du Soleil t'aidera à résoudre cette énigme.
15. La Lune a des phases : phase croissante, demi-lune, pleine lune. Quelles sont les deux planètes qui ont aussi des phases ? Pourquoi ? Illustre ta réponse par un schéma.

**Réflexion critique**

16. Pourquoi serait-il très improbable qu'un engin spatial se pose sur Jupiter ou sur Saturne ?
17. Pourquoi voit-on le Soleil seulement pendant la journée et les autres étoiles seulement pendant la nuit ?
18. On a vu les anneaux d'Uranus pour la première fois à partir de la Terre pendant une éclipse d'une étoile par Uranus. Pourquoi ?

**Pause réflexion**

1. Compte tenu de ta réponse à la question 13 ci-dessus, pense aux facteurs qui pourraient limiter la possibilité d'un voyage entre la Terre et Mars (par exemple, carburant, coûts, temps et besoins humains). Que devrais-tu prévoir avant de tenter ce voyage ?
2. Si la Terre tourne sur elle-même et se déplace dans l'espace, pourquoi ne sommes-nous pas étourdis et pourquoi ne sentons-nous pas que nous bougeons ? As-tu une preuve que la Terre bouge ?

A B C D E F

458 À la découverte de l'Univers

Les yeux tournés vers l'espace 459

## RÉVISION DU CHAPITRE

- Cette révision finale de chaque chapitre passe en revue les concepts de base, les habiletés en recherche et en communication et les habiletés permettant de faire le lien entre les sciences, d'une part, et la technologie, la société et l'environnement, d'autre part.
- Ces questions t'aident à te rappeler ce que tu as appris, à y réfléchir et à mettre tes connaissances en application.

# RUBRIQUES DE FIN DE MODULE

## CONSULTE UN EXPERT OU CONSULTE UNE EXPERTE

- Des experts et des expertes dans tous les domaines des sciences et de la technologie travaillent à mieux comprendre la façon dont le monde fonctionne et tentent de trouver des solutions à des problèmes difficiles. La rubrique *Consulte un expert* ou *Consulte une experte,* à la fin de chaque module, présente une entrevue avec l'un de ces nombreux spécialistes.
- Après l'entrevue, tu auras la chance de faire une activité liée au genre de travail que fait l'expert ou l'experte en question.

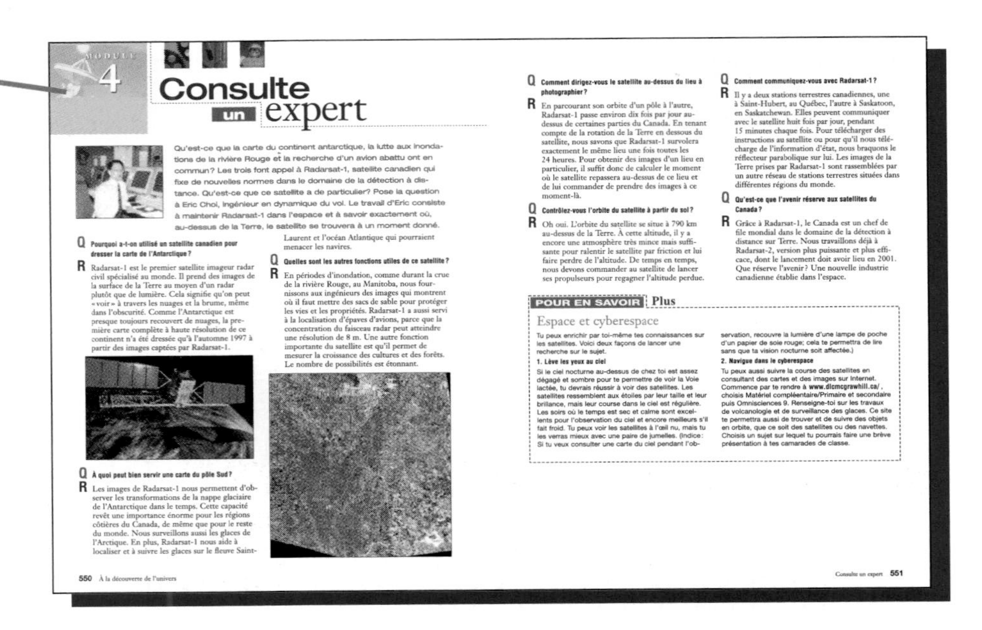

MODULE 4

Consulte un expert

Qu'est-ce que la carte du continent antarctique, la lutte aux inondations de la rivière Rouge et la recherche d'un avion abattu ont en commun? Les trois font appel à Radarsat-1, satellite canadien qui fixe de nouvelles normes dans le domaine de la détection à distance. Qu'est-ce que ce satellite a de particulier? Pose la question à Eric Choi, ingénieur en dynamique du vol. Le travail d'Eric consiste à maintenir Radarsat-1 dans l'espace et à savoir exactement où, au-dessus de la Terre, le satellite se trouvera à un moment donné.

**Q Pourquoi a-t-on utilisé un satellite canadien pour dresser la carte de l'Antarctique?**

**R** Radarsat-1 est le premier satellite imageur radar civil spécialisé au monde. Il prend des images de la surface de la Terre au moyen d'un radar plutôt que de lumière. Cela signifie qu'on peut «voir» à travers les nuages et la brume, même dans l'obscurité. Comme l'Antarctique est presque toujours recouvert de nuages, la première carte complète à haute résolution de ce continent n'a été dressée qu'à l'automne 1997 à partir des images captées par Radarsat-1.

**Q À quoi peut bien servir une carte du pôle Sud?**

**R** Les images de Radarsat-1 nous permettent d'observer les transformations de la nappe glaciaire de l'Antarctique dans le temps. Cette capacité revêt une importance énorme pour les régions côtières du Canada, de même que pour le reste du monde. Nous surveillons aussi les glaces de l'Arctique. En plus, Radarsat-1 nous aide à localiser et à suivre les glaces sur le fleuve Saint-Laurent et l'océan Atlantique qui pourraient menacer les navires.

**Q Quelles sont les autres fonctions utiles de ce satellite?**

**R** En périodes d'inondation, comme durant la crue de la rivière Rouge, au Manitoba, nous fournissons aux ingénieurs des images qui montrent où il faut mettre des sacs de sable pour protéger les vies et les propriétés. Radarsat-1 a aussi servi à la localisation d'épaves d'avions, parce que la concentration du faisceau radar peut atteindre une résolution de 8 m. Une autre fonction importante du satellite est qu'il permet de mesurer la croissance des cultures et des forêts. Le nombre de possibilités est étonnant.

**Q Comment dirigez-vous le satellite au-dessus du lieu à photographier?**

**R** En parcourant son orbite d'un pôle à l'autre, Radarsat-1 passe environ dix fois par jour au-dessus de certaines parties du Canada. En tenant compte de la rotation de la Terre en dessous du satellite, nous savons que Radarsat-1 survolera exactement le même lieu une fois toutes les 24 heures. Pour obtenir des images d'un lieu en particulier, il suffit donc de calculer le moment où le satellite repassera au-dessus de ce lieu et de lui commander de prendre des images à ce moment-là.

**Q Contrôlez-vous l'orbite du satellite à partir du sol?**

**R** Oh oui. L'orbite du satellite se situe à 790 km au-dessus de la Terre. À cette altitude, il y a encore une atmosphère très mince mais suffisante pour ralentir le satellite par friction et lui faire perdre de l'altitude. De temps en temps, nous devons commander au satellite de lancer ses propulseurs pour regagner l'altitude perdue.

**Q Comment communiquez-vous avec Radarsat-1?**

**R** Il y a deux stations terrestres canadiennes, une à Saint-Hubert, au Québec, l'autre à Saskatoon, en Saskatchewan. Elles peuvent communiquer avec le satellite huit fois par jour, pendant 15 minutes chaque fois. Pour télécharger des instructions au satellite ou pour qu'il nous télécharge de l'information d'état, nous braquons le réflecteur parabolique sur lui. Les images de la Terre prises par Radarsat-1 sont rassemblées par un autre réseau de stations terrestres situées dans différentes régions du monde.

**Q Qu'est-ce que l'avenir réserve aux satellites du Canada?**

**R** Grâce à Radarsat-1, le Canada est un chef de file mondial dans le domaine de la détection à distance sur Terre. Nous travaillons déjà à Radarsat-2, version plus puissante et plus efficace, dont le lancement doit avoir lieu en 2001. Que réserve l'avenir? Une nouvelle industrie canadienne établie dans l'espace.

POUR EN SAVOIR Plus

Espace et cyberespace

Tu peux enrichir par toi-même tes connaissances sur les satellites. Voici deux façons de lancer une recherche sur le sujet.

**1. Lève les yeux au ciel**

Si le ciel nocturne au-dessus de chez toi est assez dégagé et sombre pour te permettre de voir la Voie lactée, tu devrais réussir à voir des satellites. Les satellites ressemblent aux étoiles par leur taille et leur brillance, mais leur course dans le ciel est régulière. Les soirs où le temps est sec et calme sont excellents pour l'observation du ciel et encore meilleurs s'il fait froid. Tu peux voir les satellites à l'œil nu, mais tu les verras mieux avec une paire de jumelles. (Indice: Si tu veux consulter une carte du ciel pendant l'observation, recouvre la lumière d'une lampe de poche d'un papier de soie rouge; cela te permettra de lire sans que ta vision nocturne soit affectée.)

**2. Navigue dans le cyberespace**

Tu peux aussi suivre la course des satellites en consultant des cartes et des images sur Internet. Commence par te rendre à **www.dlcmcgrawhill.ca/**, choisis Matériel compléentaire/Primaire et secondaire puis Omnisciences 9. Renseigne-toi sur les travaux de volcanologie et de surveillance des glaces. Ce site te permettra aussi de trouver et de suivre des objets en orbite, que ce soit des satellites ou des navettes. Choisis un sujet sur lequel tu pourrais faire une brève présentation à tes camarades de classe.

550 À la découverte de l'univers

Consulte un expert 551

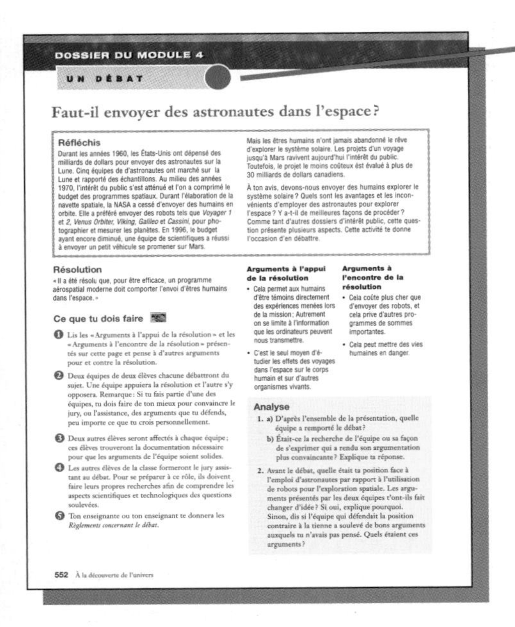

DOSSIER DU MODULE 4

UN DÉBAT

Faut-il envoyer des astronautes dans l'espace?

**Réfléchis**

Durant les années 1960, les États-Unis ont dépensé des milliards de dollars pour envoyer des astronautes sur la Lune. Cinq équipes de d'astronautes ont marché sur la Lune et rapporté des échantillons. Au milieu des années 1970, l'intérêt du public s'est atténué et l'on a comprimé le budget des programmes spatiaux. Durant l'élaboration de la navette spatiale, la NASA a cessé d'envoyer des humains en orbite. Elle a préféré envoyer des robots tels que *Voyager 1* et *2*, *Venus Orbiter*, *Viking*, *Galileo* et *Cassini*, pour photographier et mesurer les planètes. En 1996, le budget ayant encore diminué, une équipe de scientifiques a réussi à envoyer un petit véhicule se promener sur Mars.

Mais les êtres humains n'ont jamais abandonné le rêve d'explorer le système solaire. Les projets d'un voyage jusqu'à Mars ravivent aujourd'hui l'intérêt du public. Toutefois, le projet le moins coûteux est évalué à plus de 30 milliards de dollars canadiens.

À ton avis, devons-nous envoyer des humains explorer le système solaire? Quels sont les avantages et les inconvénients d'employer des astronautes pour explorer l'espace? Y a-t-il de meilleures façons de procéder? Comme tant d'autres dossiers d'intérêt public, cette question présente plusieurs aspects. Cette activité te donne l'occasion d'en débattre.

**Résolution**

«Il a été résolu que, pour être efficace, un programme aérospatial moderne doit comporter l'envoi d'êtres humains dans l'espace.»

**Ce que tu dois faire**

1. Lis les «Arguments à l'appui de la résolution» et les «Arguments à l'encontre de la résolution» présentés sur cette page et pense à d'autres arguments pour et contre la résolution.
2. Deux équipes de deux élèves chacune débattront du sujet. Une équipe appuiera la résolution et l'autre s'y opposera. Remarque: Si tu fais partie d'une des équipes, tu dois faire de ton mieux pour convaincre le jury, ou l'assistance, des arguments que tu défends, peu importe ce que tu crois personnellement.
3. Deux autres élèves seront affectés à chaque équipe; ces élèves trouveront la documentation nécessaire pour que les arguments de l'équipe soient solides.
4. Les autres élèves de la classe formeront le jury assistant au débat. Pour se préparer à ce rôle, ils doivent faire leurs propres recherches afin de comprendre les aspects scientifiques et technologiques des questions soulevées.
5. Ton enseignante ou ton enseignant te donnera les *Règlements concernant le débat*.

**Arguments à l'appui de la résolution**

- Cela permet aux humains d'être témoins directement des expériences menées lors de la mission; Autrement on se limite à l'information que les ordinateurs peuvent nous transmettre.
- C'est le seul moyen d'étudier les effets des voyages dans l'espace sur le corps humain et sur d'autres organismes vivants.

**Arguments à l'encontre de la résolution**

- Cela coûte plus cher que d'envoyer des robots, et cela prive d'autres programmes de sommes importantes.
- Cela peut mettre des vies humaines en danger.

**Analyse**

1. a) D'après l'ensemble de la présentation, quelle équipe a remporté le débat?
   b) Était-ce la recherche de l'équipe ou sa façon de s'exprimer qui a rendu son argumentation plus convaincante? Explique ta réponse.
2. Avant le débat, quelle était ta position face à l'emploi d'astronautes par rapport à l'utilisation de robots pour l'exploration spatiale. Les arguments présentés par les deux équipes t'ont-ils fait changer d'idée? Si oui, explique pourquoi. Sinon, dis si l'équipe qui défendait la position contraire à la tienne a soulevé de bons arguments auxquels tu n'avais pas pensé. Quels étaient ces arguments?

552 À la découverte de l'univers

## DOSSIER DU MODULE

- Dans le monde d'aujourd'hui, ta collectivité, la société en général et toi-même devez faire face à des situations complexes. Comprendre les sciences et la technologie ne permet pas de trouver la «bonne» solution aux problèmes que ces questions soulèvent, mais la connaissance mène à des décisions plus éclairées. La rubrique *Dossier du module* te donne une chance de commencer à réfléchir dès maintenant à la façon dont tu peux contribuer à la prise des meilleures décisions pour toi et pour la collectivité aujourd'hui et dans l'avenir.
- Ces dossiers se présentent sous la forme d'une étude de cas, d'une simulation ou d'un débat.

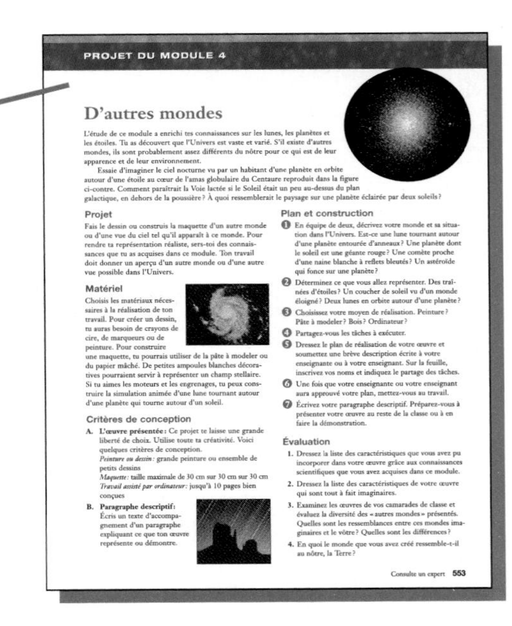

PROJET DU MODULE 4

D'autres mondes

L'étude de ce module a enrichi tes connaissances sur les lunes, les planètes et les étoiles. Tu as découvert que l'Univers est vaste et varié. S'il existe d'autres mondes, ils sont probablement assez différents du nôtre pour ce qui est de leur apparence et de leur environnement.

Essaie d'imaginer le ciel nocturne vu par un habitant d'une planète en orbite autour d'une étoile au cœur de l'amas globulaire du Centaure reproduit dans la figure ci-contre. Comment paraîtrait la Voie lactée si le Soleil était un peu au-dessus du plan galactique, en dehors de la poussière? À quoi ressemblerait le paysage sur une planète éclairée par deux soleils?

**Projet**

Fais le dessin ou construis la maquette d'un autre monde ou d'une vue du ciel tel qu'il apparaît à ce monde. Pour rendre ta représentation réaliste, sers-toi des connaissances que tu as acquises dans ce module. Ton travail doit donner un aperçu d'un autre monde ou d'une autre vue possible dans l'Univers.

**Matériel**

Choisis les matériaux nécessaires à la réalisation de ton travail. Pour créer un dessin, tu auras besoin de crayons de cire, de marqueurs ou de peinture. Pour construire une maquette, tu pourrais utiliser de la pâte à modeler ou du papier mâché. De petites ampoules blanches décoratives pourraient servir à représenter un champ stellaire. Si tu aimes les moteurs et les engrenages, tu peux construire la simulation animée d'une lune tournant autour d'une planète qui tourne autour d'un soleil.

**Critères de conception**

A. **L'œuvre présentée:** Ce projet te laisse une grande liberté de choix. Utilise toute ta créativité. Voici quelques critères de conception.
*Peinture ou dessin:* grande peinture ou ensemble de petits dessins
*Maquette:* taille maximale de 30 cm sur 30 cm sur 30 cm
*Travail assisté par ordinateur:* jusqu'à 10 pages bien conçues

B. **Paragraphe descriptif:** Écris un texte d'accompagnement d'un paragraphe expliquant ce que ton œuvre représente ou démontre.

**Plan et construction**

1. En équipe de deux, décrivez votre monde et sa situation dans l'Univers. Est-ce une lune tournant autour d'une planète entourée d'anneaux? Une planète dont le soleil est une géante rouge? Une comète proche d'une naine blanche à reflets bleutés? Un astéroïde qui fonce sur une planète?
2. Déterminez ce que vous allez représenter. Des traînées d'étoiles? Un coucher de soleil vu d'un monde éloigné? Deux lunes en orbite autour d'une planète?
3. Choisissez votre moyen de réalisation. Peinture? Pâte à modeler? Bois? Ordinateur?
4. Partagez-vous les tâches à exécuter.
5. Dressez le plan de réalisation de votre œuvre et soumettez une brève description écrite à votre enseignante ou à votre enseignant. Sur la feuille, inscrivez vos noms et indiquez le partage des tâches.
6. Une fois que votre enseignante ou votre enseignant aura approuvé votre plan, mettez-vous au travail.
7. Écrivez votre paragraphe descriptif. Préparez-vous à présenter votre œuvre au reste de la classe ou à en faire la démonstration.

**Évaluation**

1. Dressez la liste des caractéristiques que vous avez pu incorporer dans votre œuvre grâce aux connaissances scientifiques que vous avez acquises dans ce module.
2. Dressez la liste des caractéristiques de votre œuvre qui sont tout à fait imaginaires.
3. Examinez les œuvres de vos camarades de classe et évaluez la diversité des «autres mondes» présentés. Quelles sont les ressemblances entre ces mondes imaginaires et le vôtre? Quelles sont les différences?
4. En quoi le monde que vous avez créé ressemble-t-il au nôtre, la Terre?

Consulte un expert 553

## PROJET DU MODULE

- Le *Projet du module* te donne l'occasion d'utiliser les idées et les habiletés clés du module pour créer ton propre appareil, système ou modèle.
- Ton enseignante ou ton enseignant peut te demander de commencer à réfléchir dès le début du module à la façon dont tu vas concevoir, planifier et réaliser ton projet final.
- Tu réaliseras le projet en équipe.

## RÉVISION DU MODULE

- Apparaissant à la fin de chaque module, cette révision de quatre pages t'offre une occasion supplémentaire d'évaluer ta compréhension de l'ensemble du module.

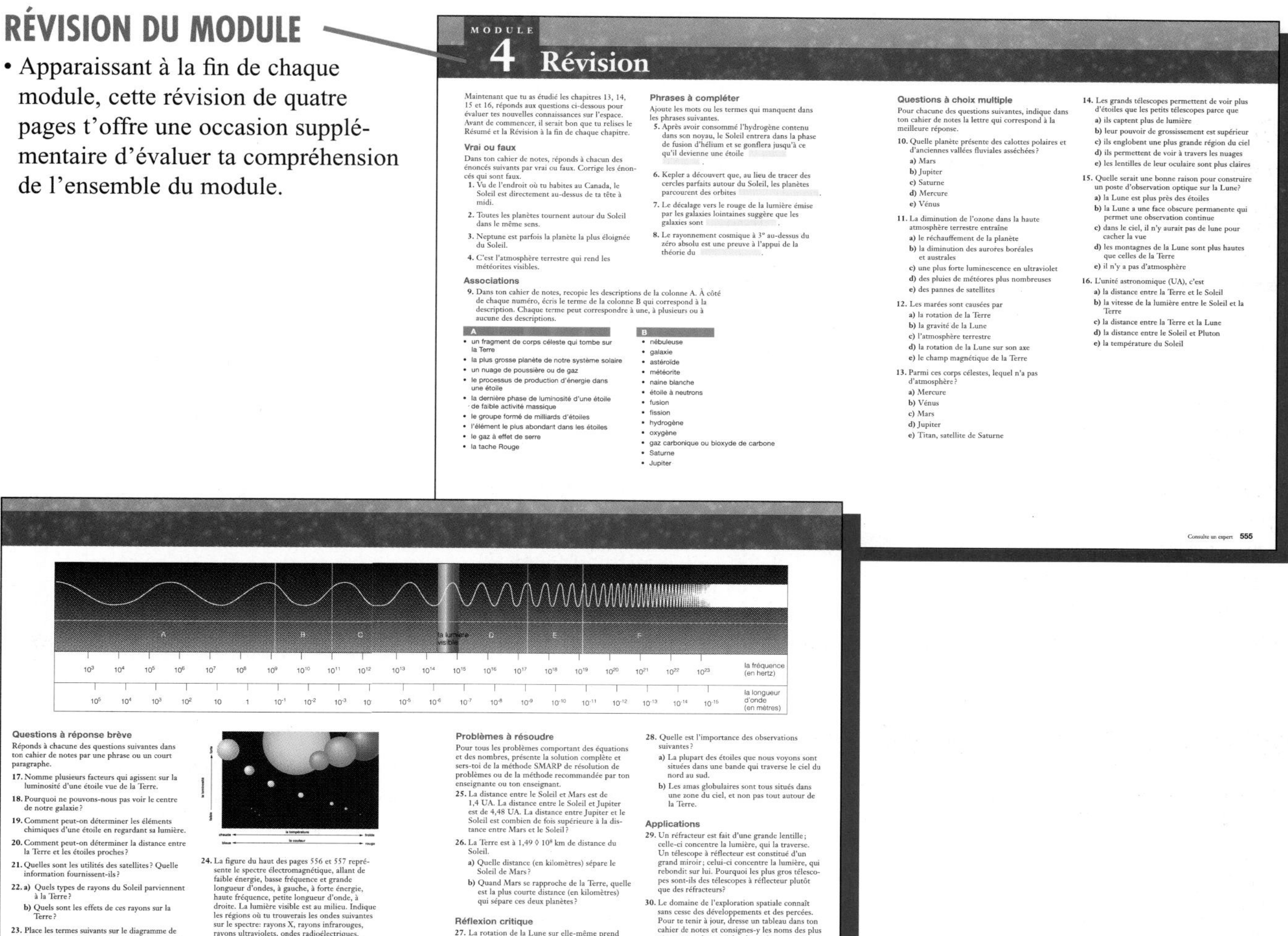

MODULE 4 Révision

Maintenant que tu as étudié les chapitres 13, 14, 15 et 16, réponds aux questions ci-dessous pour évaluer tes nouvelles connaissances sur l'espace. Avant de commencer, il serait bon que tu relises le Résumé et la Révision à la fin de chaque chapitre.

**Vrai ou faux**

Dans ton cahier de notes, réponds à chacun des énoncés suivants par vrai ou faux. Corrige les énoncés qui sont faux.

1. Vu de l'endroit où tu habites au Canada, le Soleil est directement au-dessus de ta tête à midi.
2. Toutes les planètes tournent autour du Soleil dans le même sens.
3. Neptune est parfois la planète la plus éloignée du Soleil.
4. C'est l'atmosphère terrestre qui rend les météorites visibles.

**Associations**

9. Dans ton cahier de notes, recopie les descriptions de la colonne A. À côté de chaque numéro, écris le terme de la colonne B qui correspond à la description. Chaque terme peut correspondre à une, à plusieurs ou à aucune des descriptions.

A
- un fragment de corps céleste qui tombe sur la Terre
- la plus grosse planète de notre système solaire
- un nuage de poussière ou de gaz
- le processus de production d'énergie dans une étoile
- la dernière phase de luminosité d'une étoile de faible activité massique
- le groupe formé de milliards d'étoiles
- l'élément le plus abondant dans les étoiles
- le gaz à effet de serre
- la tache Rouge

B
- nébuleuse
- galaxie
- astéroïde
- météorite
- naine blanche
- étoile à neutrons
- fusion
- fission
- hydrogène
- oxygène
- gaz carbonique ou bioxyde de carbone
- Saturne
- Jupiter

**Phrases à compléter**

Ajoute les mots ou les termes qui manquent dans les phrases suivantes.

5. Après avoir consommé l'hydrogène contenu dans son noyau, le Soleil entrera dans la phase de fusion d'hélium et se gonflera jusqu'à ce qu'il devienne une étoile ______.
6. Kepler a découvert que, au lieu de tracer des cercles parfaits autour du Soleil, les planètes parcourent des orbites ______.
7. Le décalage vers le rouge de la lumière émise par les galaxies lointaines suggère que les galaxies sont ______.
8. Le rayonnement cosmique à 3° au-dessus du zéro absolu est une preuve à l'appui de la théorie du ______.

**Questions à choix multiple**

Pour chacune des questions suivantes, indique dans ton cahier de notes la lettre qui correspond à la meilleure réponse.

10. Quelle planète présente des calottes polaires et d'anciennes vallées fluviales asséchées?
    a) Mars
    b) Jupiter
    c) Saturne
    d) Mercure
    e) Vénus
11. La diminution de l'ozone dans la haute atmosphère terrestre entraîne
    a) le réchauffement de la planète
    b) la diminution des aurores boréales et australes
    c) une plus forte luminescence en ultraviolet
    d) des pluies de météores plus nombreuses
    e) des pannes de satellites
12. Les marées sont causées par
    a) la rotation de la Terre
    b) la gravité de la Lune
    c) l'atmosphère terrestre
    d) la rotation de la Lune sur son axe
    e) le champ magnétique de la Terre
13. Parmi ces corps célestes, lequel n'a pas d'atmosphère?
    a) Mercure
    b) Vénus
    c) Mars
    d) Jupiter
    e) Titan, satellite de Saturne
14. Les grands télescopes permettent de voir plus d'étoiles que les petits télescopes parce que
    a) ils captent plus de lumière
    b) leur pouvoir de grossissement est supérieur
    c) ils englobent une plus grande région du ciel
    d) ils permettent de voir à travers les nuages
    e) les lentilles de leur oculaire sont plus claires
15. Quelle serait une bonne raison pour construire un poste d'observation optique sur la Lune?
    a) la Lune est plus près des étoiles
    b) la Lune a une face obscure permanente qui permet une observation continue
    c) dans le ciel, il n'y aurait pas de lune pour cacher la vue
    d) les montagnes de la Lune sont plus hautes que celles de la Terre
    e) il n'y a pas d'atmosphère
16. L'unité astronomique (UA), c'est
    a) la distance entre la Terre et le Soleil
    b) la vitesse de la lumière entre le Soleil et la Terre
    c) la distance entre la Terre et la Lune
    d) la distance entre le Soleil et Pluton
    e) la température du Soleil

Consulte un expert 555



**Questions à réponse brève**

Réponds à chacune des questions suivantes dans ton cahier de notes par une phrase ou un court paragraphe.

17. Nomme plusieurs facteurs qui agissent sur la luminosité d'une étoile vue de la Terre.
18. Pourquoi ne pouvons-nous pas voir le centre de notre galaxie?
19. Comment peut-on déterminer les éléments chimiques d'une étoile en regardant sa lumière.
20. Comment peut-on déterminer la distance entre la Terre et les étoiles proches?
21. Quelles sont les utilités des satellites? Quelle information fournissent-ils?
22. a) Quels types de rayons du Soleil parviennent à la Terre?
    b) Quels sont les effets de ces rayons sur la Terre?
23. Place les termes suivants sur le diagramme de Hertzsprung-Russell ci-dessous: séquence principale, géantes rouges, supergéantes rouges, naines blanches. Écris le nom des axes et place le Soleil au bon endroit.
24. La figure du haut des pages 556 et 557 représente le spectre électromagnétique, allant de faible énergie, basse fréquence et grande longueur d'ondes, à gauche, à forte énergie, haute fréquence, petite longueur d'onde, à droite. La lumière visible est au milieu. Indique les régions où tu trouverais les ondes suivantes sur le spectre: rayons X, rayons infrarouges, rayons ultraviolets, ondes radioélectriques, micro-ondes, rayons gamma (désignés par les lettres A à F).

556 À la découverte de l'univers

**Problèmes à résoudre**

Pour tous les problèmes comportant des équations et des nombres, présente la solution complète et sers-toi de la méthode SMARP de résolution de problèmes ou de la méthode recommandée par ton enseignante ou ton enseignant.

25. La distance entre le Soleil et Mars est de 1,4 UA. La distance entre le Soleil et Jupiter est de 4,48 UA. La distance entre Jupiter et le Soleil est combien de fois supérieure à la distance entre Mars et le Soleil?
26. La Terre est à 1,49 ◊ $10^8$ km de distance du Soleil.
    a) Quelle distance (en kilomètres) sépare le Soleil de Mars?
    b) Quand Mars se rapproche de la Terre, quelle est la plus courte distance (en kilomètres) qui sépare ces deux planètes?

**Réflexion critique**

27. La rotation de la Lune sur elle-même prend environ 27,5 jours, mais il s'écoule environ 29 jours complets entre une pleine lune et la suivante. Explique pourquoi la période entre deux pleines lunes est plus longue que le temps de rotation de la Lune. Indice: Sers-toi du modèle axé sur le Soleil.
28. Quelle est l'importance des observations suivantes?
    a) La plupart des étoiles que nous voyons sont situées dans une bande qui traverse le ciel du nord au sud.
    b) Les amas globulaires sont tous situés dans une zone du ciel, et non pas tout autour de la Terre.

**Applications**

29. Un réfracteur est fait d'une grande lentille; celle-ci concentre la lumière, qui la traverse. Un télescope à réflecteur est constitué d'un grand miroir; celui-ci concentre la lumière, qui rebondit sur lui. Pourquoi les plus gros télescopes sont-ils des télescopes à réflecteur plutôt que des réfracteurs?
30. Le domaine de l'exploration spatiale connaît sans cesse des développements et des percées. Pour te tenir à jour, dresse un tableau dans ton cahier de notes et consignes-y les noms des plus récentes sondes spatiales, leurs destinations, les dates de lancement, les dates d'arrivée et les découvertes qu'elles ont faites. Tu trouveras des renseignements détaillés sur Internet.

Consulte un expert 557

# AUTRES RUBRIQUES

## Le savais-tu?

- Cette rubrique présente des faits intéressants sur les sciences, la technologie, la nature et l'Univers.

## Omni TRUC

- Il s'agit de trucs pour acquérir des habiletés qui te renvoient au guide des omnitrucs à la fin du manuel.
- Ces trucs te proposent des façons d'acquérir les habiletés nécessaires à la réalisation des activités, comme l'utilisation du microscope et la représentation par le dessin scientifique.

## LIENS *mathématique*

- Cette rubrique t'aide à revoir les principales connaissances en mathématiques utilisées au cours de l'activité.
- Elle te permet aussi de faire des liens entre tes études en sciences et tes études en mathématiques.

## LIENS *informatique*

- Cette rubrique souligne les cas dans lesquels des feuilles de calcul ou des bases de données te seraient particulièrement utiles.

## LIENS *carrière*

- Cette rubrique présente des gens de formations diverses qui font un usage pratique des sciences et de la technologie dans leur travail.

# EN TERMINANT...

À la fin de ton manuel OMNISCIENCES 9, se trouvent des pages spécialement conçues pour t'aider à revoir certaines notions ou à développer les habiletés nécessaires à la réussite de ce cours. Éprouves-tu des difficultés à tracer un diagramme ? Voudrais-tu savoir comment bâtir et utiliser un tableau de données ? As-tu oublié comment construire un réseau conceptuel ? Aimerais-tu revoir les règles de la notation scientifique ? Le guide des omnitrucs est là pour t'aider. De plus, tu trouveras, à la fin de ton manuel, un glossaire te donnant la définition de tous les termes clés du manuel et un index te permettant de retrouver rapidement une notion.

LE GUIDE DES OMNITRUCS



568 Le guide des omnitrucs

## Les icônes

Le picto du travail en groupe indique quelles activités peuvent être réalisées en groupe, de manière coopérative. Les icônes des consignes de sécurité sont très importantes, parce qu'elles attirent ton attention sur les précautions que tu dois prendre, par exemple le port de lunettes de sécurité ou d'un tablier de laboratoire. La liste complète de ces icônes se trouve à la page 597. Familiarises-toi avec chacune d'elles et suis attentivement les consignes de sécurité indiquées.

# La sécurité dans la classe de sciences

Familiarise-toi avec les consignes de sécurité et les marches à suivre ci-dessous. Il t'appartient de les observer et de suivre les instructions de ton enseignante ou de ton enseignant pour que tes activités et tes expériences d'***OMNISCIENCES 9*** soient agréables et sans danger. Ton enseignante ou ton enseignant te donnera des informations particulières sur les consignes de sécurité spéciales que tu dois observer dans ton école.

1. **Règles générales**
   - Écoute attentivement les instructions que ton enseignante ou ton enseignant te donne.
   - Informe ton enseignante ou ton enseignant si tu as des allergies, des problèmes médicaux ou d'autres problèmes physiques qui pourraient avoir une incidence sur ton travail dans la classe de sciences. Informe aussi ton enseignante ou ton enseignant si tu portes des lentilles cornéennes ou une prothèse auditive.
   - Obtiens l'approbation de ton enseignante ou de ton enseignant avant de commencer une activité ou une expérience que tu as élaborée toi-même.
   - Tu dois savoir où se trouve l'extincteur d'incendie, la couverture antifeu, la trousse de premiers soins et l'alarme d'incendie les plus proches et comment utiliser ce matériel.
2. **Avant chaque activité ou expérience**
   - Avant de commencer une activité ou une expérience, lis toutes les instructions attentivement. Si tu ne comprends pas une étape, demande à ton enseignante ou à ton enseignant de t'aider.
   - Assure-toi d'avoir lu et compris les *consignes de sécurité.*
   - Commence une activité uniquement quand ton enseignante ou ton enseignant te dit de commencer.
3. **Précautions vestimentaires**
   - Quand on te dira de le faire, porte des vêtements protecteurs, comme un tablier de laboratoire, des lunettes ou des gants de sécurité. Porte toujours des vêtements protecteurs quand tu utilises du matériel qui pourrait s'avérer dangereux, notamment des produits non étiquetés, ou lorsque que tu fais chauffer une substance.
   - Si tu as les cheveux longs, attache-les, et évite de porter un foulard, une cravate, un long collier et des boucles d'oreille.
4. **Activités et expériences**
   - Travaille soigneusement avec une ou un partenaire et assure-toi que ton aire de travail est propre.
   - Manipule le matériel, qu'il soit réutilisable ou non, avec soin.
   - Assure-toi que les tabourets et les chaises sont stables.
   - Si d'autres élèves font quelque chose qui te semble dangereux, dis-le à ton enseignante ou à ton enseignant.
   - Ne mâche pas de gomme, ne mange pas et ne bois pas dans la classe de sciences.
   - Ne goûte à aucune substance et n'aspire aucune substance avec une paille.
   - Assure-toi de bien comprendre toutes les étiquettes de sûreté qui se trouvent sur le matériel scolaire ou sur les articles que tu apportes de chez toi.

Familiarise-toi avec les symboles SIMDUT et avec les symboles spéciaux de sûreté utilisés dans ce manuel (page 597).

- Fais attention quand tu portes du matériel pour une activité ou une expérience. Porte un seul objet ou un seul contenant à la fois.
- Fais attention aux autres élèves pendant les activités et les expériences. Laisse passer les élèves qui apportent du matériel à leur poste de travail.

**5. Précautions à prendre avec les objets tranchants**

- Quand tu utilises un couteau ou une lame de rasoir, coupe toujours dans la direction opposée à l'endroit où toi et les autres élèves vous vous trouvez.
- Si tu dois te déplacer avec des ciseaux ou avec des objets pointus, ne pointe jamais ces objets ni vers toi ni vers les autres.
- Si tu vois des bords tranchants ou des angles sur du matériel, fais tout particulièrement attention et dis-le à ton enseignante ou à ton enseignant.
- Observe les instructions de ton enseignante ou de ton enseignant pour jeter le verre cassé.

**6. Précautions à prendre avec le matériel électrique**

- Assure-toi que tes mains sont sèches quand tu touches des fils électriques, des prises ou des douilles.
- Quand tu débranches un appareil électrique, tire la prise mâle et non pas le fil. Si du matériel ou des fils électriques sont abîmés, dis-le à ton enseignante ou à ton enseignant.
- Place les fils électriques de façon qu'ils ne fassent trébucher personne.

**7. Précautions à prendre avec les sources de chaleur**

- Quand tu fais chauffer une substance, porte des lunettes de sécurité, des gants de sécurité résistant à la chaleur et tout autre accessoire de sécurité indiqué dans le texte ou que demande ton enseignante ou ton enseignant.
- Utilise toujours des contenants qui résistent à la chaleur.
- N'utilise pas de contenants cassés ou fêlés.
- Oriente l'ouverture d'un contenant que tu fais chauffer loin de toi et des autres.
- Ne laisse pas bouillir une substance jusqu'à évaporation complète.
- Manipule les objets chauds avec soin. Fais tout particulièrement attention aux plaques chauffantes qui ont l'air d'avoir refroidi.
- Si tu dois utiliser un brûleur Bunsen, assure-toi de savoir l'allumer et t'en servir en toute sécurité.
- Si tu te brûles, dis-le à ton enseignante ou à ton enseignant. Fais immédiatement couler de l'eau froide sur la brûlure.

Procède de cette façon pour sentir une substance au laboratoire.

**8. Précautions à prendre avec les produits chimiques**

- Si n'importe quelle partie de ton corps entre en contact avec une substance potentiellement dangereuse, lave cette partie de ton corps immédiatement à grande eau. Si une substance entre en contact avec tes yeux, ne touche pas tes yeux. Lave-les immédiatement et de façon continue pendant 15 minutes et dis-le à ton enseignante ou à ton enseignant.
- Manipule toujours les substances avec soin. Si tu dois sentir une substance, ne la sens jamais directement. Éloigne le contenant, place-le légèrement sous ton nez et fais venir les vapeurs vers tes narines, comme sur la photo.
- Quand tu verses des liquides, place les contenants loin de ton visage, comme sur la page suivante.

Éloigne les contenants de ton visage lorsque tu verses des liquides.

**9. Manipulation d'êtres vivants**

Sur le terrain :

- Essaie de ne pas déranger l'aire où tu travailles plus que nécessaire.
- Si tu déplaces quelque chose, fais-le avec soin et replace toujours l'objet que tu as déplacé avec autant de soin.
- Si l'on te demande de prendre du matériel végétal, retire le matériel doucement et prends-en aussi peu que possible.

En classe :

- Traite les êtres vivants avec respect.
- Assure-toi que les êtres vivants dont tu t'occupes sont traités comme s'il s'agissait d'une personne.
- Dans la mesure du possible, remets les êtres vivants dans leur environnement naturel quand tu as terminé ton travail.

**10. Nettoyage de la classe de sciences**

- Nettoie les éclaboussures, selon les instructions de ton enseignante ou de ton enseignant.
- Nettoie le matériel avant de le ranger.
- Lave-toi les mains à grande eau quand tu as terminé une activité ou une expérience.
- Jette le matériel comme ton enseignante ou ton enseignant te l'indique. Ne jette jamais rien dans l'évier, sauf si ton enseignante ou ton enseignant te le demande.

**11. Projets technologiques**

- Utilise les outils pour couper, assembler et façonner des objets avec précaution.
- Manipule la pâte à modeler correctement. Lave-toi les mains après avoir utilisé de la pâte à modeler.
- Observe la marche à suivre indiquée quand tu compares des systèmes mécaniques et leur fonctionnement.
- Fais tout particulièrement attention quand tu observes des objets en mouvement et que tu travailles avec ces objets (par exemple, les objets qui tournent, qui se balancent, qui rebondissent ou qui vibrent, les engrenages et les poulies, et les objets surélevés).
- N'utilise pas d'outils électriques, comme des perceuses, des sableuses, des scies et des tours, à moins d'avoir reçu une formation spécialisée. Assure-toi d'avoir l'information et le soutien nécessaires d'une enseignante ou d'un enseignant spécialisé pour élaborer et construire des mécanismes, et ce, pour toutes les activités de *Passe à l'action : conçois et fabrique un outil* et de *Projets du module* pour lesquelles tu dois élaborer et fabriquer des modèles réduits, des mécanismes ou des structures.

## Pour t'exercer...

1. Choisis quatre ou cinq des principales consignes de sécurité ci-dessus et utilise ces consignes pour créer une affiche indiquant l'importance de la sécurité.
2. À l'aide de la rubrique Omnitruc de la page 597, vérifie si tu connais toutes les icônes de sécurité utilisées dans ce manuel et dans les lieux de travail.

# Présentation du programme

Les sciences, qu'est-ce que c'est? La technologie, qu'est-ce que c'est? Quels sont les liens entre les sciences et la technologie? Qu'est-ce que les sciences et la technologie signifient pour chacun de nous et pour la société dans son ensemble, surtout pour ce qui est de notre environnement? Dans le cours de neuvième année, tu participeras activement à des expériences scientifiques, tu acquerras de nouvelles habiletés et de nouvelles connaissances. On te demandera d'examiner les relations entre les sciences, la technologie, la société et l'environnement (STSE). Aujourd'hui, les sciences et la technologie concernent tout le monde. Que tu décides de devenir scientifique ou technologue, ou que tu t'intéresses à d'autres domaines — de l'art à l'architecture, de la musique à la mécanique —, tu auras besoin des concepts et des habiletés de base que tu vas acquérir dans ce programme. Commence par la Mise en pratique immédiate ci-dessous et utilise ce que tu sais déjà sur la nature des sciences et de la technologie.

### Pour t'exercer…

Ferme ton manuel et, avec toute la classe, effectue une séance de remue-méninges. Dresse la liste de 5 à 10 idées qui te viennent à l'esprit à la lecture des mots ci-dessous:

- sciences
- technologie
- société
- environnement

# OMNISCIENCES 9

## Sciences, technologie et societé

La signification des termes « sciences » et « technologie » vous a probablement inspiré, à toi et aux autres élèves de ta classe, un certain nombre d'idées importantes. Tout le monde a des acquis un peu différents. Il y a donc probablement différentes opinions sur la signification de ces termes.

Pour certaines personnes, les sciences sont un ensemble de connaissances ou de faits. *C'est* ça, mais c'est plus que ça. Les sciences sont aussi une façon de penser, un état d'esprit que tu vas explorer tout au long de ce programme. De même, plusieurs personnes pensent que la technologie est une science appliquée. En effet, la technologie peut être une science appliquée. Mais la technologie est aussi un processus. Réfléchis à ce qui suit. Les humains ont utilisé la technologie bien avant de comprendre les principes scientifiques qui étayaient cette technologie. Ainsi, les peintures murales égyptiennes représentent souvent des gens qui portent des bijoux, comme la peinture de la reine égyptienne Néfertiti. Cela signifie que les Égyptiens savaient extraire les métaux des minerais environ 2000 ans avant qu'on comprenne les processus chimiques liés à cette extraction.

Néfertiti, reine égyptienne

Fondamentalement, les sciences posent des questions destinées à mieux nous faire comprendre l'univers physique et à améliorer notre aptitude à expliquer la nature. La technologie vise à concevoir et à élaborer des mécanismes et des processus à des fins utiles. Par exemple, les sciences posent des questions sur le fonctionnement de la force de gravité et du principe de friction. Et la technologie nous a donné la roue, bien avant qu'on comprenne le principe de la gravité et de la friction, après des années et des années de recherche scientifique.

Comment peux-tu saisir facilement ce que sont les sciences, la technologie et la société, surtout dans le contexte des problèmes environnementaux ? Le schéma ci-dessous présente une façon de réfléchir à la signification de ces termes et aux interrelations de ces concepts.

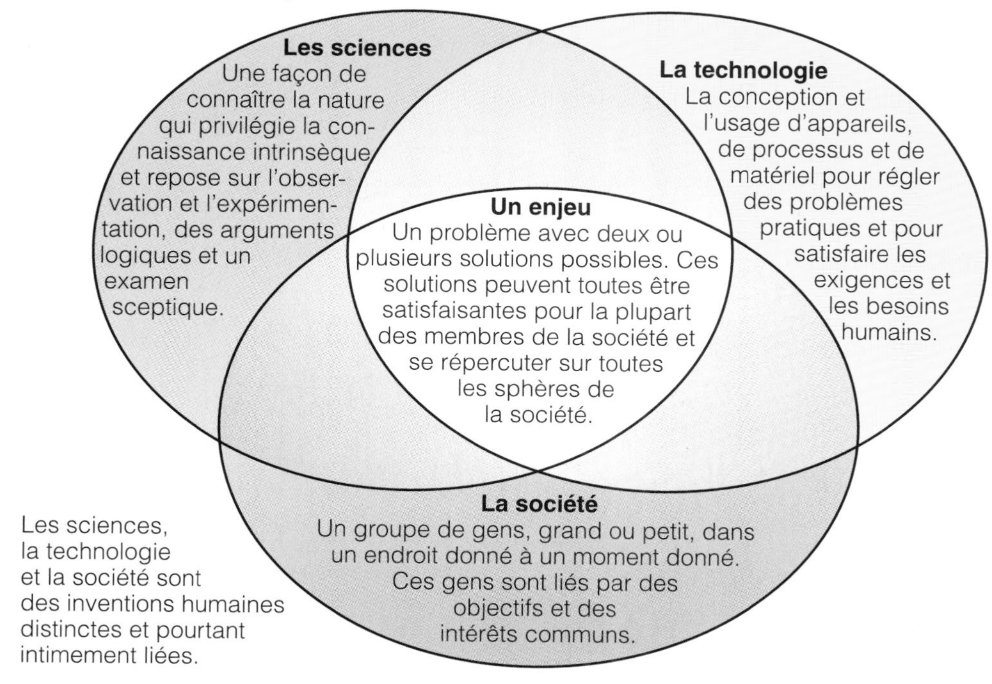


Les sciences, la technologie et la société sont des inventions humaines distinctes et pourtant intimement liées.

# Les sciences et la recherche scientifique

Tu viens de lire que les sciences reposent sur la compréhension et l'explication de la nature. Toutefois, si tu penses à la nature, les sciences ne sont probablement pas la première chose qui te vient à l'esprit. Tu penseras plutôt à une colline verdoyante au cours d'une chaude soirée d'été. Tu vois l'herbe et les arbres, et tu entends une grenouille croasser dans un étang. Tu regardes le ciel. Même s'il est encore clair, tu vois la Lune et une étoile. Dans quelques heures, le ciel obscurci sera rempli de nombreuses étoiles scintillantes. Un peintre ou un poète pourrait essayer de saisir la beauté de cette scène sur une toile ou dans un poème. Un scientifique va poser des questions sur la même scène et cherchera ensuite des réponses grâce aux méthodes de recherche scientifique.

Pourquoi les grenouilles croassent-elles ? À quelle distance les étoiles se trouvent-elles ? Pourquoi le jour devient-il la nuit ? Comment cette immense roche s'est-elle retrouvée au milieu d'un champ alors qu'il n'y a aucune autre roche semblable dans les environs ? Pourquoi la foudre a-t-elle frappé ce grand arbre et comment a-t-elle pu faire autant de dommages ? Qu'est-ce qui provoque des rayures rouges sur ces roches ? Les questions peuvent continuer ainsi indéfiniment. Personne ne peut apprendre toutes les réponses aux questions que les scientifiques se sont posées au cours des siècles. Par conséquent, comment peux-tu trouver des réponses à des questions précises ?

Dans le domaine des sciences, les connaissances sont organisées en catégories logiques. Chaque catégorie se subdivise ensuite plusieurs fois. Le réseau conceptuel ci-dessous te montre une façon de classer les connaissances scientifiques. Chaque catégorie présentée se subdivise encore plusieurs fois.

En suivant le réseau conceptuel, tu sauras où trouver la réponse à la question suivante : « Pourquoi les grenouilles croassent-elles ? » Premièrement, tu vas consulter des documents imprimés ou électroniques sur les sciences naturelles parce que les grenouilles sont des êtres vivants. Tu vas ensuite consulter des documents sur la zoologie. La zoologie est l'étude des animaux. D'autres subdivisions vont t'amener à étudier les animaux à sang froid, les amphibiens. Les amphibiens vivent sur la terre et dans l'eau, mais ils commencent toujours leur vie dans l'eau. C'est aussi dans l'eau que se passent les premières étapes de leur vie. En poursuivant tes recherches dans ce sens, tu découvriras pourquoi les grenouilles croassent.

Les catégories de la science

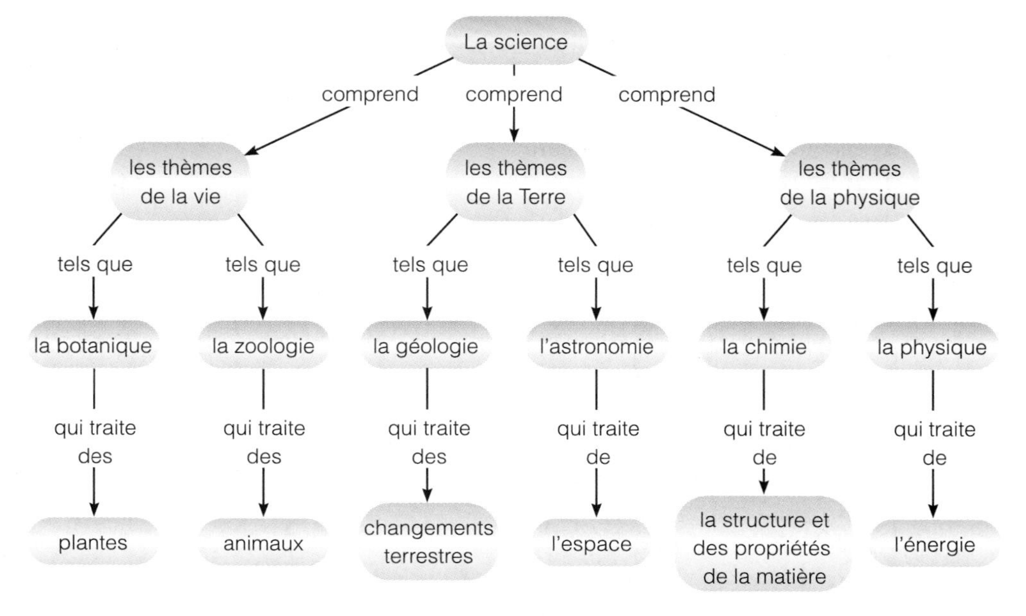

Il est impossible de maîtriser la totalité des connaissances scientifiques. Mais tout le monde peut acquérir suffisamment de connaissances dans chaque catégorie pour alimenter un centre d'intérêt donné et avoir une bonne vue d'ensemble. Dans ce cours, tu vas acquérir des connaissances dans quatre catégories différentes. Premièrement, tu vas apprendre comment et pourquoi les plantes et les animaux se reproduisent. Où ajouterais-tu cette sous-catégorie dans le réseau conceptuel ? Ensuite, tu vas étudier les atomes et leurs propriétés ainsi que la façon dont les scientifiques ont réussi à découvrir des objets si petits qu'ils sont invisibles à l'œil nu. Quelle est la place des atomes dans le réseau conceptuel ? Tu vas aussi apprendre les caractéristiques de l'électricité, comment les scientifiques ont découvert ces caractéristiques et les différents avantages de l'électricité. À quelle catégorie du réseau conceptuel l'électricité appartient-elle ? Enfin, tu vas examiner la place de la Terre dans l'Univers. Comment le système solaire s'est-il formé ? Qu'est-ce qu'une galaxie ? À quelle distance les étoiles se trouvent-elles ?

Tu vas probablement te rendre compte qu'une catégorie t'intéresse plus que les autres En fait, ce cours te permettra peut-être de choisir une carrière qui va te satisfaire pendant des années. Même si tu ne fais pas carrière dans les sciences, tu vas rassembler des données dans quatre domaines de connaissances. Ces données feront de toi une personne cultivée sur le plan scientifique. Tu pourras ainsi participer au processus de prise de décision qui est si important dans la société contemporaine.

## La recherche scientifique

Comment cet ensemble de connaissances qu'on appelle les sciences s'est-il constitué ? Pourquoi a-t-on accumulé cette immense somme de connaissances ? Le point de départ ? La curiosité. Quelqu'un s'est demandé : « Comment ? » ou « Pourquoi ? ». La curiosité des scientifiques les encourage à trouver des réponses à leurs questions. Et l'on trouve les réponses les plus fiables en utilisant un processus logique, étape par étape. De plus en plus de personnes curieuses cherchaient des réponses et partageaient leurs méthodes et leurs résultats entre elles. Ces personnes ont élaboré un processus ordonné pour poser des questions relevant des sciences et faire des recherches scientifiques. Le schéma te montre un modèle de recherche scientifique.

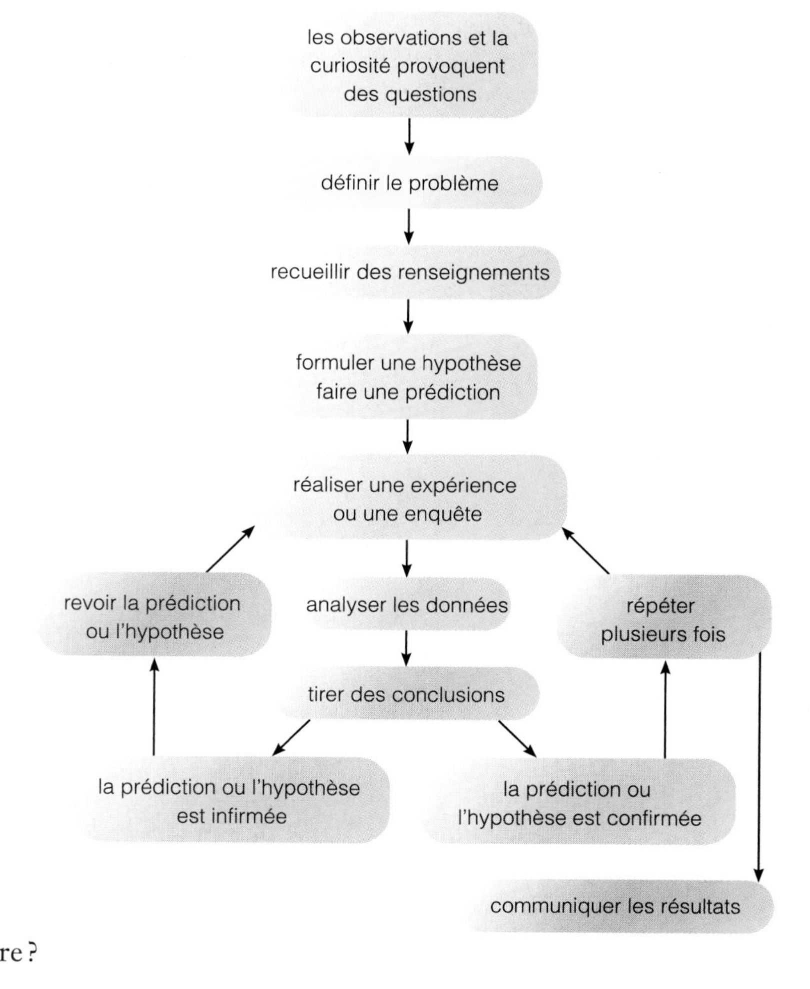


Comme tu l'as vu, les sciences reposent sur une accumulation de connaissances. Mais les sciences sont aussi une méthode unique de réflexion ou de recherche qui nous permet de trouver des réponses aux questions que nous nous posons sur le monde qui nous entoure. De même — et ce point est tout aussi important — les sciences nous permettent de mieux nous connaître.

Qu'est-ce que la recherche scientifique ? Pourquoi la recherche scientifique est-elle si utile pour répondre à nos questions ? Un exemple va t'aider à clarifier le processus de la recherche scientifique. En pensée, retourne à cette colline verdoyante et imagine que tu observes des objets qui tombent. Pourquoi une feuille qui tombe semble-t-elle se balancer d'un côté et de l'autre ? Pourquoi cette graine tourne-t-elle sur elle-même dans sa chute ? Pourquoi une noix tombe-t-elle tout droit ? Et d'abord, pourquoi les objets tombent-ils par terre ?

La **loi** de l'attraction universelle va te permettre de répondre à la dernière question. Tous les objets massifs s'attirent mutuellement. Puisque la Terre est énorme, elle exerce une grande force d'attraction – la force de gravité – sur tous les objets. Par conséquent, les objets sont attirés vers le sol quand ils tombent d'une certaine hauteur.

> Une **loi** est une action ou un état qui a été observé de façon si répétée que les scientifiques sont convaincus que cette action ou cet état se reproduira toujours. Une loi n'a pas de base théorique. Dans tes études précédentes, tu as probablement appris les deux lois de la réflexion, par exemple.

Maintenant que tu sais pourquoi les objets tombent, tu peux formuler tes propres questions sur les raisons pour lesquelles un objet tombe d'une façon ou d'une autre. En quoi les caractéristiques de l'objet influent-elles sur le mouvement de cet objet dans sa chute ? Pour répondre à cette question, tu devras énoncer le problème clairement et réduire la recherche à un objet spécifique que tu peux contrôler. Même quand tu n'étudies qu'un seul objet, plusieurs caractéristiques de l'objet peuvent influer sur son mouvement. On appelle ces caractéristiques les **variables** de l'expérience.

Quand tu fais des observations, tu dois contrôler toutes les variables sauf une. Le facteur ou la variable que tu changes est la **variable indépendante** (ou **principale**). Le facteur ou la variable qui change en raison de la variable indépendante s'appelle la **variable dépendante** (ou **liée**). Si tu changes deux variables différentes en même temps, tu ne sauras pas quelle variable est responsable des effets que tu as observés. Si tu veux que ton expérience soit fiable et non faussée (si tu veux obtenir un **essai juste**), tu dois reproduire la même marche à suivre plusieurs fois et changer uniquement la variable que tu mesures. Plusieurs expériences ont un **témoin** – un traitement ou une expérience que tu peux comparer aux résultats des groupes de tests.

> Une **variable** est n'importe quel facteur qui va influer sur les résultats d'une expérience.

Dans une expérience sur le mouvement d'un objet donné en train de tomber, la hauteur de laquelle l'objet tombe est une variable.

Ensuite, examine toutes les informations que tu as déjà sur l'objet en question. C'est grâce à tes **observations** que tu as pu rassembler ces données.

> Les **observations qualitatives** décrivent un phénomène uniquement avec des mots. Par exemple, un chien au poil court et doré. Les **observations quantitatives** utilisent des chiffres et des mots pour décrire un phénomène. Par exemple, un chien d'une masse de 14 kg, d'une hauteur de 46 cm, dont les oreilles mesurent 10 cm et qui est âgé de 150 jours.

Utilise l'information que tu as obtenue grâce à tes observations pour formuler une **hypothèse** et élabore une **expérience** pour vérifier ton hypothèse. Fais ton expérience, consigne tes données et analyse les résultats. Est-ce que tes résultats confirment-ils ou infirment-ils ton hypothèse ? Si les données que tu as consignées au cours de l'expérience ne confirment pas ton hypothèse, examine les résultats, formule une nouvelle hypothèse et recommence le processus de vérification. Même si les données confirment ton hypothèse, tu dois recommencer l'expérience au moins une fois. Les preuves scientifiques doivent pouvoir être reproduites.

Une **hypothèse** est une explication possible d'une question ou d'une observation énoncée de façon qu'elle soit vérifiable. Exemple : si une plante manque d'eau, elle va commencer à flétrir.

Une **expérience** est une activité ou une procédure conçue pour infirmer une hypothèse. Il peut paraître étrange d'essayer de prouver qu'une hypothèse est fausse. Toutefois, il est impossible de prouver que quelque chose est absolument vrai parce qu'il peut toujours y avoir une expérience de plus qui révélerait une faille. Il suffit d'une seule expérience pour infirmer une hypothèse. Si tu n'infirmes pas ton hypothèse, alors les résultats la confirment.

Les résultats et les **conclusions** d'une expérience ne peuvent enrichir l'ensemble croissant des connaissances scientifiques que s'ils sont communiqués. Les scientifiques communiquent leurs résultats en soumettant des articles aux revues scientifiques, en faisant des exposés au cours de conférences et en discutant de leur travail avec leurs collègues. Avant qu'un article soit publié par écrit, d'autres scientifiques l'examinent afin de s'assurer que l'expérience et les conclusions reposent sur des méthodes de recherche scientifique adéquates.

Les **conclusions** sont une interprétation des résultats d'une expérience liée à la vérification d'une hypothèse. Exemple : d'après des données quantitatives sur la consommation d'essence, nous nous sommes rendu compte que l'essence ordinaire était plus efficace que l'essence super.

La dernière étape du processus de recherche scientifique consiste à rédiger un rapport sur ton expérience, à présenter clairement les résultats de la procédure que tu as observée de sorte que le lecteur de ton article pourra refaire l'expérience. Termine ton rapport par une discussion de ton interprétation des résultats et des conclusions.

L'exemple que tu viens de lire est un **modèle** de recherche scientifique conçu pour te montrer comment les connaissances scientifiques s'accumulent. Toutefois, ce modèle n'est que la première étape d'un processus plus vaste. Lorsque plusieurs scientifiques font des observations qui s'appuient sur la même hypothèse et lorsque ces scientifiques arrivent aux mêmes conclusions, l'hypothèse est de plus en plus crédible. En fin de compte, les scientifiques s'accordent pour dire que l'hypothèse a été vérifiée si minutieusement qu'elle devrait être acceptée par tout le monde. À ce stade, l'hypothèse devient une **théorie**.

Un **modèle** est une image mentale, un schéma, une structure ou une expression mathématique qui tente d'expliquer un concept ou une hypothèse. Avec de la pâte à modeler, un peu de bicarbonate de soude, du vinaigre et la capsule d'une bouteille, tu peux fabriquer un modèle de travail représentant un volcan. Tu peux aussi créer des modèles à l'ordinateur.

Une **théorie** est l'explication d'une observation ou d'un événement confirmée par les résultats d'expériences constantes et répétées et qui a, par conséquent, été acceptée par une majorité de scientifiques. Dans tes études précédentes, tu as découvert la théorie des particules de la matière.
La théorie de la relativité d'Einstein est un autre exemple de théorie.

Tu viens de passer en revue le processus principal de la recherche scientifique. Tu es prêt à mettre ce processus en application. Fais l'activité Passe à l'action : réalise une expérience qui se trouve dans les pages suivantes, pour acquérir l'expérience dont tu as besoin avant d'entreprendre les activités et les expériences proposées dans ce manuel.

RÉALISE UNE EXPÉRIENCE

# Observe le mouvement d'un objet qui tombe

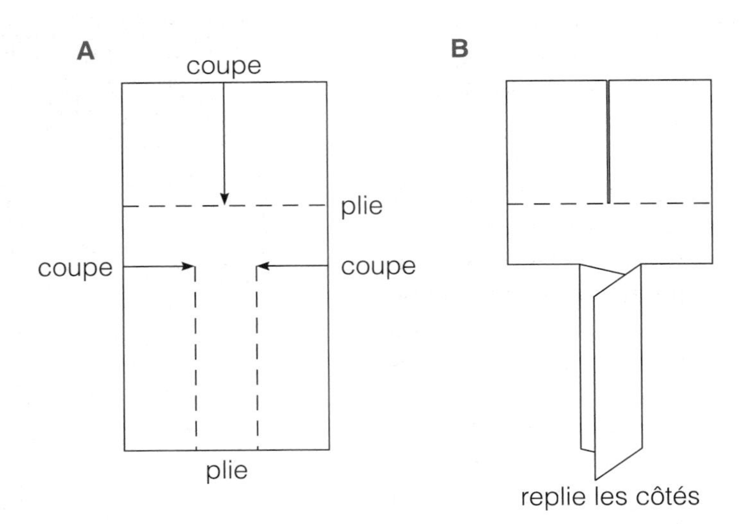


Dans cette expérience, tu vas mettre en pratique ce que tu sais au sujet de la recherche scientifique. Tu vas chercher des variables qui influent sur la chute d'une structure qu'on appelle un rotocoptère. La marche à suivre pour fabriquer un rotocoptère se trouve sur le schéma de droite.

La longueur des lames, la longueur de la tige, la largeur des lames, le poids (le nombre de trombones attachés) et la rigidité du papier sont autant de variables qui peuvent modifier la chute du rotocoptère. Il s'agit de **variables indépendantes** (qu'on appelle aussi des variables principales) parce qu'elles ne dépendent pas du modèle que tu as choisi. Les caractéristiques du rotocoptère vont avoir une incidence sur la vitesse à laquelle il tombe ou sur sa vitesse de rotation pendant qu'il tombe. Ces mouvements sont des **variables dépendantes** (qu'on appelle aussi variables liées) parce qu'elles dépendent du modèle que tu as choisi.

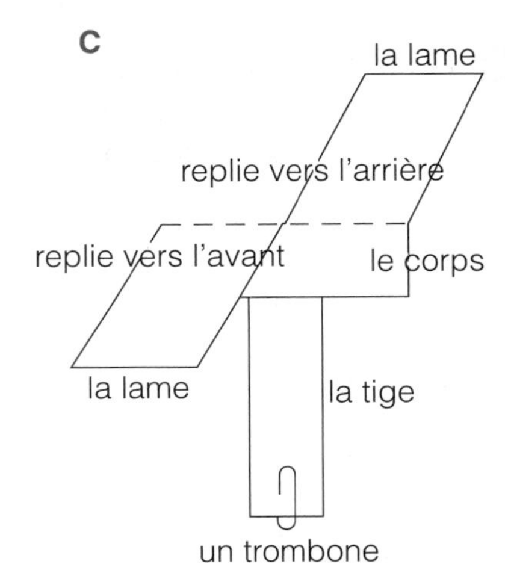

## Problème à résoudre

Trouve au moins deux relations entre une caractéristique du rotocoptère (une variable indépendante) et le mouvement du rotocoptère quand il tombe (une variable dépendante).

### Consigne de sécurité

Fais attention quand tu utilises des objets coupants, comme des ciseaux.

### Matériel

une règle
un stylo
des ciseaux
des trombones

### Matériel non réutilisable

du papier (plusieurs types de papier d'épaisseur et de rigidité différentes)

## Marche à suivre

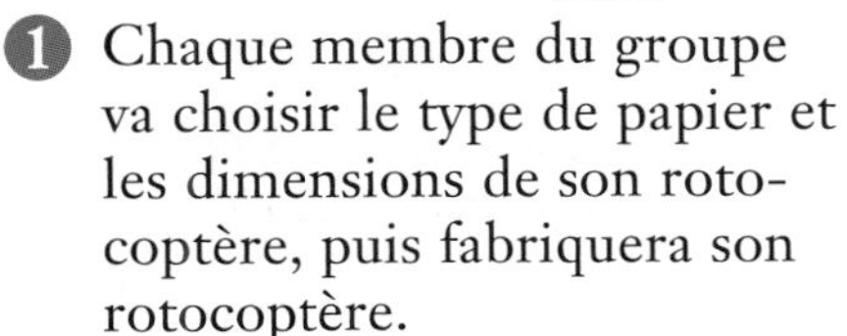

1. Chaque membre du groupe va choisir le type de papier et les dimensions de son rotocoptère, puis fabriquera son rotocoptère.
2. Observe le mouvement des rotocoptères quand ils tombent. Tous les membres du groupe vont observer le mouvement de chaque rotocoptère afin de recueillir des données générales sur le mouvement de chute. Quand tu laisses tomber des rotocoptères, tiens-les par le bout des lames, à environ 2 m au-dessus du sol, et laisse-les tomber librement.
3. Avec tout le groupe, choisis au moins deux variables indépendantes différentes que tu vas vérifier. Pour chacune des variables que le groupe choisit, énonce une hypothèse prévoyant comment la variable va influer sur le mouvement de chute.

4. Choisis un modèle de base et décide exactement comment tu vas modifier chaque caractéristique que tu veux vérifier. Par exemple, si tu décides de vérifier l'effet de la rigidité du papier, tous les rotocoptères devront avoir la même taille et la même forme. Si tu veux vérifier la largeur des lames, alors le type de papier, la longueur de la lame et de la tige devront être identiques pour chaque rotocoptère. Tu ne peux modifier qu'une seule variable à la fois.

5. Pour chaque variable que tu veux vérifier, fabrique au moins trois rotocoptères. Seule cette variable peut changer.

6. Essaie tes rotocoptères, comme sur la photo. Vérifie une seule variable à la fois. Pour pouvoir faire des comparaisons valables, demande à différents membres du groupe de maintenir les rotocoptères à la même hauteur et de laisser tomber les rotocoptères en même temps. Observe la vitesse de rotation des rotocoptères et l'ordre dans lequel ils touchent le sol. Fais au moins cinq essais pour chaque variable que tu vérifies.

## Analyse

1. Y avait-il une relation entre l'une de tes variables indépendantes et la vitesse de rotation ? Si oui, énonce cette relation.
2. Y avait-il une relation entre l'une de tes variables indépendantes et la vitesse de la chute ? Si oui, énonce cette relation.

## Conclusion et mise en pratique

3. Tes résultats confirment-ils ou infirment-ils ton hypothèse ? Explique ta réponse.
4. Rédige un énoncé décrivant n'importe quelle relation que tu as observée entre une variable indépendante et une variable dépendante.

# La technologie et la résolution de problèmes technologiques

Les ingénieurs, les architectes, les technologues et les concepteurs font appel à des habiletés à résoudre des problèmes technologiques pour élaborer des technologies qui résolvent des problèmes particuliers. Comme nous l'avons dit plus tôt, la technologie est n'importe quel outil, appareil ou technique que les humains utilisent pour faciliter leur travail ou simplifier la vie quotidienne.

La technologie permet de fabriquer des objets simples ou complexes. Par exemple, une pelle relève d'une technologie simple qui aide l'homme à creuser un trou. Un laser de précision est un appareil complexe que des médecins spécialement formés peuvent utiliser pour effectuer des interventions chirurgicales très délicates sur le cerveau ou les yeux, par exemple. Aujourd'hui, il est possible de développer et d'améliorer la technologie bien plus facilement si nous connaissons et si nous comprenons les sciences qui sous-tendent cette technologie. Comme tu l'as lu, il n'est toutefois pas toujours nécessaire de connaître d'abord les sciences. Certaines technologies ont été élaborées simplement en réponse à un défi, sans compréhension scientifique complète. Ce processus devrait d'ailleurs continuer.

Les enfants utilisent leur propre expérience tout le temps et ont très peu de connaissances scientifiques pour régler les problèmes technologiques qu'ils rencontrent dans leur vie quotidienne. Par exemple, s'ils doivent traverser un ruisseau peu profond ou une flaque d'eau sans se mouiller les pieds, ils jettent une planche de bois en travers avant de passer. Quand tu étais enfant, tu as peut-être attaché une carte près des rayons de la roue de ta bicyclette pour produire un bourdonnement en pédalant. Tu ne pensais probablement pas au concept scientifique sous-jacent. Mais tu utilisais des habiletés à résoudre des problèmes technologiques. Tu faisais aussi appel à tes expériences précédentes et à tes connaissances sur le son, les matériaux et les attaches. La chaîne d'événements ci-dessous t'indique les principales étapes du processus de résolution de problèmes technologiques.

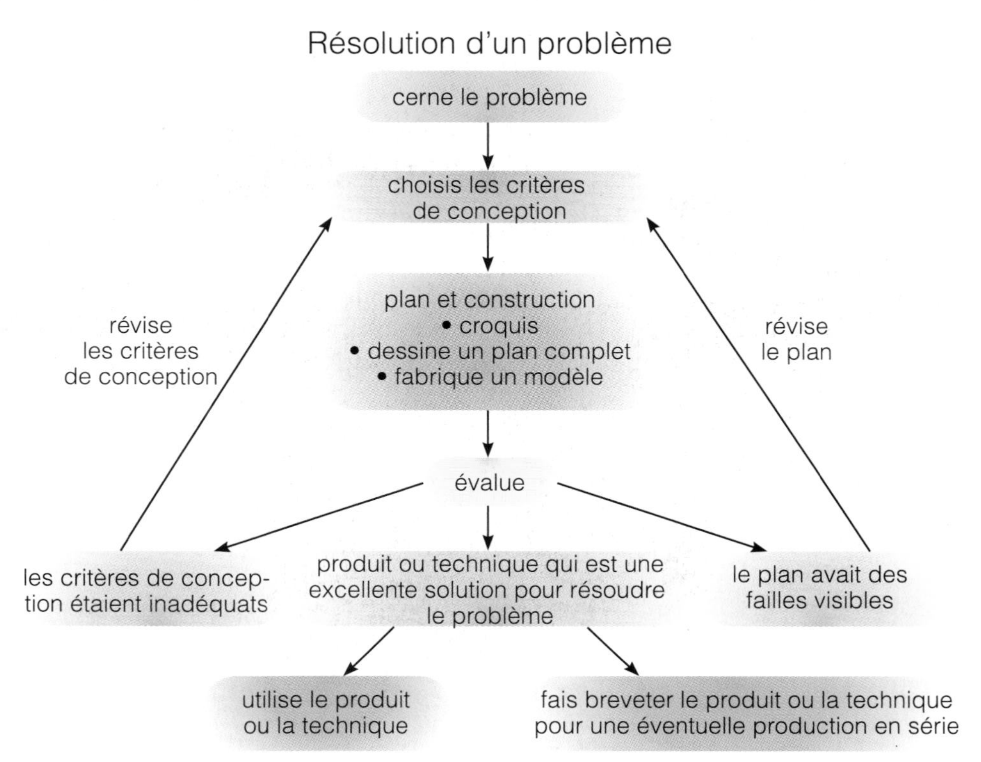

## Pour t'exercer...

À l'aide de la chaîne d'événements intitulée « Résolution d'un problème technologique », reprends le défi mentionné plus tôt : produire un bourdonnement quand une bicyclette se déplace.

1. Quel est le défi ou le problème que l'enfant doit relever ?
2. De quels critères de conception l'enfant doit-il peut-être tenir compte ?
3. Quelle planification l'enfant devrait-il faire avant de fabriquer le dispositif pour produire ce bourdonnement ?
4. Comment l'enfant va-t-il probablement évaluer le dispositif qui produit ce bourdonnement ?

## Résolution de problèmes technologiques dans ce cours

Les activités de *Passe à l'action : conçois et fabrique un outil* vont te permettre d'utiliser des habiletés à résoudre des problèmes technologiques. Dans ce type d'expériences, tu dois élaborer des stratégies pour relever un défi. On te demandera d'élaborer et de mettre en œuvre un plan d'après des critères de conception déterminés. On te demandera aussi d'évaluer ton plan, de réfléchir aux résultats et de communiquer ces résultats. Il est improbable que tu essaies de breveter tes produits ou techniques, mais qui sait!

Examine les plans d'une machine volante imaginée et dessinée par Léonard de Vinci, célèbre inventeur et artiste italien du XV^e^ siècle. Pense aux objets, dans la nature, qui auraient pu inspirer Léonard de Vinci pour la machine volante représentée ici (il en imaginé beaucoup d'autres). Utilise le même modèle que pour le rotocoptère de la section « Les sciences et la recherche scientifique » pour résoudre un problème technologique. Tu as vu comment utiliser ce modèle pour poser des questions scientifiques. Comment peux-tu utiliser ce même modèle tout simple pour aborder un problème technologique ?

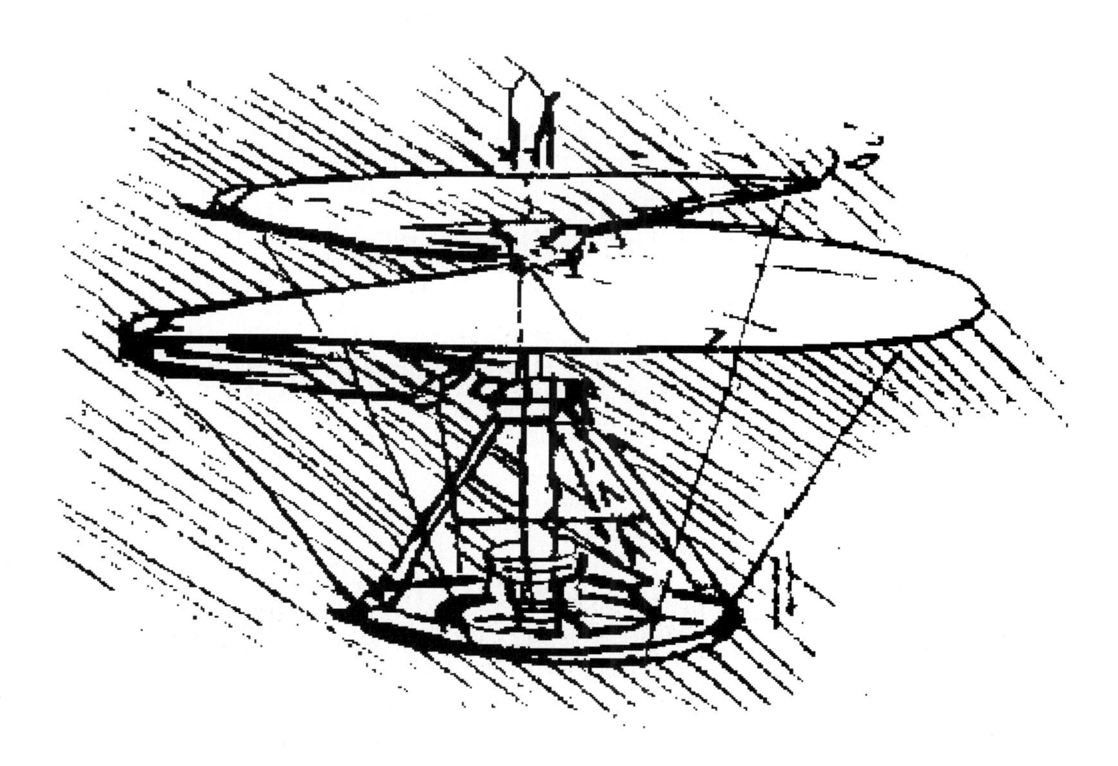

# Comment fabriquer un rotocoptère qui tombe le plus lentement possible

Nous sommes au début des années 1900 et tu travailles pour un fabricant d'avions. On vient d'inventer les avions et ils volent avec succès. Toi et quelques-uns de tes collègues avez une idée. Est-il possible de construire une machine volante munie d'une hélice sur le dessus de façon que cette machine décolle et atterrisse en position verticale ? Pense à certains endroits où tu pourrais aller avec ce véhicule. Tu commences ton processus de réflexion et de planification avec du papier, du carton et des trombones, dans le bureau de ton entreprise. Soulignons d'ailleurs que ce processus n'est pas très différent de la façon dont les idées de nombreuses inventions sont apparues !

## Projet

Conçois et fabrique un rotocoptère qui tombera le plus lentement possible d'une hauteur de 2 mètres et qui restera intact pendant trois essais.

## Matériel

du papier de bricolage ou du carton pour affiche, un stylo, une règle, des trombones, des ciseaux, un chronomètre ou une montre munie d'une trotteuse

## Consigne de sécurité

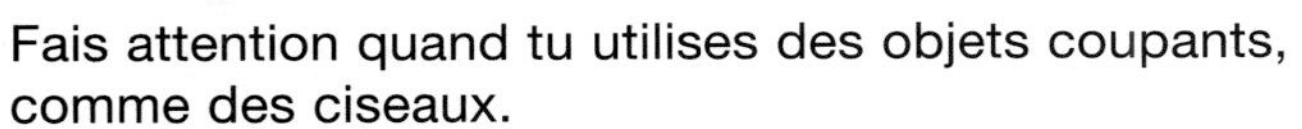

Fais attention quand tu utilises des objets coupants, comme des ciseaux.

## Critères de conception

**A.** Ton rotocoptère doit être conçu et fabriqué par une équipe d'élèves, en 20 min maximum.

**B.** Ton rotocoptère doit pouvoir tomber trois fois.

**C.** Ton rotocoptère ne doit pas mesurer plus de 30 cm de long ni plus de 10 cm de large.

**D.** Le stabilisateur de ton rotocoptère ne doit pas mesurer plus de 30 cm de long.

**E.** Tu dois utiliser au moins un trombone.

**F.** Tu dois tracer un croquis clair avec une légende avant de commencer à construire ton rotocoptère.

## Plan et construction

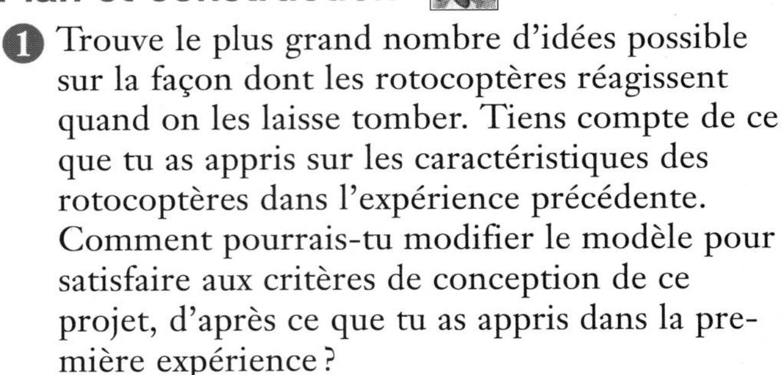

1. Trouve le plus grand nombre d'idées possible sur la façon dont les rotocoptères réagissent quand on les laisse tomber. Tiens compte de ce que tu as appris sur les caractéristiques des rotocoptères dans l'expérience précédente. Comment pourrais-tu modifier le modèle pour satisfaire aux critères de conception de ce projet, d'après ce que tu as appris dans la première expérience ?

2. **a)** Retiens quelques modèles possibles et fais-en des croquis.

   **b)** Choisis le modèle qui, d'après toi, fonctionnera le mieux. Vérifie une fois encore s'il répond à tous les critères de conception.

3. Trace un croquis détaillé du modèle que tu as choisi. Indique où se trouvent l'hélice, le stabilisateur, leurs dimensions ainsi que la position des trombones et le nombre de trombones que tu vas utiliser. Montre ton modèle à ton enseignante ou à ton enseignant.

4. Utilise le matériel fourni pour construire ton rotocoptère.

5. a) Chaque modèle doit subir trois essais.
   b) Laisse tomber ton rotocoptère d'une hauteur de 2 mètres et chronomètre combien de temps il faut au rotocoptère pour atteindre le sol. Consigne les résultats dans un tableau comme le tableau ci-dessous.

6. Calcule combien il faut de temps, en moyenne, au rotocoptère de chaque groupe pour atteindre le sol. Quel est le modèle qui tombe le plus lentement ?

| Groupe | Dimensions utilisées | Matériel utilisé | Temps, 1er essai | Temps, 2e essai | Temps, 3e essai | Temps moyen |
|---|---|---|---|---|---|---|
| | | | | | | |
| | | | | | | |

## Évalue

1. Évalue ton modèle. Tiens compte des dimensions du rotocoptère qui tombe le plus lentement et du matériel dans lequel le rotocoptère est fabriqué. Si ton modèle n'était pas le plus lent (ou si tu n'as pas réussi à le faire tomber trois fois), comment dois-tu le modifier ? Quels étaient les points communs et les différences entre ton modèle et le modèle le plus lent ?

2. Si tu as suffisamment de temps et le matériel adéquat, fabrique un modèle modifié. Compare ton nouveau rotocoptère à celui qui est tombé le plus lentement. Combien de temps faut-il maintenant à ton rotocoptère pour tomber ?

# La prise de décision d'ordre social

Cette année, dans ton cours de sciences, on te demandera souvent de réfléchir aux interactions entre les sciences, la technologie, la société et l'environnement (STSE). Pourquoi ? Nous ne sommes pas isolés les uns des autres, ni de l'environnement et des effets des sciences et de la technologie sur notre vie. Par exemple, la photographie ci-dessus a été prise par des astronautes en orbite autour de la Lune. À cette époque, en 1968, l'usage de la technologie pour les voyages dans l'espace était une nouveauté tout à fait passionnante. Cette image de la Terre a fait comprendre à tous les habitants de la planète la fragilité de notre environnement, comme jamais rien n'avait pu le faire auparavant.

Aujourd'hui, des centaines de satellites sans équipage sont en orbite autour de la Terre. Chaque année, des astronautes partent en orbite dans des navettes spatiales pour lancer de nouveaux satellites, réparer les satellites existants et procéder à des expériences scientifiques qui ne pourraient avoir lieu sur Terre. Certaines stations spatiales en orbite sont occupées depuis des années.

Les interactions dans le domaine des STSE soulèvent souvent des questions tout aussi collectives que personnelles. En voici quelques exemples :

- Les *débris spatiaux* sont un problème environnemental. Les anciens satellites qui ne sont plus en fonction peuvent se casser et retomber sur Terre, ce qui cause des dommages et exige un nettoyage coûteux. Devrait-on retirer ces satellites de leur orbite avant qu'ils s'écrasent sur Terre ? Si oui, qui doit se charger de récupérer ces satellites ?
- Le *financement des programmes spatiaux* est un enjeu économique. Les voyages dans l'espace coûtent très, très cher. La plus grande partie de ces sommes proviennent des impôts. Certaines personnes se demandent pourquoi on n'utilise pas cet argent pour résoudre les problèmes comme la pauvreté sur la terre.

Les sociétés composées de citoyens cultivés sur le plan scientifique pourront régler ce genre de problèmes plus efficacement. Il s'agit de citoyens capables de faire la différence entre information et désinformation, et d'évaluer si les affirmations faites au nom de la science sont valables ou pas.

Ce manuel est conçu pour t'aider à te bâtir une culture scientifique, grâce aux connaissances et aux capacités de raisonnement que tu vas acquérir. Ces capacités de raisonnement te serviront toute ta vie et t'aideront à prendre des décisions importantes, aussi bien sur le plan personnel que collectif.

Les sciences peuvent te fournir l'information de base dont tu as besoin pour t'aider à évaluer les risques. Mais les sciences seules ne sont pas suffisantes pour prendre une décision finale, aussi bien sur le plan personnel que collectif. L'art, la littérature, la philosophie, la musique, l'histoire et les convictions culturelles peuvent tout autant influer sur la façon dont chaque personne interprète le monde. Tous les points de vue doivent être examinés avec respect. Le contenu de ce manuel t'aidera à apprécier et à comprendre les sciences sous-tendant plusieurs problèmes sociaux qui vont survenir. Il te permettra aussi d'acquérir les habiletés et les concepts essentiels dont tu as besoin pour réussir dans tes prochains cours de sciences.

Inspire-toi de la chaîne d'événements ci-contre, intitulée « Développe tes habiletés à prendre des décisions », pour analyser différentes questions.

En règle générale, ton manuel ***OMNISCIENCES 9*** met l'accent sur l'analyse des problèmes, mais deux caractéristiques spéciales te seront particulièrement utiles pour développer tes habiletés à prendre des décisions.

Nombre des activités de *Passe à l'action : réfléchis et fais des liens* examinent un problème donné. Toutes les rubriques *Dossier du module* te présentent un problème ou un débat, une simulation sous forme de jeux de rôles ou une étude de cas, te permettant ainsi de développer ton esprit critique et tes habiletés à prendre des décisions.

**Développe tes habiletés à prendre des décisions**

Cerne le problème.

Rassemble les données pertinentes.

Détermine *toutes* les autres solutions possibles.

Évalue chaque solution possible en clarifiant ses conséquences.

Prend une décision.

Évalue ta décision.

Ta décision est la meilleure compte tenu du rapport risques/avantages et, donc, des conséquences probables.

Une ou plusieurs étapes du processus de prise de décision présentaient une faille. Ne prends aucune mesure. Recommence le processus pour éliminer les étapes défectueuses et remplacer ces étapes par le fruit d'une meilleure réflexion.

Prend des mesures ou communique ta décision.

Des erreurs de jugement peuvent survenir à n'importe quelle étape du processus de prise de décision.

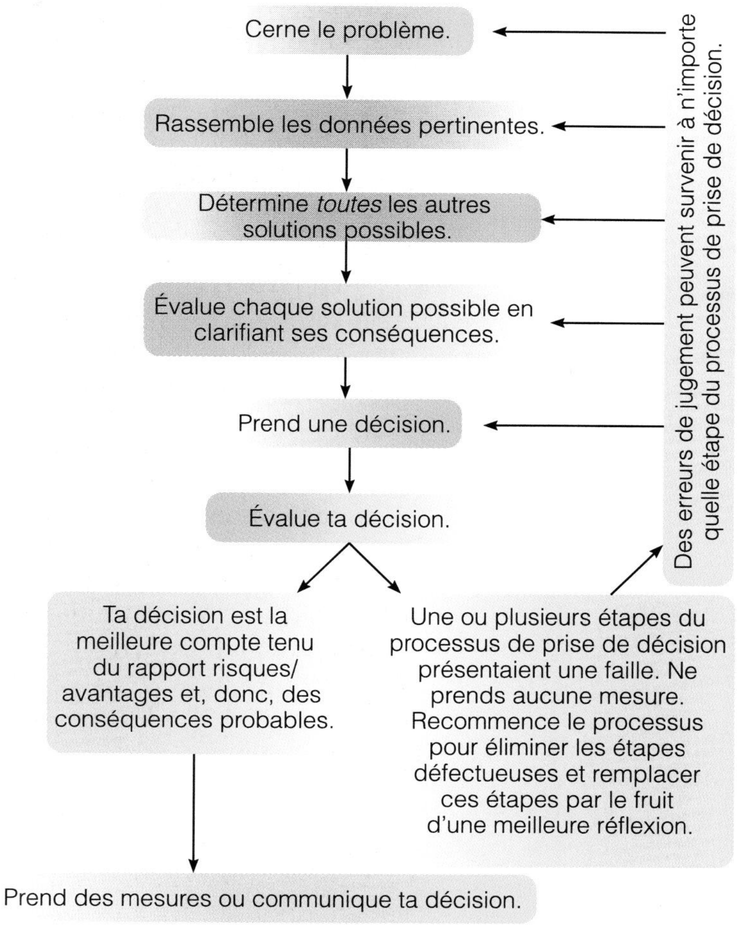

## Pour t'exercer...

1. Décris comment chacune des créations technologiques ci-dessous a eu des répercussions positives sur la société (des avantages) :
   a) la télévision
   b) l'électricité
   c) le téléphone
   d) l'avion à réaction
   e) la production en série d'automobiles
2. Décris maintenant une ou deux répercussions négatives (ou risques) des créations technologiques ci-dessus sur la société.

3. Pour chacune des créations technologiques de la question 1, énonce quels étaient les concepts scientifiques qu'il fallait comprendre pour mettre ces créations au point.

4. Analyse les deux citations suivantes. Discutes-en avec tes camarades de classe et explique ce qu'elles signifient.

   **a)** « Les sciences et la technologie sont des entreprises sociales essentielles. Mais, seules, elles se contentent d'indiquer ce qui peut arriver et non pas ce qui devrait arriver. (Ce qui devrait arriver) repose sur des décisions humaines concernant l'usage des connaissances. »

   PRINCIPES DE BASE DE L'ENSEIGNEMENT DES SCIENCES

   **b)** « L'attention au langage du discours est importante. Mettre l'accent sur le langage comme expression des valeurs et des priorités peut permettre d'atteindre une grande clarification. Quand quelqu'un vous parle des avantages et des coûts d'un projet donné, ne demandez pas "Quels avantages ?" mais "Les avantages de qui et les coûts de qui ?" »

   URSULA FRANKLIN, PROFESSEURE ÉMÉRITE DE CHIMIE ET DE GÉNIE MÉCANIQUE, UNIVERSITÉ DE TORONTO, ET ACTIVISTE POUR LES DROITS DE LA PERSONNE

5. Indique si chacune des questions suivantes relève des sciences, de la technologie ou du domaine des STSE. Explique chacune de tes réponses.
   **a)** Quelle quantité d'antigel dois-je mettre dans le radiateur de ma voiture en hiver ?
   **b)** Pourquoi les grenouilles ne meurent-elles pas de froid pendant l'hiver canadien ?
   **c)** Pourquoi ne peut-on pas bâtir un site d'enfouissement sur cette propriété ?
   **d)** Quelles sont les causes du cancer ?

6. D'après toi, est-ce que l'une des questions du point 5 soulève un problème donné ? Si oui, sers-toi de ce problème, ou d'un problème de ton choix, et exerce-toi à l'analyse à l'aide de la chaîne d'événements intitulée « Développe tes habiletés à prendre des décisions ».
   **a)** Cerne le problème.
   **b)** Où irais-tu pour commencer à rassembler des données pertinentes ? Cite trois ou quatre sources.
   **c)** Quelles sont les autres possibilités ?

MODULE

1

# Le pouvoir de la reproduction

La faculté de se reproduire, c'est-à-dire de se multiplier, est peut-être la plus grande différence entre les êtres vivants et la matière inerte. Les Anciens ont su reconnaître le pouvoir de la reproduction, ce qui les a aidés à développer l'agriculture et à domestiquer les animaux. Les scientifiques modernes ont su comprendre le pouvoir de la reproduction, ce qui leur a permis d'élaborer des médicaments, comme les antibiotiques, ainsi que toute une gamme de plantes alimentaires, comme le canola.

Cette plantation de bananes est le fruit de la reproduction asexuée. Dans la reproduction asexuée, de nombreuses plantes identiques se développent à partir d'une plante-mère unique. Ainsi, tous les pommiers McIntosh descendent d'un seul et unique arbre. Les techniques de production de plantes ayant les caractéristiques souhaitées ont été élaborées il y a plusieurs siècles et continuent d'être améliorées.

Par contre, ces bébés sont loin d'être identiques. Ils sont le fruit de la reproduction sexuée. Dans le cadre de la reproduction sexuée, il faut deux parents pour donner naissance à des descendants différents les uns des autres et de leurs parents.

La reproduction sexuée et la reproduction asexuée dépendent de l'unité de base de la vie, la cellule. En fait, ta propre croissance fait appel aux processus cellulaires qui permettent aux cellules de ton corps de se reproduire, ou de se diviser, pour faire des copies identiques d'elles-mêmes. Comprendre les processus cellulaires de la reproduction est un voyage continu dans le monde des sciences, un voyage qui va de découverte en découverte, qui dure depuis des années et qui continuera encore pendant longtemps. Toutes les technologies ont des avantages et présentent des risques. À mesure que nous élaborerons de nouvelles technologies de reproduction pour augmenter la production alimentaire, réduire les maladies et améliorer les thérapies génétiques, la société devra continuellement évaluer les avantages et les risques de ces nouvelles technologies.

## Contenu du module

CHAPITRE 1

# Le cycle cellulaire

## Pour commencer...

- Comment les organismes se développent-ils ?
- Comment les os cassés se ressoudent-ils ?
- Comment les gens vieillissent-ils ?
- Qu'est-ce que le cancer ?
- Comment les organismes se reproduisent-ils ?

110 ×

### Journal scientifique

Dans ton journal scientifique, réponds aux questions ci-dessus en fonction de tes connaissances. Fais appel à ce que tu sais déjà et à ce que tu as lu et entendu d'autres sources. Tu trouveras les réponses à ces questions dans ce chapitre.

Ces élèves font partie d'un projet de recherche. Ils explorent les habitats aquatiques et examinent les plantes et les organismes microscopiques qui vivent dans un étang. Si tu pouvais examiner cette scène au niveau cellulaire, tu découvrirais que ces élèves ont quelque chose en commun avec les organismes qu'ils observent. Toutes les cellules qui composent les élèves, les plantes aquatiques et les organismes unicellulaires du récipient d'échantillon se développent et se divisent.

Depuis deux siècles, les hommes s'intéressent à la cellule et à ses aptitudes extraordinaires. Dans ce chapitre, tu suivras les étapes du voyage scientifique qui a permis de comprendre la cellule comme unité de base de la vie. Tu observeras aussi le cycle chargé de la croissance de la cellule et de la reproduction. Enfin, tu exploreras la reproduction asexuée des organismes.

### Omni TRUC

Pour revoir comment utiliser ton journal scientifique, va à la page 571.

# et la reproduction asexuée

## Concepts clés

Dans ce chapitre, tu découvriras :

- comment la théorie de la cellule a été élaborée ;
- l'importance de la mitose et de la division cellulaire dans le cycle cellulaire ;
- les différents types de reproduction asexuée des organismes vivants ;
- certains avantages et inconvénients de la reproduction asexuée ;
- comment on utilise nos connaissances de la reproduction asexuée pour fabriquer des plantes.

## Habiletés clés

Dans ce chapitre :

- tu mettras à jour tes aptitudes à utiliser un microscope afin d'observer le processus de la division cellulaire ;
- tu prévoiras le nombre de divisions cellulaires nécessaires pour produire un certain nombre d'organismes ;
- tu étudieras les phases de la mitose et de la division cellulaire ;
- tu feras des recherches sur un certain nombre de questions, tu synthétiseras l'information provenant de plusieurs sources et tu présenteras tes résultats.

## Mots clés

- théorie cellulaire
- organite
- noyau
- membrane nucléaire
- ADN
- chromatine
- nucléole
- ribosome
- membrane cellulaire
- cytoplasme
- réticulum endoplasmique
- mitochondrie
- appareil de Golgi
- vacuole
- lysosome
- paroi cellulaire
- chloroplaste
- mitose
- réplication
- chromosome
- centromère
- prophase
- métaphase
- anaphase
- télophase
- fibre fusoriale
- centriole
- plaque équatoriale
- interphase
- cycle cellulaire
- régénération
- reproduction asexuée
- fission binaire
- fragmentation
- bourgeonnement
- spore
- méristème
- clonage

**Omni TRUC**

Pour connaître les symboles de sécurité utilisés dans ce manuel, va à la page 597.

## ACTIVITÉ de départ

### Qu'y a-t-il dans l'étang ?

Imagine... tu fais partie d'une équipe d'élèves qui examinent un étang. Quels genres d'organismes trouveras-tu dans une goutte d'eau provenant de cet étang ? Des organismes unicellulaires (composés d'une seule cellule) ? Des organismes multicellulaires (composés de plusieurs cellules) ? Pour le savoir, fais des recherches au microscope.

#### Ce que tu dois faire  

1. Avant de commencer cette activité, vérifie si tu sais comment te servir d'un microscope. Va à la page 577 et mets en pratique les techniques décrites.
2. Procure-toi une goutte d'eau provenant d'un étang.
3. Prépare un montage humide en plaçant la goutte d'eau sur une lame avec un compte-gouttes. Place soigneusement une lamelle à un angle d'environ 45° à une extrémité de la goutte et dépose la lamelle très lentement pour recouvrir toute la goutte, très lentement. Si la goutte est trop grosse, place un mouchoir en papier sur le bord de la deuxième lamelle pour éponger l'excès d'eau.
4. Maintenant, examine ton montage humide sous la lentille de faible grossissement de ton microscope. Que vois-tu ? Utilise ensuite la lentille de grossissement moyen et la lentille de fort grossissement. Qu'observes-tu maintenant ?
5. Dessine les organismes que tu vois et essaie de les identifier.
6. Lave-toi les mains après cette activité.

#### Qu'as-tu découvert ?

1. Ton enseignante ou ton enseignant te donnera des illustrations représentant des organismes vivant dans les étangs. Utilise ces illustrations pour identifier les organismes que tu vois.
2. Indique si, d'après toi, chaque organisme est unicellulaire ou multicellulaire.

# 1.1 La cellule : comprendre l'unité de base de la vie

Nous savons aujourd'hui que tous les organismes vivants représentés sur la photo se composent d'une ou de plusieurs cellules. Toutefois, nous n'avons pas toujours eu ces connaissances. Le voyage humain dans la cellule s'étend sur plusieurs siècles et fait intervenir plusieurs personnes et plusieurs cultures. Dans cette section, tu suivras les étapes de l'élaboration de la **théorie cellulaire**, selon laquelle la cellule est l'unité de base de la vie. Tu exploreras le rôle fondamental de cette théorie en biologie, c'est-à-dire l'étude de la vie. Tu examineras aussi la cellule elle-même afin de découvrir le fonctionnement des structures et des processus cellulaires. Pour comprendre la cellule comme l'unité de base de la vie, tu utiliseras les connaissances que tu as déjà sur la cellule et tes aptitudes à utiliser un microscope.

Figure 1.1 Au début, tous les organismes ne sont qu'une seule cellule. Les séquoias qui peuvent atteindre plus de 90 m de hauteur, les baleines bleues qui ont une masse de plus de 100 t, les organismes microscopiques et tous les élèves de ta classe ont commencé par n'être qu'une seule et unique cellule.

**Pause réflexion**

Vérifie ce que tu sais déjà sur les cellules et les microscopes. Essaie de répondre aux questions ci-dessous dans ton journal scientifique. Mets ensuite tes connaissances à jour à mesure que tu lis cette section.

- Comment savons-nous que la cellule est l'unité de base de la vie ?
- En quoi les cellules des plantes et des animaux sont-elles identiques ? En quoi ces cellules sont-elles différentes ?
- Que dois-tu savoir sur le microscope et ses différentes parties pour l'utiliser efficacement ?

RÉFLÉCHIS ET FAIS DES LIENS 1-A

# Une théorie est née

## Réfléchis

Dans l'histoire scientifique, il y a des périodes où les connaissances font des progrès remarquables en un laps de temps relativement court. Par exemple, à certaines époques, les idées scientifiques sur la vie s'orientaient progressivement et de plus en plus précisément vers ce qu'on connaît aujourd'hui comme la théorie cellulaire. Comme plusieurs idées scientifiques essentielles, la théorie cellulaire combine, ou synthétise, les contributions de plusieurs personnes importantes. C'est le physiologiste allemand Rudolph Virchow (1821-1902) qui a synthétisé la version finale de la théorie cellulaire. Dans cette expérience, tu suivras les étapes scientifiques, technologiques et sociales qui ont donné lieu à cette synthèse.

## Ce que tu dois faire

1. Les pages 6 à 9 te présentent le calendrier de la théorie cellulaire. Ce calendrier de quatre pages résume plusieurs siècles d'histoire de la biologie. L'information est présentée pour te montrer comment différentes idées ont donné lieu à d'autres idées. Il te sera peut-être utile de travailler dans un groupe de trois pour utiliser trois exemplaires d'OMNISCIENCES 9. Ainsi, tu ouvriras un manuel à cette page, un autre manuel, à la page 6 et le troisième manuel, à la page 8.
2. Avant que tu commences à étudier le calendrier de la théorie cellulaire, examine les codes de couleur ci-dessous. Ces codes définissent quatre catégories d'informations historiques :

   COULEUR 1 Développements scientifiques (découvertes, théories, idées)

   COULEUR 2 Réactions et attitudes (des scientifiques et du public)

   COULEUR 3 Développements technologiques (outils ou techniques qui ont donné lieu à des découvertes scientifiques)

   COULEUR 4 Communications scientifiques (manuels, lettres, conférences)

**Omni TRUC**

Pour des conseils sur le travail en groupe, va à la page 573.

3. Examine le calendrier pour trouver un exemple dans chacune des catégories ci-dessus. Fais attention au type d'information que contient chaque exemple. Cherche la date correspondant à chaque exemple. En quelle année chaque événement s'est-il produit ?
4. Lis tout le calendrier afin de voir la progression des découvertes qui ont permis d'accumuler, petit à petit, les connaissances en biologie sur la cellule. Afin de te faire une idée des sciences, des attitudes et des croyances des gens à une certaine époque, il te sera peut-être utile de lier chaque événement à la date correspondante. Tu pourras t'inspirer des points ci-dessous pour résumer les données les plus importantes dans ton cahier.
   - Quand a-t-on vu des cellules pour la première fois ? Quand a-t-on vu des cellules pour la deuxième fois ? Quand a-t-on déterminé que la cellule était l'unité de base de la vie ?
   - Quelles évolutions technologiques ont-elles rendu ces événements possibles ?
   - Comment le public a-t-il réagi à chaque événement ? Comment le monde scientifique a-t-il réagi à chaque événement ?
   - L'attitude du public et des scientifiques a-t-elle favorisé ou freiné les progrès ?
5. La théorie cellulaire, telle que nous la connaissons, a été énoncée pour la première fois en 1850 par Rudolph Virchow, dans une série de 20 exposés. Les scientifiques sont exigeants. C'est pourquoi Virchow a dû élaborer la toile de fond avant de présenter sa synthèse aux scientifiques. Lis le calendrier et essaie d'avoir une vue d'ensemble, comme Virchow. Choisis ensuite les points essentiels. D'après toi, quels étaient les principaux arguments de Virchow ? Note ces arguments dans ton cahier. Quelles preuves Virchow a-t-il dû présenter pour changer la vision de ceux qui remettaient ses idées en question ou qui étaient opposés à ses idées ?
6. Après avoir observé les étapes ci-dessus, passe à la page 10 et réponds aux questions. Si c'est possible, laisse deux manuels ouverts pour voir tout le calendrier.

## La théorie cellulaire dans le temps

**ANTIQUITÉ**

*Partout, les gens s'intéressent à la façon d'utiliser les organismes vivants. Ils transmettent leurs connaissances oralement, de génération en génération.*

**1268 :** Première référence au monocle dans les écrits d'un moine anglais et du philosophe Roger Bacon (v. 1220-1292).

**Années 1600**

*Les scientifiques débattent la nature de la reproduction. D'où la vie vient-elle ? Pour certains, l'apparence des champignons sur des bûches et des asticots dans la viande non salée confirment la théorie de la génération spontanée d'Aristote. Selon cette théorie, des organismes vivants peuvent provenir d'une matière non vivante.*

*Les érudits, comme le physicien anglais William Harvey (1578-1657), commencent à examiner directement la nature. Ces observations remettent sérieusement en question les idées arrêtées sur l'origine de la vie. Harvey affirme que les asticots proviennent d'œufs trop petits pour être vus.*

**500 av. J.-C. :** Certaines civilisations, comme les Grecs anciens, soutiennent les érudits qui se questionnent sur la vie. Toutefois, ces érudits cherchent des réponses dans la pensée plutôt que dans l'observation et les expériences.

**Antiquité** — **1500** — **1600**

**334 av. J.-C. :** Un érudit, le philosophe grec Aristote (384-322 av. J.-C.), observe la nature directement. 1) Il classe tous les organismes connus en deux règnes : les plantes et les animaux ; 2) visualise une « échelle de la vie » où les plantes se trouvent sur les barreaux inférieurs ; 3) écrit que les organismes vivants peuvent apparaître spontanément, à partir d'une matière non vivante.

**Années 1500**

*La plupart des érudits européens considèrent les connaissances immuables. Pour en savoir plus sur la nature, ils se fient à d'anciens ouvrages tirés des écrits originaux d'Aristote.*

**1590 :** Les fabricants de monocles allemands, comme Zacharias Janssen (les dates exactes sont inconnues), inventent le premier microscope composé en alignant deux lentilles pour produire de très grandes images.

**1662 :** Le monarque anglais Charles II (1630-1685) accorde une charte à la Royal Society of London pour la promotion du savoir naturel.

**1665 :** Un nouvel ouvrage du scientifique anglais Robert Hooke (1635-1703), qui s'intitule *Micrographia*, montre des illustrations de matière morte (paroi de l'écorce d'un arbre) observée au microscope composé (deux lentilles). Le grossissement révèle des espaces vides, comme des compartiments, ou des « cellules ».

**1667 :** Une lettre publiée par le naturaliste anglais John Ray (1627-1705) définit les « espèces » comme un ensemble d'organismes individuels qui peuvent se reproduire (de façon identique).

**1674 :** Une lettre illustrée du scientifique amateur hollandais Antonie Van Leeuwenhoek (1632-1723) fait mention d'êtres vivants de 0,002 mm observés avec un microscope à une seule lentille.

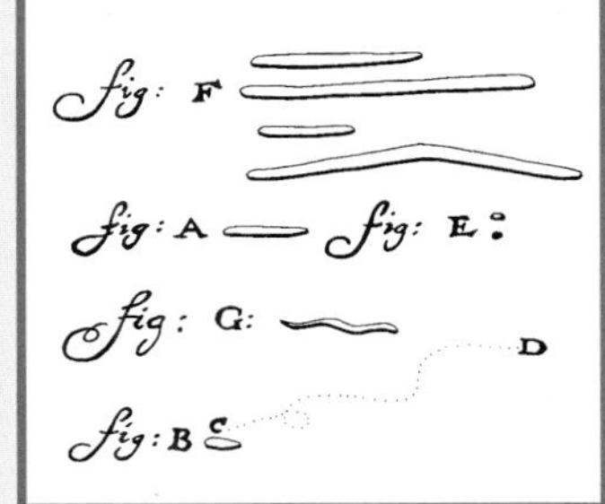


**Années 1700**
*Horrifié par la vue d'une puce grossie, un notable dénonce publiquement le microscope comme l'instrument du démon. Les scientifiques commencent à douter de la théorie de la génération spontanée. Le grand public croit encore cette théorie.*

**1753 :** Grâce au travail du biologiste suédois Carl von Linné (1707-1778), la biologie commence à mettre l'accent sur la découverte, la dénomination et le classement de nouvelles espèces du monde entier. Grâce à l'exploration, les scientifiques découvrent la grande diversité des organismes.

1665

1700

**1665 :** La Royal Society met en place un réseau de communication. Le rédacteur en chef Henry Oldenburg (1617-1677) rassemble des lettres provenant de toute l'Europe. Il traduit ces lettres en anglais et les publie dans un journal intitulé *Philosophical Transactions*.

**1668 :** L'une des premières expériences contrôlées en biologie, à laquelle a procédé le scientifique italien Francesco Redi (1626-1697), démontre que les asticots n'apparaissent pas dans la viande si des mouches ne peuvent pas se poser sur cette viande.

**Années 1770**
*Les améliorations mécaniques rendent les microscopes plus résistants et plus faciles à utiliser. Toutefois, le verre de mauvaise qualité produit des images floues et déformées, entourées de halos colorés.*

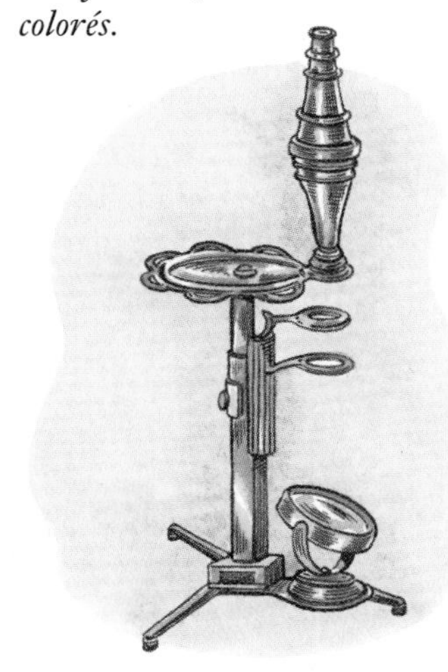

**Années 1800**
*La science fait l'objet d'un grand intérêt et bénéficie d'un soutien important. Les conférences publiques sont très à la mode. Les marchands aisés et les monarques financent des expéditions dans le seul but de rassembler des spécimens biologiques. Le vaisseau anglais* HMS *Investigator part pour un voyage de cinq ans.*

**1809 :** Grâce au travail de la rédactrice scientifique anglaise Jane Haldimand (1769-1858), des manuels conçus pour aider les jeunes gens à apprendre les sciences commencent à apparaître. Des termes comme « cellule », « système cellulaire » et « tissu cellulaire » sont utilisés dans ces manuels.

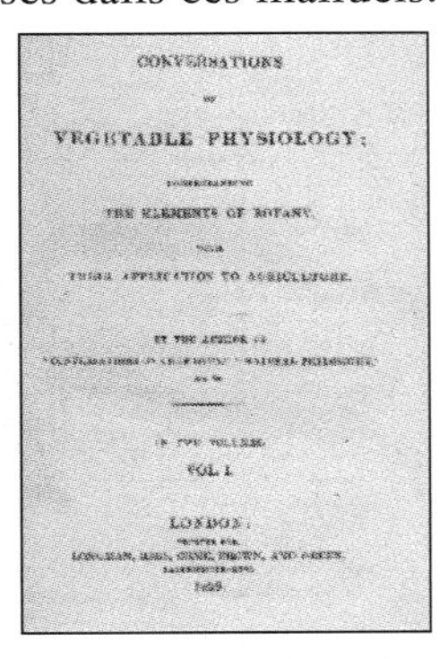

CONVERSATIONS

VEGETABLE PHYSIOLOGY;

THE ELEMENTS OF BOTANY

VOL. I

LONDON

**Années 1810**
*La biologie est en retard sur la chimie et la physique pour ce qui est des théories et des découvertes. Toutefois, on effectue un travail important de synthèse des idées antérieures. Par exemple, une série d'exposés du botaniste suisse, le professeur de Candolle (les dates exactes sont inconnues), mettent l'accent sur les propriétés des plantes plutôt que sur leur classification.*

**Années 1820**
*Du verre de meilleure qualité permet d'améliorer la qualité des lentilles. Plusieurs fabricants anglais se font concurrence pour produire le meilleur microscope.*

**1825 :** « *Omnis cellula e cellula* ». Version latine de « toute cellule vient d'une cellule préexistante ».
*François Vincent Raspail (1794-1878), chimiste et libre penseur français*

1800 — 1810 — 1820 — 1830

**Années 1830**
*La biologie passe de la collecte de faits divers à un véritable ensemble de connaissances. Une meilleure théorie optique permet d'améliorer les microscopes, que les biologistes utilisent beaucoup pour étudier les cellules.*

**1831 :** Le botaniste écossais Robert Brown (1773-1858) est le premier à considérer le noyau comme une partie intégrante de la cellule vivante.
Il a des difficultés à observer les spécimens légèrement colorés sans lumière électrique.

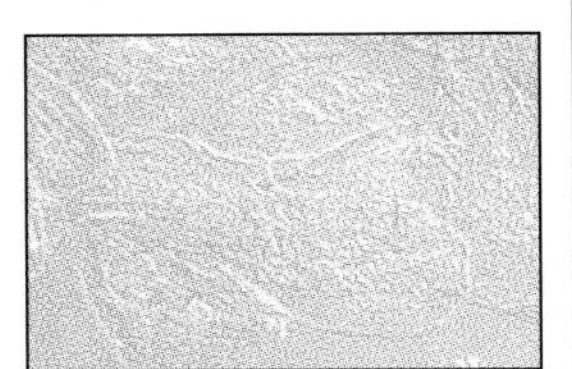

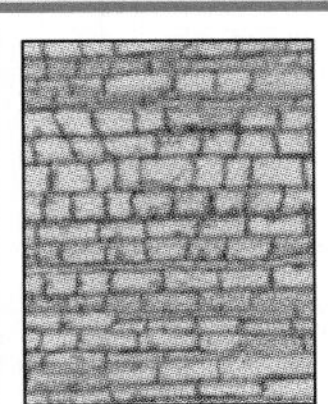

**1838**
« Toutes les plantes se composent de cellules. »
*Matthias Jacob Schleiden (1804-1881), botaniste allemand*

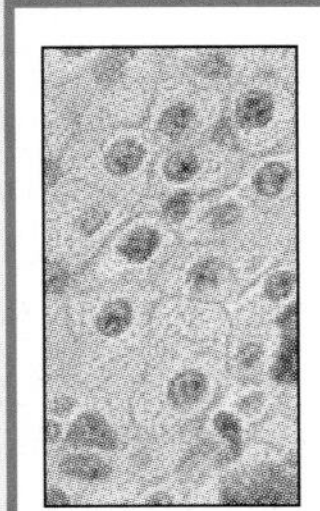

**1839 :** « Tous les animaux se composent de cellules. »

*Theodor Schwann (1810-1882), physiologiste allemand et collègue de Schleiden*

**1839 :** « Tous les êtres vivants se composent de cellules et de produits de ces cellules. »
*Theodor Schwann*

**Fin des années 1830**
*Les conclusions de Brown, Schleiden et Schwann s'appuient sur des observations répétées, mais plusieurs scientifiques rejettent ces conclusions. L'influence d'Aristote est encore très forte. Si les plantes sont inférieures aux animaux, comment pourraient-elles avoir des structures similaires ?*

**1845 :** « La cellule est l'unité de base de la vie. »

*Alexander Carl Heinrich Braun (1805-1877), botaniste allemand*

**1846 :** « Le protoplasme est la substance vivante de la cellule. »

*Jugo von Mohl (1805-1872), biologiste allemand*

**1847 :** « Les cellules se composent d'un protoplasme enveloppé d'une membrane souple. »

*Alexander Braun*

**1856 :** À l'âge de 18 ans, l'étudiant anglais en chimie William Henry Perkin (1838-1907) met au point un nouveau colorant d'un violet très profond. Les utilisateurs du microscope élaborent rapidement des techniques pour teindre les spécimens sur lame avec ce nouveau colorant.

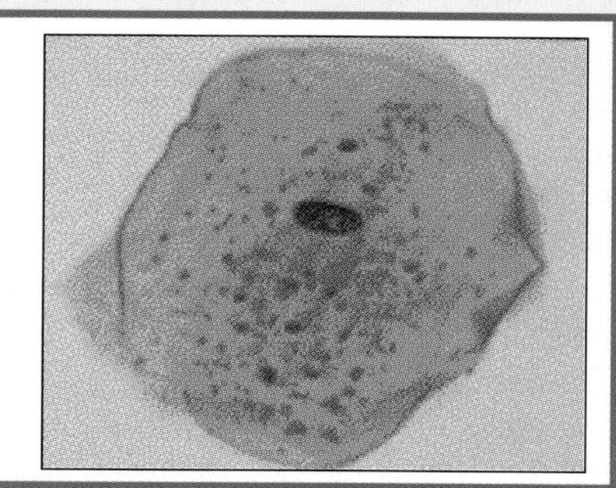

**1858 :** « Les cellules sont le dernier maillon d'une grande chaîne [qui forme] les tissus, les organes, les systèmes et les individus... Là où il y a une cellule, il doit y avoir eu une cellule préexistante... Dans toute la série des formes vivantes... une loi éternelle de développement continu est à l'œuvre. »

*Rudolph Virchow (1821-1902), physiologiste allemand*

1840

1850

1860

**Années 1840**

*L'amélioration de la microscopie permet aux scientifiques d'observer des « animaux vivants » apparaître dans la matière, comme dans de la nourriture en décomposition. Ces observations ravivent le débat scientifique portant sur la génération spontanée.*

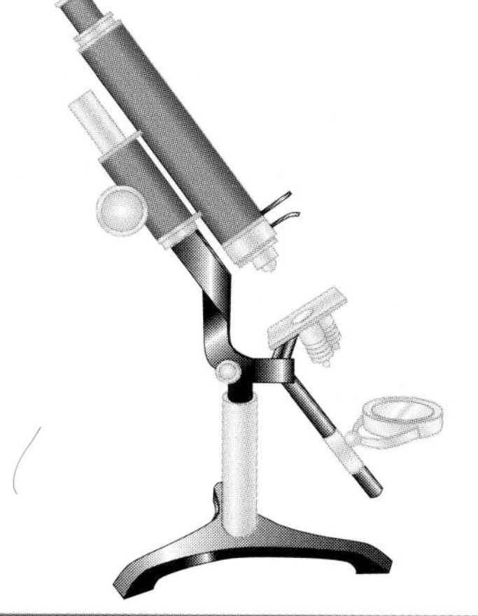

**1858 :** Un document de 17 pages des biologistes anglais Charles Darwin (1809-1882) et Alfred Wallace (1823-1913) sur « la tendance des espèces à changer de forme » est lu à haute voix au cours d'une réunion de la Linnaean Society. (Tu peux trouver ce document dans Internet.)

**Années 1850**

*Les connaissances en biologie se développent rapidement dans plusieurs domaines : médecine, botanique et zoologie.*

**1860 :** L'Académie des sciences de Paris offre un prix à quiconque peut clore le débat sur la génération spontanée. Le biologiste français Louis Pasteur (1822-1895) décide de relever le défi. Grâce à une série d'expériences reposant sur des micro-organismes, il réfute la théorie de la génération spontanée et conclut que les organismes vivants ne proviennent pas d'une matière non vivante.

## Analyse

1. Examine les postulats, ou les hypothèses, de la théorie cellulaire à la page 11. Ces postulats reposent-ils sur un élément qui ne figure pas dans le calendrier ?

2. Comme toutes les sciences, la biologie a son propre ensemble d'outils, de techniques et de méthodes pour effectuer des expériences.

   a) Quels outils ont aidé les scientifiques à élaborer la théorie cellulaire ?

   b) Quelles méthodes ont aidé les scientifiques à élaborer la théorie cellulaire ?

3. Jan Baptist Van Helmont (1579-1644) a été le premier scientifique à utiliser une approche appelée « méthode scientifique ». Pourtant, il a écrit qu'on pourrait créer des souris en plaçant des chiffons et du son dans une éprouvette. Cette « recette de vie » peut sembler absurde, mais elle fonctionne. Pourquoi des souris apparaissent-elles ? Explique pourquoi leur apparition ne confirme pas la théorie de la génération spontanée.

4. En sciences, une théorie est acceptée uniquement si elle explique des faits connus. Une théorie dure uniquement si elle continue à expliquer de nouvelles observations.

   a) Explique pourquoi la théorie cellulaire a été acceptée après la série d'exposés de Virchow.

   b) Explique pourquoi la théorie cellulaire est encore acceptée aujourd'hui.

5. Chaque science se compose de deux aspects principaux : les processus et les connaissances. À partir du calendrier, donne un exemple :

   a) de processus en biologie, comme un outil ou une technique qui sert à étudier les êtres vivants ;

   b) de connaissances en biologie, comme une observation, un fait, une généralisation ou une théorie.

6. Vers 1900, un nouvel ouvrage, *The Cell : Its Role in Development and Heredity*, affirmait que la théorie cellulaire n'était pas du tout une théorie, mais uniquement un exposé général et complet de faits. Dans le glossaire de la page 607, regarde les définitions scientifiques des termes « fait » et « théorie ». Maintenant que tu connais la définition scientifique de ces mots, es-tu d'accord avec ce que cet ouvrage affirme ?

7. Selon plusieurs ouvrages de référence, Schleiden et Schwann ont élaboré la théorie cellulaire. Es-tu d'accord avec cette affirmation ? Défends ta position.

8. En 1827, Raspail a été emprisonné pour ses opinions politiques. Quel effet cet emprisonnement a-t-il probablement eu sur l'élaboration de la théorie cellulaire ?

9. Au départ, Internet devait permettre aux scientifiques du monde entier de communiquer rapidement et facilement. Quelle invention a eu un effet similaire sur la communication entre les scientifiques au cours des siècles précédents ?

### Enrichis tes connaissances

Fais des recherches sur l'importance, pour la biologie, d'une simple découverte, d'un scientifique ou d'une technologie. Détermine ton sujet d'étude avec l'aide de ton enseignante ou de ton enseignant ou choisis un sujet dans la liste suivante : jumelles (stéréoscopiques), microscope, chromosomes, ADN, Charles Darwin, Barbara McClintock, Johann Gregor Mendel, mitochondrie, Thomas Morgan, Louis Pasteur, microscope à contraste de phase, microscope électronique à balayage, microscope électronique à transmission. Partage tes résultats avec le reste de la classe afin d'enrichir le calendrier des quatre pages précédentes.

## La théorie cellulaire

Tu as appris que l'évolution technologique, comme l'amélioration des microscopes et les nouvelles techniques de préparation des lames, a permis l'étude détaillée des êtres vivants. Des scientifiques comme Schwann, Schleiden et Virchow ont fait des milliers d'observations de tissus vivants. Ces scientifiques ont su classer et interpréter ces données, ce qui leur a permis d'élaborer la théorie cellulaire officielle utilisée aujourd'hui pour expliquer nos observations des être vivants. Les postulats de la théorie cellulaire sont les suivants :

- Tous les organismes vivants se composent d'une ou de plusieurs cellules.
- La cellule est l'unité de base de la structure et du fonctionnement de tous les organismes.
- Toutes les cellules proviennent de cellules qui existaient auparavant.
- L'activité d'un organisme entier dépend de l'activité totale de ses cellules indépendantes.

**Figure 1.2** Toutes les fonctions vitales de cet aigle à tête blanche s'effectuent à l'intérieur de ses cellules.

**Pause réflexion**

Tous les organismes vivants ont diverses fonctions vitales pour assurer leur croissance et leur survie. Il s'agit des fonctions suivantes : 1) absorber les nutriments et utiliser l'énergie ; 2) éliminer les déchets ; 3) détecter les changements dans l'environnement et s'y adapter ; 4) bâtir et guérir les parties du corps ; 5) stocker l'information nécessaire pour contrôler ces fonctions ; 6) se reproduire. Dans ton propre corps, quels organes ou systèmes sont chargés de chacune de ces fonctions ? Rappelle-toi ce que tu sais déjà sur les parties de la cellule. Quelles parties de la cellule sont-elles chargées des mêmes fonctions ? Présente tes réponses dans ton journal scientifique, sous forme de tableau.

## Voyage à l'intérieur de l'unité de base de la vie

Une cellule type a plusieurs **organites** membranaires. Il s'agit de structures spécialisées qui s'acquittent de fonctions spécifiques dans la cellule. Pour rafraîchir tes connaissances à ce sujet, examine attentivement les figures 1.3 et 1.4. Ces figures montrent une cellule animale typique et une cellule végétale typique. Maintenant, recouvre les figures et reproduit chaque type de cellules de mémoire, avec une légende. Rappelle-toi ce que tu sais sur chaque organite et écris tes idées dans ton cahier. Ne t'inquiète pas si tu ne connais pas tous les organites. Lis la section suivante pour corriger ou mettre à jour tes connaissances.

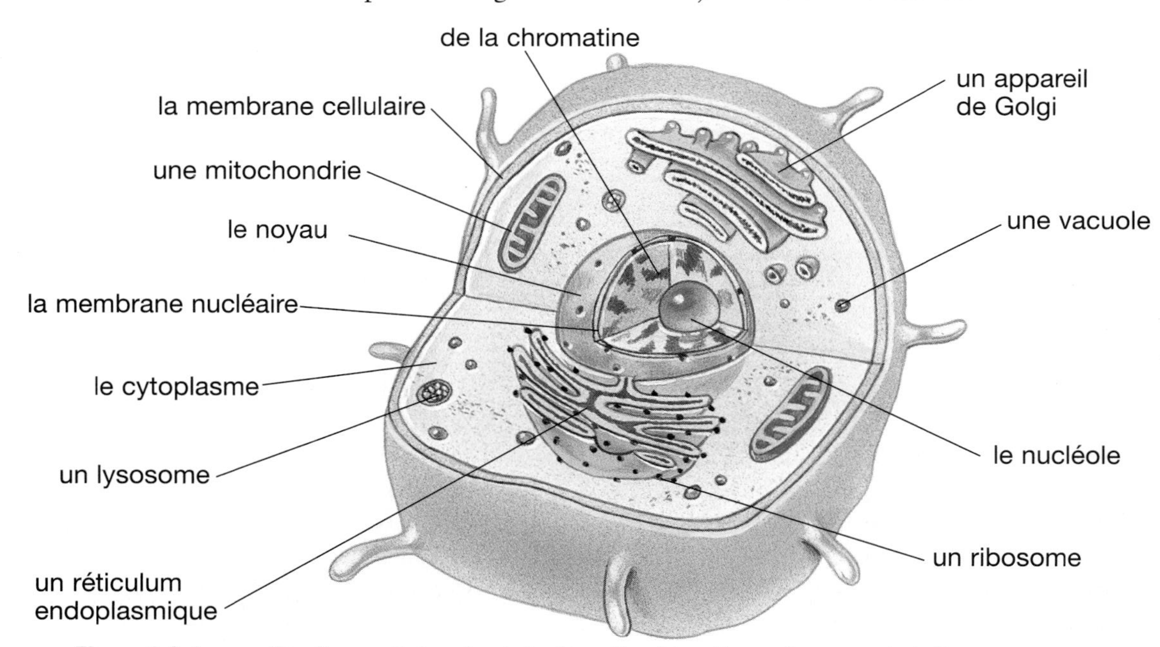


**Figure 1.3** Les parties d'une cellule animale typique. Combien d'organites connais-tu ?

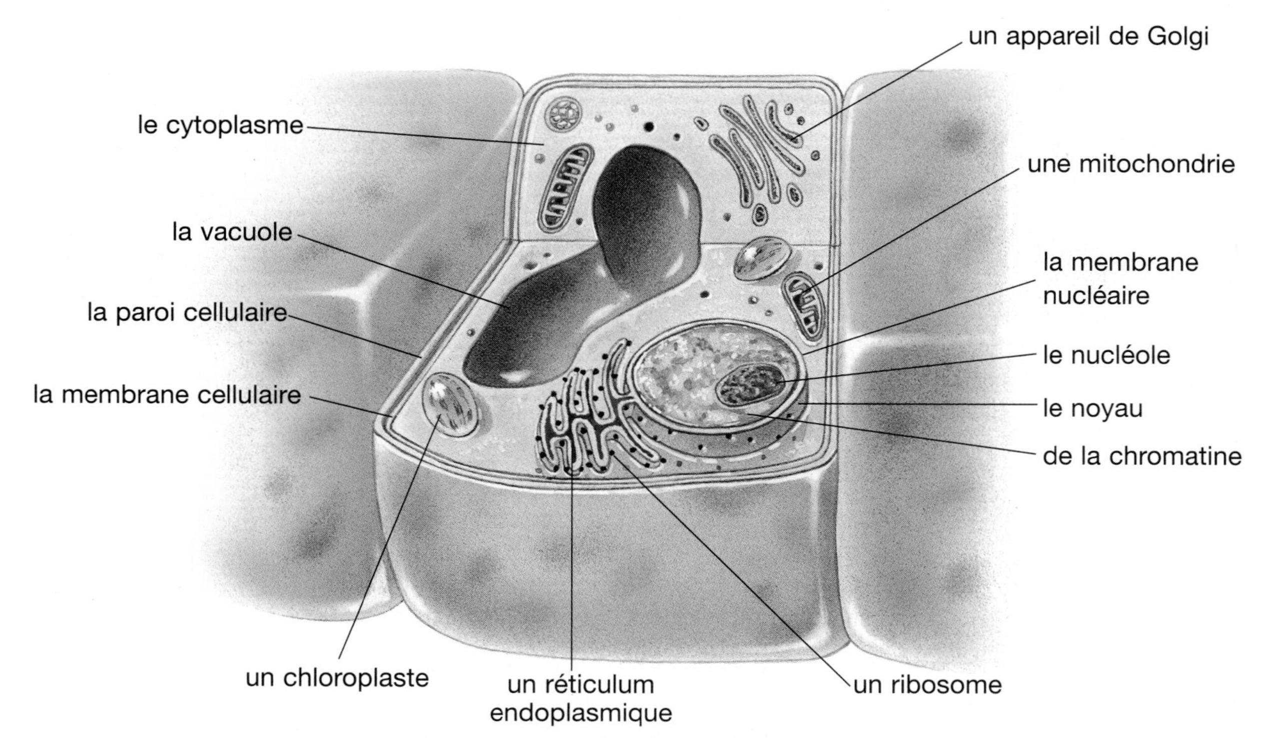


**Figure 1.4** Les parties d'une cellule végétale typique. Quels organites se trouvent dans une cellule végétale, mais pas dans une cellule animale ?

## La composition d'une cellule vivante

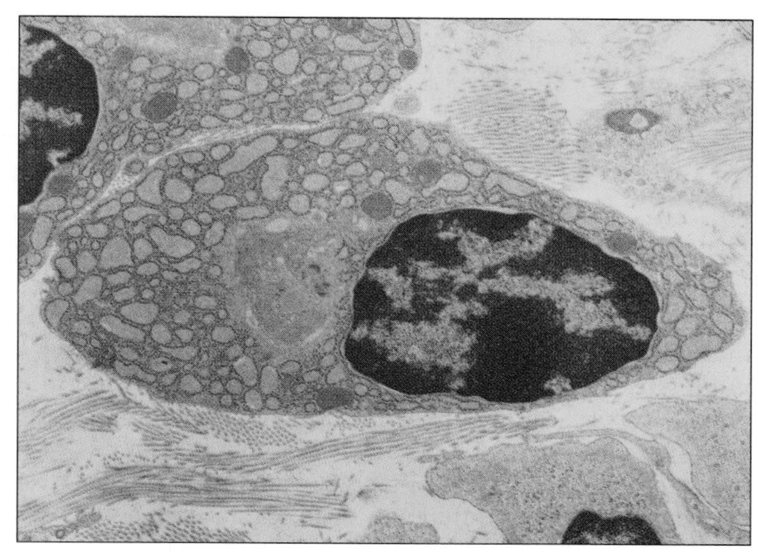

**Figure 1.5** Quels organites de cette cellule animale vois-tu sur cette micrographie (grossissement : 6000 fois) ?

À mesure que tu vas lire les paragraphes ci-dessous, place chaque organite sur ton croquis. Ajoute les organites que tu n'as peut-être pas indiqués. Le **noyau** est un organite entouré d'une double membrane poreuse. Cette **membrane nucléaire** renferme le matériel génétique de la cellule ou **ADN** (acide désoxyribonucléique). La prochaine expérience te permettra d'en savoir plus sur les fonctions importantes du noyau. L'ADN forme de longues fibrilles appelées **chromatine**. Ces fibrilles se répartissent dans le noyau. L'ADN contient les instructions pour assembler les substances nécessaires à la création et au fonctionnement de la cellule. Le chapitre 4 t'en dira plus sur l'ADN.

Le **nucléole** est une zone plus sombre au sein du noyau. Le nucléole fabrique des parties de ribosome. Les **ribosomes** participent à la fabrication de substances importantes pour le fonctionnement de la cellule. Les parties sont assemblées à l'extérieur du noyau. La **membrane cellulaire** renferme le contenu de la cellule. Cette membrane sépare le contenu de la cellule de son environnement et contrôle le mouvement aller et retour des matériaux, à l'intérieur et à l'extérieur de la cellule. Le matériau qui ressemble à de la gelée et qui se trouve à l'intérieur de la membrane cellulaire s'appelle **cytoplasme**. Le cytoplasme soutient le noyau et les autres organites.

Dans le cytoplasme, une membrane repliée qui s'appelle **réticulum endoplasmique** forme une série de canaux. Les matériaux sont transportés par ces canaux vers différentes parties de la cellule. Certains ribosomes sont attachés au réticulum endoplasmique, et d'autres ribosomes flottent librement dans le cytoplasme. Le cytoplasme contient aussi les organites suivants : la mitochondrie, les appareils de Golgi, les vacuoles et les lysosomes. La **mitochondrie** transforme l'énergie pour la cellule. Les **appareils de Golgi** emballent les matériaux utiles et les sécrètent à l'extérieur de la cellule pour qu'ils soient utilisés ailleurs dans l'organisme. Les **vacuoles** sont des entrepôts pleins de liquide qui contiennent de l'eau, de la nourriture, des déchets et d'autres matériaux. Les **lysosomes** décomposent la nourriture et digèrent les déchets, et les parties abîmées de la cellule.

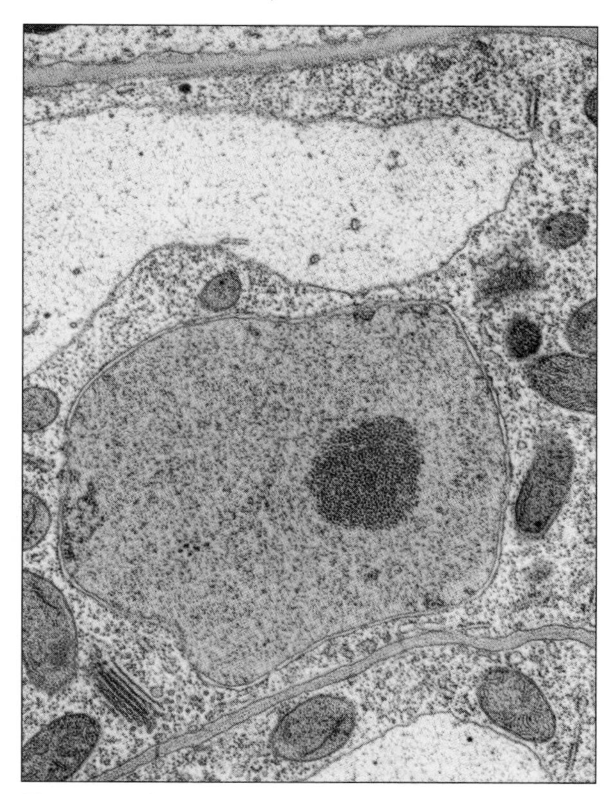

**Figure 1.6** Quels organites de cette cellule végétale vois-tu sur cette micrographie (grossissement : 6000 fois) ?

## Les différences entre les cellules animales et les cellules végétales

Contrairement aux cellules animales, les cellules végétales ont une **paroi cellulaire** rigide qui se trouve à l'extérieur de la membrane cellulaire. Cette paroi fibreuse fournit la structure et le soutien dont la cellule a besoin. Les champignons et la plupart des bactéries ont aussi une paroi cellulaire. Les plantes multicellulaires comptent sur la solidité de leur paroi cellulaire pour offrir le soutien nécessaire à tout l'organisme. De même, contrairement aux cellules animales, les cellules végétales contiennent des **chloroplastes**. Les chloroplastes sont des organites qui permettent aux cellules végétales de fabriquer leur propre nourriture grâce à la photosynthèse.

# Qui est le chef d'orchestre ?

## Réfléchis

L'observation des cellules au microscope électronique a permis aux scientifiques d'acquérir une quantité incroyable de nouvelles connaissances. Toutefois, de nombreuses recherches étaient encore nécessaires pour découvrir comment chaque organite fonctionnait. Dans les années 1940 et 1950, les chercheurs ont utilisé des techniques très précises de microchirurgie pour prélever différents organites sur des cellules. Leurs expériences ont montré que chaque organite avait besoin d'instructions pour s'acquitter de ses fonctions. Au cours de cette expérience, tu devras jouer le rôle d'une scientifique ou d'un scientifique qui fait partie d'une équipe de recherche et qui essaie de trouver le « chef d'orchestre », c'est-à-dire l'organite qui donne ces instructions.

## Ce que tu dois faire

### Expérience 1 : Élabore une hypothèse

Pour vérifier tes idées sur le fonctionnement des organites, toi et tes collègues avez décidé de faire une expérience avec une algue qui s'appelle *acetabularia*. Cette algue est une grande cellule unique, qui mesure de 1 à 2 cm de hauteur. (Bien qu'il s'agisse d'une cellule unique, toi et les autres scientifiques de ton équipe, par commodité, parlez des racines de l'algue, de son pédoncule et de son capuchon.) La marche à suivre et les résultats sont résumés à l'illustration A.

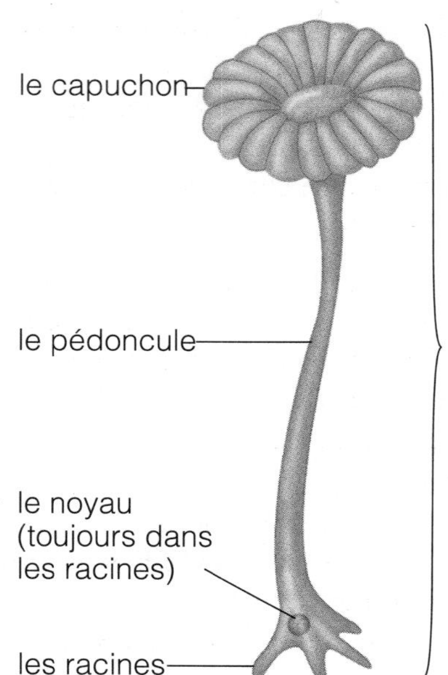


**A) Expérience 1 : Élabore une hypothèse**

**Marche à suivre**

1. Coupe une cellule d'*acetabularia* en trois morceaux : les racines, le pédoncule et le capuchon.
2. Ces trois morceaux reçoivent la même lumière et les mêmes nutriments.

**Résultats**

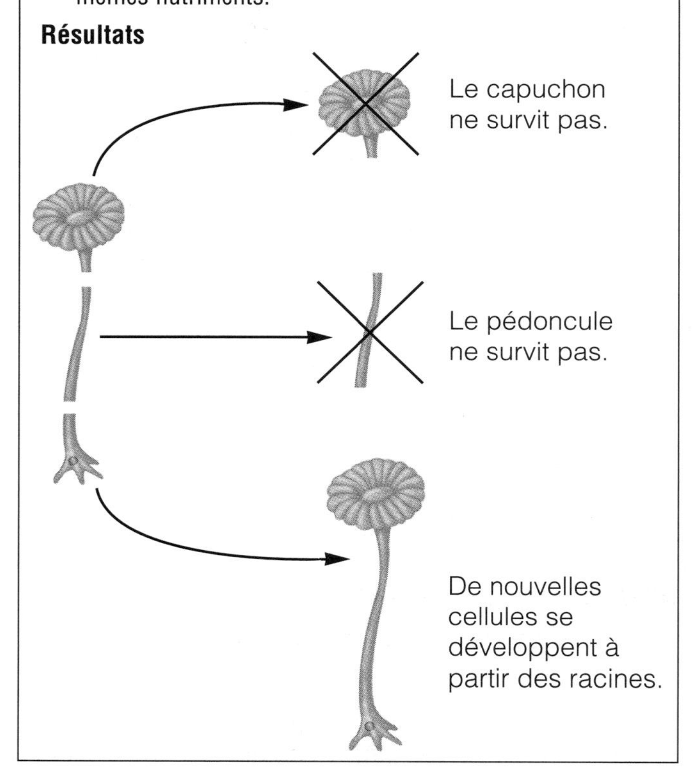


## Interprète les résultats

1. Comment, d'après toi, le cytoplasme des racines coupées a-t-il reçu l'information dont il avait besoin pour reconstituer une cellule complète d'*acetabularia* ?
2. Que peux-tu en déduire sur la fonction du noyau des racines de la cellule ?

### Expérience 2 : Vérifie ton hypothèse

La déduction que tu as faite à la suite de l'expérience 1 n'est pas une conclusion finale. Il s'agit plutôt d'une hypothèse de travail, d'une déduction intelligente sur la façon dont la cellule d'*acetabularia* obtient l'information dont elle a besoin pour s'acquitter de ses fonctions. Pour vérifier ton hypothèse, élabore une deuxième expérience, cette fois-ci en utilisant deux cellules d'*acetabularia*. La marche à suivre et les résultats sont résumés à l'illustration B.

**B) Expérience 2 : Vérifie ton hypothèse**

**Marche à suivre**

1. Coupe la première cellule en trois morceaux. Conserve le pédoncule et jette le reste.
2. Retire le noyau de la deuxième cellule et jette tout le reste.
3. Injecte le noyau de la deuxième cellule dans le pédoncule de la première cellule.

**Résultats**

la deuxième cellule

la première cellule

Une nouvelle cellule se développe à partir du pédoncule.

Le nucléole est injecté dans le pédoncule.

Le noyau

## Interprète les résultats

1. Les résultats de l'expérience 2 confirment-ils ton hypothèse de travail ?
2. D'après toi, comment le cytoplasme du pédoncule a-t-il obtenu l'information dont il avait besoin pour reconstituer une cellule entière ?
3. Que peux-tu en déduire sur la fonction du noyau, même quand on le place à un endroit différent ?
4. Comment la cellule obtient-elle l'information dont elle a besoin pour s'acquitter de toutes ses fonctions vitales ?

### Expérience 3 : Une autre façon de vérifier ton hypothèse

Les cellules d'*acetabularia* utilisées dans les deux expériences précédentes ont un capuchon en forme de parapluie. Toutefois, il y a un autre type d'*acetabularia*, avec un capuchon en forme de pétales de fleur. Cet autre type d'algues te donne un autre moyen de vérifier ton hypothèse. Avec les deux types d'algues, élabore une troisième expérience. La marche à suivre et les résultats sont résumés à l'illustration C.

**C) Expérience 3 : Une autre façon de vérifier ton hypothèse**

**Marche à suivre**

1. Retire le noyau de la cellule dont le capuchon a une forme de parapluie et jette toutes les autres parties.
2. Coupe le pédoncule de la cellule dont le capuchon a une forme de pétale et jette toutes les autres parties.
3. Injecte le noyau de la cellule dont le capuchon a une forme de parapluie dans le pédoncule de la cellule dont le capuchon a une forme de pétale.

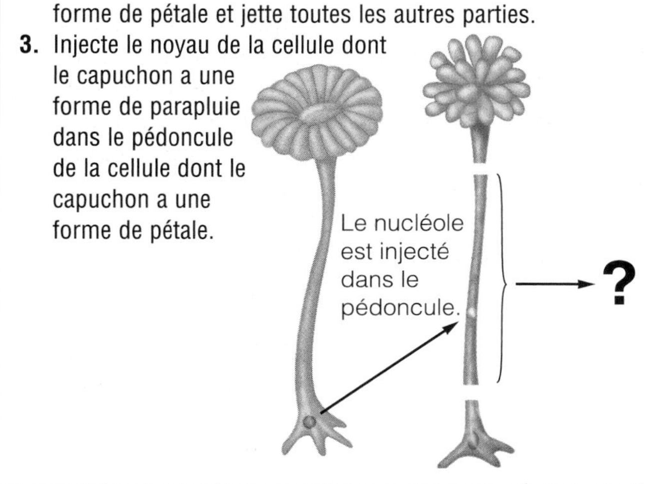


## Prévois les résultats

Si ton hypothèse est exacte, que vas-tu observer ? Trace un croquis des résultats escomptés.

## Analyse

1. Chaque fois qu'un chercheur vérifie une hypothèse, il y a deux possibilités. Soit le chercheur observe les résultats escomptés, soit il n'observe pas ces résultats. Imagine que les résultats correspondent exactement à ce que tu imaginais.
   **a)** Ces résultats confirment-ils ton hypothèse de départ ?
   **b)** Quelle conclusion peux-tu tirer de ces résultats ?
   **c)** Peux-tu déjà tirer une conclusion finale ? Explique ta réponse.
2. Suppose que les résultats escomptés ne se produisent pas. Laquelle des solutions suivantes choisirais-tu ? Choisis l'une des solutions proposées et donne les raisons de ton choix.
   **a)** Tu élimineras ton hypothèse.
   **b)** Tu referas l'expérience 3.
   **c)** Tu referas les expériences 1 et 2.
   **d)** Tu élaboreras de nouvelles expériences pour vérifier la même hypothèse.
   **e)** Tu élaboreras une nouvelle hypothèse.

## Le noyau, centre de contrôle

Avec le temps, les scientifiques ont procédé à de nombreuses expériences. Pour cela, ils ont dû retirer et remettre en place les organites des cellules. Ces expériences ont permis de déterminer que le noyau était le centre de contrôle de la cellule. C'est uniquement quand le noyau est présent que la cellule peut s'acquitter de toutes ses fonctions. Le noyau coordonne, contrôle et gère les fonctions de la cellule. C'est le centre de stockage de toute l'information et des instructions destinées aux organites.

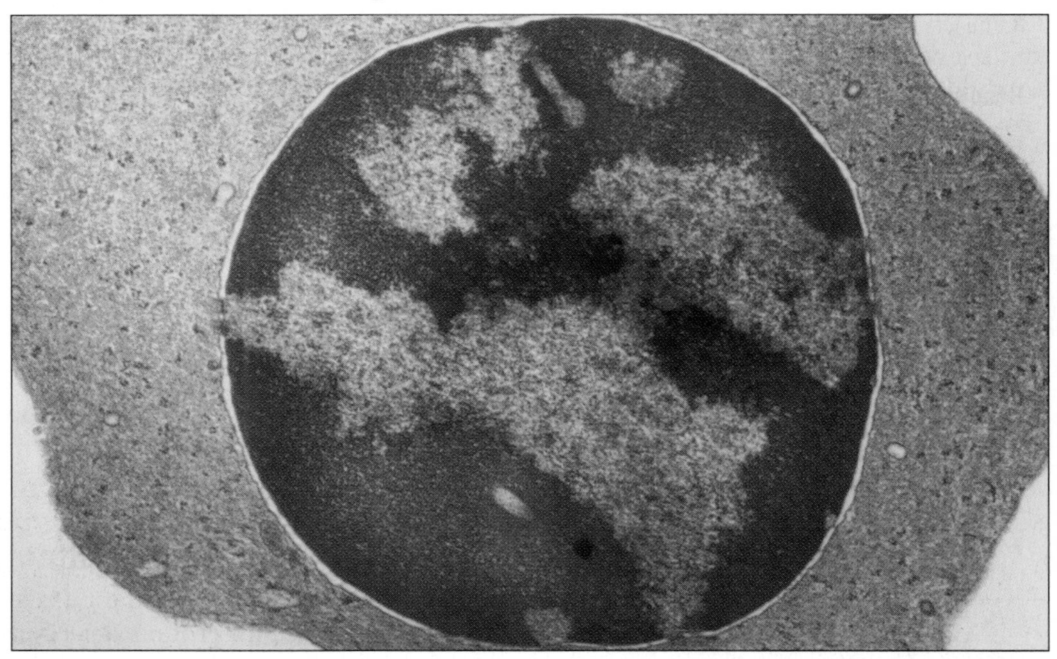

**Figure 1.7** Sans son noyau, cette cellule serait incapable de s'acquitter de ses fonctions vitales.

## Vérifie ce que tu as compris

1. a) Quels sont les quatre postulats de la théorie cellulaire ?
   b) Trace une ligne sur laquelle tu indiqueras, dans l'ordre chronologique, les principales découvertes scientifiques et technologiques qui ont contribué à l'élaboration de la théorie cellulaire.
   c) Nomme trois personnes dont les idées, les recherches ou les découvertes ont contribué à l'élaboration de la théorie cellulaire. Décris brièvement leur contribution.
2. Définis ce que sont les « organites » et nomme les organites qu'on trouve dans une cellule végétale mais pas dans une cellule animale. Quelles sont les autres différences entre une cellule végétale et une cellule animale ?
3. a) Comment les scientifiques ont-ils découvert l'importance du noyau ?
   b) Quelle information le noyau contient-il ? Pourquoi cette information est-elle importante ? Comment cette information influe-t-elle sur le fonctionnement de la cellule ?
4. **Réflexion critique** Au cours d'une expérience, tu retires le noyau d'une amibe. Prévois ce qui arrivera à l'amibe et explique pourquoi.
5. **Réflexion critique** Pourquoi la communication par l'entremise des livres, des lettres et des conférences était-elle un facteur si important dans l'élaboration de la théorie cellulaire ? D'après toi, qu'arriverait-il si les scientifiques ne pouvaient plus communiquer entre eux ?

# 1.2 Pour comprendre le cycle cellulaire

Au tout début de ta vie, tu étais une seule et unique cellule. Quand tu seras adulte, ton corps sera composé de plusieurs centaines de milliards de milliards de cellules. D'où viennent toutes ces cellules ? Chacune de ces cellules remonte à la toute première cellule, qui s'est divisée en deux. Ces deux cellules sont ensuite devenues quatre, et ainsi de suite. Sans la division cellulaire, les organismes vivants ne pourraient pas grandir. Toutefois, en lui-même, le processus de la division cellulaire n'est pas suffisant (*voir la figure 1.8*).

S'il n'y avait rien d'autre que la division cellulaire, alors, chaque nouvelle cellule de la figure 1.8 contiendrait uniquement une fraction du noyau d'origine. Tu sais que chaque nouvelle cellule doit avoir un noyau complet. C'est grâce à la **mitose** que chaque cellule a un noyau doté d'un ensemble complet d'instructions (ADN).

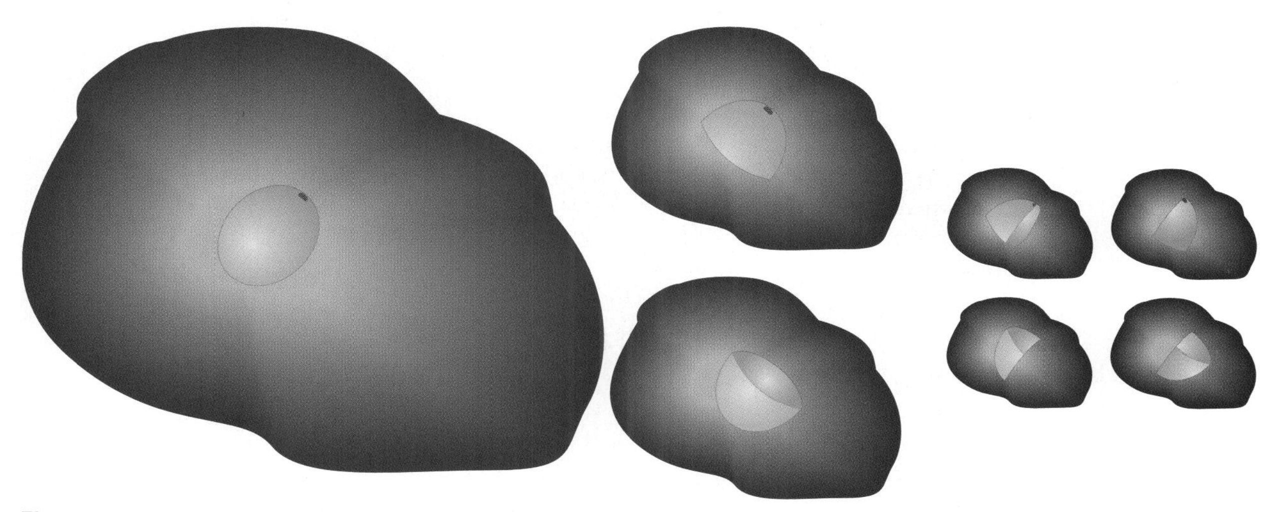

**Figure 1.8** Imagine que cette boule de gelée soit une cellule et que le grain qui se trouve à l'intérieur soit le noyau. À mesure que la cellule continue à se diviser, qu'arrive-t-il au noyau ?

## Comment la cellule se prépare pour la mitose

Avant que la mitose puisse commencer, le noyau doit faire une copie, ou une réplique, de sa chromatine pour qu'il y ait deux ensembles complets d'ADN. Cette étape s'appelle **réplication**. À cette étape, les fibrilles répliquées de chromatine ne sont pas visibles au microscope optique. La chromatine répliquée s'enroule pour former des **chromosomes** en double brin liés, au milieu, par le **centromère** (*voir la figure 1.9*). Après la réplication, deux ensembles complets d'ADN sont liés sous forme de chromosomes en double brin. Maintenant, le noyau est prêt pour la mitose.

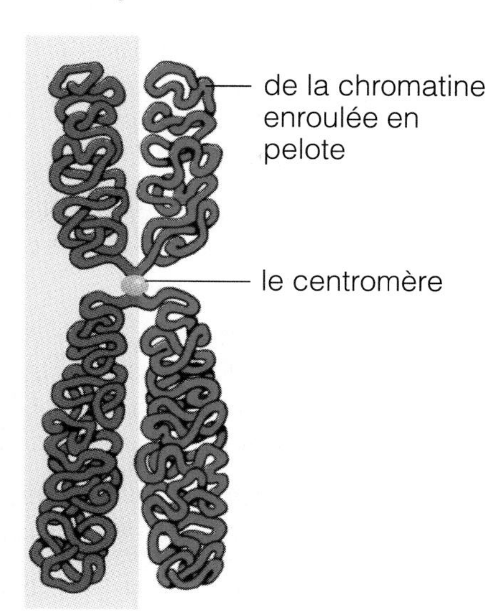


**Figure 1.9** Le centromère rassemble les chromosomes en double brin.

**LIEN *terminologique***

Un préfixe se compose d'une ou de plusieurs lettres qui se placent au début d'un mot pour produire un autre mot. Dans l'étude des étapes de la mitose, tu vas rencontrer les préfixes suivants : pro, méta, ana et télo. Cherche chacun de ces préfixes dans un dictionnaire pour découvrir ce qu'ils signifient et note les définitions. Pourquoi, d'après toi, a-t-on utilisé ces préfixes pour fabriquer des mots qui décrivent les phases de la mitose ? Écris des exemples d'autres mots qui contiennent ces préfixes.

## Les étapes de la mitose d'une cellule animale

Le résultat final de la mitose est la séparation et le tri de l'ADN répliqué en deux ensembles complets et identiques d'ADN. Il y a un ensemble pour le noyau de chaque nouvelle cellule. Il y a donc quatre étapes principales qui ont toujours lieu dans le même ordre : la **prophase,** la **métaphase,** l'**anaphase** et la **télophase**. Ces phases sont indiquées à la figure 1.10. Recouvre l'explication de chaque phase avec un morceau de papier. Dans ton cahier, trace des croquis des cellules à chaque phase. Décris ce qui se passe au cours de chacune de ces phases. Maintenant, lis les explications et observe attentivement le processus indiqué sur les schémas. Rafraîchis tes connaissances et rédige une légende aussi complète que possible sur tes croquis.

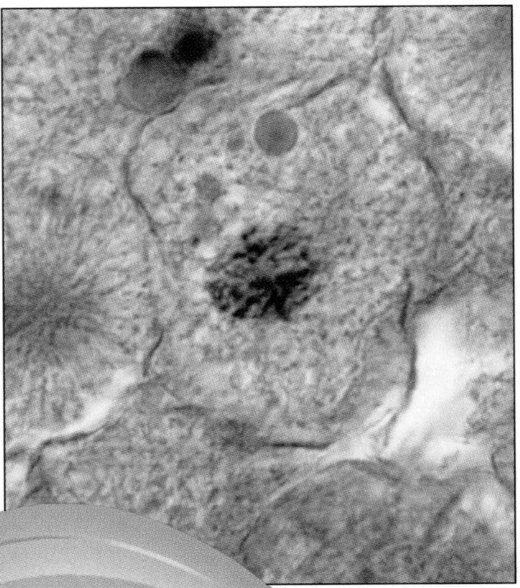

**Phase 1 : La prophase**

Quand la prophase commence, les chromosomes en double brin sont suffisamment grands et denses pour être vus au microscope optique. Le nucléole et la membrane nucléaire disparaissent. Dans les cellules animales, les **fibres fusoriales** commencent à se former et s'étendent dans la cellule à partir des **centrioles**. Les centrioles se sont déplacées vers les côtés opposés de la cellule. (Tu peux observer un processus similaire dans les cellules végétales, les champignons et certains protistes. Ils forment aussi des fibres fusoriales, mais pas de centrioles.) Les fibres fusoriales s'attachent à un côté de chaque centromère.

**Figure 1.10** Les phases de la mitose d'une cellule animale typique, grossie environ 450 fois.

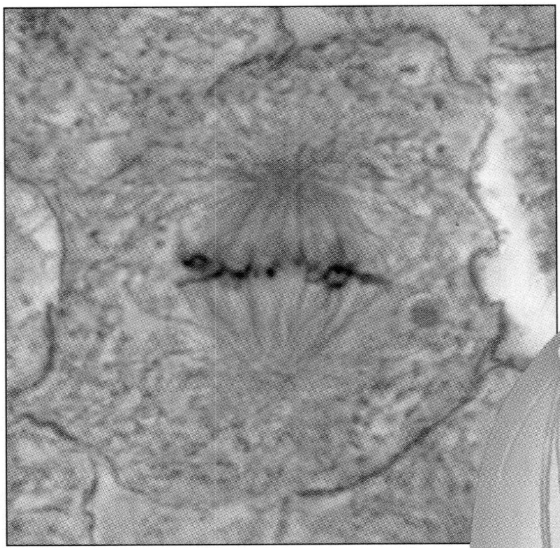

**Phase 2 : La métaphase**

Au cours de la métaphase, les fibres fusoriales tirent les chromosomes en double brin le long d'une ligne qui traverse la cellule en son centre.

**Phase 3 : L'anaphase**

Au cours de l'anaphase, les fibres fusoriales commencent à se contracter et à rétrécir. Cette action défait le centromère, permettant ainsi à chacun des brins répliqués de se déplacer dans des directions opposées (les pôles) de la cellule.

**Phase 4 : La télophase**

La télophase est l'étape finale de la mitose. Un ensemble complet de chromosomes se trouve maintenant à chaque pôle de la cellule. Les fibres fusoriales commencent à disparaître, et une membrane nucléaire se forme autour de chaque ensemble de chromosomes. Un nucléole apparaît au sein de chaque nouveau noyau. Les chromosomes en simple brin commencent à se dérouler pour devenir des brins fins de chromatine. Maintenant, il y a deux noyaux dans une seule cellule, et la cellule est prête à se diviser.

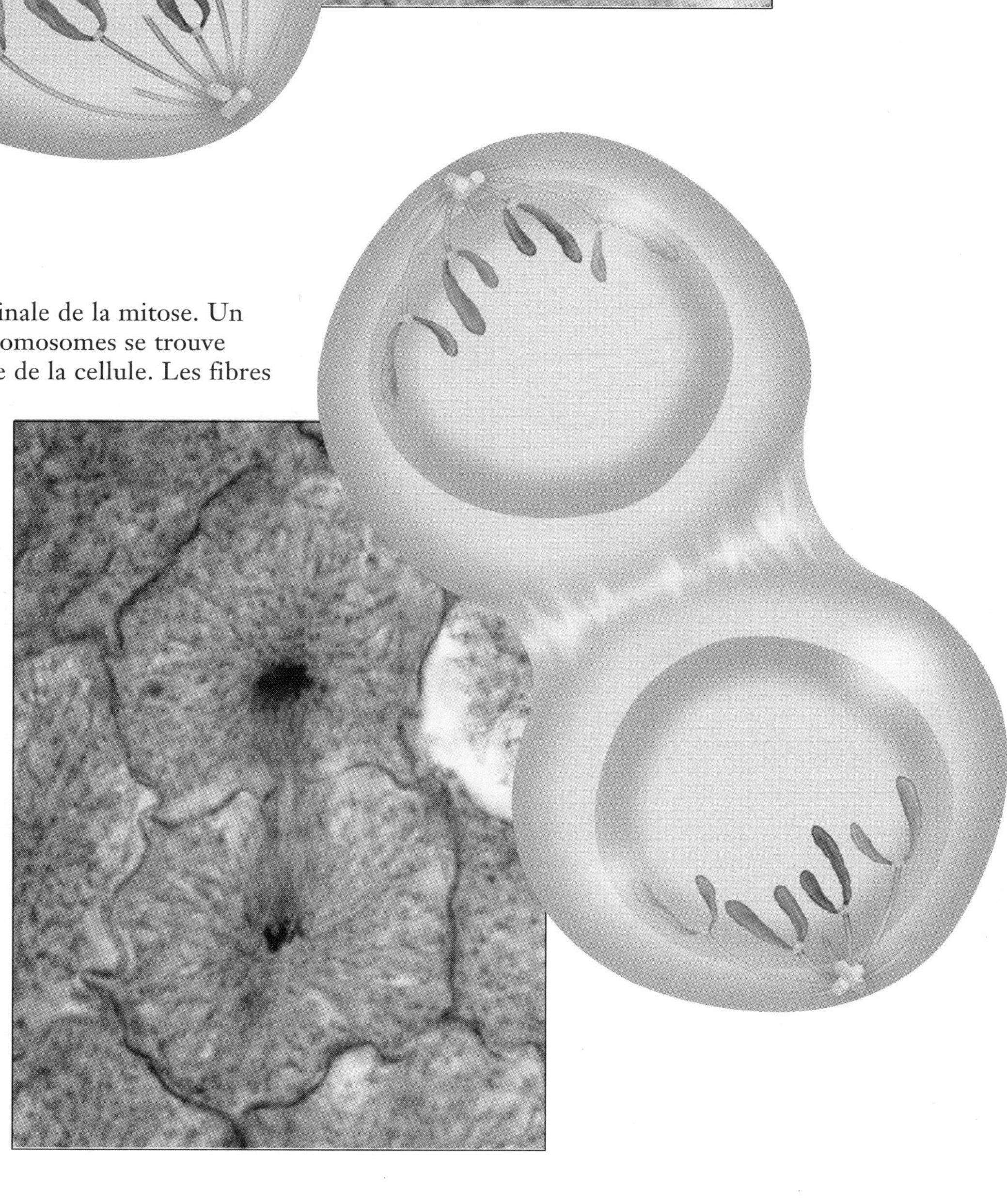

RÉALISE UNE EXPÉRIENCE 1-C

# Observe la mitose des cellules animales et végétales

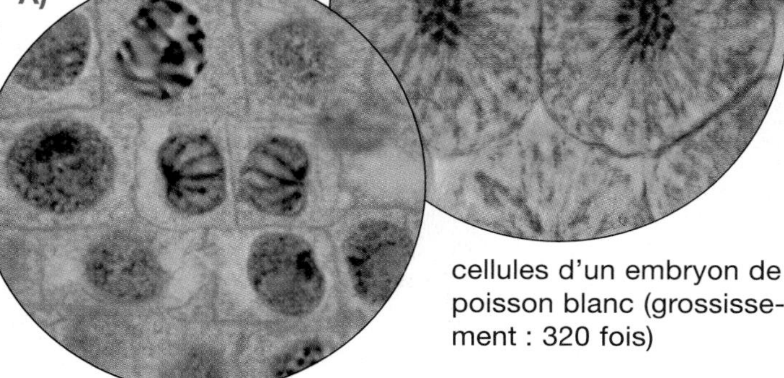

cellules de l'extrémité d'une racine d'oignon (grossissement : 330 fois)

cellules d'un embryon de poisson blanc (grossissement : 320 fois)

La mitose a lieu aussi bien dans les cellules animales que dans les cellules végétales. Dans cette expérience, tu observeras la mitose des cellules des racines d'un oignon et la mitose des cellules de poisson blanc. Tu examineras aussi les différences.

## Problème à résoudre

Y a-t-il des différences dans la façon dont les cellules animales et végétales se divisent ?

### Consignes de sécurité

- Vérifie si tes mains sont sèches quand tu branches ou tu débranches le microscope.
- Manipule les lames avec soin pour ne pas les casser afin qu'elles ne provoquent ni coupures ni égratignures.

**Omni TRUC**

Pour savoir comment faire des schémas en sciences, va à la page 598.

### Matériel

un microscope
une lame préparée contenant l'extrémité de la racine d'un oignon
une lame préparée contenant un embryon de poisson blanc

## Marche à suivre

1. Place la lame contenant l'extrémité de la racine d'un oignon sur la platine du microscope et observe-la à faible grossissement. Observe la zone qui se trouve juste derrière l'extrémité de la racine.
2. Passe doucement à un grossissement moyen. Fais la mise au point et passe à un fort grossissement pour observer les cellules. Pour chaque cellule, détermine la phase de la mitose en cours. Essaie de trouver des cellules à chaque phase de la mitose et dessine une cellule à chaque phase. Consulte les schémas pour t'aider à déterminer ce que tu observes.

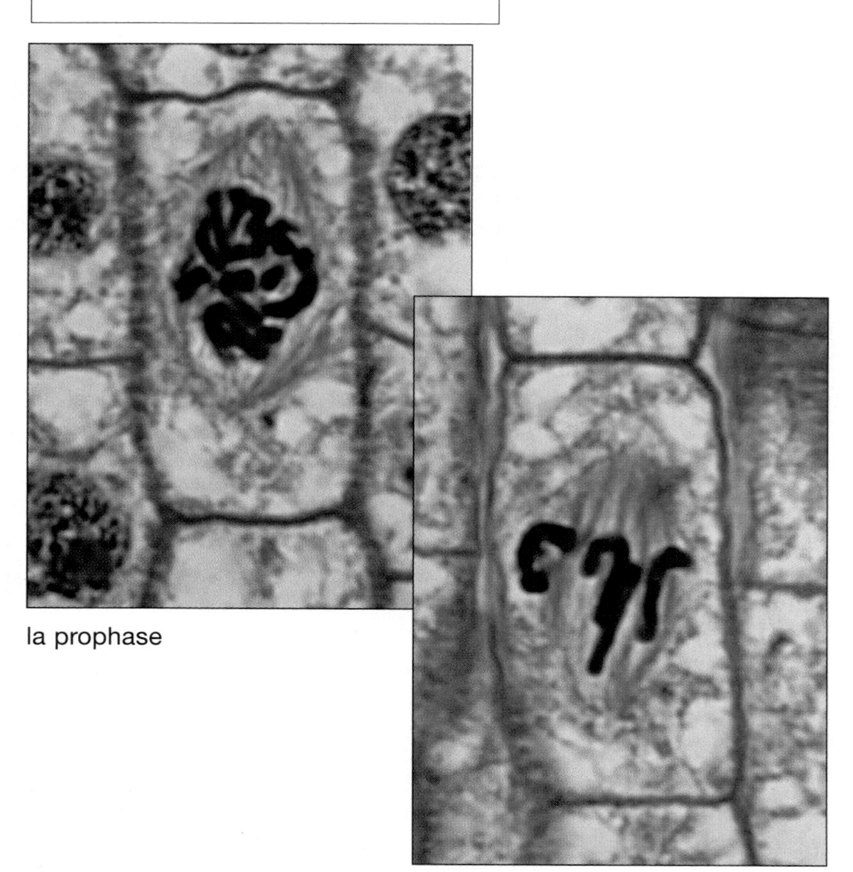
la prophase

la métaphase

l'anaphase

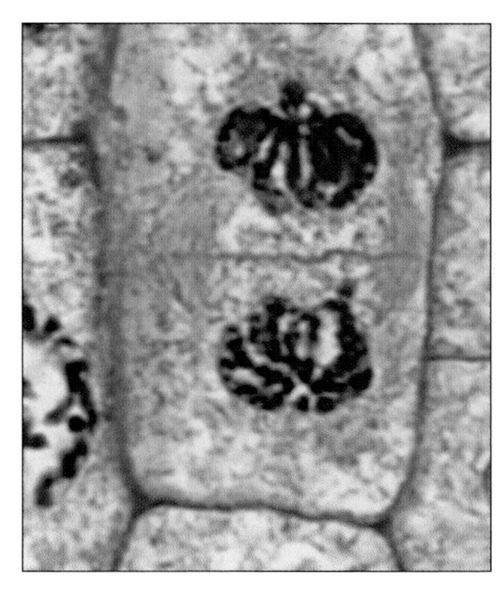
la télophase

3. Retourne à un faible grossissement et déplace la lame pour voir l'extrémité de la racine. Passe à un grossissement moyen, fais la mise au point et passe ensuite à un fort grossissement. Note les différences par rapport à la dernière région que tu as observée.
4. Retourne à un faible grossissement et retire la lame contenant l'extrémité de la racine d'oignon. Place la lame contenant l'embryon de poisson blanc sur la platine et observe la lame à faible grossissement.
5. Trouve une région où les cellules se divisent. Passe à un grossissement moyen, fais la mise au point et passe ensuite à un fort grossissement. Comme tu examines chaque cellule, détermine la phase de la mitose en cours. Consulte les photos de la figure 1.10, page 18, pour te rappeler de quoi ont l'air les cellules animales pendant la mitose. Dessine une cellule à chaque étape. Note les différences entre la mitose d'une cellule animale et la mitose d'une cellule végétale.
6. Retourne à un faible grossissement et retire la lame.

## Analyse

1. Décris les différences que tu as remarquées entre les cellules qui se trouvent juste au-dessus du bout de la racine et celles qui se trouvent dans la racine.
2. Quelles différences as-tu observées entre les cellules de l'extrémité de la racine d'oignon et les cellules de l'embryon de poisson blanc qui se divisaient :
   **a)** dans la taille des cellules ?
   **b)** dans la forme des cellules ?
   **c)** dans les chromosomes dans les cellules ?

## Conclusion et mise en pratique

3. Quelles autres parties d'un oignon pourrais-tu utiliser pour étudier la mitose ?

## Développe tes habiletés

4. Simule le processus de la mitose dans une cellule à quatre chromosomes. Commence avec quatre bandes de papier de bricolage ou quatre liens torsadés pour représenter les chromosomes. Utilise des trombones pour représenter les centrioles et des trombones (ou des liens torsadés) supplémentaires pour la phase de réplication des chromosomes. Tu peux utiliser de la ficelle ou du fil pour représenter les membranes nucléaire et cellulaire de la cellule, si tu le souhaites. Prépare-toi à expliquer la mitose à l'aide de ton modèle.

**Omni TRUC**

Pour revoir comment utiliser efficacement le microscope, va à la page 577.

## La division cellulaire

À la fin de la mitose, il n'y a toujours qu'une seule cellule, mais cette cellule a maintenant deux noyaux identiques. L'étape suivante de la vie de la cellule est la division cellulaire. Dans les cellules animales, la membrane de la cellule se contracte près du milieu de la cellule, divisant ainsi le cytoplasme en deux nouvelles cellules (*voir la figure 1.11*). Dans les cellules végétales, une **plaque équatoriale** se développe au centre de la cellule, formant ainsi une nouvelle paroi cellulaire entre les deux nouvelles cellules (*voir la figure 1.12*). Dans les cellules animales et dans les cellules végétales, chaque nouvelle cellule, après la division, est la copie conforme de la cellule initiale. Les premiers biologistes cellulaires parlaient de cellules filles. À la suite de la mitose, le noyau de chaque cellule a le même nombre de chromosomes. Le nombre de chromosomes est également identique au nombre de chromosomes de la cellule initiale.

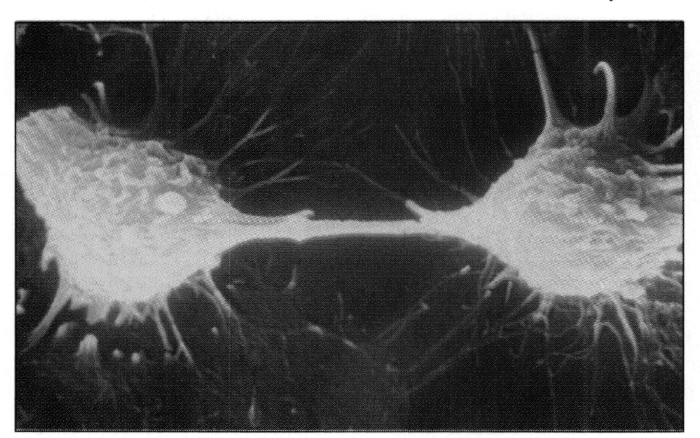

**Figure 1.11** Après la télophase d'une cellule animale, la membrane cellulaire se contracte, et le cytoplasme de la cellule se divise (grossissement : 400 fois).

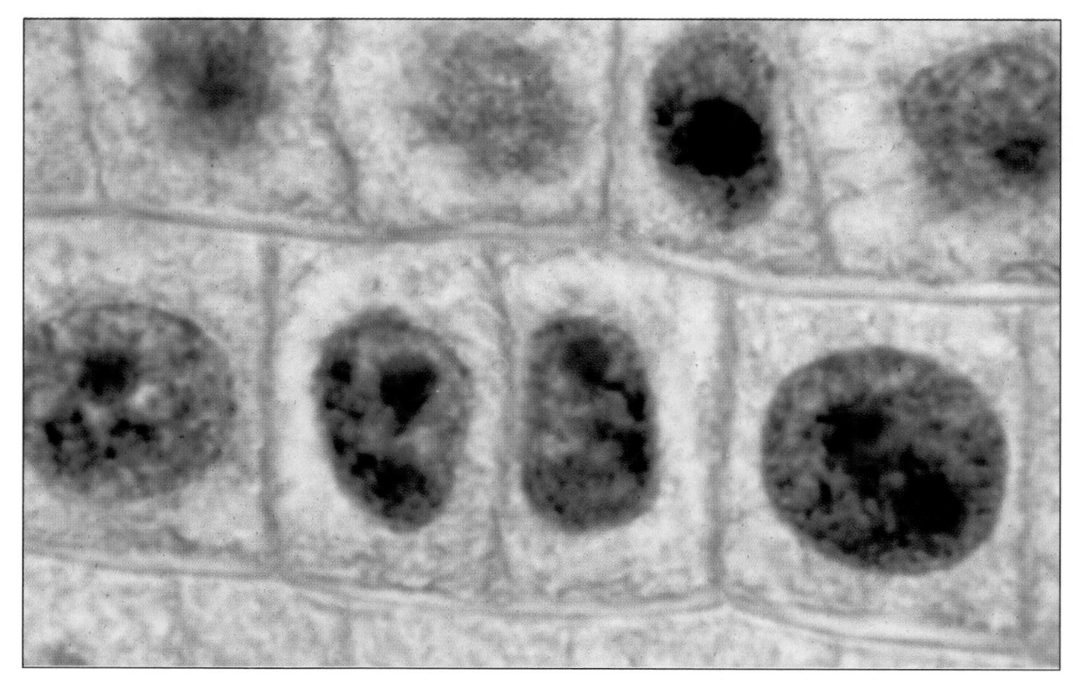

**Figure 1.12** Les cellules végétales se divisent aussi après la mitose (grossissement : 500 fois). Vois-tu où se trouve la plaque équatoriale ?

## L'interphase : la phase la plus longue de la vie de la cellule

La mitose et la division cellulaire ne représentent qu'une petite fraction de la vie de la cellule. De loin, c'est l'**interphase** qui occupe la plus grande partie du temps de la cellule. Le préfixe *inter* signifie « entre ». Les premiers chercheurs utilisaient le terme interphase pour décrire ce qui semblait être une phase inactive de la cellule, entre des périodes d'activité. Toutefois, des recherches ultérieures ont montré que l'interphase était loin d'être inactive. L'interphase constitue la plus grande partie de la vie de la cellule quand elle ne se divise pas pendant la mitose. Pendant l'interphase, la cellule grandit, réplique son ADN et se prépare pour la première phase de la mitose.

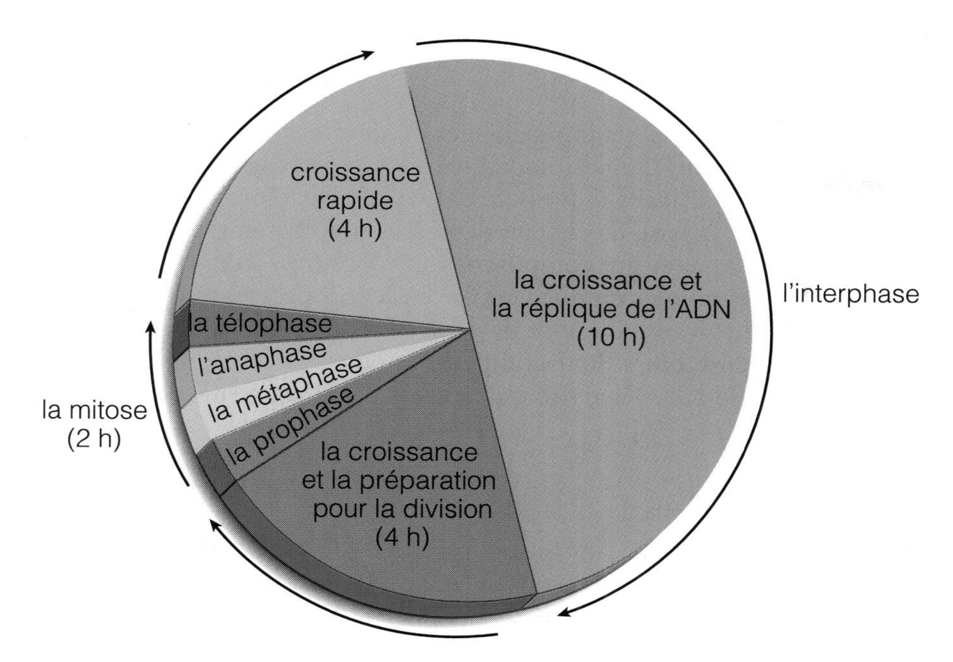


**Figure 1.13** Un cycle cellulaire typique. Dans cet exemple, combien de temps le cycle cellulaire dure-t-il ? Combien de temps la mitose dure-t-elle? Quelles étapes du cycle cellulaire font-elles partie de l'interphase ?

**LIEN terminologique**

Le terme « *mitose* » vient du grec mitos qui signifie « filament ». Pourquoi, d'après toi, utilise-t-on le terme «mitose» pour décrire l'un des processus du cycle cellulaire ?

Les processus continus de la mitose, de la division cellulaire et de l'interphase constituent le **cycle cellulaire** (*voir la figure 1.13*). La prochaine section t'en apprendra plus sur le cycle cellulaire du corps humain.

## Vérifie ce que tu as compris

1. Que doit-il se passer dans un noyau avant que la mitose puisse avoir lieu ?
2. Explique la fonction de la mitose.
3. Décris brièvement les phases de la mitose. À quelle phase y a-t-il deux noyaux ?
4. Compare ce qui se produit dans des cellules animales et dans des cellules végétales, au cours de la division cellulaire.
5. Explique ce qui se produit dans une cellule pendant l'interphase.
6. **Réflexion critique** Pourquoi la membrane nucléaire se déchire-t-elle pendant la mitose ?
7. **Réflexion critique** Quelle partie de la cellule contrôle-t-elle le processus de la mitose ?

# 1.3 Le cycle cellulaire de ton corps

Le cycle cellulaire est chargé de la croissance et du développement de toutes les cellules de ton corps. En fait, la division cellulaire et la croissance avaient déjà commencé, dans ton corps, avant ta naissance. Les cellules n'ont pas cessé de se diviser. Ces cellules sont la base de chacun des tissus qui forment tes organes et de chacun des systèmes d'organes qui composent ton corps (*voir la figure 1.14*). Au début, tu n'étais qu'une seule et unique cellule. Grâce au processus de la mitose, tu es devenu un système vivant composé de centaines de milliards de milliards de cellules qui travaillent ensemble. Pour comprendre comment la mitose et la croissance sont liées, essaie de faire l'activité qui se trouve à la page suivante.

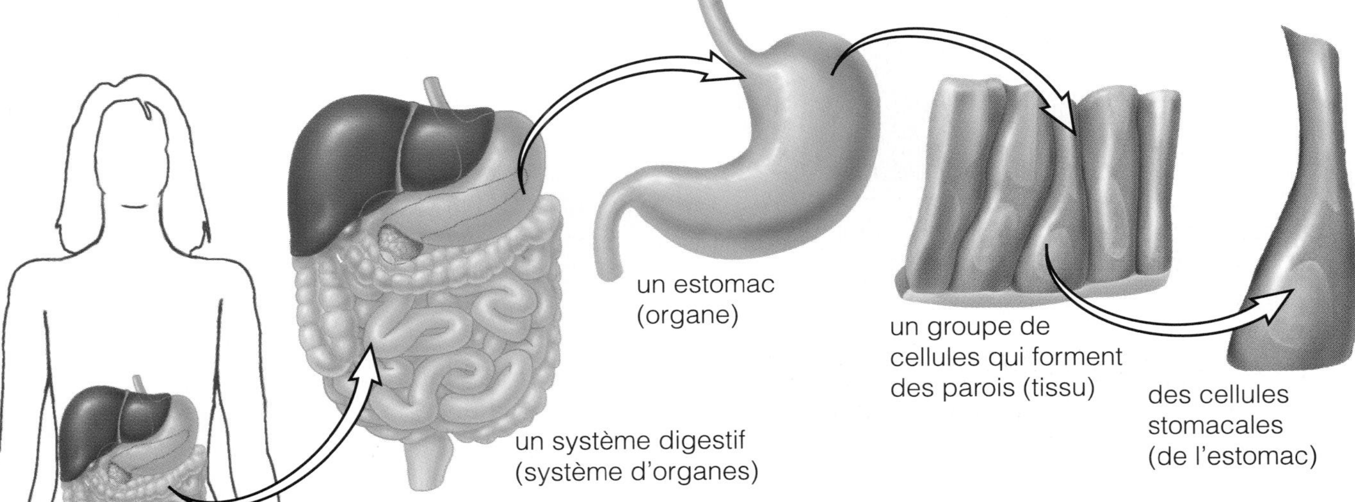


**Figure 1.14** Toutes les cellules de ton corps sont spécialisées, ce qui signifie qu'elles sont conçues pour une tâche bien précise. Des groupes de cellules spécialisées forment les tissus. Des groupes de tissus spécialisés travaillent ensemble pour former les organes, et des groupes d'organes forment des systèmes.

Grâce au cycle cellulaire, le nombre de chromosomes dans le noyau des cellules de ton corps est constant, quel que soit le nombre de cellules que contiendra ton corps quand tu seras adulte. Tous les humains ont le même nombre de chromosomes dans le noyau de leurs cellules. Chaque noyau des cellules humaines contient le même nombre de chromosomes. Le nombre de chromosomes varie d'une espèce à l'autre. Les chiens, par exemple, ont 78 chromosomes. Les plants de tomates ont 24 chromosomes. Les humains ont 46 chromosomes.

**Figure 1.15** Même si tu as le même nombre de chromosomes (46) que ce poisson d'aquarium très recherché, le molliénisie à voilure, tu comptes de nombreuses différences avec ce poisson. Évidemment, ce n'est pas uniquement le nombre de chromosomes qui différencie une espèce d'une autre. C'est l'information que contiennent les chromosomes qui fait la différence.

## Représente la croissance du corps humain sur un diagramme

Dans l'ensemble, il est difficile de mesurer la croissance du corps humain. Par exemple, tu ne peux pas connaître la taille de ton cœur, de ton foie ou de ton cerveau en te regardant dans le miroir. Il n'est pas non plus évident de mesurer la longueur d'un muscle ou d'un nerf. Par contre, il est facile de suivre la croissance de ton système squelettique, c'est-à-dire de tes os. Quelle preuve as-tu, dans ton propre corps, que tes os grandissent? Dans cette activité, tu analyseras la taille comme une indication de la croissance de ton squelette.

### Ce que tu dois faire

Le père de Jeanne a conservé les relevés de la taille de Jeanne, de sa naissance jusqu'à ce qu'elle ait huit ans. Étudie les relevés qui se trouvent dans le tableau ci-contre. Trace un diagramme linéaire à partir de ces données.

**Omni TRUC**

Pour réviser la façon de préparer un diagramme linéaire, va à la page 587.

| Année | Taille | Année | Taille |
|---|---|---|---|
| naissance | 42 cm | 5 | 112 cm |
| 1 | 50 cm | 6 | 118 cm |
| 2 | 86 cm | 7 | 124 cm |
| 3 | 92 cm | 8 | 128 cm |
| 4 | 104 cm | | |

### Qu'as-tu découvert?

1. Sur ton diagramme, trouve les deux années entre lesquelles le squelette de Jeanne a le plus grandi.
2. Entre quelles années le squelette de Jeanne a-t-il le moins grandi?
3. À partir de ton diagramme, peux-tu déduire les tendances générales de la croissance du squelette?
4. D'après toi, à quel moment la mitose et la division cellulaire ont-elles eu lieu le plus rapidement dans le squelette de Jeanne?

## Le remplacement normal des cellules

Pendant que tu grandis, la mitose et la division cellulaire multiplient le nombre total de cellules de ton corps. Ces processus continuent, même à l'âge adulte. Pourquoi? Les cellules ne sont pas éternelles. Certaines cellules ont une durée de vie programmée par leur matériel génétique. Elles meurent quand elles reçoivent l'instruction de mourir, quand elles ne sont plus nécessaires ou quand elles ne peuvent plus fonctionner normalement. La figure 1.16 te montre la durée de vie de différentes cellules humaines.

La mitose et la division cellulaire sont nécessaires pour que les cellules soient remplacées après leur mort. Dans ton corps, trois milliards de cellules meurent chaque minute. Les cellules meurent également si elles sont endommagées ou si elles ne reçoivent pas assez de nourriture ou d'oxygène. Les cellules doivent aussi être remplacées pour que ton corps reste en bonne santé.

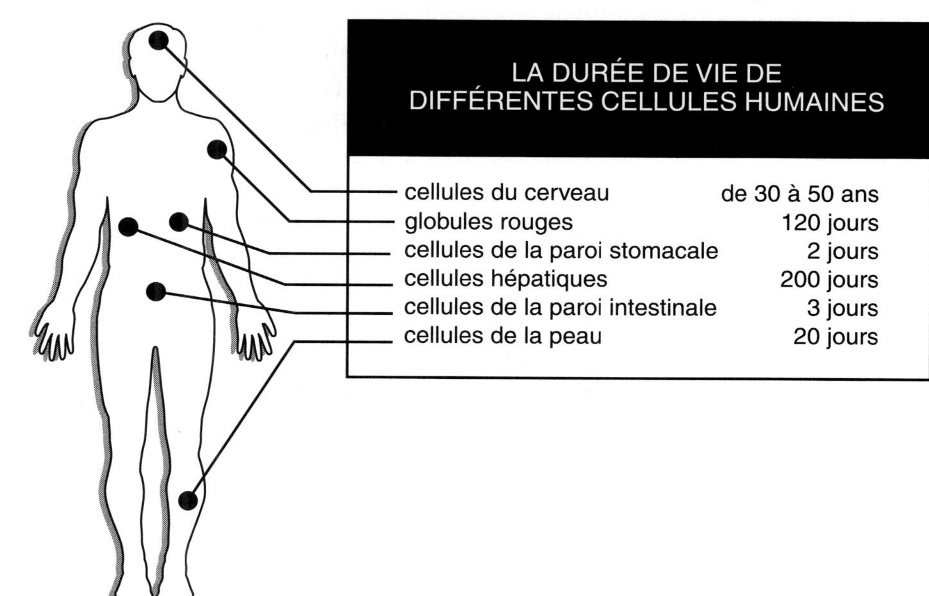


**Figure 1.16** Quelles cellules vivent le plus longtemps? Quelles cellules sont remplacées le plus souvent? En quoi le cycle de ces cellules est-il différent?

## Pause réflexion

Les traumatismes de la colonne vertébrale entraînent des dommages permanents parce que les nerfs et les cellules du cerveau et de la moëlle épinière ne se régénèrent pas. Quand ces cellules sont endommagées, le cerveau n'envoie plus d'information aux muscles. Trouve comment les scientifiques sont en train d'essayer de mettre au point des techniques pour stimuler les cellules nerveuses afin qu'elles se réparent. Dans ton journal scientifique, dresse la liste des ressources qui sont offertes, dans ta collectivité, à celles et à ceux qui souffrent d'un traumatisme de la colonne vertébrale.

## La régénération

Si tu te coupes, ta peau va généralement guérir assez rapidement. Un os cassé prendra plus de temps à guérir. C'est grâce à la mitose que les cellules de la peau et les cellules des os sont capables de réparer les tissus endommagés. La **régénération** est le processus qui consiste à réparer les cellules blessées et à remplacer les parties du corps qui ont disparu.

**Figure 1.17** Contrairement à ce lézard des plateaux du nord dont la queue repousse, les humains, à l'âge adulte, ne peuvent régénérer les parties de leur corps qu'ils ont perdues. Toutefois, si des enfants de moins de 12 ans s'abîment gravement le bout des doigts, une régénération intégrale pourra avoir lieu.

## Le vieillissement : le ralentissement du cycle cellulaire

Dans ce chapitre, tu as vu que l'observation toujours plus détaillée de la cellule a permis aux scientifiques de mieux comprendre les processus cellulaires. Depuis des décennies, le vieillissement et sa relation avec la division cellulaire font l'objet d'intenses recherches scientifiques.

**Figure 1.18** Examine attentivement ces illustrations. Quels sont les signes du vieillissement ? D'après toi, qu'arrive-t-il aux cellules du corps de cette femme ?

D'après les recherches, nous vieillissons parce que les cellules qui meurent ne sont pas remplacées ou sont remplacées plus lentement. Ce processus entraîne des changements dans la structure et dans le fonctionnement de la plupart des principaux systèmes corporels. Notre peau se ride, nos os perdent leur densité, et notre aptitude à combattre la maladie s'affaiblit. Nous ne savons pas encore vraiment si ces événements sont dus au fait que les cellules ne se divisent plus ou si la mitose ralentit et s'arrête en réponse au processus du vieillissement. Selon les théories scientifiques, certains changements surviennent dans les cellules qui vieillissent. Ces changements empêcheraient les cellules de se réparer ou de transmettre les instructions dont les nouvelles cellules ont besoin pour s'acquitter de leurs fonctions.

**LIENS *terminologique***

Dans des magazines, découpe plusieurs publicités de produits contenant le mot « vieillissement ». D'après ces publicités, que feront ces produits ? D'après ce que tu sais maintenant sur le vieillissement, évalue la crédibilité de chaque publicité. Certaines de ces publicités ont-elles un mérite scientifique ? Fais une affiche pour présenter toutes les publicités et ton analyse.

## Le cancer : le cycle cellulaire est hors de contrôle

Dans des conditions normales, les instructions de l'ADN d'une cellule contrôlent le rythme de la division cellulaire. Une cellule peut aussi se détruire si le matériel génétique de son noyau est endommagé ou si quelque chose se dérègle à l'intérieur de la cellule. Que se passe-t-il si des cellules commencent à se diviser sans aucun contrôle ? Le résultat est le cancer.

Les cellules cancéreuses interfèrent avec les cellules avoisinantes et dérèglent leur fonctionnement normal. Les cellules cancéreuses continuent de se diviser et s'accumulent. Ces cellules excédentaires peuvent produire une tumeur ou une boule qui se limite à une région du corps. Dans d'autres cas, les cellules cancéreuses se déplacent vers d'autres parties de l'organisme et continuent de se développer et de se diviser sans aucun contrôle. Ces cellules engloutissent l'oxygène et les nutriments, éliminent les autres cellules et leur volent leur nourriture. Les scientifiques savent que l'exposition à certaines substances peut augmenter les risques de cancer. Le tabac, l'amiante, certains produits chimiques, certains virus, la radioactivité et les rayons ultraviolets ont tous un lien avec le cancer chez l'humain.

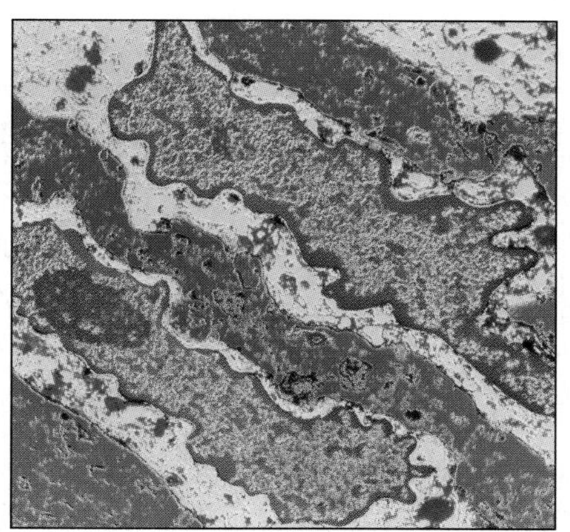

**Figure 1.19** Pour des raisons que les scientifiques ne comprennent pas encore très bien, l'ADN de cette cellule a été modifié, et la cellule continue de se diviser à l'infini. Comment décrirais-tu le noyau de cette cellule (grossissement : 6000 fois) ?

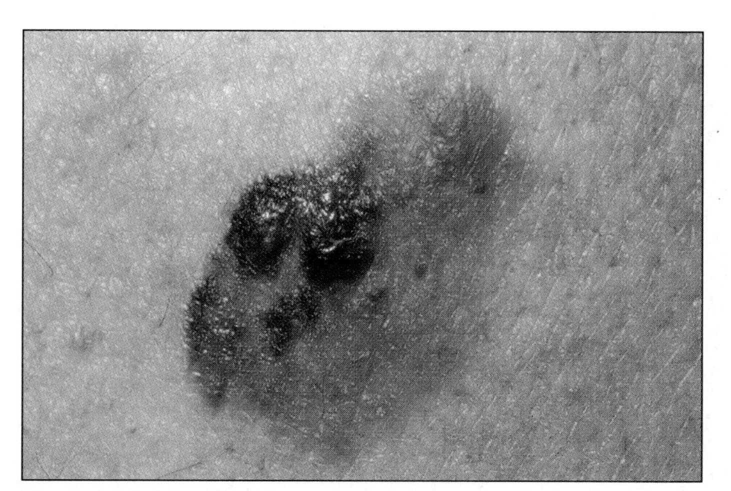

**Figure 1.20** La tache noire sur cette photo est un cancer de la peau. Environ 20 000 Canadiens souffrent d'un cancer de la peau tous les ans. De 500 à 600 d'entre eux en meurent. Quel facteur environnemental contribue au développement du cancer de la peau ?

**LIENS *mathématique***

Statistiquement, chaque cigarette consommée par un fumeur habituel réduit la vie de ce fumeur de 5,5 minutes. Si le fumeur moyen consomme 3000 cigarettes par an, combien de jours de vie perd-il en l'espace d'un an ?

**LIENS INTERNET**

**www.dlcmcgrawhill.ca**

Fais des recherches sur le Conseil de recherches médicales du Canada en allant sur le site Web ci-dessus. Clique sur **Matériel complémentaire/ Primaire et secondaire**, puis sur **OMNISCIENCES 9** pour savoir où aller ensuite. Quels sont les projets de recherche sur le cancer en cours au Canada ? Quelles sont les contributions des chercheurs canadiens à la lutte contre le cancer ? Leurs efforts ont-ils donné lieu à de nouveaux traitements ? Présente tes résultats dans un bref rapport.

de liaison

## Réduire les risques de cancer

Nous pouvons grandement réduire les risques de certains cancers, comme les mélanomes (cancer de la peau), en nous protégeant du soleil pendant les moments où les rayons ultraviolets sont les plus forts. D'autres choix de vie fort simples, ne pas fumer par exemple, peuvent aussi grandement réduire les risques de cancer des poumons ou de la gorge.

### Ce que tu dois faire

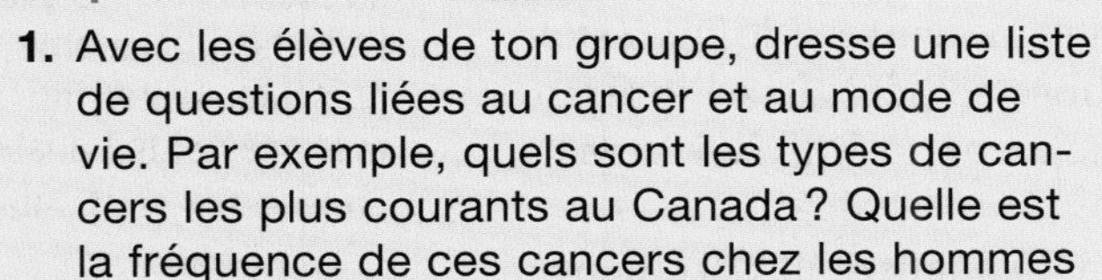

1. Avec les élèves de ton groupe, dresse une liste de questions liées au cancer et au mode de vie. Par exemple, quels sont les types de cancers les plus courants au Canada ? Quelle est la fréquence de ces cancers chez les hommes et chez les femmes ? Cette fréquence est-elle plus grande, moins grande ou identique par rapport à la fréquence des cancers dans ta collectivité ? Quels changements pourrais-tu apporter à ton mode de vie pour réduire le risque d'avoir ces cancers ?
2. Ensuite, toujours avec les élèves de ton groupe, dresse une liste des ressources et des institutions de ta collectivité où tu pourrais obtenir de l'information sur le cancer. Dresse une liste des sites Web et procure-toi des dépliants, s'ils sont disponibles.
3. Utilise cette information pour élaborer un site Web ou pour créer une affiche. Présente tes résultats à la classe.

**Le savais-tu ?**

Quand la plupart des gens pensent au cancer, ils pensent immédiatement à une maladie qui affecte les humains. Le cancer touche aussi d'autres espèces animales ainsi que les plantes. Par exemple, as-tu déjà remarqué un renflement sur la tige d'une plante ? Si oui, tu as probablement vu une excroissance cancéreuse. De même, les poissons qui sont exposés à certaines toxines développent des tumeurs cancéreuses.

## Vérifie ce que tu as compris

1. Explique un processus du corps humain qui démontre le fonctionnement du cycle cellulaire.
2. Donne deux raisons pour lesquelles les cellules meurent.
3. Comment les scientifiques expliquent-ils, actuellement, le processus du vieillissement ?
4. Décris ce qui se produit quand des cellules se divisent sans aucun contrôle.
5. **Mise en pratique** L'usage d'un filtre solaire peut aider à réduire les risques de cancer de la peau. D'après ce que tu sais du cancer et de la division cellulaire, propose un modèle pour expliquer comment les filtres solaires fonctionnent. Comment pourrais-tu déterminer l'exactitude de ton modèle ?
6. **Réflexion critique** Certaines cellules vivent pendant des années alors que d'autres cellules ne vivent que quelques jours. Pourquoi, d'après toi, certaines cellules sont-elles remplacées plus vite que d'autres cellules ?
7. **Réflexion critique** On a pensé que les cellules musculaires du cœur arrêtaient de se diviser à partir de l'âge de neuf ans. Par conséquent, on croyait que les crises cardiaques, qui tuent les cellules cardiaques, causaient des dommages permanents au myocarde (le muscle du cœur). De nouvelles recherches ont permis de découvrir que la mitose se poursuivait dans le cœur bien plus tard dans la vie. Déduis ce que cette découverte pourrait signifier pour les gens qui ont des crises cardiaques.

# 1.4 La reproduction asexuée chez les bactéries, les protistes, les champignons et les animaux

Dans la section précédente, tu as découvert l'importance du cycle cellulaire pour la croissance humaine et la réparation des tissus. La mitose et la division cellulaire sont importantes pour une autre raison. La mitose et la division cellulaire sont la base de la reproduction asexuée de plusieurs organismes. La **reproduction asexuée** est la formation d'un nouvel individu qui possède une information génétique identique à celle de son parent. Dans cette section, tu exploreras les différentes formes de reproduction asexuée chez les bactéries, les protistes, les champignons et certains animaux. Avant de lire cette section, rafraîchis tes connaissances sur le système de classement des cinq règnes vivants. Pour ce faire, consulte l'Annexe A.

**Le savais-tu ?**

Les cellules qui n'ont pas de vrai noyau, comme les bactéries, s'appellent *procaryotes.* Toutes les autres cellules, les cellules des animaux, des plantes, des champignons et des protistes, ont un noyau et d'autres organites membranaires. On appelle ces cellules *eucaryotes.*

## La reproduction asexuée chez les bactéries

Les membres du règne monère, comme les bactéries de la figure 1.21, sont des organismes unicellulaires qui ne contiennent pas de véritable noyau. Les bactéries se reproduisent de façon asexuée par l'entremise de la **fission binaire**. Au cours de ce processus, une cellule-mère se divise. Chaque nouvelle cellule contient un seul chromosome qui porte un ensemble complet d'ADN. Cet ADN est identique à l'ADN de la cellule-mère (*voir la figure 1.22, à la page suivante*).

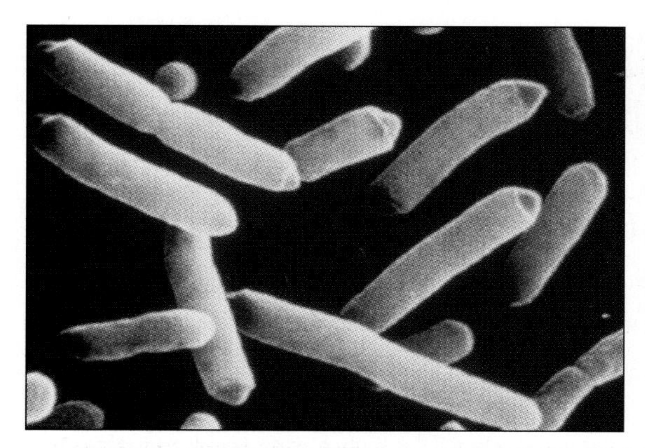

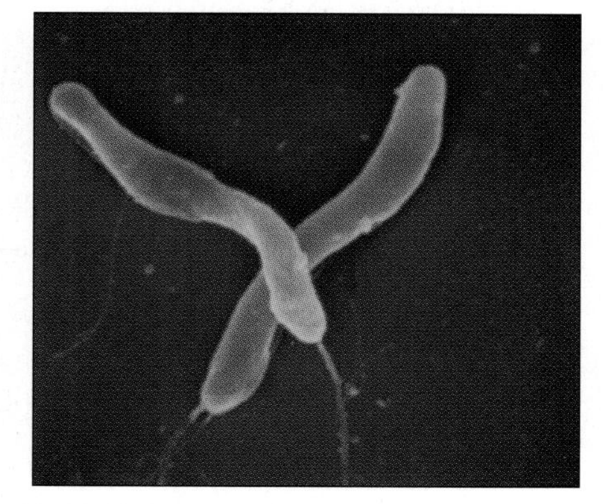

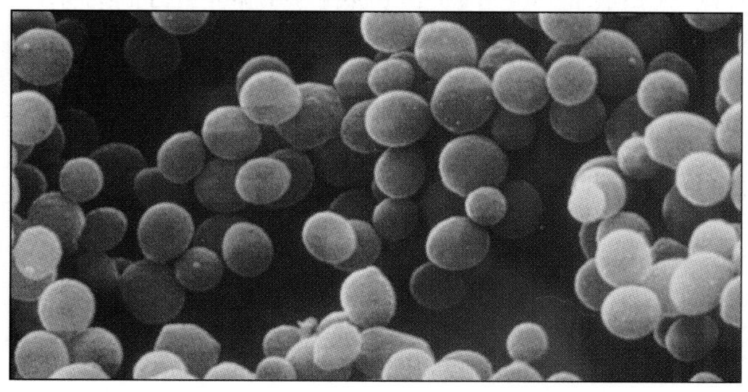

**Figure 1.21** Tous les organismes représentés ici sont des bactéries. Les bactéries ont un seul chromosome qui n'est pas entouré d'une membrane nucléaire. En quoi les bactéries sont-elles différentes des cellules que tu as déjà étudiées dans ce chapitre ?

**Pause réflexion**

Les bactéries comme la *Clostridium botulinum* peuvent provoquer de sérieux empoisonnements alimentaires. D'autres bactéries, comme la *Lactobacillus acidophilus,* aident à digérer les aliments et à détruire d'autres bactéries nocives dans le tractus intestinal. Dans ton journal scientifique, écris un essai d'une page expliquant pourquoi les bactéries peuvent aussi bien être nocives que bénéfiques pour les humains. Fais des recherches dans Internet pour trouver de l'information sur les bactéries utiles, comme les bactéries qui permettent de décomposer les toxines dans l'environnement.

A. La cellule se prépare pour la réplication. Vois-tu où la paroi cellulaire s'est rompue ?

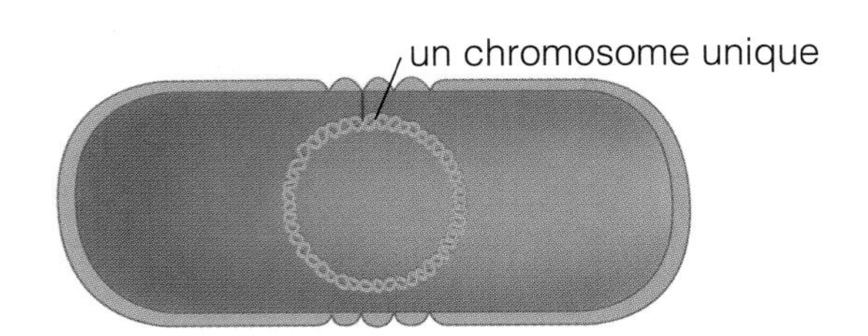


B. La cellule fait une copie de son unique chromosome. Vois-tu la nouvelle membrane qui s'est formée ? Pourquoi, d'après toi, est-elle nécessaire ?

le chromosome initial

la copie du chromosome initial

C. Le chromosome initial et sa copie se séparent bientôt, à mesure que la cellule grandit. Chaque chromosome se déplace vers un côté opposé de la cellule.

D. La membrane cellulaire commence à se rétracter vers l'intérieur, près du milieu de la cellule, créant ainsi deux cellules plus petites. Chacune de ces cellules contient un seul chromosome qui porte une information génétique identique.

E. Une nouvelle paroi cellulaire se forme autour de chacune des deux nouvelles cellules.

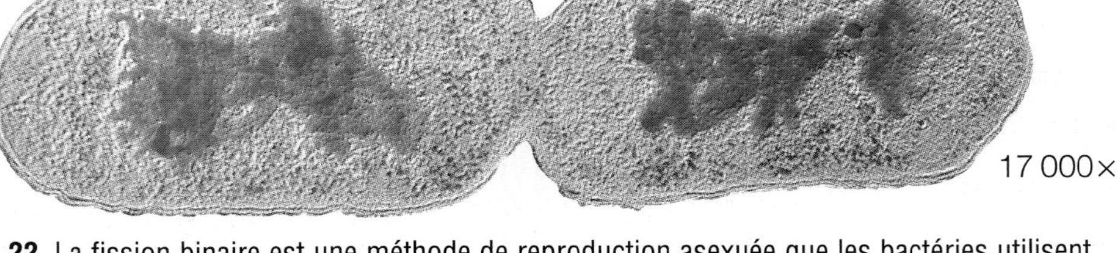


**Figure 1.22** La fission binaire est une méthode de reproduction asexuée que les bactéries utilisent. Dans des conditions idéales, tout le processus dure environ 20 minutes. Pourquoi un cycle cellulaire aussi court peut-il être un avantage ?

Imagine que tu prennes l'autobus pour aller à l'école. À 8 h 20, tu bailles. Un streptocoque se glisse dans ta bouche ouverte et s'installe dans ta gorge. Dans des circonstances idéales, une seule bactérie peut se reproduire en 20 minutes. Donc, quand l'autobus te déposera à l'école, à 8 h 40, il y aura deux bactéries dans ta gorge. Quand la classe commencera, à 9 h, il y aura quatre bactéries dans ta gorge.

1. Suppose que les bactéries continuent de se reproduire de façon asexuée toutes les 20 minutes. Combien de bactéries y aura-t-il dans ta gorge : a) à midi ? ; b) quand tu prendras l'autobus dans l'après-midi (15 h 20) ? ; c) à l'heure du souper (18 h) ? ; d) au moment d'aller te coucher (22 h) ?
2. Trace un diagramme indiquant la croissance de la population de streptocoques dans ta gorge.
3. Penses-tu que les bactéries continueront à se multiplier indéfiniment de cette façon ? Explique ta réponse.
4. À quelle heure, d'après toi, commenceras-tu à avoir mal à la gorge ? Combien y aura-t-il de bactéries dans ta gorge ?

RÉFLÉCHIS ET FAIS DES LIENS 1-D

# Tu es biologiste et tu dois évaluer la reproduction asexuée

## Réfléchis

Les biologistes sont les explorateurs du monde vivant. Certains plongent très profond dans les océans pour étudier les bactéries qui vivent sur les épaves de bateau, comme le *Titanic*. D'autres grimpent au sommet des montagnes pour trouver des mousses fossiles. D'autres encore voyagent aux tréfonds des cellules. Dans cette expérience, tu te concentreras sur un aspect des recherches en biologie : comment les organismes se reproduisent-ils de façon asexuée ? Tu rassembleras de la documentation, tu feras des recherches et tu évalueras les avantages et les inconvénients de la reproduction asexuée.

## Ce que tu dois faire

### Partie 1

### Rassemble de la documentation

1. Dresse un tableau comme le tableau ci-dessous.

| | Documentation | | | | |
|---|---|---|---|---|---|
| Nom et description de l'organisme | Règne | Habitat | Type de reproduction asexuée et description | Avantages de la reproduction asexuée | Inconvénients de la reproduction asexuée |
| | | | | | |
| | | | | | |

2. Commence par lire le reste de ce chapitre qui décrit la reproduction asexuée de toutes sortes d'organismes. À mesure que tu lis, classe les renseignements que tu trouves dans ton tableau. Consulte d'autres sources, comme des manuels de niveaux supérieurs, va dans une bibliothèque ou dans Internet pour obtenir toute la documentation dont tu as besoin.
3. Lorsque tu auras compilé toutes ces données, réponds aux questions suivantes :
   **a)** Quels organismes ont un véritable noyau ? Quels organismes n'ont pas de véritable noyau ?
   **b)** Quels organismes se reproduisent de façon asexuée ?
   **c)** Rédige un énoncé général sur les avantages et les inconvénients de la reproduction asexuée.

### Partie 2

### Spécialise-toi dans la reproduction asexuée d'un organisme

1. Travaille en groupe. Ton enseignante ou ton enseignant attribuera un organisme à chaque groupe. Ton groupe deviendra le spécialiste de cet organisme. Tu devras dresser le profil de cet organisme, c'est-à-dire décrire les principales caractéristiques de cet organisme, son habitat, à quel moment il utilise la reproduction asexuée ainsi que les dangers qui menacent son habitat et qui pourraient l'empêcher de se reproduire de façon asexuée.
2. Avec ton groupe, passe en revue les ressources dont tu pourrais avoir besoin pour approfondir le sujet. Pense, par exemple, à la bibliothèque, à Internet et à des experts d'une université locale. **Remarque :** Pour des conseils sur la recherche d'information et sur l'utilisation efficace d'Internet, voir l'Annexe B.
3. Toujours avec ton groupe, classe les données rassemblées et prépare un exposé pour la classe. Tu peux utiliser toutes sortes de supports pour ton exposé : support audiovisuel, simulation par ordinateur, sketch, feuilles de papier conférence, photos et schémas. Prépare un résumé d'une page du profil de ton organisme. Tu remettras ce résumé aux élèves de ta classe à la fin de ton exposé. N'oublie pas d'indiquer tes sources.

## Analyse

1. Ton organisme avait-il des concurrents pour l'espace et la nourriture ? Comment la reproduction asexuée a-t-elle donné un avantage à ton organisme par rapport à ses concurrents ?
2. De quelles conditions environnementales ton organisme a-t-il besoin pour se reproduire de façon asexuée ?
3. Ton organisme se reproduit-il d'une autre façon ?

## La reproduction asexuée des protistes

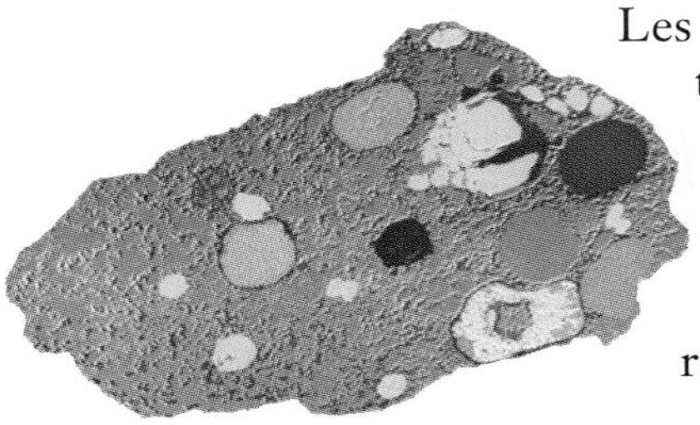

Les organismes unicellulaires du règne des protistes, comme les amibes, se multiplient surtout par l'entremise de la reproduction asexuée. Contrairement aux bactéries, l'ADN des protistes se trouve dans un véritable noyau. La division cellulaire mitotique de ces organismes unicellulaires entraîne la formation de deux cellules identiques. Les protistes sont importants parce qu'ils forment la base de plusieurs chaînes alimentaires et parce qu'ils sont responsables de plusieurs maladies chez les humains.

**Figure 1.23** L'*Amoeba histolytica* est une amibe très connue qui produit une maladie dont le nom s'apparente au sien, l'amibiase intestinale. Cette maladie cause de la diarrhée, de la fièvre et des crampes abdominales. Trouve comment l'*amoeba histolytica* se transmet.

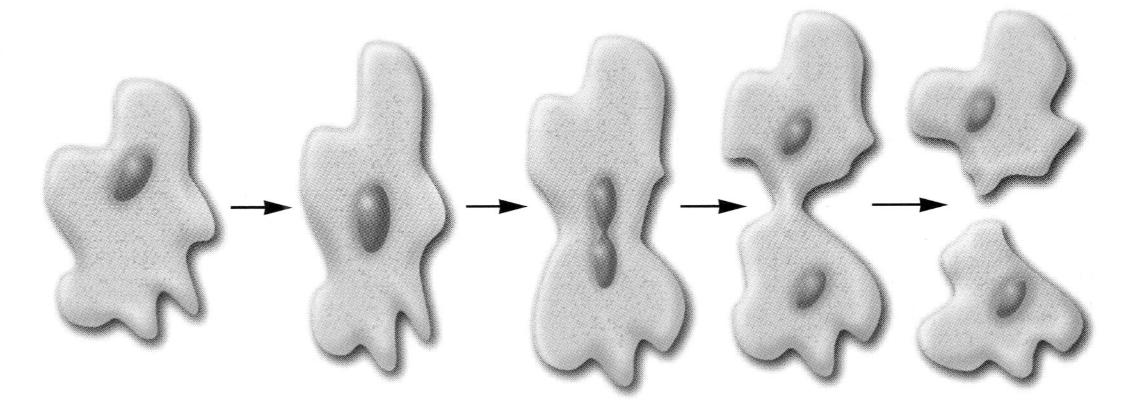

**Figure 1.24** Ce croquis te montre la mitose et la division cellulaire d'une amibe. En quoi ce processus diffère-t-il de la fission binaire des bactéries ?

**Figure 1.25** Ce champignon se développe en prélevant les nutriments dont il a besoin dans une pêche.

## La reproduction asexuée chez les champignons

Les moisissures, les levures et les champignons constituent le règne des fungidés. Le corps de ces organismes se compose de plusieurs filaments très fins, les hyphes. Les hyphes se développent sur et dans d'autres organismes pour obtenir la nourriture dont ils ont besoin (*voir la figure 1.25*). Les champignons utilisent trois méthodes pour se reproduire de façon asexuée : la fragmentation, le bourgeonnement et les spores.

Les champignons peuvent se reproduire de façon asexuée par **fragmentation**. Un petit morceau, ou fragment, se sépare de la masse principale des hyphes et devient un nouvel individu. Que doit contenir ce fragment pour devenir un organisme identique à la cellule-mère ?

**LIEN *terminologique***

Le terme «hyphe» vient du grec *huphê* qui signifie « tissu ». Pourquoi le terme «*hyphe*» est-il approprié pour décrire les filaments qui constituent le corps d'un champignon ?

**Figure 1.26** La plupart des champignons se nourrissent d'organismes morts ou en décomposition. En quoi ce processus est-il profitable à l'environnement ?

Les levures sont des champignons unicellulaires souvent utilisées pour faire du pain ou des produits alcoolisés. Quand les conditions sont favorables à leur croissance, les levures se reproduisent de façon asexuée, par **bourgeonnement**. Premièrement, la cellule doit faire une copie du noyau. Peux-tu expliquer pourquoi ce processus est nécessaire ? Ensuite, un petit bourgeon commence à se former sur la paroi cellulaire. Ce bourgeon, qui contient le nouveau noyau, continue de grandir. Il fini par s'ouvrir pour devenir une cellule indépendante. Examine attentivement la micrographie de la figure 1.27. Que représentent les petits cercles en bas, à gauche, sur la cellule-mère ?

**Figure 1.27** Une cellule de levure en train de former un bourgeon (grossissement : 4000 fois).

Pour se reproduire de façon asexuée, les moisissures, comme la moisissure chevelue, produisent des spores. Une **spore** est une cellule reproductive qui peut devenir un nouvel individu grâce à la division cellulaire mitotique. Les spores sont stockées dans des *sporanges*. Quand les spores arrivent à maturité, elles prennent une couleur caractéristique : noir, jaune, bleu ou rouge. Pense à certains endroits où tu as vu des moisissures récemment. S'agissait-il d'un endroit sec ou humide ? Chaud ou froid ? La prochaine activité te permettra de vérifier les conditions qui favorisent les moisissures.

**Figure 1.28** Ce pain est couvert de moisissure chevelue.

Quand chaque sporange s'ouvre, il libère des spores qui flottent dans les courants d'air. On a retrouvé des spores ainsi portées par l'air à des altitudes supérieures à 160 km.

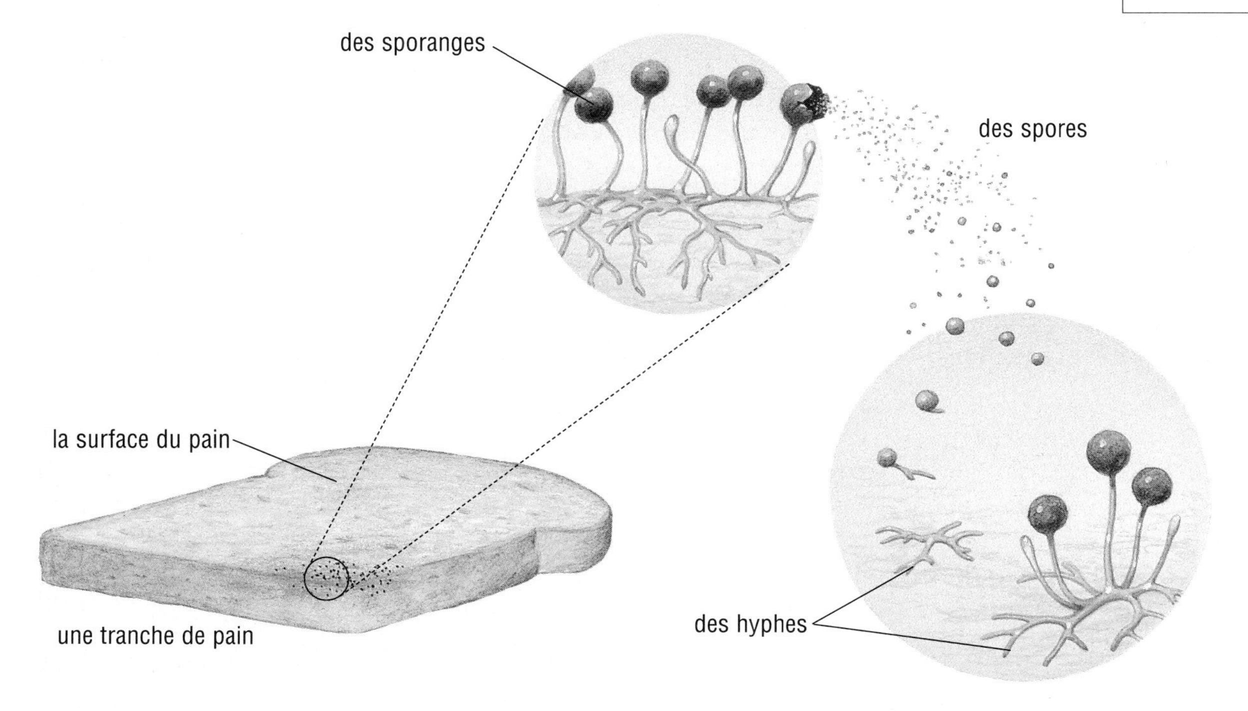


**Figure 1.29** Les sporanges se forment à l'extrémité des hyphes développés sur le pain. Dans chaque sporange, des centaines de spores se développent par division cellulaire mitotique. Pourquoi, d'après toi, chaque spore est-elle capable de donner naissance à une nouvelle colonie de moisissures ?

## Fabrique de la moisissure

Comme tous les organismes vivants, la moisissure du pain exige des conditions favorables pour se reproduire. Tu sais que la moisissure va se développer sur du pain, mais n'importe quel type de pain va-t-il faire l'affaire ? Y a-t-il une différence entre du pain fait maison et du pain acheté à l'épicerie ? Quelles autres conditions sont nécessaires pour que la moisissure du pain se développe ?

### Ce que tu dois faire   

1. Propose une hypothèse sur la croissance de la moisissure du pain que tu aimerais explorer.

2. Élabore une expérience pour vérifier ton hypothèse. Ta proposition doit contenir ce qui suit : ton hypothèse, le matériel dont tu as besoin et les étapes que tu vas suivre pour faire tes recherches. Tu devras aussi te servir d'un microscope de faible grossissement ou de matériel de dissection pour examiner le pain. N'oublie pas de joindre les étapes à suivre pour jeter le matériel en toute sécurité à la fin de l'expérience. Remarque : Si tu as besoin de trucs sur la conception des expériences, va à la page PP-2.

3. Quand tu auras reçu l'approbation de ton enseignante ou de ton enseignant, fais ton expérience.

### Qu'as-tu découvert ?

1. Décris tes résultats. Utilise des tableaux, des schémas ou des photos. Rédige de brèves descriptions pour accompagner tes illustrations.

2. Tes résultats confirment-ils ton hypothèse ? Pourquoi ?

3. Quelle recherche ou expérience supplémentaire pourrais-tu faire, d'après tes résultats ?

4. Suggère comment il serait possible de contrôler la propagation de moisissures nocives.

## La reproduction asexuée chez les animaux

Dans le règne animal, les animaux se répartissent en deux groupes : les vertébrés, c'est-à-dire les animaux qui ont une colonne vertébrale, et les invertébrés, c'est-à-dire les animaux qui n'ont pas de colonne vertébrale. Les invertébrés, comme les éponges, les méduses, les vers, les coquillages et les insectes, constituent environ 97 % de toutes les espèces animales. Plusieurs invertébrés se reproduisent de façon asexuée pour former un ou plusieurs individus identiques à partir d'un seul parent. Les planaires sont un type de vers plats qui se reproduisent de façon asexuée en se divisant en deux et en régénérant les parties manquantes. La partie du planaire qui conserve la tête va avoir une nouvelle queue, et la partie qui a conservé la queue va avoir une nouvelle tête. Que se passe-t-il au cours de ce processus de division qui permet aux deux nouveaux planaires de se doter de la partie manquante ? Les planaires peuvent aussi régénérer les parties de leur corps qui sont blessées, comme à la figure 1.30.

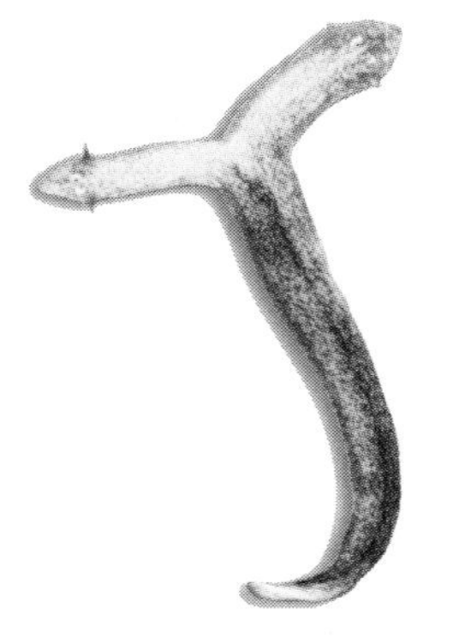

**Figure 1.30** Une blessure a divisé la tête de ce planaire en deux sections. Deux têtes complètes sont en train de se former. Il s'agit du résultat de la régénération.

**Figure 1.31** Les étoiles de mer se reproduisent de façon asexuée. La régénération permet aux étoiles de mer de faire repousser les parties manquantes de leur corps.

Certains animaux, comme les éponges et les hydres, se reproduisent de façon asexuée en bourgeonnant. Une cellule qui se trouve, en règle générale, près de la base de ces organismes entreprend de façon répétée la mitose et la division cellulaire pour produire un groupe de nouvelles cellules, ou un bourgeon. En fin de compte, quand le bourgeon a fini de se développer, il se détache et devient indépendant.

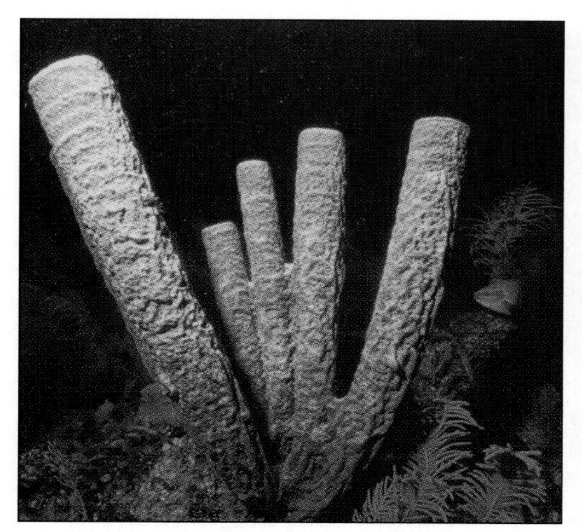

**Figure 1.32** Les bourgeons d'éponge restent attachés à la mère, ce qui donne naissance à une colonie. Quels sont les avantages, pour le bourgeon, de rester attaché à sa mère ?

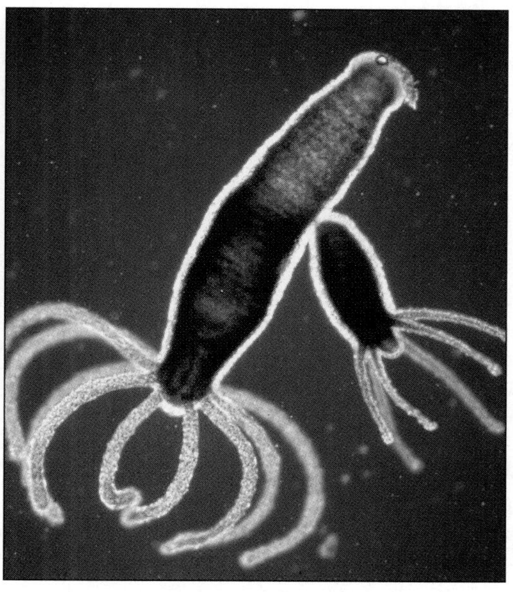

**Figure 1.33** Les hydres sont des organismes très petits qui vivent dans l'eau. D'après ce que tu as appris sur le bourgeonnement, décris ce qui se produit sur cette photo.

## Vérifie ce que tu as compris

1. Qu'est-ce que la fission binaire ? En quoi la fission binaire est-elle différente de la division cellulaire mitotique ?
2. Décris les trois moyens que les champignons utilisent pour se reproduire de façon asexuée.
3. a) Décris comment un animal se reproduit par la méthode du bourgeonnement.
   b) Quel est l'un des avantages de ce type de reproduction ?
4. **Mise en pratique** Explique pourquoi le fait de couvrir et de réfrigérer la nourriture permet de réduire les pertes dues aux moisissures.
5. **Réflexion critique** Un seul bras d'une étoile de mer auquel est attaché une partie du disque central peut redevenir une étoile de mer complète. Pour les ostréiculteurs, les étoiles de mer sont une véritable nuisance. Les étoiles de mer se fixent à la coquille des huîtres, elles ouvrent les coquilles et mangent les huîtres. Auparavant, les ostréiculteurs essayaient de détruire les étoiles de mer en les coupant en morceaux et en les rejetant à la mer. D'après toi, qu'en résultait-il ?
6. **Réflexion critique** Certains invertébrés, comme les crabes, peuvent faire repousser les parties de leur corps qu'ils ont perdues à la suite d'une blessure. D'après toi, quelle partie de la cellule les scientifiques étudient-ils pour en savoir plus sur le processus de régénération chez ces animaux ?

# 1.5 La reproduction asexuée chez les plantes

**Figure 1.34** Il est difficile de croire que cet arbre a réussi à survivre après avoir été si gravement abîmé. Mais les arbres, comme ce saule, ont la capacité d'entreprendre une nouvelle croissance. Où, d'après toi, la mitose et la division cellulaire ont-elles lieu ?

Les arbres, les buissons et les carrés de gazon qui se trouvent sur ton chemin quand tu vas à l'école font tellement partie de ton paysage que tu ne les remarques probablement plus. Il y a peut-être de rares moments où tu y fais plus attention : quand une branche d'arbre s'est cassée, quand un buisson a été taillé ou quand le gazon a été coupé. Au bout de quelques semaines, les branches et les bourgeons repoussent, et l'herbe doit de nouveau être coupée. L'aptitude des plantes à se reproduire de façon asexuée et à se régénérer est, comme dans tous les autres règnes, le résultat de la division cellulaire mitotique. Grâce à la reproduction asexuée, chaque nouvelle plante a le même ADN que la plante-mère.

## Le méristème : la base de la reproduction asexuée des plantes

Contrairement à plusieurs animaux, les plantes continuent de se développer tout au long de leur vie. L'extrémité de leurs racines et de leurs tiges contient des régions de croissance qui s'appellent **méristèmes**. Le méristème se compose de cellules non spécialisées. La mitose et la division cellulaire répétées de ces cellules produisent de nouvelles cellules. À une étape donnée de la croissance de la plante, les cellules méristématiques se spécialisent et forment les racines, les tiges et les feuilles de la plante. Quand les structures de la plante arrivent à maturité, leurs cellules ne se divisent plus dans des conditions normales. Si l'une de ces structures est endommagée, les cellules méristématiques s'activent et régénèrent les structures abîmées. La reproduction asexuée a lieu chez les plantes lorsque les cellules méristématiques s'activent dans différentes structures de la plante.

Pendant des siècles, les horticulteurs ont utilisé ce qu'ils savaient sur la reproduction asexuée des plantes. L'un des moyens les plus simples de propager une plante consiste à faire des boutures. Il s'agit de prélever la partie d'une tige de la plante-mère pour produire d'autres plantes qui sont des répliques exactes de la plante-mère. On parle aussi de **clonage**. Dans le clonage, des descendants identiques sont produits à partir d'une seule cellule ou d'un seul tissu. Dans la prochaine expérience, tu cloneras une plante avec une bouture.

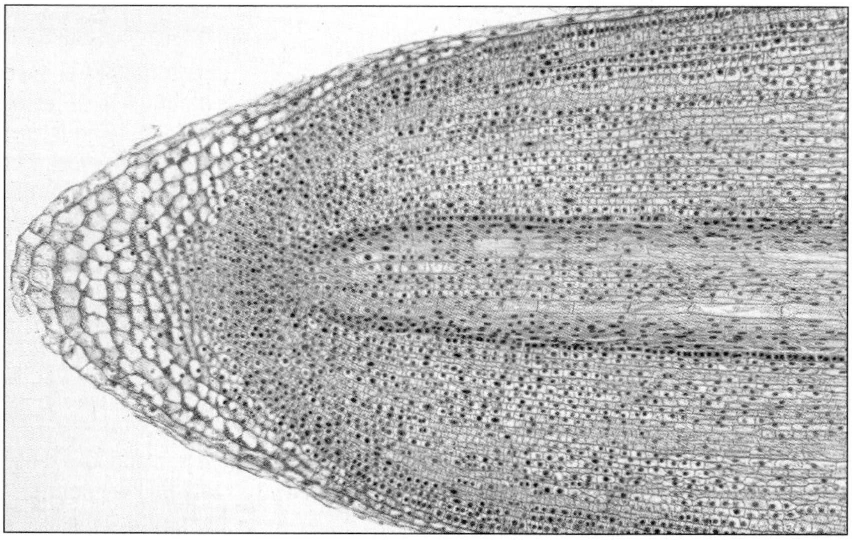

**Figure 1.35** Une micrographie de l'extrémité de la racine d'une plante en plein développement. Où se trouvent les cellules méristématiques ?

PASSE À L'ACTION

RÉALISE UNE EXPÉRIENCE 1-E

# Clone une plante

Les horticulteurs qui produisent des plantes commercialement font du clonage. Ils savent ainsi que les plantes qu'ils veulent reproduire seront toujours les mêmes. Dans cette expérience, tu cloneras une plante avec une bouture et tu suivras le développement de cette plante pendant plusieurs semaines.

Coupe une bouture d'environ deux ou trois feuilles.

## Problème à résoudre

Comment peux-tu cloner plusieurs plantes à partir de la même plante-mère ?

### Consigne de sécurité

- Fais attention quand tu utilises des ciseaux ou d'autres objets coupants.

### Matériel

un bécher de 250 mL (ou un pot en verre)
des ciseaux (ou un couteau conventionnel)
une règle métrique
un petit pot de fleurs (ou une tasse en plastique)

### Matériel non réutilisable

des étiquettes (ou un marqueur)
du papier d'aluminium
plusieurs grands plants de coléus (ou un équivalent)
de l'eau
du terreau stérilisé

## Marche à suivre

1. Prépare un tableau avec les rubriques suivantes et donne un titre à ton tableau :

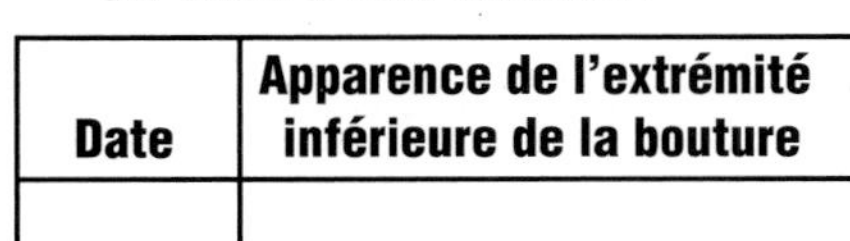

| Date | Apparence de l'extrémité inférieure de la bouture |
|---|---|
| | |

2. Indique ton nom sur le bécher et remplis-le d'eau. Recouvre le bécher de papier d'aluminium. Avec un stylo ou un crayon, fais un petit trou au centre du papier d'aluminium.
3. Avec des ciseaux, coupe une petite bouture de la plante. La bouture doit avoir deux ou trois feuilles. Remarque : Plusieurs élèves devraient prélever des boutures sur la même plante.
4. Place l'extrémité coupée dans le trou du papier d'aluminium et veille à ce que les 3 cm inférieurs de la bouture soient dans l'eau.
5. Dans ton tableau, inscris la date et dessine l'extrémité de la bouture coupée.
6. Vérifie la bouture tous les jours pendant une semaine. Observe les changements qui se produisent. (Ajoute de l'eau au besoin pour que les 3 cm inférieurs de la bouture restent dans l'eau.)
7. Dans ton tableau, note la date à laquelle les premières racines apparaissent et dessine ce que tu vois. Recommence deux ou trois jours plus tard. Mesure la croissance des racines, avec ta règle.
8. Lorsque les racines seront longues d'environ 3 cm, mets le terreau dans le petit pot et plante soigneusement la bouture. Nettoie le bécher.
9. Lave-toi les mains à grande eau après cette activité.

## Analyse

1. Compare les boutures prélevées sur la même plante. En quoi ces boutures sont-elles similaires ? En quoi ces boutures sont-elles différentes ?

## Conclusion et mise en pratique

2. Pourquoi était-il nécessaire de laisser deux ou trois feuilles sur la bouture ?
3. Quel est l'avantage de planter une plante jeune dans la terre plutôt que de laisser cette plante dans l'eau ?

## Enrichis tes connaissances et développe tes habiletés

4. Est-il préférable de mettre tes plantes en pleine lumière ou d'exposer tes plantes à une lumière tamisée ? Élabore une expérience pour déterminer les conditions lumineuses optimales pour la croissance de la plante utilisée.

## Pause réflexion

Repense à l'expérience 1-C de la page 20. Étudie les observations de la division d'une cellule de racine d'oignon que tu as préparée. Dans ton journal scientifique, rédige un paragraphe faisant le lien entre ce que tu as vu à l'extrémité de la racine et ce que tu sais maintenant sur les cellules méristématiques.

## Les différents types de reproduction asexuée chez les plantes

Toutes les plantes ne se reproduisent pas de la même manière, même s'il s'agit toujours de reproduction asexuée. La reproduction asexuée, dans le monde végétal, prend différentes formes. En même temps que nos connaissances s'approfondissent, nous sommes plus en mesure d'utiliser ces processus naturels pour produire des plantes destinées à des usages commerciaux et non commerciaux. Pendant que tu liras cette section, dessine, dans ton cahier, les différentes façons dont on peut produire de nouvelles plantes à partir d'une même plante-mère.

## De nouvelles plantes à partir des racines

As-tu déjà arraché des pissenlits dans un carré de gazon ? Que se passe-t-il si tu ne retires pas toute la racine de la terre ? Pourquoi ce phénomène se produit-il ? Chez certaines plantes, les cellules méristématiques des racines procèdent à une division mitotique pour faire pousser des tiges, des feuilles et d'autres racines. C'est ce qui se produit chez les pissenlits. C'est pourquoi il est si difficile de se débarrasser des pissenlits.

Du fait que certaines plantes se reproduisent de façon asexuée à partir de leurs racines (comme les asperges), les horticulteurs peuvent vendre uniquement les racines plutôt que toute la plante. Quels sont certains des avantages de vendre des plantes de cette façon ? Y a-t-il des inconvénients ?

**Figure 1.36** Les plants d'asperge meurent dans le sol en hiver. Au printemps, de nouveaux plants renaissent de leurs racines.

Que vois-tu quand tu regardes cette photo ? Une forêt, n'est-ce pas ? En fait, ce que tu vois est une forêt des montagnes Wasatch de l'Utah constituée d'une seule espèce, un tremble mâle. Les chercheurs estiment que cette plante pousse depuis des dizaines de milliers d'années. La reproduction asexuée continue de ce tremble a produit un système radiculaire qui relie entre eux 47 000 tiges et couvre 43 ha. Cette plante pourrait vivre indéfiniment, dans la mesure où les conditions environnementales continuent de favoriser sa reproduction asexuée. À quelles menaces environnementales ce géant magnifique sera-t-il peut-être confronté à l'avenir ?

## De nouvelles plantes à partir des tiges

Dans certaines plantes, les cellules méristématiques de la tige peuvent se diviser pour produire des cellules qui deviendront une nouvelle plante. Les fraisiers ont des tiges spéciales qui s'appellent « stolons ». Les nouveaux fraisiers se développent à partir de l'extrémité de ces stolons. On peut ensuite retirer les nouveaux fraisiers et les planter.

Les horticulteurs ont mis au point une technique appelée *marcottage*. Cette technique repose sur l'aptitude de certaines plantes à se reproduire plus facilement à partir des tiges qu'à partir d'autres parties (*voir la figure 1.37*). On peut faire pousser des mûres sauvages, des framboises et des rosiers à partir d'une plante-mère à l'aide de cette technique. On recourbe une branche de la plante-mère vers le sol et on recouvre une partie de cette branche de terre. Des racines pousseront à partir de la tige enterrée, et l'extrémité exposée deviendra une nouvelle pousse. On peut dès lors couper cette nouvelle plante et la replanter.

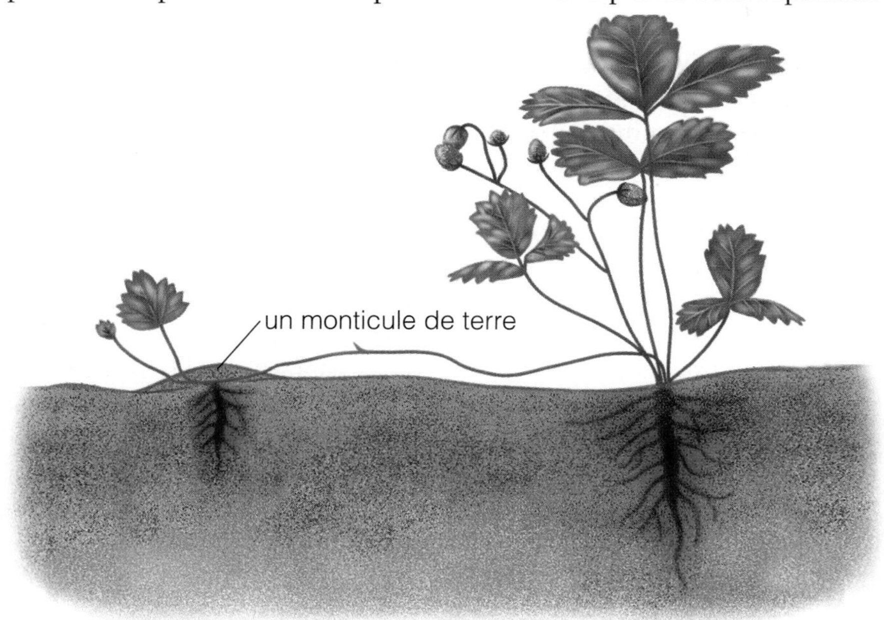


**Figure 1.37** Une nouvelle plante est produite grâce à la technique du marcottage. Quels sont les avantages, pour la nouvelle plante, de rester attachée à la plante-mère pendant qu'elle se développe ?

Le *greffage* est une autre technique que les horticulteurs ont élaborée pour mettre à profit l'aptitude des tiges à se reproduire de façon asexuée. On peut attacher, ou greffer, les tiges des plantes qui ont les qualités souhaitées au porte-greffe. Le porte-greffe se compose de plantes similaires ou de la même famille. On emploie cette technique couramment pour les pommes, le raisin et les roses. Par exemple, les pommes McIntosh sont le résultat d'une greffe. La figure 1.38 te montre deux méthodes de greffage.

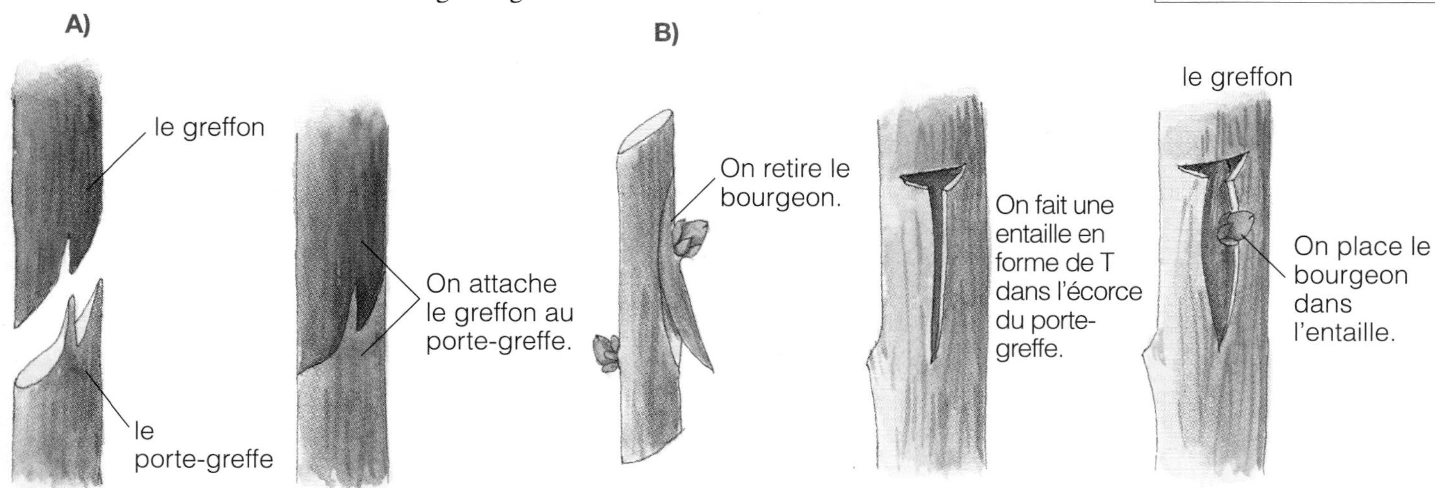


**Figure 1.38** Comment appelle-t-on la tige greffée sur le porte-greffe, sur l'illustration A) ? Où cette partie se trouve-t-elle sur l'illustration B) ?

## Pause réflexion

D'après ce que tu as appris dans cette section, rédige une brève description, dans ton journal scientifique, de la façon que l'on peut reproduire une plante de manière asexuée à partir de ses feuilles. Fais des recherches sur la violette africaine. Représente sur un croquis une technique que l'on pourrait utiliser pour faire pousser plusieurs violettes africaines, de façon asexuée, à partir d'une feuille.

## Le savais-tu ?

Les pommes de terre que nous mangeons font partie d'une tige souterraine qui s'appelle « tubercule ». Les yeux des pommes de terre sont les bourgeons d'une nouvelle plante. Les bulbes de narcisse et de tulipe sont d'autres sortes de tiges souterraines. Ces plantes se reproduisent de façon asexuée en développant de nouvelles pousses à partir de tiges souterraines.

**LIEN terminologique**

Même si on clone des plantes depuis des milliers d'années grâce aux techniques apprises dans cette section, on utilise plus souvent le terme « clonage » pour faire référence aux technologies modernes de reproduction, comme la culture de tissus. Quelle est l'origine du terme « clone » ? Écris une histoire de science-fiction mettant en vedette un clone.

## La culture de tissus

La culture de tissus est une technique que les scientifiques ont mise au point. Cette technique permet de faire pousser des plantes identiques, rapidement et économiquement. Ainsi, on peut faire pousser des chrysanthèmes, des orchidées et des pins à croissance rapide en prélevant quelques cellules spécialisées sur une plante et en déposant ces cellules dans une solution spéciale, en laboratoire (*voir la figure 1.39*). Ces cellules deviennent rapidement des plantes adultes identiques. Essaie d'en savoir plus sur les types de plantes que l'on fait pousser commercialement de cette façon.

**Figure 1.39** La culture de tissus nécessite moins d'espace que les boutures pour produire des plantes. Pourquoi la culture de tissus serait-elle avantageuse pour un jardinier ?

## Vérifie ce que tu as compris

1. a) Qu'est-ce que le méristème ?
   b) Quel est le rôle de ces cellules dans la reproduction asexuée des plantes ?
2. a) Explique comment les plantes se reproduisent à partir des racines, des tiges et des feuilles. Donne un exemple dans chacun de ces cas.
   b) Pourquoi considère-t-on que les plantes produites avec ces méthodes sont identiques à la plante-mère ?
3. **Mise en pratique** Décris comment on peut utiliser le greffage pour produire un pommier donnant quatre types de pommes.
4. **Mise en pratique** Le nombre de plantes dans un massif de fleurs, comme des narcisses, peut augmenter sans qu'on ajoute de bulbes. Explique comment cela est possible.
5. **Réflexion critique** Comment pourrais-tu savoir quels sont les meilleurs sols pour faire pousser de jeunes plantes? Décris comment tu élaborerais une expérience pour le savoir.

# RÉSUMÉ du chapitre 1

Maintenant que tu as terminé ce chapitre, essaie de faire les activités proposées ci-dessous. Si tu n'y arrives pas, consulte à nouveau la section indiquée.

Résume les principaux événements et découvertes qui ont permis d'élaborer la théorie cellulaire. (1.1)

Énonce les quatre postulats de la théorie cellulaire. (1.1)

Nomme et décris les organites d'une cellule animale typique et donne la fonction de chaque organite. (1.1)

Nomme et décris les organites uniques à une cellule végétale typique et donne la fonction de chaque organite. (1.1)

Explique comment tu pourrais élaborer une série d'expériences pour déterminer la fonction du noyau. (1.1)

Représente les quatre principales phases de la mitose et indique de quelle phase il s'agit sur chaque croquis. Rédige une brève description de ce qui se produit dans la cellule, à chaque phase. (1.2)

Décris la succession d'événements qui se produisent dans une cellule typique. (1.2)

Explique comment la mitose et le cycle cellulaire sont chargés de la croissance des cellules du corps. (1.3)

Décris en quoi le cancer est lié au processus de la mitose. (1.3)

Compare les avantages et les inconvénients de la reproduction asexuée des bactéries et des protistes. (1.4)

Quels sont les trois types de reproduction asexuée chez les champignons ? Quelles sont les différences entre ces trois types de reproduction ? (1.4)

Explique comment le méristème permet à une plante de grandir continuellement. (1.5)

Décris comment les plantes se reproduisent à partir de racines, de tiges et de feuilles. (1.5)

## Prépare ton propre résumé

Résume le contenu de ce chapitre en élaborant une représentation graphique (comme un réseau conceptuel), en réalisant une affiche ou en résumant par écrit les concepts clés du chapitre. Voici quelques idées dont tu peux t'inspirer :

- Qu'est-ce que la théorie cellulaire ?
- Trace des schémas de cellules animales et de cellules végétales typiques. Donne une légende à ces schémas et indique les fonctions des organites sur chacun des schémas.
- Qu'est-ce que la mitose ?
- Nomme les étapes du cycle cellulaire typique et explique ce qui se produit à chaque étape.
- Décris les processus de la croissance, du remplacement cellulaire, de la régénération, du vieillissement et de la division cellulaire incontrôlée des organismes multicellulaires.
- Décris la reproduction asexuée chez les bactéries, les protistes, les champignons et les animaux. Donne des exemples dans chaque cas.
- Explique comment les plantes se propagent ou comment on les fait pousser commercialement, à partir des racines, des tiges ou des feuilles.
- Nomme l'organite représenté sur la micrographie et décris sa fonction.

### Omni TRUC

Si tu as besoin de trucs pour utiliser une représentation graphique, va à la page 569.

CHAPITRE

# 1 Révision

## Des termes à connaître

Si tu as besoin de réviser les termes ci-dessous, les numéros de section t'indiquent où ils ont été mentionnés pour la première fois.

1. Reproduis ce tableau et remplis-le pour chacun des organites cellulaires indiqués. Sous le titre « Rôle », décris quel rôle chaque organite pourrait jouer s'il faisait partie d'une ville. Par exemple, le noyau, qui est le centre de contrôle de la cellule, pourrait jouer le rôle de l'hôtel de ville. (1.1)

| Organite | Description | Fonction | Rôle |
|---|---|---|---|
| noyau | membrane double autour de l'ADN de la cellule | centre de contrôle | hôtel de ville |
| mitochondrie | | | |
| ribosome | | | |
| membrane cellulaire | | | |
| chromatine | | | |
| cytoplasme | | | |

2. Dans ton cahier, associe chaque expression de la colonne A au terme exact de la colonne B.

**A**

- les parties membranaires de la cellule
- la façon dont la cellule passe la plus grande partie de sa vie
- les transporteurs en double brin du matériel génétique
- se forme dans une cellule végétale au cours de la division cellulaire
- les cellules non spécialisées de l'extrémité des racines et des tiges
- la reconstitution des parties du corps perdues
- une cellule reproductive des champignons
- relie des chromosomes en double brin

**B**

- la plaque équatoriale (1.2)
- le centromère (1.2)
- la régénération (1.3)
- les organites (1.1)
- les spores (1.4)
- l'interphase (1.2)
- les chromosomes (1.2)
- le méristème (1.5)
- la prophase (1.2)

3. En quoi la fission binaire est-elle différente de la mitose ? (1.2, 1.4)

## Des concepts à comprendre

Les numéros de section te permettront de faire des révisions, si tu en as besoin.

4. Trace une ligne sur laquelle tu indiqueras, dans l'ordre chronologique, les principaux événements qui ont contribué à l'élaboration de la théorie cellulaire. (1.1)

5. En quoi la division cellulaire chez les plantes diffère-t-elle de la division cellulaire chez les animaux ? Fais un croquis pour illustrer ton explication. (1.2)

6. Les phases de la mitose de la figure ci-dessous ne sont pas dans le bon ordre. Dans ton cahier, fais un croquis représentant ces phases dans le bon ordre et nomme ces phases. (1.2)

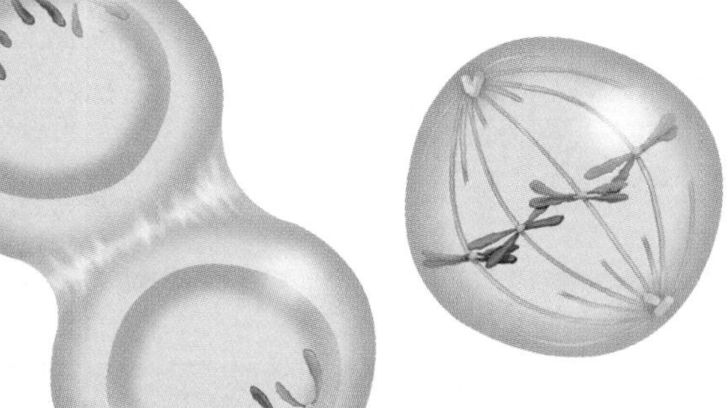

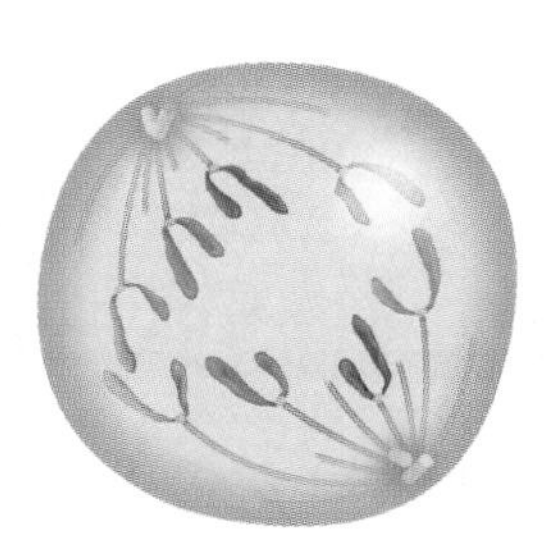

**7. a)** Explique pourquoi la mitose est une partie si importante de la division cellulaire.

**b)** Explique ce qui pourrait arriver à la croissance du corps humain et à la réparation cellulaire si la mitose n'avait pas lieu. (1.3)

**8. a)** Dresse la liste des différents types de reproduction asexuée chez les bactéries, les protistes, les champignons et les animaux.

**b)** Décris les avantages et les inconvénients de la reproduction asexuée des organismes ci-dessus. (1.4)

**9.** Quelle est l'importance du méristème dans la reproduction des plantes ? (1.5)

**10.** Décris et illustre un exemple de propagation des plantes lié à l'aptitude des plantes à se reproduire de façon asexuée. (1.5)

## Des habiletés à acquérir

**11.** Élabore un modèle représentant chaque étape de la mitose d'une cellule animale typique.

**12.** Dans un manuel de biologie d'un niveau supérieur que tu trouveras à la bibliothèque, ou dans Internet, fais des recherches pour répondre aux questions suivantes :

**a)** Combien de temps dure le cycle d'une cellule du cerveau humain ? Dans ton cahier, fais un croquis annoté ou utilise un programme informatique pour tracer un schéma représentant le cycle de cette cellule.

**b)** Combien de temps dure le cycle d'une cellule hépatique humaine ? Fais un croquis annoté ou trace un schéma représentant le cycle de cette cellule.

**c)** Combien de temps dure le cycle d'une cellule de levure ? Fais un croquis annoté ou trace un schéma représentant le cycle de cette cellule.

## Des problèmes à résoudre

**13.** Pourquoi l'exposition à certaines substances augmente-t-elle les risques de cancer ? Propose un modèle pour expliquer ta réponse.

**14.** Dans la plupart des villes canadiennes, on déverse du sel sur les routes et sur les trottoirs, en hiver. Qu'arrive-il aux plantes qui entrent en contact direct avec le sel ou avec les eaux de ruissellement chargées de sel ? L'usage du sel par les équipes de route pose des problèmes aux forestiers municipaux qui s'occupent des arbres et des plantes, le long des routes. Les forestiers se sont rendu compte que les racines d'un type de robinier d'Amérique résistaient à de fortes concentrations de sel. Mais le tronc de cet arbre pousse rarement droit, et l'arbre produit beaucoup de graines qu'il faut ensuite nettoyer. Il y a un autre type de robinier dont le tronc est droit et qui produit moins de graines. Explique quelle technique de propagation des plantes les forestiers pourraient utiliser pour produire un robinier dont les racines résisteraient au sel et dont le tronc serait droit.

## Réflexion critique

**15.** Explique ce qui pourrait se produire si les chromosomes ne se séparaient pas correctement pendant l'anaphase de la mitose.

**16.** Comment pourrais-tu expliquer la différence entre les cellules qui peuvent réparer des tissus endommagés, comme les cellules de la peau, et d'autres types de cellules, comme les cellules nerveuses, qui ne peuvent pas réparer les tissus endommagés ?

**17.** Chez la plupart des plantes, le méristème se trouve à l'extrémité des racines et des tiges. Explique pourquoi les propriétaires doivent continuellement couper leur gazon en été puisque chaque tonte coupe l'extrémité de l'herbe.

### Pause réflexion

1. Rédige un essai d'une page appuyant l'énoncé suivant : «La cellule est l'unité de base de la vie.»
2. Explique comment les connaissances de la reproduction asexuée des plantes peuvent nous permettre d'améliorer l'approvisionnement en vivres des pays en voie de développement.
3. Relis les réponses que tu as données aux questions de l'activité Pour commencer... de la page 2. Comment ta réflexion a-t-elle évolué ? Écris tes réponses révisées dans ton journal scientifique.

CHAPITRE

# 2 La reproduction

## Pour commencer...

- Pourquoi les êtres humains ne se ressemblent-ils pas tous, même à l'intérieur d'une famille ?
- Quelle différence y a-t-il entre les œufs que l'on mange et les œufs qui se transforment en poussins ?
- Pourquoi les grenouilles se développent-elles à l'extérieur du corps de leurs parents ?
- De quelle façon les plantes produisent-elles des graines ?

## Journal scientifique

Tu connais peut-être des réponses aux questions posées ci-dessus. Si oui, note-les dans ton journal scientifique. Complète tes réponses à mesure que tu avances dans l'étude du présent chapitre.

Les océanographes biologistes qui s'intéressent aux baleines à bosse de l'Atlantique Nord emploient des techniques de photo-identification pour étudier la reproduction et les migrations de ces mammifères, de même que les interactions de ces animaux entre eux et avec leur milieu. Chaque baleine à bosse porte des marques noires et blanches distinctives sur la face inférieure de sa nageoire caudale (sa queue). Des spécialistes de la photographie marine captent sur une pellicule ces « empreintes » des baleines au moment où, en plongeant, elles élèvent leur nageoire caudale au-dessus de l'eau.

Ce sont les mêmes raisons qui expliquent que les nageoires caudales des baleines sont différentes et que tu ne ressembles pas tout à fait à aucun autre membre de ta famille. De même, chaque cupule d'un chêne est unique. Dans le chapitre 1, tu as appris qu'on appelle reproduction asexuée le processus par lequel un seul organisme donne naissance à de nouveaux organismes tous identiques. Dans le présent chapitre, tu découvriras pourquoi la reproduction sexuée donne de nouveaux organismes non identiques, et quels sont les avantages de la diversité. Tu étudieras également de quelle façon des animaux et des plantes se reproduisent sexuellement.

# sexuée : un gage de diversité

## Concepts clés

Dans ce chapitre, tu découvriras :

- que la méiose produit des cellules spécialisées pour la reproduction sexuée, et que ce mode de reproduction donne des descendants aux caractéristiques différentes ;
- les différences entre la reproduction asexuée et la reproduction sexuée ;
- les divers types de reproduction sexuée chez les animaux et les plantes ;
- les avantages et les inconvénients de la reproduction sexuée et de la reproduction asexuée.

## Habiletés clés

Dans ce chapitre :

- tu apprendras à distinguer les phases de la méiose et les phases de la mitose ;
- tu feras une recherche sur la reproduction sexuée à partir de différentes sources et tu utiliseras les données recueillies pour préparer un exposé sur ce sujet ;
- tu traceras des schémas représentant un élément ou un processus biologique ;
- tu t'exerceras à préparer des lames à examiner au microscope.

## Mots clés

- variation
- reproduction sexuée
- gamète
- fécondation
- zygote
- chromosomes homologues
- diploïde
- haploïde
- méiose
- gonade
- testicule
- ovaire
- spermatozoïde
- ovule
- embryon
- fécondation externe
- fécondation interne
- métamorphose incomplète
- métamorphose complète
- hermaphrodite
- graine
- angiosperme
- gymnosperme
- pistil
- étamine
- pollinisation
- tube pollinique
- cotylédon
- fruit
- germination
- sporophyte
- gamétophyte
- conjugaison

## ACTIVITÉ de départ

### Observer les traits distinctifs des êtres humains

Chaque personne possède un ensemble de traits distinctifs, ou de caractéristiques. Ces traits peuvent prendre différentes formes. Par exemple, à la naissance du front, les cheveux sont plantés plus ou moins suivant une ligne droite chez une personne, alors qu'ils avancent en pointe chez une autre. La présente activité te permettra d'observer des traits distinctifs de tes camarades de classe.

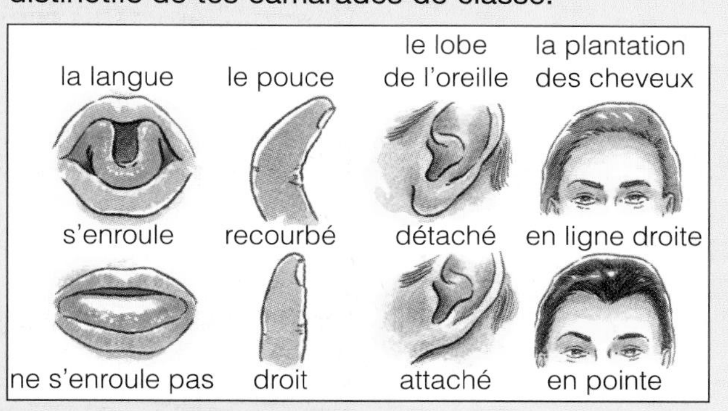


#### Ce que tu dois faire

1. Examine les exemples de traits distinctifs illustrés ci-dessus. Reproduis le tableau suivant en y insérant une ligne pour chaque élève de ta classe :

| Caractéristique | Langue | | Pouce | | Lobe de l'oreille | | Plantation des cheveux | |
|---|---|---|---|---|---|---|---|---|
| Traits distinctif | S'enroule | Ne s'enroule pas | Recourbé | Droit | Attaché | Détaché | En ligne droite | En pointe |
| Élève 1 | | | | | | | | |
| | | | | | | | | |

Note lequel des deux traits distinctifs chaque élève de ta classe possède. Pour ce faire, trace un crochet dans la colonne appropriée du tableau. Représente ensuite les données du tableau au moyen d'un diagramme à bandes.

#### Qu'as-tu découvert ?

1. Certains traits sont-ils plus fréquents que d'autres ?
2. Quelle conclusion peux-tu tirer des données à propos de la variation des traits distinctifs chez tes camarades de classe ? Selon toi, pourquoi des élèves possèdent-ils certains traits et d'autres pas ?

**Omni TRUC**

Pour te rappeler comment construire un diagramme à bandes, va à la page 587.

# 2.1 Comprendre les principes de la reproduction sexuée

Tu as noté que les élèves de ta classe possèdent différents traits distinctifs. La **variation** des traits que tu as observée n'a rien d'étonnant puisque tes camarades appartiennent à des familles différentes. Cependant, les membres d'une même famille présentent eux aussi des traits distinctifs différents.

Tu as appris que, en se divisant par mitose, une cellule somatique de la peau, par exemple, produit deux nouvelles cellules identiques à la cellule-mère. Tu as également appris qu'on appelle reproduction asexuée la division par mitose d'un organisme unicellulaire unique, qui donne naissance à deux descendants identiques. Cependant, les différences entre les membres de la famille de la photo de la figure 2.1 suggèrent que c'est par un autre processus de reproduction que des parents donnent naissance à des individus non identiques, ou uniques. On appelle ce second processus **reproduction sexuée**. Le corps humain renferme des organes spécialisés qui produisent des cellules reproductrices sexuées, appelées **gamètes**. Dans la reproduction sexuée, les gamètes des deux parents s'unissent, par un processus appelé **fécondation**, pour former une nouvelle cellule, appelée **zygote**. Le zygote est la première cellule somatique du nouvel organisme. Mais d'où viennent les gamètes ? Qu'est-ce qui différencie les gamètes des autres cellules de l'organisme ? Pourquoi la reproduction sexuée est-elle impossible sans les gamètes ?

**Figure 2.1** Qu'est-ce qui te porte à croire que les deux parents de cette famille ont fourni chacun une partie de l'information génétique que leurs enfants ont reçue ?

**LIEN** *terminologique*

L'adjectif « homologue » vient du mot grec *homologos*, signifiant « qui est en harmonie ». Comment les chromosomes homologues sont-ils « en harmonie » ?

## Les chromosomes vus de près

Les différences observées chez tes camarades de classe s'expliquent en partie par le fait qu'ils appartiennent à des familles différentes. Cependant, il faut chercher une explication pour les différences entre les membres d'une même famille.

Si tu examines au microscope les chromosomes de l'une de tes cellules somatiques, tu découvriras que tes 46 chromosomes forment 23 paires de chromosomes, les 2 chromosomes de chaque paire ayant les mêmes dimensions et la même forme. On appelle **chromosomes homologues** les chromosomes d'une même paire. Tu as reçu un chromosome pour chaque paire de ta mère, et le second de ton père.

Chez les humains, le nombre total de chromosomes d'une cellule somatique est de 46. On dit que les cellules somatiques des humains sont **diploïdes** (« di » signifiant « deux fois »). Le nombre diploïde des humains est 46 (soit 2 × 23). Les gamètes humains possèdent 23 chromosomes, et ils sont dits **haploïdes** (« haplo » vient du grec *haplos*, qui signifie « simple »).

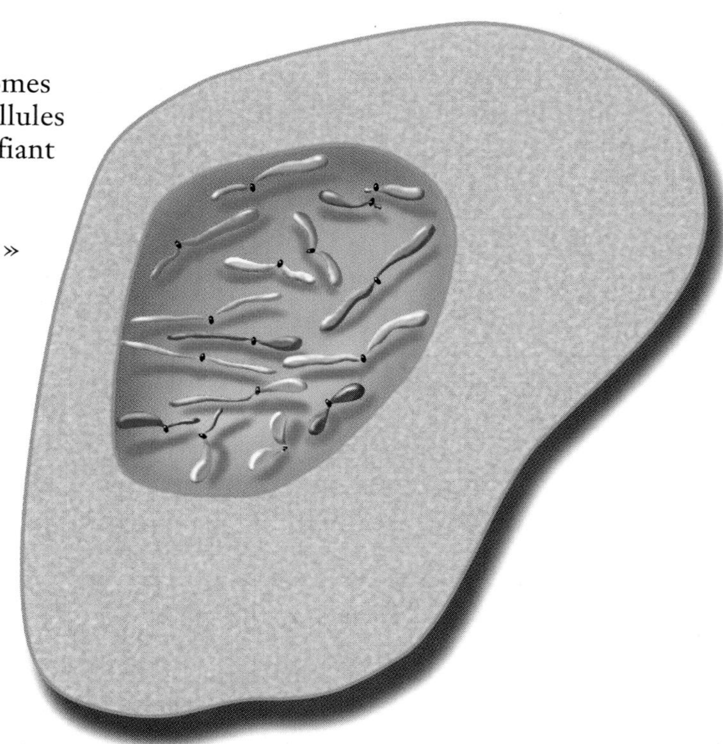

Figure 2.2 L'illustration montre une cellule somatique d'un organisme imaginaire. Cette cellule renferme 16 chromosomes. Combien de paires de chromosomes homologues renferme-t-elle ? Quel est le nombre diploïde de l'organisme ? Quel est le nombre haploïde de l'organisme ?

## L'explication de la méiose

Les cellules somatiques de chaque individu d'une espèce renferment un même nombre de chromosomes, appelé « nombre diploïde ». Ce nombre ne varie pas d'une génération à l'autre. Le nombre de chromosomes des gamètes des représentants de la même espèce est appelé « nombre haploïde ».

Le nombre de chromosomes des cellules somatiques humaines étant de 46, le nombre de chromosomes des gamètes est égal à la moitié de 46. Durant la fécondation, seules les gamètes haploïdes peuvent s'unir pour former un zygote diploïde ; et seul un zygote diploïde peut constituer la première cellule somatique d'un être humain. Tu sais que, dans la mitose, le nombre de chromosomes ne varie pas. Le processus qui garantit que chaque gamète ne renferme qu'un seul chromosome de chaque paire est appelé **méiose**.

La méiose garantit également que chaque gamète reçoit une combinaison unique des chromosomes présents au début du processus. Comme les noyaux produits ne sont pas identiques, les gamètes produisent des descendants non identiques. De plus, certains chromosomes des nouveaux noyaux peuvent être différents des chromosomes initiaux. En effet, au début de la méiose, les chromosomes dédoublés entrent en contact. Durant ce processus, il peut se produire ce qu'on appelle un *enjambement* (*voir la figure 2.4*). La prochaine activité te permettra d'étudier ce qui se produit à l'intérieur du noyau au cours de la méiose.

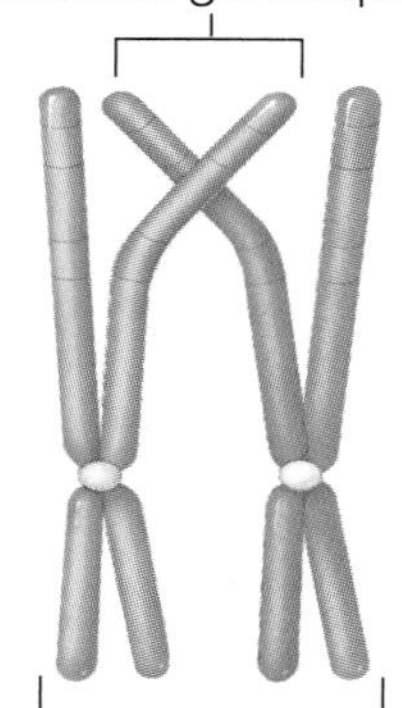


Figure 2.4 De quelle façon l'enjambement modifie-t-il les chromosomes initiaux ? Fais un remue-méninges avec l'une ou l'un de tes camarades pour trouver un modèle simple représentant le processus d'enjambement.

Figure 2.3 Pourquoi le zygote est-il capable de produire des cellules somatiques par mitose ?

PASSE À L'ACTION

RÉFLÉCHIS ET FAIS DES LIENS 2-A

# La méiose : un processus de réduction

### Réfléchis

Le terme « méiose » vient du mot grec *meosis*, qui signifie « décroissance ». De quelle façon ce processus de réduction produit-il des gamètes ayant la moitié moins de chromosomes que les cellules somatiques ? La présente activité te permettra d'essayer d'interpréter les événements qui ont lieu dans le noyau d'une cellule pendant la méiose. Pour ce faire, tu te serviras de ce que tu as appris à propos de la mitose.

### Ce que tu dois faire

**Partie 1**

## Étude de la méiose I

1. Choisis une ou un partenaire. Ouvre ton manuel à la page 18, où se trouve la figure 1.10, qui représente la mitose. Examine à nouveau le schéma et relis tes notes sur la mitose.
2. Examine la figure représentant la méiose I. Combien de chromosomes dédoublés y a-t-il durant la prophase I ? Dessine un chromosome de manière à bien représenter sa forme. Existe-t-il des différences entre la prophase de la méiose et la prophase de la mitose ? (Indice : Les chromosomes sont-ils disséminés dans la cellule ou forment-ils des paires ?) Rédige une courte description de la prophase I pour accompagner ton croquis.
3. Dessine un croquis qui représente ce qui se produit au centre de la cellule durant la métaphase I. Notes-tu des différences par rapport à la métaphase de la mitose ? Si oui, lesquelles ?
4. Explique ce qui se produit durant l'anaphase I en te servant des expressions « paire de chromosomes homologues » et « chromosomes dédoublés ». Notes-tu des différences par rapport à l'anaphase de la mitose ? Si oui, lesquelles ?
5. Compare la télophase I et la télophase de la mitose. Note que deux noyaux sont produits au cours de chacun de ces processus. Dans quel cas les deux nouveaux noyaux renferment-ils des chromosomes dédoublés ? Es-tu capable d'expliquer pourquoi ?

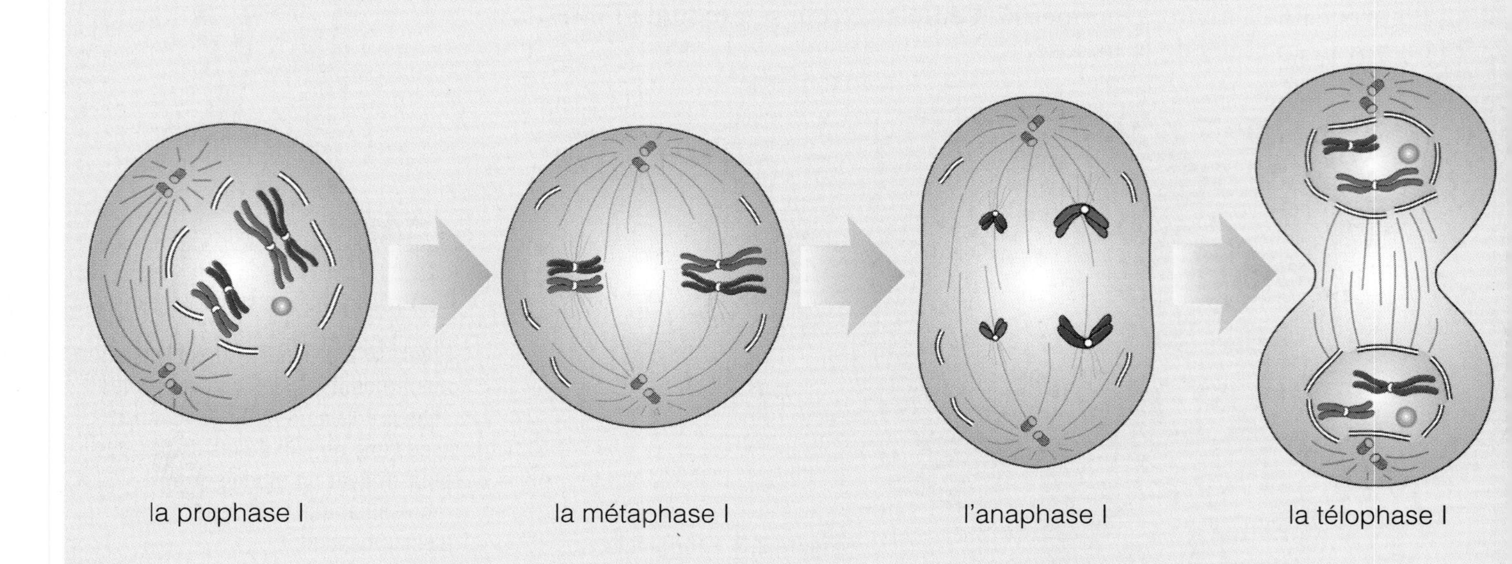

Partie 2

## Étude de la méiose II

1. Examine la figure représentant la méiose II. Compare la prophase II et la prophase I. Énumère toutes les différences et les similitudes que tu as notées.
2. Explique ce qui se produit durant la métaphase II. Notes-tu des différences par rapport à la métaphase I ? Si oui, lesquelles ?
3. Compare l'anaphase II et l'anaphase I. Laquelle ressemble à l'anaphase de la mitose ?
4. Compare la télophase II et la télophase I. Quelle différence relative aux chromosomes as-tu notée ?
5. Compare l'aspect des chromosomes dans la télophase II et dans la télophase de la mitose. Décris ce que tu as observé en un court paragraphe.
6. Dessine les cellules produites lors de la division du cytoplasme après la télophase II. Combien y a-t-il de nouvelles cellules ?

### Analyse

1. Quel est le nombre de nouveaux noyaux à la fin de la télophase II ?
2. Combien de chromosomes chaque nouveau noyau renferme-t-il comparativement au nombre de chromosomes de la cellule de départ dans la prophase I ?
3. Que la réponse à la question 2 t'indique-t-elle à propos du type de cellules produites ? Explique pourquoi les nouvelles cellules sont des gamètes et non des cellules somatiques.
4. Combien de fois une cellule se divise-t-elle durant la méiose, comparativement à ce qui se produit durant la mitose ?

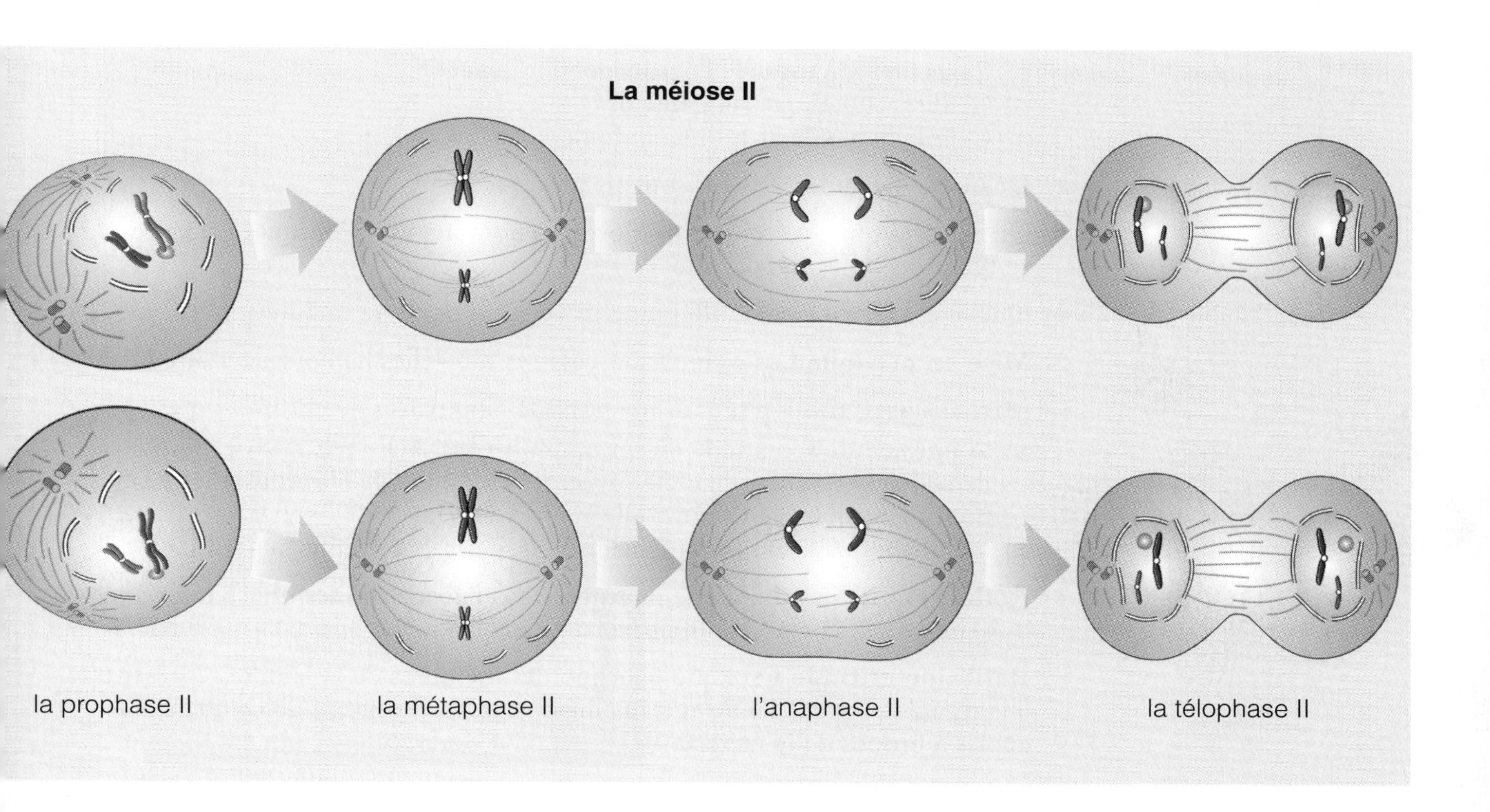

**La formation de spermatozoïdes**

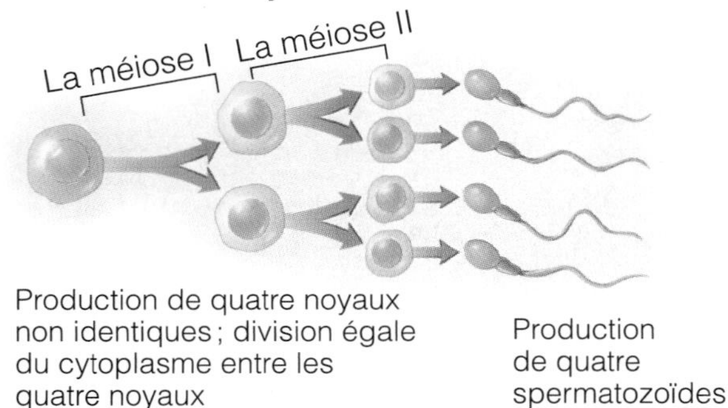


**La formation des ovules**

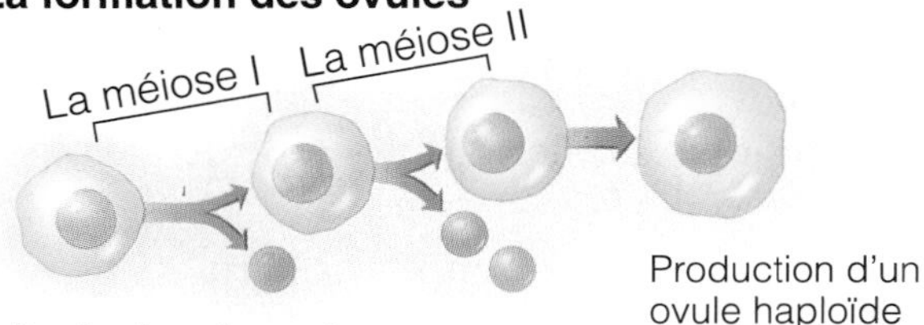


**Figure 2.5** Chez les hommes, le processus de méiose se répète sans arrêt dans les testicules à partir du moment où la maturité sexuelle est atteinte. Chez les femmes, le processus de méiose commence dans les ovaires avant la naissance, puis il s'arrête et ne reprend que vers l'âge de 12 à 15 ans.

## La formation des spermatozoïdes et des ovules

Les animaux qui se reproduisent sexuellement possèdent des organes reproducteurs, appelés **gonades**, qui produisent des gamètes. Les gonades mâles sont appelées **testicules**, et les gonades femelles sont appelées **ovaires**.

Le schéma de la méiose, étudié dans l'activité 2-A, illustre la formation des gamètes, ou **spermatozoïdes**, dans les testicules. Les gamètes, ou **ovules**, des animaux femelles résultent d'un processus de méiose qui a lieu dans les ovaires. Les gamètes mâles et les gamètes femelles ne sont pas produits exactement de la même façon. Examine attentivement la figure 2.5. Quel est le résultat final de la méiose de gamètes mâles ? de gamètes femelles ?

Dans la présente section, tu as appris de quelle façon les gamètes sont produits. Au cours du processus de fécondation, l'union d'un gamète mâle et d'un gamète femelle donne un zygote, qui fournit toutes les cellules du nouvel organisme en se divisant par mitose. Dans le reste du présent chapitre, tu en apprendras davantage à propos de la reproduction sexuée et du développement de divers organismes.

## Vérifie ce que tu as compris

1. Explique les liens et les différences entre les deux termes donnés.
   a) Reproduction asexuée et reproduction sexuée.
   b) Cellules somatiques et gamètes.
   c) Cellule haploïde et cellule diploïde.
2. De quelle façon les zygotes sont-ils produits ?
3. Qu'est-ce qu'une paire de chromosomes homologues. Pourquoi les paires de ce type sont-elles importantes ?
4. Quelle est la principale différence entre la mitose et la méiose ?
5. **Mise en pratique** Les cellules musculaires sont-elles haploïdes ou diploïdes ?
6. **Mise en pratique** Un organisme possède cinq paires de chromosomes.
   a) Si une cellule somatique de cet organisme se divise par mitose, combien de cellules résultent de cette division ? Combien de chromosomes chaque nouvelle cellule renferme-t-elle ?
   b) Combien de chromosomes chaque spermatozoïde renferme-t-il ?
7. **Réflexion critique** Explique pourquoi tous les organismes qui se reproduisent sexuellement ont un nombre diploïde pair.
8. **Réflexion critique** Explique pourquoi les membres de la famille représentée à la figure 2.1 possèdent des traits différents, en te servant de ce que tu as appris à propos de la méiose.

# 2.2 La reproduction sexuée chez les animaux

Examine attentivement les animaux représentés dans la figure 2.6. Certains ont une colonne vertébrale, et d'autres n'en ont pas ; certains vivent sur la terre, et d'autres dans l'eau. Le règne animal comprend un grand nombre d'organismes ayant des formes et des modes de vie différents.

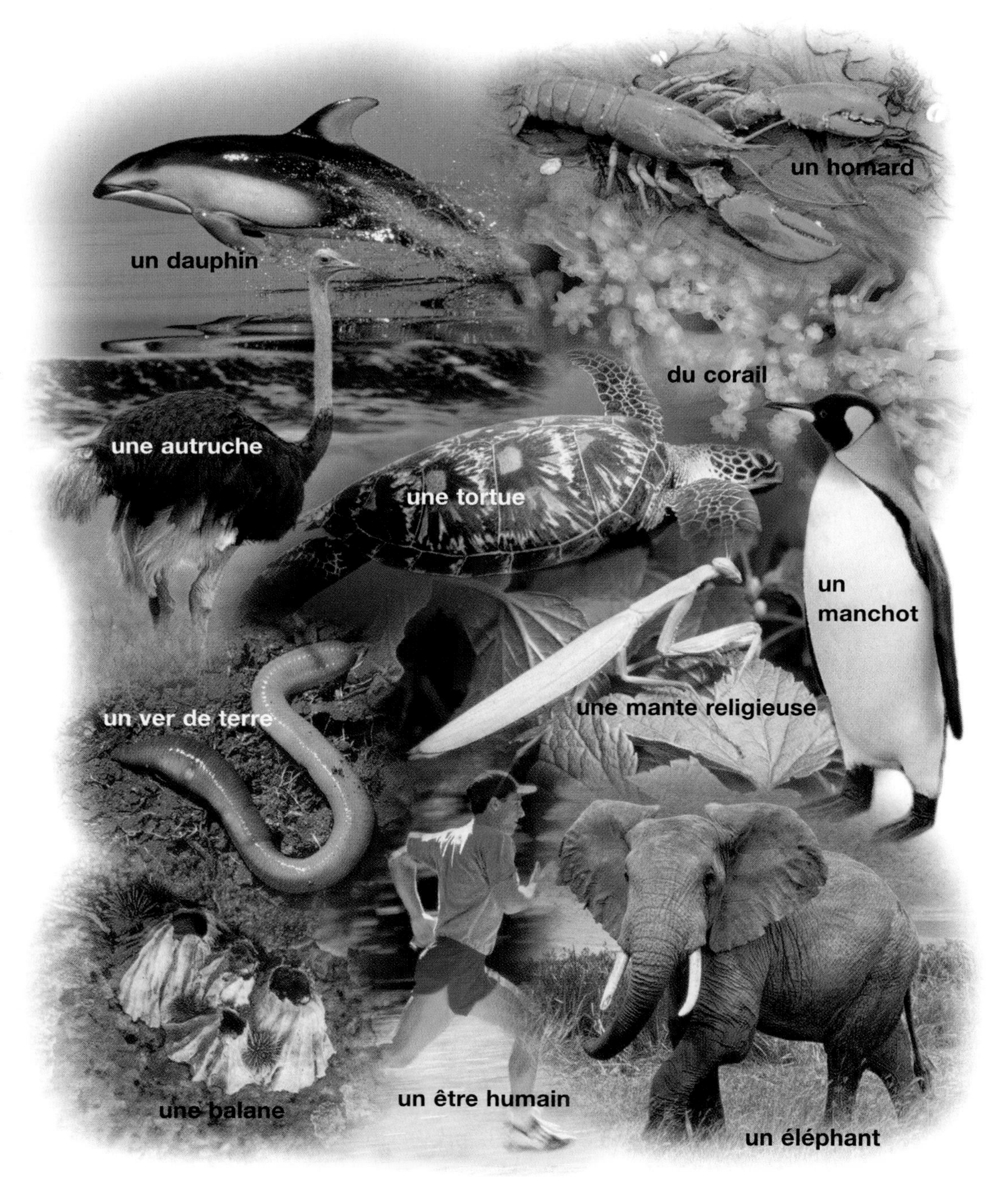


**Figure 2.6** Tous les organismes représentés ci-dessus appartiennent au règne animal. Pourquoi certains organismes sont-ils considérés comme des animaux, tandis que d'autres sont considérés comme des plantes ou des champignons ? Si tu as oublié ces notions, cherche la réponse à l'Annexe A, à la page 558.

**Pause réflexion**

Grâce à la télévision, au cinéma, aux zoos et à l'Internet, nous nous sommes familiarisés avec un grand nombre d'animaux dont la majorité des personnes vivant au Canada il y a 100 ans n'avaient jamais entendu parler. Réponds aux questions suivantes dans ton journal scientifique, en te servant de ce que tu sais à propos des animaux de la figure 2.6. Lesquels de ces animaux vivent la plupart du temps dans l'eau ? Lesquels vivent la plupart du temps sur la terre ? Lesquels sont capables de se déplacer ? Lesquels demeurent en un seul lieu ? Lesquels pondent des œufs ? Lesquels donnent naissance à des petits déjà formés ?

Bien que les animaux de la figure 2.6 soient très différents, ils se reproduisent tous par un même processus de reproduction sexuée :

- La division par méiose produit des gamètes ;
- Un gamète mâle (un spermatozoïde) s'unit à un gamète femelle (un ovule) ;
- Cette union produit un zygote, qui se développe en **embryon** ;
- L'embryon se développe, par mitose et division cellulaire, en un organisme adulte.

Lorsque l'organisme, parvenu à maturité, est lui-même capable de produire des gamètes, le processus peut recommencer. La figure 2.7 illustre ce « cycle vital ».

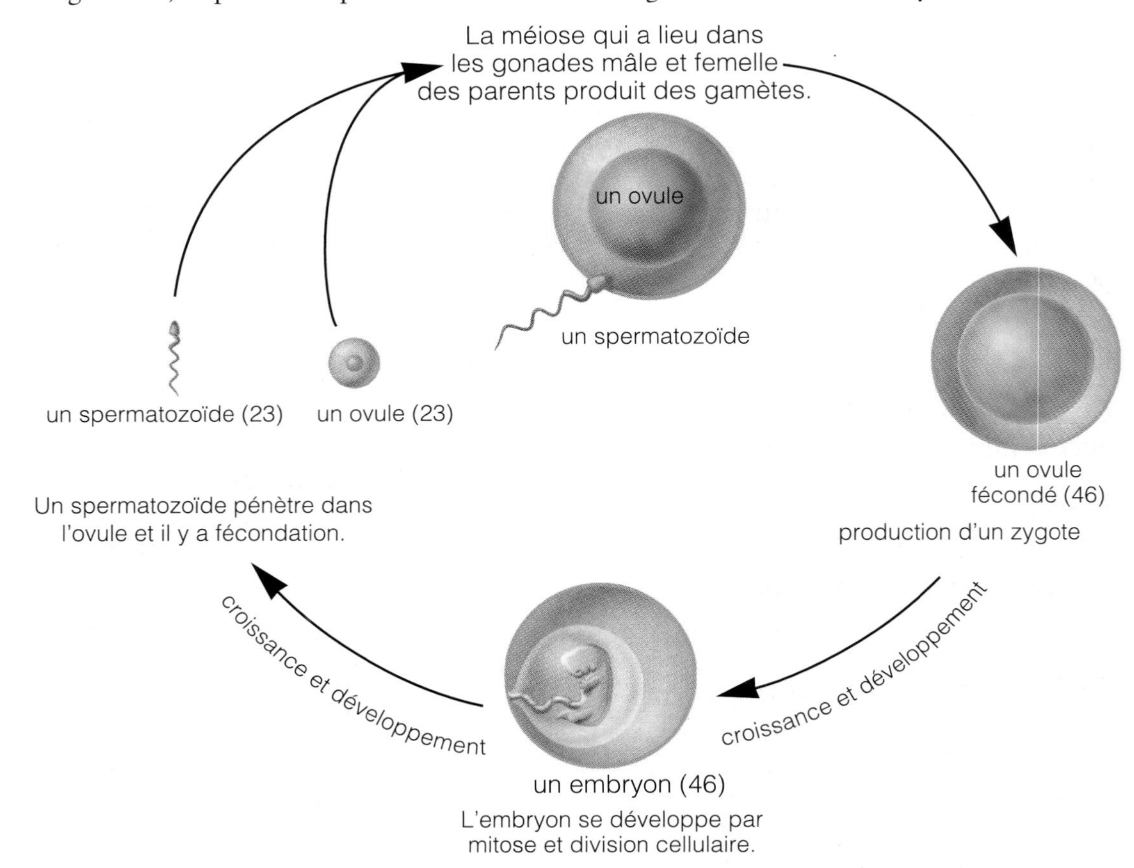


**Figure 2.7** Rappelle-toi ce que tu as appris à propos du nombre haploïde et du nombre diploïde dans la section précédente. Lesquelles des cellules intervenant dans le cycle vital sont haploïdes ? Lesquelles sont diploïdes ? Pourquoi le cycle vital garantit-il la diversité des descendants ?

La première phase du cycle représenté dans la figure 2.7 dépend de la méiose qui se produit dans les gonades des parents. La dernière phase du cycle dépend d'un processus continu de division cellulaire : l'unique cellule du zygote se divise par mitose en deux cellules, qui produisent quatre cellules, qui produisent huit cellules, etc.

Pour que le processus de reproduction sexuée produise un nouvel organisme, il doit satisfaire aux deux conditions suivantes :

1. Les gamètes mâle et femelle doivent se trouver en un même lieu au même moment pour que la fécondation puisse avoir lieu.
2. Le zygote doit recevoir la nourriture et la protection dont il a besoin. Il doit aussi bénéficier de conditions d'humidité et de chaleur favorables à son développement.

Plusieurs espèces animales, présentant des modèles de reproduction très diversifiés, satisfont à ces deux conditions.

# Conçois un site Web sur la reproduction des organismes vivants

La présente activité te permettra de faire partie de l'équipe de concepteurs d'une entreprise spécialisée dans la conception de sites Web. L'entreprise a reçu une commande d'une université qui veut créer un site Web sur la reproduction animale, à l'intention des élèves des écoles secondaires. L'université veut un site interactif comprenant plusieurs textes et images reliés de façon créative. L'équipe de concepteurs dont tu fais partie doit rencontrer le client pour lui présenter un plan du site expliquant le contenu et la forme.

## Projet

Concevoir un site Web sur le processus de reproduction d'une communauté animale.

### Matériel

un carton pour faire une affiche
des acétates pour rétroprojecteur
des marqueurs de différentes couleurs

## Critères de conception

**A.** Le site Web doit décrire le processus de reproduction d'une communauté animale : comment le mâle et la femelle s'accouplent-ils ? Comment la fécondation a-t-elle lieu ? Comment le zygote se développe-t-il ?, etc.

**B.** Le site Web doit être interactif : il ne suffit pas d'y juxtaposer des textes et des images.

**C.** La présentation du plan du site Web peut prendre la forme d'une chaîne d'événements ou d'un scénarimage. Tu peux aussi utiliser un logiciel de création de pages Web pour produire un plan à l'ordinateur, et illustrer ton plan à l'aide d'images.

**D.** Ton équipe dispose d'une période de classe pour planifier la conception du site. On vous accordera du temps plus tard pour terminer votre projet.

**E.** Tu peux utiliser toutes les informations contenues dans le présent chapitre. Cependant, tu ne trouveras pas toutes les données dont tu auras besoin dans ton manuel. Tu devras donc consulter d'autres sources.

## Plan et construction

1. Décidez quelle sera la tâche de chaque membre de l'équipe. Certains font la recherche sur le mode de reproduction de la communauté animale choisie, pendant que les autres décident de quelle façon les informations seront présentées.
2. Décidez du type d'informations que vous désirez inclure dans le site.
3. Quels genres de liens et d'images et quelles polices de caractères avez-vous l'intention d'utiliser ?
4. Soyez prêts à présenter votre plan.

## Évaluation

1. Votre plan de site Web ressemblait-il à celui d'une autre équipe ? Sinon, en quoi était-il unique ?
2. Votre plan était-il facile à comprendre ? Quels changements aimeriez-vous y apporter ?
3. Votre plan contenait-il les principales informations sur la reproduction de l'espèce animale choisie ? Quelles informations aimeriez-vous y ajouter ?
4. Le travail en équipe a-t-il donné de bons résultats pour la conception du site ? Avez-vous rencontré des difficultés ? Si oui, lesquelles ? Comment pourriez-vous améliorer le travail en équipe ?

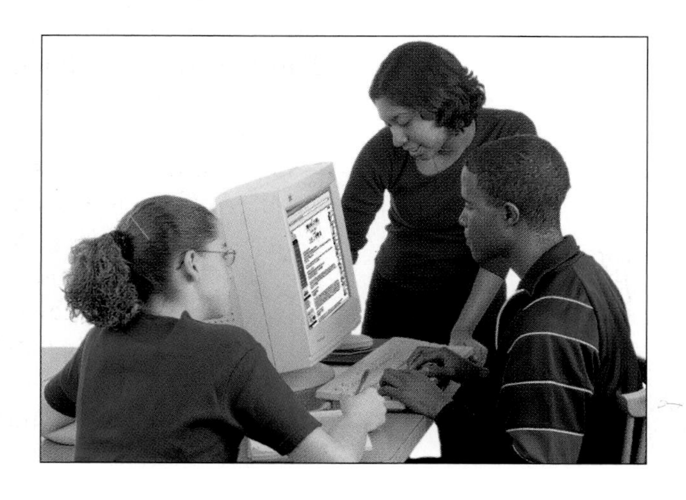

**Figure 2.8** Deux orignaux se battent pour déterminer lequel s'accouplera avec une femelle des environs.

## Modes d'accouplement dans le règne animal

On appelle « accouplement » le processus par lequel deux membres d'une population animale entrent en contact pour unir leurs gamètes en vue de la fécondation. (Une population est un groupe d'individus appartenant à une même espèce qui vivent et se reproduisent dans un lieu donné.) Chez certains animaux, il n'y a qu'une période d'accouplement par année. Dans ce cas, l'éclosion ou la naissance se produisent généralement au moment où les conditions environnementales sont particulièrement favorables à la croissance et au développement des petits.

Mais ce ne sont pas toutes les espèces qui s'accouplent une seule fois par année. Par exemple, les grunions, une espèce de poisson, s'accouplent chaque fois que la marée montante atteint son niveau maximal, ce qui se produit généralement à la pleine lune ou à la nouvelle lune. Par ailleurs, les abeilles n'ont qu'une seule période d'accouplement au cours de leur cycle vital. Pendant cette période, la reine s'accouple avec plusieurs faux-bourdons (ou abeilles mâles). Les gamètes qu'elle reçoit durant ce vol suffisent à féconder tous les œufs qu'elle produira par la suite.

**Figure 2.9** Les crapauds du désert ne s'accouplent qu'après une pluie. Pourquoi cette pratique contribue-t-elle à assurer leur reproduction ?

## Les modes de fécondation dans le règne animal

La fécondation a lieu seulement si un spermatozoïde et un ovule provenant d'une même espèce s'unissent. Les gamètes mâles et femelles sont des cellules très fragiles ; ils meurent dès qu'ils s'assèchent, d'où la nécessité que la fécondation ait lieu dans un milieu humide. De plus, l'humidité garde la membrane de l'ovule souple, ce qui facilite la pénétration du spermatozoïde. Enfin, les spermatozoïdes peuvent se déplacer uniquement dans un milieu humide.

Il existe deux modes principaux de fécondation chez les animaux. Dans la **fécondation externe**, le spermatozoïde et l'ovule se rencontrent en dehors de l'organisme des deux parents. Ce mode de fécondation est fréquent chez les animaux aquatiques, dont les poissons. Par contre, chez la plupart des animaux terrestres, le spermatozoïde pénètre dans l'organisme de la femelle et va à la rencontre de l'ovule : c'est la **fécondation interne**.

La fécondation n'est que la première phase de la reproduction animale. Le zygote qui en résulte doit se développer de manière à devenir un individu autonome.

**Figure 2.10** Les lièvres polaires se reproduisent par fécondation interne. De quelles conditions les petits doivent-ils bénéficier pour survivre ?

## La fécondation externe

La majorité des animaux aquatiques se reproduisent par fécondation externe. L'anémone de mer fournit peut-être l'exemple le plus simple de ce mode de fécondation.

Les anémones adultes ne peuvent se déplacer pour aller à la recherche d'un partenaire. Elles se reproduisent néanmoins selon un mode sexué, en libérant leurs œufs ou leur sperme directement dans l'eau. Ce sont les courants marins qui permettent la rencontre des gamètes. Les zygotes qui en résultent se transforment en larves (stade intermédiaire du développement de l'organisme) capables de nager et de se nourrir elles-mêmes. Les larves parcourent parfois des distances importantes avant de se fixer et de se transformer en adultes incapables de nager (*voir la figure 2.12*).

Chez la majorité des animaux capables de nager, la fécondation externe emprunte un mode où le hasard joue un moins grand rôle. Par exemple, les poissons femelles pondent généralement une grappe d'œufs, et le mâle libère son sperme directement sur les œufs. On appelle « frai » ce mode de fécondation externe.

**Figure 2.11** Pour accroître la probabilité que leurs gamètes se rencontrent, toutes les anémones d'une même communauté libèrent leurs œufs et leur sperme en même temps. Cela se produit généralement en réaction à un signal venant du milieu, par exemple la pleine lune.

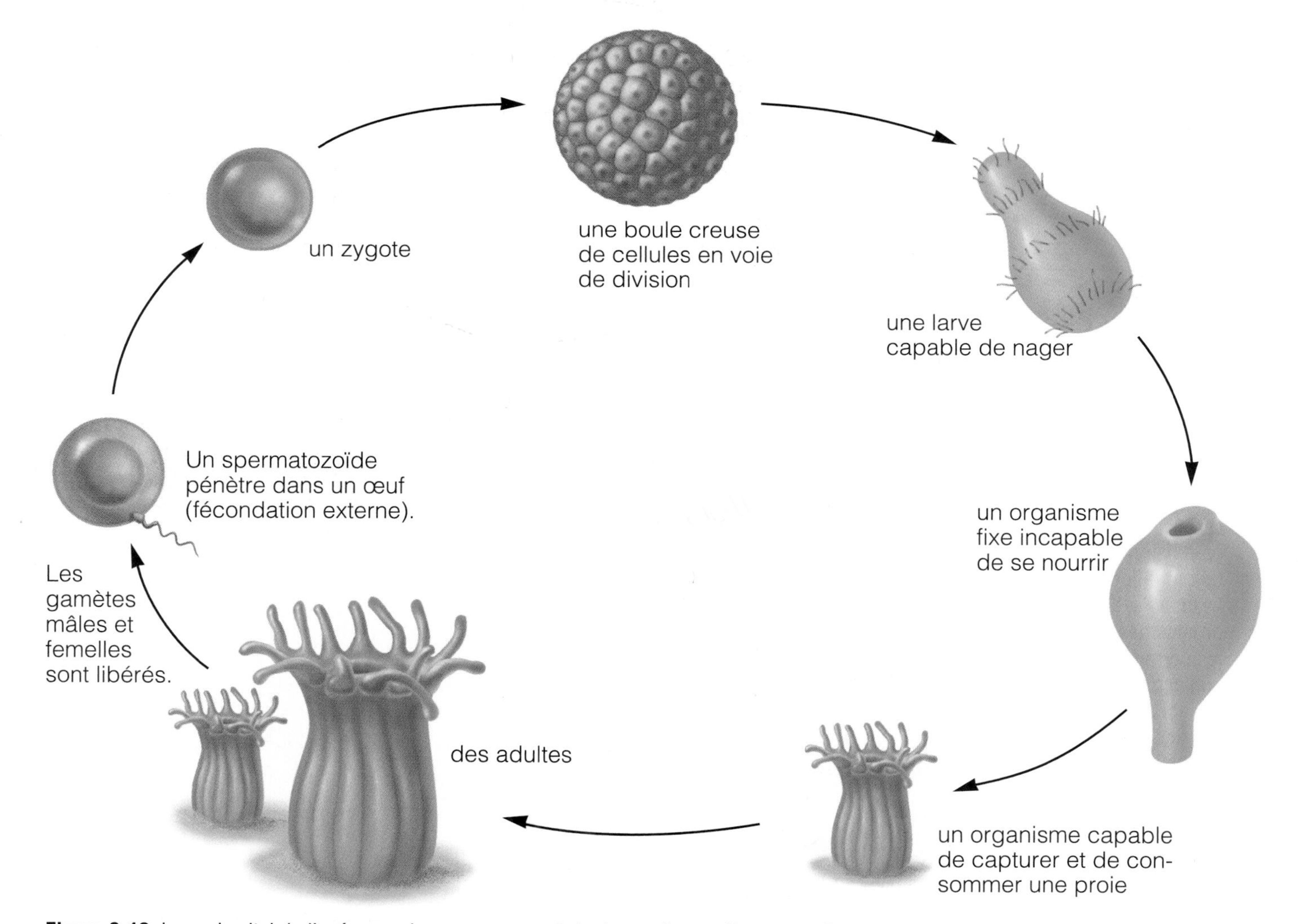


**Figure 2.12** Le cycle vital de l'anémone de mer comprend plusieurs phases. Durant quelle phase y a-t-il production de cellules haploïdes ? de cellules diploïdes ?

**Figure 2.13 A)** Un saumon du Pacifique femelle racle le lit de la rivière pour faire un nid peu profond, où elle déposera ses œufs.

**Figure 2.13 B)** Pourquoi, selon toi, la fabrication d'un nid augmente-t-elle les chances de survie des jeunes poissons ?

Les grenouilles utilisent un troisième mode de fécondation externe. Durant l'accouplement, le mâle enlace la femelle. Dès que la femelle pond des œufs, le mâle libère son sperme sur les œufs.

Les organismes qui sortent des œufs d'anémones, de poissons ou de grenouilles ressemblent bien peu à leurs parents. Ils doivent tous passer par plusieurs stades de développement pour devenir des adultes capables de se reproduire. Les anémones et les poissons adultes passent généralement toute leur vie dans l'eau. Toutefois, la plupart des grenouilles vivent en partie sur la terre (*voir la figure 2.14*).

**Le croirais-tu ?**

Les éponges se reproduisent sexuellement par fécondation interne. Comme elles ne peuvent pas se déplacer pour aller à la recherche d'un partenaire, le sperme doit être libéré dans l'eau, à l'extérieur des organismes. Lorsque le sperme entre en contact avec une autre éponge, il est capté par des cellules spécialisées qui l'acheminent vers les œufs pour la fécondation interne.

**Figure 2.14** Le cycle de croissance de la grenouille. Compare ce schéma avec celui de la figure 2.7. Représente les informations par un schéma semblable à celui de la figure 2.7.

## La fécondation interne

La majorité des animaux terrestres se reproduisent par fécondation interne. La plupart des mâles sont dotés d'un organe spécialisé pour libérer du sperme directement dans la femelle.

Par exemple, tous les reptiles, et notamment les serpents et les tortues, se reproduisent par fécondation interne. Le mâle dépose du sperme dans le cloaque (orifice où se rejoignent les canaux génital, urinaire et intestinal) de la femelle. Le sperme remonte dans le canal génital pour aller à la rencontre des œufs produits par les gonades femelles.

Tous les reptiles pondent des œufs dont la coquille est dure et robuste. À l'intérieur de la coquille, le zygote baigne dans le liquide d'une enveloppe protectrice pendant sa transformation en embryon. L'œuf contient toute la nourriture nécessaire à la croissance de l'embryon. Une fois son développement terminé, le jeune reptile sort de sa coquille (*voir la figure 2.15*).

**Figure 2.15** Les jeunes reptiles, comme les serpents de la photo, sont des répliques miniatures de leurs parents. Dès qu'ils sortent de leur coquille, ils sont capables de se nourrir et de se défendre eux-mêmes.

Les oiseaux, comme les reptiles, se reproduisent par fécondation interne. Cependant, bien peu d'oiseaux sont dotés d'un organe spécialisé pour le transfert du sperme. Le mâle et la femelle possèdent tous deux un cloaque, et le contact de ces deux cavités suffit pour assurer la fécondation interne. Le sperme qui s'écoule du cloaque du mâle entre dans le cloaque de la femelle, et les spermatozoïdes fécondent les ovules. Les oiseaux pondent des œufs dont la coquille est dure, mais pas très robuste.

Contrairement à la majorité des poissons, des amphibiens et des reptiles, les oiseaux prennent soin de leurs petits. Ils couvent les œufs pour les garder au chaud et les protéger des prédateurs. Chez la plupart des espèces, les deux parents dépensent beaucoup d'énergie pour nourrir leurs petits. Les oisillons, et notamment le pluvier kildir, ont l'apparence d'adultes miniatures lorsqu'ils sortent de l'œuf. Ils ne sont pas immédiatement capables de voler ni de se nourrir eux-mêmes, mais ils peuvent courir. Cependant, les petits de certaines espèces, comme le merle d'Amérique, sont totalement dépendants au moment de l'éclosion. Ils n'ont pas de plumes; ils sont aveugles, et leurs parents doivent les nourrir jusqu'à ce qu'ils quittent le nid.

**Pause réflexion**

Dans ton journal scientifique, établis une comparaison entre la métamorphose des insectes et le cycle vital des grenouilles. Fais ressortir les similitudes et les différences au moyen d'illustrations et de courtes descriptions.

Divers organismes du règne animal passent par plusieurs stades de développement. Certains insectes, dont les sauterelles et les grillons, se développent en trois phases. Ce processus, appelé **métamorphose incomplète**, est illustré à la figure 2.16.

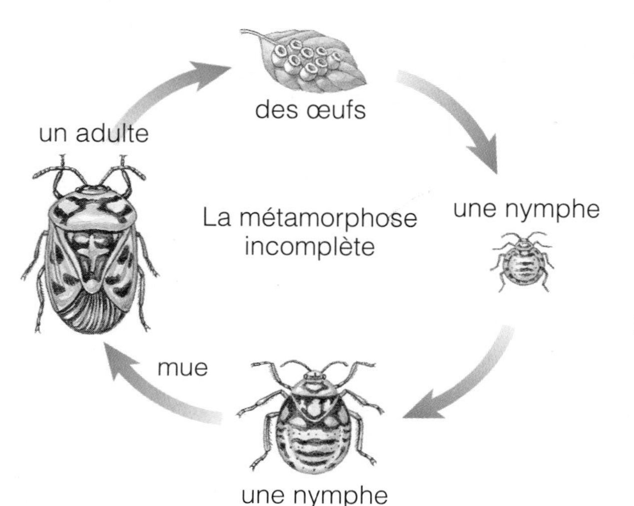


1. Les œufs qui éclosent laissent apparaître des nymphes qui ont la forme d'adultes miniatures privés d'ailes.

2. Une nymphe se transforme en adulte ailé en se débarrassant de son squelette externe au cours de mues successives.

**Figure 2.16** La métamorphose incomplète comprend trois stades: l'œuf, la nymphe et l'adulte.

1. La femelle pond des œufs près d'une source de nourriture, par exemple une plante, pour que la larve, qui ressemble à un ver, puisse se nourrir dès qu'elle sort de l'œuf.
2. Après une période de croissance, la larve tisse un cocon dont elle s'enveloppe, et elle entre dans la phase de la chrysalide.
3. La chrysalide se transforme petit à petit en adulte.
4. L'adulte sort du cocon prêt à s'accoupler et à pondre des œufs : le cycle vital recommence.

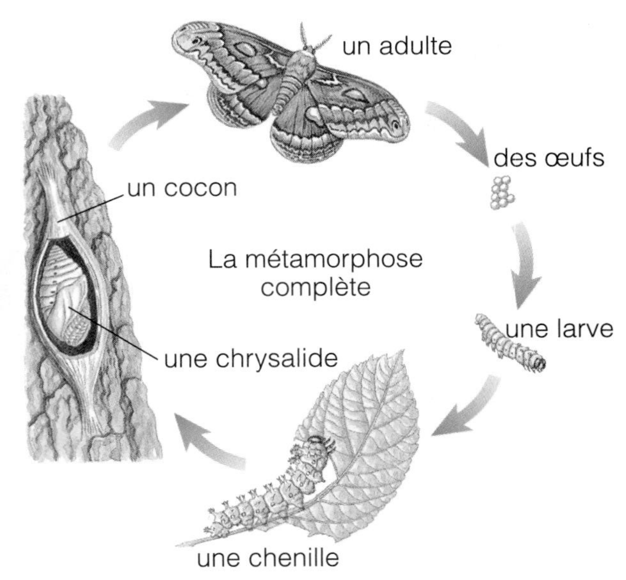


**Figure 2.17** La métamorphose complète comprend quatre stades : l'œuf, la larve, la chrysalide et l'adulte. À quel stade un insecte a-t-il le plus de chances de survivre à un hiver rigoureux ? Quelles en sont les conséquences sur la réussite du processus de reproduction ?

**Le savais-tu ?**

L'ornithorynque est le seul mammifère qui pond des œufs. Cependant, comme chez tous les autres mammifères, les petits se nourrissent du lait de leur mère, qui les protège jusqu'à ce qu'ils soient capables de se défendre eux-mêmes.

D'autres insectes, comme les mouches domestiques et les papillons, subissent une **métamorphose complète** (*voir la figure 2.17*). Ce processus comprend quatre stades de développement distincts.

Tu as quelque chose en commun avec le cerf représenté à la figure 2.18 : vous êtes tous deux des mammifères. Tous les mammifères se reproduisent par fécondation interne. Cependant, les mammifères femelles ne pondent généralement pas d'œufs. L'ovule fécondé reste dans le corps de la mère, où il reçoit la nourriture dont il a besoin pour se transformer en embryon et poursuivre sa croissance. Ce mode de reproduction permet un développement plus avancé et une meilleure protection avant la naissance. De plus, les mammifères femelles produisent du lait pour nourrir leurs petits. Tu en apprendras davantage à propos du cycle reproducteur et du développement des humains dans le chapitre 3.

Les petits des marsupiaux, tels les kangourous et les opossums, naissent à un stade très précoce de leur développement. Ils se traînent jusqu'à la poche ventrale, ou marsupiale, de leur mère en s'aidant d'une griffe en forme de crochet. Une fois dans ce « nid », ils s'accrochent à une mamelle, qui leur fournit le lait dont ils ont besoin pour compléter leur développement.

**Figure 2.18** Le cycle reproducteur des mammifères et des oiseaux nécessite de grandes dépenses d'énergie de la part de l'un des parents ou des deux parents. C'est pourquoi les mammifères et les oiseaux donnent naissance à moins de petits que la plupart des autres animaux au cours d'un cycle.

**Figure 2.19** À sa naissance, un opossum est plus petit qu'une abeille. Il complète son développement dans la poche ventrale de sa mère, où il reste pendant trois mois.

## Les hermaphrodites

Figure 2.20 Même si les hermaphrodites produisent à la fois des gamètes mâles et des gamètes femelles, ils ont besoin d'échanger leur sperme pour se reproduire.

Les **hermaphrodites** se reproduisent grâce à un mode particulier de fécondation interne. Chaque individu est doté à la fois d'organes reproducteurs mâle et femelle. Par exemple, les plathelminthes, ou vers plats, sont hermaphrodites. (Rappelle-toi ce que tu as appris à propos de ces vers dans le chapitre 1). Au moment de l'accouplement, chaque ver injecte du sperme dans l'orifice reproducteur de l'autre ver. Par la suite, chaque ver pond des œufs fécondés.

Le ver de terre, qu'on aperçoit fréquemment sur les pelouses et les routes après une pluie torrentielle, est aussi hermaphrodite (*voir la figure 2.20*). Grâce à la fécondation interne, les spermatozoïdes peuvent se déplacer dans un milieu humide, ce qui augmente la probabilité que tous les œufs soient fécondés.

Plusieurs gastéropodes, dont les escargots et les limaces, sont hermaphrodites. Chaque individu est doté à la fois de gonades mâles et femelles. C'est ce qu'on appelle l'« hermaphrodisme simultané ». D'autres organismes sont des hermaphrodites périodiques : ce sont des organismes mâles au début de leur existence, puis des organismes femelles à partir du moment où ils atteignent une taille suffisante pour produire et porter des œufs à leur tour.

## Vérifie ce que tu as compris

1. a) Décris le cycle fondamental de la reproduction sexuée chez les animaux.
   b) Explique pourquoi le cycle que tu as décris en a) assure la diversité des descendants.
2. a) À quoi sert l'accouplement ? Explique pourquoi l'accouplement n'assure pas à lui seul la reproduction des individus.
   b) Quel est le rôle de la fécondation ? Explique pourquoi la fécondation n'assure pas à elle seule la reproduction des individus.
   c) Quels éléments supplémentaires assurent la reproduction des individus ?
3. a) Lequel des deux animaux suivants libère probablement le plus de gamètes en une seule fois : la grenouille ou l'anémone de mer ? Pourquoi ?
   b) Lequel des deux animaux suivants donne probablement naissance au plus grand nombre de petits dans une même portée : le saumon ou la baleine ? Pourquoi ?
4. Énumère les conditions requises pour que le processus de fécondation donne les résultats escomptés.
5. Comment le mode de reproduction de l'anémone de mer contribue-t-il à assurer la réussite de la fécondation ? La diversité des descendants ?
6. **Mise en pratique** Les tortues sont des reptiles. Pourquoi les jeunes tortues ont-elles plus de mal à survivre que les oisillons immédiatement après l'éclosion des œufs ? Explique ta réponse.
7. **Réflexion critique** Il arrive qu'une grenouille essaie de se débarrasser du mâle qui l'enlace au moment de l'accouplement. Ainsi, seuls les mâles les plus gros et les plus forts réussissent à s'accrocher assez longtemps pour féconder les œufs libérés par la femelle. Pourquoi ce comportement contribue-t-il à assurer la reproduction de l'espèce ?

**LIEN *informatique***

Organise les informations dont tu disposes à propos de la reproduction de plusieurs espèces d'animaux à l'aide d'un tableur. Inclus toutes les données recueillies sur les divers stades du développement de chaque animal. Discute en groupe des principaux facteurs qui déterminent le mode de fécondation et le nombre de stades du développement de divers animaux.

# 2.3 La reproduction sexuée chez les plantes

Si on te demandait de nommer 10 plantes, lesquelles nommerais-tu ? Toutes les photos de cette page représentent des membres du règne végétal. Celui-ci comprend, comme le règle animal, un grande nombre d'organismes, qui vivent et se reproduisent dans divers milieux.

**Figure 2.21** Tous les organismes représentés dans la figure appartiennent au règne végétal. Combien de ces plantes es-tu capable d'identifier ?

**Pause réflexion**

Dans la section précédente, tu as appris que plusieurs animaux s'accouplent et prennent soin de leurs petits. Les plantes ne se reproduisent pas de la même façon que les animaux. La majorité des plantes ne peuvent se déplacer, car elles sont fixées au sol par leurs racines. Dans ton journal scientifique, explique comment, selon toi, les gamètes des plantes entrent en contact. Énonce une hypothèse sur la façon dont une plante-mère pourvoit aux besoins des zygotes.

Dans le chapitre 1, tu as appris que plusieurs plantes se reproduisent selon un mode asexué. D'autres plantes se reproduisent sexuellement. Le processus de reproduction de ces plantes ressemble beaucoup à celui des animaux. Quels sont les principales phases de la reproduction sexuée et les conditions propices pour que ce mode de reproduction donne les résultats escomptés ? Si tu as besoin de revoir ces notions, retourne à la page 52.

## Comment les plantes arrivent à se reproduire sexuellement

Chez la majorité des plantes, la reproduction sexuée donne des graines. Une **graine** comprend tout ce qui est nécessaire à la reproduction : un embryon, une réserve de nourriture et un tégument (une enveloppe) qui protège l'embryon contre la sécheresse. Le botaniste écossais Robert Brown (*voir la rubrique Passe à l'action 1-A*) a été le premier à établir une classification des plantes à graines en deux grandes catégories, en fonction de la structure des graines. Ces deux grandes catégories sont les angiospermes et les gymnospermes.

Les **angiospermes** sont des plantes à fleurs. C'est probablement aux plantes de cette catégorie que tu as pensé en premier lieu lorsque tu as lu la question posée au début de la présente section. Les graines des angiospermes se forment à l'intérieur des fleurs. À maturité, les graines sont enfermées dans un « réceptacle », par exemple une cosse ou une coquille. Lesquelles des plantes de la figure 2.21 classerais-tu dans la catégorie des angiospermes ?

**Figure 2.22** Quelques angiospermes, comme les tournesols, produisent de grandes fleurs.

Contrairement aux angiospermes, les **gymnospermes** ne produisent pas de fleurs. La majorité de ces plantes produisent des graines à l'intérieur de cônes. Les graines des gymnospermes ne possèdent pas de « réceptacle », mais elles sont enfermées dans un tégument qui les protège de la sécheresse. Lesquelles des plantes de la figure 2.21 classerais-tu dans la catégorie des gymnospermes ?

Certaines plantes n'appartiennent ni à l'une ni à l'autre des deux grandes catégories. Par exemple, les fougères et les mousses ne sont ni des angiospermes ni des gymnospermes. Elles se reproduisent sexuellement, sans produire de graines. Lesquelles des plantes de la figure 2.21 ne produisent pas de graines ?

**Figure 2.23** Les graines des gymnospermes sont bien protégées tant qu'elles demeurent à l'intérieur du cône. Cependant, lorsqu'elles tombent, elles n'ont que leur enveloppe pour les protéger.

**Figure 2.24** Les fougères, qu'on rencontre fréquemment dans les forêts, se reproduisent sans l'aide de graines.

**LIEN *terminologique***

L'élément « angio » vient du mot grec *aggeion,* qui signifie « capsule ou vaisseau ». L'élément « gymno » vient du mot grec *gumnos,* qui signifie « nu ». Quelle partie d'un angiosperme correspond à une « capsule » ? Pourquoi le terme « nu » s'applique-t-il aux gymnospermes ? Pourquoi, selon toi, les éléments « angio » et « gymno » sont-ils suivis du mot « sperme » ?

## La reproduction sexuée chez les angiospermes

Plus de la moitié des espèces de plantes connues appartiennent à la catégorie des angiospermes. Certaines de ces plantes produisent de grandes fleurs aux couleurs éclatantes, comme les chrysanthèmes ; d'autres, comme les herbes, produisent des fleurs minuscules, qui n'attirent pas l'attention. Mais, quelle que soit leur taille, toutes les fleurs ont la même fonction : elles contiennent les organes reproducteurs de la plante (*voir la figure 2.25, à la page suivante*). On appelle **pistil** l'organe reproducteur femelle, alors que l'organe reproducteur mâle est appelé **étamine**.

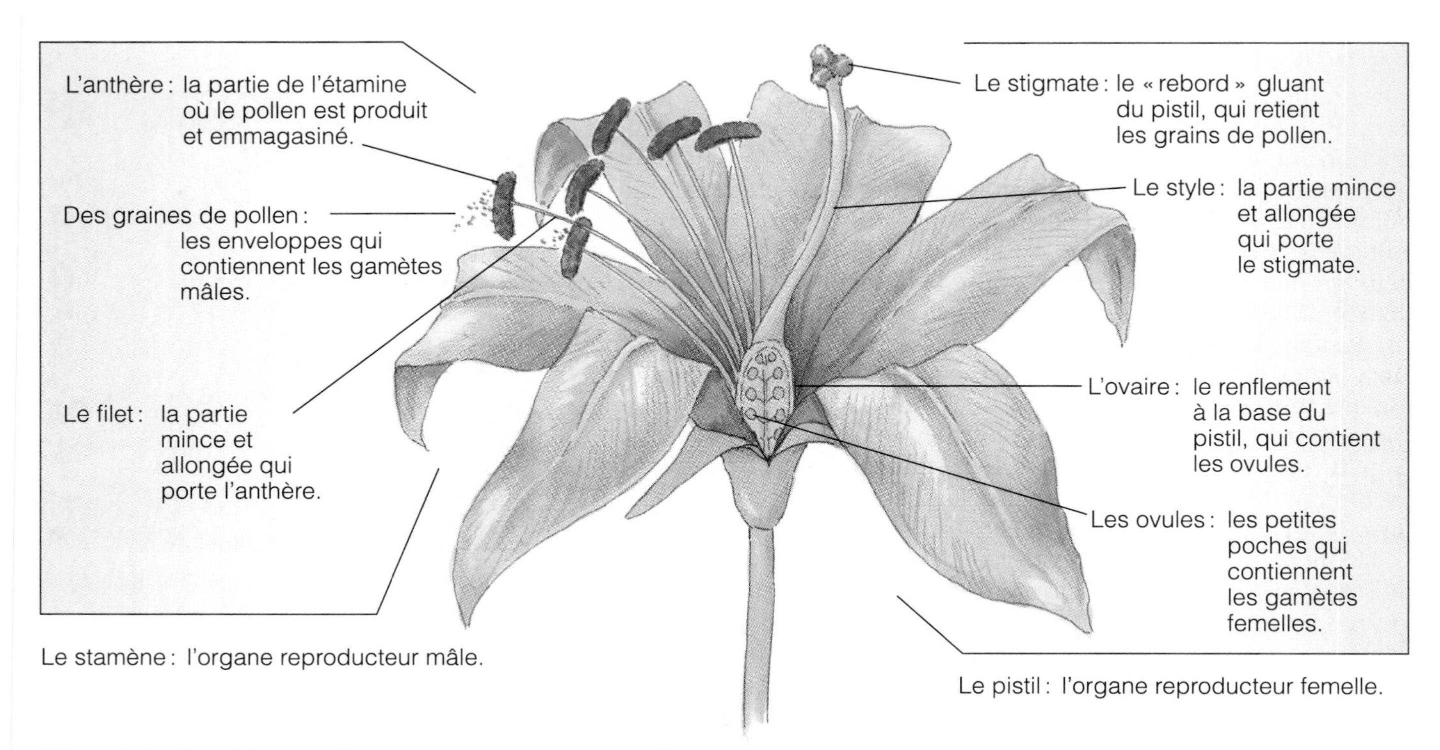


**Figure 2.25** Ce schéma représente toutes les parties du système reproducteur d'un angiosperme. Où les gamètes femelles sont-ils produits ? Où les gamètes mâles sont-ils produits ?

**ACTIVITÉ de recherche**

## Quel est le rôle d'une fleur ?

La majorité des fleurs comprennent des structures qui produisent des gamètes mâles et femelles. La présente activité te permettra d'identifier les parties d'une fleur qui jouent directement un rôle dans la reproduction : l'*étamine,* l'*anthère,* le *filet,* les *grains de pollen,* le *pistil,* le *stigmate,* le *style,* l'*ovaire* et les *ovules.*

### Ce dont tu as besoin

une fleur naturelle
une loupe
du papier foncé

### Ce que tu dois faire

1. Fais un schéma montrant les différentes parties de ta fleur.
2. Reproduis le tableau suivant :

| Partie | Localisation | Fonction |
|---|---|---|
| | | |

3. Examine ta fleur et remplis le tableau en t'aidant de la figure 2.25.
4. Examine les étamines. Arrache une anthère et frotte-la contre un morceau de papier foncé. Examine les grains de pollen à la loupe.
5. Identifie le pistil et ses trois éléments. Brise l'ovaire en deux et cherche les ovules.
6. Sans consulter ton tableau ni ton journal scientifique, identifie le plus grand nombre possible d'éléments reproducteurs de la fleur sur le schéma que tu as tracé. Inscris également sur la feuille une courte définition de chaque élément.

### Qu'as-tu découvert ?

1. Ta fleur ressemblait-elle à celle de la figure 2.25 ? Quelles différences as-tu notées ?
2. **a)** Quelle caractéristique du stigmate lui permet de retenir le pollen ?
   **b)** Quelle caractéristique des grains de pollen en favorise le transport par les insectes ? Par les courants d'air ?
3. Selon toi, dans quelle partie de la fleur les graines sont-elles produites ?

## Comprendre la pollinisation et la fécondation chez les angiospermes

Les grains de pollen produits dans les anthères doivent entrer en contact avec le stigmate du pistil pour qu'une fleur puisse produire des graines. Ce processus est appelé **pollinisation**. Dans le cas de l'*autopollinisation*, les gamètes mâles et femelles proviennent de la même plante. Cependant, chez la majorité des angiospermes, un processus appelé *pollinisation croisée* met en contact l'ADN de deux plantes différentes : le pollen d'une fleur est transporté sur une fleur d'une autre plante. Selon toi, quel type de pollinisation entraîne une plus grande diversité des graines ? Les deux principaux agents de pollinisation croisée sont le vent et les insectes (*voir la figure 2.26 B)*).

La pollinisation n'assure pas à elle seule la fécondation. Le grain de pollen doit produire un prolongement, appelé **tube pollinique**, pour atteindre l'ovule (*voir la figure 2.27*).

**LIENS INTERNET**

**www.dlcmcgrawhill.ca**

Pour en savoir plus sur les angiospermes et sur les aides à la pollinisation, consulte le site Web indiqué ci-dessus. Choisis **Matériel complémentaire/Primaire et secondaire**, puis **OMNISCIENCES 9** pour savoir où te diriger.

**Figure 2.26 A)** Cette photo montre des grains de pollen vus au microscope à balayage électronique (grossissement : 300 fois).

**Figure 2.26 B)** Le pollen reste collé aux insectes et aux autres petits animaux qui se déplacent de fleur en fleur. Penses-tu que les abeilles jouent aussi un rôle dans l'autopollinisation ?

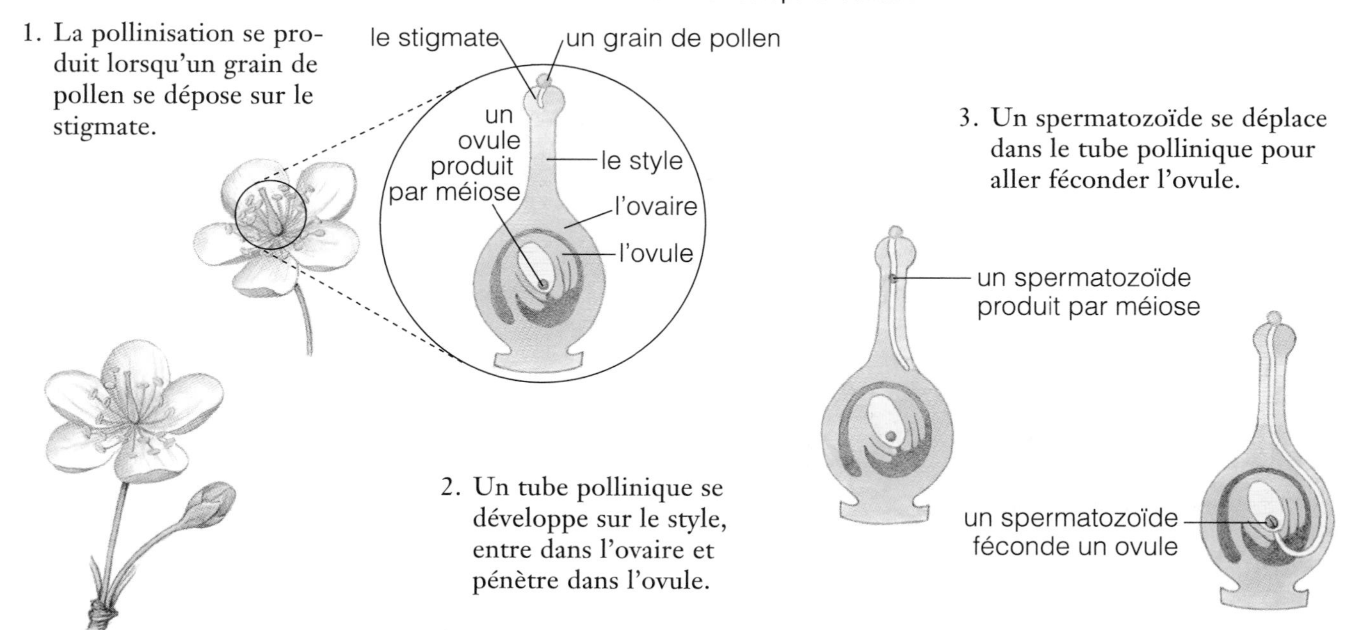


**Figure 2.27** Le développement du tube pollinique. À quel moment la fécondation a-t-elle lieu chez un angiosperme ?

# La formation *in vitro* d'un tube pollinique

Il est très difficile d'observer la formation d'un tube pollinique à l'intérieur d'un pistil vivant. Au cours de la présente expérience, tu observeras ce processus *in vitro*. Cette expression latine signifie « dans le verre », et elle désigne une technique employée pour étudier un processus biologique à l'extérieur d'un organisme vivant.

## Problème à résoudre

Quelles conditions sont requises pour qu'un grain de pollen puisse produire un tube pollinique ?

### Consignes de sécurité

- Fais preuve de prudence lorsque tu te sers d'un objet pointu.
- Prends garde de ne pas briser la lame ou la lamelle. Emploie des techniques appropriées quand tu te sers d'un microscope. Par exemple, regarde directement l'objectif et la lame lorsque tu manipules la vis macrométrique.

### Matériel

un microscope
deux lames creuses
deux lamelles
deux compte-gouttes ou deux pipettes
une pince à épiler

### Matériel non réutilisable

deux cure-dents
de la vaseline
une solution de saccharose (10 %)
des grains de pollen d'un lis, d'une tulipe ou d'une jonquille
de l'eau

## Marche à suivre

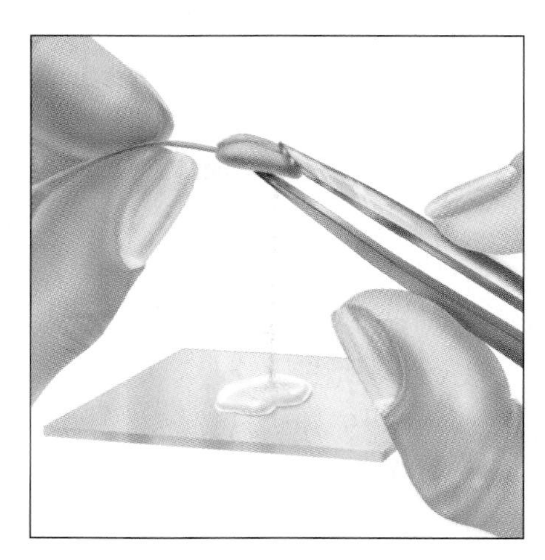

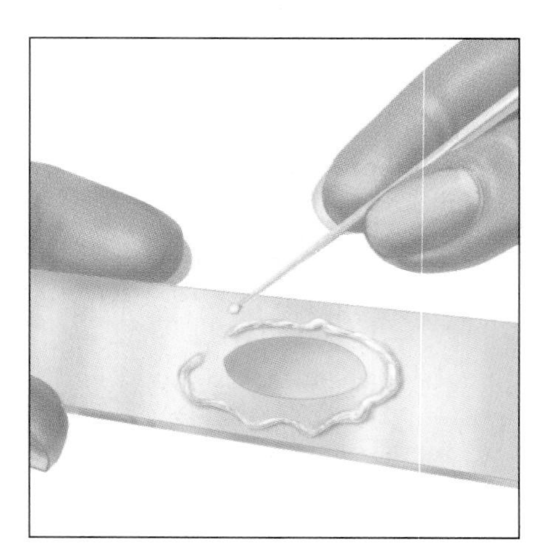

1. À l'aide d'un compte-gouttes, mets une seule goutte de la solution de saccharose sur la lamelle.
2. À l'aide de la pince à épiler, prends délicatement quelques grains de pollen dans les anthères et dépose-les sur la goutte de solution.
3. À l'aide d'un cure-dents, applique une mince couche de vaseline sur le pourtour de la cavité de la lame.

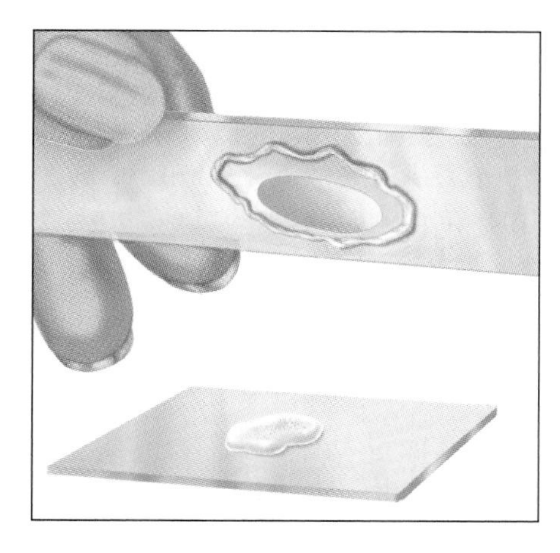

❹ Retourne lentement la lame sur la lamelle de manière à recouvrir la goutte de solution. Presse délicatement la lamelle contre la lame de manière que la vaseline forme un joint autour de la goutte de solution. Retourne rapidement la lame et la lamelle.

❺ Examine la lame à faible puissance et dessine ce que tu vois.

**a)** Dessine à nouveau ce que tu vois 20 minutes, 30 minutes et 40 minutes plus tard. Sur chaque dessin, note le temps écoulé depuis ta première observation.

**b)** Augmente le grossissement du microscope. Si tu vois des éléments additionnels, ajoute-les à tes dessins.

❻ Refais les étapes 1 à 5 en utilisant de l'eau au lieu d'une solution de saccharose.

**a)** Lorsque tu as terminé, nettoie tous les instruments et sèche-les bien.

**b)** Essuie la surface de travail et lave-toi bien les mains.

**Omni TRUC**

Si tu as besoin de revoir la façon dont on fait un schéma en biologie, va à la page 598.

## Analyse

**1.** Décris ce que tu as observé en utilisant l'un et l'autre liquide.

**2.** Le tube pollinique se développe-t-il à un rythme constant, ou est-ce que son développement s'accélère ou ralentit avec le temps ?

**3.** À la figure 2.27, quelle structure vois-tu à l'intérieur du tube pollinique ? Lorsque tu as augmenté le grossissement, as-tu observé une structure semblable à l'intérieur du tube pollinique ?

## Conclusion et mise en pratique

**4. a)** Quelles substances un grain de pollen utilise-t-il pour produire un tube pollinique ? Explique comment tu arrives à cette conclusion.

**b)** Selon toi, quel rôle l'eau joue-t-elle dans le processus ? Quel rôle le sucre joue-t-il ? Indice : Contrairement à une graine, un grain de pollen ne contient pas de réserve de nourriture.

**5.** Les lis qu'un jardinier a plantés sont en pleine floraison. Il a plu abondamment au cours de la nuit, et la pluie a entraîné le pollen sur le sol. Les tubes polliniques vont-ils se développer sur le sol gorgé d'eau ? Pourquoi ?

**6.** Selon toi, quelles substances t'attendrais-tu à trouver si tu faisais une analyse chimique de la substance gluante à la surface du stigmate ? Explique ta réponse.

## Enrichis tes connaissances

**7.** Certaines espèces de plantes se reproduisent au printemps, et il y a alors des millions de grains de pollen qui se déplacent au même moment dans l'air. Comment les plantes à graines évitent-elles la fécondation de l'ovule par un spermatozoïde provenant d'une plante d'une autre espèce ? Réunis des grains de pollen de différentes espèces de plantes. Mets une goutte d'eau sur une lame propre. Ajoute un ou deux grains de pollen de chaque fleur à la goutte d'eau, et place une lamelle au-dessus de la goutte. Observe les grains de pollen à une puissance de moyenne à grande, puis dessine les formes et les phénomènes que tu as observés. Quelles différences as-tu notées entre les grains de pollen ? Énonce une hypothèse pour tenter d'expliquer pourquoi les grains de pollen sont différents.

## Le développement d'une graine d'un angiosperme

Pendant le développement du tube pollinique, les cellules à l'intérieur de l'ovule se préparent à son arrivée. Lorsqu'un spermatozoïde pénètre dans un ovule, il y a formation d'un zygote, mais cela ne constitue que la première phase du développement de la graine. D'autres cellules de l'ovule ont formé un **cotylédon**, qui contient des réserves de nourriture. Le zygote lui-même doit alors subir plusieurs divisions par mitose pour se transformer en embryon multicellulaire, comprenant une feuille, une racine et une tige miniatures. Le cotylédon entoure l'embryon, et le tégument (l'enveloppe protectrice) de l'ovule forme le tégument de la graine, comme le montre la figure 2.28.

**Pause réflexion**

On a affirmé dans la présente section qu'une graine comprend tout ce qui est nécessaire à la reproduction. En te servant de ce que tu sais à propos du développement d'une graine, explique le sens de cet énoncé en deux ou trois phrases, dans ton journal scientifique.

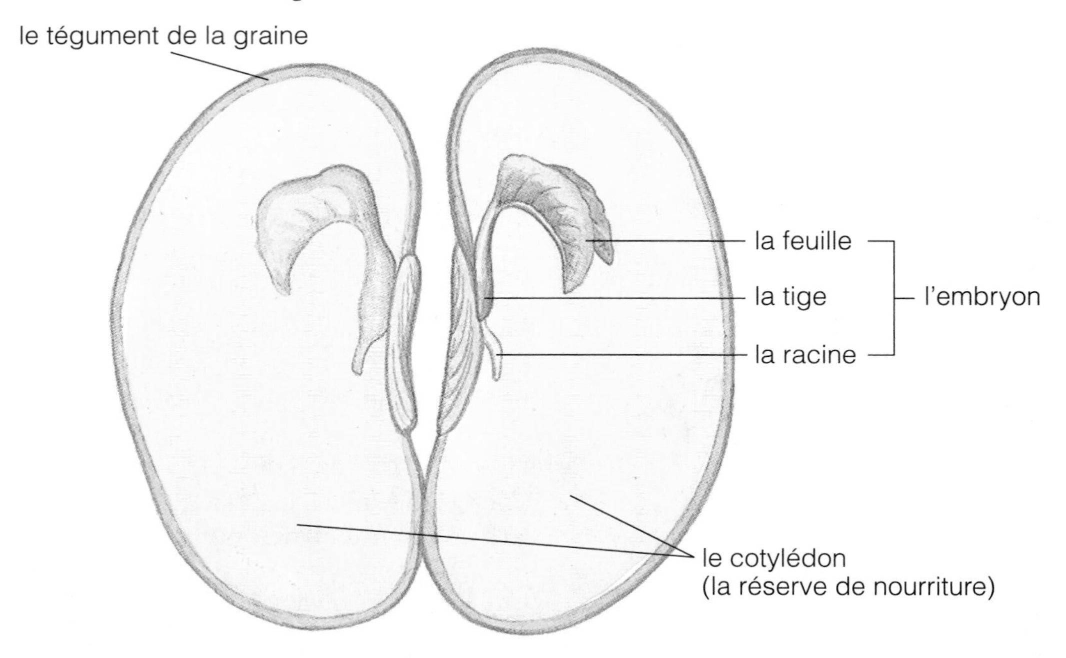


**Figure 2.28** La graine est une plante en puissance. Selon toi, à quelles conditions pourra-t-elle se développer ?

Chez les angiospermes, la graine se développe à l'abri des parois de l'ovaire. Au moment où l'ovaire parvient à maturité, il produit un **fruit**, par exemple une coquille ou une cosse, qui enveloppe la graine (*voir la figure 2.29*).

**Figure 2.29** Une cosse de pois est en fait un fruit, constitué des restes de l'ovaire de la fleur, parvenu à maturité. Les tomates, les concombres et les fraises sont également des fruits.

## La dissémination des graines des angiospermes

Le fruit d'un angiosperme joue souvent un rôle dans la *dissémination* des graines, c'est-à-dire dans le transport des graines en des lieux éloignés de la plante-mère. Certains fruits projettent leurs propres graines à une grande distance lorsqu'ils sont perturbés ; d'autres nécessitent l'intervention d'un agent externe. Examine attentivement les figures 2.30 A), B), C) et D), et note les méthodes de dissémination des graines représentées.

**Figure 2.30 A)** Les oiseaux mangent des baies, fruits tendres et savoureux. Cependant, ils sont incapables de digérer les graines, qui se retrouvent ainsi, en parfait état, dans la fiente que les oiseaux laissent tomber loin de la plante-mère.

**Figure 2.30 B)** Les fruits de la bardane s'accrochent au pelage des mammifères, qui transportent bien malgré eux les fruits avec leurs graines jusqu'à ce qu'ils tombent par frottement ou que l'animal ne les enlève.

**Figure 2.30 C)** En s'ouvrant, les cosses d'asclépiade libèrent des graines munies de « voiles » bouffantes. La moindre brise emporte ces graines au loin. Connais-tu d'autres graines dispersées par le vent ?

**Figure 2.30 D)** Les cours d'eau et la pluie contribuent eux aussi à la dissémination des graines. Par exemple, les eaux qui ruissellent après une pluie emportent au loin les graines tombées au pied de la plante-mère.

Quelle que soit la méthode, le résultat de dissémination est le même : les graines sont transportées loin de la plante-mère. Mais pourquoi ce processus est-il si important ? Si une graine reste à proximité de la plante-mère, elle entre en concurrence avec une plante adulte pour obtenir sa part de lumière, de substances nutritives et d'humidité contenues dans le sol. La dissémination augmente la probabilité que la jeune plante survive assez longtemps pour se reproduire.

**LIEN *mathématique***

As-tu déjà observé une graine d'érable en train de tomber de l'arbre ? Tu as sans doute remarqué qu'elle tourne sur elle-même comme un hélicoptère minuscule. En fait, tu peux calculer jusqu'à quelle distance la graine peut voyager en employant la formule $d = v \times t$ où $d$ représente la distance (en mètres) à partir de l'arbre, $v$ la vitesse du vent (en mètres par seconde), et $t$ le temps (en secondes) que met la graine à atteindre le sol. Si une graine d'érable met 5 s à atteindre le sol alors que la vitesse du vent est de 5 m/s, à quelle distance de l'arbre tombera-t-elle ?

## La germination et la croissance chez les angiospermes

On appelle **germination** le processus par lequel une graine entreprend sa croissance. Les graines de certains angiospermes demeurent en état de dormance, c'est-à-dire inactives, pendant des années ; elles germent seulement lorsque la chaleur et le taux d'humidité et d'oxygène du sol sont favorables à son développement. Examine la figure 2.31 qui illustre le processus de germination d'une graine et la transformation de la graine en un jeune plant de haricot. La figure 2.31 montre que le jeune plant croît petit à petit et qu'il produit plus tard des fleurs lui aussi. C'est là la preuve que la plante est parvenue à maturité et qu'elle est prête à produire à son tour d'autres plantes par reproduction sexuée.

### La germination d'une graine de haricot

1. L'eau contenue dans le sol amollit la cosse de haricot. L'embryon en développement absorbe la nourriture contenue dans le cotylédon.
2. La racine, la tige et la feuille miniatures croissent et sortent de la graine. Un réseau de radicelles (des petites racines) se développe sur la racine. Ce sont les radicelles qui tirent du sol l'eau et les minéraux dont la plante a besoin.
3. En croissant, la tige expose les cotylédons et les feuilles vraies au soleil.
4. Les cotylédons verdissent, comme les feuilles, et ils continuent de fournir au jeune plant la nourriture dont il a besoin.
5. Lorsque les feuilles vraies verdissent et croissent, elles commencent à fabriquer elles-mêmes de la nourriture, par photosynthèse. Les cotylédons se fanent et finissent par tomber.

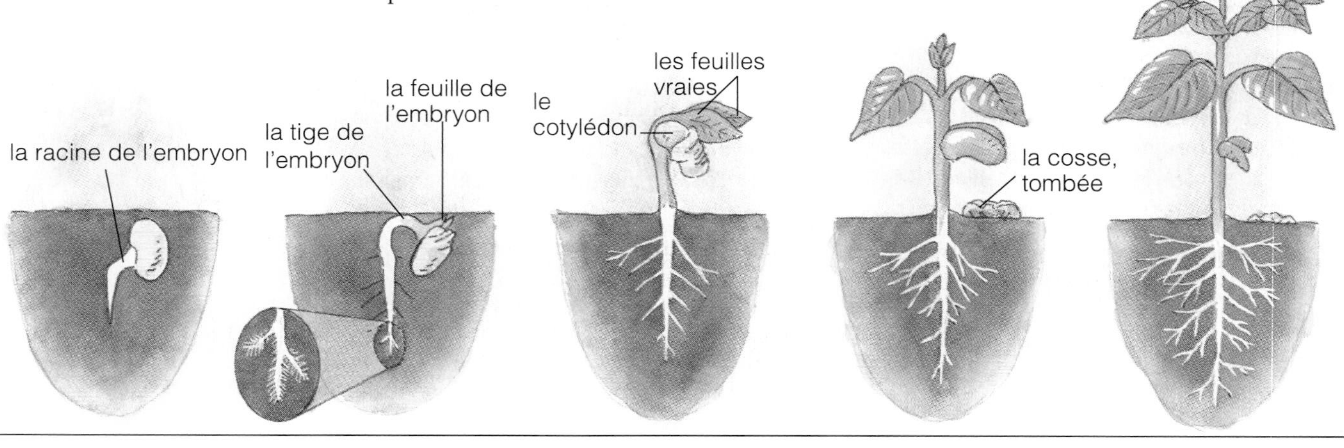


**Figure 2.31** La germination d'une graine de haricot et le début de la croissance du jeune plant

## La reproduction sexuée des gymnospermes

Ce que tu as appris à propos des angiospermes te permettra de mieux comprendre la reproduction sexuée des gymnospermes. Le cycle vital d'un gymnosperme, comme l'épinette, ressemble en bien des points au cycle vital d'un angiosperme. Cependant, les gymnospermes ne produisent pas de fleurs. Au début de la première section, tu as appris que la majorité des gymnospermes produisent leurs graines à l'intérieur de cônes. C'est pourquoi on donne souvent à ces plantes le nom de *conifère*.

Chez quelques espèces de gymnospermes, les cônes mâles et femelles sont produits sur des arbres différents. Cependant, chez la plupart des espèces communes, un même arbre produit les deux types de cônes. Examine la figure 2.33, qui illustre le processus de fécondation chez un gymnosperme typique.

Comme celle d'un angiosperme, la graine d'un gymnosperme comprend un embryon, une réserve de nourriture et une cosse qui protège la graine contre la sécheresse. Cependant, la graine d'un gymnosperme n'est pas enfermée dans un fruit.

**Figure 2.32** L'épinette est un gymnosperme typique. Sur la photo, on voit des feuilles et des cônes d'épinette blanche.

**Pause réflexion**

À l'aide de ce que tu as appris à propos de la germination d'une graine, explique comment tu ferais une démonstration du processus illustré à la figure 2.31, en employant une graine de haricot, un pot en verre et un essuie-tout humide. Trace dans ton journal scientifique un schéma représentant l'installation que tu utiliserais.

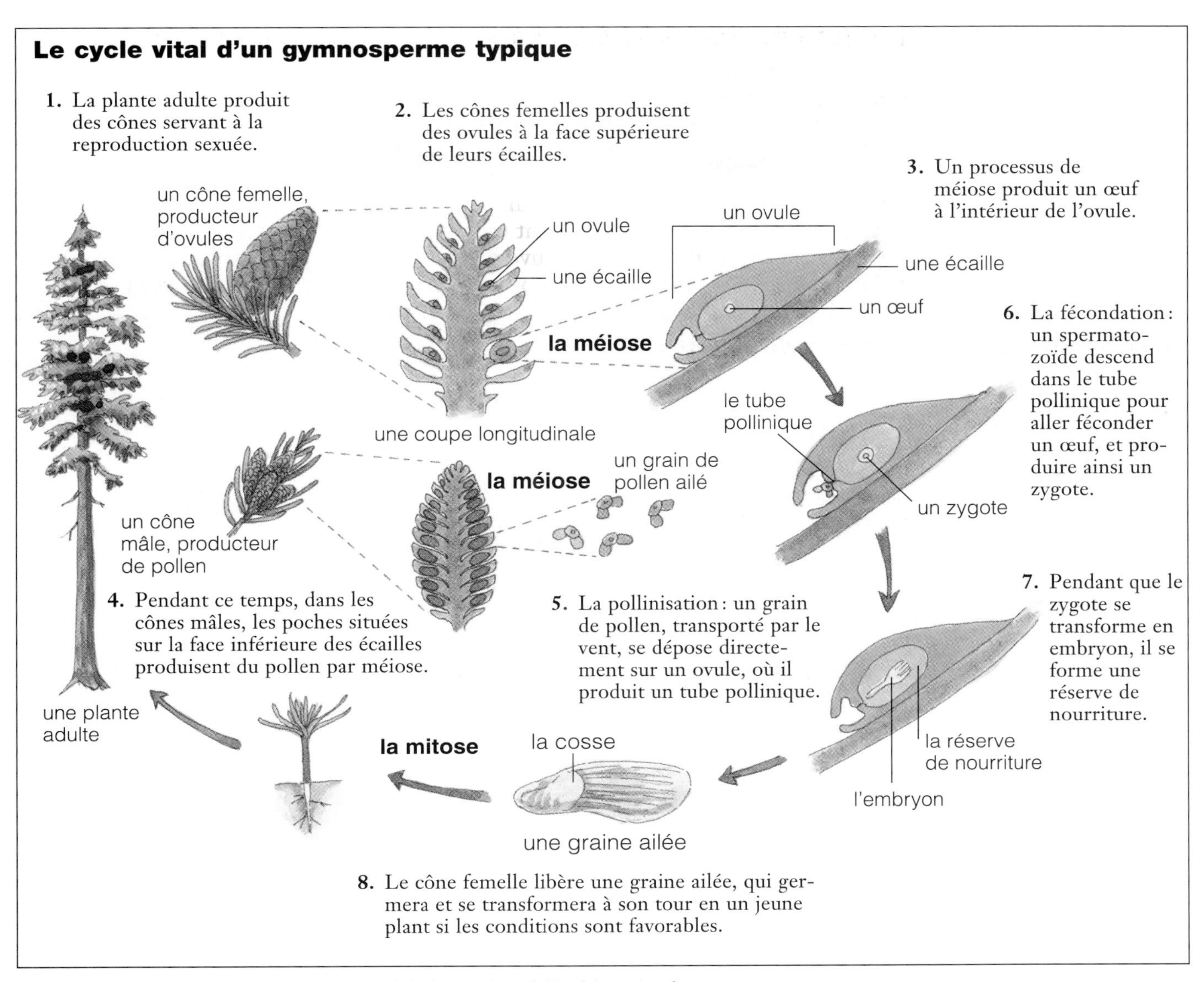


**Figure 2.33** Un gymnosperme typique produit des graines à l'intérieur de cônes.

## La reproduction sexuée chez les plantes dépourvues de graines

Plusieurs plantes communes qui poussent sur le sol dans les forêts, comme les mousses et les hépatiques (*voir les figures 2.34 A) et B), à la page suivante*), n'ont pas de graines. Elles se reproduisent au moyen de spores. Il existe une différence importante entre les spores et les gamètes, même si les spores sont elles aussi haploïdes : une spore peut se transformer en un jeune plant sans avoir été fécondée.

Pour savoir comment se déroule la reproduction sexuée chez une plante à spores, examine la figure 2.35 à la page suivante, qui illustre le cycle vital d'une mousse. On appelle **sporophyte** la forme adulte d'une mousse, dotée de tiges fines, parce qu'elle produit des spores. Dans des conditions favorables d'humidité et de chaleur et en présence de réserves suffisantes de nourriture, une spore se transforme en **gamétophyte**. Selon toi, que produit un gamétophyte ?

**Le savais-tu ?**

Comme les érables et les autres angiospermes, les ginkgos perdent leurs feuilles, de forme très caractéristique, à l'automne. Cependant, les ginkgos sont des gymnospermes ; ils appartiennent à un ancien groupe de plantes dont tous les autres membres sont disparus.

**Figure 2.34 B)** Les hépatiques sont de petites plantes à croissance lente, dépourvues de graines. Elles poussent dans les milieux très humides. Peux-tu nommer une condition essentielle à la reproduction des mousses et des hépatiques ?

**Figure 2.34 A)** Des mousses épaisses, vertes et douces poussent dans les milieux humides.

**Le cycle vital d'une mousse**

1. Les spores, haploïdes, résultent d'un processus de méiose et elles sont libérées dans l'air par la capsule du sporophyte.

un sporophyte

un gamétophyte femelle

des spores mâles et femelles

2. Sur un sol humide, une spore peut se transformer, sans fécondation, en gaméthophytes producteurs de spermatozoïdes et d'ovules.

un gamétophyte mâle

un gamétophyte femelle

un spermatozoïde

3. Le spermatozoïde, une fois libéré, nage dans la pellicule d'eau qui recouvre la plante, jusqu'à la structure qui produit des ovules.

un œuf

4. La fécondation produit un zygote.

un zygote

5. En se divisant par mitose, le zygote forme un jeune sporophyte sur le gamétophyte femelle.

**Figure 2.35** Le cycle de vie d'une mousse. Lis attentivement chaque étape en suivant les transformations sur le schéma. Où se trouvent les structures reproductrices ? Comment ce cycle diffère-t-il de celui des plantes à graines ?

Deux caractéristiques des spores, en particulier, facilitent leur dissémination. Premièrement, elles sont très légères et peuvent donc être transportées sur de grandes distances, en des lieux où les conditions de croissance sont favorables. Deuxièmement, les spores survivent à des températures extrêmes et à des périodes de sécheresse. Elles peuvent rester en état de dormance pendant de longues périodes, et produire néanmoins de jeunes plants en santé lorsque les conditions environnantes sont plus propices à leur croissance.

**Figure 2.36** Chez certaines plantes à spores, comme les fougères, les spores sont enfermées dans de minuscules sacs situés sur la face inférieure des feuilles.

## Pause réflexion

Actuellement, il existe environ 35 000 espèces de plantes à spores, 700 espèces de gymnospermes et 200 000 espèces d'angiospermes sur la Terre. Selon ces données, quel mode de reproduction sexuée des plantes semble le plus appropriée au climat actuel ? Pourquoi ? À une certaine époque, les grandes plantes à spores étaient plus nombreuses que toutes les autres espèces de plantes. Dans ton journal scientifique, énonce une hypothèse à propos du type de climat qui a permis à de très grandes populations de plantes à spores de se développer sur la Terre. Tires-en des conclusions à propos des effets potentiels des changements climatiques sur la survie des plantes.

## Vérifie ce que tu as compris

1. Décris le cycle de base de la reproduction sexuée chez les plantes.
2. Explique ce que les deux objets donnés ont en commun et ce qui les distinguent.
   a) Un pistil et une étamine.
   b) Une fleur et un cône.
   c) Un angiosperme et un gymnosperme.
   d) Une graine et une spore.
3. Quelle est la fonction de la pollinisation ? Explique pourquoi la pollinisation n'assure pas à elle seule la reproduction d'une plante.
4. a) Explique pourquoi une graine peut être qualifiée de « plante en réserve ».
   b) Peut-on dire également qu'une spore est une « plante en réserve » ? Pourquoi ?
5. a) Un gamète peut-il se transformer en plante adulte sans être fécondé ? Pourquoi ?
   b) Une spore peut-elle se transformer en plante adulte sans être fécondée ? Pourquoi ?
6. **Mise en pratique** Explique pourquoi le cycle que tu as décris au n° 1 assure la diversité des plantes.
7. **Mise en pratique** Le hêtre produit de petites fleurs vertes. Explique pourquoi il est peu probable que des insectes pollinisent ces fleurs. Selon toi, quelle méthode de pollinisation est la plus probable dans le cas du hêtre ?
8. **Réflexion critique** Les fleurs de la vergerette du Canada ne peuvent se reproduire par autopollinisation à cause de leur forme. Cependant, vers la fin de la saison de pousse, il se produit un changement chez toutes les fleurs qui n'ont pas été pollinisées : les étamines de chaque fleur se recourbent de manière que ses anthères entrent en contact avec ses stigmates.
   a) Sur le plan de la reproduction, quel est l'avantage que procure une forme s'opposant à l'autopollinisation ?
   b) Sur le plan de la reproduction, quel est l'avantage que procure un changement de forme permettant l'autopollinisation ?

# 2.4 L'importance de la diversité

**Pause réflexion**

Note les réponses aux questions suivantes dans ton journal scientifique. Quel mode de reproduction donne de nouveaux individus identiques? Quel mode de reproduction donne de nouveaux individus non identiques? Décris brièvement le processus cellulaire à la base de chaque mode de reproduction. Quel mode garantit que les descendants recevront tous des chaînes identiques d'ADN? Quel mode garantit que chaque descendant recevra une chaîne distincte d'ADN? Qu'est-ce qui rend possible la diversité des descendants? Illustre tes réponses à l'aide de croquis.

Aucune plante ni aucun animal ne vit éternellement. Les plantes et les animaux qui vivent présentement existent parce que leurs «ancêtres» se sont reproduits, selon un mode sexué ou asexué. Rappelle-toi que la reproduction asexuée se fait à partir d'un seul œuf, qui se divise par mitose. Ce processus permet à un organisme de produire plusieurs descendants, généralement durant une période relativement courte. Comme un seul individu intervient dans la reproduction asexuée, tous les descendants sont génétiquement identiques à leur mère. La reproduction sexuée est plus complexe. Elle nécessite la rencontre des gamètes de deux individus, qui s'unissent pour former un zygote. Elle implique donc une plus grande dépense d'énergie que la reproduction asexuée. C'est pourquoi le nombre de descendants est généralement moins élevé dans ce cas, mais l'information génétique des parents est transmise aux descendants. Les deux modes de reproduction donnent de nouveaux organismes appartenant à la même espèce que les parents, mais lequel favorise le plus la survie des descendants? En fait, tout dépend du milieu dans lequel naissent les organismes.

La plupart des gens perçoivent le monde comme un univers statique, alors qu'il est en fait très changeant. Certains changements tels une période de mauvais temps, une maladie ou une diminution des réserves de nourriture peuvent provoquer un stress chez certains organismes d'une population. Par exemple, si toutes les paramécies d'un étang sont identiques, une légère variation de la température de l'eau risque de détruire la population entière. Par contre, si les paramécies ne sont pas toutes identiques, quelques individus ont des chances de survivre même à un désastre écologique. Tu comprendras mieux les avantages de la diversité d'une population après avoir fait l'activité suivante.

## La survie: l'avantage décisif

**ACTIVITÉ de recherche**

La *formacoquilla varienta,* espèce animale fictive, ne varie que dans sa forme. Elle se reproduit selon l'un ou l'autre mode: asexué ou sexué. Des individus de toutes les formes s'accouplent entre eux. La présente activité te permettra de créer un modèle de la reproduction, de la variation et de la survie d'une population appartenant à cette espèce fictive.

### Ce que tu dois faire

1. Suppose qu'une population de *formacoquilla varienta* se compose d'individus présentant quatre formes différentes: carrée, triangulaire, ronde et ovale. Représente les quatre types d'individus qui composent la population en dessinant les quatre formes sur une feuille.
2. Note les effets de chacun des événements suivants:
   - **a)** La nourriture produite durant l'automne est suffisante pour un cycle complet de reproduction asexuée. Aucun individu ne meurt.
   - **b)** Aucun individu de forme carrée ne survit au froid de l'hiver.
   - **c)** L'abondance de nourriture au printemps permet un autre cycle complet de reproduction asexuée. Aucun individu ne meurt.
   - **d)** Durant l'été, un virus tue tous les individus de forme ovale.
3. Considère à nouveau les quatre mêmes formes, et refais l'étape 2 en remplaçant le terme «reproduction asexuée» par «reproduction sexuée». Représente le résultat probable de la reproduction sexuée en montrant quelles variantes l'accouplement de deux individus quelconques peut donner. Énumère toutes les paires de formes possibles (par exemple ovale + ovale, ovale + ronde, ovale + carrée, etc.). Énumère également toutes les variantes que tu as trouvées. Fais preuve d'imagination!

### Qu'as-tu découvert?

1. Réfléchis aux effets de la reproduction asexuée sur la population. Décris la composition de la population après chaque événement. La population est-elle plus diversifiée ou moins diversifiée?
2. Réfléchis aux effets de la reproduction sexuée sur la population. La population est-elle plus diversifiée ou moins diversifiée après chaque événement?
3. Quelle conclusion tires-tu de tes résultats à propos de l'avantage de la reproduction sexuée comparativement à la reproduction asexuée quant à la survie des individus?

## Le rôle de la diversité dans la survie

Il est facile d'observer la diversité chez les chats, mais la diversité des manchots ou des tournesols est beaucoup moins évidente. Les avantages de la diversité ne sont pas non plus toujours évidents. Par exemple, la forme du lobe de l'oreille ne semble pas jouer un grand rôle dans la survie de l'espèce humaine. D'un autre côté, la diversité de certaines caractéristiques qui jouent un rôle dans la survie est parfois plus difficile à observer. La résistance aux infections en est un bon exemple.

Il y a moins d'un siècle, les infections bactériennes représentaient l'une des principales causes de décès chez les humains. La découverte d'antibiotiques (des substances capables de tuer les bactéries) à la fin des années 1920 et leur utilisation de plus en plus courante à partir des années 1950 nous ont portés à croire que nous avions vaincu les maladies de ce type. Mais nous nous trompions.

Suppose que tu souffres d'un mal de gorge causé par une bactérie du type *streptocoque*. Ton organisme est le milieu où vivent les bactéries : elles se multiplient donc à l'intérieur de toi. Avant 1940, les gens atteints d'une telle infection étaient malades pendant des semaines, soit le temps que mettait leur organisme à tuer toutes les bactéries. Durant les années 1950, les gens ont commencé à prendre des antibiotiques pour modifier le milieu dans lequel vivent les bactéries, ce qui détruit généralement la population tout entière. Mais aujourd'hui, ton médecin peut avoir de la difficulté à trouver un antibiotique capable de tuer toutes les bactéries.

**Figure 2.37** Le *Pinus longaeva* (« pin qui vit longtemps ») est l'arbre le plus ancien de la Terre.

**Figure 2.38** Es-tu capable de voir la diversité des individus représentés dans chaque photo ?

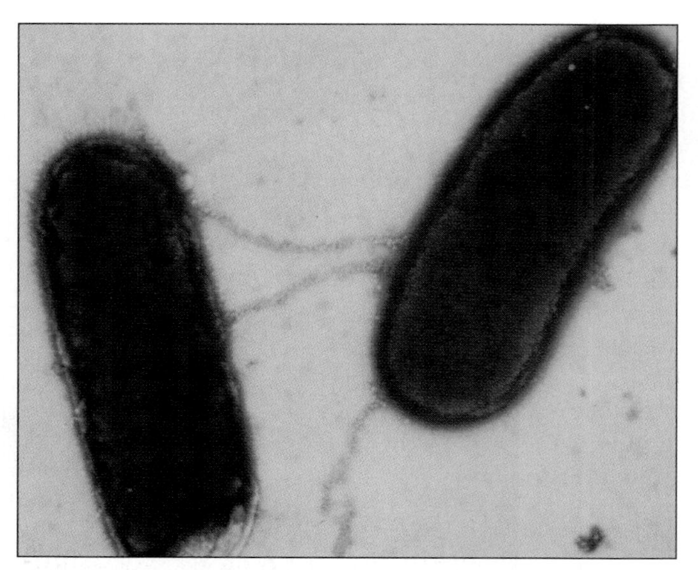

**Figure 2.39** Chez les bactéries, la reproduction sexuée ne se fait pas par méiose : il se produit un transfert à sens unique d'une copie de l'ADN d'un individu à un autre individu au moyen du tube de conjugaison.

Pourquoi en est-on arrivé là ? Avant 1940, la majorité des streptocoques ne résistaient pas aux antibiotiques, mais quelques-uns survivaient au traitement. Les survivants ont transmis leur capacité de résistance à leurs descendants puisque les bactéries se reproduisent également selon un mode sexué, appelé « conjugaison ». La **conjugaison** consiste dans le transfert d'ADN par contact direct entre deux cellules (*voir la figure 2.39*). Ce mode de reproduction sexuée a permis aux individus résistants de transmettre leur ADN à d'autres streptocoques. Plusieurs populations de bactéries résistantes se sont ainsi développées, principalement dans les hôpitaux, où on fait une grande consommation d'antibiotiques.

Dans la reproduction sexuée, la combinaison de l'ADN de deux individus produit des descendants diversifiés. Le fait que la reproduction sexuée est présente, de façon quasi universelle, dans les cinq règnes tend à prouver que la diversité constitue un avantage. C'est grâce à la diversité que certains individus survivent à des modifications de leur milieu assez longtemps pour donner naissance à une autre génération.

## Vérifie ce que tu as compris

1. Quel est le principal avantage de la diversité ?
2. Quel mode de reproduction garantit la diversité des individus ? Explique pourquoi en te servant du concept d'ADN.
3. Décris le processus de conjugaison chez les bactéries. Comment ce processus assure-t-il la diversité ?
4. Pourquoi la résistance aux antibiotiques illustre-t-elle l'avantage de la diversité ?
5. **Mise en pratique** La diversité de couleurs a-t-elle un effet sur la survie de la population mondiale des chats ? Énumère les faits sur lesquels ta réponse repose. Quelle est la population de chats dont la survie pourrait être touchée par leur couleur ?
6. **Réflexion critique** La diversité procure-t-elle toujours un avantage ? Explique ta réponse.

# RÉSUMÉ du chapitre 2

Maintenant que tu as terminé ce chapitre, essaies de faire les activités proposées ci-dessous. Si tu n'y arrives pas, consulte à nouveau la section indiquée entre parenthèses.

Énonce la principale différence entre la méiose et la mitose. (2.1)

Explique, au moyen d'un croquis, la formation du spermatozoïde et de l'ovule chez les animaux. (2.1)

Définis la reproduction sexuée et décris le cycle de la reproduction sexuée chez les animaux. (2.2)

Énonce la fonction de l'accouplement des animaux et explique la différence entre l'accouplement et la fécondation. (2.2)

Énonce les similitudes et les différences entre la fécondation interne et la fécondation externe. Donne des exemples de l'un et l'autre mode de fécondation chez les animaux. (2.2)

Énonce les similitudes et les différences entre la métamorphose incomplète et la métamorphose complète. (2.2)

Explique, à l'aide d'un exemple, ce qui distingue l'accouplement et la fécondation chez les hermaphrodites de ces mêmes processus chez les autres animaux. (2.2)

Décris le cycle de la reproduction sexuée chez les plantes. (2.3)

Énonce les similitudes et les différences entre les gymnospermes, les angiospermes et les plantes à spores. (2.3)

Explique le rôle de la pollinisation dans la reproduction des plantes. (2.3)

Dans ton cahier de notes, reproduis le schéma ci-dessus en indiquant les parties du système reproducteur de la fleur. (2.3)

Trace une série de schémas qui illustrent la formation du tube pollinique d'une fleur. Indique à quelle phase la fécondation a lieu. (2.3)

Énonce les similitudes et les différences entre le développement d'une graine chez les angiospermes et chez les gymnospermes. (2.3)

Explique l'importance de la dissémination pour le règne végétal, et donne quelques exemples illustrant les diverses méthodes de dissémination. (2.3)

Explique les conditions nécessaires à la germination d'une graine. (2.3)

Explique comment la reproduction sexuée assure la diversité des individus d'une même espèce. Énonce le principal avantage que la diversité procure à une population d'organismes vivants. (2.4)

## Prépare ton propre résumé

Résume le contenu de ce chapitre en élaborant une représentation graphique (comme un réseau conceptuel), en réalisant une affiche ou en résumant par écrit les concepts clés du chapitre. Voici quelques idées dont tu peux t'inspirer :

- Pourquoi la méiose est-elle importante ?
- Comment la fécondation se déroule-t-elle ?
- Chez les animaux à fécondation externe, quels facteurs accroissent la probabilité qu'un œuf et un spermatozoïde entrent en contact ?
- Pourquoi la majorité des animaux à fécondation interne possèdent-ils des structures destinées au transfert du sperme ?
- Quel est l'avantage pour l'anémone de mer et d'autres animaux de passer par un stade où ils sont capables de nager ?
- Pourquoi les grenouilles s'accouplent-elles dans l'eau ?
- Comment les hermaphrodites se reproduisent-ils ?
- Pourquoi les tortues peuvent-elles laisser leurs petits seuls dès leur naissance, alors que les oiseaux ne le peuvent pas ?
- Pourquoi la gestation des mammifères est-elle plus longue que celle des marsupiaux ?
- Quelle structure reproductrice toutes les fleurs, même la plus simple, doivent-elles posséder ? Pourquoi ?

CHAPITRE

# 2 Révision

## Des termes à connaître

Si tu as besoin de réviser les termes ci-dessous, les numéros de section t'indiquent où ils ont été mentionnés pour la première fois.

**1.** Indique si les énoncés suivants sont vrais ou faux. Remplace chaque énoncé faux par l'énoncé vrai correspondant.

**a)** Les chromosomes homologues se séparent durant la méiose II. (2.1)

**b)** Les gonades des animaux sont les ovaires et les testicules. (2.1)

**c)** Si le nombre haploïde d'un organisme est 28, alors son nombre diploïde est 56. (2.1)

**d)** L'accouplement est indispensable à la fécondation interne, mais non à la fécondation externe. (2.2)

**e)** La pollinisation garantit que tous les descendants d'un individu seront identiques. (2.3)

**f)** La conjugaison est une forme de reproduction asexuée. (2.4)

**2.** Choisis dans la liste des mots clés le terme équivalent à l'expression donnée.

**a)** Tout ce dont une plante a besoin pour se reproduire. (2.3)

**b)** L'organe reproducteur femelle d'une fleur. (2.3)

**c)** Une structure protectrice savoureuse. (2.3)

**d)** Se transforme en une structure qui a la forme d'une paille et qui libère le sperme. (2.3)

**e)** Sert à l'entreposage de la nourriture dans une graine. (2.3)

**f)** Un réceptacle dans lequel les spores se développent. (2.3)

**g)** Une structure qui produit des gamètes. (2.3)

## Des concepts à comprendre

Les numéros de section te permettront de faire des révisions, si tu en as besoin.

**3.** Pourquoi les poissons libèrent-ils leurs œufs dans l'eau ? (2.2)

**4.** Quelles sont les deux caractéristiques des œufs de reptiles qui rendent ces animaux aptes à la vie terrestre ? (2.2)

**5.** Qu'est-ce qui distingue la métamorphose incomplète de la métamorphose complète ? (2.2)

**6.** Qu'est-ce qui distingue les jeunes oisillons et les jeunes reptiles à la naissance ? (2.2)

**7.** Quelle est la fonction des fruits des plantes à graines, mis à part leur rôle de « réceptacle » protecteur ? (2.3)

**8.** Quelles caractéristiques des spores et du pollen en facilitent la dissémination ? (2.3)

**9.** Quelles caractéristiques des graines en facilitent la dissémination par le vent ? par l'eau ? par les animaux ? (2.3)

**10.** Quelles transformations une graine subit-elle au cours des premiers jours de la germination ? (2.3)

## Des habiletés à acquérir

**11.** Complète le schéma suivant d'un cycle vital en y ajoutant les termes appropriés :

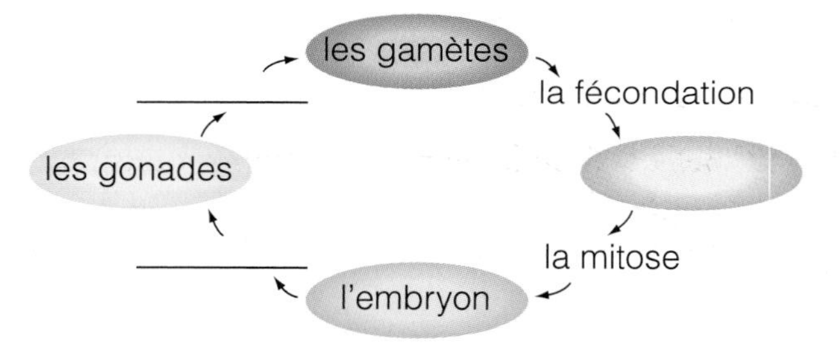


**12.** En choisissant des élèves pour jouer le rôle des chromosomes, représente le processus de la méiose. Augmente le nombre de joueurs à chaque division cellulaire.

**13.** La reproduction sexuée est plus efficace que la reproduction asexuée, et il est certain que tous les organismes vivants en viendront un jour à se reproduire exclusivement de cette façon. Discute de cet énoncé en groupe et rassemble des arguments pouvant servir à le démontrer ou à l'infirmer. Trouve une citation ou un exemple pour appuyer chaque argument. Chaque groupe présente ensuite ses arguments au cours d'un débat auquel toute la classe participe.

## Des problèmes à résoudre

**14.** L'anémone de mer adulte est incapable de nager : elle vit là où elle s'est fixée. Décris brièvement comment la reproduction sexuée peut aider les anémones à combattre les effets d'un déversement de substance toxique.

**15.** Selon toi, lequel des animaux suivants pond le plus d'œufs en une seule fois : une salamandre (à fécondation externe) ou un lézard (à fécondation interne) ayant la même taille ? Explique sur quels faits ta réponse repose.

**16.** Quel est le nombre haploïde d'un organisme possédant 18 paires de chromosomes homologues ?

**17.** Les feuilles de la fougère sont d'abord enroulées en crosses, ou spirales, tendres. Même si on cueille depuis des siècles les crosses de fougères, considérées comme un légume de choix, elles sont en fait légèrement toxiques. Comment cette caractéristique contribue-t-elle à la survie de la fougère ?

**18.** Pourquoi les vers plats, et d'autres organismes, luttent-ils pour se reproduire selon un mode sexué lorsque leur milieu, habituellement humide, s'assèche ?

## Réflexion critique

**19.** **a)** Quelle méthode de pollinisation requiert une plus grande dépense d'énergie de la part d'une plante : la pollinisation par les animaux ou par le vent ?

**b)** Quels avantages la pollinisation par les animaux procure-t-elle comparativement à la pollinisation par le vent ?

**20.** Quels sont les avantages et les inconvénients de la reproduction asexuée et de la reproduction sexuée ?

**21.** Certains qualifient les fougères et les mousses d'« amphibiens » du règne végétal. Es-tu d'accord avec cette affirmation ? Dresse un tableau de comparaison entre la reproduction des fougères et des mousses et la reproduction des amphibiens.

**22.** À quel moment les personnes souffrant d'allergies présentent-elles le plus de symptômes : durant une journée venteuse au printemps ? ; durant une journée pluvieuse en été ? ; durant une journée ensoleillée à l'automne ?

**23.** Cherche dans un atlas quel pourcentage de la superficie du Canada est recouverte de forêts de conifères. Selon toi, pourquoi les gymnospermes se développent-ils bien dans les climats nordiques ?

**24.** Certaines populations sont plus diversifiées que d'autres. Peux-tu expliquer ce fait ?

**25.** Réfléchis aux différences entre la reproduction d'une fougère sporophyte et la reproduction d'une fougère gamétophyte. Selon toi, quelle est la signification de l'élément « phyte » ?

### Pause réflexion

1. À l'aide de plusieurs exemples, explique quel rôle les humains peuvent jouer dans la dissémination des graines des angiospermes. Les humains jouent-ils un rôle semblable dans la dissémination des graines des gymnospermes ?
2. Dans une plante dépourvue de graines, les gamétophytes produisent des spermatozoïdes et des ovules. Quels organes jouent le rôle des gamétophytes dans les plantes à graines ?
3. Chez les mammifères : a) l'œuf fécondé demeure dans le corps de la femelle, qui lui fournit la protection et la nourriture dont il a besoin pour se développer ; b) la femelle est pourvue de glandes mammaires qui produisent le lait nécessaire à l'alimentation du petit après sa naissance ; c) l'un des parents ou les deux parents prennent soin des petits jusqu'à ce qu'ils soient capables de se nourrir et de se défendre eux-mêmes. Dans ton journal scientifique, explique les avantages ou les désavantages qui découlent de ces caractéristiques de la reproduction des mammifères.

CHAPITRE

# 3 Comprendre le

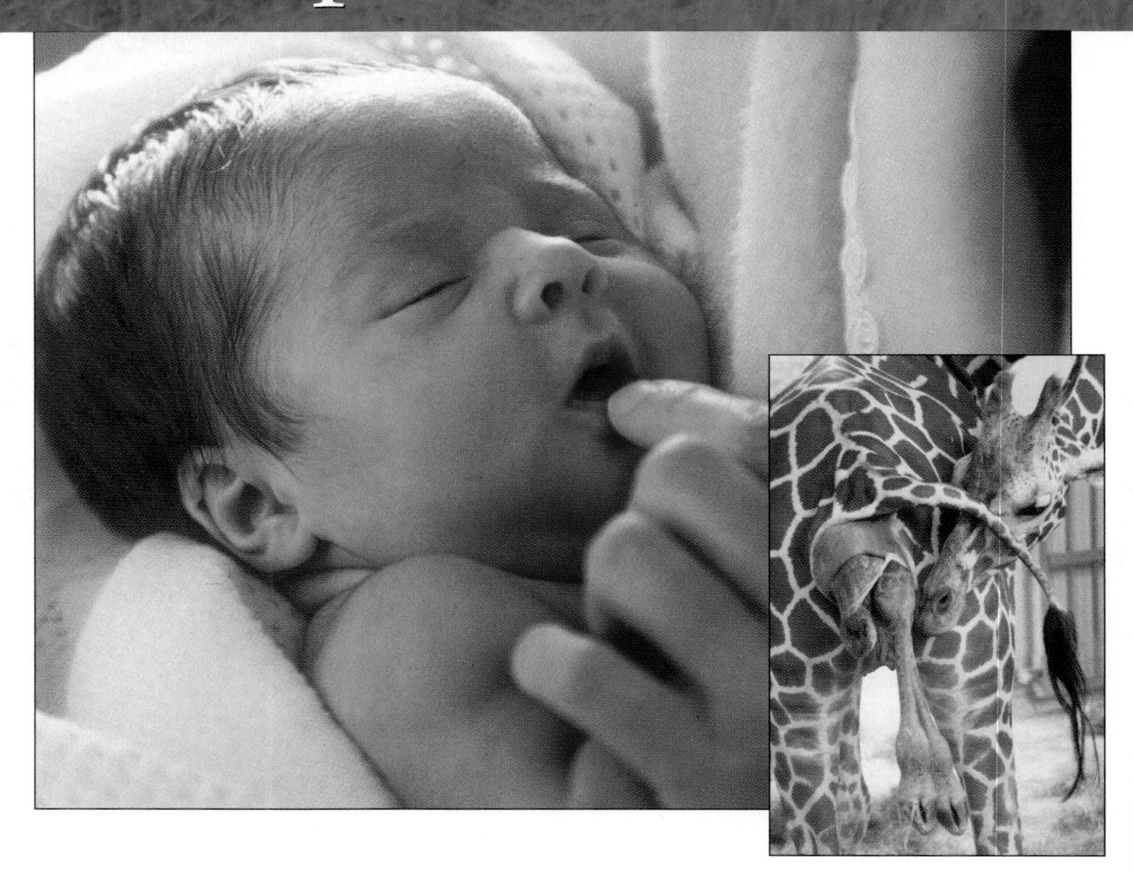

## Pour commencer...

- Comment tous tes membres, tes os et tes tissus se sont-ils formés à partir d'une seule cellule ?
- Quels changements subit le corps d'une femme lorsqu'elle est enceinte ?
- Quels facteurs peuvent influer sur le développement d'un fœtus humain ?

## Journal scientifique

Dans ton journal scientifique, dessine un zygote tel que tu l'imagines deux jours après la fécondation. Comment son apparence change-t-elle en trois mois ? Fais une esquisse de tes idées. Essaie ensuite de répondre aux trois questions ci-dessus.

Tous les mammifères, des girafes aux humains, commencent leur vie sous forme d'un minuscule œuf fécondé à peu près de la même taille que le point terminant cette phrase. En quelques semaines ou quelques mois, cette nouvelle forme de vie se développe et se transforme en un ensemble de cellules, de tissus et d'organes formant un bébé girafe ou un bébé humain. Bien que ces deux bébés soient très différents, leurs processus de formation sont assez semblables.

Dans ce chapitre, tu étudieras les changements qui se produisent dans le corps humain pour le préparer à la reproduction. Tu apprendras comment le corps d'une femme enceinte change pour protéger une nouvelle forme de vie et l'aider à croître et comment une seule cellule finit par devenir un organisme vivant indépendant. Tu feras aussi des recherches sur les façons dont la science et la technologie nous ont aidés à identifier certains facteurs qui nuisent parfois à la santé d'un fœtus en plein développement.

# développement humain

de départ

## Compare les périodes de gestation

Y a-t-il une différence entre le temps nécessaire au développement d'un bébé souris avant sa naissance et celui nécessaire au développement d'un bébé humain ? Le temps nécessaire au développement d'un mammifère avant sa naissance est appelé période de **gestation**.

Période de gestation de quelques mammifères (en jours)

| Animal | Jours | Animal | Jours |
|---|---|---|---|
| singe anthropoïde | 210 | éléphant | 624 |
| ours | 208 | girafe | 457 |
| bison | 275 | hamster | 16 |
| chat | 63 | cheval | 336 |
| chimpanzé | 243 | humain | 267 |
| tamia | 31 | souris | 20 |
| vache | 281 | lapin | 31 |
| cerf | 215 | mouton | 151 |
| chien | 63 | baleine | 450 |

### Ce que tu dois faire

Fais un diagramme à bandes avec les données du tableau ci-dessus. Énumère les animaux selon la durée de leur période de gestation, de la plus courte à la plus longue.

### Qu'as-tu découvert ?

**1.** Quelle tendance générale ton diagramme montre-t-il sur le rapport entre la taille des mammifères et la période de gestation ?

**3.** Les humains suivent-ils cette tendance ? Comment expliquer les déviations de cette tendance générale dans ton diagramme ?

**3** Selon toi, quels sont les avantages d'une courte période de gestation ?

**4.** Formule des hypothèses sur les avantages d'une longue période de gestation.

## Concepts clés

Dans ce chapitre, tu découvriras :

- quels organes jouent un rôle dans la reproduction humaine ;
- comment les hormones coordonnent le processus reproducteur ;
- les stades de développement, du zygote à la naissance ;
- certains facteurs environnementaux ou facteurs liés au mode de vie qui peuvent influer sur le développement du fœtus.

## Habiletés clés

Dans ce chapitre :

- tu feras des analyses statistiques et des prédictions de tendances ;
- tu formuleras des questions afin de faire une recherche sur des sujets relatifs à la reproduction humaine et aux méthodes artificielles de reproduction ;
- tu feras des recherches sur les effets qu'ont sur la reproduction des facteurs tels que les toxines, les radiations et les maladies ;
- tu feras et interpréteras des diagrammes, des tableaux et des schémas.

## Mots clés

- gestation
- hormone
- puberté
- hypophyse
- folliculostimuline (FSH)
- testostérone
- œstrogène
- scrotum
- tube séminifère
- épididyme
- canal déférent
- prostate
- vésicule séminale
- sperme
- urètre
- ovule
- ovulation
- follicule
- trompes de Fallope
- utérus
- col de l'utérus
- vagin
- cycle menstruel
- hormone lutéinisante (LH)
- progestérone
- corps jaune
- menstruations
- divisions cellulaires
- morula
- placenta
- nidation
- gastrula
- feuillet embryonnaire
- endoderme
- mésoderme
- ectoderme
- sac vitellin
- amnios
- allantoïde
- chorion
- cordon ombilical
- différenciation cellulaire
- trimestre
- fœtus
- ocytocine
- travail

# 3.1 Le système reproducteur

Tu as appris dans le chapitre 2 que les gonades mâles et femelles produisent des gamètes. Le système reproducteur humain est fait pour produire ces gamètes et les unir grâce à une fécondation interne. Qu'est-ce qui fait que les gonades commencent à produire des gamètes ?

Tout commence avec les **hormones**. Les hormones sont des substances qui agissent comme des messagères dans le corps. Elles circulent dans le sang et exercent des actions précises sur certaines cellules. Plusieurs hormones régulent le système reproducteur.

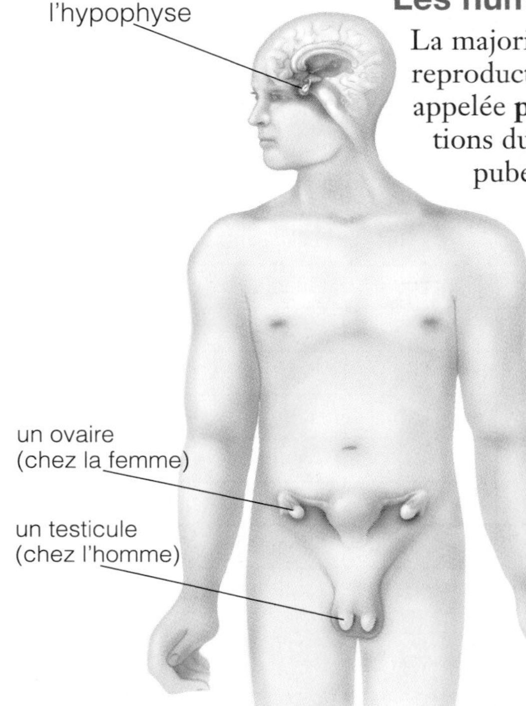


**Figure 3.1** L'hypophyse, située à la base du cerveau, a la taille approximative d'un pois, mais elle régule plusieurs fonctions corporelles importantes, dont la reproduction.

## Les humains et la puberté

La majorité des humains sentent pour la première fois les effets des hormones reproductrices au début ou au milieu de leur adolescence. Cette période, appelée **puberté**, commence lorsque des hormones provoquent des modifications du corps de façon qu'il soit capable de se reproduire. Lorsque la puberté commence, l'**hypophyse**, située à la base du cerveau (*voir la figure 3.1*), commence à produire la **folliculostimuline** (**FSH**). La FSH est transportée par le sang jusqu'aux gonades : les ovaires chez les femmes et les testicules chez les hommes. La FSH provoque la formation de spermatozoïdes par les testicules et d'œufs arrivés à maturité par les ovaires. D'autres hormones contribuent au développement et au maintien d'autres caractéristiques typiques des hommes ou des femmes : les *caractères sexuels secondaires*.

## La puberté chez l'homme

Lorsque la FSH atteint les testicules, elle stimule le développement de tubes producteurs de sperme dans les testicules et de spermatozoïdes. Quand un homme commence à produire des spermatozoïdes, il en produit ensuite généralement tous les jours jusqu'à la fin de sa vie. D'autres cellules des testicules commencent à produire une hormone appelée **testostérone**, qui est responsable du développement des caractères sexuels secondaires. Ces caractères sont entre autres des poils sur le visage, dans la région pubienne et sous les bras, une voix grave et des épaules larges.

**Pause réflexion**

Les autres mammifères ont-ils une période de puberté ? Pense à ce qu'est la puberté et réponds ensuite à cette question dans ton journal scientifique. Indique comment tu peux déduire qu'eux aussi subissent une telle modification de leur système reproducteur.

**Figure 3.2** Chez l'homme, la puberté commence habituellement entre les âges de 13 et 16 ans, et chez la femme, entre 12 et 15 ans.

## La puberté chez la femme

Lorsque la FSH atteint les ovaires, elle stimule le début de la maturation et de la libération des œufs. Les ovaires libèrent généralement un œuf par mois. La FSH stimule aussi les ovaires à produire de l'**œstrogène**, hormone reproductrice. L'œstrogène est aussi responsable de l'apparition des caractères sexuels secondaires de la femme, entre autres le dépôt de gras dans les seins et les hanches, et la croissance de poils sous les bras et dans la région pubienne.

**Le savais-tu ?**

Après l'âge de 45 ou 50 ans, une femme cesse de produire un œuf chaque mois parce que son taux d'œstrogène baisse. Ce changement du cycle hormonal est appelé *ménopause*.

de liaison

### Fais la prévision des tendances reproductrices

Seulement environ 67 % des femmes nées au Canada en 1700 vivaient jusqu'à l'âge de 15 ans. En 1951, une femme avait environ 96 % des chances de vivre jusqu'à l'âge de 15 ans. Les démographes analysent des statistiques comme celles-ci pour comprendre et prévoir les tendances d'une population. Cette activité te permettra de faire des prévisions et des recherches sur les tendances de la vie reproductrice des femmes.

La vie reproductrice des femmes au Canada entre 1700 et 1951

| Variable | Année de naissance | | | | | |
|---|---|---|---|---|---|---|
| | 1700 | 1831 | 1861 | 1891 | 1921 | 1951 |
| Nombre de femmes sur 1000 qui ont vécu au moins jusqu'à l'âge de 15 ans | 667 | 681 | 691 | 744 | 874 | 956 |
| Nombre de femmes sur 1000 qui ont vécu au moins jusqu'à l'âge de 50 ans | 365 | 490 | 527 | 627 | 820 | 928 |
| Longévité moyenne (années) | 30-35 | 42 | 45 | 54 | 70 | 80 |
| Nombre moyen d'enfants par femmes | 4,3 | 3,9 | 3,0 | 2,5 | 2,7 | 1,8 |

#### Ce que tu dois faire

Fais deux diagrammes linéaires. Utilise les dates et les deux dernières variables seulement pour faire ce qui suit : a) montrer la relation entre la longévité moyenne et l'année de naissance ; b) montrer la relation entre le nombre moyen d'enfants auxquels une femme a donné naissance et l'année de naissance.

#### Qu'as-tu découvert ?

1. Quelle tendance générale vois-tu dans la longévité des femmes entre 1700 et 1951 ?
2. Quelle tendance générale vois-tu dans le nombre moyen d'enfants auxquels une femme a donné naissance au cours de la même période ?
3. En te basant sur les tendances que tu viens d'évaluer, fais une prévision des caractéristiques de la longévité et du nombre moyen d'enfants auxquels une femme a donné naissance au cours de la période de 1951 à aujourd'hui. Fais des recherches à la bibliothèque ou dans Internet pour confirmer ou réfuter tes prévisions.
4. Prévois ce qui peut arriver au cours des trois premières décennies du XXIe siècle. Rédige un court paragraphe dans lequel tu justifies tes prévisions. Explique pourquoi tu prévois des changements majeurs ou la poursuite d'une tendance.
5. Pourquoi serait-il important, pour une personne qui étudie les caractéristiques de reproduction, de connaître le nombre de femmes qui ont atteint les âges de 15 et de 50 ans ? Quelles généralisations peux-tu faire en examinant ces statistiques sur la longévité ?

#### Approfondissement

6. Avec le reste de la classe, discute de l'utilité de ces statistiques. Par exemple, pourquoi le ministère de la Santé pourrait-il s'intéresser à tes résultats ? Comment une division scolaire pourrait-elle utiliser ces informations pour faire ses plans à long terme ? Penses-tu qu'ils seraient plus intéressés par les tendances générales ou par les données quantitatives ? Pourquoi ?

**Omni TRUC**

Pour en savoir plus sur l'organisation et la présentation de données scientifiques, va à la page 587.

**Le savais-tu ?**

Le taux de survie des spermatozoïdes est faible. Des quelque 300 millions de spermatozoïdes déposés par l'homme dans le corps de la femme, seulement quelques milliers survivent et tentent de féconder un ovule.

## L'anatomie reproductrice de l'homme

Le système reproducteur de l'homme est conçu pour produire le plus grand nombre possible de spermatozoïdes en santé. En lisant la section suivante, consulte la figure 3.3 pour voir le trajet que suit le spermatozoïde dans le corps de l'homme. Dans ton cahier de notes, fais un tableau récapitulatif avec, dans la première colonne, la liste des structures du système reproducteur mâle et, dans la seconde, la liste des fonctions reproductrices.

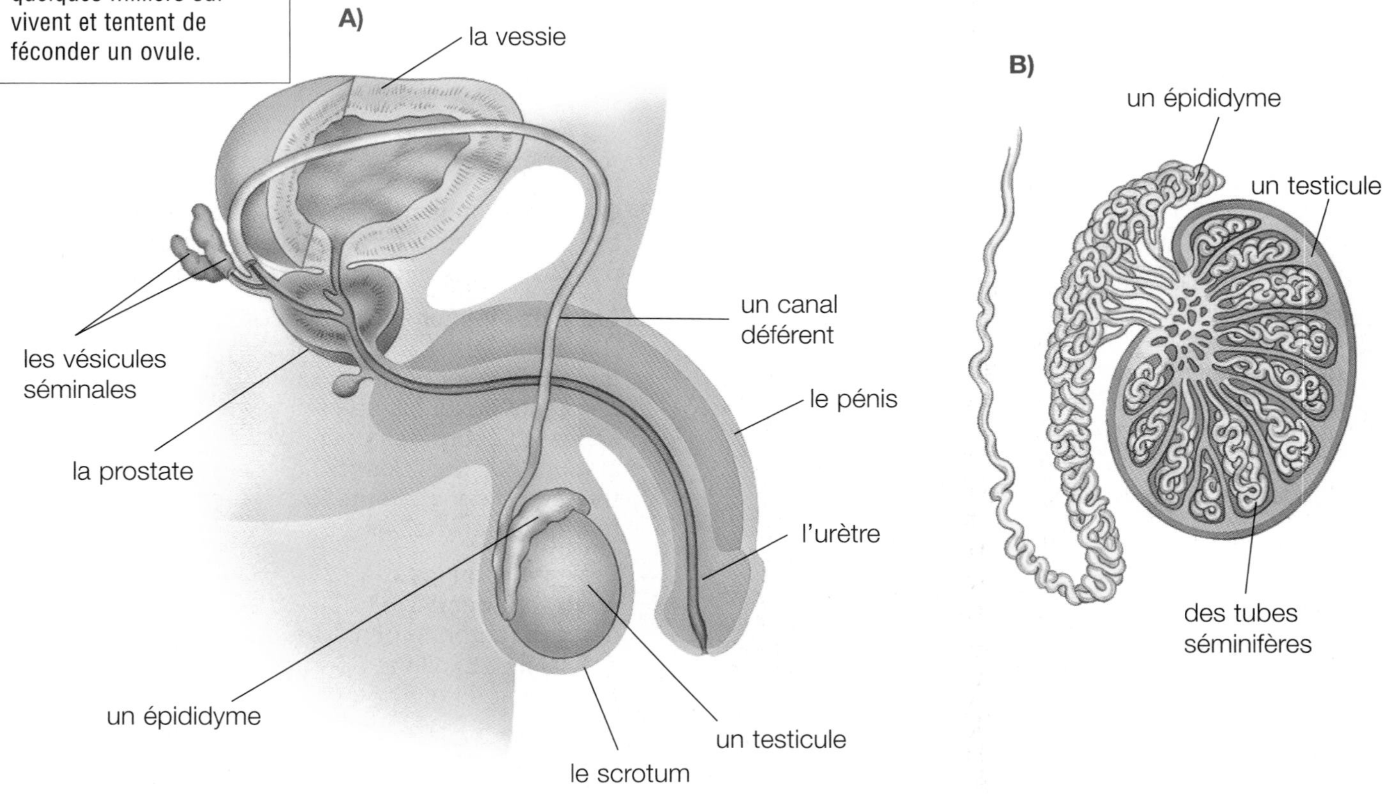


**Figure 3.3** Les structures du système reproducteur de l'homme (A). Gros plan d'un testicule (B). Où sont les gonades mâles ?

Les premiers scientifiques à s'intéresser au sujet croyaient qu'un individu miniature entièrement formé était recroquevillé dans la tête du spermatozoïde. Ils appelaient « homoncule » ce minuscule humain.

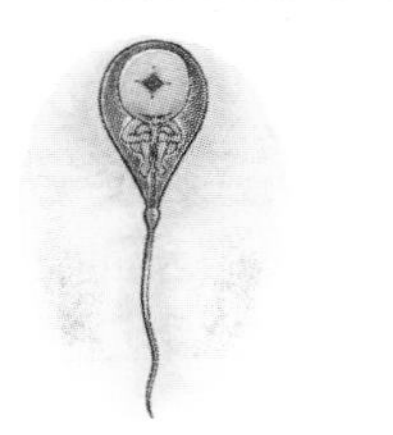

Les spermatozoïdes sont produits dans les testicules, qui sont situés à l'extérieur de la principale cavité corporelle dans un sac de tissus appelé **scrotum**. Cette position externe du scrotum permet de garder les testicules légèrement plus froids que le reste du corps. Pour que les spermatozoïdes soient en santé, ils doivent se développer à une température fraîche.

Les spermatozoïdes sont produits dans de minuscules tubes des testicules appelés **tubes séminifères** (*voir la figure 3.4*). Environ 350 à 500 millions de spermatozoïdes sont produits chaque jour. Lorsqu'ils sortent des tubes, ils sont emmagasinés à côté des testicules dans un long tube enroulé appelé **épididyme**, jusqu'à ce que ce soit le temps de quitter le corps.

Depuis l'épididyme, les spermatozoïdes se déplacent dans des tubes appelés **canaux déférents**, qui entourent la vessie. Tu as appris dans le chapitre 2 que les spermatozoïdes se déplacent en nageant. Pour aider les spermatozoïdes à se déplacer, des glandes appelées **prostate** et **vésicules séminales**, situées à la base de la vessie, sécrètent un liquide. Ces glandes produisent et libèrent un liquide épais et laiteux dans les canaux déférents. Les spermatozoïdes se mélangent à ce liquide laiteux dans les canaux déférents. Ce mélange est appelé **sperme**. Le liquide produit par la prostate et les vésicules séminales est riche en sucres. Ces nutriments fournissent aux spermatozoïdes l'énergie pour nager.

Si tu examines la figure 3.3, tu noteras que les canaux déférents rejoignent le tube qui transporte l'urine par le pénis, de la vessie jusqu'à l'extérieur du corps. Ce tube à double fonction est appelé **urètre**. Un petit muscle semblable à une valve et situé à la base de la vessie empêche l'urine et le sperme de se trouver dans l'urètre en même temps.

**Pause réflexion**

Les spermatozoïdes ont besoin de beaucoup d'énergie pour se déplacer de l'homme à la femme, où ils doivent s'unir à un ovule. En te fondant sur ce que tu sais des cellules, quels organites peuvent se trouver en grande quantité dans les spermatozoïdes ? Note ta réponse dans ton journal scientifique et donnes-en une brève explication.

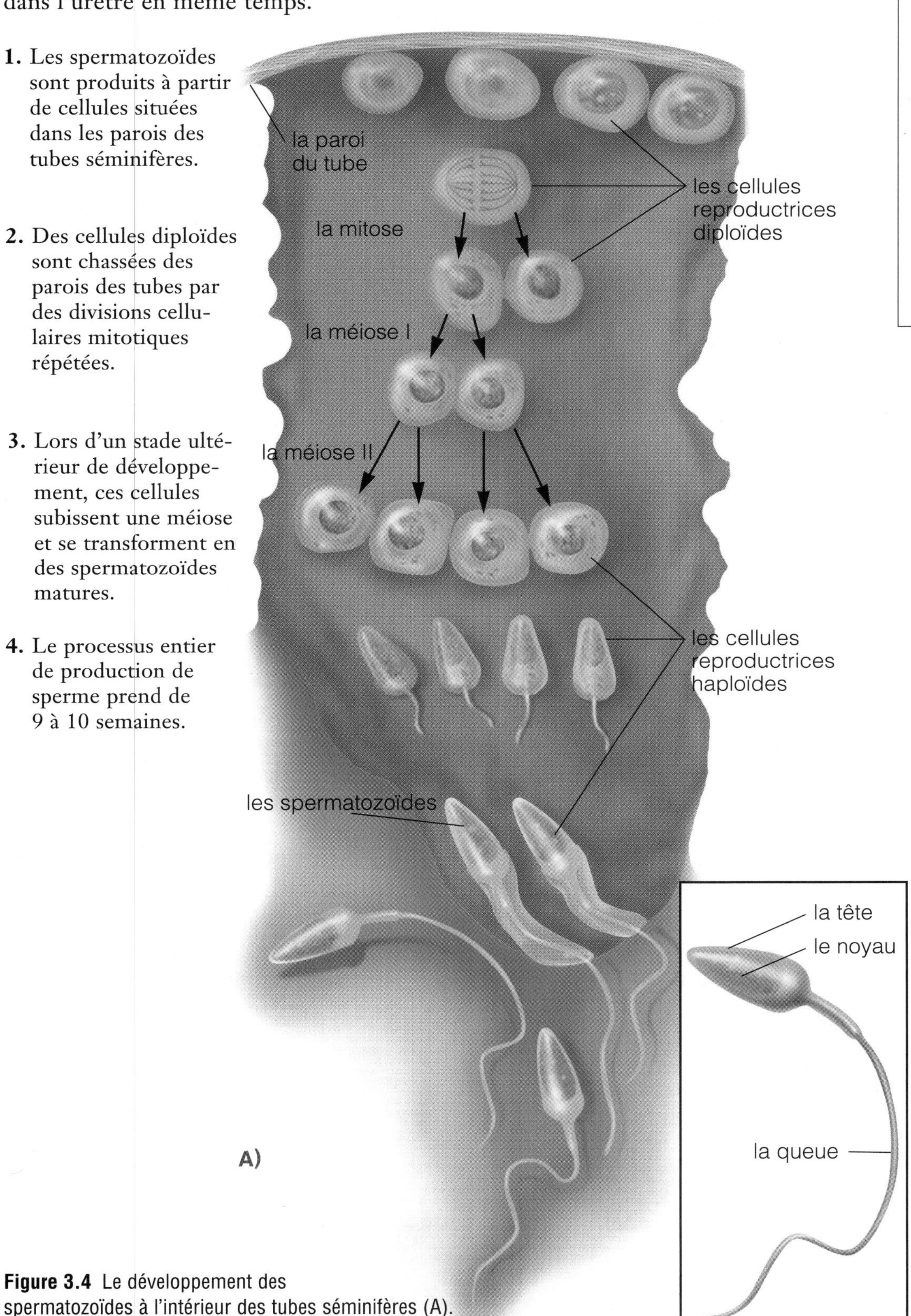


Les spermatozoïdes sont unicellulaires et sont formés d'une tête et d'une queue. La tête contient le matériel génétique du mâle, et la structure semblable à une queue, le flagelle, agit comme un propulseur pour pousser le spermatozoïde vers l'ovule.

**Figure 3.4** Le développement des spermatozoïdes à l'intérieur des tubes séminifères (A). Gros plan d'un spermatozoïde (B).

## L'anatomie des organes reproducteurs de la femme

Les ovaires sont situés à l'intérieur de la principale cavité corporelle de la femme (*voir la figure 3.5*). Ils ont environ trois centimètres de longueur et ont une forme d'amande. Un œuf ou **ovule** est libéré par les ovaires tous les 28 jours environ. Ce processus est appelé **ovulation**. Les deux ovaires alternent habituellement la libération d'un ovule, c'est-à-dire qu'ils libèrent un ovule chacun leur tour.

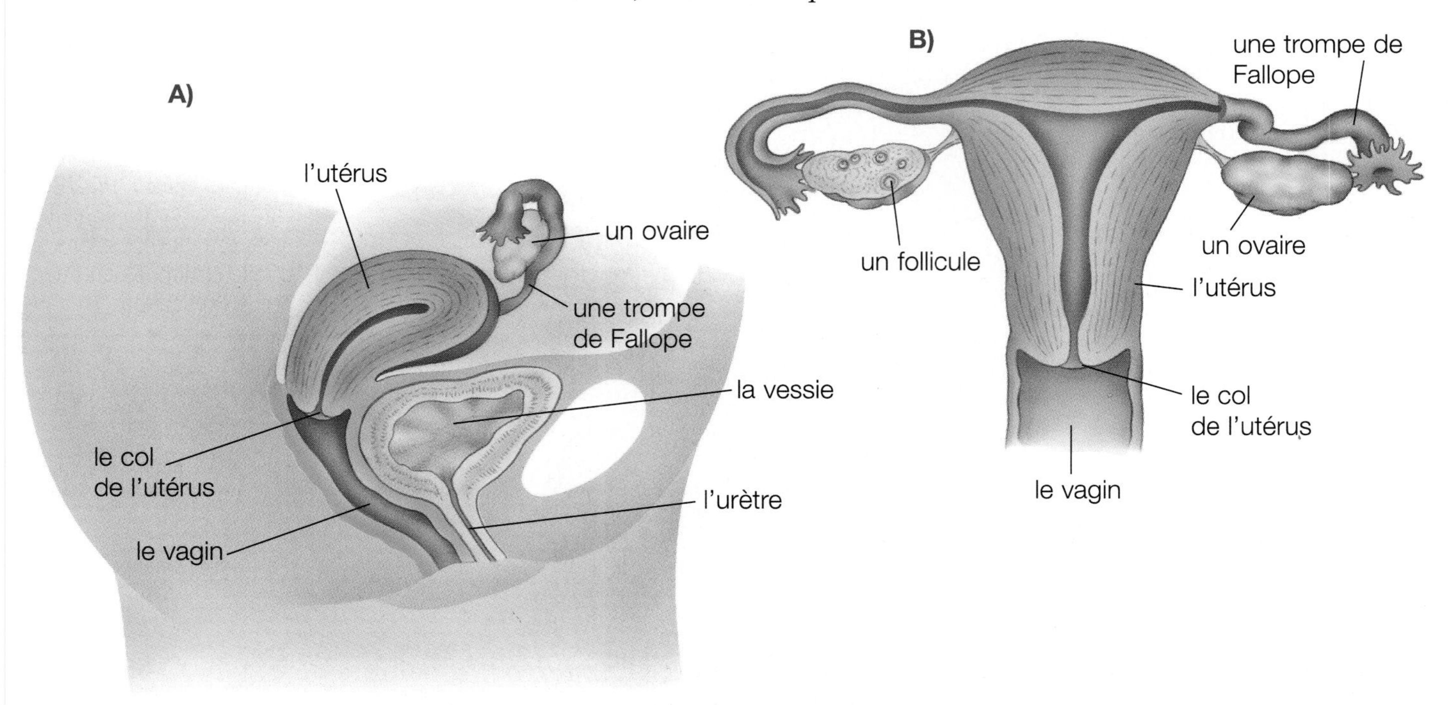


**Figure 3.5** Les structures du système reproducteur de la femme vues de côté (A) et de face (B). Où sont les gonades femelles sur chacune des illustrations ?

À l'approche de la période d'ovulation, la température corporelle de la femme peut baisser légèrement et ensuite monter de 0,5 °C à 1 °C (*voir la figure 3.6*). Pourquoi la température corporelle peut-elle baisser légèrement avant l'ovulation ?

La surface des ovaires contient plusieurs cavités remplies de liquide appelées **follicules**. Chaque follicule contient un ovule (*voir la figure 3.7*). Pendant l'ovulation, un ovule mature sort de son follicule. Les extrémités plumeuses des trompes de Fallope aident le minuscule ovule à se diriger dans la trompe. Des structures semblables à des poils et tapissant les trompes de Fallope permettent à l'ovule de

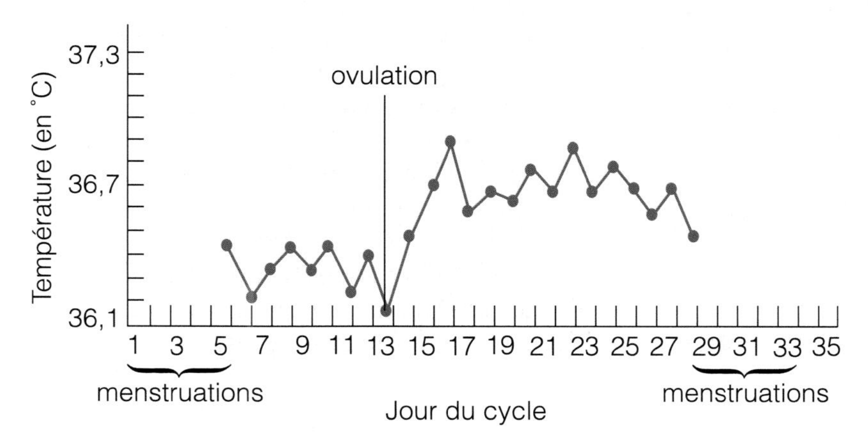


**Figure 3.6** La relation entre la température corporelle de la femme et l'ovulation

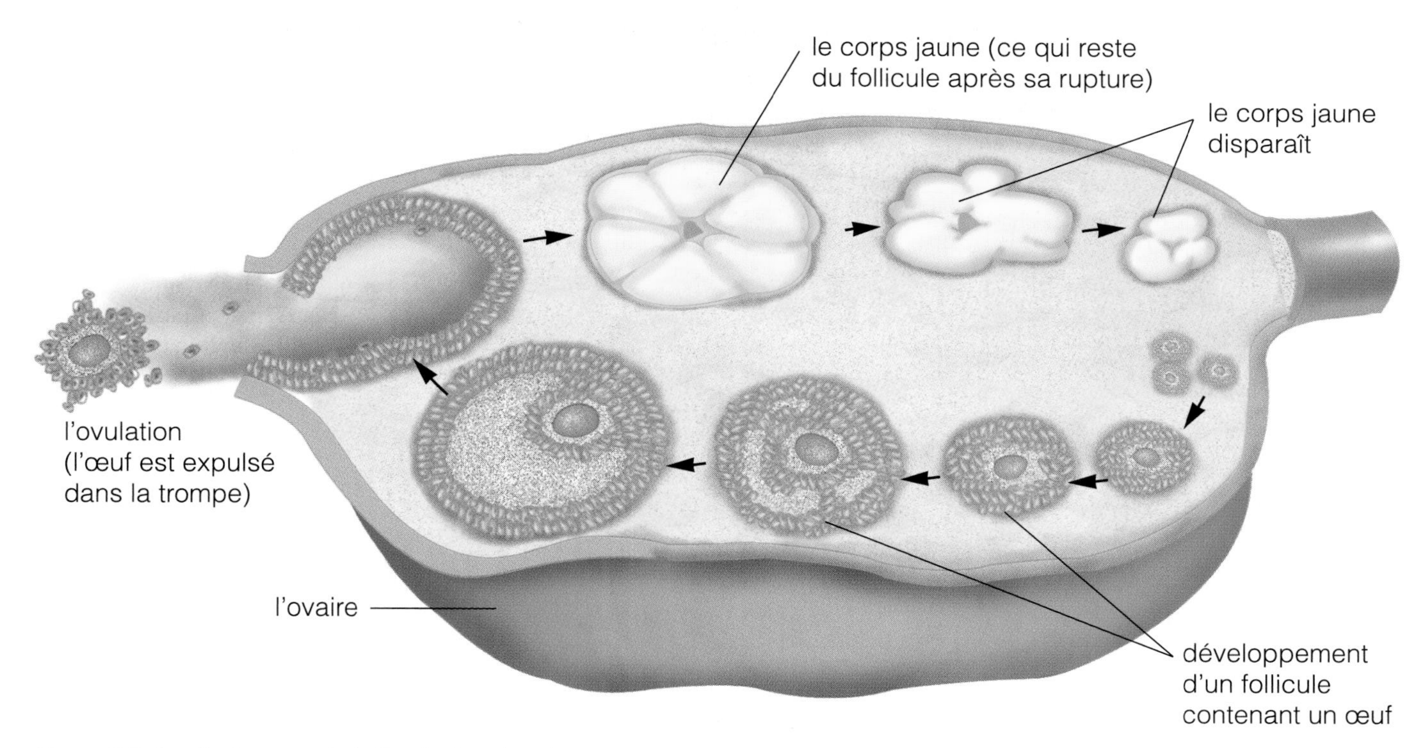


**Figure 3.7** Le développement de l'ovule dans l'ovaire

se déplacer vers l'**utérus**. L'ovule peut survivre pendant seulement 24 à 48 heures après l'ovulation, à moins qu'un spermatozoïde ne le féconde. Si l'ovule n'est pas fécondé, il meurt et se désintègre.

L'utérus est un organe creux en forme de poire. C'est dans cet organe que l'ovule fécondé se transforme en fœtus. L'entrée inférieure de l'utérus, le **col de l'utérus**, est reliée à un passage musculaire, le **vagin**. Ce passage est parfois appelé « voies génitales » parce que le bébé y passe lorsqu'il se dirige vers le monde extérieur. À la différence de l'urètre de l'homme, celui de la femme a une fonction unique, et seule l'urine y circule pour sortir du corps.

**LIEN** *terminologique*

Une ou un gynécologue est un médecin qui se spécialise dans le système reproducteur de la femme. Déduis la signification du mot grec « gyne » et utilise ensuite un dictionnaire pour vérifier sa signification. Quels autres mots construits avec cette racine peux-tu trouver ? Écris trois de ces mots dans ton journal scientifique.

## Les hormones et le cycle menstruel

Avant et après l'ovulation, le système reproducteur de la femme subit des transformations selon un cycle d'environ un mois. Ce cycle est connu sous le nom de **cycle menstruel**. Les hormones produites par l'hypophyse et les ovaires coordonnent toute la succession des événements. Les hormones hypophysaires « disent » aux ovaires quoi faire, et les hormones ovariennes « disent » à l'utérus quoi faire. Ce type de communication entre les différentes parties du corps est appelé « rétrocontrôle ». Lorsque les réactions sont stimulées ou déclenchées, il s'agit de *rétrocontrôle positif*; quand les actions sont empêchées ou freinées, il s'agit de *rétrocontrôle négatif*. Tu as déjà étudié certaines hormones reproductrices telles que l'œstrogène ou la FSH. D'autres hormones importantes du cycle menstruel sont l'**hormone lutéinisante** (**LH**) et la **progestérone**. La LH est sécrétée par l'hypophyse. La progestérone est sécrétée par une structure de l'ovaire appelée **corps jaune** et formée à partir du follicule après qu'il a libéré l'ovule.

1. L'hypophyse sécrète de la FSH dans le sang.

2. La FSH stimule le développement des follicules.

3. Un follicule en développement sécrète de l'œstrogène dans le sang.

4. a) Le taux croissant d'œstrogène provoque l'épaississement du revêtement interne de l'utérus.
   b) L'œstrogène est transporté dans le sang vers l'hypophyse, et provoque la sécrétion de LH par l'hypophyse.

5. La LH provoque la libération d'un ovule (ovulation) par le follicule en développement.

6. La LH provoque aussi la transformation du follicule vide en corps jaune.

7. Le corps jaune sécrète de la progestérone et une certaine quantité d'œstrogène.

8. a) La progestérone cause un nouvel épaississement du revêtement de l'utérus.
   b) Le taux croissant de progestérone dans le sang fait diminuer la production de FSH et de LH par l'hypophyse. Cette diminution empêche la libération d'autres ovules juqu'à ce que le taux de progestérone diminue à nouveau (*voir les étapes 1 à 5*).

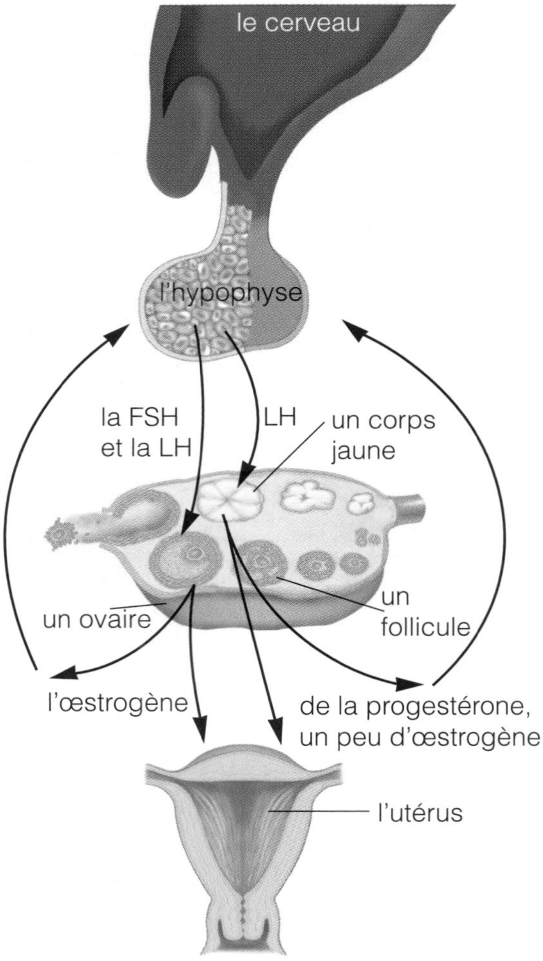

**Figure 3.8** Les effets des hormones durant le cycle menstruel

**Pause réflexion**

Dessine un diagramme cause-effet dans ton journal scientifique. Dans la première colonne, note chaque étape du cycle menstruel comme une cause et, dans la seconde, énumère les effets de chaque étape. Dans un cycle, les effets deviennent habituellement les causes de l'événement suivant. Commence et termine ton diagramme avec l'hypophyse qui envoie de la FSH dans l'ovaire. Suppose qu'aucun ovule fécondé n'atteint l'utérus.

Étudie les étapes du cycle menstruel à la figure 3.8 et identifie l'emplacement des signaux de rétrocontrôle positif et de rétrocontrôle négatif.

Après qu'un ovule est libéré, le corps de la femme attend un signal. L'ovule a-t-il été fécondé ? Si aucun ovule fécondé n'atteint l'utérus, le corps jaune dégénère, ce qui réduit le taux de progestérone dans le sang. À son tour, le taux décroissant de progestérone cause la rupture de l'endomètre. L'endomètre est évacué du corps par un processus connu sous le nom de **menstruations**. Le flux menstruel, constitué principalement de cellules mortes et de sang, dure approximativement quatre à sept jours. Lorsque le taux de progestérone atteint un certain point, l'hypophyse augmente sa production de FSH, et le cycle menstruel recommence.

RÉFLÉCHIS ET FAIS DES LIENS 3-A

# Comment connaissons-nous l'action des hormones ovariennes?

## Réfléchis

Les hormones accomplissent plusieurs tâches dans le corps humain, mais leur travail n'est pas visible. Selon toi, comment les scientifiques ont-ils fait pour connaître le rôle des hormones ovariennes? Utilise les descriptions des trois expériences suivantes faites sur de jeunes rats femelles pour réfléchir sur la façon dont ces expériences ont été conçues et déterminer le fonctionnement du système reproducteur.

### Expérience 1

*Méthode:* On a anesthésié le rat femelle 1, on lui a fait une incision, on a retiré ses ovaires et refermé l'incision.

*Résultats:* Le rat femelle s'est complètement rétabli, mais il n'a jamais eu de cycle reproducteur.

### Expérience 2

*Méthode:* On a anesthésié le rat femelle 2, on lui a fait une incision et on l'a refermé, mais on n'a pas retiré ses ovaires.

*Résultats:* Le cycle reproducteur du rat femelle a commencé à l'âge auquel il commence habituellement.

### Expérience 3

*Méthode:* On a répété l'expérience 1 avec le rat femelle 3, mais quand il a été rétabli de l'opération, on lui a injecté une substance extraite d'ovaires de rats femelles adultes.

*Résultats:* Le cycle reproducteur du rat femelle a commencé à l'âge auquel il commence habituellement.

## Ce que tu dois faire

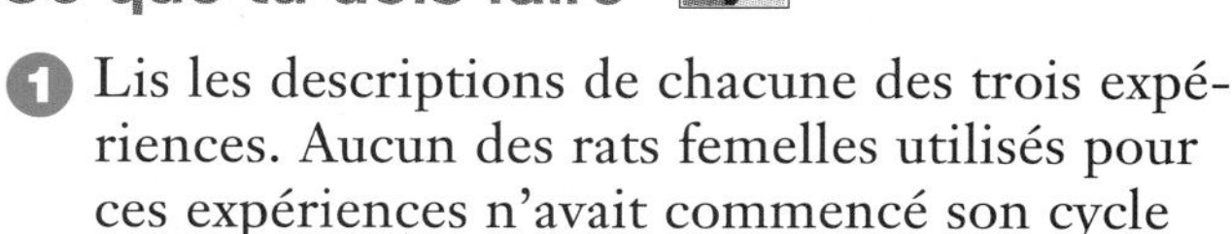

1. Lis les descriptions de chacune des trois expériences. Aucun des rats femelles utilisés pour ces expériences n'avait commencé son cycle reproducteur.
2. Formule une hypothèse qui explique les résultats de l'expérience 1.
3. Explique pourquoi les scientifiques ont fait l'expérience 2.
4. Déduis ce qu'était la substance utilisée dans l'expérience 3. (Suggestion: En rédigeant ton hypothèse, utilise la formulation «Si..., alors..., parce que...»)

## Analyse

1. Que peuvent conclure des scientifiques de ces trois expériences?
2. Quelle hypothèse pourrait être émise par des scientifiques concernant le rôle des hormones dans la reproduction humaine en se fondant sur les résultats des expériences sur les rats femelles?

## Enrichis tes connaissances

Ces types d'expériences ont conduit aux connaissances actuelles du fonctionnement des systèmes reproducteurs. Plusieurs personnes s'opposent à l'utilisation d'animaux dans les expériences. Quels seraient tes arguments pour ou contre de telles expériences?

RÉFLÉCHIS ET FAIS DES LIENS 3-B

# Interprète les cycles hormonaux

## Réfléchis

La compréhension de l'action des hormones reproductrices aide les médecins à diagnostiquer certains problèmes de fertilité. Un important domaine de connaissances de la reproduction humaine porte sur le rapport entre les changements des taux hormonaux des femmes et les changements de l'utérus et des ovaires. Comment les données quantitatives sur les taux hormonaux peuvent-elles t'aider à comprendre ce qui se passe dans le corps d'une femme ?

Consulte les pages 85 et 86 et analyse le schéma ci-dessous.

## Ce que tu dois faire 

1. Analyse les changements des taux hormonaux et les changements de l'endomètre. Décris comment le plus haut taux de chaque hormone semble influer sur l'utérus.
2. Explique ce qui arrive au follicule quand les taux de FSH changent dans le sang.

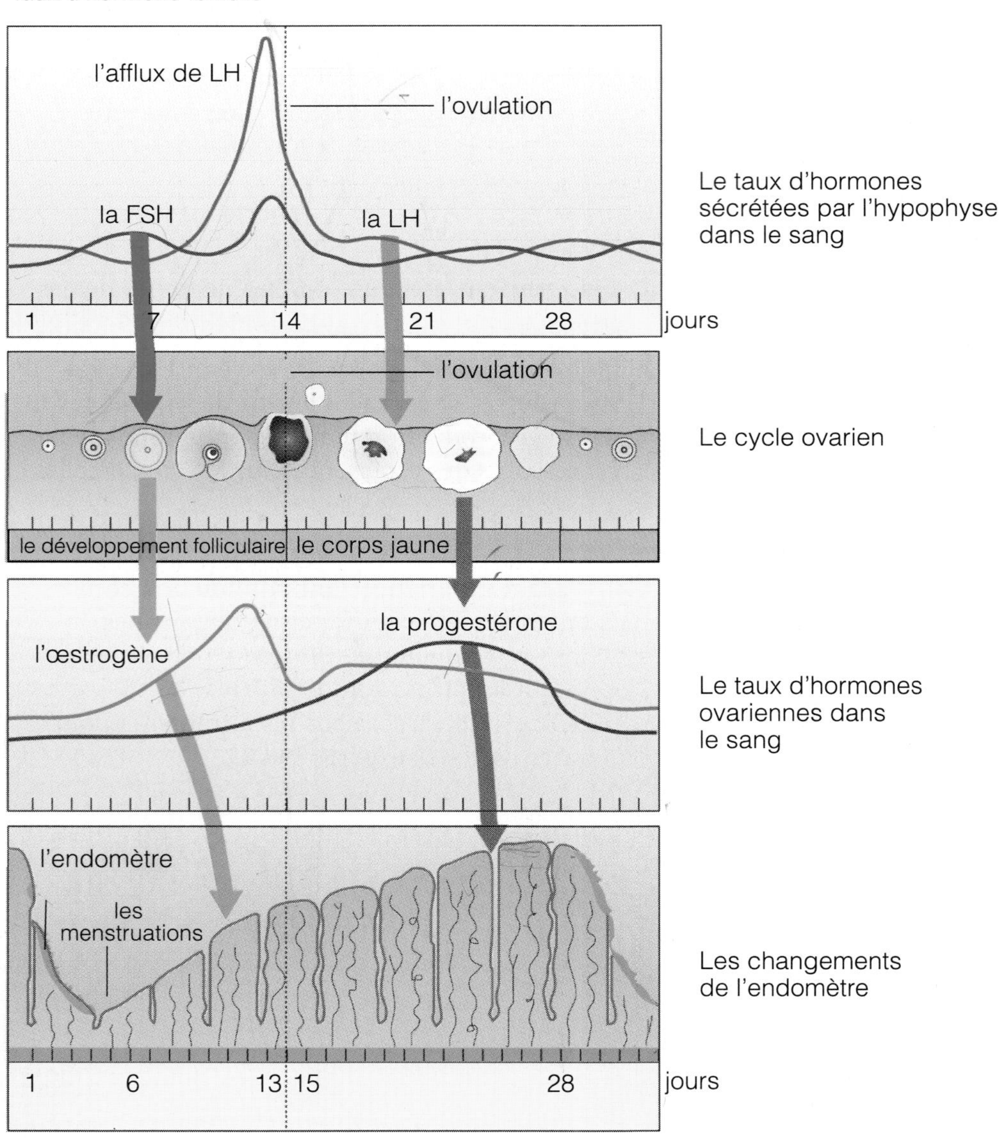

## Analyse

1. Comment une augmentation du taux d'œstrogène dans le sang influe-t-elle sur l'hypophyse ? Comment peux-tu le savoir à partir de l'illustration ?
2. Quelles hormones ont le taux le plus élevé dans le sang lorsque l'endomètre est à son épaisseur maximale ?
3. Quel effet semble avoir une augmentation des taux d'œstrogène et de progestérone sur la sécrétion de FSH ?
4. Quel effet semble avoir une augmentation du taux de LH sur le follicule ?
5. Quel est l'effet d'une diminution des taux d'œstrogène et de progestérone sur la paroi de l'utérus au 28e jour du cycle ?
6. Pourquoi ce processus est-il appelé « cycle » ?
7. Reproduis l'illustration ci-dessous dans ton cahier de notes. Elle représente ce qui se produit dans l'ovaire et dans l'endomètre entre le premier et le sixième jour du cycle menstruel. Utilise cette illustration et l'information des schémas « Taux d'hormone femelle » pour dessiner quatre autres illustrations qui montrent ce qui arrive aux ovaires et à l'endomètre entre le 7e et le 12e jour, le 13e et le 14e jour, le 15e et le 20e jour, et le 21e et le 28e jour du cycle menstruel.

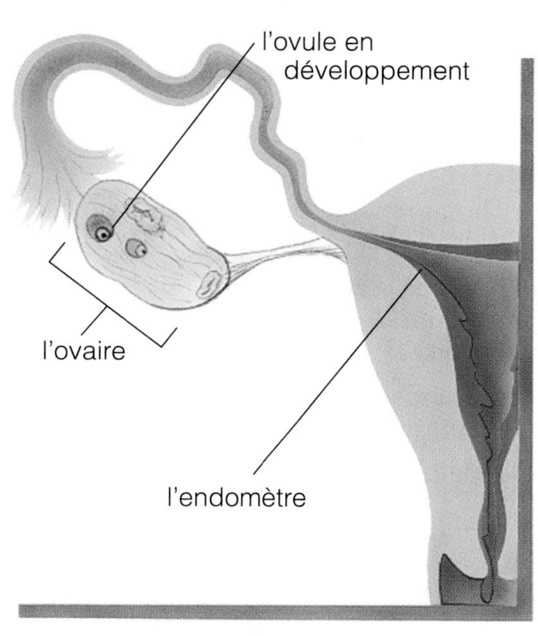


du jour 1 au jour 6

## Développe tes habiletés

1. Deux des principaux événements du cycle menstruel sont 1) la libération d'un ovule par un ovaire, et 2) l'épaississement de l'endomètre. Utilise le tableau suivant pour prévoir laquelle des hormones A, B ou C est associée à chacun de ces deux événements. Suppose que la longueur du cycle est de 28 jours.

Les concentrations relatives d'hormones au cours du cycle menstruel

| Jour du cycle menstruel | Concentration relative d'hormones | | |
|---|---|---|---|
| | A | B | C |
| 1 | 12 | 5 | 10 |
| 5 | 14 | 5 | 14 |
| 9 | 14 | 5 | 13 |
| 13 | 70 | 10 | 20 |
| 17 | 12 | 60 | 9 |
| 21 | 12 | 150 | 8 |
| 25 | 8 | 100 | 8 |
| 1 | 12 | 5 | 10 |

2. **Mise en pratique** Tu es gynécologue et tu traites une patiente qui a de la difficulté à devenir enceinte. Au cours du dernier mois, ses taux hormonaux ont été mesurés à chacun des huit jours énumérés dans le tableau. Le taux de l'hormone A était de 12 à chaque examen. Le taux de l'hormone B était de 5. Pour connaître les taux de l'hormone C, consulte le tableau. Comment ces taux hormonaux peuvent-ils expliquer les problèmes de fertilité de ta patiente ? Tu peux utiliser un schéma ou une chaîne d'événements dans ta réponse.

## Les menstruations et les femmes athlètes

Une activité physique très intense peut retarder le début du cycle menstruel au cours de la puberté. Chez une femme adulte, une activité physique intense peut causer l'interruption du cycle menstruel. Quelle est la cause de cet effet ? La recherche a montré que les dépôts de graisse corporelle contribuent à la production d'œstrogène. Les dépôts de graisse corporelle sont parfois très petits chez des femmes en bonne forme et en santé. Une carence en œstrogène empêche l'épaississement de l'endomètre, et les menstruations sont interrompues. Pourquoi crois-tu que le corps réagit de cette façon ?

Un second problème causé par une faible quantité de graisse corporelle est que la densité des os diminue si la production d'œstrogène arrête. Une réduction de la densité des os peut causer l'ostéoporose, qui affaiblit les os et les rend plus susceptibles de se casser et de se fracturer. Une masse osseuse réduite est particulièrement dangereuse chez les jeunes athlètes. La densité des os augmente généralement jusqu'à l'âge de 30 ans et diminue ensuite. Si une jeune femme ne peut développer une masse osseuse suffisante, ses os se fragiliseront peut-être au cours de sa vie.

**Le savais-tu ?**

Les hommes peuvent aussi souffrir d'ostéoporose s'ils n'ont pas assez de testostérone dans leur corps. Cependant, à la différence des femmes, une faible quantité de graisse corporelle ne réduit pas leur capacité de produire de la testostérone. Ainsi, contrairement aux femmes, les hommes athlètes n'ont pas besoin d'augmenter leur ration de calcium.

**Figure 3.9** Une certaine quantité de calcium est nécessaire au développement adéquat des os. Il est souhaitable que les femmes athlètes augmentent la ration quotidienne recommandée de calcium d'environ 25 %, c'est-à-dire de 1200 à 1500 mg, de façon à aider à prévenir la diminution de la densité des os.

## Vérifie ce que tu as compris

1. Énumère les changements que les hommes et les femmes subissent au cours de la puberté.
2. Quelles hormones causent l'apparition et le maintien des caractères sexuels secondaires chez les hommes et les femmes ? Quelle hormone est produite au cours de la puberté chez les deux sexes ?
3. Fais un schéma montrant le chemin suivi par les spermatozoïdes depuis leur production jusqu'au moment où ils quittent le corps.
4. Quelles sont les fonctions de la partie liquide du sperme ?
5. Énumère les hormones qui jouent un rôle dans le cycle menstruel et décris leurs rôles.
6. **Mise en pratique** Selon toi, pourquoi la production de progestérone indique-t-elle à l'hypophyse de réduire les sécrétions de FSH et de LH ?

# 3.2 La grossesse

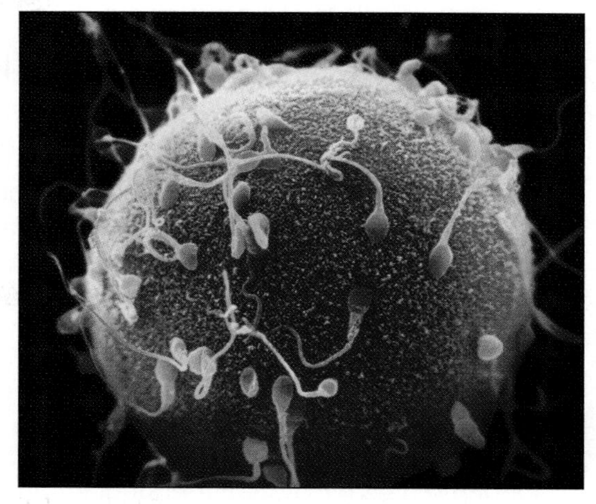

**Figure 3.10** Cette photo te permet de voir les grandeurs relatives d'un spermatozoïde et d'un ovule. L'ovule mature est la plus grande cellule du corps humain. Pourquoi l'ovule doit-il être beaucoup plus gros que le spermatozoïde ?

Tu as appris ce qui arrive au corps d'une femme si l'ovule mature n'est pas fécondé. Qu'arrive-t-il si l'ovule est fécondé, c'est-à-dire si le noyau d'un spermatozoïde s'unit au noyau d'un ovule, formant ainsi un zygote ? Quand les spermatozoïdes sont déposés dans le vagin d'une femme, ils se déplacent vers l'utérus et dans les trompes de Fallope. La fécondation a lieu dans une trompe de Fallope. Seulement un spermatozoïde féconde l'ovule (*voir la figure 3.10*).

Après la fécondation, le zygote descend la trompe de Fallope vers l'utérus, comme le montre la figure 3.11. Pendant ce temps, il commence le processus de la mitose, environ 24 à 36 heures après la fécondation. Le zygote subit ensuite une série de segmentations rapides, ou **divisions cellulaires**. Lorsqu'il atteint l'utérus, il a la forme d'une masse de cellules agencées en une boule presque vide appelée **morula**. La morula contient un groupe de cellules appelées le bouton embryonnaire. Les cellules externes de la morula contribuent plus tard à former le **placenta**, organe très riche en vaisseaux sanguins et présent seulement au cours de la grossesse. (Tu en apprendras plus sur le placenta ultérieurement au cours de ce chapitre). Le bouton embryonnaire forme l'embryon.

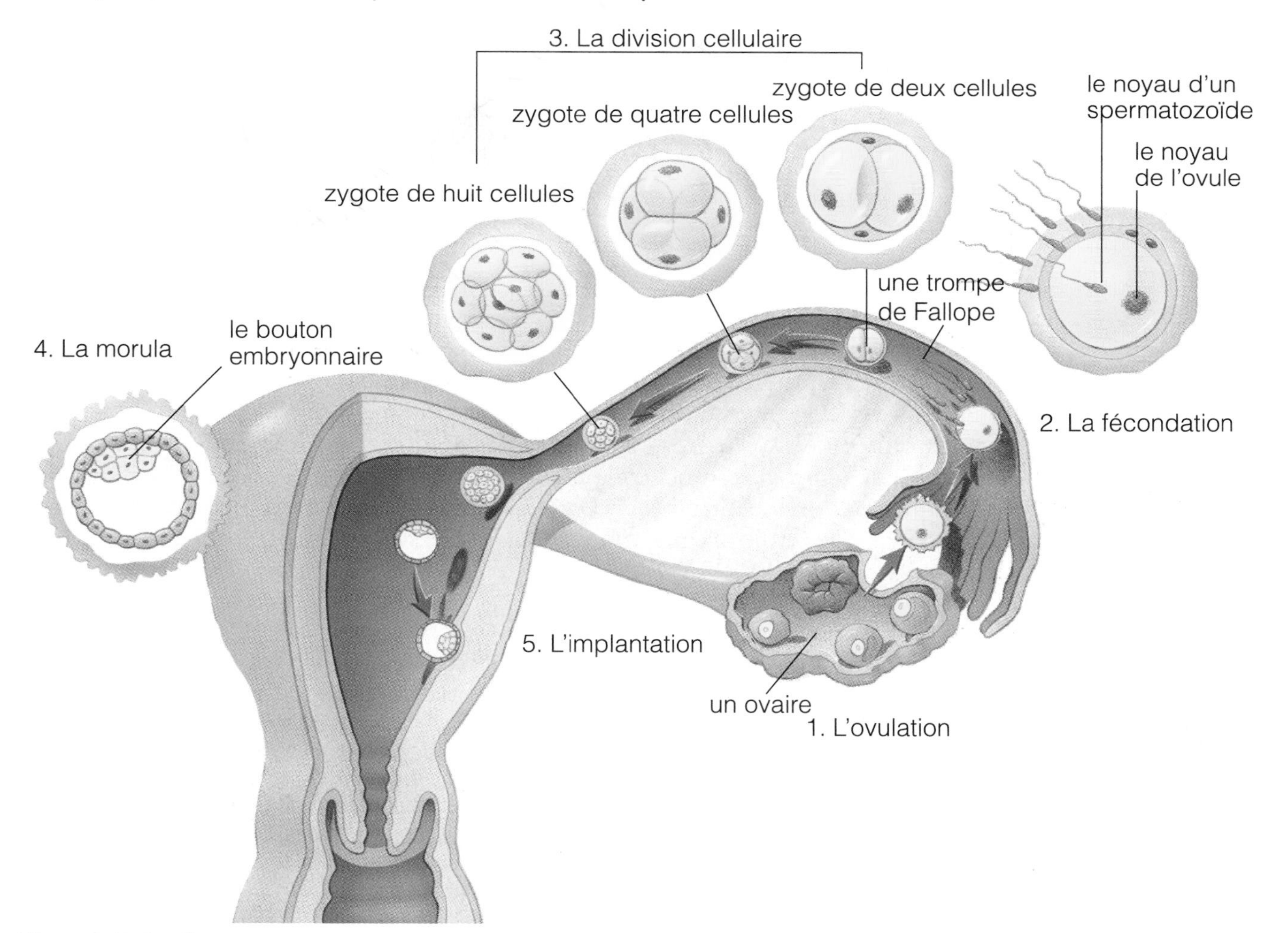


**Figure 3.11** Le développement humain, depuis le zygote jusqu'à l'embryon

## La fécondation *in vitro* (FIV)

Environ 13 % des couples canadiens sont touchés par l'infertilité et sont incapables de concevoir un enfant. La FIV est un procédé médical permettant d'effectuer la fécondation à l'extérieur du corps. Elle est utilisée depuis 1978 pour aider les couples à avoir des enfants. Au cours de ce procédé, la femme est d'abord traitée avec des hormones pour stimuler la formation d'ovules dans ses ovaires. Les ovules sont alors recueillis à l'aide d'un appareil de succion que l'on insère dans son abdomen. Les ovules sont fécondés dans une boîte de Pétri avec un échantillon du sperme de l'homme. On laisse les ovules fécondés se développer pendant plusieurs jours. On transfère ensuite un ou plusieurs embryons dans l'utérus à l'aide d'un cathéter. Si tout va bien, un des embryons s'implante sur la paroi utérine et se développe. Au cours de cette activité, tu étudieras certaines questions relatives à la FIV. Discute de ces questions en classe.

### Ce que tu dois faire

Fais des recherches à la bibliothèque de ta localité ou dans Internet afin de répondre aux questions suivantes :

- Nomme certaines causes de l'infertilité et certains traitements pour y remédier.
- Quel est le taux de succès de la FIV ?
- Quels sont certains des risques associés à la FIV ?
- Qui devrait avoir droit de recourir à ce procédé ?
- Quels sont les coûts d'un tel procédé et qui devrait payer pour cela ?
- Que fait-on des embryons inutilisés ?
- Quels sont les arguments pour et contre les mères porteuses ?

### Qu'as-tu découvert ?

1. Lorsque la FIV a été rendue publique, elle a causé beaucoup de controverse. Pourquoi, selon toi ? Cette méthode est-elle considérée plus acceptable de nos jours ? Pourquoi en est-il ainsi, selon toi ?
2. Est-il possible de conserver les embryons inutilisés dans le but de les utiliser ultérieurement ? Si oui, qui devrait avoir la responsabilité de leur utilisation ?

**Le savais-tu ?**

Dans de rares cas, un embryon peut s'implanter sur la paroi de la trompe de Fallope plutôt que sur celle de l'utérus. Puisque la trompe de Fallope est beaucoup trop petite pour permettre le développement d'un embryon, elle peut déchirer au cours du deuxième ou du troisième mois de la grossesse. L'embryon peut mourir, ou il peut être nécessaire d'effectuer une chirurgie. Un tel événement est appelé grossesse ectopique.

## La nidation

L'embryon s'attache à l'endomètre épaissi lors d'un processus appelé **nidation**. La nidation se produit de 6 à 10 jours après la fécondation de l'ovule. C'est à ce moment que la grossesse commence. L'embryon implanté produit un signal hormonal qui empêche le corps jaune de se désintégrer. Le corps jaune continue à produire de la progestérone. Cela maintient l'endomètre en place, ce qui signifie qu'il n'y a pas de flux menstruel. Le corps jaune produit de la progestérone pendant environ les trois premiers mois de la grossesse.

Grâce à une technique appelée « segmentation d'embryons », les scientifiques ont été capables de créer des embryons animaux génétiquement identiques. Les scientifiques prennent les embryons lorsqu'ils sont au stade de développement de quatre et de huit cellules et les divisent en deux. Ils laissent alors chaque moitié se développer à nouveau jusqu'au stade de quatre ou de huit cellules, et ils les divisent à nouveau. En utilisant cette technique, ils ont produit jusqu'à huit embryons. En te fondant sur ce que tu as appris sur les bénéfices de la reproduction sexuée au cours du chapitre 2, nomme certains des inconvénients possibles de cette technique.

## Le développement de l'embryon

Lorsque l'embryon est au stade de morula, ses cellules sont presque toutes similaires. Au cours de la deuxième semaine, cependant, les cellules commencent à se spécialiser pour former une **gastrula**, selon un processus appelé « gastrulation ». Au cours de la gastrulation, les cellules de l'embryon s'organisent en couches distinctes appelées **feuillets embryonnaires**. Cet arrangement se produit grâce à des divisions mitotiques continues et au déplacement ou à la migration des cellules. Les cellules vont à des emplacements précis pour former trois feuillets appelés **endoderme**, **mésoderme** et **ectoderme**. Tu peux imaginer les feuillets embryonnaires comme trois tubes placés l'un à l'intérieur de l'autre. Les cellules de chaque couche se développent dans différentes parties du corps, comme le montre la figure 3.12.

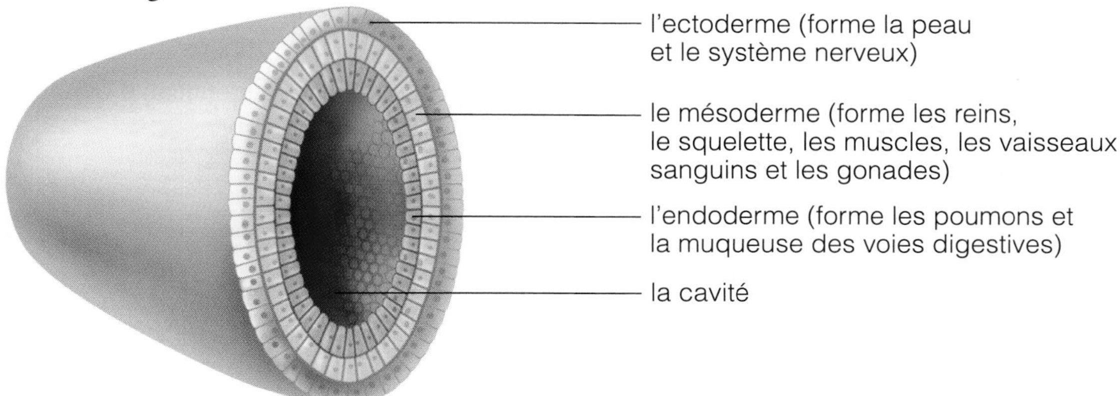


**Figure 3.12** Le développement des feuillets embryonnaires au cours de la gastrulation et les tissus formés par chaque couche.

## Les tissus de soutien

Entre le dixième et le quatorzième jour de développement, quatre tissus importants se forment dans la partie externe de l'embryon, comme le montre la figure 3.13. Le **sac vitellin** fournit les nutriments à l'embryon pendant environ les deux premiers mois de développement. L'**amnios** est un sac rempli de liquide qui entoure l'embryon. Ce liquide protège l'embryon contre les chocs. L'**allantoïde** contribue à éliminer les déchets de l'embryon.

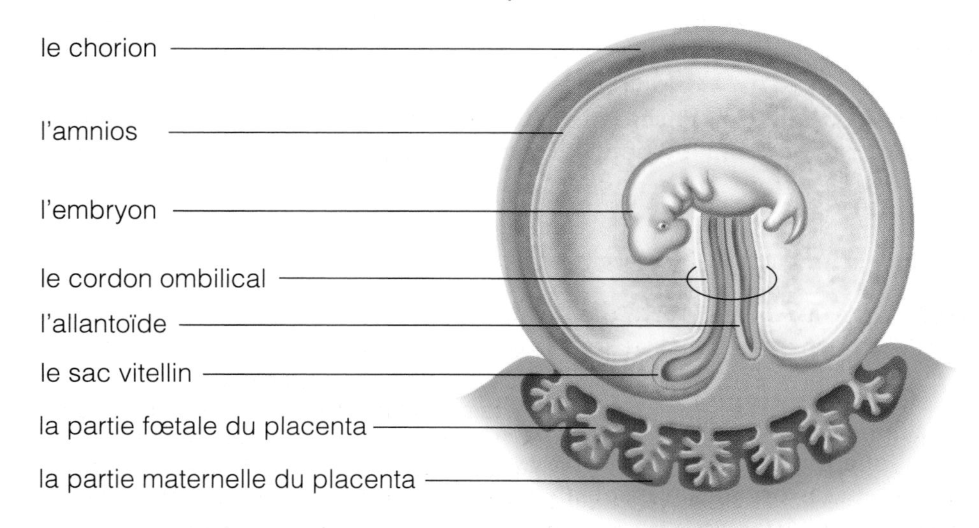


**Figure 3.13** Les différents tissus permettant le développement de l'embryon. Dans le placenta, les nutriments et l'oxygène du sang de la mère diffusent dans les vaisseaux sanguins de l'embryon. Les déchets se déplacent dans la direction opposée.

de recherche

## Observe un embryon

La présente activité te permettra d'utiliser un microscope pour observer un zygote et un embryon à différentes étapes de leur développement.

### Ce dont tu as besoin

un microscope

des diapositives montrant les stades de développement d'un animal, du zygote à l'embryon

### Ce que tu dois faire

1. Dessine un croquis des principales caractéristiques que tu observes sur chaque diapositive.
2. Ajoute les indications suivantes à tes schémas : ovule, spermatozoïde, zygote, morula, gastrula, endoderme, mésoderme et ectoderme.

### Qu'as-tu découvert ?

1. Comment sais-tu qu'il y a eu segmentation ?
2. Quels changements dans l'embryon indiquent qu'une morula s'est formée ?
3. Quels changements indiquent qu'une gastrula s'est formée ?
4. Décris tout tissu ou membre identifiable que tu as observé dans le dernier stade de développement.

Le **chorion** entoure l'embryon, le sac vitellin, l'amnios et l'allantoïde. Il forme plusieurs extensions en forme de doigts qui s'étendent dans la paroi utérine et servent en quelque sorte d'ancre. Dans ces « doigts », il y a des vaisseaux sanguins. Les vaisseaux sanguins et le chorion forment le placenta. Quand le placenta est formé, il prend la relève du sac vitellin et fournit les nutriments à l'embryon. Il remplace aussi le corps jaune et maintient le taux élevé de progestérone nécessaire à la grossesse.

Le placenta est la ligne d'approvisionnement qui permet à l'embryon de survivre dans son monde fermé. Il assure la livraison de nutriments et d'oxygène à cet organisme en développement et élimine les déchets. L'embryon est relié au placenta par le **cordon ombilical**. Après la naissance, le médecin ou la sage-femme coupe le cordon. Le moignon ombilical finit par se ratatiner, et son point d'attachement au fœtus devient le nombril du bébé.

## Vérifie ce que tu as compris

1. Décris les stades du développement humain, de la fécondation à la gastrulation. Utilise un schéma pour illustrer la succession des stades.
2. Qu'est-ce que la segmentation ? Quand se produit-elle ?
3. À quel stade la grossesse commence-t-elle vraiment ?
4. Des jumeaux peuvent être identiques ou non identiques. Déduis comment ces deux types de jumeaux sont produits.
5. **Réflexion critique** Le système immunitaire du corps humain essaie habituellement de se débarrasser de tout corps étranger qu'il rencontre. C'est ainsi que ton corps lutte contre les infections bactériennes. C'est aussi pourquoi les organes transplantés sont parfois rejetés. Formule une hypothèse sur ce qui empêche le système immunitaire d'une mère de rejeter le « corps étranger » que représente le fœtus.

# 3.3 La différenciation et la naissance

Tu as vu à la figure 3.12 que les trois feuillets de la gastrula se développent dans différentes parties du corps. Ce processus est appelé **différenciation cellulaire**. Cela signifie que différentes cellules se spécialisent afin d'accomplir les différentes tâches des divers tissus et organes dans le corps. Par exemple, un cœur tubulaire commence à battre à environ trois semaines, avant même qu'il n'ait de sang à pomper. À la fin de la quatrième semaine, la taille de l'embryon a augmenté de 500 fois. La période de gestation humaine (39 à 40 semaines) peut être divisée en trois blocs répartis selon la formation de différents tissus et organes. Chaque bloc ou **trimestre** a une durée approximative de trois mois. Il se produit des changements majeurs au cours de chacun des trimestres.

**Le savais-tu ?**

Environ 25 % de toutes les grossesses se terminent au cours du premier trimestre en raison de fausses couches. Le minuscule embryon est expulsé avec l'endomètre. Une fausse couche se produit en général lorsque l'embryon a de graves anomalies génétiques ou s'il n'est pas bien implanté dans l'utérus.

## Le premier trimestre (semaines 1 à 12)

À quatre semaines, les membres, les yeux et la colonne vertébrale commencent à se former (*voir la figure 3.14*). À huit ou neuf semaines, l'embryon commence à produire ses premières cellules osseuses. Quand cela se produit, l'embryon est appelé **fœtus** (*voir la figure 3.15*). À la fin de la douzième semaine, le développement de tous les principaux organes est commencé. L'embryon a des « bourgeons » de foie, d'estomac, de cerveau et de cœur. À la fin du premier trimestre, le minuscule ovule fécondé a une tête et des membres reconnaissables. Le fœtus a une longueur de 100 mm. À ce moment, le sexe du fœtus peut être identifié à l'aide d'*ultrasons*.

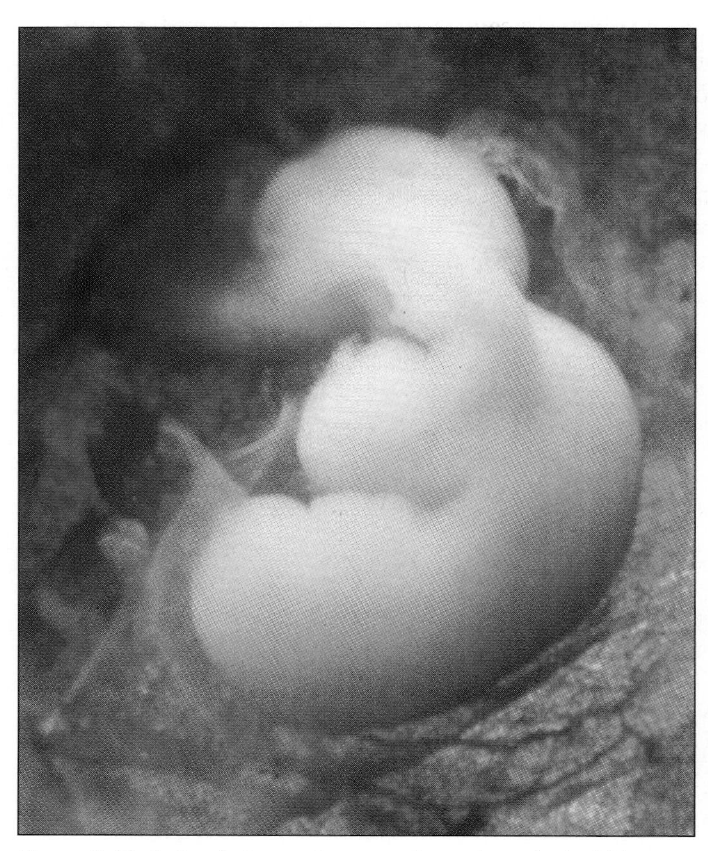

**Figure 3.14** Cette photo montre un embryon humain de 28 jours. Le cerveau et le cœur sont parmi les premiers organes à se développer.

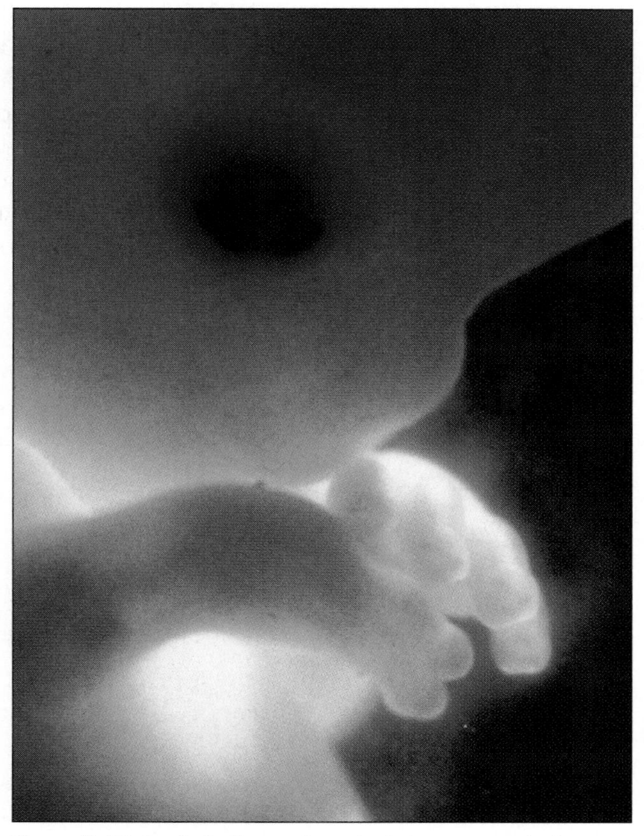

**Figure 3.15** Après huit semaines, le fœtus mesure trois centimètres. Quels membres et organes peux-tu identifier sur cette photo ?

## Compare les embryons de vertébrés

Les embryons de plusieurs espèces de vertébrés ont des stades de développement semblables. Cette activité te permettra de comparer trois stades de développement des embryons de six espèces animales. Considère chaque stade de développement comme un trimestre.

### Ce que tu dois faire

1. Analyse l'illustration montrant les stades de développement de plusieurs espèces animales.
2. Énumère au moins trois ressemblances et trois différences entre les embryons pendant chaque stade de développement.
3. Observe le schéma que tu as fait du zygote après trois mois de développement. Lui apporterais-tu des changements en te basant sur ce que tu as appris depuis le début de ce chapitre ?

### Qu'as-tu découvert ?

1. À quel stade de développement les différences entre les animaux deviennent-elles les plus évidentes ?
2. Quelle espèce animale se compare le plus aux humains en matière de développement ? Explique ta réponse.

### Approfondissement

Pourquoi les organismes ci-dessous se ressemblent-ils autant au cours des premiers stades de leur développement, alors qu'ils deviennent si différents par la suite ? Comment les tissus et les organes se forment-ils ? Fais une recherche sur un des vertébrés présenté sur cette page et compare tes découvertes avec ce que tu as appris sur le développement de l'être humain.

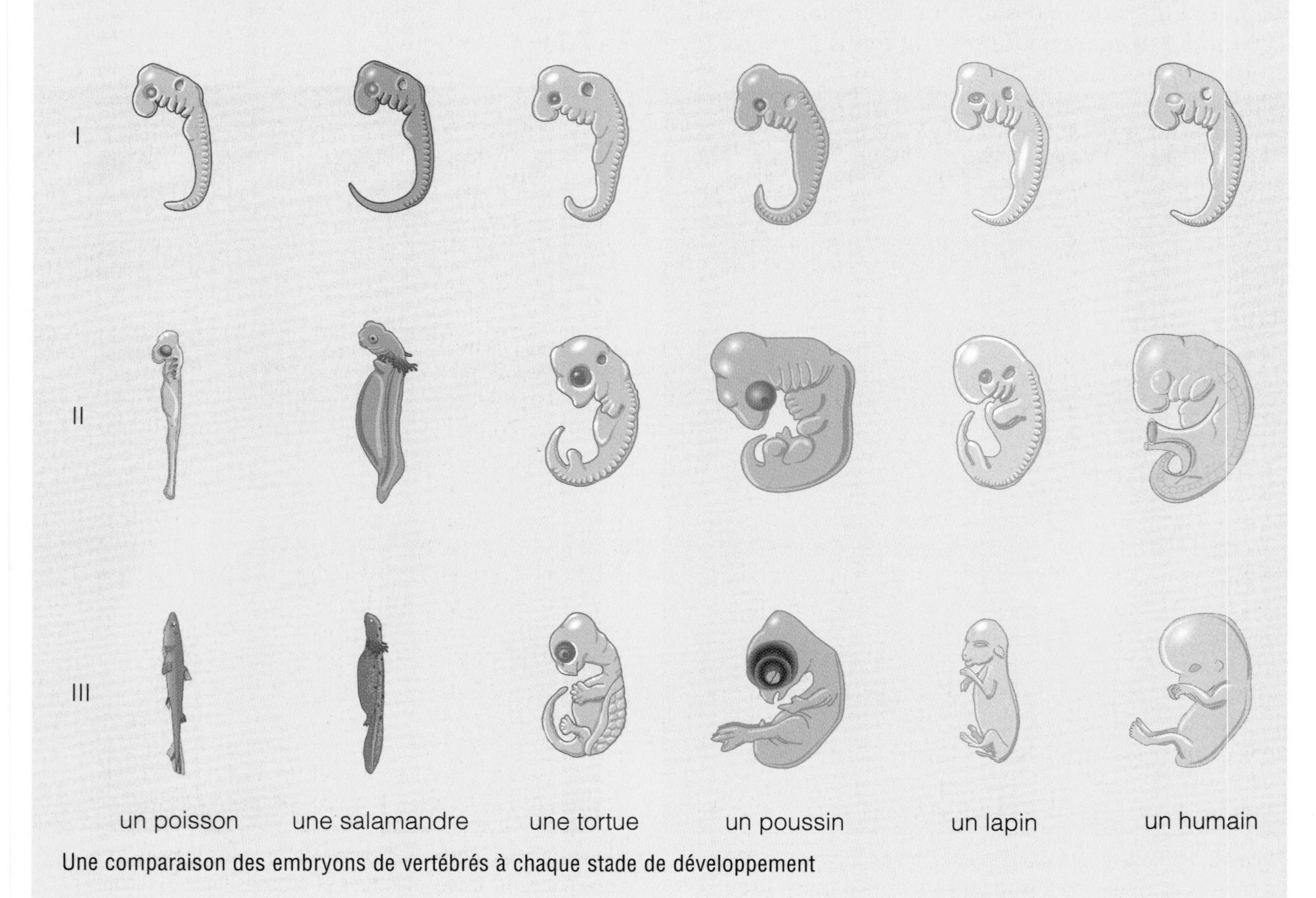


Une comparaison des embryons de vertébrés à chaque stade de développement

## Le deuxième trimestre (semaines 12 à 24)

La figure 3.16 montre le fœtus pendant son deuxième trimestre. À la seizième semaine, le placenta est trop petit pour entourer le fœtus, alors il est d'un seul côté. Le squelette commence à se former, le cerveau grandit rapidement, et le système nerveux commence à fonctionner. La mère commence à sentir les mouvements du fœtus quand il plie et bouge ses nouveaux muscles. À la vingt-quatrième semaine, le fœtus a environ 300 mm de longueur. Ses mouvements deviennent plus vigoureux. La plupart de ses organes sont formés, mais ne sont pas encore complètement développés. Le fœtus n'a donc pas beaucoup de chances de survivre s'il naît prématurément à cette étape.

Qu'en est-il de la santé de la mère ? La naissance prématurée d'un fœtus peut être accompagnée de saignements. Avant la mise au point des techniques actuelles, certaines femmes mouraient en raison d'infections ou de pertes de sang.

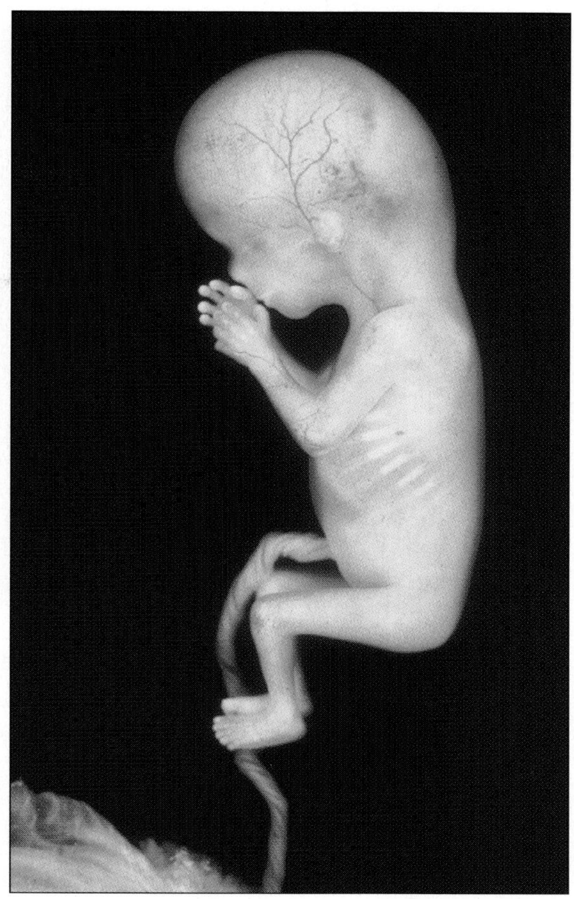

**Figure 3.16** Peux-tu reconnaître le cordon ombilical sur ce fœtus de 22 semaines ? Quelles autres structures peux-tu reconnaître ?

### Les outils de la science

Il est possible d'observer le développement d'un fœtus en utilisant les ultrasons. Des ondes sonores à haute fréquence sont transmises à travers la paroi abdominale de la mère. Sur les tissus de différentes densités, ces ondes sonores sont réfléchies à différentes fréquences. Les ondes peuvent être notées et utilisées pour créer une image du fœtus sur un écran d'ordinateur. On reconnaît bien, à droite de cette image, la tête du fœtus.

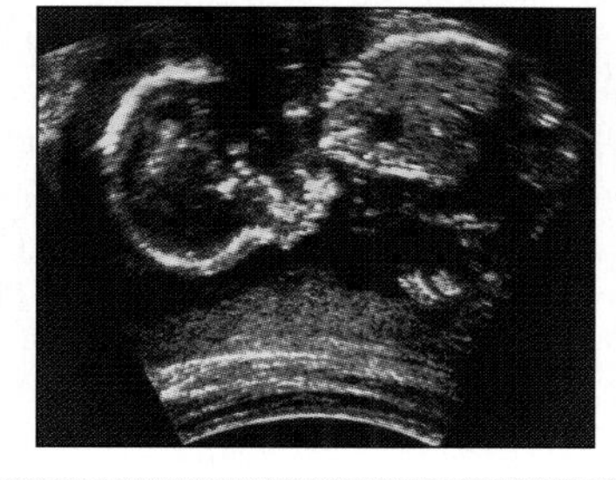

### LIENS carrière

**Voir à l'intérieur**

Les échographies (images faites avec des ultrasons) permettent aux médecins d'examiner un fœtus avant sa naissance. Les technologues d'échographies comme Cathy Babiak ont une formation qui leur permet de faire des échographies de leurs patientes. Ils notent attentivement toutes les informations qu'ils « lisent » sur l'image, entre autres les mensurations du fœtus. Une échographie n'est pas simplement une photo, c'est un film en direct. Ainsi, les technologues d'échographies peuvent également mesurer précisément le rythme cardiaque du fœtus.

Une ou un radiologiste interprète ensuite l'information transmise par la ou le technologue d'échographie pour évaluer la croissance et la santé du fœtus. Le rapport du radiologiste est envoyé au médecin de famille ou à l'obstétricienne ou l'obstétricien de la patiente.

Les échographies font partie d'un grand domaine appelé « imagerie médicale ». Ce domaine comprend d'autres méthodes qui permettent de « voir » à l'intérieur du corps humain, telles que l'échocardiographie, les rayons X, la tomodensitométrie (TDM) et la résonance magnétique nucléaire (RMN). Il faut une formation et une expérience considérables pour maîtriser ces méthodes. Les technologues doivent être capables de traduire en informations médicales utiles les bosses, renflements et lignes dans une image ainsi que les sons produits par l'équipement.

Cathy a suivi le Post Diploma Ultrasound Program au Michener Institute for Applied Health Sciences et a ensuite passé un examen pour être membre enregistrée de l'American Registry of Diagnostic Medical Sonographers.

Dans quel domaine désires-tu étudier ? Fais des recherches dans Internet, au bureau d'orientation ou à la bibliothèque pour trouver dans quels collèges, instituts ou quelles universités on offre des programmes dans ce domaine. Combien d'années d'études comptent chacun des programmes ? Fais une liste des informations que tu as trouvées et affiche-les avec celles de tes camarades de classe sur un tableau d'affichage « d'enseignement postsecondaire ».

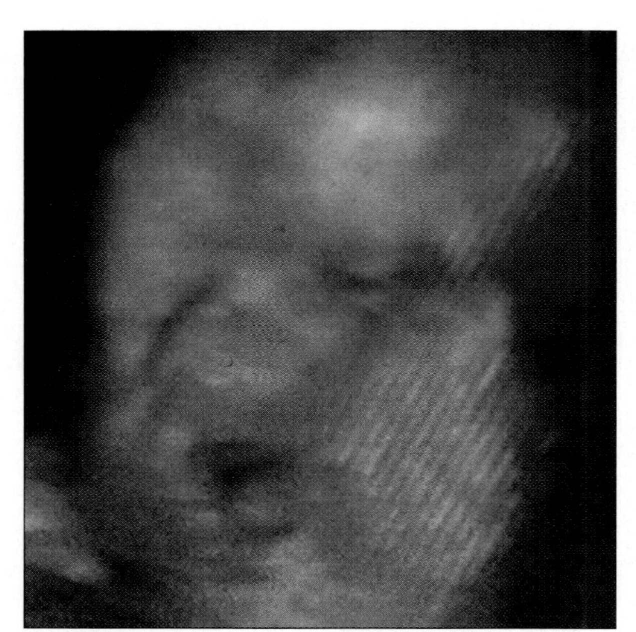

**Figure 3.17** Cette image du visage d'un fœtus a été obtenue à l'aide d'un appareil produisant des ultrasons en trois dimensions. Normalement, au cours du neuvième mois, le fœtus se déplace dans l'utérus de façon que sa tête soit vers le bas. Connais-tu d'autres raisons pour lesquelles ce changement de position est important?

## Le troisième trimestre (semaines 24 à 36)

Au cours des trois derniers mois de la grossesse, le fœtus grandit rapidement et commence à bouger dans le sac amniotique; il s'étire et donne des coups de pied. Son système immunitaire se développe. Une bonne alimentation est plus importante que jamais, principalement pour la fabrication des tissus du cerveau, qui sont vitaux. Au huitième mois, le fœtus ouvre les yeux. À la fin du troisième trimestre, le fœtus a atteint une longueur moyenne de 500 mm et un poids moyen de 2700 g à 4100 g.

Qu'en est-il de l'alimentation de la mère? Si la mère ne se nourrit pas convenablement, les nutriments de son corps seront utilisés pour alimenter le fœtus en développement. Un mauvais régime alimentaire à la fin du troisième trimestre peut causer des problèmes de santé permanents chez certaines femmes.

**LIENS INTERNET**

**www.dlcmcgrawhill.ca**

Pour en savoir plus sur les techniques d'imageries utilisées pour examiner un fœtus, visite le site Web dont l'adresse figure ci-dessus. Va d'abord à **Matériel complémentaire/Primaire et secondaire**, puis à **OMNISCIENCES 9**, et on t'indiquera où aller ensuite. Prépare un bref compte rendu de tes découvertes.

## D'un océan à l'autre

**Christopher Kovacs**

Comment les os d'un fœtus se développent-ils? Comment le fœtus et le placenta interagissent-ils pour réguler le développement du squelette? Quels rôles jouent les hormones? Voici quelques-unes des questions qui intriguent le médecin Christopher Kovacs. Cet expert du rôle physiologique du calcium chez le fœtus fait de la recherche, pratique la médecine et enseigne au Memorial University, à St. John's, à Terre-Neuve.

« En huitième année, se souvient Christopher Kovacs, j'ai été choisi pour aller à l'Expo-sciences pan-canadienne, tenue à Sudbury en Ontario, cette année-là. J'ai vite appris que les gens de science n'étaient pas nécessairement des rats de bibliothèque et que la science pouvait être gratifiante... Quand on fait de la recherche dans un domaine de pointe, on est la seule personne à connaître aussi bien ce domaine et à connaître certains faits, jusqu'à ce qu'on ait la chance de les publier. C'est pourquoi la recherche est plaisante et stimulante. »

Né à Toronto, Christopher Kovacs a étudié et travaillé dans plusieurs villes du Canada et des États-Unis. Il a aussi obtenu une bourse de recherche postdoctorale de la Harvard Medical School de Boston. Ses travaux de recherche l'amènent à voyager au Canada et à l'étranger. En plus d'être médecin et scientifique, Christopher Kovacs est un artiste professionnel. Il mentionne que la « science et l'art ne doivent pas s'exclure mutuellement, contrairement à ce que peuvent croire les élèves. Plusieurs de mes présentations scientifiques et de mes cours de médecine sont parsemés d'illustrations que je n'aurais pu faire sans mon bagage artistique. »

RÉALISE UNE EXPÉRIENCE 3-C

# Le développement fœtal

Le développement d'un fœtus humain dure habituellement 38 semaines. Au cours de cette période, divers organes et systèmes se développent à différents moments. La longueur d'un fœtus peut être utilisée pour déterminer son âge.

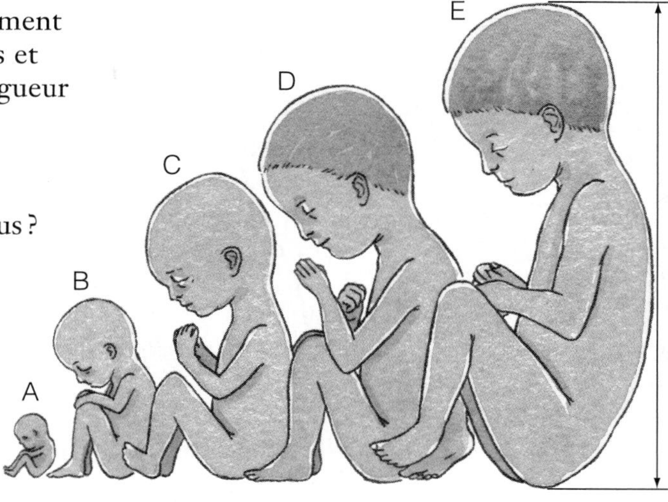


La croissance d'un fœtus entre la neuvième et la trente-huitième semaine. Échelle au cinquième.

## Problème à résoudre

Comment peux-tu évaluer le développement d'un fœtus ?

### Matériel

une règle

## Marche à suivre

1. Mesure la longueur de chaque fœtus en millimètre, du sommet de sa tête à son postérieur.
2. Multiplie chaque mesure par 5,5 pour déterminer leur longueur réelle.
3. Fais un tableau et identifie les colonnes comme celles du tableau ci-dessous. Note la longueur réelle et les événements qui se produisent pour chaque fœtus.

| Fœtus | Longueur réelle (en mm) | Événements |
|---|---|---|
| A | | |
| B | | |
| etc. | | |

Les événements sont contenus dans le tableau suivant :

Données sur le développement fœtal

| Événement | Longueur (mm) | Événement | Longueur (mm) |
|---|---|---|---|
| À 24 semaines | 230 | Les yeux sont ouverts | 300 |
| On peut déterminer le sexe | 140 | À 32 semaines | 300 |
| Les yeux sont fermés | 50 | La mère sent le fœtus bouger | 140 |
| Tous les organes sont bien développés | 230 | Il a une apparence potelée | 300 |
| À 9 semaines | 50 | Les poils du corps ont disparu | 360 |
| À 16 semaines | 140 | Il peut saisir avec ses mains | 360 |
| Le corps est couvert de poils | 230 | On ne peut déterminer son sexe | 50 |
| À 38 semaines | 360 | | |

## Analyse

1. Quels changements se produisent chez le fœtus entre la neuvième et la trente-huitième semaine en ce qui concerne :
   a) ses yeux ?
   b) sa pilosité ?
   c) la possibilité de déterminer son sexe ?
2. On peut créer des images du fœtus en utilisant des ultrasons. Comment les échographies du fœtus de 9 et de 24 semaines peuvent-elles être différentes ?

## Conclusion et mise en pratique

3. Pourquoi une femme enceinte se sent-elle plus fatiguée ou a-t-elle plus d'appétit que lorsqu'elle ne l'est pas ?

## Développe tes habiletés

4. Saisis les données de l'âge fœtal et de la longueur sur un tableur. Fais un diagramme à courbe et identifie l'axe des $x$ et l'axe des $y$. Selon ton diagramme, au cours de quelles semaines la longueur du fœtus augmente-t-elle le plus ? Quels événements se produisent durant cette période ?

## Les facteurs de risque durant le développement fœtal

Pendant sa croissance, le fœtus reçoit tous les nutriments et l'oxygène par le sang de sa mère, mais il peut aussi recevoir des substances dangereuses. Tout ce que la mère mange, boit et inhale aboutit dans son sang. Comme le sang circule dans son corps, les substances qui s'y trouvent passent par les vaisseaux sanguins dans le placenta jusqu'au fœtus. Le premier trimestre est une période critique du développement d'un embryon. La figure 3.18 montre les périodes critiques du développement de l'embryon et du fœtus.

Certaines substances comme la fumée de cigarette et l'alcool peuvent nuire au développement normal du fœtus et lui causer des dommages permanents. La fumée de cigarette peut causer des restrictions des vaisseaux sanguins du fœtus, ce qui peut l'empêcher d'obtenir l'oxygène dont il a besoin. L'alcool peut nuire aux fonctions de son cerveau et de son système nerveux central, ainsi qu'à son développement physique. On appelle ces symptômes « syndrome d'alcoolisme fœtal » (SAF). L'alcool peut rester dans le sang du fœtus plus longtemps que dans celui de la mère. Cela peut se produire quand le foie du fœtus n'est pas complètement formé et qu'il est ainsi incapable de métaboliser l'alcool.

D'autres facteurs peuvent être nuisibles au matériel génétique de certaines ou de toutes les cellules du fœtus, par exemple les radiations et certains polluants tels que les BPC et le mercure. Ces facteurs peuvent causer le cancer ou certains autres types de défauts génétiques.

**Le savais-tu ?**

Après les huit premières semaines de vie, un embryon a 240 fois la longueur de l'ovule fécondé et un million de fois sa masse originale.

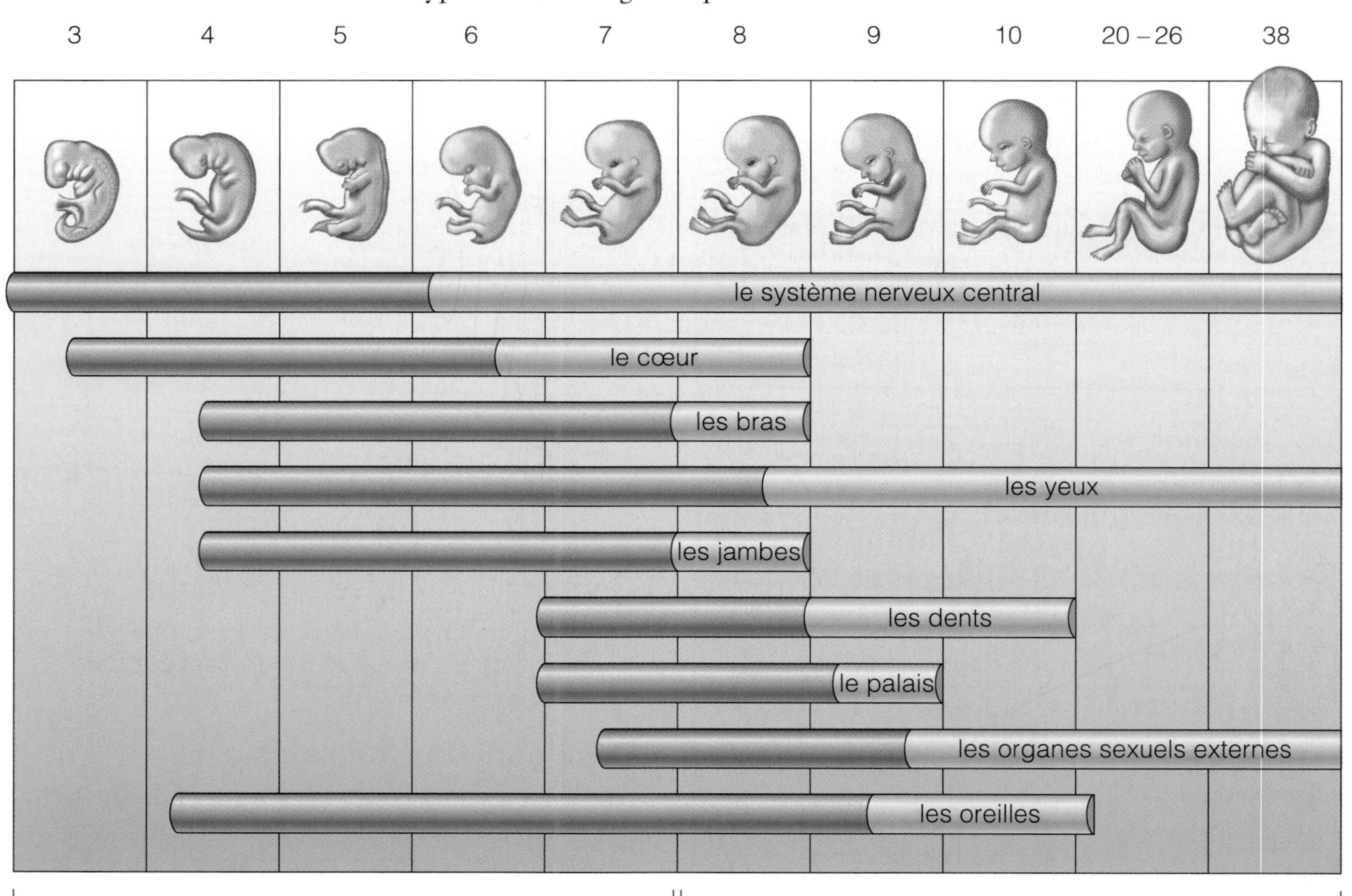


**Figure 3.18** Les périodes critiques du développement de l'embryon et du fœtus. Les périodes marquées en rouge indiquent quand les organes sont le plus sensibles aux facteurs environnementaux. Les nombres indiquent l'âge du fœtus en semaines.

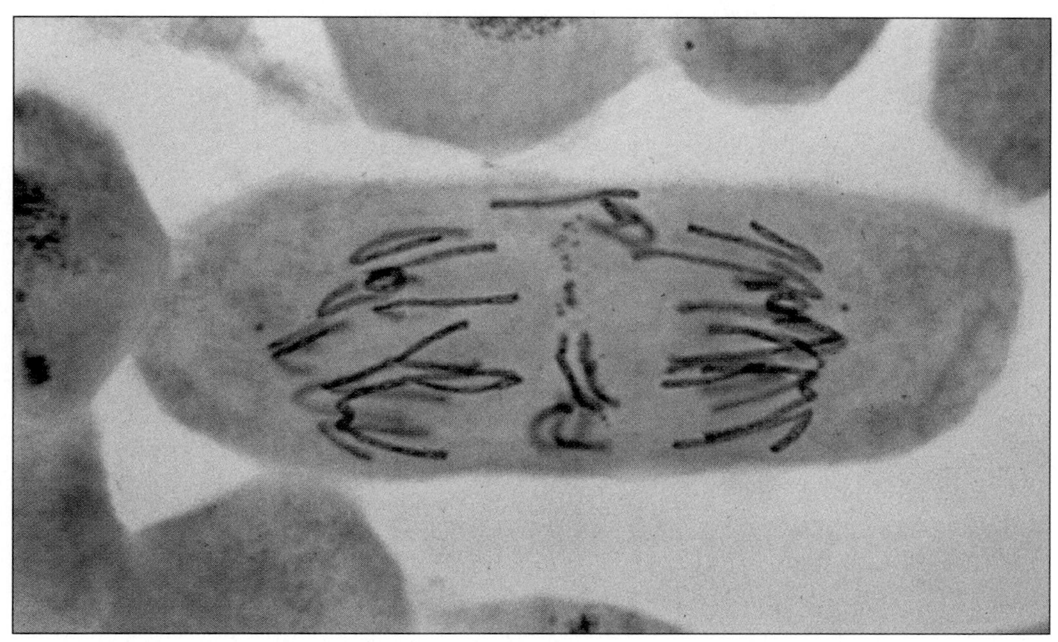

**Figure 3.19** Cette figure montre les effets des radiations sur la mitose ; certains chromosomes ne se déplacent pas aux pôles opposés lors de l'anaphase. Chez les enfants dont la mère a été exposée à de fortes intensités de rayonnement, particulièrement au début de la grossesse, le taux de malformations congénitales est plus élevé que la moyenne.

Certains médicaments peuvent causer des difformités chez les nouveau-nés. La thalidomide est un médicament qui a été prescrit aux femmes enceintes pour la première fois dans les années 1950 afin de réduire les nausées au cours des premières semaines de la grossesse. À cette époque, on ne connaissait pas ses effets secondaires. Malheureusement, à cause de ce médicament, plusieurs bébés sont nés avec des membres manquants ou grandement déformés. Ce médicament n'est plus prescrit aux femmes enceintes.

Le risque de désordres génétiques augmente avec l'âge de la mère. Les femmes adolescentes ou dans la vingtaine ont seulement une chance sur plusieurs milliers d'avoir un bébé avec des anormalités chromosomiques, tandis que celles de plus de 45 ans ont une chance sur 20. La figure 3.20 montre la relation entre l'incidence du syndrome de Down, et l'âge de la mère. Tu en apprendras plus sur les désordres génétiques au cours du prochain chapitre.

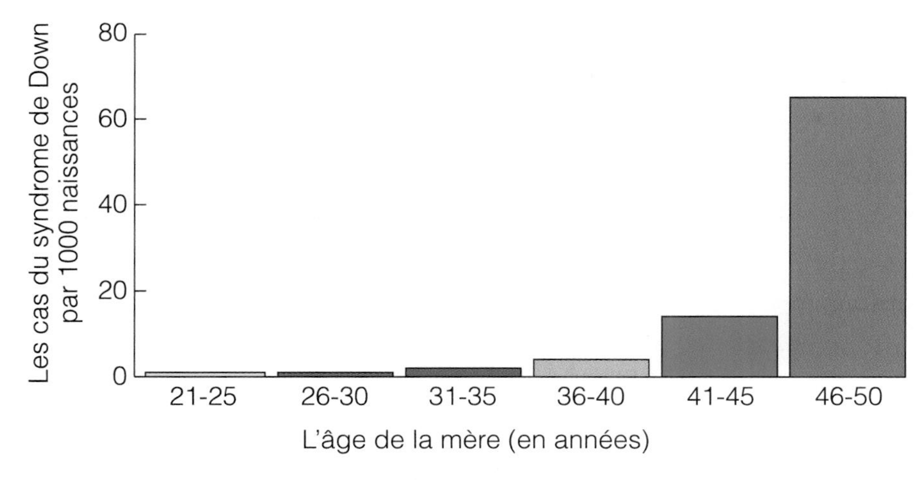


**Figure 3.20** Le syndrome de Down augmente avec l'âge de la mère.

# Une campagne d'éducation du public

Le développement d'un embryon et d'un fœtus est un processus très complexe. Une exposition, même brève, à une situation ou à une substance dangereuse, si elle se produit à une période critique, peut causer de graves anomalies chez un fœtus.

## Projet

Mets sur pied une campagne de sensibilisation du public à un facteur qui peut mettre en danger le développement ou la vie d'un embryon ou d'un fœtus.

### Matériel

un tableau d'affichage
des marqueurs de couleur

## Critères de conception

**A.** Fais preuve de créativité autant que tu le veux, mais n'oublie pas tes deux objectifs : 1) attirer l'attention ; 2) éduquer.

**B.** Ton projet doit comprendre une affiche, des extraits d'émissions de radio et une liste des ressources communautaires que des parents potentiels peuvent utiliser pour obtenir de l'information.

**C.** Chaque extrait d'émission de radio doit durer au plus une ou deux minutes.

## Plan et construction

1. C'est un travail de groupe. Choisissez un sujet dans la liste de facteurs de risque suivante :
   - Des polluants toxiques (dont ceux de l'air, de l'eau et de la nourriture)
   - De l'alcool
   - Des cigarettes
   - Des radiations
   - Des médicaments délivrés sur ordonnance
   - Des médicaments délivrés sans ordonnance (substances en vente libre et substances illégales)
   - La rubéole et d'autres maladies infectieuses
2. Faites une recherche sur votre sujet à la bibliothèque, dans Internet ou auprès de ressources de votre communauté.
3. Faites une séance de remue-méninges pour votre projet. Décidez de la façon que vous présenterez votre affiche et les éléments de l'émission de radio.
4. Faites une liste des tâches à accomplir pour mener votre projet à terme.
5. Divisez les tâches de la préparation de votre présentation entre les membres de votre groupe et préparez votre projet.
6. Présentez votre affiche et vos extraits d'émissions de radio à la classe. Affichez la liste de ressources communautaires à côté de votre affiche, ou décidez d'une autre façon de présenter ces ressources.

## Évaluation

1. Quelles affiches attirent le plus votre attention ? Lesquelles transmettent mieux les informations importantes ? Quelles affiches atteignent ces deux objectifs ?
2. Quels extraits d'émissions de radio sont les plus efficaces ?
3. Pour quels facteurs de risque semble-t-il y avoir plusieurs ressources et aides disponibles ? Pour quels facteurs de risque des parents potentiels auraient-ils du mal à trouver de l'assistance et de l'information ?

## Enrichis tes connaissances

4. En classe, discutez de certaines questions concernant l'attribution de la responsabilité de la santé d'un fœtus. Par exemple, la loi devrait-elle interdire qu'une mère boive de l'alcool pendant sa grossesse ? Les entreprises fabriquant des matières dangereuses pour un fœtus en développement devraient-elles être tenues responsables des malformations congénitales ? Soulevez toute autre question à laquelle vous avez pu penser au cours de votre recherche. Concluez votre discussion avec des idées sur la façon dont la société peut trouver des réponses à certains de ces problèmes.

## La naissance

Des changements brusques et importants des taux d'hormones provoquent le début du processus de la naissance. Au cours de la grossesse, de hauts taux de progestérone ont permis à la grossesse de se poursuivre. Une réduction importante des taux de progestérone et d'œstrogène cause la contraction des muscles de l'utérus. En même temps, l'hypophyse de la mère sécrète une autre hormone, l'**ocytocine**, qui stimule les contractions de l'utérus et ouvre les voies génitales. Ce processus est appelé **travail** et se termine par la naissance du bébé (*voir la figure 3.21*).

Il arrive occasionnellement des problèmes pendant l'accouchement. Le bassin de la mère est parfois trop étroit pour permettre le passage du bébé par les voies génitales. Dans d'autres cas, le bébé n'est pas dans la bonne position pour l'accouchement. Dans plusieurs de ces cas, l'accouchement est fait par un processus appelé *césarienne*. Au cours d'une césarienne, le médecin extrait le bébé en pratiquant une incision dans l'abdomen et dans l'utérus de la mère.

**A)** *La dilatation* Les contractions utérines et l'ocytocine provoquent l'ouverture et la dilatation du col de l'utérus. Au cours de ce stade, l'amnios se rompt, et le liquide amniotique coule par le vagin. Le stade de dilatation dure en moyenne 2 à 20 heures.

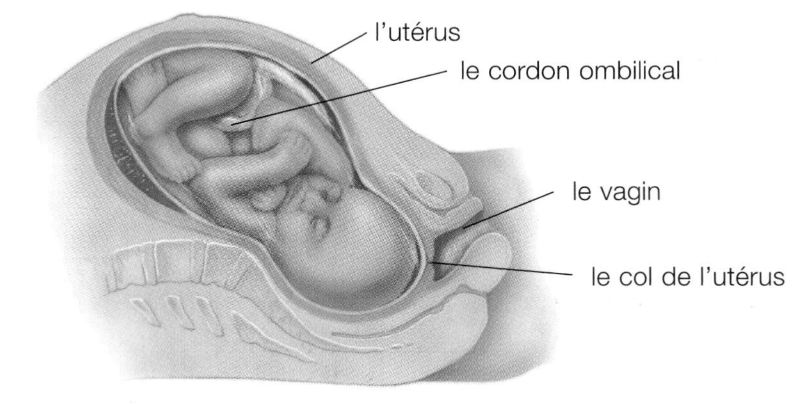


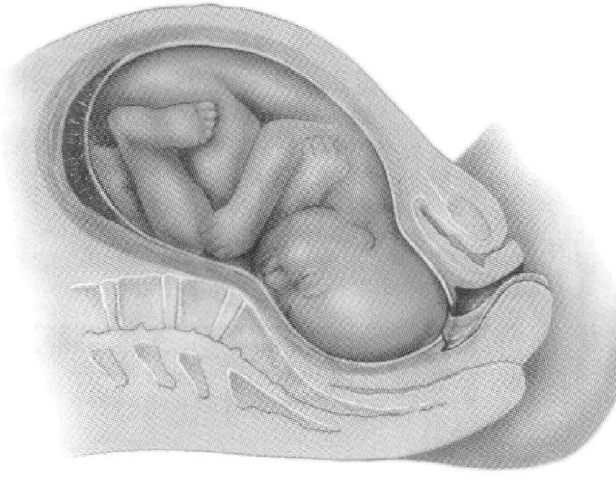

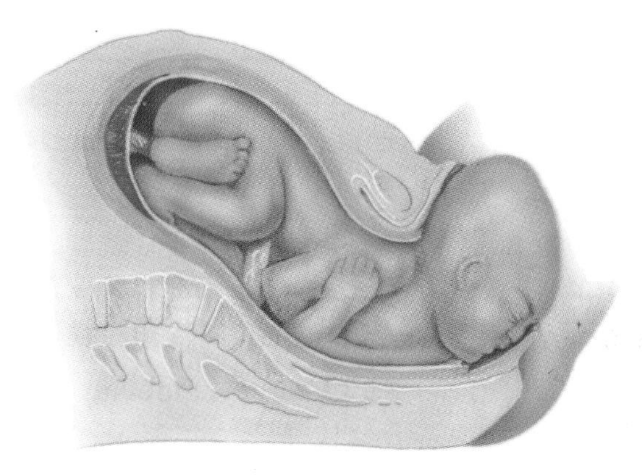

**B)** *L'expulsion* Les contractions de l'utérus deviennent tellement fortes que le bébé est poussé par le col vers les voies génitales. Cela prend de 0,5 à 2 heures. Quand le bébé passe par les voies génitales, sa tête tourne, ce qui facilite le passage de son corps.

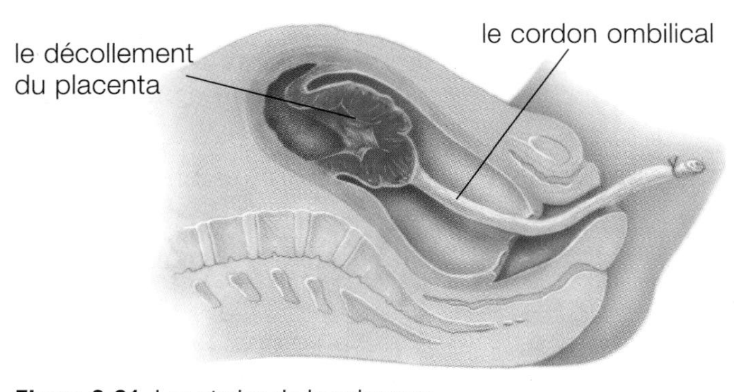


**C)** *La délivrance* Le placenta et le cordon ombilical sont expulsés de l'utérus. Cela se produit habituellement 10 ou 15 minutes après la naissance du bébé. Le placenta expulsé est appelé « suite ».

**Figure 3.21** Les stades de la naissance

Après la naissance, on pince, coupe et attache habituellement le cordon ombilical du bébé. Pour la première fois, le bébé doit respirer de l'air, ingérer de la nourriture et éliminer de la nourriture par lui-même. Il doit aussi s'habituer à la lumière ainsi qu'à des sons plus forts et des températures plus froides que dans le corps de sa mère. Il continue à grandir après sa naissance. La figure 3.22 montre comment les proportions du corps d'une personne changent entre la petite enfance (bas âge) et le début de l'âge adulte. Par exemple, note comment les proportions des jambes changent avec l'âge comparativement au reste du corps. Pourquoi crois-tu que les proportions du corps changent à mesure que nous vieillissons ?

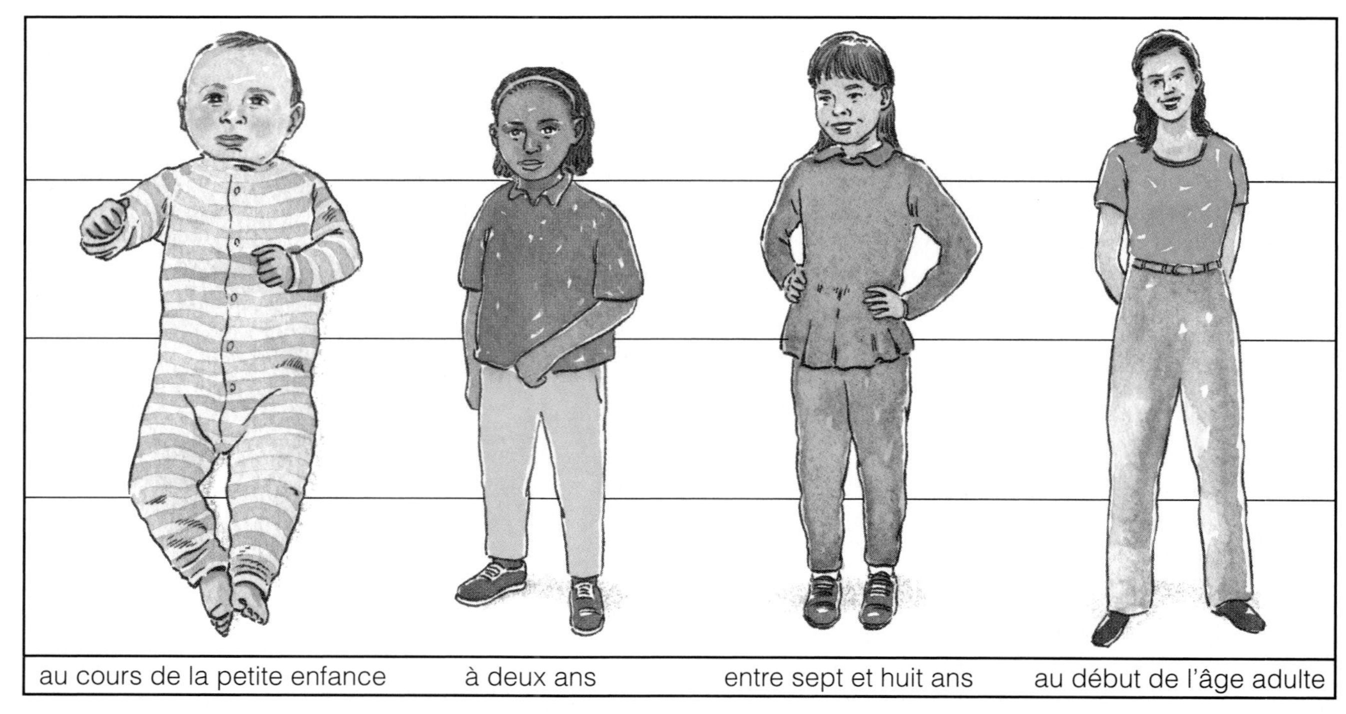


**Figure 3.22** Les changements des proportions du corps selon l'âge

**LIEN *mathématique***

La tête d'un bébé est environ du quart de la longueur totale de son corps. Mesure la longueur totale du corps et la longueur de la tête de 10 de tes camarades de classe. Calcule la proportion de la longueur de la tête de chaque personne par rapport à la longueur de son corps.

## Vérifie ce que tu as compris

1. Explique ce qui se produit au cours de la différenciation cellulaire. Qu'est-ce qui régule la différenciation ?
2. Quel développement marque le changement du stade d'embryon à celui de fœtus ?
3. Décris brièvement certains changements qui se produisent au cours de chaque trimestre du développement fœtal.
4. Énumère les facteurs qui peuvent nuire à un embryon ou à un fœtus en développement. Lesquels de ces facteurs sont particulièrement dangereux à des périodes précises ?
5. Décris le processus de la naissance. Quel changement hormonal provoque le début du travail ?
6. **Réflexion critique** Pourquoi crois-tu que les jambes du fœtus humain se développent lentement ?
7. **Réflexion critique** Parfois une femme ne se rend pas compte qu'elle est enceinte pendant le premier mois. En quoi cela peut-il être dangereux pour l'embryon ?

## RÉSUMÉ du chapitre 3

Maintenant que tu as terminé ce chapitre, essaie de faire les activités proposées ci-dessous. Si tu n'y arrives pas, consulte à nouveau la section indiquée.

Décris les effets des hormones sécrétées par la glande hypophyse sur le développement des structures reproductrices de l'homme et de la femme. (3.1)

Décris les événements chimiques conduisant au développement des caractères sexuels secondaires de l'homme et de la femme. (3.1)

Explique pourquoi les spermatozoïdes ont besoin d'un liquide riche en nutriments pour quitter le corps de l'homme. (3.1)

Suggère des raisons pour lesquelles le nombre d'ovules produits est plus faible que le nombre de spermatozoïdes. (3.1)

Décris la relation chimique entre l'ovaire, l'hypophyse et l'utérus. (3.1)

Explique de quelle façon les différences quantitatives de taux hormonaux peuvent provoquer différentes réactions des organes. (3.1)

Explique pourquoi il est important que l'endomètre soit épais lorsque l'ovule fécondé arrive dans l'utérus. (3.1)

Décris les événements qui indiquent que la grossesse a commencé. (3.2)

Décris la méthode par laquelle les nutriments et les déchets sont transférés entre le corps de la mère et le fœtus. Décris l'endroit où cela se produit. (3.2)

Décris les couches membranaires protectrices spéciales à l'intérieur desquelles le fœtus se développe. (3.2)

Explique pourquoi il est important que le cerveau et le cœur soient parmi les premiers organes à se développer dans l'embryon. (3.3)

Discute des raisons pour lesquelles la bonne alimentation de la mère est si importante pendant la grossesse. (3.3)

Discute des facteurs qui peuvent représenter un risque pour un fœtus en développement. (3.3)

### Prépare ton propre résumé

Résume le contenu de ce chapitre en élaborant une représentation graphique (comme un réseau conceptuel), en réalisant une affiche ou en résumant par écrit les concepts clés du chapitre. Voici quelques idées dont tu peux t'inspirer :

- Explique les conditions physiques et chimiques requises pour mener une grossesse à terme.
- Décris le processus de production des spermatozoïdes.
- Nomme les ressemblances et les différences entre la puberté de l'homme et celle de la femme.
- Décris les processus de fécondation et de nidation.
- Explique ce qui se produit au cours de la gastrulation.
- Quel est l'environnement d'un fœtus en développement ? Comment cet environnement peut-il influer sur le développement du fœtus ?
- Reproduis l'illustration suivante et identifie ses différentes parties :

# CHAPITRE 3 Révision

## Des termes à connaître

Si tu as besoin de réviser les termes ci-dessous, les numéros de section t'indiquent où ils ont été mentionnés pour la première fois.

1. Les termes suivants ont un lien avec la reproduction chez l'homme et la femme. Place-les sous un des trois titres appropriés suivants : homme, femme ou homme et femme.

| | |
|---|---|
| hypophyse (3.1) | progestérone (3.1) |
| FSH (3.1) | gonade (3.1) |
| testostérone (3.1) | hormone (3.1) |
| œstrogène (3.1) | caractères sexuels secondaires (3.1) |
| scrotum (3.1) | épididyme (3.1) |
| follicule (3.1) | prostate (3.1) |
| trompe de Fallope (3.1) | col de l'utérus (3.1) |
| canal déférent (3.1) | |
| tube séminifère (3.1) | |

2. Place les termes suivants de façon à décrire la structure de la gastrula de l'intérieur vers l'extérieur : mésoderme, ectoderme et endoderme. (3.2)

3. Quelle est la différence entre un embryon et un fœtus ? (3.2)

4. En te basant sur la liste de mots clés présentés au début de ce chapitre, écris 10 termes relatifs seulement à la grossesse. (3.2)

## Des concepts à comprendre

Les numéros de section te permettront de faire des révisions, si tu en as besoin.

5. Les spermatozoïdes et les ovules ont certaines différences structurales. (3.1)
   a) Nomme ces différences structurales.
   b) Explique les avantages de chaque type de cellules en raison de sa structure particulière.

6. Quelles sont les composantes du sperme ?

7. À part l'arrêt de la production d'ovules, quels autres changements se produisent dans le cycle menstruel de la femme au cours de la ménopause ? (3.1)

8. Décris les différences dans la mobilité de l'ovule et du spermatozoïde. Explique comment chacun peut atteindre les trompes de Fallope pour la fécondation. (3.1)

9. Décris les différences dans les structures microscopiques qui contribuent à la production d'ovules et de spermatozoïdes. (3.1)

10. Décris brièvement toutes les structures par lesquelles passent un spermatozoïde pour féconder un ovule. (3.1)

11. Quel est le lien entre le processus de la mitose et l'ovule fécondé ? (3.2)

12. Il y a deux sources de progestérone au cours de la grossesse. (3.2)
    a) Nomme ces deux sources.
    b) Explique comment la progestérone est essentielle à la poursuite de la grossesse.

13. Explique le rôle de la gastrulation. (3.2)

14. Au début de sa grossesse, une femme ne se rend parfois pas compte qu'elle est enceinte. Comment cela peut-il représenter un danger pour l'embryon en développement ? (3.3)

15. Décris deux changements hormonaux qui se produisent dans le corps de la femme juste avant l'accouchement. (3.3)

16. La « suite » porte-t-elle bien son nom ? En quoi consiste-t-elle ? (3.3)

## Des habiletés à acquérir

17. Si un homme atteint la puberté à l'âge de 14 ans et qu'il continue à produire des spermatozoïdes jusqu'à l'âge de 80 ans, estime le nombre de spermatozoïdes qu'il aura produit au cours de sa vie.

18. Si une femme atteint la puberté à l'âge de 13 ans et qu'elle continue à produire des ovules jusqu'à l'âge de 50 ans, estime le nombre d'ovules qu'elle aura produit au cours de sa vie.

**19.** Quelles hormones jouent un rôle dans les processus suivants ? Quel effet ont-elles sur les structures illustrées ?

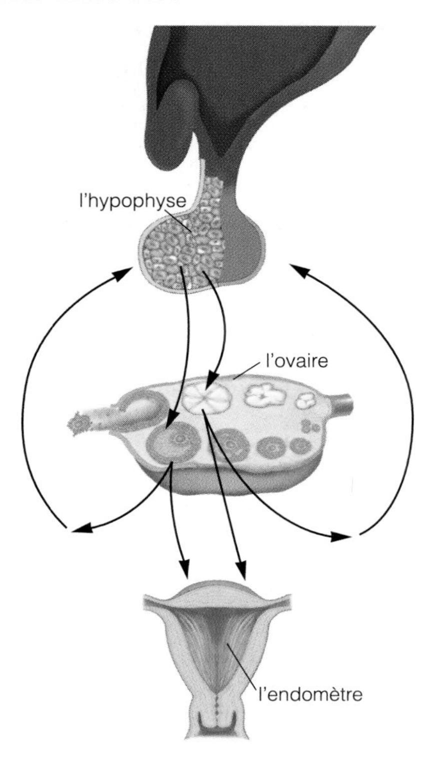


**20.** Reproduis le réseau conceptuel suivant du système reproducteur de l'homme et complète-le :

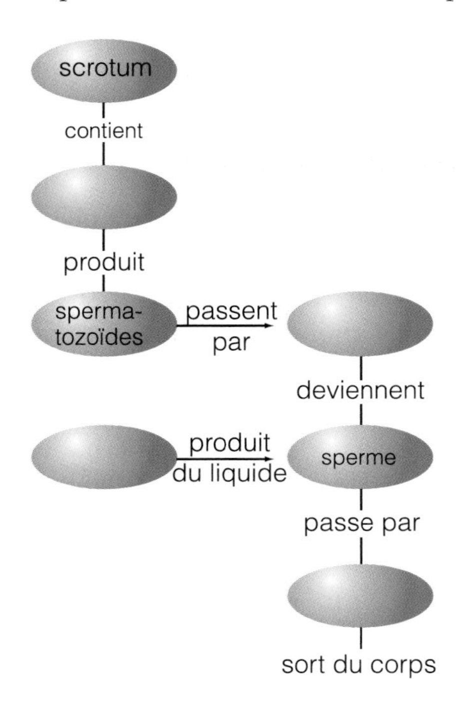


## Des problèmes à résoudre

**21.** Explique la grande différence entre le nombre de spermatozoïdes produits et le nombre d'ovules produits au cours d'une même période.

**22.** Un faible taux de production de spermatozoïdes est la cause d'un type d'infertilité. Comment la fécondation *in vitro* peut-elle être utilisée pour permettre à une famille ayant ce problème de mener une grossesse à terme ?

**23.** Explique comment un fœtus en développement obtient ses nutriments du sang de sa mère. Quelles structures lui permettent de le faire ?

## Réflexion critique

**24.** Décris au moins cinq changements subis par un nouveau-né immédiatement après l'accouchement.

**25.** Déduis quelques raisons qui expliquent pourquoi le taux de mortalité des spermatozoïdes est si élevé comparativement à celui des ovules.

**26.** Nomme certains facteurs environnementaux et explique comment ils influent particulièrement sur le développement du fœtus.

### Pause réflexion

1. Pourquoi crois-tu que les mammifères sont incapables de produire des petits avant d'avoir atteint une taille assez proche de la taille adulte ?
2. Relis les notes que tu as prises dans ton journal scientifique quand tu as commencé à étudier ce chapitre. Trouve l'illustration du zygote tel que tu l'imaginais après deux jours de développement. Dessine un autre zygote en te basant sur ce que tu as appris. Compare tes illustrations.
3. Retourne au début du chapitre à la page 78 et vérifie les réponses que tu as inscrites dans Pour commencer… Tes connaissances à ce sujet ont-elles changé ? Comment répondrais-tu à ces questions maintenant que tu as fait des recherches sur ces sujets au cours du chapitre ?

CHAPITRE

# 4 L'ADN et les techno

## Pour commencer...

- Comment réagirais-tu en voyant une copie conforme de toi-même marcher dans la rue ? Comment cela pourrait-il arriver ?
- Crois-tu que des grains de café sans caféine pourraient être directement récoltés sur la plante ?
- Comment peut-on créer une forme de vie encore jamais vue ?

## Journal scientifique

Les gens peuvent utiliser des technologies de reproduction dans des buts différents. Réfléchis à ces buts et décris-les dans ton journal scientifique. Enrichis ta liste à mesure que tu liras le présent chapitre.

La photographie montre Dolly, une brebis née en 1997. Examine-la attentivement. Dolly semble normale, une brebis parmi tant d'autres qu'on verrait dans une ferme. Cependant, Dolly est très spéciale. Elle n'a ni mère ni père – du moins, dans le sens où on l'entend habituellement. Dolly est le premier mammifère artificiellement cloné, c'est-à-dire une copie génétiquement identique d'une autre brebis. Elle a été produite par le docteur Ian Wilmut et son équipe de chercheurs à Édimbourg, en Écosse. Cet événement a amené les gens à se demander « s'il sera un jour possible de cloner des humains ».

Les grands titres des journaux sur les percées en biologie sont devenus monnaie courante. Mais qu'y a-t-il derrière ces grands titres et que devons-nous en penser ? Le clonage et les autres techniques de biologie de la reproduction feront-ils un jour partie de notre quotidien ? Dans ce chapitre, tu découvriras ce qu'est l'ADN et tu examineras un certain nombre de méthodes, de résultats et d'applications en biotechnologie, domaine en ébullition.

# logies de reproduction

## Concepts clés

Dans ce chapitre, tu découvriras :

- que la technologie de la reproduction a une longue histoire ;
- que l'ADN contient les instructions liées aux caractères de tous les organismes vivants ;
- que la technologie de la reproduction peut fournir des remèdes et des traitements et aussi prévenir les maladies génétiques ;
- que le génie génétique consiste à modifier l'ADN d'un organisme ;
- que les technologies de reproduction soulèvent de nombreuses questions et inquiétudes.

## Habiletés clés

Dans ce chapitre :

- tu analyseras des découvertes scientifiques et tu rédigeras un rapport ;
- tu proposeras des utilisations des recherches sur l'ADN ;
- tu concevras et construiras un modèle scientifique ;
- tu concevras et mèneras des expériences en biologie ;
- tu évalueras les avantages et les risques des technologies de la reproduction.

## Mots clés

- biotechnologie
- reproduction sélective
- technologie de la reproduction
- codon
- protéine
- acide aminé
- gène
- mutation
- allèles
- agent mutagène
- génie génétique
- transgénique
- ADN recombinant
- épissage de gènes
- tri génétique
- caryotype
- thérapie génique
- Projet génome humain
- hybride
- monoculture
- aquaculture
- biorestauration
- consortium
- consanguinité

## ACTIVITÉ de départ

### « Recherché pour meurtre »

On peut identifier une personne en analysant un seul de ses cheveux. À l'exception des jumeaux identiques, l'organisme de chaque personne contient des renseignements génétiques uniques. Par conséquent, l'ADN est comme une empreinte digitale. Ainsi, en analysant des échantillons (comme un cheveu) recueillis sur les lieux d'un crime, la police peut utiliser les empreintes génétiques pour identifier les criminels.

Peux-tu identifier un meurtrier en te servant de preuves liées à l'ADN ?

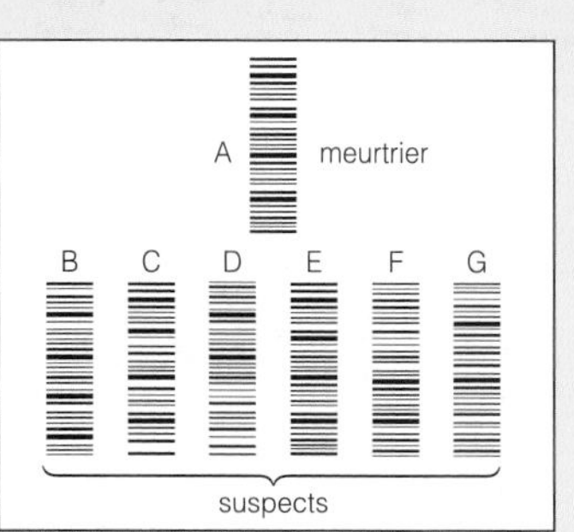


L'échantillon A est l'empreinte génétique prise à partir d'un cheveu. Le cheveu a été trouvé sur une personne assassinée, mais ce cheveu n'est pas le sien. Les échantillons B à G sont des empreintes génétiques prises sur six suspects.

Cette photographie contient une empreinte génétique. Des scientifiques ont utilisé un courant électrique pour séparer de minuscules particules d'ADN selon leur taille. Les particules d'ADN sont représentées par des bandes noires.

#### Ce que tu dois faire

1. Compare l'empreinte génétique du meurtrier avec les empreintes génétiques des six suspects.

#### Qu'as-tu découvert ?

1. Parmi la liste des suspects potentiels, déduis lequel est le meurtrier.
2. Penses-tu que cette méthode est sans faille ? Explique ta réponse.

# 4.1 La biotechnologie

**Figure 4.1** Le yogourt et le fromage sont issus de la biotechnologie.

As-tu mangé du yogourt ou du fromage, aujourd'hui ? Ces aliments sont produits par une forme simple de biotechnologie. D'autres produits de la biotechnologie sont moins évidents, mais extrêmement importants pour de nombreuses personnes. Le terme **biotechnologie** sert à décrire les diverses techniques qui font appel à des organismes vivants pour fabriquer des produits ou fournir des services. Elle comprend une grande variété de méthodes qui peuvent modifier la composition génétique normale d'organismes, dont des virus, des bactéries, des plantes ou des animaux. La biotechnologie inquiète certaines personnes qui ne comprennent pas bien ce en quoi elle consiste, ce qui n'a rien d'étonnant vu les changements rapides qui se produisent dans ce domaine. Pourtant, la biotechnologie sous diverses formes est utilisée depuis des milliers d'années. En outre, si la biotechnologie moderne est plus complexe, ses principes reposent toujours sur les propriétés naturelles des organismes.

Parmi les premiers exemples de modification génétique, on peut citer les chiens de race (*voir la figure 4.2*). Reproduire des individus ayant certains caractères désirés donne des petits ayant des caractères semblables. C'est ce qu'on appelle la **reproduction sélective**. Depuis les temps anciens, les humains ont cherché à modifier les caractères naturels des espèces végétales et animales pour les adapter à divers besoins humains.

**Figure 4.2** Des races distinctes de chiens comme ce minuscule chihuahua et cet énorme grand danois ont été produites par reproduction sélective.

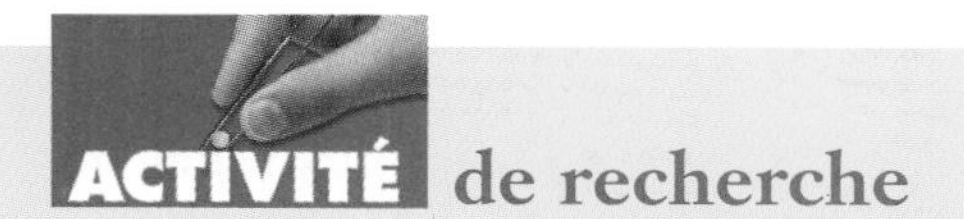

de recherche

## La biotechnologie dans la classe

La chymosine est un composé naturellement présent dans l'estomac des veaux qui les aide à digérer le lait. On l'utilise commercialement dans la fabrication du fromage. C'est là un exemple d'une forme simple de biotechnologie. L'activité suivante te permettra de concevoir et de réaliser une expérience pour déterminer l'effet de la chymosine sur le lait.

### Ce dont tu as besoin

de la chymosine (aussi appelée « rennine » et « présure »)
du lait
un agitateur
un bécher (250 mL)
une bassine d'eau
un thermomètre

### Ce que tu dois faire

1. Conçois une expérience pour déterminer l'effet de la chymosine sur le lait.
2. Quelles sont tes variables expérimentales ? Quelles variables devras-tu contrôler ?
3. Suppose quelle serait la température optimale pour ton expérience.
4. Décris ton expérience par écrit en y incluant le problème, l'hypothèse, la méthode, les observations et les conclusions. **Note :** Pour en savoir plus sur la façon de conduire une expérience, va à la page PP-2.
5. Procède à l'expérience et vérifie ton hypothèse.

### Qu'as-tu découvert ?

1. Quel a été l'effet de la chymosine sur le lait ?
2. Tes résultats confirment-ils ton hypothèse ?
3. Quels changements pourrais-tu faire pour améliorer ta méthode d'expérimentation ?

### Approfondissement

4. Les veaux, comme tous les mammifères, dépendent du lait de leur mère pour survivre pendant la première partie de leur vie. Comment la chymosine aide-t-elle à la digestion du lait ? Que pourrait-il arriver au lait s'il n'y avait pas de chymosine ?
5. Quels sont certains des avantages de fabriquer de la chymosine artificiellement ?

## La biotechnologie à travers les âges

Les êtres humains ont commencé à utiliser la biotechnologie il y a plus de 2000 ans av. J.-C. La plupart de ces premières pratiques étaient liées à la production de nourriture. L'art ancien dépeint des banques de semences, des récoltes de céréales et des élevages d'animaux domestiqués, comme le montre la figure 4.3. En accouplant sélectivement des individus d'espèces végétales ou animales ayant les caractères désirés, les premiers fermiers créaient lentement de nouvelles combinaisons génétiques. Sans s'en rendre compte, ils pratiquaient une forme primitive de biotechnologie, produisant des cultures et des animaux en meilleure santé et toujours plus productifs.

**Figure 4.3** La biotechnologie ancienne comprenait la domestication et la reproduction sélective d'animaux.

La reproduction sélective des plantes se faisait peut-être par pollinisation à la main, après quoi les fleurs étaient couvertes pour empêcher tout autre pollen de les fertiliser. D'autres formes de biotechnologie comprenaient l'utilisation de micro-organismes dans des procédés comme la fermentation. Le yogourt et le fromage étaient fabriqués avec l'aide de bactéries et de champignons, tandis qu'on faisait le pain et la bière en utilisant de la levure. Ces méthodes sont encore utilisées de nos jours.

Figure 4.4 Les ancêtres des fraises étaient beaucoup plus petites que les grandes variétés juteuses cultivées de nos jours.

Les premières technologies ne concernaient en rien la manipulation consciente du matériel génétique des cellules vivantes. De nos jours, cependant, notre connaissance de la biologie cellulaire et de l'ADN a donné naissance à un domaine d'études spécialisé appelé **technologie de la reproduction**. Cette technologie comprend les méthodes qui consistent à modifier directement le matériel génétique dans le noyau de la cellule afin d'obtenir un résultat souhaité. Ces nouvelles techniques, qui requièrent des connaissances approfondies sur le matériel génétique et l'utilisation d'outils spécialisés, portent en elles la promesse de plus grandes réserves alimentaires dans le monde, de nouveaux types d'aliments, de nouveaux traitements pour guérir diverses maladies et même de mesures préventives pour traiter les troubles génétiques héréditaires. Plus loin, dans le présent chapitre, tu découvriras diverses applications possibles de la biotechnologie. Mais auparavant, tu dois en apprendre davantage sur la molécule indispensable à toute vie : l'acide désoxyribonucléique (ADN).

Longtemps, on a ignoré comment fonctionnait l'hérédité, c'est-à-dire comment les caractères se transmettaient d'une génération à l'autre. Nous savons maintenant que l'information génétique est contenue dans la structure de l'ADN.

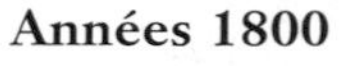

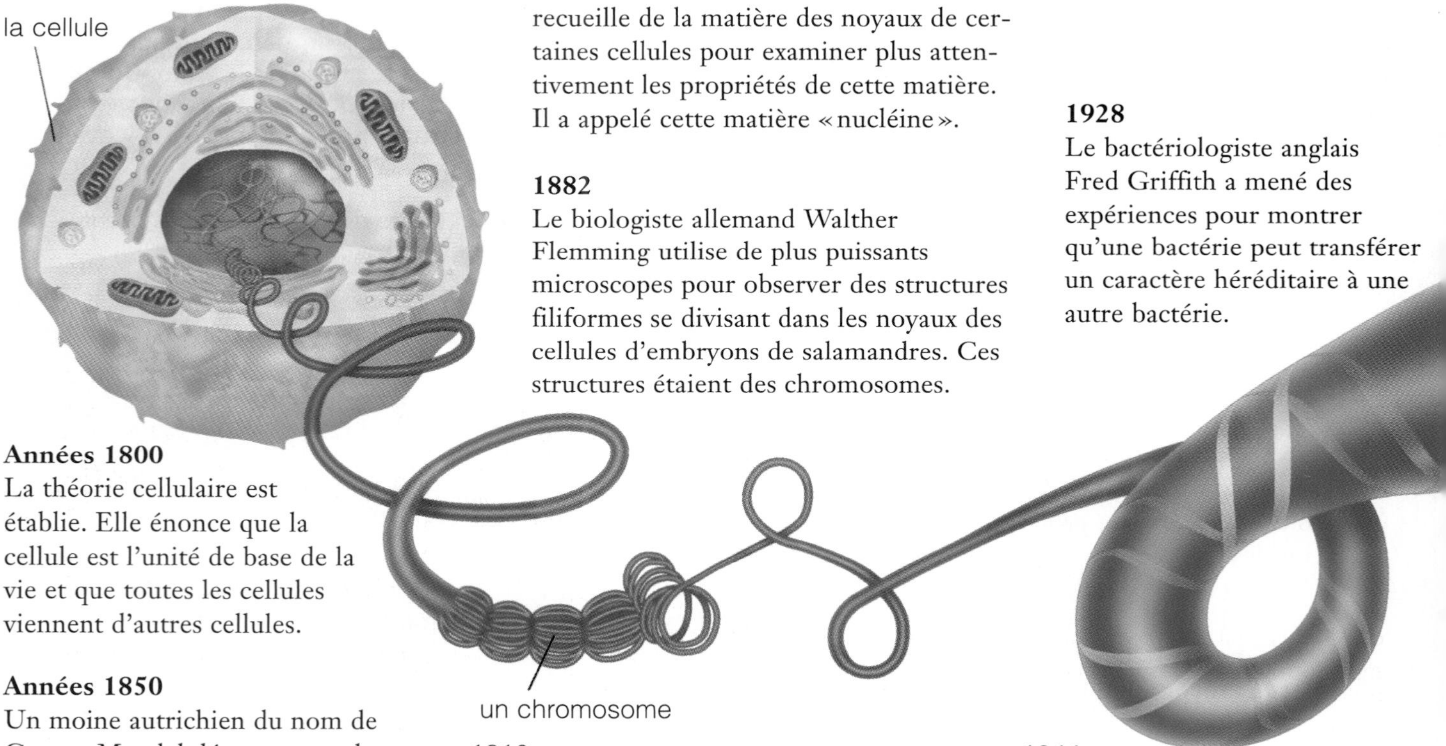

**Années 1800**
La théorie cellulaire est établie. Elle énonce que la cellule est l'unité de base de la vie et que toutes les cellules viennent d'autres cellules.

**Années 1850**
Un moine autrichien du nom de Gregor Mendel découvre que les caractères hérités dans les plants de pois sont déterminés par des unités distinctes – maintenant reconnues comme des gènes.

**1868**
Le chimiste suédois Johann Miescher recueille de la matière des noyaux de certaines cellules pour examiner plus attentivement les propriétés de cette matière. Il a appelé cette matière « nucléine ».

**1882**
Le biologiste allemand Walther Flemming utilise de plus puissants microscopes pour observer des structures filiformes se divisant dans les noyaux des cellules d'embryons de salamandres. Ces structures étaient des chromosomes.

**1910**
Le généticien américain Thomas Morgan établit que le modèle de transmission de la couleur des yeux chez les mouches à fruits suivait celui de l'un des chromosomes. Il s'est rendu compte que cela pourrait s'expliquer si le gène déterminant la couleur des yeux se trouvait sur ce chromosome.

**1928**
Le bactériologiste anglais Fred Griffith a mené des expériences pour montrer qu'une bactérie peut transférer un caractère héréditaire à une autre bactérie.

**1944**
La généticienne américaine Barbara McClintock découvre que certains segments de l'ADN dans les plants de maïs peuvent se déplacer vers différentes parties d'un chromosome. Ce processus contribue à la variation.

Figure 4.5 Les principaux événements dans l'histoire de la biotechnologie

C'est la matière dont les chromosomes sont faits. Examine la figure 4.5. Elle montre certaines des grandes percées scientifiques dans l'histoire qui ont mené à la découverte de l'ADN et qui lui confèrent son importance.

**Pause réflexion**

Quelles caractéristiques souhaite-t-on développer chez une plante ? Dresse une liste de quelques techniques à utiliser pour obtenir ces caractéristiques. Ces techniques sont-elles naturelles ? Penses-tu qu'il est important d'essayer de définir ce qu'on entend par quelque chose de naturel ? Pourquoi ?

## Vérifie ce que tu as compris

1. Quand les humains ont-ils commencé à utiliser la biotechnologie ? Quelles sortes d'applications biotechnologiques ont été utilisées les premières ?
2. Décris quelques-uns des avantages possibles de la biotechnologie.
3. Explique la signification du terme « reproduction sélective » et décris certaines de ses utilisations.
4. Explique le rapport entre la biotechnologie et les technologies de la reproduction.
5. **Mise en pratique** Choisis l'une des découvertes parmi celles qui sont énumérées ci-dessous. Essaie d'en apprendre davantage à son sujet en faisant une recherche à la bibliothèque ou dans Internet. Rédige un bref rapport sur ce que tu as appris.

**1944**
Le bactériologiste américain Oswald Avery poursuit les expériences de Griffith et démontre que les caractères hérités sont transmis par les chromosomes.

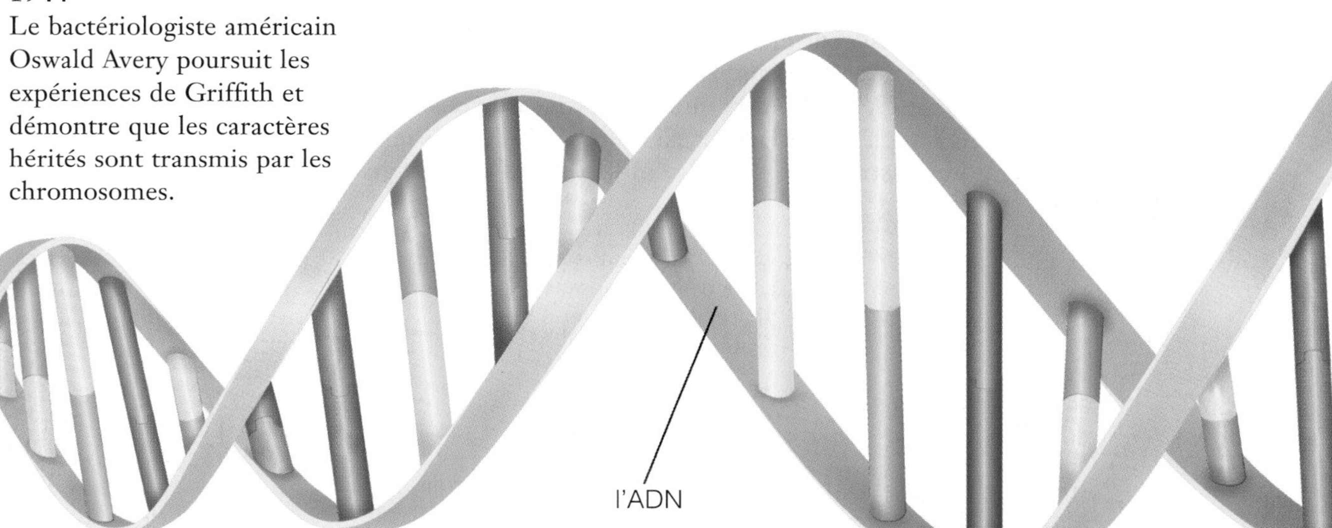


**1953**
À Cambridge University, James Watson et Francis Crick ont utilisé des patrons en papier et un grand modèle pour démontrer que l'ADN a la forme d'un escalier en spirale – une double hélice.

**1967**
Les scientifiques américains Har Gobind Khorana et Marshall Nirenberg découvrent le code génétique en déterminant les substances chimiques encodées par chaque partie d'un gène.

**1973**
Les biochimistes américains Stanley Cohen et Herbert Boyer réalisent le premier transfert de gènes entre espèces. Pour ce faire, ils ont introduit des gènes d'un dactylèthre africain dans des cellules bactériennes.

**1984**
L'Anglais Alec Jeffreys met au point l'identification génétique, méthode qui utilise des particules d'ADN pour identifier des organismes individuels.

**1993**
Le scientifique canadien Michael Smith reçoit le Prix Nobel de chimie pour ses travaux touchant la modification des gènes sur les chromosomes. Ses recherches ont mené au développement de l'ingénierie des protéines.

**1997**
En Écosse, Ian Wilmut crée la brebis Dolly, premier mammifère artificiellement cloné.

# 4.2 L'importance de l'ADN

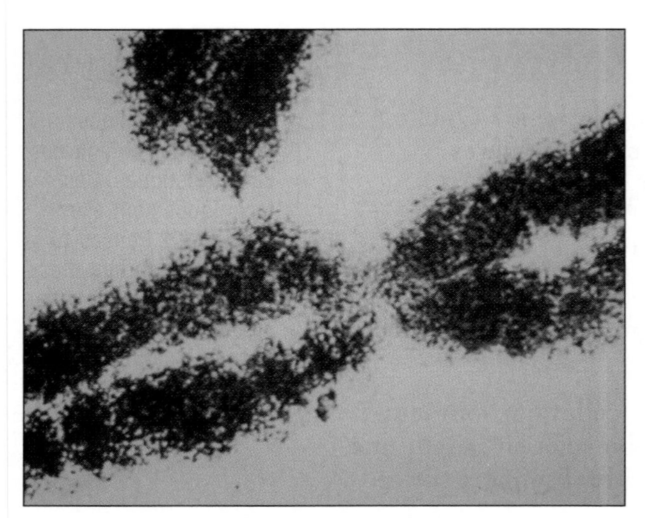

**Figure 4.6** Les chromosomes sont faits de longues spirales d'ADN enroulées de façon très serrée.

As-tu déjà envoyé un message codé ? Son destinataire doit d'abord connaître le code pour pouvoir le lire. Les cellules se transmettent aussi de l'information codée qui leur indique ce qu'elles doivent accomplir. Ces instructions sont contenues dans les molécules d'ADN présentes dans chaque cellule.

L'ADN est appelé « acide nucléique » parce qu'il est présent dans les noyaux des cellules et qu'il est acide. (Dans les bactéries, qui n'ont pas de noyau organisé, l'ADN forme une masse près du centre de la cellule.) Quelles structures du noyau contiennent-elles l'ADN ? Au chapitre 1, tu as appris que les chromosomes se trouvent aussi dans le noyau. Les chromosomes sont faits de spirales serrées d'ADN, comme le montre la figure 4.6. La prochaine recherche te permettra de recueillir de l'ADN en ouvrant les noyaux de cellules d'oignon.

La figure 4.7 montre la structure de l'ADN. Examine bien l'information donnée dans les marqueurs. Note plus particulièrement comment la base nucléotidique A est toujours liée à la base T et la base C toujours liée à la base G. Note aussi que la séquence de ces bases nucléotidiques dans la chaîne des nucléotides peut varier à l'infini. L'expérience de la page 116 te permettra de construire ton propre modèle d'ADN en trois dimensions.

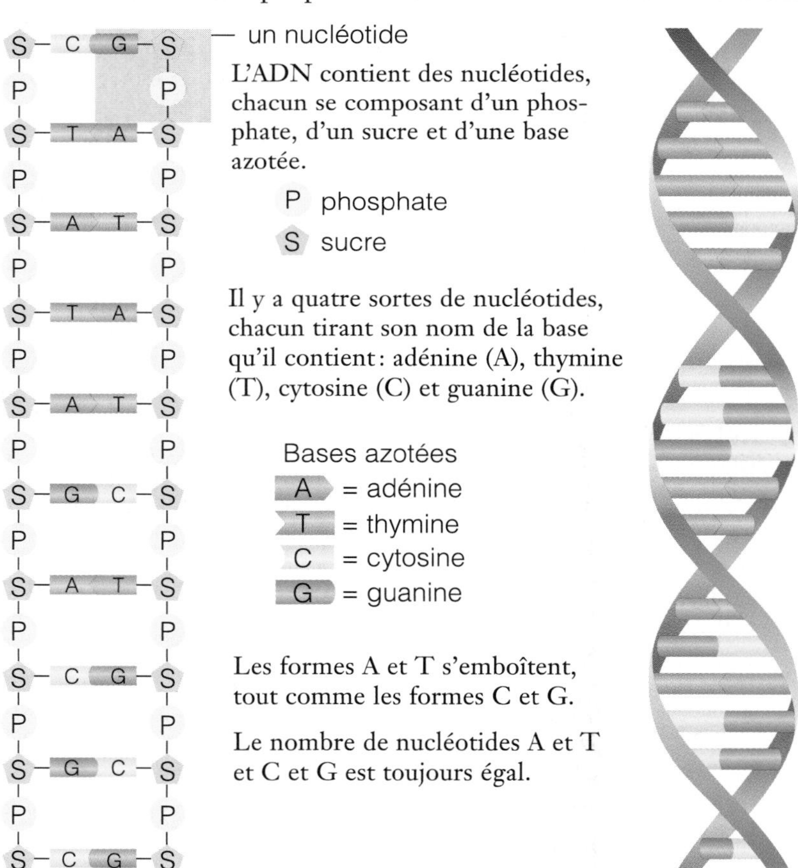


**Figure 4.7** L'ADN se compose de nombreux nucléotides. Cette structure semblable à une échelle finit par ressembler à un escalier en spirale.

RÉALISE UNE EXPÉRIENCE 4-A

# Extrais de l'ADN à partir d'oignons

Bien que les molécules individuelles d'ADN soient trop petites pour être visibles même sous un très puissant microscope, tu peux recueillir suffisamment d'ADN des tissus pour voir l'échantillon à l'œil nu. L'extraction d'ADN pour la recherche est un procédé plus complexe que celui que nous utilisons ici. L'ADN que tu extrairas n'est pas assez pur pour servir à la recherche.

## Problème à résoudre

Comment peux-tu extraire de l'ADN des cellules ?

### Matériel

un support à éprouvettes
un compte-gouttes
un agitateur en verre de petit diamètre

### Matériel non réutilisable

une éprouvette fermée contenant le mélange d'oignon
de l'attendrisseur à viande en poudre
de l'éthanol à 95 % (froid)
un cure-dents plat

## Marche à suivre

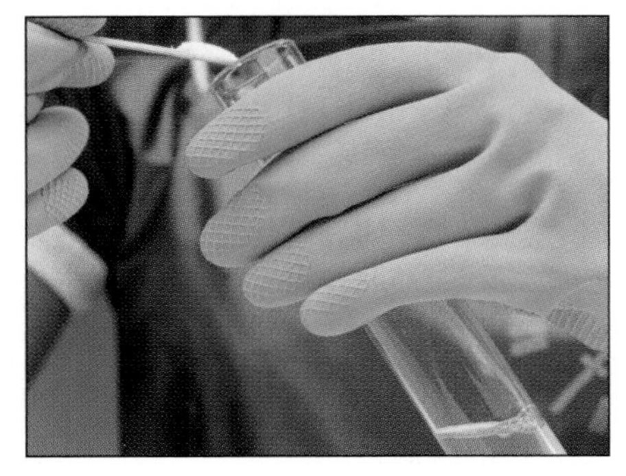

1. Recueille de l'attendrisseur à viande avec le cure-dents et ajoute-le au mélange d'oignon. Ajoute une seconde dose d'attendrisseur à viande dans l'éprouvette. Referme-la et agite-la doucement pour éviter de faire mousser le contenu. L'attendrisseur à viande contient de la papaïne, substance qui aidera à séparer l'ADN des autres parties de la cellule.

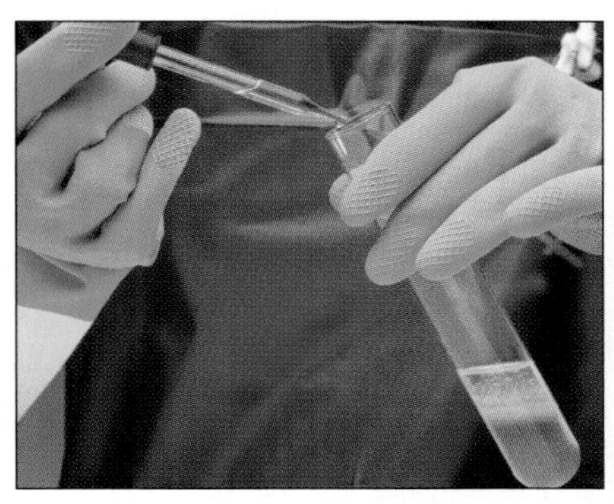

2. En te servant du compte-gouttes, verse lentement l'alcool froid dans l'éprouvette pour qu'il forme une couche d'environ 1 cm sur le dessus du mélange d'oignon. L'ADN n'est pas soluble dans l'alcool et se sépare lentement.

   Laisse reposer la solution pendant deux ou trois minutes. *N'agite pas l'éprouvette.*

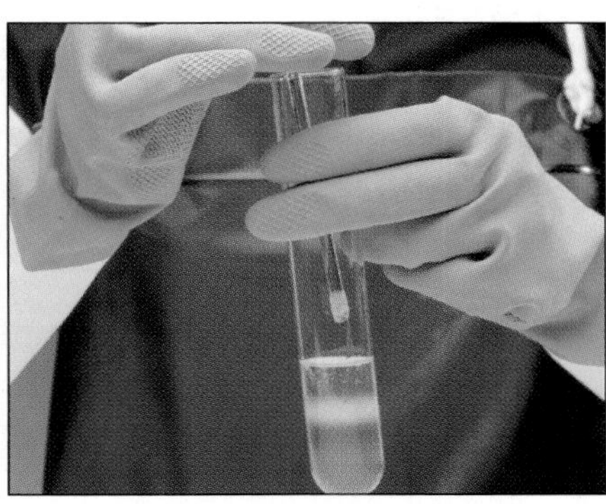

3. Enroule soigneusement les filaments d'ADN sur la tige de verre. L'ADN sera visqueux et aura l'apparence de muqueuses blanches.

## Analyse

1. Dans quelle partie de l'éprouvette la masse d'ADN s'est-elle ramassée ?

## Conclusion et mise en pratique

2. D'après toi, l'ADN aurait-il une apparence différente s'il provenait d'un autre organisme ?

## Enrichis tes connaissances

3. Énumère des exemples où les scientifiques pourraient utiliser l'ADN en médecine, en agriculture et en criminalistique.

# Un modèle d'ADN

Les scientifiques James Watson et Francis Crick ont travaillé en collaboration pour déterminer la structure de l'ADN. En 1953, ils ont présenté leurs découvertes à l'aide d'un modèle se composant de fils et d'étain, comme le montre la photo. L'expérience qui suit te permettra de travailler avec une ou un camarade pour concevoir et fabriquer un modèle en trois dimensions d'une molécule d'ADN.

## Projet

Construis un modèle d'ADN en trois dimensions.

### Matériel

du papier de bricolage (six couleurs et deux feuilles de chaque couleur)

des ciseaux

du ruban adhésif transparent

## Critères de conception

**A.** Votre modèle doit comprendre les six couleurs de papier. Chaque couleur représentera une des parties suivantes de l'ADN : le phosphate, le sucre et les quatre bases azotées (A, T, C, G).

**B.** Les bases azotées doivent se présenter par paires conformément à la règle suivante : A se jumelle à T et C se jumelle à G.

**C.** Votre modèle doit avoir la forme tridimensionnelle de l'ADN – un escalier en spirale.

## Plan et construction

1. Décidez des formes et des couleurs que vous utiliserez pour représenter chacune des parties de votre modèle d'ADN. Quelle en sera la longueur ?
2. Faites un remue-méninges pour trouver des concepts pouvant s'appliquer à votre modèle. Dressez-en une liste.
3. Choisissez le meilleur concept et faites-en un croquis. Étiquetez sur votre croquis. Énumérez ensuite les étapes décrivant la construction de votre modèle. Soyez précis.
4. Faites approuver votre plan et votre croquis par votre enseignante ou enseignant. Procédez ensuite à la construction de votre modèle.

## Évaluation

1. Votre modèle d'ADN comprenait-il toutes les parties décrites dans votre plan ?
2. En quoi votre modèle était-il différent de celui des autres groupes ?
3. Avez-vous éprouvé des difficultés à assembler votre modèle ? Le cas échéant, comment avez-vous résolu ces difficultés ?
4. Comment pourriez-vous améliorer la conception de votre modèle ?
5. Donnez quelques avantages de travailler avec une ou un partenaire. Avez-vous eu des problèmes ? Dans ce cas, quels étaient ces problèmes ? Comment les avez-vous résolus ?

## Approfondissement

1. À ton avis, pourquoi les modèles sont-ils utiles aux scientifiques ?
2. À ton avis, pourquoi l'ADN a-t-il la forme d'un escalier en spirale ou celle d'une double hélice ?

## Les protéines et l'ADN

Les messages contenus dans l'ADN sont exprimés dans un code se composant de trois bases consécutives le long d'une chaîne d'ADN, comme le montre la figure 4.8. Chaque segment de trois bases consécutives est appelé **codon**. La figure 4.9 donne un exemple plus familier d'un code en triplets. L'un des messages les plus importants de l'ADN contient les instructions pour la fabrication des **protéines.** Les molécules protéiques composent la majeure partie de la structure des cellules et des tissus des plantes et des animaux. Elles comprennent aussi des substances vitales comme des enzymes et des hormones.

Chaque protéine est une grosse molécule se composant de centaines de milliers de plus petites molécules connues sous le nom d'**acides aminés**. Il y a environ 20 sortes d'acides aminés, et ils peuvent se combiner de nombreuses façons pour fabriquer des protéines différentes. Un codon renferme les instructions nécessaires à la fabrication d'un acide aminé. Un **gène** est un segment d'ADN contenant suffisamment de codons pour produire tous les acides aminés nécessaires à la fabrication d'une protéine.

**LIEN *informatique***

Les scientifiques de nombreux pays s'entraident dans leur travail. Sur une grande feuille, fais un tableau contenant le nom de tous les scientifiques mentionnés jusqu'ici dans le présent chapitre. Note le pays où ils ont mené leurs recherches, leur contribution et l'année approximative de leurs travaux.

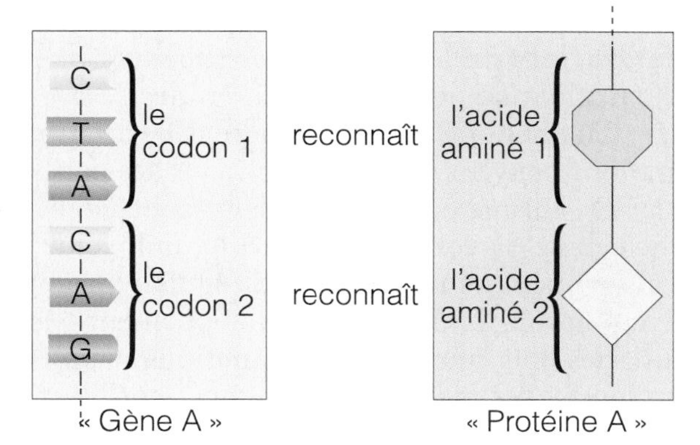


1. Un codon se compose de trois bases consécutives, comme C-T-A.
2. L'ADN contient des instructions pour relier des acides aminés dans un ordre particulier. C'est pourquoi la séquence des codons est très importante.
3. Un codon reconnaît un acide aminé particulier.
4. Les acides aminés sont reliés pour former des protéines.
5. Le type, l'ordre et le nombre d'acides aminés déterminent la structure et la fonction de la protéine.
6. La « protéine A » de l'exemple est composée de deux acides aminés.
7. Le segment d'ADN contenant les instructions pour composer la protéine A est appelé « gène A ».

**Figure 4.8** L'ADN est une série de codons. Cette séquence de codons fournit les instructions nécessaires pour assembler les protéines.

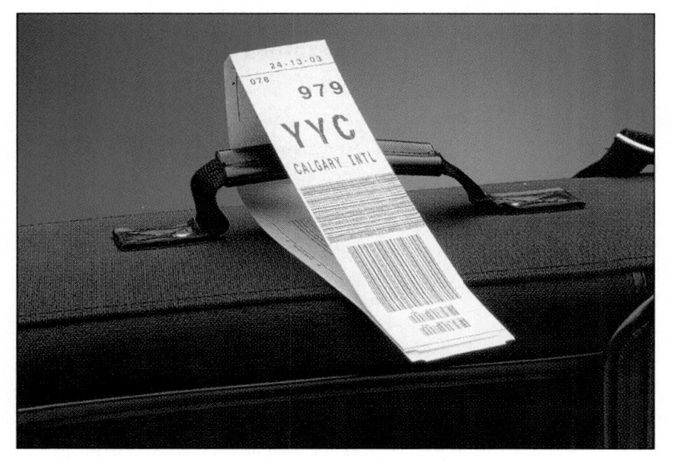


**Figure 4.9** Les lignes aériennes utilisent un code à trois lettres sur les étiquettes des bagages. Il y a un code précis pour chaque aéroport dans le monde.

En 1991, les scientifiques ont découvert que les extrémités des chromosomes dans les cellules raccourcissent chaque fois que la cellule se reproduit. Au bout de 50 réplications, certains types de cellules cessent de se reproduire. Cela pourrait expliquer ce qu'est réellement le vieillissement – l'incapacité à remplacer des cellules âgées, usées ou endommagées.

**LIEN mathématique**

Une mutation survient à tous les milliards de nucléotides. Si un lot haploïde de chromosomes contient trois milliards de paires de base, combien de mutations pourraient se produire chez une personne ? Souviens-toi qu'un individu est diploïde.

**Pause réflexion**

Dans ton journal scientifique, note quelques mutations qui pourraient être bénéfiques à une plante ou à un animal. Par exemple, une plante dont la croissance en hauteur est plus rapide que celle des plantes qui l'entourent jouira de plus d'ensoleillement.

## Les mutations

Comme l'ADN contrôle les caractères d'une cellule, il doit être copié avant qu'une cellule ne se reproduise (*voir le chapitre 1*). Cela est indispensable, car chaque nouvelle cellule a besoin de la même information que la cellule originale. Il arrive parfois que des erreurs se produisent pendant cette copie. Ces erreurs sont appelées **mutations**. Par exemple, si une erreur se produit dans la séquence des codons pour rassembler des acides aminés en une protéine, il peut en résulter une protéine différente ou une protéine ayant une propriété différente. D'après toi, y aura-t-il une différence si la mutation se produit dans une cellule du corps (cellule somatique) plutôt que dans une cellule reproductrice (ovule ou sperme) ?

Dans la section précédente, tu as appris qu'un gène est un segment d'ADN. Chaque gène est disposé à un endroit précis d'un chromosome et véhicule de l'information sur un trait héréditaire spécifique. Lorsque les scientifiques annoncent qu'ils ont découvert le gène d'un trait ou d'une maladie, par exemple la fibrose kystique, ils veulent dire qu'ils ont découvert l'endroit exact où se situe ce gène sur un chromosome. Un même gène peut revêtir plusieur formes. Ainsi, le gène responsable du daltonisme du rouge et du vert peut prendre deux formes : les porteurs de l'une peuvent distinguer les couleurs rouge et vert, tandis que les porteurs de l'autre perçoivent ces deux couleurs comme étant identiques. Les différentes formes d'un même gène sont appelées **allèles**. Les allèles apparaissent lors de mutation, lorsque les nucléotides subissent une ou plusieurs substitutions. Une sorte de nucléotide peut alors être remplacée par une autre, et un nouveau gène est créé. Ce phénomène est à la base des variations entre les individus.

Les mutations peuvent être héréditaires. Elles peuvent être utiles, nuisibles ou sans effet sur l'organisme ou la cellule dans laquelle elles se produisent. Une mutation dans une cellule du corps d'un individu multicellulaire aura un effet beaucoup moins radical qu'une mutation dans une cellule reproductrice ou dans un embryon, cette dernière pouvant influer sur le développement de l'organisme tout entier.

Les causes les plus courantes des mutations semblent être les **agents mutagènes**, comme les radiations, les températures extrêmes ou l'exposition à des substances chimiques comme des pesticides. Ces agents modifient le code d'ADN. En conséquence, une cellule peut produire la mauvaise protéine ou n'en produire aucune, ce qui modifie la fonction qu'elle devait remplir au départ. D'autres mutations font perdre aux cellules le contrôle des processus de division cellulaire, de sorte qu'elles se mettent à se diviser rapidement et à répétition, causant le cancer.

Les mutations chromosomiques se produisent généralement à la suite de dommages aux chromosomes causés par un agent mutagène. Par exemple, une partie d'un chromosome peut se rompre et se perdre. Certaines mutations chromosomiques sont illustrées à la figure 4.10. Souvent, les mutations chromosomiques dans une cellule reproductrice ne survivent pas parce que l'ovule ou le sperme sont incapables de féconder. En conséquence, la plupart des mutations chromosomiques dans les cellules reproductrices ne sont pas transmises à la progéniture.

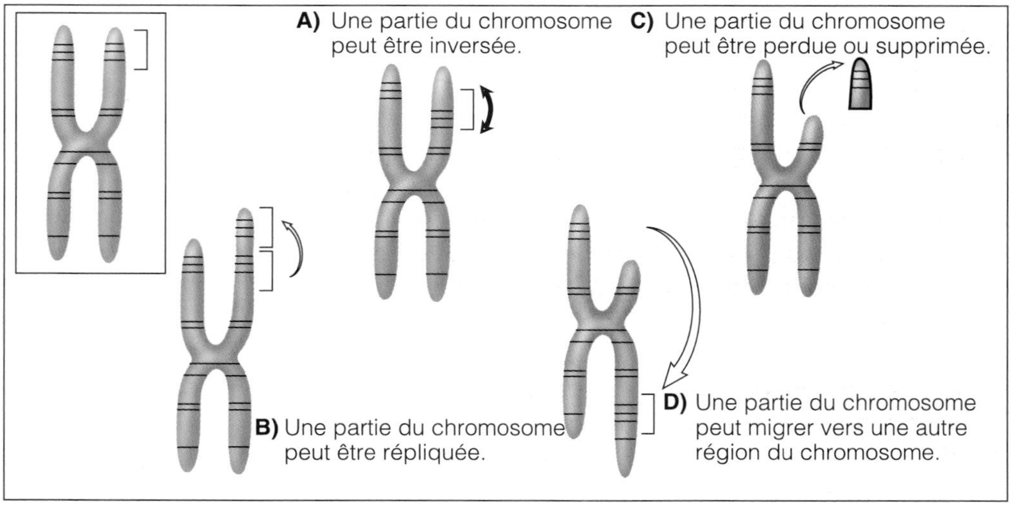

**A)** Une partie du chromosome peut être inversée.
**B)** Une partie du chromosome peut être répliquée.
**C)** Une partie du chromosome peut être perdue ou supprimée.
**D)** Une partie du chromosome peut migrer vers une autre région du chromosome.

**Figure 4.10** Divers types de mutations chromosomiques

## Le génie génétique

Tu as appris que de nouvelles combinaisons génétiques peuvent être produites grâce à la reproduction sélective. De même, le **génie génétique** peut servir à combiner artificiellement des gènes dans une cellule. Les scientifiques ont appris comment prélever de l'ADN dans une cellule d'un organisme et le transférer dans un autre organisme pour produire une nouvelle combinaison. Il en résulte un organisme **transgénique**. L'ADN transféré produit des changements dans les caractères de l'organisme. Par exemple, on peut donner un nouveau gène à une bactérie. Cette bactérie peut alors fabriquer la protéine codée par le nouveau gène. La nouvelle protéine peut être de l'insuline humaine ou quelque autre protéine que la bactérie ne produit pas habituellement.

Le génie génétique a fait son apparition au début des années 1970 alors qu'on faisait des travaux sur une bactérie appelée *Escherichia coli*. De nombreuses bactéries contiennent des plasmides, c'est-à-dire de petites boucles d'ADN indépendantes. Or, comme les bactéries peuvent échanger des plasmides par conjugaison, produisant de nouvelles combinaisons d'ADN, les scientifiques ont profité de cette caractéristique des bactéries pour mettre au point une nouvelle combinaison de matériel génétique, l'**ADN recombinant**.

Les scientifiques produisent de l'ADN recombinant en mettant des plasmides dans une éprouvette avec des fragments d'ADN provenant d'un autre organisme. Ces fragments contiennent des gènes particuliers; les chercheurs veulent que les plasmides s'y combinent. Une fois que les plasmides et les fragments sont réunis, un enzyme est utilisé pour couper le plasmide en deux. Le fragment se joint au plasmide ou il est épissé dans celui-ci. Cette technique est appelée **épissage de gènes**.

Comment les fragments d'ADN sont-ils obtenus? Des enzymes d'origine naturelle (appelés « enzymes de restriction ») sont utilisées pour couper des brins d'ADN à des endroits bien précis. Les scientifiques ont identifié environ 800 enzymes de ce genre, qui coupent tous les brins d'ADN en des endroits particuliers. Une fois qu'un nouveau gène a été épissé dans un plasmide, les plasmides modifiés peuvent être mélangés avec des cellules bactériennes. La bactérie absorbe les plasmides et s'adapte au nouveau gène. Par exemple, on peut transférer, à l'aide de cette méthode, un gène pour la production d'insuline humaine dans une bactérie.

En génie génétique, l'un des problèmes demeure le transfert de l'ADN fabriqué dans la cellule hôte. Ce sont les virus qu'on a le plus souvent utilisés comme « transporteurs ». Une autre méthode consiste à utiliser un « fusil génétique » qui tire dans la cellule hôte de microscopiques particules métalliques couvertes d'ADN transgénique.

## Pourquoi voudrions-nous des « gènes de conception »?

Plus tôt, dans le présent chapitre, la reproduction sélective a été décrite comme un procédé permettant de produire de nouvelles variétés de plantes et d'animaux. En moyenne, il faut 12 ans pour développer une nouvelle variété de plantes par la reproduction sélective. Le génie génétique a pour avantage d'obtenir de nouvelles variétés en seulement un an. Mais ce n'est pas là son seul avantage. Le génie génétique permet aussi aux scientifiques de donner à des organismes des gènes d'autres espèces, ce qui est normalement impossible par la reproduction sélective.

Les techniques modernes permettent de fabriquer des produits utiles à l'agriculture, à la médecine et à l'industrie. Dans le cas des plantes vivrières (comme le maïs, le blé ou le riz), le but est de créer des plantes qui produisent une plus grande quantité de grains plus nourrissants ou plus résistants aux virus causant des maladies ou à la sécheresse. On peut génétiquement modifier les animaux pour qu'ils produisent plus de viande, plus de lait ou plus d'œufs ou qu'ils résistent mieux aux maladies.

En médecine, un gène absent chez une personne peut lui être fourni grâce au génie génétique. Bien entendu, la reproduction sélective ne serait d'aucune utilité dans ces cas. Pourquoi? Pense à des raisons qui puissent l'expliquer. En outre, les humains et les autres organismes peuvent avoir avantage à prendre des produits essentiels, comme des hormones, fabriqués artificiellement.

# La controverse du clonage

## Réfléchis

Les nouvelles concernant le clonage de la brebis Dolly ont contribué à sensibiliser davantage le public à ce procédé. Le clonage a de nombreuses applications dans les domaines de l'agriculture, de la médecine et de la foresterie, mais c'est la possibilité de cloner des humains qui suscite le plus d'intérêt.

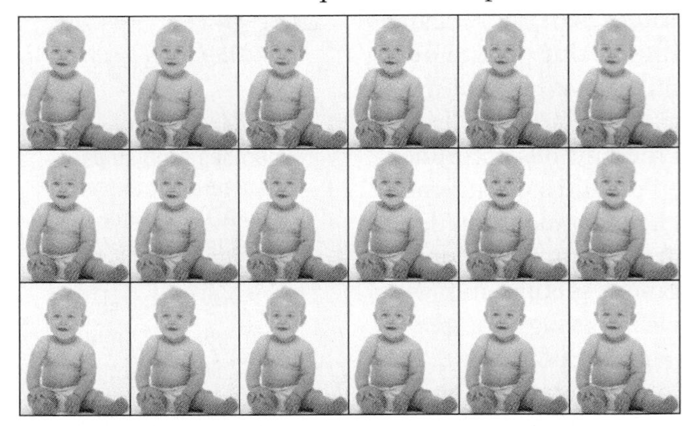

L'idée de faire des copies génétiques de certains individus fait l'objet de discussions depuis de nombreuses années. Ce procédé pourrait-il être utilisé pour produire des armées de soldats extraordinaires ou pour concevoir des copies de grands scientifiques ou d'athlètes professionnels ? À l'avenir, les parents pourront-ils choisir des enfants dans un catalogue ? En fait, les décisions sur les contrôles qui s'imposent dans ce domaine devront être prises prochainement.

La bioéthique étudie les questions morales dans les traitements médicaux et de la recherche. Bien qu'il y ait de nombreuses façons d'analyser les questions de bioéthique, il y a certaines étapes communes à toutes les discussions. La prochaine activité te permettra de réfléchir sur les questions de bioéthique relatives au clonage humain. Quels sont les avantages et les inconvénients de ce type de clonage ? Quel contrôle devrait-on exercer sur ces expériences ? Si le clonage humain devait devenir une réalité, qui devrait être autorisé à cloner ? Dans quelles conditions ? **Note :** Pour plus d'information sur l'analyse des questions contraversées, va à la page PP-12.

## Ce que tu dois faire

1. Énonce les problèmes que soulève le clonage. Tu peux t'exprimer sous forme d'une question ou d'un énoncé décrivant le dilemme, mais il faut aussi que tu résumes le problème brièvement et clairement.
2. Précise qui y gagnera et qui y perdra. Qui a un intérêt relativement au résultat final ? Pense à autant de personnes et de groupes que possible.
3. Propose des solutions. Il y a toujours plus d'une solution à une question d'éthique, de sorte que tu peux proposer autant de solutions que tu le désires.
4. Classe tes solutions en commençant par la meilleure. Choisis celle qui te semble la plus sensée.
5. Explique pourquoi ce choix te semble être le meilleur. Quelles valeurs personnelles ont joué dans ta décision ? Es-tu entièrement heureuse ou heureux de ta décision ? Pourquoi ?

## Analyse

Pour analyser cette question de bioéthique, choisis l'une des façons suivantes :

- Écris ton analyse de la question sous forme d'un article de magazine ou de journal.
- Compose un poème, une chanson, une pièce de théâtre ou une nouvelle qui présente ton analyse de la question.
- Conçois une affiche qui illustre ta position et ton raisonnement sur la question.

## Le clonage

Le clonage consiste à faire des copies identiques, qu'il s'agisse de molécules, de gènes ou de cellules d'un organisme ou de l'organisme tout entier. Une façon simple de faire un clone consiste à prendre une bouture de plante et à la mettre dans l'eau, comme tu l'as fait au chapitre 1. Lorsque la bouture aura produit des racines, tu pourras la déposer dans un pot. La bouture deviendra une plante génétiquement identique à l'originale. Cela veut-il dire que les parents et leurs enfants auront une apparence identique ? Pour répondre à cette question, demande-toi si les gènes sont les seuls facteurs déterminants dans l'apparence finale d'un organisme. Examine la figure 4.11. Elle décrit comment les scientifiques clonent un mammifère.

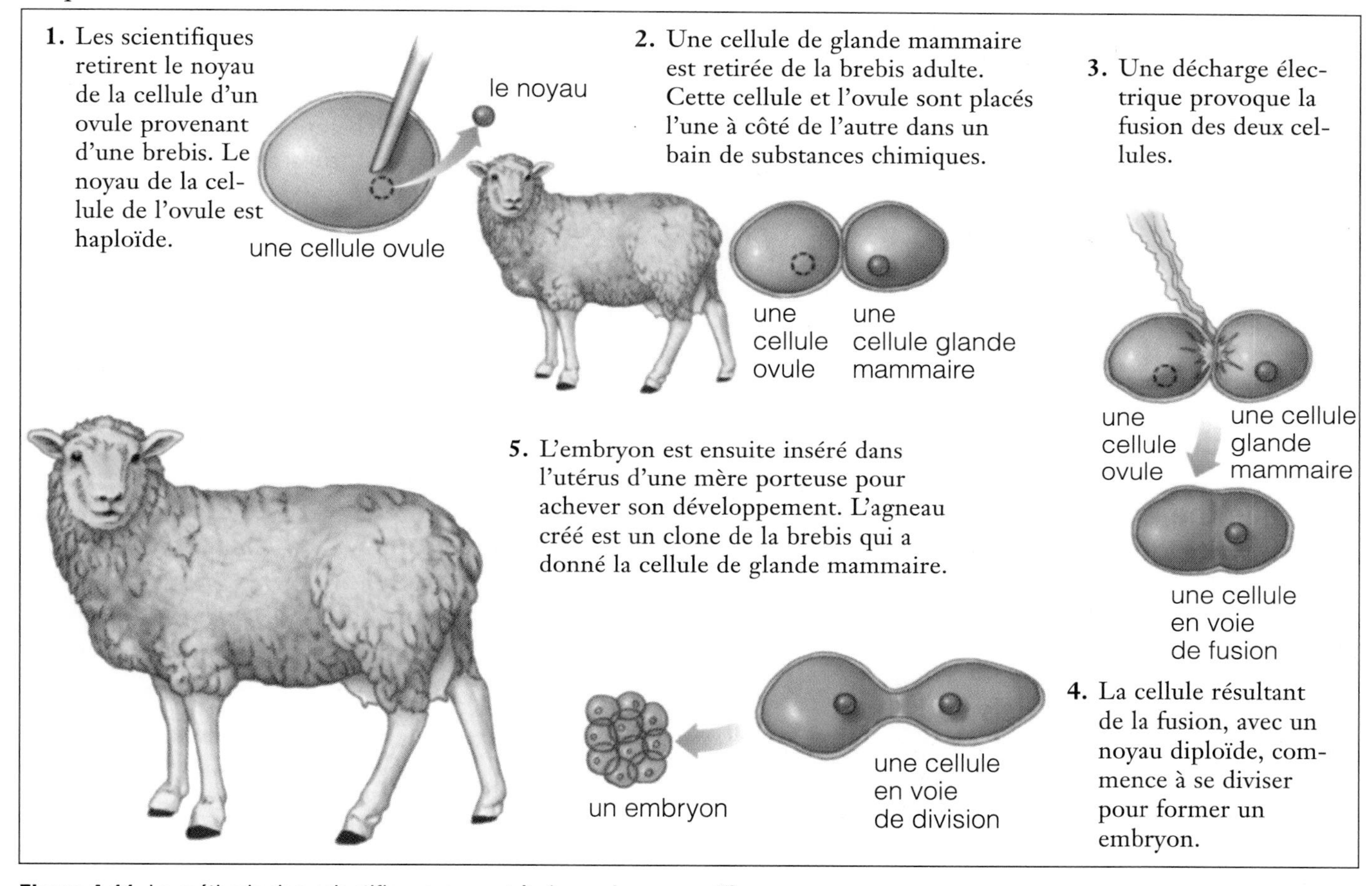


**Figure 4.11** La méthode des scientifiques servant à cloner des mammifères

## Vérifie ce que tu as compris

1. En quoi l'ADN est-il un code ?
2. Décris la finalité de l'ADN.
3. Qu'est-ce qu'un gène ?
4. Quelle est l'importance ou la signification des mutations ?
5. **Réflexion critique** De quelles façons les organismes transgéniques peuvent-ils être utilisés ?
6. On estime que chaque être humain est porteur de cinq à huit gènes nuisibles. À ton avis, pourquoi n'y a-t-il pas plus de gens qui naissent avec des maladies héréditaires ?

# 4.3 La biotechnologie et le corps humain

**Figure 4.12** De nouvelles techniques sont en cours d'élaboration pour diagnostiquer et traiter certaines maladies.

Les recherches en génétique ont beaucoup progressé du côté de l'identification et du diagnostic des troubles génétiques chez les humains. Il y a environ 3000 maladies connues liées à des gènes. Les scientifiques arrivent à diagnostiquer plus de 200 d'entre elles. Une maladie génétique est causée par une défectuosité dans l'ADN d'une personne. Une telle défectuosité peut être attribuable à une mutation, à l'absence ou à la présence de gènes ou de chromosomes particuliers. Elle peut entraîner des troubles physiques et physiologiques.

Comment les chercheurs diagnostiquent-ils de tels troubles ? Il est possible d'identifier plusieurs maladies génétiques en examinant simplement les chromosomes d'une personne sous un microscope. C'est là un type de **tri génétique**. Une image des chromosomes d'une cellule s'appelle **caryotype**. La prochaine expérience te permettra de te servir du tri génétique pour repérer une anomalie dans un caryotype humain.

Une technique appelée **thérapie génique** permet aux scientifiques de remplacer des gènes défectueux par des gènes sains. Il existe diverses méthodes pour introduire des gènes dans des cellules. Une de ces méthodes utilise des virus modifiés. Un virus attaque normalement les cellules en s'attachant à leur membrane extérieure et en poussant ensuite son propre ADN à l'intérieur. L'ADN viral utilise la cellule hôte pour faire des copies de lui-même. Dans un virus modifié, les scientifiques épissent un gène sain dans l'ADN viral, puis ils laissent le virus transférer le gène dans les cellules du patient (*voir la figure 4.13*).

**Pause réflexion**

Penses-tu que nous devrions tous subir des tests de dépistage des troubles génétiques ? Crois-tu qu'aucun d'entre nous ne devrait en subir ? Si tu souffrais d'un trouble génétique pouvant causer ta mort à 40 ans, voudrais-tu le savoir ? Réfléchis à ces questions et note tes opinions sur ce problème délicat dans ton journal scientifique.

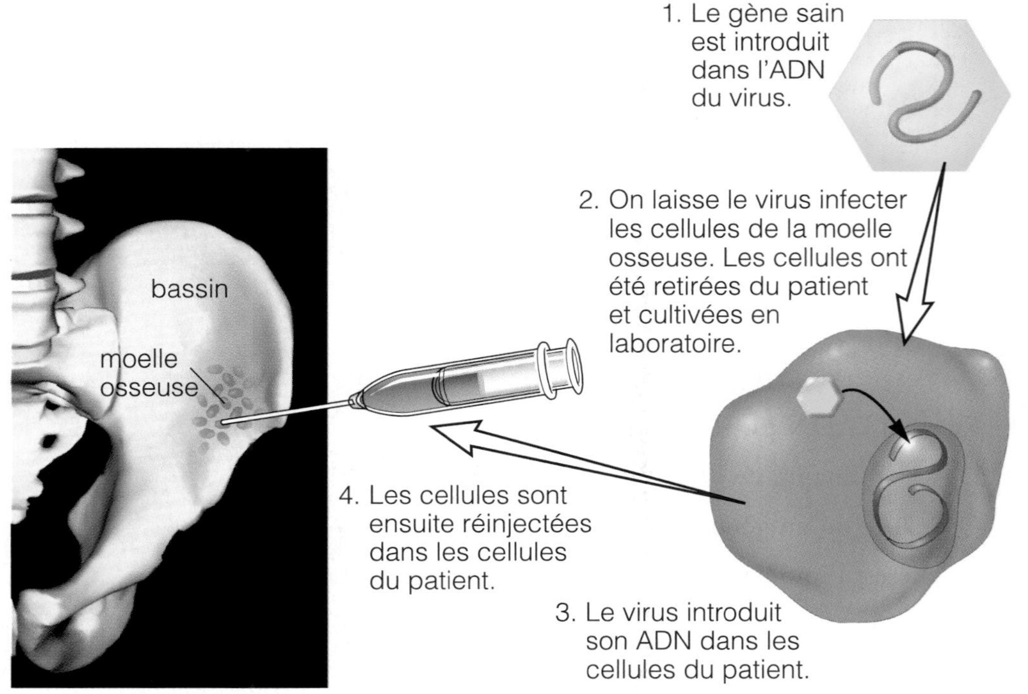

**Figure 4.13** Un virus se reproduit en introduisant son ADN dans une cellule hôte qui fait des copies du virus. Un virus modifié peut être utilisé pour introduire un gène sain dans une cellule et traiter un trouble génétique.

RÉALISE UNE EXPÉRIENCE 4-D

# Le tri génétique

Pour repérer les troubles chromosomiques, on prépare un caryotype à partir d'un échantillon de tissus cultivés en laboratoire puis on les photographie sous un microscope. Rappelle-toi que les humains normaux ont 23 paires de chromosomes. Une paire de chromosomes détermine le sexe d'une personne. Les chromosomes qui déterminent le sexe sont appelés chromosomes «X» et «Y». Les femelles ont deux chromosomes X (XX), tandis que les mâles ont un chromosome X et un chromosome Y (XY). Le chromosome X est considérablement plus gros que le chromosome Y et il contient beaucoup plus d'information génétique.

## Problème à résoudre

Comment peux-tu repérer un trouble chromosomique ?

### Matériel

un diagramme de chromosomes humains

des ciseaux

## Marche à suivre

1. Prends le caryotype que ton enseignante ou ton enseignant te remet et découpe chacun des chromosomes.
2. Dispose les chromosomes en paires. Sers-toi de la taille des chromosomes et des spectres de bande pour jumeler les paires de chromosomes, puis dispose-les en commençant par les plus gros. Le chromosome 1 est le plus gros, et le chromosome 22 est le plus petit. Place les chromosomes qui déterminent le sexe à la fin de la séquence.

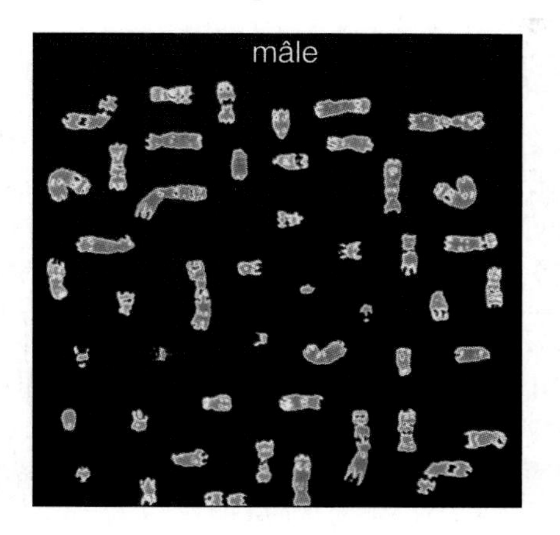


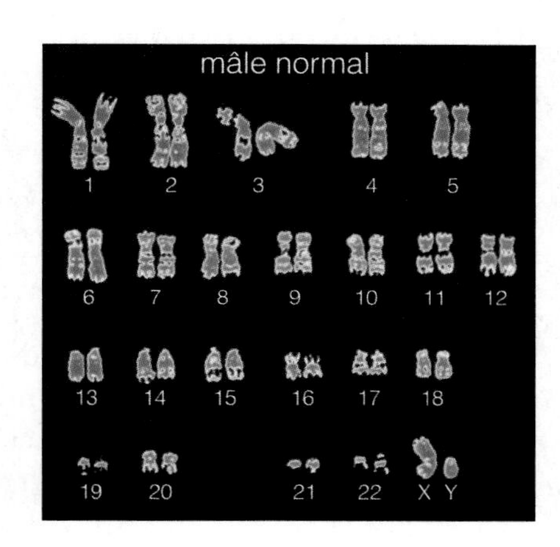


## Analyse

1. Combien de chromosomes contient le caryotype ?
2. Quel est le sexe de la personne ?
3. Qu'y a-t-il d'inhabituel dans ce caryotype ?

## Conclusion et mise en pratique

4. D'autres anomalies, comme avoir trois copies du chromosome 13 ou 15, causent des troubles physiques majeurs chez les nouveau-nés. À ton avis, pourquoi ces troubles ont-ils des effets aussi extrêmes ?

## Enrichis tes connaissances

5. L'amniocentèse est une méthode servant à déterminer les troubles génétiques chez un fœtus. En quoi cette méthode consiste-t-elle ? Pourquoi la recommande-t-on à certaines femmes enceintes ? Nomme quelques avantages et quelques risques associés à cette méthode.

## Les troubles génétiques

La plupart des troubles génétiques sont rares dans la population humaine. Les exemples comprennent la fibrose kystique, la trisomie, la dystrophie musculaire progressive type Duchenne, la trisomie 18, le syndrome de l'X fragile, l'hémophilie A, la maladie de Huntington, le syndrome de Klinefelter, l'anémie drépanocytaire, la spina-bifida, la maladie de Tay-Sachs et le syndrome de Turner. Tu veux peut-être en savoir davantage sur certains d'entre eux.

### Ce que tu dois faire

1. Choisis l'un des troubles génétiques mentionnés ci-dessus.
2. Recherche sa cause et ses effets et comment on le dépiste.
3. Présente le résultat de tes recherches dans un bref rapport. Utilise, à l'intérieur de ton rapport, des schémas et des diagrammes.

### Qu'as-tu découvert ?

1. Le trouble génétique que tu as examiné est-il courant ?
2. Quelles nouvelles technologies ont été mises au point pour diagnostiquer ce trouble ?
3. Existe-t-il un traitement pour ce trouble génétique ? Si c'est le cas, en quoi consiste-t-il ?

La thérapie génique utilisant des cellules somatiques peut venir en aide à un patient souffrant d'une maladie héréditaire. Pour éviter que les parents ne transmettent une maladie génétique à leurs enfants, cependant, les gènes défectueux doivent être repérés et modifiés dans les cellules sexuelles du patient (sperme ou ovule). Quels sont les risques associés à la modification des cellules reproductrices d'un organisme ? Comment pourrait-on abuser de cette thérapie ? Certaines personnes s'opposent à ces manipulations génétiques pour des raisons religieuses ou des raisons d'éthique.

**Le savais-tu ?**

En clinique, la première thérapie génique remonte à 1990. On l'a utilisée sur une petite fille de quatre ans à qui il manquait un gène nécessaire pour lutter contre de nombreuses infections courantes. On a cultivé des échantillons de ses globules blancs en laboratoire, puis on les a modifiés pour qu'ils incluent le gène manquant avant de les réintroduire dans son système circulatoire.

**Figure 4.14** Le docteur Lap-Chee Tsui du Hospital for Sick Children à Toronto a découvert le gène responsable de la fibrose kystique. Cette information est vitale pour mettre au point des traitements et peut-être un remède contre cette maladie.

Tous les gènes présents dans un ensemble complet de chromosomes composent un génome. En traçant une carte du génome humain entier, les scientifiques croient qu'ils disposeront de l'outil idéal pour diagnostiquer les troubles génétiques. Le **Projet génome humain** a été mis en branle aux États-Unis en 1990 dans le but de trouver approximativement 100 000 gènes d'un ensemble (23) de chromosomes humains. De nombreux pays collaborent à ce gigantesque projet. Pour accélérer les choses, les scientifiques utilisent des sondes d'ADN, soit de courts brins d'ADN « marqué » qui s'attacheront à des gènes très précis. Ces sondes peuvent aussi servir à diagnostiquer des maladies génétiques chez des personnes qui ne présentent encore aucun symptôme. Des techniques de ce genre ont aidé les chercheurs à découvrir le gène responsable de la fibrose kystique, maladie qui s'attaque au pancréas et aux poumons (*voir la figure 4.14*).

## Fabriquer des protéines humaines

Il est difficile de remplacer des gènes défectueux ou manquants. Une solution de rechange consiste à créer des bactéries qui fabriqueront le produit génique. Par exemple, les diabétiques sont incapables de produire leur propre insuline (hormone qui régularise le taux de sucre dans le sang). On a longtemps traité les diabétiques avec de l'insuline de vache ou de porc, mais certains patients y ont des réactions allergiques.

En 1978, le gène humain responsable de la production d'insuline a été transféré dans des bactéries. L'insuline fabriquée par les bactéries avait l'avantage d'être de l'insuline humaine, de sorte qu'elle faisait diminuer les risques de réactions allergiques. On peut aussi fabriquer de grandes quantités de cette hormone à des coûts relativement peu élevés en se servant de bactéries (*voir la figure 4.15*). Des bactéries sont aussi utilisées pour produire l'hormone de croissance (destinée au traitement d'anomalies de croissance) et l'interféron (protéine du système immunitaire).

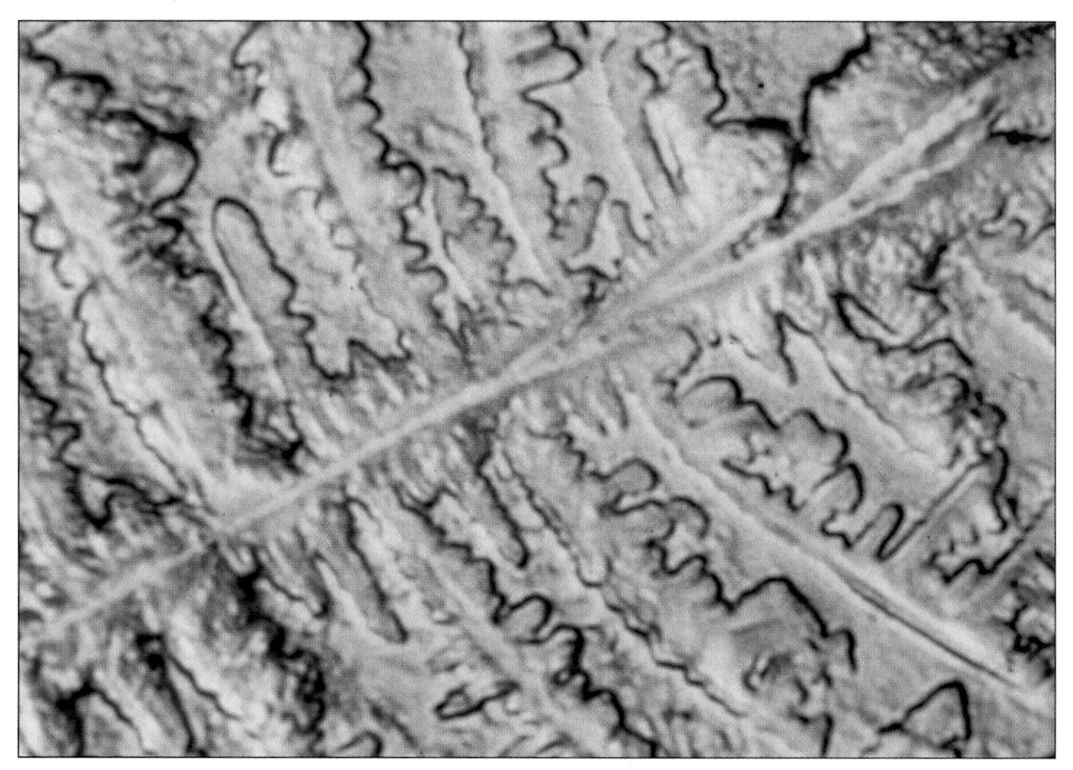

**Figure 4.15** Cette photo montre des bactéries créées génétiquement servant à fabriquer de l'insuline humaine.

**Figure 4.16** Voici la chèvre Willow, premier animal d'élevage transgénique né au Canada en août 1998. La présence d'un gène humain dans l'organisme de Willow lui permet de produire du lait contenant une protéine humaine.

On peut donner des gènes humains à des animaux, tout comme on peut en donner à des bactéries (*voir la figure 4.16*). Les animaux génétiquement modifiés, ou animaux transgéniques, sont créés par l'ajout de gènes humains dans les ovules fécondés de leurs parents. Les petits grandissent alors avec un gène humain. En général, le produit génique est une protéine qui peut être recueillie dans le lait de l'animal transgénique, puis purifiée. Le tableau 4.1 énumère quelques protéines fabriquées à l'aide d'animaux transgéniques.

**Tableau 4.1** Quelques protéines humaines courantes créées à l'aide d'animaux transgéniques

| Produit | Utilisation | Animal |
|---|---|---|
| lactoferrine humaine | bonne source de fer pour les bébés | vache |
| antitrypsine | composé servant à traiter une forme héréditaire d'emphysème | mouton |
| facteur VIII et IX | facteurs de coagulation servant à traiter l'hémophilie | mouton |
| protéine humaine C | substance servant à traiter les caillots sanguins | porc |

Les cellules bactériennes ne peuvent pas produire des protéines complexes comme celles énumérées précédemment. La fabrication de ces protéines requiert un certain nombre d'étapes qui peuvent se dérouler uniquement dans les cellules d'un organisme multicellulaire. L'utilisation des mammifères a pour avantage que les protéines produites peuvent être recueillies dans le lait du mammifère. L'animal n'a pas besoin d'être tué pour que l'on puisse obtenir les protéines. En outre, le petit d'un animal transgénique peut hériter de la capacité de ce dernier de produire des protéines humaines.

## Vérifie ce que tu as compris

1. Comment un caryotype peut-il être utilisé pour identifier une maladie génétique ?
2. Qu'est-ce que la thérapie génique ? Quand l'utilise-t-on ?
3. Quel est l'objectif du Projet génome humain ?
4. Nomme quelques-unes des protéines humaines qui peuvent être produites par des bactéries génétiquement modifiées.
5. Pourquoi certaines protéines humaines sont-elles produites par des vaches, des moutons ou des porcs transgéniques plutôt que par des bactéries ?
6. **Réflexion critique** La thérapie génique pourrait mener à des technologies pouvant modifier les cellules reproductrices humaines (sperme et ovules). Pourquoi certaines personnes s'opposent-elles à ces technologies ?

# 4.4 La biotechnologie et l'agriculture

## Les nouvelles cultures

Les fermiers ont toujours essayé d'améliorer leurs récoltes. Par exemple, un cultivateur peut remarquer qu'une souche de blé est plus résistante aux ravageurs, tandis qu'une autre produit un plus grand nombre de semences. Le cultivateur peut croiser les deux souches lui-même de manière à créer une nouvelle variété combinée, ou **hybride**, possédant les deux caractères (*voir la figure 4.18*). Cette technique ne peut être utilisée qu'avec des espèces très semblables.

À l'aide de la biotechnologie moderne, cependant, les sélectionneurs peuvent maintenant choisir un trait génétique en particulier (gène) de n'importe quelle espèce et le transférer dans le code génétique d'une plante vivrière. Cette méthode rend les croisements beaucoup plus efficaces, pour deux raisons. Premièrement, elle permet aux sélectionneurs de choisir les caractères génétiques particuliers qu'ils recherchent, ce qui accélère le procédé et le rend plus spécifique que la reproduction sélective. Deuxièmement, la biotechnologie permet aux sélectionneurs d'utiliser des gènes d'espèces éloignées, dont des espèces animales, des micro-organismes, de même que des plantes. Imagine, par exemple, qu'une variété de blé possède un gène qui lui permette de résister à un ravageur en particulier. Ce gène peut être transféré chez une autre espèce de plantes.

**Figure 4.17** Y aura-t-il assez de nourriture pour la population humaine sans cesse croissante ?

**Figure 4.18** Mis au point en 1867, le triticale est une céréale issue du croisement du blé et de l'orge. Il est plus riche en protéines que le blé et il est utilisé dans l'alimentation humaine et animale.

**Figure 4.19** Ces plantes ne sont pas résistantes aux herbicides. Comment pourraient-elles le devenir ?

Au début des années 1990, on avait modifié près de 86 % (environ 1600) de toutes les cultures transgéniques pour qu'elles soient tolérantes aux herbicides. Les herbicides sont des composés chimiques qui tuent les plantes indésirables ou les mauvaises herbes qui poussent dans les cultures. Cependant, les herbicides peuvent aussi tuer les cultures. Comment peut-on protéger les cultures vivrières des effets des herbicides ? On peut leur greffer un gène qui leur permet de vivre normalement en présence des herbicides. Quels sont les avantages de ces cultures ? Un cultivateur peut épandre des concentrations d'herbicide suffisantes pour tuer la plupart des mauvaises herbes sans endommager les cultures vivrières. Il n'a donc pas besoin de les arroser aussi souvent, ce qui est moins coûteux pour le fermier et moins dommageable pour l'environnement. On s'inquiète toutefois que le gène de résistance aux herbicides puisse être transmis aux mauvaises herbes par pollinisation croisée naturelle avec les cultures vivrières, ce qui produirait des mauvaises herbes résistantes, elles aussi, aux herbicides.

## Le canola : une réussite canadienne

Le Canada joue un rôle important en matière de biotechnologie végétale, et le canola est l'une de ses plus grandes réussites. Le canola est une contraction des mots « canadien » et « oil ». L'ancêtre du canola est une plante appelée « colza ». Autrefois, l'huile de colza était utilisée en Asie et en Europe comme huile à lampe, pour la cuisson et dans les aliments. Aujourd'hui, l'huile contenue dans le colza est très recherchée. Elle entre dans la composition des shortenings, des huiles à salade, des enduits antiadhésifs en vaporisateur et de beaucoup d'autres aliments, ainsi que dans l'encre d'imprimerie, les fluides hydrauliques et les lotions solaires. Les parties solides de la plante peuvent être utilisées dans les engrais et dans l'alimentation du bétail, de la volaille et du poisson.

Le colza est cultivé au Canada (surtout en Saskatchewan) depuis 1936. Il était très populaire pendant la Seconde Guerre mondiale : on s'en servait efficacement pour lubrifier les pièces de moteur. Après la guerre, la demande a considérablement diminué, les cultivateurs ont commencé à chercher d'autres applications pour le colza et ses dérivés. Les extraits comestibles de l'huile de colza ont été commercialisés pour la première fois en 1956 et 1957, mais ce ne sont pas toutes les caractéristiques du produit qui étaient considérées comme acceptables. L'huile de colza avait un goût prononcé et une désagréable couleur verte attribuable à la présence de chlorophylle. Elle contenait aussi une forte concentration d'acide érucique, substance qui aurait, on le soupçonne, des propriétés cancérigènes lorsqu'elle est consommée en grande quantité. Enfin, les aliments à base de colza destinés au bétail ne plaisaient pas aux animaux en raison de taux élevés de composés à saveur piquante appelés « glucosinolates ».

Les sélectionneurs canadiens ont relevé le défi d'améliorer la qualité du colza. En 1968, le docteur Baldur Stefansson de la University of Manitoba a utilisé la reproduction sélective pour mettre au point une variété de colza pauvre en acide érucique et en glucosinolates.

**Figure 4.20** La reproduction sélective des plantes et le génie génétique ont servi à développer le colza. Dérivés du colza, l'huile et le tourteau de canola ont des qualités nutritionnelles exceptionnelles.

**LIENS carrière**

**Des plantes « résistantes »**

Qu'obtiendrais-tu si tu croisais une bactérie et une plante de colza? Est-ce une blague? Pas pour les fermiers des prairies canadiennes. Des scientifiques de Saskatoon ont découvert une bactérie qui produit une protéine toxique pour le plus grand ennemi de la plante de colza, l'altise, mais pas pour les humains. En se servant de techniques de génie génétique, les scientifiques ont réussi à isoler le gène bactérien qui produit la protéine toxique et à le greffer à l'ADN du colza. Les plantes produisent maintenant la même protéine toxique que la bactérie. Quand les altises mangent de ces nouvelles plantes de colza, la protéine les tue.

Au Plant Biotechnology Institute de Saskatoon et au Pacific Agriculture Research Centre à Vancouver, des savants ont mis au point de nombreuses plantes vivrières résistant aux maladies et aux insectes, notamment le soja, les pommes de terre et les fraises. Par exemple, il existe une nouvelle tomate qui contient un gène l'empêchant de ramollir quand elle mûrit. Le brocoli a aussi été modifié pour que son agent anticancéreux soit plus abondant.

Imagine que tu es un scientifique qui manipule des gènes. Propose une idée de fruit ou de légume que la plupart d'entre nous mangent et qui aurait avantage à être manipulé génétiquement. Écris un paragraphe expliquant pourquoi les scientifiques devraient chercher un gène pour modifier cette espèce cultivée.

Aujourd'hui, 75 % des plantes de colza cultivées en Alberta, au Manitoba et en Saskatchewan sont des variétés tolérantes aux herbicides. On a mis au point en 1998 une variété plus résistante que toutes les autres auparavant à la plupart des maladies et à la sécheresse. Ces nouvelles variétés ont été produites grâce à des techniques d'épissage de gènes.

**LIENS INTERNET**

**www.dlcmcgrawhill.ca**

Fais une recherche sur la commercialisation des céréales dans l'Ouest canadien. Visite le site Web dont l'adresse figure ci-dessus. Va d'abord à **Matériel complémentaire/Primaire et secondaire** puis à **OMNISIENCES 9**, et on t'indiquera où aller ensuite. Rédige un court rapport sur les caractéristiques des différentes variétés de blé.

Comparativement aux huiles de tournesol, d'olive, d'arachide et à d'autres huiles, l'huile de colza représente la combinaison la plus souhaitable de gras saturé et insaturé pour un régime alimentaire sain. Grâce à la reproduction sélective et au génie génétique, sa place dans notre société semble donc assurée pendant de nombreuses années.

Bien que les produits comme le colza connaissent un grand succès, la question reste entière : l'utilisation de la reproduction sélective et de gènes résistants aux herbicides est-elle une solution à long terme au problème de la demande croissante de production vivrière ? Les espèces transgéniques demeureront-elles efficaces longtemps ? Y aura-t-il des effets secondaires nuisant à l'environnement et aux autres espèces ?

Le succès de la biotechnologie peut mener à des situations où de grandes étendues d'un pays sont utilisées pour cultiver une seule variété de plante ou un nombre très limité de variétés (*voir la figure 4.21*). Cette pratique s'appelle **monoculture**. Le manque de diversité expose les cultures à une destruction massive causée par une seule maladie ou par un seul ravageur auquel la variété n'est pas résistante.

**Figure 4.21** Les vastes étendues où pousse un seul type de culture sont vulnérables aux ravageurs et aux maladies.

## Les nouveaux animaux

En raison du déclin des stocks naturels de poisson des océans et des lacs, la pisciculture, ou **aquaculture**, deviendra une méthode de production de poissons de plus en plus importante. On prévoit que, dans un avenir rapproché, l'élevage de poissons représentera 25 % ou plus des captures de poisson au Canada. L'industrie de l'aquaculture se sert de la biotechnologie. Les scientifiques ont ajouté des gènes de résistance à certaines maladies chez diverses espèces de poissons, et des gènes d'hormone de croissance ont été introduits dans des œufs de poisson pour augmenter la taille et le taux de croissance des poissons, comme l'illustre la figure 4.22.

**Figure 4.22** Les saumons transgéniques, qui contiennent un gène accélérant la croissance, peuvent être de quatre à six fois plus gros que les saumons n'en possédant pas. Les deux poissons du haut n'ont pas le gène qui accélère la croissance.

Certaines piscicultures canadiennes ont des problèmes de fonctionnement en hiver quand les températures inférieures à zéro font geler les saumons et les flétans. Des chercheurs de la Memorial University à Terre-Neuve ont introduit des gènes de type « antigel » dans des stocks de saumons et de flétans de l'Atlantique. Le gène provient d'une espèce de plie arctique et produit une protéine qui empêche le gel du sang des poissons.

Des hormones ont aussi été utilisées pour augmenter la production des produits des animaux de ferme. Par exemple, l'hormone de croissance bovine est une hormone que produisent naturellement les vaches. Elle contrôle à la fois la croissance des veaux et la production du lait. Les vaches qui reçoivent des injections de cette hormone fournissent de plus grandes quantités de lait que les vaches qui n'en reçoivent pas. En 1980, le gène de l'hormone de croissance bovine a été introduit dans la bactérie *E. coli*. Cette bactérie transgénique produit ensuite l'hormone telles de petites usines. Pour que le traitement soit efficace, la vache doit recevoir régulièrement les injections d'hormone de croissance bovine. Aux États-Unis, cette hormone a été approuvée en 1994, mais elle soulève encore la controverse. Nombreux sont ceux qui pensent que ce traitement est inutile, puisque la production laitière excède constamment la demande.

**Figure 4.23** Des chercheurs de la Memorial University à Terre-Neuve expérimentent l'introduction de gènes de type « antigel » dans les œufs de saumon. Les œufs de saumon d'un orangé vif vus au microscope reçoivent certains gènes au moyen d'une aiguille de verre.

Les consommateurs s'inquiètent des risques possibles pour la santé. Les fermiers qui ont de petits troupeaux de vaches laitières craignent que l'utilisation de l'hormone n'augmente les risques de certains types d'infection chez les vaches. Les coûts liés aux antibiotiques, aux vétérinaires et aux nutritionnistes sont plus facilement rentabilisés sur les grandes fermes où le nombre élevé de têtes fait augmenter les revenus. L'utilisation à grande échelle de l'hormone de croissance bovine pourrait signifier la fin des fermes laitières de moins de 50 vaches parce qu'elles ne seraient plus rentables.

En janvier 1999, le gouvernement fédéral n'a pas approuvé l'utilisation de l'hormone de croissance bovine dans la production laitière au Canada. La controverse toujours persistante et les désaccords des chercheurs rendent inopportune l'approbation du produit.

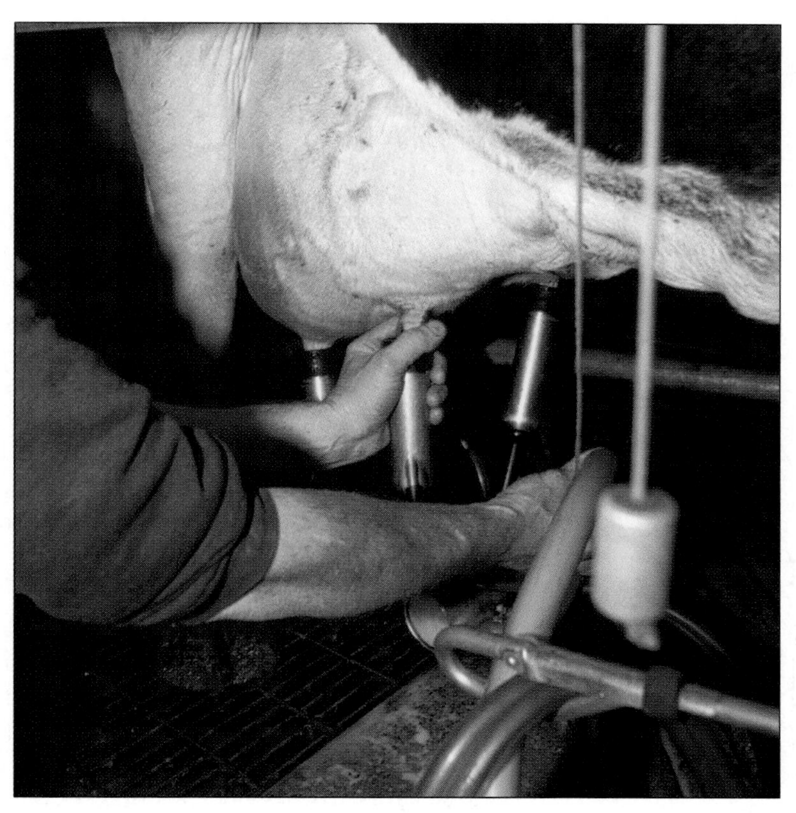

**Figure 4.24** Une vache peut produire de 10 % à 25 % plus de lait si elle est l'objet d'injections d'hormone de croissance bovine.

### Pause réflexion

Crois-tu avoir le droit de savoir quelles substances composent les aliments que tu consommes ou comment ils sont produits ? Achèterais-tu des produits laitiers transgéniques ? Pourquoi ? Paierais-tu plus cher pour du lait qui n'est pas produit de cette façon ? Écris ta réponse dans ton journal scientifique.

## Vérifie ce que tu as compris

1. De quelle manière la biotechnologie peut-elle améliorer la sélection des plantes ?
2. Quelle modification génétique fait-on le plus souvent subir aux plantes vivrières ?
3. Qu'est-ce que le triticale ? Quel avantage procure-t-il ?
4. Donne certains usages du colza.
5. Quelles sont les avantages du colza par rapport à sa forme originale ?
6. Nomme trois types de gènes introduits dans des poissons élevés en pisciculture.
7. **Réflexion critique** L'utilisation de l'hormone de croissance bovine a été approuvée aux États-Unis, mais bannie au Canada. Donne une raison qui justifierait chacun de ces 2 cas.
8. Pourquoi la résistance aux herbicides est-elle importante aux yeux des cultivateurs ?

# 4.5 La biotechnologie et l'environnement

L'un des problèmes environnementaux les plus graves est la décontamination des résidus toxiques causés par des années d'insouciance ou déversés dans l'environnement accidentellement ou par négligence. Parfois, l'eau ou le sol contaminés par des substances toxiques sont retirés d'un site et transportés jusqu'à une installation spéciale pour y être entreposés ou traités. Ce procédé est coûteux. Le Canada devra peut-être consacrer des millions de dollars à la décontamination de l'environnement. Au pays, il y a environ 100 sites qui contiennent des matières dangereuses. Sais-tu où sont les sites contaminés par des matières dangereuses, dans ta province ? À ton avis, comment peut-on décontaminer ces sites de manière économique sans en soustraire les déchets toxiques ?

## La biorestauration : la biotechnologie à la rescousse de l'environnement

Dans les années 1980, les scientifiques ont commencé à examiner des façons d'utiliser les micro-organismes pour décomposer les composés complexes contenus dans les déchets toxiques. Ce procédé s'appelle **biorestauration**. Les bactéries, les champignons et d'autres micro-organismes du sol sont des décomposeurs. Ils utilisent les plantes et les animaux morts pour se nourrir (*voir la figure 4.25*) Au cours de ce processus, les organismes morts sont décomposés en bioxyde de carbone, en eau et en d'autres composés simples.

**Figure 4.25** Toute une variété de champignons, de bactéries et d'autres micro-organismes vivent dans le sol. Ces organismes décomposent les plantes et les animaux morts en éléments nutritifs que peuvent utiliser les plantes.

Différentes espèces de bactéries et de champignons peuvent décomposer ou dégrader presque n'importe quoi, y compris des produits chimiques toxiques pour l'homme. L'astuce consiste à trouver le bon organisme pour faire le travail. Certains scientifiques ont commencé à chercher dans les sites contaminés les plus toxiques des micro-organismes qui, s'ils ne prospèrent pas, réussissent au moins à survivre dans cet environnement hostile. On a trouvé des micro-organismes pouvant décomposer des composés toxiques, comme le bichlorure de méthylène, la créosote, le pentachlorophénol et les biphényles polychlorés (BPC). Dans de nombreux cas, la décomposition de composés complexes requiert différents groupes d'organismes, chacun étant responsable d'une étape du procédé de décomposition. Ces groupes de micro-organismes s'appellent **consortia**.

**Figure 4.26** Certains micro-organismes peuvent survivre dans cet environnement toxique.

La biorestauration consiste à injecter des micro-organismes dans le sol en même temps que des éléments nutritifs qui les aident à croître. Dans d'autres cas, seul de l'oxygène ou des éléments nutritifs sont nécessaires pour nourrir les micro-organismes déjà présents dans le sol. La biorestauration est très efficace et ne coûte souvent qu'un cinquième du prix des anciennes méthodes de décontamination. En outre, elle a l'avantage de traiter la contamination par une intervention minimale qui ne cause pas de perturbations majeures dans la région. Cette technologie n'est toutefois pas encore parfaite. Pour pouvoir utiliser ces micro-organismes efficacement et sans danger, nous devons en savoir plus long sur la façon dont ils fonctionnent dans leur habitat naturel.

# Des problèmes liés aux pesticides

### Réfléchis

Les pesticides chimiques sont des poisons qui tuent une variété d'organismes nuisibles aux cultures. Sans ces composés chimiques, on estime que le prix des aliments augmenterait de 30 % à 50 %. Cependant, malgré l'utilisation très répandue des pesticides, les ravageurs endommagent ou détruisent la moitié des réserves alimentaires mondiales. Les cibles de ces composés chimiques (habituellement des insectes) se reproduisent rapidement. Dans bien des cas, ils développent une résistance aux produits chimiques. Cela signifie qu'il faut utiliser des pesticides plus toxiques ou différents pour éviter la résistance.

Un fermier utilise des pesticides chimiques pour contrôler les ravageurs.

### Partie 1

## Les désavantages des pesticides chimiques

- De nombreux pesticides chimiques sont extrêmement toxiques et persistants.
- Certains d'entre eux ne se décomposent pas facilement et peuvent demeurer dans l'environnement pendant de longues périodes.
- Les pesticides persistants peuvent être dommageables pour les espèces menacées, comme l'aigle à tête blanche, le faucon pèlerin et le pélican brun.
- On estime que 2 millions de personnes s'intoxiquent avec des pesticides et que 10 000 d'entre elles en meurent tous les ans.
- Les pesticides contaminent les nappes d'eau souterraine, les rivières et les lacs.
- De nombreux pesticides contribuent à causer le cancer, des malformations congénitales, des maladies génétiques et des problèmes de santé à long terme.

### Ce que tu dois faire

1. En te basant sur la liste ci-dessus, quelles devraient être les caractéristiques d'un pesticide ?
2. Comment peut-on utiliser la biotechnologie pour créer des pesticides moins toxiques ? Explique ton raisonnement. (Si tu as de la difficulté, lis la section qui suit.)

### Partie 2

## Une solution possible aux pesticides chimiques

La bactérie transgénique *Bacillus thuringiensis* (Bt) est un exemple de pesticide produit par la biotechnologie. Cette bactérie du sol produit une toxine mortelle pour certains insectes, mais apparemment inoffensive pour l'homme, les autres mammifères et les oiseaux.

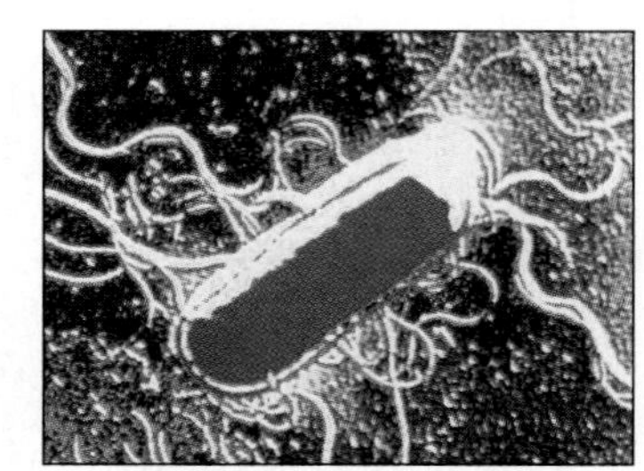

La bactérie *Bacillus thuringiensis* est couramment utilisée comme insecticide.

### Ce que tu dois faire

Fais une recherche sur les pesticides à base de Bt à la bibliothèque locale ou dans Internet.

### Analyse

1. De quelles façons les nouveaux pesticides bactériens correspondent-ils à ta description du pesticide « idéal » dans la première partie ? Pourquoi les pesticides bactériens ne sont-ils pas les pesticides idéaux ?
2. Grâce à quelles caractéristiques les insectes peuvent-ils développer une résistance aux pesticides ?
3. Quel autre groupe d'organismes a développé une résistance aux produits chimiques que nous avons utilisés pour les contrôler ? Certains ont-ils les mêmes caractéristiques qui ont contribué à la survie des insectes ? Explique ta réponse.
4. Prédis d'autres façons d'utiliser la biotechnologie dans le but de protéger nos réserves alimentaires.

## Les déversements accidentels de pétrole et la biorestauration

L'une des premières tentatives de biorestauration à grande échelle a été entreprise en 1989 en Alaska après l'échouement de l'Exxon Valdez qui a déversé 42 millions de L de pétrole brut dans la mer. Le pétrole s'est répandu le long de la côte de l'Alaska, tuant des milliers d'animaux. Les biologistes ont déclaré avoir recensé 33 000 oiseaux marins, 146 aigles à tête blanche et 980 loutres de mer morts. Le déversement de pétrole s'est étendu sur 1600 kilomètres de côte, et les travailleurs ont utilisé tout ce qu'ils pouvaient, de la vapeur aux serviettes, pour essayer de l'extraire (*voir la figure 4.27*). Pour enlever l'huile entre les rochers, des bactéries mangeuses de pétrole ont été dispersées sur la côte en même temps que des engrais azotés et phosphatés pour en favoriser la croissance. Le projet a connu un certain succès et a causé moins de perturbations environnementales que d'autres méthodes ne l'auraient fait.

**Le savais-tu ?**

En 1980, la première bactérie transgénique a été brevetée. Elle avait été modifiée de manière à pouvoir décomposer le pétrole. Certaines personnes craignaient que les bactéries « mutantes » ne s'échappent et ne commencent à consommer les réserves mondiales de pétrole. En conséquence, au début, l'utilisation de ces bactéries était interdite en dehors d'un laboratoire.

**Figure 4.27** Environ quatre millions de tonnes de pétrole sont déversées dans l'océan chaque année. Les déversements de pétrole sont dommageables pour l'environnement, et leur décontamination est très coûteuse.

**LIEN *terminologique***

La plupart des nouvelles découvertes sont protégées par des ententes appelées *brevets*. Qu'est-ce qu'un brevet ? À ton avis, pourquoi est-il controversé de faire breveter une forme de vie nouvellement « inventée », comme une bactérie qui décompose le pétrole ou une variété de blé résistant aux herbicides ?

En raison de la longueur de ses côtes, le Canada peut profiter de la biorestauration lors de déversements de pétrole. Entre 1976 et 1987, plus de 300 importants déversements de pétrole ont eu lieu au large des côtes Est et Ouest du Canada. En décembre 1988, une barge de pétrole au large de l'État de Washington a déversé 875 tonnes de pétrole qui s'est dispersé le long de la côte Ouest de l'île de Vancouver. Ce déversement a causé la mort de 46 000 oiseaux de rivage.

ACTIVITÉ de recherche

## La biorestauration des déversements de pétrole

Les scientifiques se servent de plus en plus souvent de bactéries pour décomposer le pétrole déversé. En effet, quelques rares bactéries peuvent utiliser le pétrole comme élément nutritif. La recherche des bactéries qui conviennent est une importante activité scientifique. On trouve des bactéries dans presque tous les sols, mais les types de bactéries varient selon les conditions du sol. Cette activité te permettra d'échantillonner le sol de différents endroits et tu concevras une expérience pour étudier la décomposition du pétrole par les bactéries.

### Ce que tu dois faire

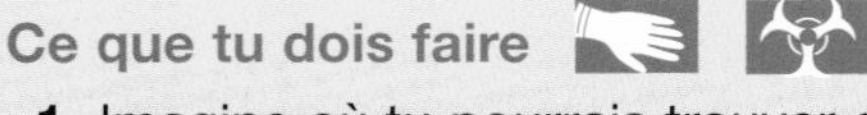

1. Imagine où tu pourrais trouver des bactéries capables de décomposer le pétrole.
2. Conçois une expérience pour comparer des échantillons de sol de différents endroits.
3. Quelles seront les variables expérimentales? Quelles variables contrôleras-tu?
4. Quelle serait la meilleure façon de présenter tes résultats?
5. Rédige ton expérience en utilisant les en-têtes suivants: problème, hypothèse, marche à suivre, observations, conclusions.
6. Réalise ton expérience et vérifie ton hypothèse.

### Qu'as-tu découvert?

1. Quelles régions contenaient des bactéries capables de décomposer le pétrole? Pourquoi les bactéries se trouvaient-elles à cet endroit?
2. Si ton expérience ne t'a pas permis d'arriver à des résultats concluants, suggères-en la raison.

### Approfondissement

3. Les scientifiques qui utilisent les bactéries pour décomposer du pétrole épandent souvent des engrais sur le mélange de bactéries et de pétrole. Pourquoi?

## La biotechnologie des métaux lourds

Les métaux lourds, comme le mercure, le cuivre, le zinc et le plomb, sont des polluants qui peuvent endommager les systèmes nerveux, circulatoire, digestif et reproducteur des humains et d'autres organismes. Les métaux sont libérés dans l'environnement par les activités industrielles et minières, par le ruissellement des eaux pluviales urbaines et par le lessivage des pierres et du sol causé par les pluies acides. L'extraction des métaux lourds du sol ou de l'eau est une tâche difficile et certains types de micro-organismes pourraient être utiles en accumulant les métaux lourds polluants. Il existe des champignons, des bactéries et des levures qui peuvent utiliser divers métaux lourds provenant du sol ou des pierres pour produire de l'énergie. Ces micro-organismes ont été utilisés dans l'industrie minière pour débarrasser le cuivre et d'autres métaux de leurs impuretés. Cependant, ces technologies doivent encore être raffinées pour devenir plus efficaces et plus économiques.

**Figure 4.28** Les métaux lourds, comme le mercure, peuvent être mortels pour de nombreux organismes comme les poissons. Ces métaux peuvent s'accumuler dans leurs tissus, ce qui en augmente la concentration à mesure qu'on monte dans la chaîne alimentaire.

L'une des solutions peut venir de la famille des Brassica qui comprend des plantes comme les choux, les moutardes et les radis (*voir la figure 4.29*).

Les membres de cette famille ont la propriété d'accumuler les métaux lourds dans leurs racines. Ces plantes sont tellement efficaces que les métaux peuvent compter pour 30 % du poids sec de leurs racines. Grâce à la biotechnologie, ces plantes peuvent être modifiées génétiquement de manière à accumuler des métaux particuliers dans le sol. Certaines plantes aquatiques ont le même potentiel. Cependant, les plantes ne retirent pas les métaux. Elles ne font que les concentrer. Il faut ensuite récolter les plantes et en disposer de manière sécuritaire pour en extraire les polluants.

**Figure 4.29** On peut utiliser ces plants de chou pour retirer les métaux lourds du sol. Comment est-ce possible ?

## La sauvegarde des espèces

La perte de biodiversité (variété des espèces) est une grande préoccupation de nos jours. Par exemple, la surpêche, la pollution et les changements climatiques sur la planète menacent de réduire la diversité de la vie marine partout dans le monde. Les océans contiennent une multitude d'organismes différents qui possèdent des propriétés biochimiques uniques. Ces organismes sont autant d'occasions de résoudre une variété de problèmes médicaux. Voici certains exemples d'organismes marins qui pourraient avoir un usage médical :

- Une bactérie qui vit dans des éponges et des ascidies et qui produit des composés chimiques capables de tuer certains virus ;
- Un composé produit par une bactérie des fonds marins qui peut être utilisé pour inhiber le virus VIH responsable du sida ;
- De nombreuses espèces d'éponges et de coraux qui produisent des composés chimiques qui réduisent l'inflammation et la douleur causées par l'asthme aigu, l'arthrite et les blessures.
- D'autres organismes marins qui produisent des antibiotiques et des anticorps.

Comme ces exemples le démontrent, la recherche sur les espèces de plantes et d'animaux méconnues pourrait résoudre une grande variété de problèmes médicaux toujours présents dans le monde.

**Figure 4.30** Les requins contiennent des composés qui peuvent être utilisés dans le traitement du cancer.

La biotechnologie peut aussi servir à sauvegarder certaines espèces menacées d'extinction. Certaines espèces animales rares doivent être reproduites en captivité dans divers zoos et réserves fauniques pour en augmenter la population. L'un des principaux problèmes de la reproduction en captivité est la **consanguinité**. L'accouplement de deux individus étroitement apparentés peut augmenter les risques de maladies génétiques du côté de leur progéniture. De plus, les petits de ces parents possèdent des gènes moins « variés » que s'ils étaient conçus de parents non apparentés. Rappelle-toi les avantages de la reproduction sexuée expliqués au chapitre 2. La variation génétique augmente les chances de survie des petits quand les conditions du milieu changent. Comment les biologistes peuvent-ils faire en sorte que les petits des animaux vivant en captivité soient aussi différents que possible sur le plan génétique ? La solution consiste à se servir de l'identification de l'ADN. Grâce à cette technique, les biologistes peuvent non seulement identifier les exemplaires, mais ils peuvent aussi déterminer leur lien de parenté. Ensuite, il leur suffit d'accoupler les exemplaires non apparentés pour produire des petits. Il s'agit en fait d'une reproduction sélective visant à préserver la variation génétique de la population.

Que se passe-t-il quand l'accouplement entre deux animaux d'une espèce menacée ne réussit pas ? On a déjà utilisé sur les animaux un grand nombre des technologies à la disposition des couples humains qui ont des problèmes d'infertilité. L'une des premières étapes visant à découvrir la raison pour laquelle une femme est incapable de tomber enceinte consiste à analyser le sperme de son conjoint. La plupart des hommes produisent des millions de spermatozoïdes par jour ; cependant, ce ne sont pas tous les spermatozoïdes qui soient assez vigoureux pour féconder un ovule. Pourquoi un échantillon de spermatozoïdes est-il moins efficace qu'un autre ? La prochaine expérience te permettra d'évaluer la fertilité de deux animaux mâles, un tigre et un guépard.

La biotechnologie utilisée dans les programmes de reproduction en captivité pourrait aider à augmenter le nombre d'animaux d'espèces menacées dans les zoos et les réserves. Toutefois, ces programmes ont surtout pour but de faire revenir l'espèce dans son habitat naturel. Cela présuppose qu'il reste suffisamment d'habitats convenables pour soutenir ces plantes et ces animaux. Sur le plan biomédical, l'importante découverte de plantes et d'animaux pourrait aider à établir les habitats devant être prioritairement protégés.

RÉFLÉCHIS ET FAIS DES LIENS 4-F

# L'évaluation du potentiel de reproduction

## Réfléchis

Imagine que tu assistes la docteure Karen Goodrowe, physiologiste de la reproduction au Metro Toronto Zoo. Le zoo étudie le potentiel de deux mâles, Tonghua, un tigre, et Chuma, un guépard, comme candidats à son programme de reproduction. Ton travail consiste à évaluer les deux animaux et à recommander le meilleur candidat.

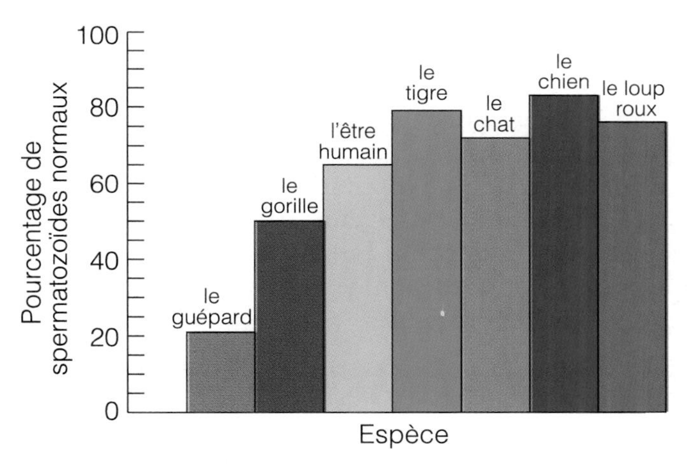


Pourcentage de spermatozoïdes normaux des mammifères choisis

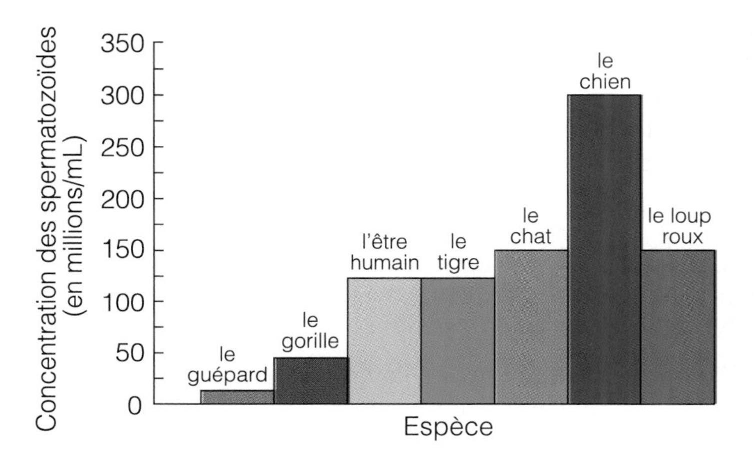


Concentration normale de spermatozoïdes des mammifères choisis

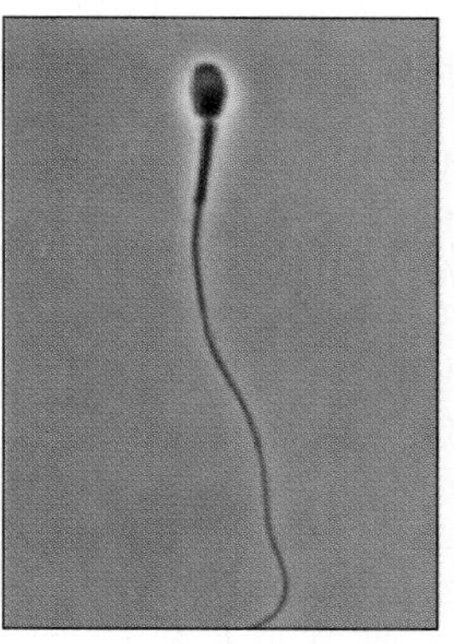

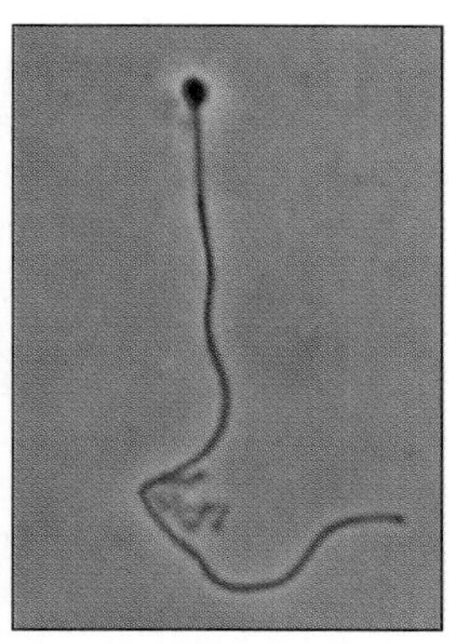

Quel échantillon de spermatozoïde est normal ? Lequel est anormal ? Quels critères as-tu utilisés pour faire ta classification ?

Données relatives à des échantillons de spermatozoïdes de deux espèces félines menacées

| Variable | Tigre (Tonghua) | Guépard (Chuma) |
|---|---|---|
| pourcentage de spermatozoïdes actifs | 95 | 75 |
| pourcentage de spermatozoïdes normaux | 80 | 28 |
| concentration des spermatozoïdes (en millions/mL) | 125 | 5 |

## Ce que tu dois faire

1. Compare le pourcentage d'activité du sperme de chaque animal. Note celui dont le pourcentage est le plus élevé. Quelle influence cela peut-il avoir sur la réussite de la fécondation ?
2. Compare le pourcentage de spermatozoïdes normaux dans l'échantillon de chaque espèce de félin. Lequel des deux animaux est-il au-dessus ou en dessous des valeurs normales ?
3. Compare la concentration des spermatozoïdes de chaque félin avec la concentration normale de l'espèce. Les deux animaux ont-ils assez de spermatozoïdes pour féconder un ovule ?

## Analyse

1. Rédige un rapport à l'intention de la docteure Goodrowe lui recommandant l'animal le plus utile au programme de reproduction. Utilise les résultats de ton analyse pour appuyer ta conclusion.
2. En te basant sur ta recherche, quelles conclusions peux-tu tirer sur le succès relatif de la reproduction de chacune des espèces ?

## D'un océan à l'autre

**Sara Iverson**

Pour la docteure, Sara Iverson de la Dalhousie University de Halifax, le mois de janvier est le moment de la traite des phoques. Elle se rend à l'île de Sable au large des côtes de la Nouvelle-Écosse. Cette langue de sable balayée par les vents est l'hôte de l'une des plus grandes colonies de phoques gris du monde. De l'île de Sable, les phoques gris se déplacent jusqu'à Terre-Neuve et dans le golfe du Saint-Laurent. Mais, quand vient le temps de mettre bas, ils retournent toujours à l'île où ils sont nés. Comme les humains, les phoques gris sont des mammifères et nourrissent leurs petits de lait. Le lait de phoque est extrêmement riche. Il contient 60 % de gras comparativement à 4 % du côté du lait humain. Les jeunes phoques affamés se gavent de lait et prennent jusqu'à 60 kg en deux semaines. Si les humains en consommaient autant, leurs artères se bloqueraient, causant des maladies du cœur. Le lait de phoque contient-il un ingrédient spécial qui protège des crises cardiaques ? Une meilleure connaissance de la physiologie des phoques pourrait-elle aider à prévenir les maladies cardiaques chez les humains ? Ce sont certaines des questions auxquelles la docteure Iverson et ses collègues espèrent trouver une réponse.

En compagnie de son mari et collaborateur Don Bowen et de sa collègue Jo-Ann Mellish, Sara Iverson (à gauche) prélève un échantillon de lait de phoque.

## Et maintenant, où irons-nous ?

La biotechnologie illustre bien l'interaction entre la science, la technologie, la société et l'environnement. Les aliments que tu consommes, le traitement de tes maladies, le bien-être de tes enfants et l'environnement dans lequel tu vivras seront tous déterminés par ce qui se produira dans ce domaine. Le présent chapitre contient des exemples de découvertes et d'innovations qui n'ont pas encore été approuvées par la société. De nombreux facteurs exerceront une influence sur l'avenir des technologies de reproduction. Les décisions que toi et d'autres prendrez dépendront de votre compréhension de la science et des technologies utilisées, ainsi que de vos croyances profondes.

## Vérifie ce que tu as compris

1. Qu'est-ce que la biorestauration ?
2. À quel endroit les scientifiques cherchent-ils les organismes qui peuvent décomposer les déchets toxiques ?
3. Quelle bactérie utilise-t-on comme pesticide ?
4. Comment peut-on utiliser les plantes pour retirer les métaux lourds de l'environnement ?
5. Comment peut-on utiliser la biotechnologie pour déterminer la diversité génétique des espèces menacées ?
6. **Mise en pratique** Quels sont certains des avantages de la fécondation *in vitro* dans les programmes de reproduction des zoos ?
7. **Réflexion critique** Pourquoi les pesticides sont-ils dommageables pour les oiseaux situés au sommet de la chaîne alimentaire ?

# RÉSUMÉ du chapitre 4

Maintenant que tu as terminé ce chapitre, essaie de faire les activités proposées ci-dessous. Si tu n'y arrives pas, consulte à nouveau la section indiquée.

Décris comment les premières formes de technologie étaient utilisées pour produire de la nourriture. (4.1)

Décris la structure de la molécule d'ADN. (4.2)

Explique l'importance des protéines dans la structure et la fonction des êtres vivants. (4.2)

Explique comment la formation des protéines est déterminée par l'ADN. (4.2)

Décris les causes et les effets possibles des mutations. (4.2)

Décris comment l'ADN peut être transféré d'un organisme à l'autre. (4.2)

Explique en quoi consistent le clonage et certains des problèmes bioéthiques que soulève cette technologie. (4.2)

Explique en quoi consiste le caryotype et comment on peut s'en servir pour diagnostiquer les maladies génétiques. (4.3)

Décris la thérapie génique et explique ses applications possibles. (4.3)

Explique en quoi consiste le Projet génome humain et son influence sur notre connaissance de la génétique humaine. (4.3)

Explique en quoi consistent les organismes transgéniques et pourquoi ces organismes sont importants. (4.3)

Explique pourquoi la formation de cultures résistantes aux herbicides est importante pour l'agriculture canadienne. (4.4)

Décris comment le colza a été créé et les divers usages de cette culture. (4.4)

Décris comment l'ajout de gène précis chez des poissons a aidé la pisciculture. (4.4)

Décris les bienfaits et les risques de l'hormone de croissance bovine. (4.4)

Explique en quoi consiste la biorestauration et décris son utilité. (4.5)

Décris les dangers que représentent les pesticides et comment la biotechnologie peut contribuer à y remédier. (4.5)

Décris les effets des déversements de pétrole dans les écosystèmes et l'utilisation de la biorestauration pour la décontamination. (4.5)

Explique l'importance de la biodiversité et décris certaines des façons dont la biotechnologie est utilisée pour protéger les espèces menacées. (4.5)

## Prépare ton propre résumé

Résume le contenu de ce chapitre en élaborant une représentation graphique (comme un réseau conceptuel), en réalisant une affiche ou en résumant par écrit les concepts clés du chapitre. Voici quelques idées dont tu peux t'inspirer :

- Explique en quoi consiste la biotechnologie et en quoi elle est différente des technologies qui l'ont précédée.
- Explique pourquoi on utilise de nouvelles technologies.
- Décris comment les nouvelles technologies atteignent leurs objectifs.
- Reproduis le schéma dans ton cahier et étiquette-le.

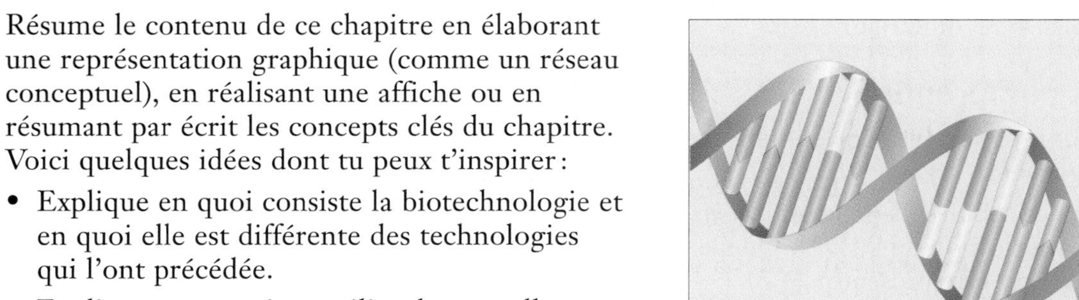

# CHAPITRE 4 Révision

## Des termes à connaître

Si tu as besoin de réviser les termes ci-dessous, les numéros de section t'indiquent où ils ont été mentionnés pour la première fois.

1. Dans ton cahier, associe chacune des descriptions de la colonne A à chacun des termes correspondants de la colonne B.

**A**

- la molécule qui contrôle la vie
- une chèvre transgénique
- trois bases d'ADN
- une cellule non sexuelle
- la séquence des bases sur une paire de chromosomes
- une section d'ADN qui produit une protéine
- une réplique génétique
- une molécule qui contrôle les fonctions de l'organisme
- un produit chimique qui tue les mauvaises herbes
- un organisme qui contient le gène d'une autre espèce
- l'utilisation des micro-organismes pour dépolluer
- un composé chimique mortel

**B**

- biorestauration (4.5)
- gène (4.2)
- somatique (4.2)
- ADN (4.1)
- hormone (4.3)
- clone (4.2)
- herbicide (4.4)
- transgénique (4.2)
- codon (4.2)
- toxique (4.5)
- Willow (4.3)
- génome (4.3)
- acide aminé (4.2)
- consanguinité (4.5)

2. Qu'est-ce que le génie génétique ? (4.2)
3. Quels sont les différents types de mutations ? Comment peuvent-elles exercer une influence sur l'organisme ? (4.2)
4. Qu'est-ce que l'ADN recombinant ? (4.2)

## Des concepts à comprendre

Les numéros de section te permettront de faire des révisions, si tu en as besoin.

5. Certaines parties des cellules ne peuvent pas être utilisées pour l'identification de l'ADN. Quelle partie de la cellule doit être présente ? (4.2)
6. Explique le rapport entre l'ADN, les gènes et les chromosomes. (4.2)
7. Quels sont les noms des quatre nucléotides de la molécule d'ADN ? Quelles paires forment-ils ? (4.2)
8. De quoi est composée la molécule d'ADN ? (4.2)
9. Décris le procédé qui consiste à prendre un fragment d'ADN d'un organisme et à l'introduire dans une bactérie. (4.2)
10. Comment peut-on utiliser un caryotype pour déterminer le sexe d'une personne ? (4.3)
11. Quels sont les avantages de disposer d'une bactérie pouvant produire des protéines humaines, comme l'insuline ? (4.3)
12. Quels sont les deux avantages de la biotechnologie dont le but est de modifier les plantes cultivées ? (4.4)
13. Pourquoi la monoculture pose-t-elle un problème ? (4.4)
14. Quels sont les avantages de la biorestauration par rapport aux autres formes de décontamination des déchets toxiques ? (4.5)
15. Comment les chercheurs peuvent-ils déterminer si deux animaux sont trop apparentés (ou pas apparentés) pour être croisés. (4.5)

## Des habiletés à acquérir

**16.** Dessine un diagramme de Venn (deux cercles contenant chacun une section qui se chevauche) illustrant le rapport entre la reproduction sélective et le génie génétique. Dans les régions superposées des cercles, écris les caractéristiques qu'ils ont en commun. Dans les régions non superposées, écris les différences.

**17.** Reproduis le schéma suivant et étiquette les bases correspondantes (A, T, C ou G) sur le côté droit de la molécule d'ADN.

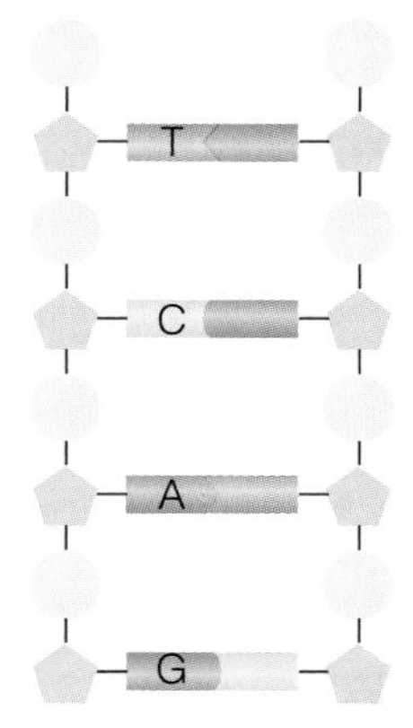


**18.** Le génome humain contient environ 3 000 000 000 de bases. Si chaque base (A, T, C ou G) agit comme une lettre dans un manuel d'instructions, combien de pages le manuel comprendrait-il ? Indice : Compte le nombre de lettres contenues dans cinq lignes choisies au hasard dans ce manuel. Détermine le nombre moyen de lettres par ligne. Compte le nombre de lignes de chaque page et calcule le nombre de pages qui seraient nécessaires.

## Des problèmes à résoudre

**19.** La brebis Dolly a été clonée dans un centre de recherche agricole. Quels seraient les avantages d'utiliser des animaux clonés dans un tel centre ?

**20.** Décris comment l'ADN peut servir à élucider des crimes.

**21.** Les gènes résistant aux herbicides sont habituellement sélectionnés pour leur résistance à des herbicides précis. Pourquoi serait-il avantageux pour un fabricant d'herbicides de vendre à la fois les semences transgéniques et l'herbicide ?

**22.** Les usines déversent parfois des déchets toxiques contenant de très faibles concentrations. Explique pourquoi ces déchets peuvent quand même être dangereux pour les humains et les autres organismes.

## Réflexion critique

**23.** Dis si tu es d'accord avec l'énoncé suivant : « Les fonctions des cellules du foie humain sont contrôlées par l'ADN, mais la croissance des cellules d'une feuille de plante ne l'est pas. »

**24.** Le gène de l'hormone de croissance humaine a été introduit dans des bactéries qui la produisent en grande quantité à coût relativement bas. Quels problèmes cela pourrait-il engendrer ?

**25.** Le Projet génome humain est très coûteux et fait appel à un grand nombre des plus grands scientifiques du monde. Cependant, bon nombre de personnes estiment que ce projet est une erreur. À ton avis, pourquoi en est-il ainsi ?

**26.** À quel endroit chercherais-tu un gène de type « antigel » pour les poissons ?

**27.** Pourquoi est-il important d'empêcher la contamination d'un échantillon d'ADN ?

### Pause réflexion

1. Parmi les technologies décrites dans le présent chapitre, y en a-t-il vis-à-vis desquelles tu étais mal à l'aise ? Penses-tu que la biotechnologie doit être contrôlée ? Dans ce cas, comment ?
2. Comment les gouvernements peuvent-ils exercer un contrôle sur la biotechnologie, alors que celle-ci évolue si rapidement ?

MODULE 1

# Consulte un expert

**Les yeux bruns, les cheveux frisés. Ces caractéristiques et d'autres encore sont déterminées par les gènes. Tes gènes portent de l'information héréditaire qui t'a été transmise par l'ADN de tes parents. Ils déterminent un grand nombre de caractéristiques, y compris certaines pouvant engendrer de graves ennuis de santé. David Macgregor connaît bien le domaine de la génétique. Il utilise ses connaissances techniques pour fournir des renseignements pratiques aux gens désireux de savoir si leur matériel génétique personnel peut avoir un effet sur eux et sur leur famille.**

**Q Quel type de clients rencontrez-vous ?**

**R** Nous rencontrons des clients de tout âge, et ce, pour différentes raisons. Souvent, des gens dont un parent est atteint d'un trouble génétique viennent nous consulter pour savoir s'ils risquent d'en souffrir eux aussi ou de le transmettre à une génération future. Dans le cas d'un adulte chez qui l'on a diagnostiqué une maladie pouvant être héréditaire (comme le cancer du sein précoce), il se peut que nous rencontrions d'autres membres de la famille étendue susceptibles d'être vulnérables à cette maladie. Cela aide ces gens à décider s'ils veulent subir une analyse pour déterminer s'ils portent le gène en cause.

Il nous arrive aussi de rencontrer des gens parce qu'ils ont un enfant en croissance présentant un problème de santé ou de développement que les médecins ont été incapables de diagnostiquer. Nous aidons un généticien à examiner les renseignements familiaux et médicaux obtenus pour déterminer si ce problème pourrait avoir une cause génétique.

**Q Comment déterminez-vous la probabilité de manifestation d'une maladie donnée ?**

**R** Tout d'abord, j'obtiens des renseignements du client. Lorsque je rencontre un couple qui songe à avoir un enfant, j'interroge ces deux personnes sur les antécédents médicaux de leur famille respective et sur les membres de leur famille atteints d'un trouble présumé génétique. Ces renseignements et le modèle de transmission de la maladie d'une génération à l'autre m'aident à déterminer la probabilité qu'un enfant conçu par ce couple hérite du trouble en question.

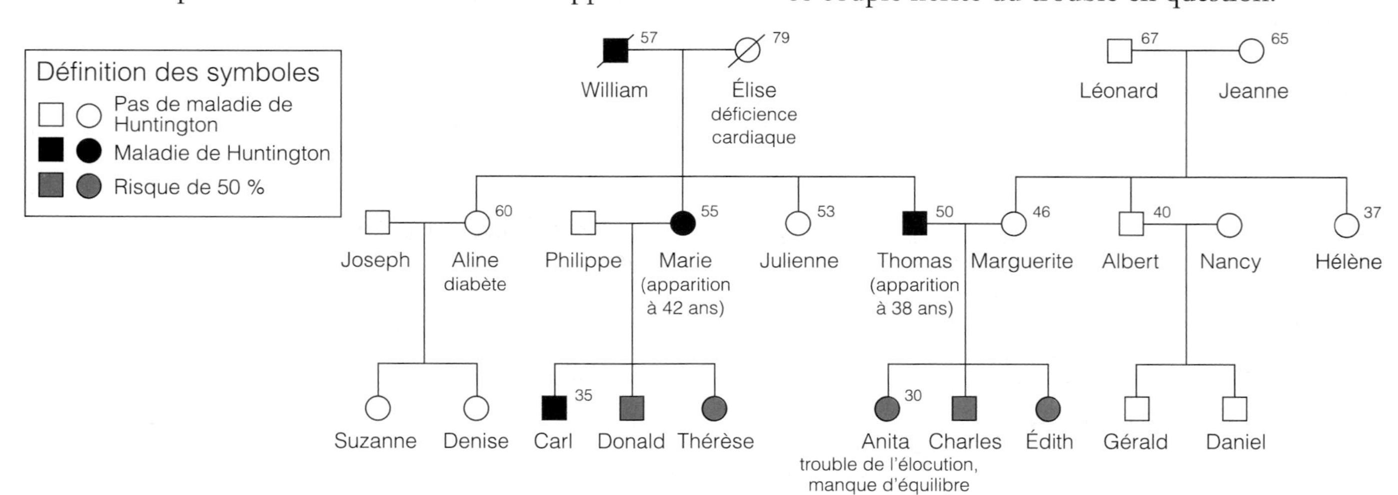


La maladie de Huntington se caractérise par une défaillance du système nerveux. Ses symptômes n'apparaissent qu'à l'âge adulte. Tout enfant dont un parent souffre de cette maladie a une chance sur deux d'en être lui aussi atteint (personnes indiquées en rouge). Il en est ainsi parce que l'enfant reçoit la moitié de son bagage génétique d'un parent et la moitié de l'autre. Bien avant l'apparition des premiers symptômes, on peut effectuer une analyse pour déterminer si un individu porte le gène responsable de la maladie de Huntington. Toutefois, nombre de personnes à risque préfèrent ne pas savoir si elles portent ou non ce gène.

**Q Quels sont ces troubles génétiques dont vous parlez?**

**R** Le syndrome de Down, la fibrose kystique, le spina-bifida et la maladie de Huntington, pour ne nommer que ceux-là. Si un membre de la famille présente l'un de ces troubles, un enfant d'une génération future est parfois, mais pas toujours, plus susceptible d'en souffrir lui aussi. Mon travail consiste à déterminer si la probabilité de concevoir un enfant atteint de ce trouble est plus forte chez ce couple que chez les autres couples. J'explique les risques aux parents et je leur fournis les renseignements dont ils ont besoin pour prendre des décisions éclairées en matière de planification familiale, d'analyses additionnelles, etc.

**Q Quel genre d'analyses peut-on effectuer?**

**R** Une analyse du sang, entre autres. En examinant l'ADN extrait d'un prélèvement sanguin, un technologue peut déterminer si la personne en cause est porteuse d'une maladie comme la drépanocytose ou la fibrose kystique. Si de futurs parents sont tous deux porteurs, la mère peut choisir de demander une autre analyse, soit une amniocentèse. Au cours d'une amniocentèse, un médecin prélève du liquide amniotique dans l'utérus de la mère. En utilisant les cellules contenues dans ce liquide, des techniciens analysent l'ADN du fœtus pour vérifier l'absence ou la présence de la maladie.

Une amniocentèse constitue aussi une possibilité pour les femmes enceintes de plus de 35 ans, dont le bébé est plus susceptible de présenter des anomalies chromosomiques. Les technologues examinent alors les chromosomes de cellules fœtales provenant du liquide amniotique. La présence d'un chromosome 21 surnuméraire indique que l'enfant sera atteint du syndrome de Down, celle d'un chromosome 18 surnuméraire indique qu'il sera atteint du syndrome d'Edwards et ainsi de suite.

**Q Que se passe-t-il une fois que vous avez obtenu les résultats des analyses?**

**R** Nous fournissons au patient autant d'information que nous le pouvons. Ces résultats sont parfois très rassurants. Dans d'autres cas, ils obligent les patients à prendre des décisions difficiles. Une part importante de mon travail consiste à simplement écouter les patients et à les aider à faire face à la situation. Nous discutons des options qui s'offrent à eux et nous leur apportons du soutien, mais nous ne décidons jamais à leur place.

**Q Jusqu'à quel point est-il important de connaître la génétique pour effectuer votre travail?**

**R** La connaissance de la génétique est essentielle à mon travail. Toutefois, ce que j'ai appris lors de mes études en sciences au baccalauréat et en conseil génétique à la maîtrise n'est pas suffisant. La technologie et la recherche progressent de façon presque quotidienne. On découvre de nouveaux gènes; on met au point de nouvelles analyses. J'assiste à des conférences et je lis des revues médicales pour me tenir au courant des plus récents progrès.

Mais la science n'est pas tout dans mon travail. Je passe chaque jour beaucoup de temps à parler avec des gens et à les aider à faire face à leur situation. Cela a autant d'importance pour moi que l'aspect scientifique.

**POUR EN SAVOIR Plus**

## Faire un choix

Un conseiller génétique peut fournir des renseignements scientifiques sur la probabilité qu'un enfant hérite d'un trouble génétique particulier de ses parents. Il s'agit là d'une évaluation du risque que ce trouble soit présent et non pas d'une certitude que l'enfant sera ou non atteint de la maladie. Quels autres éléments pourraient aider les parents éventuels à décider d'avoir ou non des enfants? Quelle est, par exemple, la gravité du trouble génétique en cause? Des dispositions particulières seraient-elles nécessaires pour prendre soin d'un enfant souffrant de ce trouble? Certains troubles génétiques sont déjà apparents à la naissance, tandis que d'autres ne se manifestent que plus tard au cours de l'existence.

À quels éléments accorderais-tu de l'importance pour décider d'avoir ou non des enfants en présence d'un trouble héréditaire chez toi ou un membre de ta famille? Qui consulterais-tu pour obtenir de l'information (un autre membre de ta famille ou un conseiller, des individus atteints d'un tel trouble, etc.)? Comment évaluerais-tu l'information fournie par ces personnes? Rédige un aperçu de ton opinion sur la question. Discute des diverses options possibles avec d'autres élèves de ta classe.

# Les aliments génétiquement modifiés

## Réfléchis

Les tomates ont une durée de conservation à l'étalage relativement courte. Celles que l'on achète au supermarché sont presque toujours cueillies avant de venir à maturité. Elles arrivent ainsi à l'étalage avant d'avoir commencé à se détériorer. Toutefois, les tomates cueillies tôt n'ont pas le délicieux goût des tomates mûries sur pied.

En 1994, on a mis au point une nouvelle tomate génétiquement modifiée pouvant se conserver à maturité de 7 à 10 jours plus longtemps que les tomates normales. Les producteurs pouvaient désormais laisser les tomates mûrir sur pied, sachant qu'elles demeureraient fraîches pendant leur transport aux supermarchés.

La modification génétique de certaines espèces végétales et animales peut rendre la production et la transformation des aliments plus faciles et plus rentables. Toutefois, beaucoup de gens s'inquiètent de la modification génétique de nos approvisionnements alimentaires. Ils mentionnent divers problèmes possibles, dont :

- l'apparition de nouvelles allergies chez les êtres humains ;
- une fraîcheur « contrefaite » ;
- des interactions génétiques imprévisibles ;
- une réduction de la valeur nutritive ;
- des problèmes environnementaux causés par des organismes modifiés ;
- des questions d'éthique liées aux produits transgéniques.

En réaction à ces inquiétudes, on a mis sur pied une commission publique chargée d'évaluer si l'on devait ou non permettre l'importation et la vente au Canada de tomates génétiquement modifiées.

## Plan et réalisation 

1. Tu vas assister à une audience de la commission publique sur l'importation et la vente au Canada d'aliments génétiquement modifiés. Les personnes énumérées ci-après présenteront chacune un mémoire lors de cette audience :
   - le ministre de l'Agriculture ;
   - le propriétaire d'une boutique d'aliments naturels ;
   - la propriétaire d'une importante chaîne de magasins d'alimentation ;
   - une consommatrice ;
   - un écologiste ;
   - une avocate ;
   - un producteur agricole ;
   - une scientifique.
2. Selon toi, quel pourrait être le point de vue de chacune de ces personnes avant l'audience ?
3. Ton enseignante ou ton enseignant assignera à ton groupe le rôle de l'une de ces personnes. Ton groupe et toi devez discuter de la question, recueillir de l'information et énoncer votre point de vue. Un membre du groupe présentera votre mémoire.
4. Toute la classe ensemble, préparez le rapport de la commission, qui décrira brièvement la position des divers intervenants et offrira des recommandations au sujet de la vente au Canada de tomates génétiquement modifiées.

## Analyse

Après la simulation, examinez ensemble les questions suivantes lors d'une réunion de bilan :

1. Selon vous, quels renseignements manquait-il dans les mémoires, le cas échéant ?
2. Quels autres points de vue aurait-on pu présenter au cours de l'audience, le cas échéant ?
3. Les intervenants semblaient-ils croire que les risques liés à l'importation de tomates génétiquement modifiées sont plus grands que les bénéfices à en tirer ou vice versa ?
4. A-t-il été difficile d'en arriver à un consensus sur les recommandations de la commission ? Expliquez votre réponse.
5. Votre groupe se sentait-il à l'aise dans son rôle et avec les recommandations formulées ? Expliquez votre réponse.

# Des visages secrets

Tout au long de l'histoire de l'humanité, on a eu recours à des codes artificiels comme l'écriture, le braille, les codes à barres, le langage gestuel et l'alphabet morse. Dans ce module, tu as appris comment le code génétique détermine la constitution d'un organisme et les traits physiques qui le distingueront des autres individus de la même espèce. Au cours du présent projet, tu auras l'occasion de mettre ces deux idées en commun.

## Projet

En petit groupe, créez un code secret permettant de reconnaître toute personne au sein d'une foule, à partir d'un ensemble de caractéristiques physiques faciales ou autres. Réalisez une affiche qui présente et explique votre code.

## Matériel

du matériel d'art ou un ordinateur (pour la transmission du code)
du papier à dessin et des marqueurs (pour la réalisation de l'affiche)

## Critères de conception

**A.** Votre code doit reposer essentiellement sur les caractéristiques faciales observées dans votre classe (vous pouvez aussi utiliser d'autres caractéristiques comme la taille approximative et le sexe). Vous pouvez soit élaborer un code écrit, graphique ou gestuel, soit inventer un système d'un autre type.

**B.** Votre code doit reposer sur un ensemble de règles simples à apprendre et à appliquer, sans toutefois être trop évidentes afin d'éviter que l'on puisse deviner votre code sans en connaître les règles.

**C.** Votre affiche doit indiquer les règles de votre code de même que les symboles ou les mots représentant les divers traits physiques choisis. Elle doit aussi fournir une brève explication de la manière d'utiliser et d'interpréter votre code. Vous pouvez, par exemple, y inclure un croquis ou une photographie d'un visage portant des indications qui aident à expliquer votre code.

## Plan et construction

1. En groupe, trouvez par remue-méninges les caractéristiques physiques faciales et autres pouvant servir à reconnaître une personne de votre classe. Énumérez-en le plus que vous pouvez et indiquez les divers aspects possibles de chacune.
2. Cela fait, choisissez environ de dix à quinze caractéristiques devant permettre de reconnaître facilement une personne. Certaines caractéristiques peuvent n'offrir qu'une possibilité, par exemple la présence ou l'absence de verres correcteurs. D'autres, comme la couleur des cheveux, peuvent prendre divers aspects.
3. Choisissez ensemble un système de codage. Vous souhaiterez peut-être vous renseigner sur divers codes bien connus pour vous en inspirer. Mettez au point les symboles, les mots ou les gestes qui serviront à votre code. Notez-les sous forme d'un tableau ou d'un schéma. Donnez un nom à votre système de codage.
4. Rédigez les règles d'utilisation et de déchiffrage de votre code. Chaque membre de votre groupe doit apprendre votre code et en faire l'essai pour déterminer s'il fonctionne. Remédiez à tout problème ou améliorez votre code pour le rendre plus précis.
5. Réalisez votre affiche. Assurez-vous d'être en mesure de présenter votre système de codage à la classe ou d'en faire la démonstration.

## Évaluation

1. Pour mettre votre code à l'épreuve, un membre de votre groupe recevra en privé le nom d'une ou d'un élève de la classe à reconnaître. Il devra ensuite utiliser le code que vous avez mis au point pour « dire » aux autres membres de votre groupe de qui il s'agit. Avez-vous deviné l'identité de l'élève en cause ? Combien de temps vous a-t-il fallu pour y arriver ?
2. Enseignez votre code à la classe. Est-il trop compliqué pour que les autres élèves comprennent aisément la manière de l'utiliser ?
3. Examinez les codes élaborés par les autres groupes. En quoi se ressemblaient-ils ? En quoi se distinguaient-ils les uns des autres ? Lequel a donné le plus rapidement des résultats ? Lequel était le plus simple à apprendre ? Après avoir vu ces autres codes, quelles modifications pourriez-vous apporter au vôtre pour l'améliorer ?
4. Demandez-vous si votre code refléterait ou non les ressemblances familiales. Pourriez-vous l'utiliser pour deviner si deux personnes inconnues ont un lien de parenté étroit ?

MODULE

# 1 Révision

Maintenant que tu as terminé les chapitres 1, 2, 3 et 4, tu peux évaluer ce que tu as retenu au sujet de la reproduction en répondant aux questions ci-après. Il pourrait t'être utile de revoir tout d'abord les sections Résumé et Révision de chaque chapitre.

## Vrai ou faux

Indique dans ton cahier de notes si chacun des énoncés suivants est vrai ou faux. Corrige tout énoncé faux.

1. Les organes sont les éléments fondamentaux de la structure et du fonctionnement de tout organisme.
2. La plupart des mammifères se reproduisent de façon asexuée.
3. La méiose n'est possible que dans le cas des cellules somatiques.
4. À l'exemple des grenouilles, les oiseaux se reproduisent par fécondation externe.
5. Le colza est une plante cultivée mise au point au cours des 30 dernières années.
6. Le génie génétique et la reproduction sélective font tous deux intervenir la manipulation directe de la molécule d'ADN.

## Phrases à compléter

Dans ton cahier de notes, complète chacun des énoncés suivants à l'aide du terme ou de l'expression qui convient.

7. Les cellules cutanées et osseuses font l'objet d'une ______ pour régénérer les tissus endommagés.
8. Les moisissures peuvent se reproduire de façon asexuée grâce à des cellules spéciales appelées ______.
9. Il y a fécondation lorsque les ______ mâle et femelle se recontrent et s'unissent pour produire un zygote.
10. Les œstrogènes agissent sur l'utérus en provoquant un ______ de sa muqueuse.
11. Les chromosomes sont faits d'un composé appelé ______ et sont situés dans le noyau d'une cellule.
12. Les ______ sont de courtes sections d'ADN qui renferment les instructions se rapportant aux caractéristiques individuelles d'un organisme.

## Associations

13. Transcris dans ton cahier de notes les descriptions de la colonne A. Indique à côté de chacune le terme de la colonne B qui correspond à cette description. Tout terme peut servir une ou plusieurs fois ou pas du tout.

**A**

- la réalisation d'une copie de l'ADN d'une cellule
- l'alignement des chromosomes de chaque côté de l'équateur de la cellule
- les filaments de l'appareil végétatif d'un champignon
- le processus qui double le nombre de chromosomes dans le noyau
- un animal possédant à la fois des gonades mâles et des gonades femelles
- une erreur qui survient spontanément au cours de la réplication des chromosomes
- des messagers chimiques à l'intérieur de l'organisme
- des stimulants du développement de l'ovule
- une hormone qui régularise la glycémie

**B**

- mitose
- insuline
- hyphes
- mutation
- œstrogènes
- anaphase
- hermaphrodite
- métaphase
- hormones
- réplication
- conjugaison
- testostérone

## Questions à choix multiple

Écris dans ton cahier de notes la lettre correspondant à la meilleure réponse à chacune des questions suivantes.

**14.** Tous les êtres vivants :
- **a)** absorbent des substances nutritives
- **b)** réagissent aux transformations de leur environnement
- **c)** éliminent des déchets
- **d)** toutes ces réponses

**15.** L'organite qui renferme les instructions originales servant à l'assemblage des protéines s'appelle :
- **a)** le nucléole
- **b)** la mitochondrie
- **c)** le ribosome
- **d)** le noyau
- **e)** la vacuole

**16.** La formation d'un nouvel individu présentant la même information génétique que son parent s'appelle :
- **a)** la reproduction unicellulaire
- **b)** la régénération
- **c)** la reproduction acétabulaire
- **d)** la reproduction asexuée
- **e)** la reproduction sexuée

**17.** Lequel des éléments ci-après ne fait pas partie d'une fleur ?
- **a)** l'étamine
- **b)** la spore
- **c)** le pistil
- **d)** le sépale
- **e)** le stigmate

**18.** Laquelle des conditions suivantes n'est pas nécessaire à la fécondation externe ?
- **a)** Les deux parents doivent se retrouver en un même endroit.
- **b)** Il doit exister un milieu aqueux.
- **c)** Il doit y avoir production de nombreux ovules.
- **d)** Les spermatozoïdes et les ovules doivent être de la même espèce.
- **e)** Toutes ces conditions sont nécessaires à la fécondation externe.

**19.** Lequel des énoncés suivants s'applique à la reproduction sexuée ?
- **a)** Elle n'exige qu'un seul parent.
- **b)** Elle requiert moins d'énergie que la reproduction asexuée.
- **c)** Elle accroît la variabilité génétique.
- **d)** Elle s'effectue par mitose.
- **e)** Tous ces énoncés sont vrais.

**20.** L'accouchement est déclenché par la variation du taux de quelles hormones?
- **a)** la FSH et l'ocytocine
- **b)** l'ocytocine et la progestérone
- **c)** les œstrogènes et la LH
- **d)** la progestérone et la FSH

**21.** Combien y a-t-il de chromosomes dans une cellule somatique humaine?
- **a)** 11
- **b)** 23
- **c)** 34
- **d)** 46

**22.** Les organismes servant à la biorestauration sont :
- **a)** des producteurs
- **b)** des consommateurs
- **c)** des décomposeurs
- **d)** des autotrophes

**23.** La réplication de l'ADN a pour but :
- **a)** d'accélérer la croissance d'une cellule
- **b)** de remplacer l'ADN vieilli et usé
- **c)** d'assurer la croissance et la régénération d'un organisme
- **d)** d'agencer des portions d'ADN supplémentaires en une structure utile

## Questions à réponse courte

Réponds à chaque question dans ton cahier de notes par une phrase ou un court paragraphe.

**24.** Quel événement le schéma ci-dessous présente-t-il ? Décris brièvement ce qui se produit à chacune des étapes montrées.

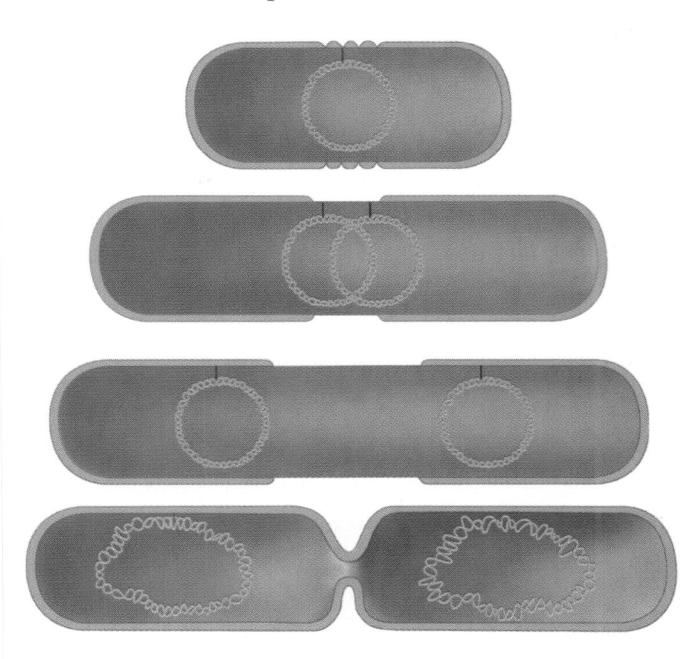

**25.** Explique en bref comment tu pourrais déterminer expérimentalement quel organite commande la fonction d'une cellule.

**26.** Quel est le but de la mitose ?

**27.** Pourquoi le nombre de chromosomes présents dans les cellules sexuelles doit-il être réduit ?

**28.** Lors de la ménopause, le taux d'œstrogènes diminue.

- **a)** Décris les effets de ce phénomène sur le follicule ovarien.
- **b)** Décris les effets de ce phénomène sur la muqueuse utérine.

**29.** Plus de 300 millions de spermatozoïdes peuvent être produits simultanément chez l'homme, tandis que la femme ne produit qu'un seul ovule tous les 28 jours environ. Suggère une explication à cette différence.

**30.** Pourquoi juge-t-on l'huile de canola plus saine que les autres huiles comme l'huile d'arachide ou l'huile de maïs ?

**31.** Pourquoi les métaux lourds sont-ils nocifs ?

**32.** Détermine par déduction les effets que la modification d'une séquence d'acides aminés pourrait avoir sur la cellule ou l'organisme à l'intérieur duquel elle se produit.

**33.** Indique trois avantages du clonage d'une plante cultivée ou d'un animal destinés à l'alimentation. Indique trois inconvénients de cette même activité. Explique ta réponse.

## Problèmes à résoudre

Fournis une solution complète dans le cas des problèmes faisant intervenir des équations et des nombres. Utilise soit la méthode de résolution de problèmes SMARP, soit une autre méthode suggérée par ton enseignante ou ton enseignant.

**34.** Au cours de la germination, les parties du jeune plant à l'intérieur de la graine commencent à se développer. Explique pourquoi la présence d'eau est l'une des principales conditions nécessaires au déclenchement de la germination.

**35.** Comment la reproduction sexuée réduit-elle la possibilité que les individus d'une espèce succombent à une maladie ?

**36.** Énumère certains des problèmes qui pourraient survenir chez un fœtus en cours de développement dont la mère n'a pas une alimentation adéquate. Nomme une substance particulière nécessaire au développement du squelette. Selon toi, que pourrait-il se produire si le fœtus ne recevait pas une quantité suffisante de cette substance ?

**37.** Quelle technique a-t-on utilisée pour mettre au point les races canines représentées sur la photographie ci-dessous? Pourquoi peut-on vouloir mettre au point certaines variétés d'animaux ou de plantes ? Que faut-il pour assurer la survie de ces variétés ?

**38.** Un déversement de pétrole peut causer beaucoup plus de dommages à l'environnement s'il survient dans l'Arctique plutôt que dans une région plus tempérée. Peux-tu expliquer pourquoi les processus naturels qui décomposent le pétrole se déroulent plus lentement dans l'Arctique ?

**39.** Combien de chromosomes y a-t-il dans une cellule somatique chez un animal ayant un nombre haploïde de 38 ?

**40.** Une mutation se traduisant par la croissance plus rapide d'une plante pourrait être bénéfique. Explique pourquoi.

**41.** Offre des raisons à l'infertilité chez l'être humain. Quels sont quelques-uns des traitements possibles ?

## Réflexion critique

**42.** Propose une théorie expliquant pourquoi les bactéries, les protistes, les champignons et certains invertébrés se reproduisent le plus souvent de manière asexuée, tandis que la plupart des vertébrés ne se reproduisent jamais de cette façon. Comment pourrais-tu vérifier ta théorie ?

**43.** Les graines constituent une importante source de nourriture pour les oiseaux et nombre de petits animaux. Où cette nourriture est-elle entreposée à l'intérieur d'une graine, et pourquoi les graines ont-elles besoin d'une source de nourriture ?

**44.** Au chapitre 3, tu as appris qu'il existe une relation entre le taux de survie chez les femelles et le nombre de descendants produits.

**a)** Quelle est cette relation ?

**b)** Fournis des raisons pouvant expliquer cette relation.

**45.** L'un des objectifs reconnus des zoos et des réserves fauniques consiste à protéger les espèces en voie de disparition. Toutefois, beaucoup de gens s'opposent à ce que l'on garde des animaux en captivité. Vaut-il mieux laisser les animaux périr dans leur habitat naturel ou assurer leur survie dans des zoos et des réserves fauniques constituant un habitat essentiellement non naturel ?

## Applications

**46.** Tu fais partie d'une équipe de recherche chargée de mettre au point une nouvelle variété de gazon n'ayant besoin d'être tondue qu'une ou deux fois par année. Comment aborderais-tu ce travail ? Quelles recherches effectuerais-tu ?

**47.** Qu'est-ce qu'une plante hybride? Effectue des recherches sur la façon dont les horticulteurs et les botanistes produisent des hybrides, les raisons qui les incitent à le faire et la manière dont les hybrides se reproduisent.

**48.** Qu'est-ce qu'un animal transgénique? Décris comment on peut utiliser des animaux transgéniques pour obtenir des produits destinés à la population humaine.

MODULE

2

# Les atomes et les éléments

La science de l'aérodynamique a permis aux frères Wright de construire et de faire voler le premier avion en 1903, mais cet appareil d'avant-garde ne comportait que des matériaux très élémentaires. Pour construire un avion moderne, pouvant transporter des passagers en toute sécurité à des centaines de kilomètres à l'heure, il faut recourir à une science des matériaux très perfectionnée.

Durant la majeure partie de l'histoire de l'humanité, les scientifiques ne pouvaient construire que des modèles mentaux simples pour expliquer la nature de la matière. Mais, au cours de périodes récentes, ils ont réussi à élaborer des théories beaucoup plus complexes et exactes. Aujourd'hui, on comprend si bien les propriétés de certains métaux non courants que les fabricants de l'industrie aérospatiale savent exactement quels métaux et alliages de métaux utiliser pour construire des alvéoles légères mais résistantes et pour doter les systèmes de contrôle électrique de câblage de haute qualité. Le raffinage industriel des combustibles au carbone et les réactions chimiques de leur combustion dans les turbopropulseurs et les turboréacteurs sont aussi d'une importance cruciale dans la conception des avions modernes.

Comment s'est formée la compréhension scientifique moderne de la matière ? Quelles technologies sont apparues, au Canada et dans le monde, grâce à cette évolution scientifique ? Comment l'étude des substances chimiques en laboratoire se traduit-elle par des usages pratiques de ces substances ? Au cours de ce module, tu découvriras une partie des réponses à ces questions en suivant le cours des observations, des déductions et des représentations de la structure de l'atome et des éléments chimiques qui relient la philosophie de l'Antiquité grecque à la chimie nucléaire moderne.

## Contenu du module

CHAPITRE

# 5 Les propriétés et les

## Pour commencer...

- Un verre de lait a-t-il plus de choses en commun avec un verre d'eau ou avec une poutrelle en acier ?
- Faire fondre de la glace produit-il le même type de changement que faire brûler du papier ?
- Comment les scientifiques savent-ils que la formule de l'eau est $H_2O$ ?

## Journal scientifique

Dans ton journal scientifique, montre à quoi ressemblent, d'après toi, les particules d'une substance pure (des particules d'eau, par exemple). Fais ensuite un croquis pour illustrer ta compréhension d'un mélange d'eau et de sel. Enfin, toujours d'après toi, qu'arrive-t-il quand une substance comme de l'eau subit un changement chimique ? Quand tu auras terminé ce chapitre, tu en sauras plus sur les substances, la composition de ces substances et les changements qui peuvent transformer ces substances.

Les laboratoires de chimie que nous voyons dans les films et à la télévision ressemblent souvent au laboratoire de la grande photo ci-dessus. Mais ce que nous savons sur la matière a été découvert, en grande partie, dans des laboratoires bien plus rudimentaires où le matériel était très simple, comme sur le petit croquis. Certains chimistes de cette époque bénéficiaient d'un financement privé. Ils pouvaient donc embaucher des ouvriers métallurgistes et des souffleurs de verre pour fabriquer du matériel spécialisé.

Mais plusieurs chimistes étaient pauvres et utilisaient ce qu'ils avaient sous la main pour fabriquer leur propre matériel. Même avec ce matériel artisanal, ils ont réussi à faire des découvertes importantes qui nous ont permis de mieux comprendre la matière.

Il est important de savoir que les balances, les béchers et autre matériel qu'on trouve dans un laboratoire sont de la *technologie*, c'est-à-dire des outils qui nous aident à contrôler ou à manipuler la matière pour que nous puissions observer ses propriétés et son comportement. La *science* de la chimie réside dans les observations et l'interprétation des résultats.

Dans ce chapitre, tu exploreras les propriétés et les transformations de la matière en utilisant la science de la chimie pour faire des observations et fournir des explications. Tu apprendras aussi des faits que les scientifiques ont découverts sur la matière ainsi que certaines théories qu'ils ont élaborées pour expliquer ces faits.

# changements chimiques

## Concepts clés

Dans ce chapitre, tu découvriras :
- comment on décrit et on classe la matière ;
- quelles sont les transformations de la matière indiquant qu'un changement physique ou chimique a eu lieu ;
- pourquoi il y a différents types de mélanges ;
- qui a contribué au développement de la chimie comme science et à mieux nous faire comprendre la matière ;
- comment de simples tests et des mesures minutieuses de certaines propriétés nous aident à identifier des substances pures.

## Habiletés clés

Dans ce chapitre :
- tu feras des expériences en utilisant les consignes de sécurité et les procédures d'élimination appropriées de produits chimiques ;
- tu observeras les propriétés quantitatives et qualitatives de substances chimiques ;
- tu distingueras les propriétés et les changements physiques des propriétés et des changements chimiques ;
- tu feras des tests pour identifier l'hydrogène, l'oxygène et le bioxyde de carbone ;
- tu utiliseras un courant électrique pour décomposer de l'eau.

## Mots clés

- théorie particulaire de la matière
- modèle scientifique
- hétérogène
- homogène
- solution
- mélange obtenu par agitation mécanique
- changement physique
- changement chimique
- propriété physique
- masse volumique
- combustibilité
- propriété chimique
- précipité
- propriété physique qualitative
- propriété physique quantitative
- solvant
- soluté
- alliage
- suspension
- colloïde
- effet Tyndall
- composé
- philosophe
- alchimiste
- électrolyse
- loi de la conservation de la masse
- loi des proportions définies
- théorie atomique de Dalton
- élément
- atome

## ACTIVITÉ de départ

### Qu'y a-t-il dans le sac ?

Comment peux-tu savoir si un changement chimique a lieu ?

#### Ce dont tu as besoin  

- un sac à sandwich en plastique refermable hermétiquement
- une boîte de pellicule photographique vide avec un couvercle étanche
- une spatule avec environ 2 mL de bicarbonate de soude
- suffisamment de vinaigre blanc pour remplir la boîte de pellicule photographique
- 50 mL d'eau
- des essuie-tout

#### Ce que tu dois faire

1. Verse 50 mL d'eau dans le sac ouvert. Le sac devrait tenir debout tout seul.
2. Avec la spatule, dépose *quelques* grains de bicarbonate de soude solide dans l'eau. Agite le sac *doucement* jusqu'à ce que toutes les particules solides soient dissoutes. Ajoute *quelques* grains supplémentaires et mélange de nouveau. Continue d'ajouter le solide jusqu'à ce qu'il ne se dissolve plus.
3. Remplis la boîte de vinaigre. Ferme la boîte avec le couvercle étanche. Essuie le vinaigre qui aurait pu couler. Place délicatement la boîte dans le sac. Presse le sac pour faire sortir le plus d'air possible et ferme le sac.
4. À travers les parois du sac, enlève délicatement le couvercle de la boîte pour que le vinaigre se mélange à la solution. Regarde si l'apparence du sac change.

#### Qu'as-tu découvert ?

1. Dresse la liste des matériaux de départ et décris leurs propriétés. (Rappelle-toi que toute caractéristique qui peut servir à décrire ou à identifier la matière s'appelle une propriété.)
2. Consigne ce qui est arrivé aux matériaux de départ et décris les changements que tu as observés, qu'il s'agisse des matériaux ou du contenu du sac. Indique aussi s'il s'est produit de nouveaux matériaux.

# 5.1 Explorer la nature de la matière

Un bon scientifique est sceptique, tenace, honnête et pose des questions. Un bon scientifique respecte aussi le travail de ses prédécesseurs ainsi que les connaissances que ces derniers ont accumulées au cours des siècles. Nos connaissances en chimie reposent sur des faits et des observations sur la matière, sur les lois qui résument les tendances de comportement de la matière et sur les théories qui expliquent ces tendances de comportement. Ainsi, tu te rappelles peut-être avoir étudié la **théorie particulaire de la matière**. Cette théorie est résumée ci-dessous.

**La théorie particulaire de la matière**

- Toute matière se compose de particules minuscules.
- Chaque substance pure a son propre type de particules, lesquelles se distinguent des particules d'autres substances pures.
- Les particules s'attirent mutuellement.
- Les particules sont toujours en mouvement.
- Les particules dont la température est plus élevée se déplacent plus vite en moyenne que les particules dont la température est plus basse.

**Omni TRUC**

Si tu veux plus d'informations sur les modèles scientifiques, tu en trouveras à la page 595.

La théorie particulaire de la matière est un exemple de **modèle scientifique**. Les modèles scientifiques aident les scientifiques à imaginer les processus naturels qu'il est impossible de voir simplement ou directement. Par exemple, dans la théorie particulaire de la matière, les particules individuelles seraient bien trop petites et bien trop rapides pour pouvoir être observées directement. Mais tu peux utiliser les deux premiers énoncés de la théorie pour imaginer comment les particules peuvent composer des substances observables et les trois derniers énoncés pour expliquer des propriétés comme la cohésivité de la matière et la façon dont la matière se comporte quand la température change.

**Pause réflexion**

D'après la théorie particulaire de la matière, trace des croquis simples dans ton journal scientifique pour illustrer ce qui suit :

- l'évaporation de l'eau d'une flaque
- la solidification de lave liquide chaude sur les flancs d'une montagne
- un lac froid
- un bain chaud

**Figure 5.1 A)** Les particules d'un gaz ont assez d'énergie pour contrebalancer les forces d'attraction qui, autrement, maintiendraient ces particules ensemble.

**Figure 5.1 B)** Les particules d'un liquide n'ont pas assez d'énergie pour contrebalancer les forces d'attraction, mais elles en ont assez pour se déplacer les unes autour des autres.

**Figure 5.1 C)** Les solides se composent de particules qui n'ont pas assez d'énergie pour se déplacer.

Au cours des études scientifiques que tu as déjà faites, tu as probablement appris qu'on classe la matière selon son état : solide, liquide ou gazeux. Tu as probablement appris aussi qu'on peut classer la matière selon l'une de ses propriétés, à savoir **hétérogène** ou **homogène**. Enfin, on t'a peut-être déjà expliqué que tu pouvais classer la matière selon sa composition, c'est-à-dire selon qu'il s'agit d'un mélange ou d'une substance pure. La figure 5.2 montre une façon de classer la matière à partir de certaines de ces idées.

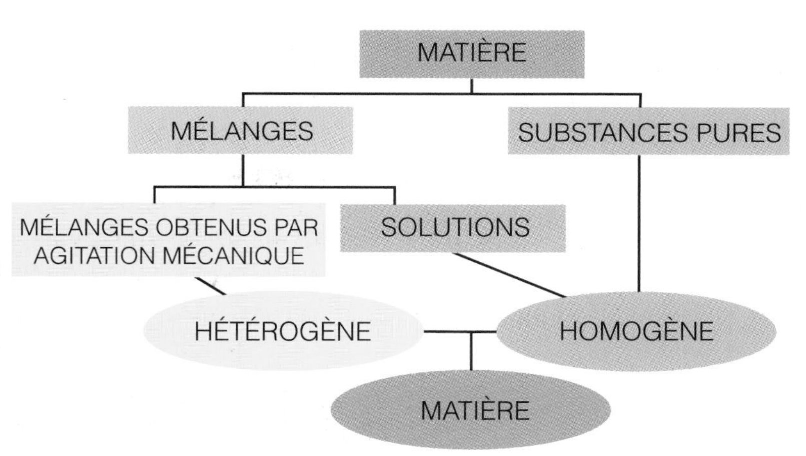


**Figure 5.2** Lis le tableau de haut en bas. Comment la matière est-elle classée ? Que signifient les différentes couleurs ?

## Ce que la théorie particulaire de la matière permet d'expliquer

Nombre de systèmes de classification que les scientifiques ont élaborés reposent sur des théories. La théorie particulaire de la matière explique pourquoi les substances pures sont toujours homogènes : chaque substance pure contient son propre type de particules. Par contre, les mélanges contiennent au moins deux types de particules. Si les particules sont réparties uniformément, le mélange est une **solution** ; il est donc homogène. Si les particules ne sont pas réparties uniformément, le mélange est un **mélange obtenu par agitation mécanique** ; il est alors hétérogène.

Le tableau de la figure 5.2 s'appuie sur la théorie particulaire. Toutefois, il est important de savoir qu'il y a plus d'une façon de classer la matière. Dans ce module, tu découvriras d'autres moyens qu'utilisent les chimistes pour classer les milliers de substances pures et les millions de mélanges contenant ces substances pures.

**Figure 5.3** Ce joueur de hockey se déplace rapidement sur la glace parce que la glace fond sous la pression des lames de ses patins et réduit ainsi la friction. La glace fondue se solidifie de nouveau rapidement sur la couche de glace.

## Les changements de la matière

Toutes les sortes de matière ont des propriétés. Certaines de ces propriétés, comme la résistance de la glace d'un étang ou la surface douce d'un papier servant à écrire peuvent être utiles. D'autres propriétés, comme le goût d'une eau dont la teneur en chlore est élevée, peuvent être déplaisantes.

Les propriétés permettent d'identifier le type de matière dont on parle. Mais les propriétés changent. La glace peut fondre et ne plus soutenir les patineurs. Le papier peut brûler et ne plus servir à écrire. L'eau chlorée, si on la laisse reposer toute la nuit, peut perdre son goût déplaisant.

Les chimistes classent les changements de la matière en deux catégories : les changements physiques et les changements chimiques. Pendant un **changement physique**, aucune nouvelle substance ne se forme. De nouvelles propriétés peuvent apparaître, mais les particules de la ou des substances de départ ne changent pas. La fonte de la glace est un exemple de changement physique. Les nouvelles propriétés sont temporaires, car ce changement est réversible. L'eau à l'état liquide peut facilement se transformer de nouveau en glace.

Le goût déplaisant de l'eau chlorée est aussi le résultat d'un changement physique. Le goût est causé par le chlore qui se dissout dans l'eau. Si on laisse la solution reposer toute la nuit, elle se sépare et la plupart du chlore qui s'est dissout dans l'eau

**Figure 5.4** En quoi le changement représenté ici est différent du changement de la figure 5.3 ? Quel changement est physique ? Quel changement est chimique ? Comment le sais-tu ?

**Le savais-tu ?**

L'orthographe de « sulfate » dans l'activité de recherche ci-dessous te semble-t-elle correcte ? Les membres de l'Union internationale de chimie pure et appliquée (UICPA) ont convenu de remplacer l'ancienne épellation de « sulphure » par « sulfure ».

s'échappe. Les particules de chlore existent toujours et toutes leurs propriétés sont intactes, mais ces particules sont dissoutes dans l'air ambiant et non plus dans l'eau.

Par contre, un **changement chimique** entraîne toujours la création d'au moins une nouvelle substance ayant de nouvelles propriétés. Il est difficile et souvent impossible d'inverser un changement chimique. Brûler du papier est un exemple de changement chimique. La fumée et le solide noir qui reste ne peuvent être combinés de nouveau pour former du papier. Le changement n'est pas réversible.

de recherche

## La classification : un casse-tête

La classification est tout aussi importante pour un étudiant en chimie que pour un chimiste professionnel. Cette activité t'aidera à faire le point sur tes aptitudes à la classification en classant plusieurs échantillons de matière selon le système de la figure 5.2.

### Ce dont tu as besoin 

huit fioles contenant des mélanges non identifiés ou des substances pures (que ton enseignante ou ton enseignant te fournira).

l'annexe D : Les propriétés des substances courantes (page 564).

### Ce que tu dois faire

1. Recopie le tableau ci-dessous pour consigner tes observations et tes déductions. Donne un titre à ton tableau.

| Numéro de la fiole | Observations | Classification probable | Raisons de la classification | Identité probable |
|---|---|---|---|---|
| | | | | |

2. Ton enseignante ou ton enseignant te donnera huit fioles contenant des échantillons non étiquetés. Trois fioles contiendront des mélanges obtenus par agitation mécanique, trois fioles contiendront des substances pures et deux fioles contiendront des solutions. Examine le contenu de chaque fiole visuellement. *N'ouvre pas les fioles !* Consigne tes observations.

3. Examine la liste suivante : carbonate de calcium (craie broyée), carbone (graphite), sulfate (sulfate de cuivre II), glycérol (glycérine), fer (limaille), chlorure de sodium, sucre, huile végétale, eau, zinc (mousse). Les fioles contiennent uniquement les matériaux de cette liste, mais certaines fioles peuvent contenir deux de ces matériaux.

4. Observe les échantillons et classe chaque échantillon selon qu'il est homogène ou hétérogène. Les échantillons hétérogènes sont des mélanges obtenus par agitation mécanique. D'après tes observations et l'annexe D, détermine l'identité probable de chaque substance composant les mélanges obtenus par agitation mécanique. Consigne tes idées.

5. Tu as désormais cinq fioles dont tu ne connais pas le contenu. Ces fioles contiennent des matériaux homogènes. À l'aide de l'annexe D et de tes observations, trouve les trois substances pures. Détermine l'identité probable de chacune de ces substances pures et consigne tes idées.

6. Les deux fioles restantes contiennent des solutions. Encore une fois, utilise tes observations et l'annexe D pour trouver l'identité probable de chaque substance composant les solutions et consigne tes idées.

### Qu'as-tu découvert ?

1. En quoi les solutions sont-elles différentes des mélanges obtenus par agitation mécanique ? Quels sont leurs points communs ?

2. Quelles fioles contenaient des matériaux difficiles à classer ? Pourquoi ?

### Approfondissement

3. Examine les bouteilles et les bocaux qui se trouvent dans ton réfrigérateur à la maison. Classe ce que les bouteilles et les bocaux contiennent selon qu'il s'agit de mélanges ou de substances pures. Y a-t-il plus de mélanges ou plus de substances pures ?

## Propriétés chimiques ou propriétés physiques ?

Pour construire un vaisseau comme une navette spatiale, les ingénieurs en aérospatiale de la NASA doivent tout savoir sur les matériaux qu'ils utilisent et sur la façon dont ces matériaux risquent de changer. Ces matériaux vont-ils fondre s'ils sont exposés à des températures extrêmes ? Vont-ils casser s'il fait froid ou vont-ils réagir au contact d'autres matériaux ? Pour comprendre les changements de la matière, il faut connaître les propriétés de la matière. Les chimistes classent ces propriétés afin de mieux comprendre la matière. Le tableau 5.1 indique trois propriétés de deux substances pures, l'hydrogène et l'hélium.

**Tableau 5.1** Les propriétés de l'hélium et de l'hydrogène

| Propriété | Hélium | Hydrogène |
|---|---|---|
| couleur | incolore | incolore |
| masse volumique | faible (0,18 g/L) | très faible (0,09 g/L) |
| combustibilité | ne brûle pas | brûle et explose |

### Les outils de la science

La navette spatiale est dotée d'un système de carreaux qui résistent à l'immense chaleur qui se dégage au contact de l'atmosphère terrestre. Ces carreaux se composent de silice et de scellants en céramique. On peut retirer ces carreaux d'un four à 1200 °C et les plonger directement dans de l'eau froide sans qu'ils craquent.

Toute propriété que l'on peut observer ou mesurer sans créer une nouvelle substance est une **propriété physique**. On peut observer la couleur de l'hélium et de l'hydrogène sans toucher ni changer aucune de ces deux substances. Par conséquent, la couleur est une propriété physique. Comme tu t'en rappelles certainement, la **masse volumique** est la quantité de matière qui occupe un espace donné. Il s'agit de la masse par unité de volume d'une substance. On peut mesurer la densité sans créer une nouvelle substance. C'est pourquoi la densité est aussi une propriété physique.

Imagine que tu as deux ballons : un ballon est rempli d'hydrogène et l'autre ballon est rempli d'hélium. Comment peux-tu dire quel ballon contient de l'hélium et lequel contient de l'hydrogène ? Ces deux gaz sont incolores. Même si tu pouvais voir l'intérieur des ballons, tu ne pourrais pas distinguer les gaz en fonction de leur couleur. Les deux ballons flotteraient dans les airs, puisque ces deux gaz ont une faible masse volumique. Il te serait très difficile de détecter une différence dans la façon dont les ballons flottent. Connaître leur masse volumique ne t'aiderait pas beaucoup.

Mais que se passerait-il si tu ouvrais chaque ballon et si tu plaçais une allumette près de l'ouverture ? Un seul gaz brûlerait et exploserait, entraînant la création d'une nouvelle substance avec de nouvelles propriétés : de l'eau à l'état liquide. Le gaz de l'autre ballon ne brûlerait pas du tout. La **combustibilité** est la capacité d'une substance à brûler au contact de l'air.

Toute propriété décrivant la façon dont une substance réagit au contact d'une autre substance quand ces deux substances forment un nouveau produit est une **propriété chimique**. Par conséquent, la combustibilité est une propriété chimique. L'hydrogène brûle au contact de l'air ; il est donc combustible. L'hélium ne brûle pas au contact de l'air et il n'est donc pas combustible. Il est tout aussi important de savoir qu'une substance n'est pas combustible que de savoir qu'elle l'est.

**Figure 5.5** Comment peux-tu savoir si ces ballons contiennent de l'hélium ou de l'hydrogène ?

RÉALISE UNE EXPÉRIENCE 5-A

# Changement chimique ou changement physique ?

Les changements physiques n'altèrent pas la composition de la matière, mais les changements chimiques l'altèrent. Si tu ne fais pas de tests rigoureux, tu ne pourras pas toujours savoir avec certitude si un changement chimique a eu lieu et si une nouvelle substance s'est formée. Par contre, tu peux observer une expérience et chercher des indices pour faire des déductions sur le type de changement qui a eu lieu. C'est ce que tu vas faire dans cette activité.

## Problème à résoudre

Quelles observations indiquent qu'un changement chimique a eu lieu ?

### Consignes de sécurité

- Porte tes lunettes de protection et un tablier.
- Avertis toujours ton enseignante ou ton enseignant quand tu renverses des produits chimiques.
- Manipule tous les produits chimiques avec précaution, car ils peuvent être toxiques, irritants ou corrosifs.
- L'acide chlorhydrique est un produit caustique. S'il entre en contact avec ta peau ou avec tes vêtements, rince immédiatement la partie touchée sous l'eau courante et avertis ton enseignante ou ton enseignant.
- Le sulfate de cuivre (II) est un poison et un irritant. Lave-toi les mains après avoir utilisé ce produit chimique.
- Lave-toi les mains à grande eau quand tu auras terminé cette activité.

## Partie 1

## Marche à suivre

1. Dresse un tableau comme le tableau ci-dessous. Donne un titre à ton tableau. Conserve ton tableau pour les parties 2 à 8.

| Partie de l'expérience | Substance de départ | Propriétés physiques | Changements après le mélange (état, température, couleur, quantité) | Changement chimique ou physique |
|---|---|---|---|---|
| | | | | |

2. Cette partie de l'expérience se fera avec les photos parce que les produits chimiques concernés sont toxiques. Si tu fais cette partie de l'expérience, manipule les produits chimiques avec soin et lave-toi les mains à grande eau quand tu auras terminé.
3. Observe et consigne les propriétés physiques de chaque substance de départ avant de mélanger les substances.
4. Consigne ce qui se passe après avoir mélangé les substances. Souligne tes principales observations indiquant qu'un changement chimique a peut-être eu lieu.
5. Indique si, d'après toi, il y a eu un changement physique ou un changement chimique.

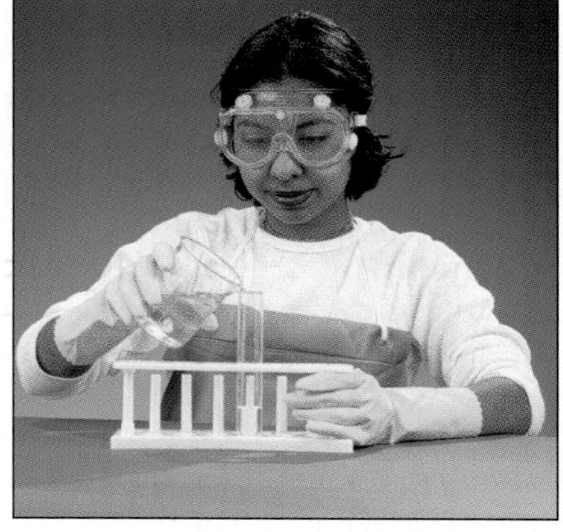

Verse de 2 à 3 mL d'une solution de nitrate de plomb (II) dans une éprouvette propre et sèche.

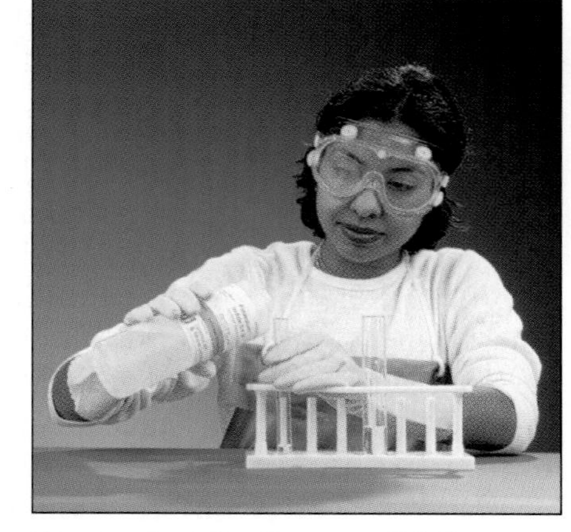

Verse environ la même quantité d'une solution d'iodure de potassium dans une deuxième éprouvette.

**(Les autres photos de la partie 1 se trouvent à la page suivante.)**

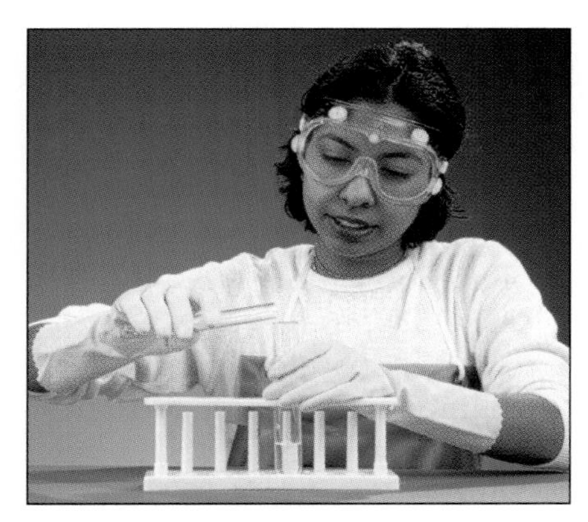

Verse soigneusement le contenu de l'une des éprouvettes dans l'autre éprouvette.

Que vois-tu immédiatement?

Que vois-tu après quelques minutes?

Selon le temps disponible, ton enseignante ou ton enseignant te demandera peut-être de ne faire que certaines parties du reste de l'expérience et de partager tes résultats avec des camarades qui ont fait d'autres parties de l'expérience.

## Partie 2

### Matériel

une éprouvette
un support à éprouvettes
une spatule

### Matériel non réutilisable

de l'acide chlorhydrique dilué
du carbonate de calcium

### Marche à suivre

1. Verse environ 4 ou 5 mL d'acide chlorhydrique dilué dans une éprouvette propre et sèche. Consigne tes observations dans le tableau de la partie 1. Indice: Si une quantité est précédée du terme «environ», tu n'es pas obligé de mesurer cette quantité. Tu peux utiliser une quantité approximative. Pour évaluer le volume d'une substance, examine l'éprouvette que tu vas utiliser. Si l'ouverture est d'environ 1 cm de diamètre, alors une profondeur de 1 cm correspond à un volume d'environ 1 mL.
2. Utilise la spatule pour prélever un échantillon de carbonate de calcium de la taille d'un pois. Consigne tes observations.
3. Ajoute soigneusement le carbonate de calcium à l'acide chlorhydrique. Consigne tes observations.
4. Jette le matériel comme ton enseignante ou ton enseignant te l'indiquera.

## Partie 3

### Matériel

une éprouvette et un bouchon
un support à éprouvettes
une spatule

### Matériel non réutilisable

du sulfate de cuivre (II)
de l'eau distillée

### Marche à suivre

1. Avec la spatule, prélève quelques cristaux de sulfate de cuivre (II). Consigne tes observations dans le tableau de la partie 1.
2. Verse environ 5 mL d'eau distillée dans une éprouvette propre et sèche. Consigne tes observations.
3. Ajoute le sulfate de cuivre (II) à l'eau. Place un bouchon sur l'éprouvette et secoue l'éprouvette doucement. Consigne tes observations.
4. Mets l'éprouvette et le liquide qu'elle contient de côté pour les parties 4 et 5 de cette expérience.

### Partie 4

**Matériel**

un compte-gouttes oculaire
une capsule d'évaporation
un anneau universel
une toile métallique
un brûleur Bunsen

**Matériel non réutilisable**

le liquide de la partie 3

## Marche à suivre

1. Avec le compte-gouttes oculaire, dépose deux gouttes du liquide de la partie 3 dans la capsule d'évaporation. Consigne tes observations dans le tableau de la partie 1.
2. Place la capsule d'évaporation sur l'anneau universel et la toile métallique. Chauffe la capsule *doucement* au-dessus d'un brûleur Bunsen, dont la flamme n'est pas intense. **ATTENTION :** Éloigne ton visage du liquide, car le liquide va crépiter en séchant.
3. Lave la capsule d'évaporation quand elle sera froide.

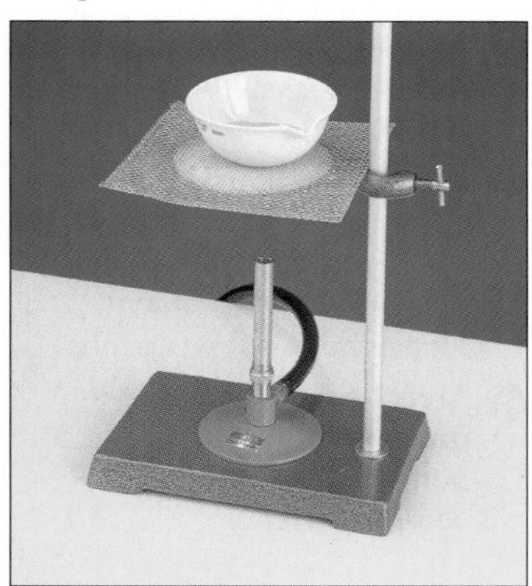

### Partie 5

**Matériel**

une éprouvette
un support à éprouvettes
des pinces

**Matériel non réutilisable**

le liquide de la partie 3
de la laine d'acier

## Marche à suivre 

1. Examine l'éprouvette et le liquide de la partie 3. Consigne tes observations dans le tableau de la partie 1. Place l'éprouvette dans le support.
2. Examine la laine d'acier et consigne tes observations. Avec les pinces, prélève un morceau de laine d'acier suffisamment petit pour pouvoir le glisser dans l'éprouvette.
3. Place le morceau de laine d'acier dans l'éprouvette. Consigne tes observations.
4. Jette le matériel comme ton enseignante ou ton enseignant te l'indiquera.

### Partie 6

**Matériel**

une éprouvette
un support à éprouvettes
une spatule

**Matériel non réutilisable**

une solution de peroxyde d'hydrogène dilué
du bioxyde de manganèse

## Marche à suivre

1. Verse de 2 à 3 mL de la solution de peroxyde d'hydrogène dans une éprouvette propre et sèche. Consigne tes observations dans le tableau de la partie 1.
2. Avec la spatule, prélève un petit échantillon de bioxyde de manganèse. Consigne tes observations.
3. Ajoute minutieusement le bioxyde de manganèse au peroxyde d'hydrogène. Consigne tes observations
4. Jette le matériel comme te l'indiquera ton enseignante ou ton enseignant.

### Partie 7

**Matériel**

une éprouvette
un support à éprouvettes

**Matériel non réutilisable**

de l'acide chlorhydrique dilué
un ruban de magnésium de 2 cm
de la laine d'acier

## Marche à suivre

1. Verse de 4 à 5 mL d'acide chlorhydrique dilué dans une éprouvette propre et sèche. Consigne tes observations dans le tableau de la partie 1. Nettoie le ruban de magnésium avec la laine d'acier.
2. Ajoute soigneusement le ruban de magnésium à l'acide chlorhydrique. Consigne tes observations sur le ruban de magnésium et sur ce qui se passe.
3. Jette le matériel comme te l'indiquera ton enseignante ou ton enseignant.

## Partie 8

### Matériel

trois éprouvettes
deux bouchons
un support à éprouvettes
une spatule

### Matériel non réutilisable

de l'eau distillée
de la chaux vive (oxyde de calcium)
du nitrate d'ammonium

### Marche à suivre

1. Verse environ 4 mL d'eau distillée dans chacune des trois éprouvettes propres. Le niveau d'eau doit être identique dans les trois éprouvettes. Tu ajouteras des substances à deux des trois éprouvettes. La troisième éprouvette servira de témoin.
2. Avec la spatule, prélève un échantillon de chaux vive, de la taille d'un pois. Consigne tes observations dans le tableau de la partie 1.
3. Ajoute la chaux vive à l'une des éprouvettes. Mets un bouchon sur l'éprouvette et secoue l'éprouvette doucement. Consigne tes observations.
4. Nettoie la spatule et essuie-la soigneusement. Utilise-la pour prélever une quantité similaire de nitrate d'ammonium. Consigne tes observations.
5. Ajoute le nitrate d'ammonium à la deuxième éprouvette qui contient de l'eau. Place un bouchon sur l'éprouvette et secoue l'éprouvette doucement. Consigne tes observations.
6. Compare les trois éprouvettes et consigne les différences.
7. Jette le matériel comme ton enseignante ou ton enseignant te l'indiquera.

## Analyse

1. Compare ton tableau au tableau d'un ou d'une de tes camarades et discute des points communs et des différences.

## Conclusion et mise en pratique

2. Quels changements physiques ont eu lieu ? Quels indices appuient tes déductions ?
3. Quels changements chimiques ont eu lieu ? Quels indices appuient tes déductions ?
4. Décris ce qui se passe quand on ajoute de l'iodure de potassium à du nitrate de plomb (II). (Un solide qui se forme pendant un changement chimique et qui se sépare de la solution s'appelle un **précipité**.)
5. Qu'as-tu observé quand tu as ajouté le bioxyde de manganèse au peroxyde d'hydrogène ? Que se passe-t-il ? Explique ton raisonnement.

## Enrichis tes connaissances

6. Copie le tableau ci-dessous et donne un titre à ton tableau. Avec une ou un partenaire, révise ce que tu as déjà vu dans ce chapitre. Trouve un exemple de changement chimique correspondant à chaque observation. Consigne les changements chimiques dans la deuxième colonne. Trouve un exemple de changement physique correspondant à chaque observation. Consigne les changements physiques dans la troisième colonne.

| Observation | Exemple de changement chimique | Exemple de changement physique |
|---|---|---|
| Des bulles se forment. | Mélanger du bicarbonate de soude et du vinaigre. | De l'eau qui bout. |
| La couleur change. | | |
| Le matériau de départ est épuisé. | | |
| De la chaleur est produite ou absorbée. | | |
| Un solide (un précipité) se forme. | | |

7. Compare les observations de la première colonne du tableau ci-dessus aux types de changements que tu as observés dans cette expérience. Quels sont les points communs ? Quelles sont les différences ? Explique pourquoi il est difficile de dresser une liste de règles simples qui te permettraient de classer un changement physique ou chimique.

**LIEN terminologique**

As-tu déjà rencontré les mots « ductilité », « malléabilité » et « viscosité » ? Si oui, peux-tu écrire la définition exacte de chacun de ces mots ? Essaie de le faire maintenant, en t'aidant d'un dictionnaire courant ou d'un dictionnaire scientifique, si tu en as besoin.

Le tableau 5.2 classe les propriétés chimiques et les propriétés physiques les plus intéressantes pour les chimistes. Tu remarqueras que les propriétés physiques font souvent l'objet d'un classement supplémentaire, selon qu'elles sont qualitatives ou quantitatives. Une **propriété physique qualitative** caractérise une substance que l'on peut décrire mais que l'on ne peut pas mesurer. Une **propriété physique quantitative** caractérise une substance qu'on peut mesurer numériquement.

**Tableau 5.2** Classification des propriétés

| Chimiques | Physiques | |
|---|---|---|
| | Qualitatives | Quantitatives |
| réagit au contact de l'eau | couleur | point de fusion |
| réagit au contact de l'air | texture | point d'ébullition |
| réagit au contact de l'oxygène pur | goût | masse volumique |
| réagit au contact d'acides | odeur | viscosité |
| réagit au contact d'autres substances pures | état | solubilité |
| toxicité | forme du cristal | conductivité électrique |
| stabilité | malléabilité | conductivité thermique |
| combustibilité | ductilité | |

**Figure 5.6** Les propriétés physiques de différentes substances

## La masse volumique en chiffres

Le chrome et l'argent sont deux métaux dont l'apparence est assez semblable. Imagine que tu as un échantillon de ces deux métaux et que tu veux savoir lequel est le chrome et lequel est l'argent. Du fait que les points de fusion de ces deux métaux sont différents, tu voudras peut-être essayer de faire fondre l'un des échantillons. Malheureusement, le point de fusion du chrome est très élevé : 1907 °C ! Même l'argent a un point de fusion élevé, soit 961 °C. Ces températures sont trop élevées pour faire des expériences pratiques et sans danger dans un laboratoire. Pourquoi ne pas essayer une autre propriété, la masse volumique ? Un cube d'argent de 1 cm a toujours une masse de 10,5 g, alors qu'un cube de chrome de 1 cm a toujours une masse de 7,2 g. La masse volumique est un moyen bien plus pratique d'identifier les échantillons.

**Figure 5.7** L'argent (à gauche) et le chrome (à droite) se ressemblent. Comment peux-tu les différencier ?

Tu as peut-être déjà vu la masse volumique comme un concept qualitatif, dans la théorie particulaire de la matière. La masse volumique est aussi très utile comme propriété physique quantitative. La masse volumique est la même pour tous les échantillons d'une substance donnée, à l'état solide ou liquide (à l'exception de très faibles variations dues aux différences de température). Puisque différentes substances ont, en règle générale, une masse volumique différente, mesurer la masse volumique peut s'avérer un excellent moyen d'identifier ces substances. Tu trouveras la masse volumique de différentes substances à l'annexe D, intitulée : Les propriétés des substances courantes (page 564).

Afin de mesurer la masse volumique, tu dois savoir que la densité est définie mathématiquement par la formule suivante :

$$\text{masse volumique} = \frac{\text{Masse}}{\text{Volume}} \quad \text{ou} \quad m_V = \frac{m}{V}$$

Tu peux interpréter cette formule en disant que la masse volumique mesure la quantité de masse qui se trouve dans un espace donné. Par exemple, un morceau d'argent a un volume de 2,00 $cm^3$ et une masse de 21,0 g. Par conséquent, la masse volumique de l'argent est :

$$m_V\,(\text{argent}) = \frac{21{,}0\ \text{g}}{2{,}00\ \text{cm}^3} = 10{,}5\ \text{g/cm}^3$$

### Pause réflexion

Imagine que tu as mesuré la masse des deux échantillons. Pourrais-tu simplement décider que l'échantillon le plus lourd est l'argent ? De quelle autre information vas-tu avoir besoin ? N'oublie pas que le volume des échantillons ne correspondra probablement pas exactement à 1 $cm^3$. Dans ton journal scientifique, écris une phrase qui fait le lien entre la masse volumique et la masse d'une substance.

## La substance X

Tu es analyste chimique (ton travail consiste à identifier des substances chimiques) et on t'a donné un échantillon d'un prétendu nouveau métal, que tu nommes « X ». En fait, il te semble que ce métal n'est pas nouveau du tout, mais qu'il s'agit d'un échantillon déguisé d'un métal très courant. On t'a chargé d'identifier ce métal sans te tromper. En effet, un nouveau métal pourrait représenter une ressource inestimable. Pour commencer, tu décides de déterminer la masse volumique de la substance. Si cette masse volumique correspond à la masse volumique d'un des métaux du tableau ci-dessous, tu pourrais te concentrer sur ce métal pour faire d'autres tests.

Les masses volumiques de certains métaux courants

| Métal | Masse volumique (g/cm³) |
|---|---|
| plomb | 11,3 |
| nickel | 8,9 |
| fer | 7,9 |
| étain | 7,3 |
| aluminium | 2,7 |

### Ce dont tu as besoin

un cube de métal non identifié (que ton enseignante ou ton enseignant te donnera)

une règle graduée en centimètres et en millimètres

une balance

l'annexe D : Les propriétés des substances courantes (page 564)

### Ce que tu dois faire

1. Utilise la balance pour trouver la masse, en grammes, de ton échantillon mystère.
2. Mesure soigneusement, en centimètres, la longueur, la largeur et la hauteur de ton échantillon. Consigne ces données. Tu devras être précis au millimètre près. Utilise ces mesures pour calculer le volume de ton échantillon.
3. Divise la masse par le volume pour trouver la masse volumique.

### Qu'as-tu découvert ?

1. La masse volumique de ton échantillon est-elle proche de la masse volumique d'un des métaux du tableau ? De quel métal ?
2. Quelles sont les autres propriétés qui pourraient t'aider à identifier ton échantillon ? Consulte l'annexe D : Les propriétés des substances courantes.

Plusieurs panneaux de la carrosserie des voitures actuelles ne sont pas fabriqués en métal, mais d'une sorte de plastique qu'on appelle Kevlar^MC. Ce matériau a été mis au point pour avoir la même rigidité que l'acier, mais une masse volumique moins élevée, ce qui réduit le poids de la voiture et, par conséquent, sa consommation d'essence. De plus, les panneaux en plastique sont moulés et on peut leur donner n'importe quelle forme. C'est pourquoi les voitures modernes ont des lignes légèrement courbes. En règle générale, le châssis (le « squelette » central) d'une voiture est toujours fabriqué en acier. Pourquoi, d'après toi ? Essaie de trouver deux raisons.

**Omni TRUC**

Tu trouveras des indices pour mesurer la masse et le volume à la page 583.

## Combien? Quelle masse volumique?

Le plomb est beaucoup plus dense que le fer. Mais si ton échantillon de fer est plus gros que ton échantillon de plomb, la masse volumique de ton échantillon de fer sera probablement supérieure à la masse volumique de ton échantillon de plomb . La figure 5.8 devrait t'aider à expliquer ce phénomène.

Dans la figure 5.8, pense que la formule de la masse volumique se présente comme suit:

$$\text{Masse} = \text{Volume} \times \text{Masse volumique ou } m = V \times m_V$$

Pour la barre de fer, un volume plus gros fait plus que compenser la masse volumique plus faible.

> **Omni TRUC**
>
> Si tu as besoin d'aide pour résoudre les problèmes, tu trouveras la méthode SMARP de résolution de problèmes à la page 603.

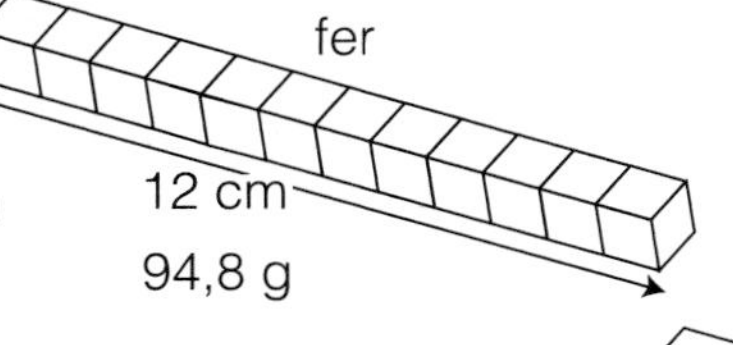


**Figure 5.8** Compare les échantillons de métaux ci-dessus. Ils n'ont pas la même taille. Chaque cube de fer de 1 cm pèse moins qu'un cube de plomb de 1 cm, mais la barre de fer a plus de cubes que la barre de plomb.

## Problèmes types

**Exemple 1:** Une balle molle a une masse de 360 g et un volume de 270 cm³. Trouve sa masse volumique.

### Structurer

La masse, $m$ = 360 g
Le volume, $V$ = 270 cm³

### Mettre en évidence

La masse volumique, $m_V$, en g/cm³

### Analyser

Utilise la formule $m_V = \frac{m}{V}$ pour trouver la masse volumique en g/cm³.

### Résoudre

$$m_V = \frac{m}{V} = \frac{360\ \text{g}}{270\ \text{cm}^3} = 1{,}33\ \text{g/cm}^3$$

### Présenter

La masse volumique de la balle molle est de 1,33 g/cm³.

**Exemple 2:** La masse volumique du nickel est de 8,9 g/cm³. Quel est le volume de 500 g de nickel?

### Stucturer

$m_V$ = 8,9 g/cm³
$m$ = 500 g

### Mettre en évidence

Le volume, $V$, en cm³

### Analyser

Trouve la valeur de $V$ dans l'équation $m_V = \frac{m}{V}$. Multiplie les deux membres par $V$ pour obtenir $m_V V = \frac{m\cancel{V}}{\cancel{V}}$

Divise maintenant les deux membres par $m_V$ pour obtenir $V = \frac{m}{m_V}$.

Puisque la masse est exprimée en grammes et la masse volumique en g/cm³, le volume sera exprimé en cm³.

> **LIEN mathématique**
>
> Voici quelques données sur sept échantillons de métal:
>
> Échantillon A: 51 g, 4,5 cm³
> Échantillon B: 22 g, 3,0 cm³
> Échantillon C: 70 g, 6,2 cm³
> Échantillon D: 27 g, 10,0 cm³
> Échantillon E: 48 g, 5,4 cm³
> Échantillon F: 54 g, 7,4 cm³
> Échantillon G: 17 g, 1,5 cm³
>
> Présente ces données sur un diagramme, avec la masse en ordonnée (axe *y*) et le volume en abscisse (axe *x*). Quels échantillons pourraient correspondre au même métal? Indice: Essaie de tracer des lignes droites passant par le point (0, 0).

> **Omni TRUC**
>
> Si tu as besoin d'aide pour les diagrammes, va à la page 587.

**Omni TRUC**

Si tu as besoin d'aide pour les unités SI, va à la page 574.

**LIENS mathématique**

1. Une pièce de un dollar a une masse de 0,7 g et un volume de 0,78 cm³. Quelle est sa masse volumique ?
   Cette pièce est fabriquée dans un alliage (un mélange de différents métaux). Propose certains métaux qui, d'après toi, entrent dans la composition de cette pièce.
2. Le charbon (ou carbone) a une masse volumique de 2250 kg/m³. Quel serait le volume minimal d'un sac de 20 kg de charbon ? Pourquoi peux-tu t'attendre à ce que le volume réel du sac soit supérieur ?

**Résoudre**

$$V = \frac{m}{m_V}$$

$$= \frac{500 \not{g}}{8,9 \not{g}/\text{cm}^3}$$

$$= 56 \text{ cm}^3$$

**Présenter**

Un échantillon de 500 g de nickel a un volume de 56 cm³.

**Exemple 3 :** Quelle est la masse, en kilogrammes, d'un bloc de fer de 1,0 m³ ? Écris la masse volumique du fer en kg/m³.

**Structurer**

$V = 1,0 \text{ m}^3$

$m_V = 7,9 \text{ g/cm}^3$ (tiré du tableau de la page 166)

**Mettre en évidence**

La masse, $m$, en kg

La masse volumique, $m_V$, en kg/m³

**Analyser**

Tout d'abord, tu dois remarquer que les unités ne correspondent pas. Tu dois convertir le volume en cm³ pour trouver la masse en grammes. Convertis ensuite la masse en kilogrammes.

Utilise la formule $m_V = \frac{m}{V}$

Trouve la valeur de $m$ (en grammes) dans l'équation en multipliant les deux membres par $V$: $m_V V = \frac{m\not{V}}{\not{V}} = m$

Enfin, pour la masse volumique en kg/m³, utilise la formule $m_V = \frac{m}{V}$, où $m$ est exprimé en kg et pour $V = 1,0 \text{ m}^3$.

**Omni TRUC**

Si tu as besoin d'aide pour les puissances de 10, va à la page 574.

**Résoudre**

$V = (1,0 \times 1,0 \times 1,0) \text{ m}^3$

$= (100 \times 100 \times 100) \text{ m}^3$

$= 1\,000\,000 \text{ cm}^3$

(Notation scientifique :

$= (10^2 \times 10^2 \times 10^2) \text{ cm}^3$

$= 10^6 \text{ cm}^3$

$m = m_V V$

$= 7,9 \text{ g}/\not{\text{cm}^3} \times 1\,000\,000 \not{\text{cm}^3}$

$= 7\,900\,000 \text{ g}$

$= 7900 \text{ kg}$

$m_V = \frac{7900 \text{ kg}}{1,0 \text{ m}^3}$

$= 7900 \text{ kg/m}^3$

$m = m_V V$

$= 7,9 \text{ g}/\not{\text{cm}^3} \times 10^6 \not{\text{cm}^3}$

$= 7,9 \times 10^6 \text{ g}$

$= 7,9 \times 10^3 \text{ kg}$

$m_V = \frac{7,9 \times 10^3 \text{ kg}}{1,0 \text{ m}}$

$= 7,9 \times 10^3 \text{ kg/m}^3$

**Pause réflexion**

As-tu remarqué que la masse volumique du fer mesurée en kg/m³ est 1000 fois supérieure à la masse volumique du fer mesurée en g/cm³ ? Dans ton journal scientifique, écris deux raisons pour lesquelles il est préférable de mesurer la masse volumique en g/cm³ plutôt qu'en kg/m³.

**Présenter**

La masse de 1,0 m³ de fer est de 7900 kg. La masse volumique du fer dans ces unités est de 7900 kg/m³.

### Peux-tu avoir la certitude qu'il s'est produit des changements?

Rappelle-toi qu'on peut déterminer les propriétés physiques sans altérer l'identité de l'échantillon. Toutefois, les propriétés chimiques font intervenir un changement chimique. Si un échantillon de matière se décompose ou réagit au contact d'une autre substance, une nouvelle substance sera produite. Ton échantillon initial n'existera plus.

Comme tu l'as découvert, il peut être difficile de savoir si un changement est physique ou chimique. Voici une règle qui pourra t'aider: si tu fais une ou plusieurs des observations ci-dessous, alors il s'est *probablement* produit un changement chimique.

- Il y a production ou absorption de chaleur.
- Le matériau de départ est épuisé.
- Une nouvelle couleur apparaît.
- La couleur initiale disparaît.
- Il se forme un matériau ayant de nouvelles propriétés.
- Des bulles de gaz apparaissent dans un liquide.
- Il se forme des grains d'un précipité dans un liquide.

Pourquoi cette règle parle-t-elle d'un changement *probable*? Tu ne peux pas avoir la certitude qu'un changement chimique s'est produit à moins d'avoir la certitude qu'une nouvelle substance s'est formée. Et tu ne peux pas avoir la certitude qu'une nouvelle substance s'est formée à moins de faire des tests rigoureux avant et après le changement. L'observation des changements de propriétés peut servir à faire des déductions raisonnables, mais les changements de propriétés peuvent être trompeurs.

## Vérifie ce que tu as compris

1. Utilise la théorie particulaire pour distinguer une substance pure, une solution et un mélange obtenu par agitation mécanique. Donne un exemple de chaque cas.
2. Classe chacun des termes suivants selon qu'il s'agit d'une substance pure, d'un mélange obtenu par agitation mécanique ou d'une solution:
   a) terre
   b) parfum
   c) bicarbonate de soude
   d) fixateur pour les cheveux
   e) nettoyant à vitres

3. Parmi les énoncés ci-dessous, lesquels entraînent des changements physiques et lesquels entraînent des changements chimiques?
   a) Le sucre se dissout dans l'eau.
   b) Un steak est bien cuit.
   c) Le filament d'une ampoule électrique brille quand le courant électrique traverse ce filament.
   d) Un morceau de craie est broyé.
   e) Une plante devient un arbuste.
4. **Mise en pratique** L'eau et l'essence sont des liquides transparents à la température ambiante. Décris une propriété physique et une propriété chimique qui peuvent servir à distinguer ces deux liquides.
5. **Réflexion critique** Énonce deux propriétés physiques quantitatives qui changent quand de l'antigel est dissous dans de l'eau.

# 5.2 Les mélanges

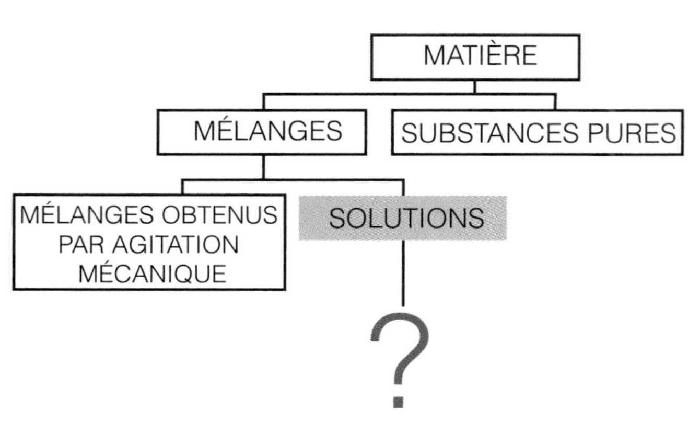


**Figure 5.9** Comment, d'après toi, peut-on approfondir le classement des solutions ?

Les mélanges constituent la plus grande partie de la matière du monde qui nous entoure et les solutions sont un type de mélanges. Quand on dit « solution », on pense généralement à des liquides comme ceux de la figure 5.10. Tous ces liquides sont transparents et incolores, mais leur composition est très différente.

## Explication des propriétés des solutions

Les particules dans une solution sont minuscules. Ces particules sont trop petites pour être vues, même avec le meilleur microscope optique. La substance qui dissout un soluté pour former une solution s'appelle un **solvant**. Le **soluté** est la substance qui se dissout dans le solvant.

**Figure 5.10 A)** Eau salée (chlorure de sodium solide dissous dans de l'eau)

**Figure 5.10 B)** Eau gazéifiée (bioxyde de carbone gazeux dissous dans de l'eau)

**Figure 5.10 C)** Vinaigre blanc (acide acétique liquide dissous dans de l'eau)

Chaque solution conserve certaines propriétés de son soluté et certaines propriétés de son solvant. Par exemple, la solution de la figure 5.10 A) conserve un goût salé et continue à ressembler à de l'eau, mais les autres propriétés semblent « perdues ». Le sel n'est plus à l'état solide et l'eau n'est plus insipide. Ces nouvelles propriétés te feront *peut-être* croire qu'une nouvelle substance s'est formée. La dissolution du sel dans l'eau correspond-elle à un changement chimique ? La réponse est non.

Il est vrai que certaines propriétés changent au cours de la dissolution. Si tu fais chauffer de l'eau salée, l'eau bout mais pas le sel. La solution se sépare, laissant le sel à l'état solide au fond du récipient. Si tu secoues de l'eau gazéifiée, la plus grande partie du bioxyde de carbone quittera la solution sous forme de bulles. Si tu distilles du vinaigre, l'acide acétique liquide se séparera de l'eau dans laquelle il s'est dissout. La dissolution est donc un changement physique parce qu'elle est réversible grâce à des méthodes qui reposent sur les différences de propriétés physiques.

**NOUVEAUX horizons**

Le terme « solution » évoque souvent un soluté solide dissous dans un liquide, de l'eau en général.

Mais il y a des solutions qui se composent de matières à d'autres états. Donne un exemple de chacune des solutions ci-dessous.

- un gaz dissous dans un gaz
- un gaz dissous dans un liquide
- un liquide dissous dans un liquide
- un solide dissous dans un liquide
- un solide dissous dans un solide

**LIENS *terminologique***

Tous les liquides de la figure 5.10 s'appellent des solutions *aqueuses* parce que l'eau est le solvant. Le terme « aqueux » vient du latin *aqua*, qui signifie « eau ». Les solutions aqueuses sont toujours transparentes, mais pas toujours incolores. Pense à une boisson en cristaux à la lime. Si le soluté est coloré, la solution sera aussi colorée. Dresse une liste des solutions aqueuses colorées que tu connais.

Toutes les solutions liquides mentionnées ci-dessus, à savoir l'eau salée, l'eau gazéifiée et le vinaigre, sont transparentes et homogènes. Selon la théorie particulaire de la matière, les solutés sont présents comme des particules individuelles distinctes trop petites pour être vues. Nous ne voyons que le solvant. Du fait que le solvant est de l'eau, une substance transparente pure, toute la solution semble homogène.

La transparence est une propriété d'un mélange homogène. Le manque de transparence peut indiquer qu'il s'agit d'un mélange hétérogène. Par exemple, il est difficile de voir à travers le brouillard. Si tu examines attentivement la figure 5.11, tu verras que le brouillard est une « non-solution ». Puisque tu peux voir certaines des parties séparées du brouillard, le brouillard est hétérogène. Le brouillard est donc un mélange obtenu par agitation mécanique.

**Figure 5.11** Le brouillard est hétérogène parce que tu peux voir ses différentes parties.

La transparence ou le manque de transparence n'est pourtant pas un signe suffisant pour distinguer une solution d'un mélange obtenu par agitation mécanique. Certaines des solutions les plus importantes que les gens font sont des solides non transparents. Par exemple, le métal de Wood est le résultat du mélange de quatre substances pures que l'on fait préalablement fondre – du bismuth, du plomb, de l'étain et du cadmium. Le métal de Wood a aussi une nouvelle propriété surprenante. Son point de fusion est de 70 °C seulement et il se ramollit à des températures encore plus basses. On trouve parfois des cuillères en métal de Wood dans les dépanneurs. Ces cuillères se ramollissent et se tordent quand on les place dans un liquide chaud. Ce métal s'utilise aussi dans les systèmes d'extincteurs, qui se déclenchent automatiquement en cas d'incendie. Un joint soudé au métal de Wood retient l'eau dans les têtes d'extincteur. Ce joint fond si la température est trop élevée et l'eau est libérée.

**Le savais-tu ?**

Les ingénieurs de l'entreprise canadienne Inco (anciennement International Nickel Company of Canada) ont inventé l'évier en acier inoxydable dans les années 1940. Il s'agit de l'application la plus importante de l'acier inoxydable dans le monde entier.

Les **alliages** sont des mélanges homogènes contenant un ou plusieurs métaux, comme le métal de Wood, par exemple. Ce sont des solutions de métaux extrêmement importantes. L'ajout de petites quantités d'autres substances change radicalement les propriétés d'un métal pur. Par exemple, le fer pur est relativement mou et rouille facilement, mais l'ajout d'une petite quantité de carbone transforme le fer en acier et rend le fer beaucoup plus résistant. Si l'on mélange du nickel et du chrome, on obtient de l'acier inoxydable, qui ne rouille pas.

La fabrication des pièces de monnaie est une autre application courante des alliages. En 1922, on utilisait du nickel pur pour fabriquer les premières pièces de cinq sous. C'est d'ailleurs pourquoi on appelle cette pièce un « nickel » en anglais. Aujourd'hui, la pièce de cinq sous se compose d'un alliage qu'on appelle cupro-nickel (environ 75 % de cuivre et 25 % de nickel). Il y a plus de cuivre que de nickel dans un « nickel » !

L'or est trop mou pour être utilisé à l'état pur en joaillerie. On utilise plutôt un alliage d'or et de cuivre par exemple (il s'agit de l'or jaune). Les deux composants sont importants pour les propriétés de l'alliage. L'or apporte sa belle couleur et son lustre ainsi qu'une résistance aux changements chimiques. Le cuivre apporte sa dureté. La figure 5.12 illustre comment on peut modifier la composition d'un alliage selon l'usage qu'on veut en faire.

**LIEN *mathématique***

1. À l'aide de l'information de la figure 5.12, essaie de trouver la relation mathématique entre le pourcentage d'or dans l'alliage et le nombre de carats de l'or. Quel pourcentage d'or y aurait-il dans une pièce en or de 18 carats ?
2. L'or pur a une masse volumique de 19,3 g/cm$^3$ et le cuivre pur a une masse volumique de 8,9 g/cm$^3$. Par conséquent, le cuivre est beaucoup moins dense que l'or. D'après toi, quelle serait la densité d'une pièce d'or véritable de 12 carats ?

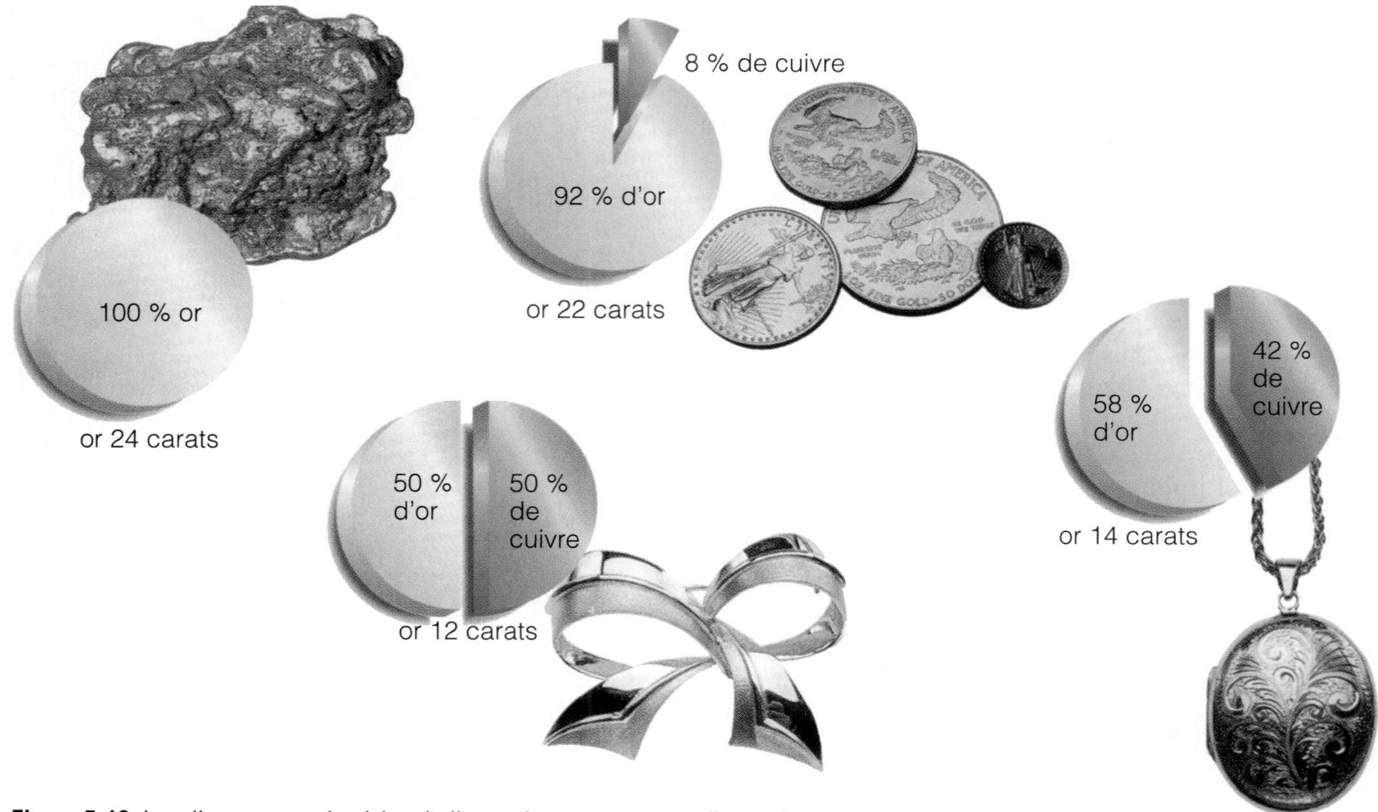


**Figure 5.12** Les diagrammes circulaires indiquent les pourcentages d'or et de cuivre, selon la masse, que l'on trouve dans différents objets en or.

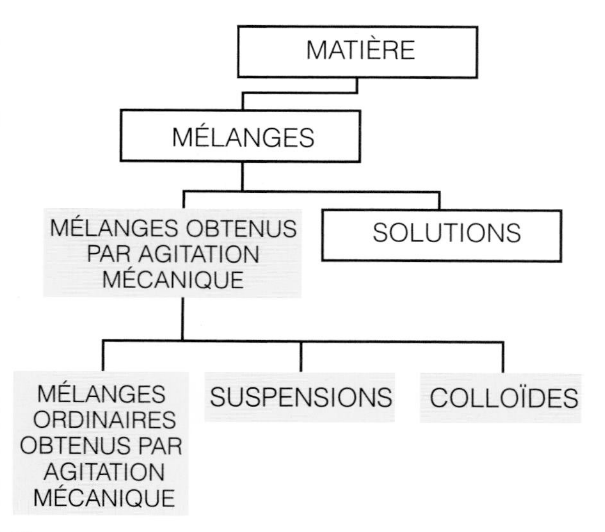


**Figure 5.13** Le classement des mélanges obtenus par agitation mécanique

## Les mélanges obtenus par agitation mécanique

Contrairement aux solutions, les mélanges obtenus par agitation mécanique sont hétérogènes. Tu peux donc voir les particules qui composent ces mélanges. Les mélanges obtenus par agitation mécanique se classent en trois autres catégories, d'après la taille des particules *(voir la figure 5.13)*.

Dans un mélange ordinaire obtenu par agitation mécanique, les différentes parties sont suffisamment grosses pour qu'on puisse les voir et elles restent mélangées. Elles ne se déposent pas et ne se séparent pas. Par exemple, les roches tachetées, comme le granite, font partie des mélanges ordinaires obtenus par agitation mécanique.

Dans une **suspension**, on voit les particules à l'œil nu ou avec un microscope rudimentaire. Si on laisse reposer une suspension, la force de gravité finira par séparer les particules en suspension. Par exemple, l'ingrédient actif du lait de magnésie est peu soluble dans l'eau. Il s'agit donc d'une suspension. C'est pourquoi il faut agiter la bouteille avant d'utiliser le produit. Les sédiments qui se déposent au fond du lit d'une rivière quand le niveau d'eau baisse est un autre exemple de suspension qui se sépare.

Plus les morceaux en suspension sont petits, plus ils se séparent lentement. Laisser les particules en suspension se séparer d'elles-mêmes peut parfois prendre du temps. C'est pourquoi la technologie permet d'accélérer le processus de séparation d'une suspension. Ainsi, la filtration va clarifier une eau boueuse plus rapidement. La technologie sert aussi à empêcher des particules en suspension de se séparer. Les agents émulsifiants conservent les composants d'une suspension ensemble indéfiniment.

Les agents émulsifiants sont l'un des moyens d'empêcher les suspensions de se séparer. Par exemple, le lait tiré directement d'une vache est une suspension naturelle. Le lait se sépare rapidement en deux couches. L'homogénéisation fait appel à l'agitation à haute vitesse pour décomposer les particules de gras en gouttelettes qui sont si petites qu'elles peuvent rester en suspension sans se déposer. Le mouvement des particules d'eau dans le reste du lait est suffisant pour que les minuscules gouttelettes de gras restent mélangées au liquide en suspension.

**Figure 5.14** Cette île du fleuve Fraser, en Colombie-Britannique, s'est formée à partir de sédiments qui se sont séparés de la rivière.

## Garde-les ensemble !

Les agents émulsifiants nous facilitent la vie. Sans eux, nous devrions passer beaucoup plus de temps à agiter les produits dont nous nous servons. Essaie cette activité afin de découvrir l'efficacité d'un agent émulsifiant.

### Ce dont tu as besoin 

de l'huile de cuisson et du vinaigre
un bocal muni d'un couvercle étanche
du détergent à vaisselle (pas pour le lave-vaisselle)
une montre ou une horloge avec l'aiguille des secondes ou un chronomètre

### Ce que tu dois faire

1. Verse une petite quantité d'huile de cuisson et une quantité égale de vinaigre dans le bocal et ferme le couvercle. Agite le bocal. Minute combien de temps il faut aux deux liquides pour se séparer. Consigne cette durée.

2. Agite le liquide en suspension plus vigoureusement. Agite ensuite le liquide plus longtemps. Peux-tu faire durer la suspension plus longtemps ? Combien de temps ? Consigne le temps qu'il a fallu aux deux liquides pour se séparer au cours de chacun de tes essais.

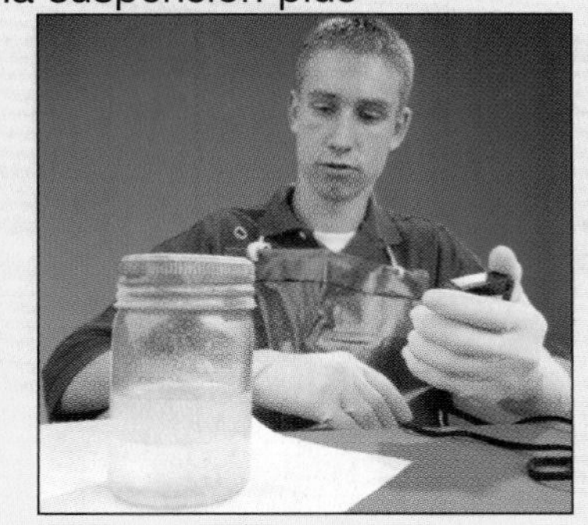

3. Ajoute deux gouttes de détergent à vaisselle. Agite le bocal minutieusement. Combien de temps dure la suspension ? Consigne cette durée.

4. Laisse le mélange reposer toute la nuit et examine-le le lendemain matin. Consigne tes observations.

### Qu'as-tu découvert ?

1. Qu'as-tu appris sur le fait d'empêcher les composants d'une suspension de se séparer ? Quelle substance a agi comme un agent émulsifiant ?

2. As-tu formé une suspension permanente ?

### Approfondissement

3. Examine les étiquettes des denrées alimentaires liquides. Quelles sont les denrées qui contiennent des agents émulsifiants ? Que se passerait-il s'il n'y avait pas d'agent émulsifiant ?

4. Examine les étiquettes des produits de soins personnels. Quels sont les produits qui contiennent des agents émulsifiants ? Que se passerait-il s'il n'y avait pas d'agent émulsifiant ?

5. Plusieurs recettes de vinaigrettes contiennent du jaune d'œuf cru. D'après toi, à quoi sert le jaune d'œuf ? Trouve pourquoi les conseillers en nutrition recommandent d'utiliser du jaune d'œuf cuit broyé plutôt que du jaune d'œuf cru dans les vinaigrettes.

**Figure 5.15** Lequel des mélanges ci-dessus doit être un colloïde ? Pourquoi ? Quel mélange doit être une solution ? Pourquoi ?

Si les particules en suspension sont suffisamment petites, la force de gravité ne les séparera pas. Ce type de mélange obtenu par agitation mécanique s'appelle un **colloïde**. Comme pour les solutions, il y a plusieurs sortes de colloïdes qui se composent de matière à différents états. Par exemple, la gelée est un colloïde qui se compose d'une substance solide et d'une substance liquide. La crème fouettée est un autre colloïde qui se compose d'un gaz et d'un liquide. La mayonnaise, les peintures, les colles, le beurre et le lait sont d'autres colloïdes.

Les colloïdes, même s'ils sont hétérogènes, ont une apparence homogène et se situent à mi-chemin entre les solutions et les mélanges hétérogènes. Les particules d'un colloïde sont trop petites pour être vues au microscope optique, mais elles sont plus grosses que les particules d'une solution. Un rayon de lumière est diffusé par les particules d'un colloïde, mais pas par les particules plus petites d'une solution. La diffusion de la lumière par les particules d'un colloïde s'appelle l'**effet Tyndall**. L'effet Tyndall permet de distinguer un colloïde d'une solution.

## Vérifie ce que tu as compris

1. Classe les produits ci-dessous selon qu'il s'agit d'une solution, d'un mélange obtenu par agitation mécanique, d'une suspension ou d'un colloïde.
   a) des céréales au son et aux raisins secs
   b) du diluant à peinture
   c) de la peinture
   d) du dissolvant pour vernis à ongles
   e) de la crème à raser
   f) de la vinaigrette avec de l'huile et du vinaigre

2. a) Nomme trois alliages différents.
   b) Un alliage est-il un mélange homogène ou un mélange hétérogène ?
   c) Pourquoi utilise-t-on parfois des alliages et non pas des métaux purs ? Donne un exemple pour illustrer ta réponse.

3. Explique la différence entre une solution, une suspension et un colloïde. Donne un exemple dans les trois cas. (Ne choisis pas les exemples de la question 1.)

4. **Mise en pratique** Ton enseignante ou ton enseignant vient de te donner deux éprouvettes munies d'un bouchon. Ces éprouvettes ont été agitées. On te dit qu'une éprouvette contient du lait et que l'autre éprouvette contient de la craie et de l'eau. Comment peux-tu savoir quelle éprouvette contient du lait et laquelle contient de la craie et de l'eau ?

5. **Réflexion critique** En faisant une expérience, comment pourrais-tu distinguer les trois solutions ci-dessous, sans les goûter ?
   a) de l'alcool dissous dans de l'eau
   b) du sel dissous dans de l'eau
   c) du bioxyde de carbone dissous dans de l'eau

# 5.3 Les composés et les éléments

Examine la section surlignée de la figure 5.16. Le terme « composé » a la même racine que le terme « composer », qui signifie, entre autres, former par assemblage. Les **composés** sont des substances pures formées de deux ou de plusieurs éléments combinés chimiquement. On peut diviser les composés de nouveau en éléments par des moyens chimiques.

Que sont les éléments exactement ? Dans cette section, tu verras comment nos connaissances des éléments ont évolué depuis les premières idées énoncées à ce sujet jusqu'aux idées que les scientifiques acceptent aujourd'hui.

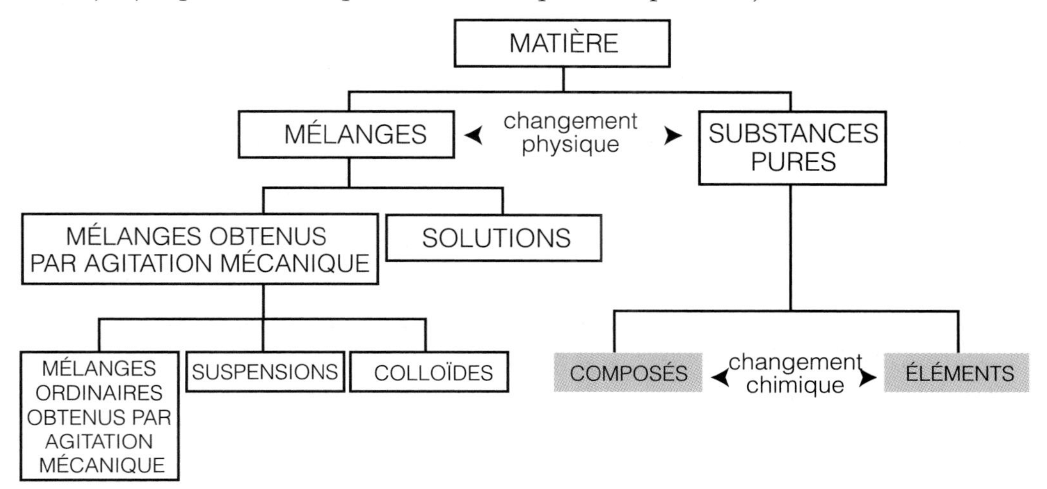


**Figure 5.16** Jusqu'à présent, ton attention s'est portée sur l'aspect du tableau concernant les mélanges. Mais les chimistes savent aussi que les substances pures se répartissent en deux catégories : les éléments et les composés. D'après toi, que signifient la flèche et sa légende, entre les composés et les éléments ?

## L'évolution de la perception des éléments

Il y a très longtemps, des érudits qu'on appelait les **philosophes** (des penseurs) se demandaient pourquoi la matière se conduisait comme elle le faisait. Les philosophes manipulaient la matière dans leur esprit, mais ils ne faisaient presque aucune recherche ni expérience pratique. La figure 5.17 indique ce que les anciens philosophes grecs pensaient de la matière.

En Europe, cette perception des éléments a duré jusqu'au début du XVII$^{e}$ siècle, puisque la plupart des érudits croyaient encore que la sagesse venait de la pensée et non pas de l'expérimentation. Ces érudits croyaient aussi que seules les connaissances consignées par les anciens philosophes étaient valables et que ces connaissances « approuvées » ne pouvaient et ne devaient être remises en question.

Mais les philosophes n'étaient pas les seuls à avoir un avis sur la matière. Depuis des siècles, les **alchimistes** se livraient à des expériences pratiques sur la matière. Moitié pharmaciens, moitié mystiques, les alchimistes pratiquaient leur art dans toute l'Europe et au Moyen-Orient. Selon leur vision des éléments, les alchimistes étaient fermement convaincus que certains éléments pouvaient se transformer en d'autres éléments. Ils croyaient, en particulier, que les métaux « vils » (c'est-à-dire de faible valeur), comme le plomb, pouvaient se transformer en or. Les alchimistes ont mis au point plusieurs procédés fort utiles, comme la distillation, et ont vérifié les propriétés de plusieurs métaux. Mais leurs découvertes étaient gardées secrètes. Plusieurs alchimistes ont inventé leurs propres symboles et des codes secrets pour que personne ne puisse partager leurs découvertes.

**Le savais-tu ?**

On a utilisé l'or, l'argent, le cuivre, le fer et d'autres métaux pour fabriquer des bijoux et des outils, et pour décorer des poteries bien avant qu'on ait identifié ces métaux scientifiquement comme des éléments. Les technologies qu'on utilisait dans le passé étaient très perfectionnées.

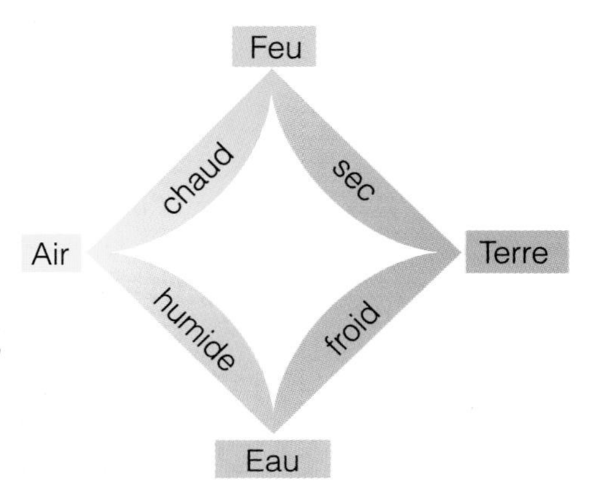


**Figure 5.17** Selon la théorie des quatre éléments des Grecs, toute la matière se composait d'une combinaison de quatre éléments seulement. Ces quatre éléments pouvaient tout expliquer dans le monde physique.

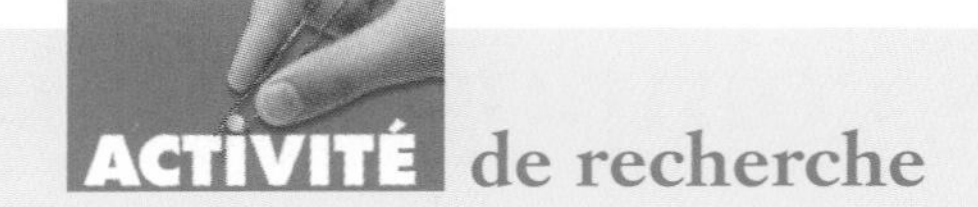


## Collectionne les éléments

Les alchimistes ont travaillé pendant des siècles pour comprendre les sept métaux que nous appelons aujourd'hui éléments, mais ils n'utilisaient pas le même terme que nous. Ces métaux sont l'or, l'argent, le cuivre, le mercure, le plomb, l'étain et le fer. Dans cette activité, tu découvriras beaucoup de choses sur ces éléments.

### Ce que tu dois faire

1. Commence une « collection d'éléments » avec les sept métaux des alchimistes. Écris le nom de chaque élément sur une fiche ou choisis un autre moyen de consigner ce que tu as appris. Tu voudras peut-être utiliser un programme informatique.

2. Utilise des ressources imprimées et électroniques pour faire des recherches sur ces éléments. Consigne l'information que tu trouves, notamment à quel moment chaque élément a été découvert, les principales propriétés physiques des éléments, leurs principales propriétés chimiques et leurs principaux usages. Ajoute toute nouvelle information que tu as apprise sur ces éléments dans ce module.

3. Chaque élève de la classe devra se choisir un autre élément. À la fin du module, tu devras présenter ton élément « spécial » en utilisant le moyen de ton choix, par exemple, une affiche, une présentation vidéo ou un exposé oral avec des photos.

4. Ajoute des fiches pour les autres éléments que tu as découverts dans ce module.

5. Si tu as besoin d'aide pour tes recherches, va à l'annexe B : Utiliser efficacement les ressources documentaires et Internet, à la page 560.

La perception actuelle des éléments a vu le jour au début du XVII$^{e}$ siècle. Une nouvelle attitude par rapport aux connaissances commençait alors à émerger. Sir Francis Bacon (1561-1626) a fait une contribution très importante grâce à la façon dont il a utilisé une méthode scientifique pour découvrir le monde physique. En 1620, Bacon a publié un ouvrage où il avançait que la science devait s'appuyer sur des preuves expérimentales et non pas uniquement sur des hypothèses philosophiques.

Peu de temps après, Robert Boyle (1627-1691) a lui aussi fait une contribution importante quand il a exprimé son scepticisme face à la théorie des quatre éléments des anciens philosophes. En 1661, il a publié *The Skeptical Chymist* (Le chimiste sceptique), ouvrage dans lequel il décrivait les éléments comme de simples corps qui ne se mélangent pas. Boyle reconnaissait aussi que les éléments pouvaient se combiner pour former des composés. Mais Boyle n'a pas précisé les matériaux qui, d'après lui, étaient des éléments et les matériaux qui étaient des composés. Toutefois, sa description a été largement acceptée à l'époque et a jeté la base de notre définition moderne des éléments.

Les idées de Bacon sur la méthode scientifique et les idées de Boyle sur les éléments ont donné lieu à des recherches approfondies sur les éléments, recherches qui s'appuyaient sur cette nouvelle façon d'étudier la matière.

**Le savais-tu ?**

Robert Boyle a participé à la fondation de la Royal Society of London for the Advancement of Science. Depuis lors, la Royal Society a fait office de plaque tournante des connaissances. Il s'agit d'un endroit où les scientifiques peuvent partager leurs expériences et continuer à accumuler de nouvelles connaissances. Aujourd'hui, la Royal Society entreprend aussi des projets quand il y a un besoin spécial. Ainsi, on compte, au nombre des projets en cours, des méthodes de recherche pour réhabiliter des sections de la forêt tropicale humide qui ont été coupées ou brûlées.

RÉALISE UNE EXPÉRIENCE 5-B

# Tester les gaz (démonstration)

L'un des outils dont disposent les chimistes pour faire leurs recherches sur la matière est un ensemble de tests types qui permettent d'identifier différentes substances sans l'ombre d'un doute. Au cours de cette expérience, dont ton enseignante ou ton enseignant fera la démonstration, tu découvriras les tests types de trois gaz. Deux de ces gaz sont des éléments (l'oxygène et l'hydrogène) et le troisième est un composé (le bioxyde de carbone).

## Problème à résoudre

Comment peut-on identifier différents gaz en utilisant des tests types ?

### Consigne de sécurité

Certains gaz sont très explosifs. Observe les indications de ton enseignante ou de ton enseignant pour suivre cette démonstration en toute sécurité.

### Matériel non réutilisable

des échantillons d'oxygène, d'hydrogène et de bioxyde de carbone
de l'eau de chaux
des éclisses de bois

### Matériel

trois bouteilles à gaz

## Marche à suivre

1. Ton enseignante ou ton enseignant remplira de gaz chacune des trois bouteilles portant une étiquette.
2. Ton enseignante ou ton enseignant utilisera la méthode suivante pour tester chaque gaz en toute sécurité :
   **a)** Elle ou il allumera une longue éclisse de bois, ouvrira la bouteille contenant de l'hydrogène et placera l'éclisse enflammée près de l'ouverture. Tu entendras une petite explosion (« pop »). Il s'agit du test type de l'hydrogène.
   **b)** Au besoin, elle ou il allumera de nouveau l'éclisse et soufflera dessus pour que le bout reste incandescent. Elle ou il placera le bout incandescent de la baguette dans la bouteille contenant de l'oxygène. Le bout incandescent s'enflammera. Il s'agit du test type de l'oxygène.
   **c)** Au besoin, ton enseignante ou ton enseignant allumera de nouveau l'éclisse, retournera la bouteille contenant du bioxyde de carbone et placera l'éclisse incandescente sous la bouteille. Le bioxyde de carbone étouffera la flamme.
   **d)** D'autres gaz peuvent étouffer aussi la flamme ; il faut donc faire un autre test pour confirmer si le gaz est bien du bioxyde de carbone. Ton enseignante ou ton enseignant versera quelques gouttes d'eau de chaux (une solution d'hydroxyde de calcium) dans la bouteille, fermera la bouteille et la secouera. L'eau de chaux deviendra laiteuse. Il s'agit du test type du bioxyde de carbone.

## Analyse

1. D'après leurs propriétés physiques, comment peux-tu dire que les trois gaz sont différents ? Indice : Pourquoi faut-il retourner l'une des bouteilles au début ?
2. D'après leurs propriétés chimiques, comment peux-tu dire que les trois gaz sont différents ?

## Conclusion et mise en pratique

3. **a)** On utilise l'un de ces gaz dans les extincteurs. Lequel ?
   **b)** Pendant des années, on a utilisé un autre de ces gaz pour faire flotter les ballons dirigeables ? Lequel ? Pourquoi n'utilise-t-on plus ce gaz aujourd'hui ?
   **c)** On utilise un autre de ces gaz pour aider les patients hospitalisés à respirer. Lequel ?
   Explique tes réponses.

## L'élaboration d'une vision moderne des éléments

L'un des tests types que tu viens de découvrir permet de détecter un composé, le bioxyde de carbone, alors que les deux autres tests permettent de détecter des éléments. Un des côtés passionnants de l'histoire des éléments est la façon dont les scientifiques ont appris à décomposer la matière par des procédés chimiques ordinaires jusqu'à ce qu'il ne soit plus possible de la décomposer en substance plus simples. De cette façon, les chimistes pouvaient déterminer si une substance était un élément ou un composé.

Au cours des XVII^e^ et XVIII^e^ siècles, les scientifiques ont décortiqué la matière. Ils ont chauffé, brûlé, mélangé et refroidit la matière. Antoine Lavoisier (1743-1794) était un pionnier dans le domaine. Il a défini les éléments comme des substances pures impossibles à décomposer en substances plus simples par un changement chimique. Il s'agit encore d'une partie de la définition que nous utilisons aujourd'hui. Lavoisier a identifié 23 substances pures connues comme des éléments.

Lavoisier mesurait très soigneusement la masse. C'était l'une de ses techniques les plus concluantes en tant qu'expérimentateur. Lavoisier mettait l'accent sur l'importance de mesurer la masse de toutes les substances comprises dans un changement chimique, ce qui est essentiel pour émettre des déductions raisonnables en ce qui concerne les substances.

Au XIX^e^ siècle, on utilisait une nouvelle façon d'étudier la matière. Allesandro Volta venait d'inventer la pile voltaïque, dispositif que nous appellerions maintenant une batterie. La pile voltaïque n'était pas aussi pratique que les piles sèches que nous connaissons aujourd'hui, mais elle fournissait déjà une source fiable de courant électrique. Presque immédiatement, les scientifiques ont commencé à utiliser ce nouvel outil, d'abord en faisant passer de l'électricité dans de l'eau.

Les scientifiques ont découvert qu'il se produisait de l'hydrogène et de l'oxygène à l'état gazeux lorsque le niveau de l'eau baissait légèrement. Ils en ont déduit qu'une partie de l'eau s'était décomposée en hydrogène et en oxygène.

Le chimiste anglais Humphry Davy (1778-1829) a fait des expériences pour savoir s'il était possible de décomposer des substances autres que de l'eau avec du courant électrique. Après avoir compris qu'il devait commencer avec un minéral à l'état liquide ou, tout au moins, avec une solution d'un minéral, il a réussi à isoler du potassium, du sodium, du magnésium, du calcium, du strontium et du barium en l'espace de deux ans, soit en 1806 et 1807. L'adjoint de Davy, Michael Faraday, a nommé cette méthode l'**électrolyse**.

Dans l'expérience 5-C, tu auras l'occasion de reprendre les observations de Lavoisier. Ensuite, dans l'expérience 5-D, tu utiliseras une source de courant électrique pour décomposer de l'eau, comme les scientifiques du XIX^e^ siècle.

**Figure 5.18** Marie-Anne Lavoisier a été d'une aide inestimable pour les recherches de son mari. Elle lisait les articles scientifiques en anglais et traduisait les articles qui, d'après elle, intéresseraient son mari.

# La masse et les changements chimiques

Le défi le plus grand, quand on étudie la masse au cours d'un changement chimique, consiste à colliger tous les matériaux et tous les produits de départ. Lavoisier était l'un des premiers chimistes à utiliser cette vision équilibrée des changements chimiques. Au cours de ses expériences, Lavoisier a observé ce que nous appelons aujourd'hui la **loi de la conservation de la masse**. Au cours d'un changement chimique, la masse totale des nouvelles substances est toujours égale à la masse totale des substances initiales. Les sacs refermables vont grandement t'aider à observer cette loi. Ta tâche sera bien plus facile que celle de Lavoisier.

## Problème à résoudre

Qu'arrive-t-il à la masse au cours d'un changement chimique?

### Consigne de sécurité

Manipule les produits chimiques avec soin. Si tu renverses des produits chimiques, avertis ton enseignante ou ton enseignant.

### Matériel non réutilisable

une solution de carbonate de sodium
une solution de chlorure de calcium
un sac à sandwich en plastique refermable hermétiquement
une boîte pour pellicule photographique vide munie d'un couvercle étanche

### Matériel

une balance

## Marche à suivre

1. Verse la solution de carbonate de sodium dans le sac en plastique, pour qu'il y en ait environ 1 cm de profondeur.
2. Verse la solution de chlorure de calcium dans la boîte de pellicule photographique jusqu'à ce que la boîte soit presque pleine. Ferme bien le couvercle.
3. Place la boîte dans le sac et ferme le sac hermétiquement.
4. Avec la balance, mesure et consigne la masse du sac et de son contenu.
5. À travers les parois du sac, retire soigneusement le couvercle de la boîte pour que les deux solutions se mélangent.
6. Mesure et consigne de nouveau la masse du sac et de son contenu.

Lave-toi les mains après l'expérience.

## Analyse

1. S'est-il produit un changement chimique? Comment le sais-tu?
2. Quelle était la masse du sac et de son contenu avant et après le mélange? Tes observations concordent-elles avec la loi de la conservation de la masse?

## Conclusion et mise en pratique

3. Compare cette expérience avec l'Activité de départ. Quelles sont les observations similaires? Quelles sont les observations différentes?
4. Suppose que tu aies mesuré la masse du sac et de son contenu dans l'Activité de départ, avant et après le mélange. D'après toi, qu'aurais-tu observé?

## Enrichis tes connaissances

5. Les premiers scientifiques croyaient que la combustion était causée par le dégagement d'un matériau qu'ils appelaient «phlogistique». Pourquoi, d'après toi, les scientifiques croyaient-ils cela?
6. Consulte des documents de référence pour en savoir plus sur le phlogistique. Comment cette thèse a-t-elle été réfutée et par qui?

# Décompose de l'eau avec de l'électricité

Dans cette expérience, tu vas suivre les traces des scientifiques du XIXe siècle quand ils ont fait passer de l'électricité dans de l'eau et tu découvriras ce que ces scientifiques ont appris sur la composition de l'eau. Selon toi, est-ce qu'il se produira une quantité égale d'oxygène et d'hydrogène ou est-ce qu'il y aura un des deux gaz qui se produira en plus grande quantité que l'autre ? Note tes prédictions par écrit.

## Problème à résoudre

Comment l'électrolyse nous aide-t-elle à comprendre les éléments ?

### Consigne de sécurité

L'hydrogène est explosif. Fais le test de l'hydrogène sous la supervision de ton enseignante ou de ton enseignant, ou encore demande à ton enseignante ou à ton enseignant de faire le test pour toi.

### Matériel

un bécher de 600 mL
un bécher de 400 mL
deux éprouvettes
deux tiges d'anode comme électrodes (en platine)
deux fils de raccord avec des pinces crocodile
une source d'énergie de 6 V
une tige d'agitation

### Matériel non réutilisable

du sulfate de sodium
des échantillons d'eau : de l'eau distillée, de l'eau minérale, de l'eau du robinet
des éclisses de bois

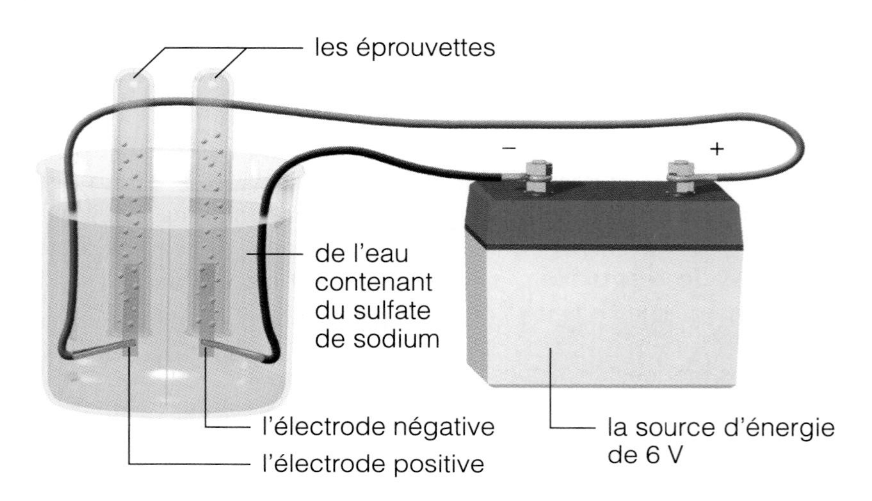


## Marche à suivre

1. Ton enseignante ou ton enseignant formera des groupes et indiquera quel échantillon d'eau utiliser.
2. Décris les tests de l'hydrogène et de l'oxygène dans tes notes. Si tu as besoin de réviser ces tests, consulte l'expérience 5-B. Si tu connais la formule chimique de l'eau, écris-la aussi dans tes notes.
3. Verse environ 500 mL de ton échantillon d'eau dans le bécher de 600 mL. Consigne le type d'eau que tu as utilisé.
4. Ajoute une petite quantité de sulfate de sodium (environ de la taille d'une cacahuète) et mélange pour que ce solide se dissolve.
5. Verse la solution dans le bécher de 400 mL jusqu'à ce que le bécher soit aux trois quarts plein.
6. Place les deux tiges d'anode dans l'eau, sur les côtés opposés du bécher de 400 mL. Les tiges d'anode ne doivent pas se toucher.
7. Remplis une éprouvette avec le reste de la solution. Place un morceau d'essuie-tout sur l'ouverture, retourne l'éprouvette et plonge l'éprouvette dans l'eau de sorte que l'extrémité (que recouvre encore l'essuie-tout) soit complètement immergée. Maintenant, retire doucement l'essuie-tout et place l'ouverture sur l'une des électrodes.

Recommence avec la deuxième éprouvette et la deuxième électrode.

8. Utilise une pince crocodile pour attacher un fil de raccord à l'une des tiges d'anode. Attache l'autre extrémité du fil à la borne positive de ta source d'énergie. Connecte l'autre tige d'anode à la borne négative, de la même façon. Observe et consigne ce qui se passe dans les éprouvettes.

9. Quand l'une des éprouvettes sera presque pleine de gaz, déconnecte l'un des fils de ta source d'énergie afin d'arrêter le courant électrique. Évalue et consigne le volume de gaz dans l'autre éprouvette.

10. Allume une éclisse de bois. Soulève l'éprouvette qui est pleine de gaz et fais le test de l'hydrogène. Consigne ce qui se passe.

11. Souffle sur l'éclisse enflammée pour qu'elle soit incandescente. Soulève l'autre éprouvette et laisse l'eau s'égoutter. Fais ensuite le test de l'oxygène et consigne ce qui se passe.

Lave-toi les mains après cette expérience.

## Analyse

1. Quelle était la connexion à l'électrode où tu as accumulé le plus de gaz ? Ce gaz était-il de l'oxygène ou de l'hydrogène ?
2. Comment peux-tu comparer le volume d'hydrogène à l'état gazeux et le volume d'oxygène à l'état gazeux que tu as accumulés ? Que peux-tu en déduire sur la composition de l'eau ?

## Conclusion et mise en pratique

3. La formule chimique de l'eau est $H_2O$. Y a-t-il une relation entre la formule chimique de l'eau et les volumes de gaz qui se sont formés ?
4. Vérifie avec les autres groupes qui ont utilisé différents échantillons d'eau. Leurs résultats étaient-ils différents des tiens ? Que peux-tu en déduire sur la composition des différents types d'eau ?
5. Puisque tu n'as pas mesuré exactement la quantité de sulfate de sodium que tu as ajouté à l'eau, il est raisonnable de supposer que les autres groupes ont ajouté des quantités différentes. Compare les volumes relatifs des gaz que tu as accumulés aux volumes relatifs des gaz que les autres groupes ont accumulés. Les résultats confirment-ils le postulat selon lequel l'ajout de sulfate de sodium à de l'eau ne modifie pas les quantités d'hydrogène et d'oxygène produites ?

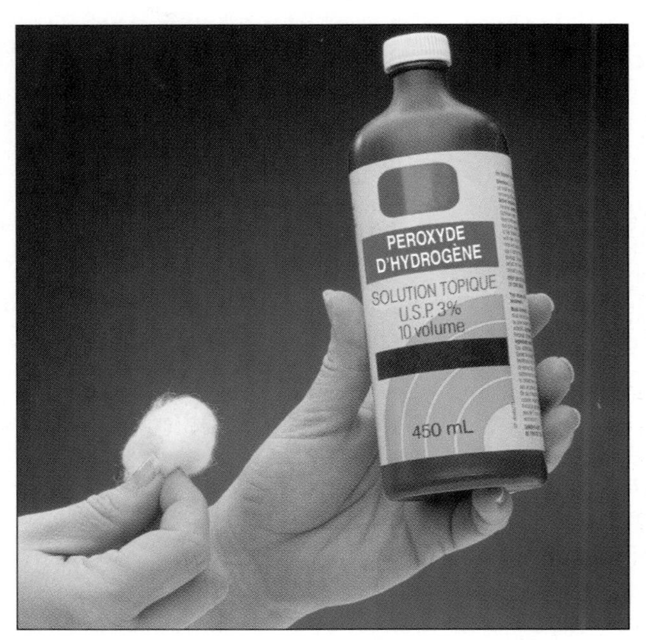


**Figure 5.19** Le peroxyde d'hydrogène est un antiseptique. Il tue les bactéries dans une coupure. L'eau ne fait que nettoyer la coupure.

Lavoisier a mis l'accent sur la mesure de la masse, ce qui a inspiré le scientifique français Joseph Proust (1754-1826). Ce dernier s'est livré à de nombreuses expériences pour diviser les composés en éléments et pour mesurer la masse de chaque élément. Après avoir testé plusieurs composés, Proust a commencé à constater des tendances. On appelle ces tendances la **loi des proportions définies**: les composés sont des substances pures qui contiennent deux ou plusieurs éléments combinés dans des proportions fixes (ou définies).

De l'eau pure, par exemple, contient toujours de l'hydrogène et de l'oxygène dans les proportions suivantes: 11 % d'hydrogène et 89 % d'oxygène, en masse. Ces proportions sont vraies quelle que soit la provenance de l'eau. Le peroxyde d'hydrogène, qui est très différent de l'eau, contient les deux mêmes éléments, mais dans des proportions différentes, soit 6 % d'hydrogène et 94 % d'oxygène. Ces proportions sont vraies pour tous les échantillons de peroxyde d'hydrogène.

Parce que les substances pures ont une composition constante, elles tendent aussi à avoir des propriétés constantes, qui ne varient pas. Nous pouvons donc identifier une substance inconnue en mesurant une propriété et en comparant notre valeur aux valeurs connues. Par exemple, tu peux déterminer la masse volumique, ou encore le point de fusion d'un métal inconnu et comparer cette valeur à la valeur qu'on trouve dans un tableau scientifique, comme l'annexe D (page 564).

Aujourd'hui, en règle générale, il n'est plus nécessaire de séparer une substance pure pour l'identifier. De nombreux tests ont été mis au point pour identifier les substances inconnues, qu'il s'agisse de substances pures ou d'une partie d'un mélange. Tu connais déjà certains de ces tests, comme les tests de l'oxygène, de l'hydrogène et du bioxyde de carbone. Tu en découvriras plus sur d'autres tests plus loin dans ce module.

**LIEN** *terminologique*

Tu as utilisé des composés, comme l'acide chlorhydrique et le bioxyde de carbone, dans certaines de tes expériences. Dresse la liste de toutes les substances qui, d'après ton travail dans ce chapitre, sont des composés. Essaie d'imaginer d'où vient leur nom. Par exemple, le bioxyde de carbone se compose probablement de carbone et d'oxygène, mais que signifie le préfixe « bi » ? (Indice : On appelle parfois l'eau oxyde de bihydrogène.) Jette tes idées sur papier et vérifie-les à mesure que tu en découvres plus sur le nom des composés.

## Vérifie ce que tu as compris

1. En quoi les activités des premiers philosophes étaient-elles différentes des activités des alchimistes ? Compare ces deux groupes aux scientifiques modernes.
2. Décris dans tes propres termes les deux lois dont on parle dans cette section.
3. Qu'est-ce que l'électrolyse ? Fais un croquis accompagné d'une légende représentant l'appareil dont tu as besoin pour procéder à l'électrolyse de l'eau.
4. **Mise en pratique** L'air contient du bioxyde de carbone, mais tu exhales plus de bioxyde de carbone que tu n'en inhales. Quel genre d'expérience mettrais-tu au point pour confirmer cet énoncé ?
5. **Réflexion critique** Pourquoi la publication des détails et des résultats des expériences est-elle une partie essentielle de la méthode expérimentale ? D'après toi, comment le développement du World Wide Web va-t-il se répercuter sur la publication des données scientifiques ? Les conséquences de ce développement seront-elles toutes favorables à la science ?

# 5.4 La théorie atomique : les faits et les lois chimiques

**Figure 5.20** John Dalton

Au cours de tes études, tu as utilisé la théorie particulaire de la matière pour expliquer tes observations sur la matière. Mais cette théorie ne peut expliquer tout ce que tu viens d'apprendre sur les substances pures. Par exemple, cette théorie ne peut expliquer ce qui se passe pendant l'électrolyse de l'eau. Les propriétés du composé, l'eau, sont différentes des propriétés des éléments qui le composent, c'est-à-dire l'hydrogène et l'oxygène. Par conséquent, les particules de l'eau doivent être très différentes des particules d'hydrogène et d'oxygène. Puisque la théorie particulaire de la matière ne distingue pas les particules, nous avons besoin d'une théorie plus explicite. Dans sa théorie atomique, John Dalton (1766-1844) a élaboré un nouveau moyen de parler des faits et des lois chimiques, et d'expliquer ces faits et ces lois.

**La théorie atomique de Dalton**

- Toute matière se compose de petites particules qu'on appelle des atomes.
- Il est impossible de créer ou de détruire des atomes, ou encore de diviser des atomes en particules plus petites.
- La masse et la taille de tous les atomes d'un même élément sont identiques, mais leur masse et leur taille sont différentes de la masse et de la taille des atomes des autres éléments.
- Il se crée des composés quand les atomes de différents éléments se regroupent dans des proportions définies.

Comme tu peux le constater, la **théorie atomique de Dalton** s'appuie sur un modèle scientifique différent du modèle utilisé dans la théorie particulaire. Le modèle de Dalton repose sur l'idée selon laquelle les éléments sont différents parce que leurs particules (les atomes) sont différentes. Le modèle de la théorie particulaire n'utilise pas cette idée. La théorie de Dalton ouvre la voie à une définition plus précise du terme « élément ». Tu devrais essayer de retenir la définition qui suit.

Un **élément** est une substance pure qui se compose d'un type de particules, ou **atomes**. Chaque élément a ses propriétés distinctes et ne peut être décomposé en substances plus simples par des changements chimiques.

## La différence entre une loi et une théorie

En sciences, une *loi* n'explique rien. Elle se contente de *décrire* et de *résumer* ce qui se passe. Une *théorie* est une façon imaginative d'*expliquer pourquoi* un phénomène se produit. Quand tu expliques un phénomène, tu utilises des termes différents des termes que tu utiliserais pour décrire ce phénomène. En sciences, les termes utilisés dans les théories sont très longtemps discutés et critiqués. Les scientifiques ne ménagent aucun effort pour essayer de convaincre les autres scientifiques du bien-fondé de leur théorie.

Au cours de l'activité de recherche de la page suivante, tu auras l'occasion de vérifier comment la théorie atomique de Dalton permet d'expliquer les lois de la formation des composés découvertes par Lavoisier et Proust. Cette capacité de la théorie de Dalton d'expliquer les observations antérieures a rendu cette théorie très populaire chez les scientifiques de son époque.

de recherche

## Explications grâce à la théorie atomique de Dalton

Dans cette activité, ton groupe expliquera certains faits et certaines lois chimiques grâce à la théorie atomique de Dalton. Et n'oublie pas que tes explications doivent être convaincantes. Dans ton groupe, exerce-toi à donner des explications convaincantes. Essaie ensuite avec d'autres groupes.

### Ce dont tu as besoin

une collection de cartes des éléments de l'activité Collectionne les éléments (page 176)

les quatre points de la théorie atomique de Dalton

### Ce que tu dois faire

1. Dans ta collection de cartes d'éléments, choisis deux éléments que ton groupe devra comparer. Utilise la théorie atomique de Dalton pour expliquer les différences entre les deux éléments. Utilise au moins deux des propriétés de ces éléments.

2. Choisis l'un des éléments que tu as utilisé à l'étape 1. Suppose que cet élément s'associera à un autre élément pour former un composé. (Demande à ton enseignante ou à ton enseignant de t'aider ou sers-toi de tes cartes d'éléments pour trouver des idées.) Selon la loi des proportions définies, la proportion de chaque élément par masse sera toujours identique dans le composé. Élabore une explication de cette loi d'après la théorie atomique de Dalton.

3. Imagine qu'un de tes éléments participe à une réaction chimique avec une autre substance pure et que cette réaction produise une ou plusieurs substances. Utilise la théorie atomique de Dalton pour expliquer pourquoi cette réaction serait conforme à la loi de la conservation de la masse.

À l'époque de Dalton, les chimistes avaient déjà procédé à l'électrolyse de l'eau, une expérience que tu as déjà faite (page 180). Ils avaient aussi le matériel nécessaire pour mesurer la masse de l'hydrogène et de l'oxygène qui se dégageaient à la suite de la décomposition de l'eau. Dans les expériences modernes, nous nous rendons compte que la masse de l'oxygène représente environ 89 % de la masse totale des produits de l'électrolyse, alors que la masse de l'hydrogène est d'environ 11 %. Le trait de génie de Dalton a consisté à mettre l'accent sur les masses relatives des produits, c'est-à-dire sur la façon dont les masses sont liées entre elles ou leur rapport.

Dalton a élaboré une théorie selon laquelle le rapport de masse de chaque atome individuel devrait être identique au rapport de masse des produits de la décomposition qui ont été observés. Par conséquent, à l'aide des données modernes, le rapport de masse des atomes d'oxygène et d'hydrogène serait de 8 pour 1. L'hydrogène était l'élément le plus léger connu à l'époque. C'est pourquoi Dalton lui a donné une masse atomique de 1. La masse atomique de l'oxygène serait de 8 sur cette échelle. En fait, Dalton croyait que l'eau contenait autant d'atomes d'oxygène que d'atomes d'hydrogène, ce qui diffère de ce que nous savons aujourd'hui. Mais le principe sur lequel il a fondé ses calculs reste valable.

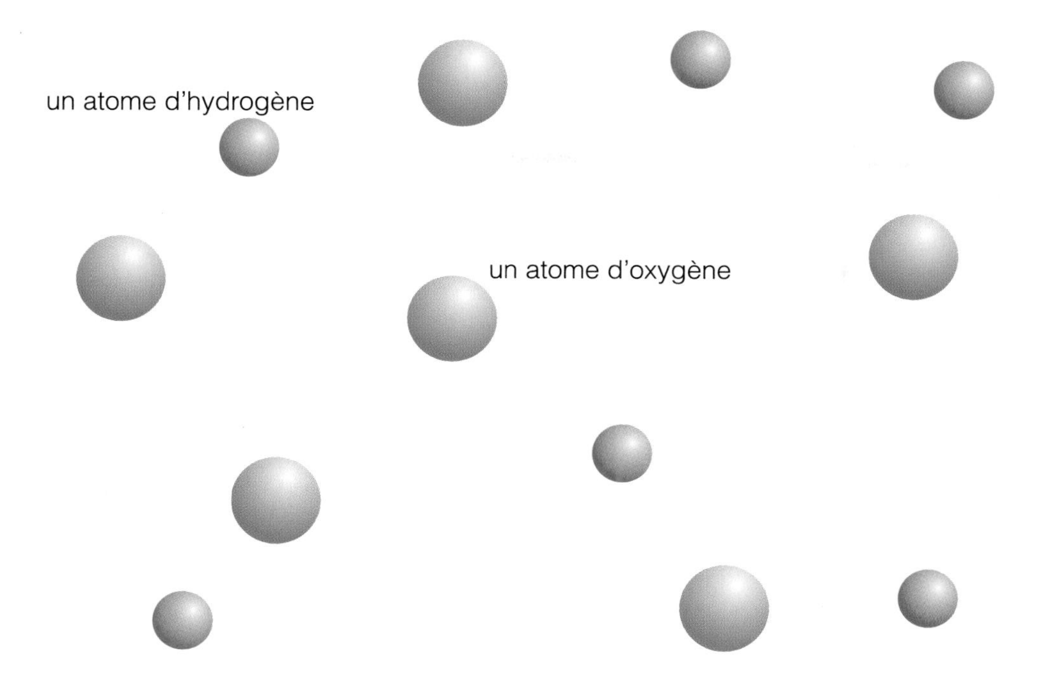


**Figure 5.21** De l'eau, comme Dalton aurait pu la représenter, avec des quantités égales d'atomes d'hydrogène plus petits et d'atomes d'oxygène plus grands.

Bien entendu, personne ne peut mettre un atome sur une balance pour en trouver la masse. Aujourd'hui encore, on utilise l'idée de base de la masse relative des atomes, même si cette idée a été grandement perfectionnée. Plus loin dans ce module, tu en apprendras plus sur le nombre de masse de chacun des éléments.

Dans son *New System of Chemical Philosophy* (Nouveau système de philosophie chimique), publié en 1808, Dalton a fourni la masse relative de 20 éléments à l'appui de sa théorie atomique. Il a aussi montré 17 exemples de la façon dont sa théorie expliquait la formation des composés. Il y avait plusieurs cas de composés contenant les deux mêmes éléments, mais dont les propriétés étaient très différentes. Par exemple, deux composés contenaient uniquement du carbone et de l'oxygène, mais les éléments étaient présents dans différents rapports de masse.

Quand Dalton a découvert ces composés, il a supposé que les atomes étaient combinés en nombre égal dans l'un des deux composés (il a fait la même hypothèse pour l'hydrogène et l'oxygène dans l'eau). Pour l'autre composé, il a supposé qu'il y avait deux fois plus d'atomes soit dans le premier ou dans le deuxième élément suivant le rapport de masse pour les données expérimentales. Tu en trouveras un exemple dans le tableau 5.3.

**Tableau 5.3** Les composés de carbone et d'oxygène : les rapports de masse pour les données

| Composé | Rapport de masse carbone/oxygène |
|---|---|
| A | 1 : 1,33 |
| B | 1 : 2,66 |

Quand Dalton mesurait des données expérimentales sur les rapports des éléments comme le carbone et l'oxygène, il établissait des faits et des lois chimiques. Dès qu'il a commencé à imaginer comment les atomes se combineraient et quelle serait la masse relative des atomes, il élaborait une théorie.

## Pause réflexion

Selon la théorie de Dalton, la formule de l'eau serait HO. Comment a-t-on obtenu $H_2O$, l'une des formules chimiques les plus connues ? C'est une longue histoire fort intéressante. Tu te doutes peut-être qu'il y a un lien avec le rapport du volume d'hydrogène et d'oxygène dans l'expérience de l'électrolyse. Il a fallu plusieurs années aux chimistes pour résoudre le problème, mais essaie ce qui suit. Que faudrait-il changer dans le raisonnement de Dalton si tu supposes que la formule de l'eau est $H_2O$ au lieu de HO ? (Indice : Le changement exigerait que la masse relative de l'oxygène soit 16 et non pas 8.)

## Nouveaux horizons

Le tableau 5.3 a été conçu d'après le relevé de Dalton sur les rapports de masse dans les données expérimentales concernant deux composés de carbone et d'oxygène, en utilisant les données expérimentales modernes. D'après la théorie atomique de Dalton, déduis le nombre d'atomes de carbone et d'oxygène du composé A et du composé B.

## ACTIVITÉ de recherche

### Récapitulatif historique

Il te sera plus facile de connaître l'histoire des découvertes scientifiques qui ont jalonné les recherches sur la matière si tu as une vision globale de ces événements. Cette activité te propose une façon d'élaborer un schéma chronologique pour résumer ces événements. Tu pourras tracer ce schéma ou en fabriquer un toi-même.

#### Ce dont tu as besoin

une grande feuille de papier

des crayons ou des stylos de trois couleurs : noir, bleu et rouge

une règle

#### Ce que tu dois faire

1. Le long du bord inférieur du papier, trace une ligne numérotée qui commence à 1600 et qui se termine à 2000. Divise cette ligne en quatre siècles égaux. Divise ensuite chaque siècle en dix décennies égales.
2. Commence dans le coin inférieur gauche, juste au-dessus de la ligne numérotée. Avec le stylo noir, trace une ligne horizontale correspondant à la vie de Francis Bacon. Sous cette ligne, avec le stylo bleu, écris le nom de Bacon au complet ainsi que les dates de sa naissance et de sa mort. Au-dessus de cette ligne, avec le stylo rouge, indique comment Bacon nous a permis de mieux comprendre la chimie.
3. Un peu plus haut, trace une nouvelle ligne horizontale représentant la vie de Robert Boyle. Avec le stylo bleu, indique, sous cette ligne, son nom au complet ainsi que les dates de sa naissance et de sa mort. Avec le stylo rouge, indique, sur la ligne, la principale contribution de Boyle à la chimie.
4. Continue ainsi jusqu'à ce que tu aies indiqué les contributions de tous les chimistes mentionnés dans ce chapitre. Quand tu auras terminé, ton schéma chronologique ressemblera à un escalier.
5. Range ton schéma pour pouvoir l'utiliser au chapitre 7.

La théorie atomique de Dalton a donné aux chimistes de quoi réfléchir. Elle a servi de base quantitative de réflexion sur la structure de la matière. Elle a aussi donné lieu à nombre de discussions et d'expérimentations, permettant ainsi aux scientifiques d'expliquer plus précisément la structure et le comportement des éléments et des composés. Tu en découvriras plus à ce sujet dans le prochain chapitre.

## Vérifie ce que tu as compris

1. Résume les preuves expérimentales à l'appui des énoncés suivants de la théorie atomique de Dalton :
   - Toute matière se compose de petites particules qu'on appelle des atomes.
   - Il est impossible de créer ou de détruire des atomes, ou encore de diviser des atomes en particules plus petites.
2. Pourquoi la théorie atomique de Dalton a-t-elle été importante ? Comment a-t-elle permis d'approfondir la recherche et les hypothèses sur la structure des atomes ?
3. **Mise en pratique** Que se passerait-il si on brûlait 5,0 L d'hydrogène et 2,0 L d'oxygène dans un contenant fermé ?
4. **Réflexion critique** Quand le feu brûle une bûche de bois, la masse des cendres est bien inférieure à la masse de la bûche initiale. S'agit-il d'une exception à la loi de la conservation de la masse ? Explique ta réponse.

# RÉSUMÉ du chapitre 5

Maintenant que tu as terminé ce chapitre, essaie de faire les activités proposées ci-dessous. Si tu n'y arrives pas, consulte de nouveau la section indiquée.

Nomme certaines des consignes de sécurité que tu dois observer quand tu fais des expériences avec des produits chimiques dangereux ou quand tu jettes des produits chimiques dangereux. (5.1)

Résume les principaux points de la théorie particulaire de la matière. (5.1)

Explique la différence entre un changement physique et un changement chimique. Donne un exemple de chacun de ces changements. (5.1)

Dresse la liste des observations indiquant qu'un changement chimique a eu lieu. (5.1)

Décris la différence entre les propriétés chimiques, les propriétés physiques quantitatives et les propriétés physiques qualitatives. Donne des exemples de chaque type de propriétés. (5.1)

Si, parmi la masse, le volume et la masse volumique, tu connais deux de ces éléments, calcule le troisième. (5.1)

Si l'on te donne un exemple de solution, décris sa composition (selon qu'il s'agit d'un soluté ou de solutés et d'un solvant). (5.2)

Dans tes propres termes, définis le mot « alliage » et donne deux exemples d'alliage. (5.2)

Décris la différence entre un mélange obtenu par agitation mécanique, une suspension et un colloïde. Donne un exemple de chaque cas. (5.2)

Trace un schéma indiquant comment l'effet Tyndall peut servir à distinguer une solution d'un colloïde. (5.2)

Définis ce qu'est un composé et donne trois exemples de composés. (5.3)

Définis ce qu'est un élément et donne trois exemples d'éléments. (5.3)

Décris les tests que tu ferais pour identifier chacun des gaz suivants : oxygène, hydrogène et bioxyde de carbone. (5.3)

Résume les contributions à la chimie de chacun des chimistes suivants : sir Francis Bacon, Robert Boyle, Marie-Anne Lavoisier et Antoine Lavoisier. (5.3)

Dans tes propres termes, explique la loi de la conservation de la masse. (5.3)

Trace un croquis accompagné d'une légende de l'appareil dont on se sert pour procéder à l'électrolyse de l'eau. (5.3)

Dans tes propres termes, explique la loi des proportions définies. (5.3)

Dresse la liste des principaux points de la théorie atomique de Dalton. (5.4)

Explique la différence entre une loi et une théorie. (5.4)

## Prépare ton propre résumé

Résume le contenu de ce chapitre en élaborant une représentation graphique (comme un réseau conceptuel), en réalisant une affiche ou en résumant par écrit les concepts clés du chapitre. Voici quelques idées dont tu peux t'inspirer :

- Trace un tableau indiquant comment on classe la matière.
- Présente les principaux points de la théorie particulaire de la matière. Utilise cette théorie pour expliquer comment on classe la matière mentionnée dans ton tableau.
- Quelles sont les propriétés de la matière et quels sont les changements que la matière peut subir ?
- Qu'as-tu appris sur les éléments et les composés ?
- Quelles lois ont été énoncées dans ce chapitre ? Pourquoi sont-elles importantes ?
- Qu'as-tu appris sur les atomes et sur la façon dont les atomes peuvent servir à expliquer certains faits et certaines lois chimiques ?

CHAPITRE

# 5 Révision

## Des termes à connaître

Si tu as besoin de réviser les termes ci-dessous, les numéros de section t'indiquent où ils ont été mentionnés pour la première fois.

1. Écris une phrase avec les termes « masse » et « masse volumique » pour comparer ce qui suit. (5.1)
   **a)** l'eau dans une tasse et l'eau dans une piscine
   **b)** l'eau dans une tasse et le bois d'un érable
2. Quelle est la différence entre chacun des termes suivants :
   **a)** un mélange hétérogène (obtenu par agitation mécanique) et un mélange homogène (5.1)
   **b)** une propriété qualitative et une propriété quantitative (5.1)
   **c)** un colloïde et une suspension (5.2)
   **d)** un élément et un composé (5.3, 5.4)
3. Qu'est-ce qu'une déduction ? Quelle est la relation entre un fait, une déduction et une théorie ? Illustre ta réponse comme si tu étais un détective qui essaie de résoudre un crime. (5.4)

## Des concepts à comprendre

Les numéros de section te permettront de réviser la matière, si tu en as besoin.

4. Pense à une substance pure, comme du sel ou du sucre. Si cette substance subit un changement physique, ses propriétés chimiques vont-elles changer ? Si cette substance subit un changement chimique, ses propriétés physiques vont-elles changer ? Explique ta réponse. (5.1)
5. Tu trouveras ci-dessous la liste de certaines propriétés de l'eau pure. Quelles sont les propriétés qualitatives et quelles sont les propriétés quantitatives ? (5.1)
   **a)** L'eau pure est un mauvais conducteur d'électricité.
   **b)** Le volume d'un échantillon d'eau est de 26,8 mL.
   **c)** Le point d'ébullition normal de l'eau est de 100 °C.
   **d)** L'eau peu profonde laisse passer la lumière.
6. Donne trois exemples de propriétés physiques qui ne te permettraient pas d'identifier une substance pure. (5.1)
7. Pense à une substance que l'on trouve couramment à la maison et note trois de ses propriétés physiques. Vérifie si une ou un autre élève peut reconnaître la substance à partir de ses propriétés. (5.1)
8. Quelle est la différence entre une propriété physique et une propriété chimique ? Donne un exemple de chaque propriété pour décrire l'oxygène à l'état gazeux. (5.1)
9. Parmi les énoncés ci-dessous, lesquels sont des propriétés physiques et lesquels sont des propriétés chimiques ? (5.1)
   **a)** Le plomb est un métal relativement mou.
   **b)** Les fils de cuivre sont de bons conducteurs d'électricité.
   **c)** Un clou en fer rouille.
   **d)** Le lait de magnésie neutralise l'excès d'acidité stomacale.
10. Quelle information essentielle te permettrait de distinguer un changement physique d'un changement chimique ? Donne trois indicateurs d'un changement chimique. (5.1)
11. Classe chacun des énoncés ci-dessous selon qu'il s'agit d'un changement physique ou d'un changement chimique. (5.1)
   **a)** faire cuire un œuf à la poêle
   **b)** faire du café dans un percolateur
   **c)** laisser sécher de la peinture
   **d)** faire griller du pain
   **e)** laisser durcir du ciment
   **f)** faire pousser une plante
12. Classe chacun des échantillons de matière ci-dessous selon qu'il s'agit d'un élément, d'un composé, d'une solution, d'une suspension, d'un mélange obtenu par agitation mécanique ou d'un colloïde. (5.1, 5.2, 5.3)
   **a)** un œuf
   **b)** du ketchup
   **c)** du brouillard
   **d)** de l'or de 18 carats
   **e)** une pièce de 2 $
   **f)** du cuivre
   **g)** du mercure
   **h)** du détergent
   **i)** du sable
   **j)** du revitalisant pour les cheveux
   **k)** du compost
   **l)** de l'eau boueuse

13. Qu'est-ce que l'effet Tyndall ? À quoi sert-il ? (5.2)

14. a) Décris le test de l'oxygène à l'état gazeux.
    b) En quoi le test de l'hydrogène est-il différent du test de l'oxygène ?
    c) Le bioxyde de carbone éteindra une éclisse enflammée mais ce fait, à lui seul, ne confirme pas la présence de ce gaz. Pourquoi ? Décris le test du bioxyde de carbone. (5.3)

15. Décris les points communs et les différences entre la théorie particulaire de la matière et la théorie atomique de Dalton. (5.1, 5.4)

## Des habiletés à acquérir

16. Les cinq éléments les plus abondants (par masse) dans la croûte terrestre sont :

| | |
|---|---|
| l'oxygène | 50 % |
| le silicium | 26 % |
| l'aluminium | 7 % |
| le fer | 5 % |
| le calcium | 3 % |

Trace un diagramme circulaire indiquant ces proportions. N'oublie pas d'inclure une catégorie pour les « autres éléments ».

17. Certains produits chimiques qui se trouvent dans ta maison sont dangereux. Examine ces produits et prépare un bref rapport. Indique les produits qui portent le symbole du SIMDUT (produits dangereux) ainsi que le danger.

18. Trace un réseau conceptuel des substances pures contenant les termes suivants : atome, élément, composé et molécule.

19. Nomme brièvement les scientifiques qu'on t'a présentés dans ce chapitre et qui ont contribué à l'élaboration du concept des éléments. Résume, en une phrase ou deux, la contribution de chacun de ces scientifiques.

## Des problèmes à résoudre

20. Suppose que ton enseignante ou ton enseignant vient de te donner trois éprouvettes. La première éprouvette contient une solution de chlorure de calcium, la deuxième éprouvette contient une suspension de carbonate de calcium et la troisième éprouvette contient de l'eau à laquelle on a ajouté un peu de lait. Comment peux-tu identifier le contenu de chaque éprouvette ?

21. Natalia vient de laisser tomber tout doucement un objet qui pèse 15,8 g dans un contenant ouvert, plein d'éthanol. Le volume des éclaboussures d'éthanol à l'extérieur du contenant est égal au volume de l'objet. Natalia s'est ensuite rendu compte que le contenant et son contenu pesaient 10,5 g de plus que le contenant plein d'éthanol, tout seul. La densité de l'éthanol est de 0,789 g/cm$^3$. Quelle est la densité de l'objet. (Indice : Tu devras trouver le poids des éclaboussures d'éthanol.)

22. L'un des problèmes du recyclage des contenants vides est le suivant : les contenants doivent être triés pour que les matériaux similaires soient traités ensemble. Comment pourrais-tu utiliser la masse volumique pour séparer un mélange de bouteilles en plastique, de bouteilles en verre et de boîtes en métal ?

## Réflexion critique

23. Décris un changement physique qui n'est pas facilement réversible.

24. Toutes les solutions aqueuses sont transparentes. Pourquoi ?

25. La formation de bulles de gaz dans de l'eau qui est ensuite déplacée est un moyen courant de collecter du gaz. Quelle propriété physique du gaz est nécessaire pour que cette méthode soit efficace ?

### Pause réflexion

1. Quelles difficultés surviendraient si les matériaux étaient classés selon leur apparence et non pas selon leur composition ?
2. Quelle est la différence entre la philosophie et la science ?
3. D'après toi, lequel des scientifiques suivants mérite le plus le titre de « père de la chimie moderne » : sir Francis Bacon, Robert Boyle, Antoine Lavoisier ou John Dalton ? Explique brièvement ta réponse.

CHAPITRE

# 6 Les éléments

## Pour commencer...

- Pourquoi les statues et les ornements étaient-ils anciennement fabriqués en or ou en argent plutôt qu'avec un métal moins dispendieux ?
- Pourquoi incite-t-on les gens à recycler davantage les canettes en aluminium que les autres contenants ?
- Quelles propriétés de l'or en font un métal précieux ? Pourquoi les anglophones utilisent-ils l'expression « a nickel » pour désigner une pièce de cinq cents ? Cette expression est-elle encore appropriée aujourd'hui ?

## Journal scientifique

Dans ton journal scientifique, explique pourquoi, selon toi, on connaît l'or et l'argent depuis des siècles, alors que d'autres éléments n'ont été découverts qu'au XX$^{e}$ siècle. L'aluminium est l'un des éléments les plus abondants dans la croûte terrestre et ce métal est relativement bon marché aujourd'hui. Cependant, au XIX$^{e}$ siècle, l'aluminium valait plus que l'or. Quelle propriété chimique des deux métaux peut expliquer ces faits ?

Un alchimiste sort un solide semblable à de la cire blanche d'un bocal rempli d'eau. L'objet dégage d'abord un peu de fumée, puis il prend feu. L'alchimiste replonge le solide dans l'eau pour éteindre la flamme ; lorsqu'il expose de nouveau l'objet à l'air, celui-ci prend encore feu. Est-ce là ce qu'on appelle le feu éternel ?

Le solide blanc et cireux est en fait du phosphore (du grec *phôsphoros*, qui signifie « lumineux »). Sa découverte, en 1669, a porté le nombre d'éléments connus à 14. Le phosphore est le seul élément à avoir été découvert au cours du XVII$^{e}$ siècle.

Le rythme des découvertes s'est accéléré au XVIII$^{e}$ siècle, car la découverte d'un élément était un gage de célébrité dans le monde scientifique. En 1800, le nombre d'éléments connus avait augmenté de 18. La recherche en chimie était devenue tellement compétitive que des chimistes trop ambitieux sont morts pour avoir mené des expériences sans prendre les précautions nécessaires.

Les recherches se sont néanmoins poursuivies et l'on a découvert 50 autres éléments au cours du XIX$^{e}$ siècle. Mais il était difficile d'interpréter les connaissances acquises, qui s'accumulaient rapidement. Par exemple, la majorité des éléments découverts au cours du siècle étaient des métaux ayant des propriétés similaires : la plupart étaient brillants, gris argenté et bons conducteurs de la chaleur et de l'électricité. Il n'était donc pas facile de prouver que ce qui semblait être un nouveau métal était effectivement un nouvel élément.

Dans le présent chapitre, tu vas apprendre quelles propriétés on peut utiliser pour identifier un élément, et quelles relations existent entre des éléments en raison de leurs propriétés. Tu vas également enrichir tes connaissances à propos des métaux, de leur réactivité et des processus employés pour les extraire. Enfin, tu vas apprendre comment on s'est servi des propriétés des éléments pour construire le tableau périodique des éléments.

## Concepts clés

Dans ce chapitre, tu découvriras :

- comment écrire les symboles des éléments ;
- ce que représente une formule chimique ;
- de quels éléments sont formés l'atmosphère, l'hydrosphère et la croûte terrestre ;
- comment on extrait les métaux des minérais ;
- quels liens existent entre les familles d'éléments du tableau périodique et les propriétés physiques et chimiques des éléments.

## Habiletés clés

Dans ce chapitre :

- tu effectueras une analyse simple, en laboratoire, pour identifier certains métaux ;
- tu construiras des modèles moléculaires ;
- tu compareras la réactivité de divers métaux en observant des réactions chimiques ;
- tu obtiendras du cuivre pur par électrolyse d'une solution aqueuse ;
- tu détermineras les effets de la trempe et du traitement des métaux par la chaleur.

## Mots clés

- symbole chimique
- formule chimique
- molécule
- atmosphère
- hydrosphère
- réactivité
- métal
- non-métal
- métalloïde
- métallurgie
- minéral
- minerai
- traitement
- trempe
- fusion
- famille chimique
- tableau périodique
- groupe
- période

de départ

## L'identification des métaux

La « flamme des alchimistes » joue aussi un rôle en chimie moderne. L'observation des couleurs brillantes de la flamme produite par un composé ou un mélange en fusion permet de savoir quels métaux il contient.

### Consigne de sécurité

Ton enseignante ou ton enseignant fera peut-être une démonstration de l'activité. Si tu fais l'activité toi-même, relis attentivement les consignes de sécurité données à la page XIX avant de commencer.

### Ce dont tu as besoin

un brûleur Bunsen, un coussinet résistant à la chaleur, des cotons-tiges, des solutions aqueuses des composés suivants : du chlorure de baryum, du chlorure de calcium, du chlorure de potassium et du chlorure de sodium

### Ce que tu dois faire

1. Construis un tableau semblable au suivant. Donne un titre à ton tableau et notes-y les résultats des analyses.

| Composé | Couleur de la flamme |
|---|---|
| chlorure de baryum | |
| | |

2. Place le brûleur Bunsen sur le coussinet résistant à la chaleur. Allume le brûleur et règle l'arrivée d'air de manière que la flamme forme un cône bleu.
3. Trempe un bout d'un coton-tige dans l'une des solutions, puis tiens le coton-tige de manière que le bout imbibé de liquide touche à peine la flamme bleue. Après environ 30 s, note la couleur de la flamme.
4. Refais l'étape 3 pour chacune des autres solutions. Utilise un nouveau coton-tige pour chaque nouvel essai. N'oublie pas de noter les couleurs des flammes.

### Qu'as-tu découvert ?

1. Comment sais-tu que la couleur de la flamme dépend du métal présent dans la solution et non d'une autre substance ?
2. Si tu as observé un feu d'artifice vert, quel était le métal présent ?

# 6.1 Les symboles chimiques

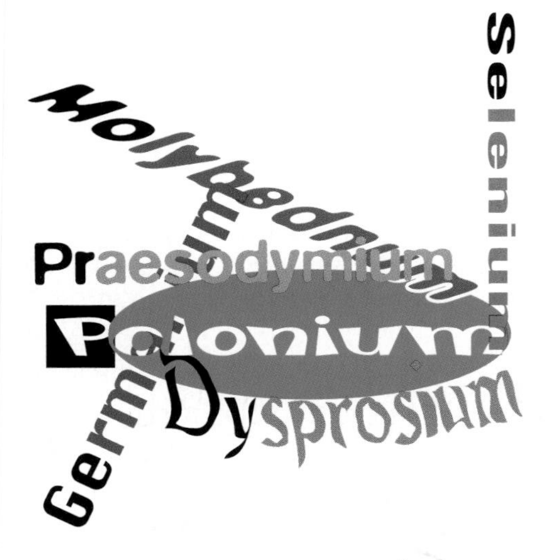


Imagine que tu dois écrire en toutes lettres tous les calculs arithmétiques, comme :

*Quatre mille trois cent soixante-dix-huit divisé par deux mille cent quatre-vingt-neuf égale deux.*

Tu trouves sans aucun doute l'écriture symbolique suivante plus facile à comprendre :

$4378 \div 2189 = 2$

Le chimiste qui découvre un élément a le privilège de le nommer. Par exemple, Marie Curie, qui a découvert le polonium, a donné à cet élément un nom rappelant le pays où elle est née : la Pologne. (Tu apprendras d'autres choses au sujet des travaux de Marie Curie dans le prochain chapitre.) Le nom « uranium » évoque la planète Uranus, et l'élément einsteinium a été nommé ainsi en souvenir d'Einstein. Comme ce serait une perte de temps d'écrire chaque fois au long le nom des éléments, on a créé un système de **symboles chimiques**.

**Le savais-tu ?**

Marie Curie a découvert l'élément appelé radium avec l'aide de son mari, Pierre Curie, chimiste lui aussi. Elle a créé le mot « radioactivité », et elle a été la première de tous les scientifiques à recevoir deux prix Nobel. Un élément découvert en 1944 a été nommé curium en souvenir d'elle.

## L'invention des symboles chimiques

Les progrès fulgurants de la chimie au cours du XIX^e siècle auraient pu créer de la confusion, entre autres parce que les noms des éléments ont des origines très diverses. Le chimiste suédois Jons Jakob Berzelius (1779-1848) a été le premier à proposer, en 1817, le système de symboles chimiques utilisé encore aujourd'hui. Petit à petit, ce système a été accepté dans le monde entier non seulement parce qu'il comprenait un symbole pour chaque élément connu, mais aussi parce qu'il indiquait comment créer un symbole pour chaque élément qu'on découvrirait par la suite. Tu vas comprendre comment fonctionne ce système international en faisant la prochaine activité.

Même si les éléments n'ont pas le même nom dans toutes les langues et qu'un même nom peut se prononcer différemment dans des langues différentes, le symbole de chaque élément est le même dans toutes les langues (*voir le tableau 6.1*). Au Japon et en Chine, les élèves apprennent les symboles écrits au moyen de notre alphabet et non avec des caractères japonais ou chinois.

**Le savais-tu ?**

L'histoire de la chimie abonde de découvertes quasi simultanées. Par exemple, le scientifique anglais Joseph Priestley (1733-1804) et le chercheur suédois Karl Wilhelm Scheele (1742-1786) ont découvert l'oxygène presque en même temps. Priestley a été le premier à rendre sa découverte publique, et c'est donc à lui seul que le mérite de la découverte a été attribué. Le nom « oxygène » a été proposé par le chimiste français Antoine Lavoisier (1743-1794).

**Tableau 6.1** Le symbole international de l'hydrogène

| Langue | Nom de l'élément | Symbole de l'élément |
|---|---|---|
| Allemand | *wasserstoff* | H |
| Anglais | *hydrogen* | H |
| Espagnol | *hidrógeno* | H |
| Français | hydrogène | H |
| Italien | *idrogeno* | H |
| Portugais | *hidrogênio* | H |

## La déduction du symbole d'un élément

Contrairement au mode d'attribution du nom des éléments, le système employé pour déterminer le symbole d'un élément respecte un ensemble de règles précises. Dans la présente activité, tu vas découvrir ces règles en examinant les symboles respectifs de plusieurs éléments.

### Ce dont tu as besoin

L'annexe D : Les propriétés des substances communes ; ta collection de fiches sur les éléments (*voir le chapitre 5, section 5.3*).

### Ce que tu dois faire

**1.** La masse de Kal est de 50 kg, et le corps de Kal est composé principalement de trois éléments : de l'hydrogène (H), de l'oxygène (O) et du carbone (C). La lettre entre parenthèses est le symbole de l'élément.

**a)** Selon toi, quelle règle Berzelius a-t-il employée pour créer ces trois symboles ? Note cette règle et appelle-la « règle 1 ».

**b)** Le corps de Kal contient moins de 1 g de l'élément appelé iode. Applique la règle 1 pour déduire le symbole chimique de l'iode. Vérifie ensuite ta déduction à l'aide de l'annexe D sur les propriétés des substances communes.

**2.** Environ 1 kg de calcium est réparti dans les os, les dents et le sang de Kal.

**a)** Si tu appliques la règle 1 pour déduire le symbole du calcium, quel résultat obtiens-tu ?

**b)** Quel élément est représenté par ce symbole ?

**c)** Cherche le symbole du calcium dans l'annexe D.

**d)** Déduis la règle utilisée pour créer le symbole du calcium. Note cette règle et appelle-la « règle 2 ».

**3.** Le nom de plusieurs éléments commence par la lettre « b ».

**a)** On emploie l'élément appelé bore pour améliorer la conductibilité des puces au silicium. Le symbole du bore est B. Ce symbole a-t-il été obtenu en appliquant la règle 1 ou la règle 2 ?

**b)** Déduis les symboles (probables) respectifs du baryum, du béryllium, du bismuth et du brome. Quelle règle as-tu appliquée ? Pourquoi ? Vérifie tes déductions à l'aide de l'annexe D.

**c)** En 1947, des chimistes de Berkeley, en Californie, ont fabriqué un nouvel élément, qu'ils ont appelé berkélium. Cherche le symbole du berkélium dans l'annexe D.

**d)** Déduis la règle utilisée pour créer le symbole du berkélium. Note cette règle et appelle-la « règle 3 ».

**4.** Les sept métaux que les Anciens connaissaient ont été désignés pendant des siècles par leur nom latin : l'argent se disait *argentum,* l'or se disait *aurum,* le cuivre se disait *cuprum,* le fer se disait *ferrum,* le mercure se disait *hydrargyrum,* le plomb se disait *plumbum* et l'étain se disait *stannum*.

**a)** Déduis les symboles (probables) respectifs de ces métaux. Vérifie tes déductions à l'aide de l'annexe D.

**b)** Quel métal employait-on probablement dans l'Antiquité pour fabriquer les conduites d'eau ? Explique comment le nom de ce métal t'a aidé à formuler ton hypothèse.

**5.** Le filament des ampoules à incandescence est fabriqué avec un élément qui porte deux noms différents. La plupart des gens appellent cet élément tungstène mais, dans le pays où il a été découvert, on le nomme wolfram. Consulte l'annexe D pour savoir lequel de ces deux noms a servi à créer le symbole de cet élément.

### Qu'as-tu découvert ?

**1.** Relis les règles que tu as notées au cours de l'activité. Utilise ces règles et tout ce que tu as appris pour expliquer en un paragraphe de quelle façon on choisit un symbole pour représenter un élément.

### Approfondissement

**2.** Ajoute les symboles sur les fiches d'éléments que tu as faites au chapitre 5. Ajoute à ta collection tous les éléments que tu désires ajouter ou suis les directives de ton enseignante ou de ton enseignant.

**3.** Cherche quelles sont les principales propriétés du tungstène. Rédige ensuite une publicité destinée à accroître les ventes de ce métal. Utilise le symbole du tungstène dans ta publicité.

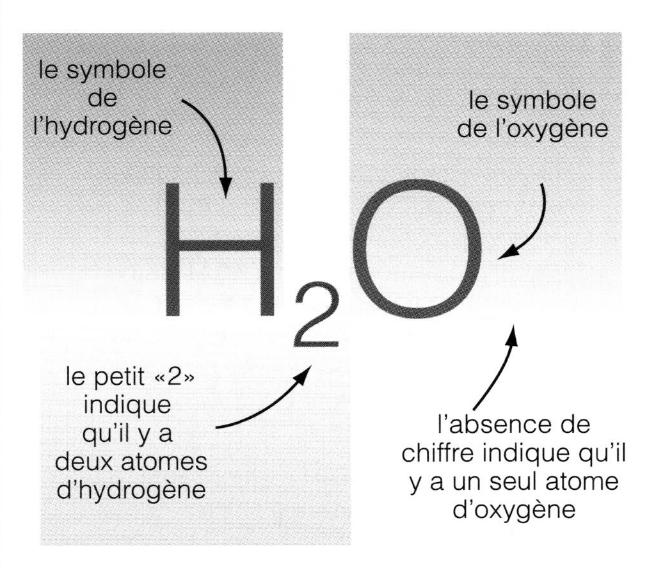


**Figure 6.1** Structure d'une formule chimique

## Comprendre les formules des composés

L'hydrogène pur est un gaz à la température ambiante, et il en est de même pour l'oxygène pur. Mais la combustion d'hydrogène en présence d'oxygène donne un composé familier : l'eau. Tu sais peut-être que le « code » $H_2O$ est la formule de l'eau.

Une **formule chimique** est un ensemble de symboles et de chiffres qui représente la composition d'une substance pure. Par exemple, la formule chimique de l'eau représente :

- la composition de l'eau pure, quelle qu'en soit la provenance ;

  Selon la loi des proportions définies, la composition de n'importe quelle substance pure est fixe et bien définie. Par exemple, la formule chimique $H_2O$ indique que l'eau contient toujours deux atomes d'hydrogène pour chaque atome d'oxygène, que ce soit l'eau du robinet ou l'eau d'un lac.
- la composition d'une molécule d'eau.

On appelle **molécule** la plus petite quantité d'une substance pure qui peut exister à l'état libre. Une molécule est généralement un groupe d'atomes liés les uns aux autres. La formule chimique $H_2O$ indique qu'une molécule d'eau est formée de trois atomes : deux atomes d'hydrogène et un atome d'oxygène. Ces trois atomes demeurent liés les uns aux autres, même si l'on fait bouillir ou geler de l'eau ou que l'on fasse fondre de la glace.

**LIEN *terminologique***

Dalton et ses contemporains employaient les expressions « particules composées » et « atomes composés » pour énoncer des hypothèses à propos du comportement des atomes lorsque des éléments s'unissent. Le chimiste italien Amedeo Avogadro (1776-1856) a introduit le terme « molécule », qu'il utilisait fréquemment. Quelle est l'origine du mot « molécule » et quel était le sens initial de ce mot ? Fais une recherche dans des sources imprimées ou électroniques. Tu vas en apprendre davantage à propos des molécules dans le prochain chapitre.

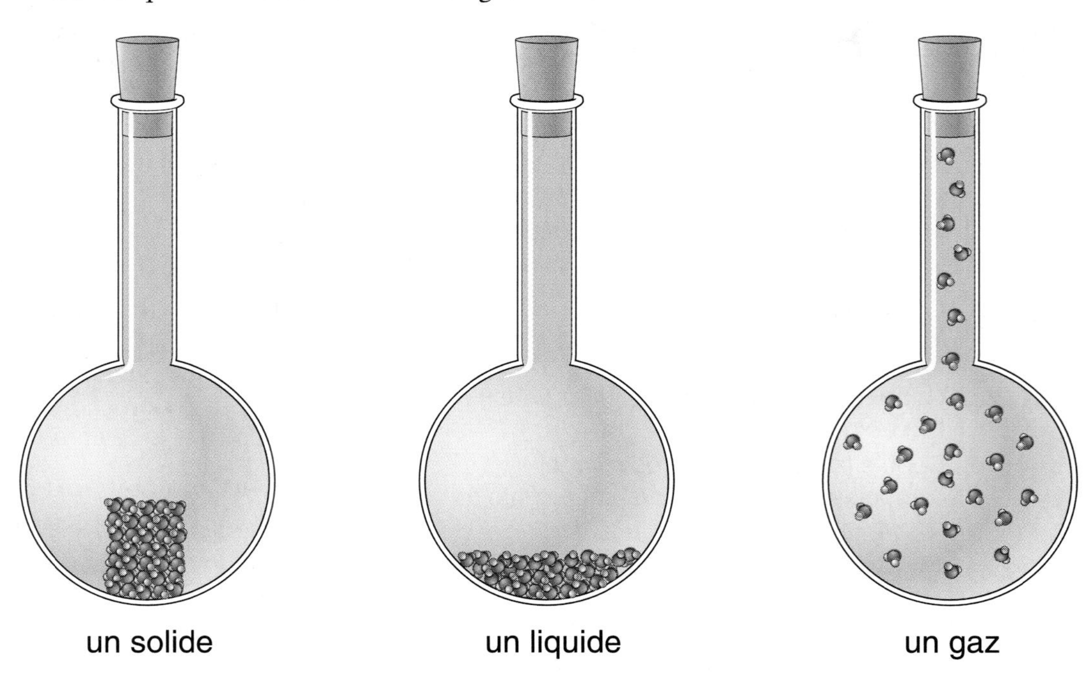


**Figure 6.2** Toutes les molécules d'eau ont exactement la même formule chimique, quel que soit leur état, comme le prédit la loi des proportions définies.

Tu sais qu'on peut décomposer les molécules d'eau au moyen de l'électrolyse, qui fournit l'énergie nécessaire pour séparer les atomes qui forment les molécules de $H_2O$. Sans un apport d'énergie, comme dans l'électrolyse, les atomes restent « attachés » dans les molécules auxquelles ils appartiennent.

RÉFLÉCHIS ET FAIS DES LIENS 6-A

# L'interprétation des formules chimiques

Dans la présente activité, tu vas en apprendre davantage à propos des formules chimiques et de ce qu'elles indiquent au sujet des substances qu'elles représentent.

### Partie 1

## Les formules des composés moléculaires

### Réfléchis

*Plusieurs composés sont formés de molécules.* C'est le cas, par exemple, de l'eau, du bioxyde de carbone, du propane et du glucose (sucre). Interprète les formules de ces composés en prenant comme modèle la première ligne du tableau suivant :

La composition de quatre composés

| Nom du composé | Formule moléculaire | Éléments présents | Combien d'atomes de chaque élément? |
|---|---|---|---|
| eau | $H_2O$ | hydrogène, oxygène | 2 atomes de H, 1 atome de O |
| bioxyde de carbone | $CO_2$ | | |
| propane | $C_3H_8$ | | |
| glucose | $C_6H_{12}O_6$ | | |

### Ce que tu dois faire

À l'aide du tableau précédent, indique combien d'atomes en tout sont présents dans les molécules suivantes :

**a)** une molécule d'eau
**b)** une molécule de bioxyde de carbone
**c)** une molécule de propane
**d)** une molécule de glucose

### Partie 2

## Les formules des composés non moléculaires

### Réfléchis

*Tous les composés ne sont pas formés de molécules.* Par exemple, le chlorure de sodium (ou sel fin) *ne* contient *pas* de molécules indépendantes de sel. Le modèle suivant représente une partie d'un cristal de sel. Il indique la position des ions à l'intérieur du cristal, mais il ne montre pas l'aspect réel du cristal. Examine attentivement ce modèle pour comprendre de quelle façon les deux éléments sont disposés.

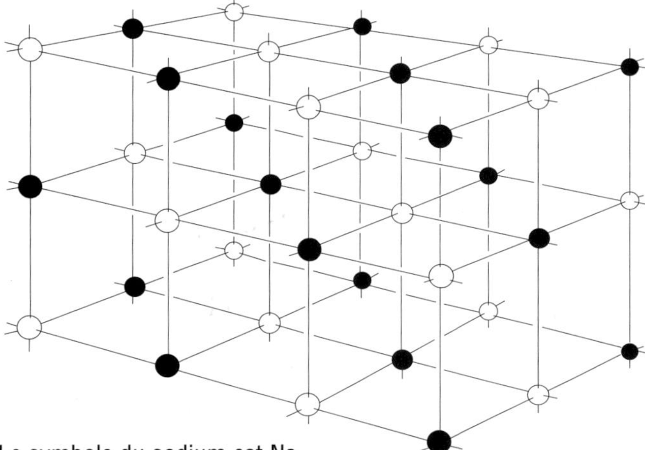

Le symbole du sodium est Na, et les ions de sodium sont représentés par des points noirs. Le symbole du chlore est Cl, et les ions de chlore sont représentés par des points blancs.

### Ce que tu dois faire

1. Compte le nombre d'ions de chaque élément dans le modèle.
   **a)** Combien y a-t-il d'ions de sodium ?
   **b)** Combien y a-t-il d'ions de chlore ?
2. Complète les énoncés suivants :
   **a)** Dans le modèle, il y a 1 ion de Na pour chaque ■ ion(s) de Cl. (La réponse est 1, 2, 3 ou 6).
   **b)** Dans le modèle, il y a 1 atome de Cl pour chaque ■ ion(s) de Na. (La réponse est 1, 2, 3 ou 6).
   **c)** Dans le modèle, le rapport du nombre d'ions de Na au nombre d'ions de Cl est ■. (La réponse est 1 : 1, 1 : 2, 1 : 3 ou 1 : 6).
3. Le modèle représente le composé appelé chlorure de sodium.
   **a)** Écris une formule qui représente chaque atome de Na et de Cl du modèle.
   **b)** Refais l'étape a) pour un modèle deux fois plus gros.

▶▶▶▶▶

c) La formule du chlorure de sodium s'écrit habituellement NaCl. Cette formule décrit-elle bien le composé ? Pourquoi ?

d) La formule NaCl indique-t-elle l'existence de molécules à l'état libre ? Explique ta réponse.

**Partie 3**

## Les formules des éléments moléculaires

### Réfléchis

*Quelques éléments sont formés de molécules dans des conditions normales.* Par exemple, l'air que tu respires à chaque inhalation est essentiellement un mélange des deux composés et des deux éléments énumérés dans le tableau suivant :

Les principales composantes de l'air

| Nom du gaz | Composé ou élément? | Formé de molécules? | Formule | Nombre d'atomes par molécule |
|---|---|---|---|---|
| vapeur d'eau | composé | oui | $H_2O$ | 3 |
| bioxyde de carbone | | | $CO_2$ | |
| oxygène | | oui | $O_2$ | |
| azote | élément | oui | | 2 |

L'oxygène et l'azote sont présents dans l'air sous la forme de molécules diatomiques. Les molécules diatomiques sont constituées de deux atomes d'un même élément. L'hydrogène est également un exemple de molécule diatomique.

### Ce que tu dois faire

La première ligne du tableau précédent est complète. Copie le tableau et inscris les informations manquantes dans les trois autres lignes du tableau.

**Partie 4**

## La construction d'un modèle moléculaire

### Réfléchis

Les schémas suivants représentent des molécules d'hydrogène, d'oxygène, d'eau, d'ammoniac, de méthane et de bioxyde de carbone.

### Ce que tu dois faire

Construis toi-même un modèle pour chaque molécule représentée par un schéma. Tu peux utiliser les composantes fournies par ton enseignante ou ton enseignant, ou créer ton propre jeu de construction en rassemblant divers objets, comme des guimauves miniatures et des cure-dents.

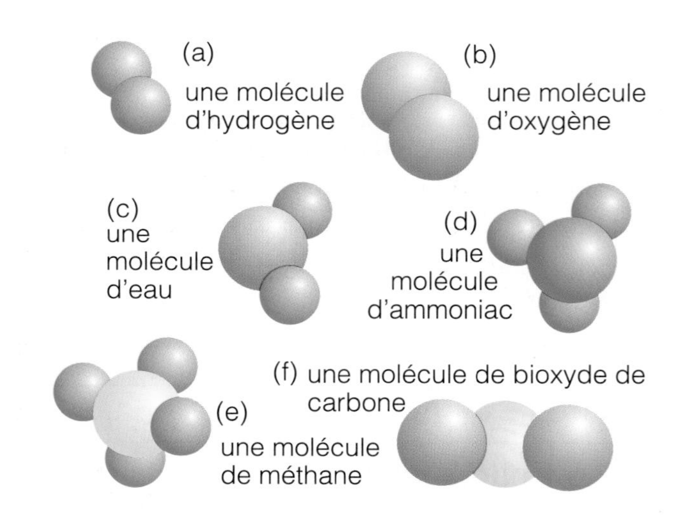

## Vérifie ce que tu as compris

1. a) Le système de symboles utilisé actuellement est un système international. Explique ce que cet énoncé signifie et l'importance d'un tel système.
   b) Donne un exemple qui illustre le caractère international des symboles chimiques.
2. a) Donne un exemple d'un symbole représentant un élément métallique.
   b) Donne un exemple d'un symbole représentant un élément non métallique.
   c) Donne un exemple des symboles utilisés pour écrire une formule moléculaire.
3. La formule du peroxyde d'hydrogène est $H_2O_2$.
   a) Quels sont les éléments présents dans le peroxyde d'hydrogène ? Combien d'atomes chaque molécule possède-t-elle ?
   b) Définis les termes « molécule » et « molécule diatomique ».
4. Jusqu'en 1600, on ne connaissait que 13 éléments : l'antimoine, l'arsenic, le bismuth, le carbone, le cuivre, l'or, le fer, le plomb, le mercure, l'argent, le soufre, l'étain et le zinc. Le phosphore s'est ajouté à cette liste en 1669.
   a) Dresse la liste de ces éléments en écrivant un élément par ligne.
   b) Écris le symbole de chaque élément à côté de son nom. Au besoin, consulte l'annexe D (page 564).
5. Les chercheurs ont découvert 18 éléments au cours du XVIII$^{e}$ siècle. Les symboles respectifs de ces éléments sont : Co, Pt, Ni, H, N, Cl, Mn, O, Mo, Te, W, U, Zr, Ti, F, Sr, Be et Cr.
   a) Dresse la liste de ces symboles en écrivant un symbole par ligne.
   b) Écris le nom de chaque élément à côté de son symbole. Au besoin, consulte l'annexe D, « en sens inverse ».
6. Utilise les listes que tu as dressées dans les exercices 4 et 5 pour répondre aux questions suivantes :
   a) Quel est le nombre total des éléments des deux listes ?
   b) Combien de ces éléments sont des métaux ? (Indice : Consulte l'annexe D.)
   c) Exprime le nombre d'éléments métalliques sous la forme d'un pourcentage du nombre total d'éléments que tu as obtenu en a).

# 6.2 Les éléments présents sur la planète Terre

Au chapitre 5, tu as appris que les philosophes de l'Antiquité croyaient que l'Univers était entièrement composé de quatre « éléments » : l'air, l'eau, la terre et le feu. On sait maintenant que le feu est simplement l'énergie dégagée par la combustion ; le feu n'est donc pas de la matière. Par contre, l'air, l'eau et la terre sont faits de matière, mais ce ne sont pas des éléments au sens scientifique du terme. Dans la présente section, tu auras l'occasion d'examiner ces trois substances en détail et d'apprendre de quels éléments chacune est formée.

## L'air : les éléments présents dans l'atmosphère

On appelle **atmosphère** l'enveloppe gazeuse de la planète Terre. Le tableau 6.2 donne la composition de l'atmosphère terrestre. Il est intéressant d'étudier le cycle de trois des gaz de l'atmosphère, car ces cycles jouent un rôle essentiel dans la vie sur la Terre. On entend par cycle un « voyage aller-retour » d'une substance. Chacune des trois substances passe par différentes phases, ou processus, qui la ramènent à son point de départ. Tu te rappelles peut-être avoir étudié ces cycles dans des cours de sciences.

**Tableau 6.2** La composition de l'air sec, en pourcentages

| Nom du gaz | Formule chimique | Pourcentage du nombre de molécules |
|---|---|---|
| azote | $N_2$ | 78,03 |
| oxygène | $O_2$ | 20,99 |
| argon | Ar | 0,94 |
| bioxyde de carbone | $CO_2$ | 0,04 |

**Remarque :** L'air sec contient aussi de très petites quantités de néon, d'hélium, de krypton et de xénon.

L'oxygène est tellement réactif qu'il ne peut exister qu'un bref instant sous la forme monoatomique. L'oxygène de l'atmosphère est donc constitué de molécules diatomiques $O_2$. Presque toutes les cellules vivantes ont besoin d'oxygène. L'oxygène fournit de l'énergie aux cellules au moyen du processus de respiration (*voir la figure 6.3*).

la PHOTOSYNTHÈSE
a lieu dans les cellules des
plantes et des algues vertes
en présence de lumière

composés
complexes du
carbone + oxygène

la RESPIRATION
se produit sans cesse
dans toutes les cellules
de chaque organisme

bioxyde de carbone
+
eau

**Figure 6.3** Le cycle de l'oxygène et du bioxyde de carbone

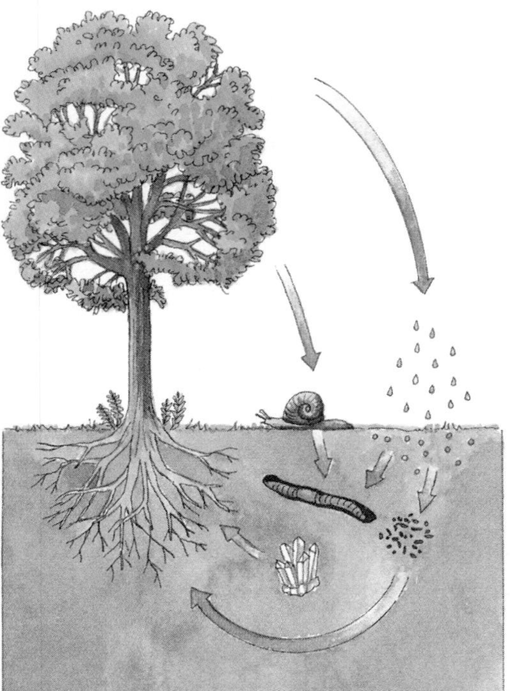

**Figure 6.4** Le cycle de l'azote

L'azote gazeux de l'atmosphère est constitué de molécules $N_2$. Cet élément est également essentiel à la vie. Chaque protéine de ton corps contient des atomes d'azote qui se sont trouvés dans l'atmosphère au cours d'une phase de leur cycle (*voir la figure 6.4*).

L'argon (Ar) gazeux est constitué d'atomes simples, non combinés. L'argon est complètement inactif et il n'intervient dans aucun cycle.

Le carbone présent dans l'atmosphère est présent dans les molécules de bioxyde de carbone ($CO_2$), qui contiennent aussi de l'oxygène. Les plantes et les organismes apparentés aux plantes utilisent le $CO_2$ pour produire les aliments dont les humains ont besoin (*voir la figure 6.3*), puis ils libèrent des molécules $O_2$ dans l'atmosphère.

L'air sec ne contient absolument pas d'hydrogène. Cependant, l'air est rarement parfaitement sec; il renferme une quantité variable de vapeur d'eau, soit un plus grand pourcentage au-dessus d'un lac une journée chaude, et un pourcentage plus faible au-dessus d'un désert. L'air contient donc de l'hydrogène sous la forme de molécules de $H_2O$. Ces molécules se déplacent de l'atmosphère à la terre et vice versa au cours du cycle de l'eau (*voir la figure 6.5*).

**LIENS INTERNET**

**www.dlcmcgrawhill.ca**

L'élément appelé plomb est un solide. Et pourtant, dans la ville de Mexico, l'air contient suffisamment de composés du plomb pour être toxique. À une certaine époque, dans plusieurs grandes villes canadiennes, le taux de plomb dans l'air atteignait des niveaux toxiques. Mais aujourd'hui, l'air ne contient plus de plomb, ou très peu. Essaie de découvrir de quelle façon les produits toxiques se retrouvent dans l'atmosphère. Visite le site Web dont l'adresse est donnée ci-dessus. Choisis **Matériel complémentaire/Primaire et secondaire**, puis **OMNISCIENCES 9** pour savoir où te diriger.

## L'eau : les éléments présents dans l'hydrosphère

On dit parfois que la Terre ressemble à une grosse bille bleue parce que la majorité de sa surface est constituée d'eau. Même dans les parties du globe qui paraissent sèches, il existe parfois une nappe d'eau ou un courant d'eau souterrains. Dans le Nord du Canada, une bonne partie de ce qui semble être de la terre est en fait de la «glace de mer», c'est-à-dire de l'eau à l'état solide qui flotte sur l'océan Arctique. La totalité de l'eau présente sur la Terre, quelle que soit sa forme, constitue l'**hydrosphère**. L'hydrosphère forme une couche d'eau presque ininterrompue sur la croûte terrestre, ou juste sous la croûte.

**Figure 6.6** Au Canada, le seul écosystème qui soit vraiment un désert se trouve en Colombie-Britannique, près du lac Okanagan.

**Figure 6.5** Le cycle de l'eau

**Le savais-tu ?**

Au XVII^e siècle, les gens se sont mis à brûler de plus en plus de charbon pour obtenir l'énergie dont ils avaient besoin dans les industries et les maisons. Au XIX^e siècle, on s'est mis à brûler en plus du pétrole. Il en est résulté un accroissement de la quantité de bioxyde de carbone dans l'air atmosphérique. Plusieurs scientifiques pensent que cette quantité additionnelle de $CO_2$ est responsable de l'augmentation globale de la température, c'est-à-dire du réchauffement de la planète. Quel effet le réchauffement de la planète pourrait-il avoir sur les calottes polaires ?

**Figure 6.7** Pour un observateur dans l'espace, la principale caractéristique de la Terre est la présence des océans. Il voit à peine l'atmosphère : si la Terre avait les dimensions d'une orange, l'atmosphère serait plus mince qu'une peau d'orange.

### Pause réflexion

Prends la série de fiches sur les éléments que tu as faite au chapitre 5, section 5.3. Ajoute le symbole ou la formule des éléments et des composés que tu as découverts dans le chapitre 6. (Par exemple, pour l'oxygène, inscris le symbole O et la formule $O_2$.) Au fur et à mesure que tu découvres de nouveaux éléments ou composés, ajoute-les à ta série. Assure-toi que tu sais ce que chaque symbole représente. Essaie également de découvrir un modèle dans l'écriture des formules des composés en ce qui a trait à la place (à gauche ou à droite) qu'occupent les symboles des éléments.

### Le savais-tu ?

Parmi les métaux présents sur la Terre à l'état libre, le cuivre est le plus abondant. Au Canada, il existe des dépôts de cuivre dans presque toutes les provinces et les territoires. La majorité du cuivre à l'état libre est concentrée dans la région du lac Supérieur.

L'eau pure est constituée de molécules de $H_2O$. Elle renferme donc deux fois plus d'atomes d'hydrogène que d'atomes d'oxygène. Cependant, dans la nature, on ne trouve pas d'eau pure au sens chimique du terme, ou alors on n'en trouve que très rarement. À l'état naturel, l'eau contient plusieurs substances en solution. Les animaux aquatiques, dont les poissons, utilisent l'oxygène gazeux ($O_2$) dissous dans l'eau au cours de la respiration cellulaire. Les plantes aquatiques, comme les algues, utilisent le bioxyde de carbone ($CO_2$) en solution dans l'eau pour fabriquer de la nourriture.

En s'évaporant, l'eau de mer laisse un résidu solide, appelé sel de mer, constitué de plusieurs composés, dont du chlorure de sodium ($NaCl$), du chlorure de potassium ($KCl$) et du chlorure de calcium ($CaCl_2$). Ces composés viennent des roches et des sols qui forment les continents. On trouve même dans l'eau de mer des minéraux presque insolubles : les précipitations qui sont tombées depuis des millions d'années les ont entraînés jusqu'aux océans. C'est pourquoi l'eau de mer a un goût salé.

## La Terre : les éléments présents dans la croûte terrestre

On appelle croûte terrestre la couche extérieure, faite de roches solides, de la planète. La figure 6.9 indique les principaux éléments de la croûte terrestre. Note que l'élément le plus abondant est l'oxygène. Comment cela est-il possible puisque l'oxygène, dans des conditions normales, est un gaz ?

La raison en est que l'oxygène est très réactif. Lorsqu'un atome d'oxygène s'unit à un second atome d'oxygène, le résultat est une molécule $O_2$, c'est-à-dire de l'oxygène gazeux. Mais beaucoup d'autres éléments sont réactifs. Leurs atomes peuvent réagir avec des atomes d'oxygène pour former des composés minéraux solides. Par exemple, en se combinant à l'élément appelé silicium, l'oxygène forme le principal composé du sable ; en se combinant au fer, l'oxygène forme le composé rouge qu'on appelle rouille.

Seuls quelques éléments métalliques, dont l'or, l'argent, le platine et le cuivre, existent à l'état libre dans la nature. La majorité des autres métaux sont plus ou moins réactifs. La **réactivité**, c'est-à-dire la capacité de réagir, est une propriété chimique importante. Dans la prochaine expérience, tu vas comparer la réactivité de différents métaux.

**Figure 6.8** En se combinant au fer, l'oxygène forme la rouille qui rongera tôt ou tard la carrosserie de cette automobile.

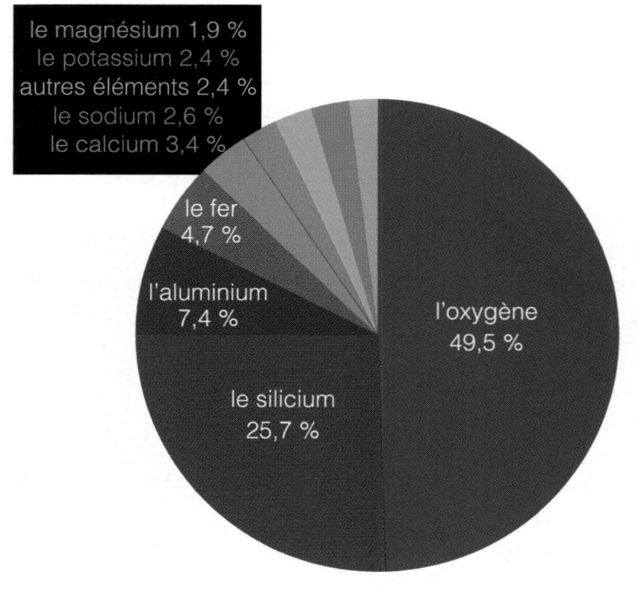


**Figure 6.9** Les principaux éléments de la croûte terrestre

# La comparaison de la réactivité de quelques métaux

Tu vas comparer la réactivité de quelques métaux en effectuant une analyse qui repose sur les principes suivants. Les métaux les plus réactifs produisent de l'hydrogène lorsqu'on les plonge dans de l'eau froide ; les métaux un peu moins réactifs produisent de l'hydrogène seulement si on les plonge dans de l'eau chaude ; et les métaux encore moins réactifs produisent de l'hydrogène seulement si on les plonge dans de l'acide. (Comment pourras-tu savoir qu'il se produit un gaz et que ce gaz est de l'hydrogène ? Rappelle-toi les analyses standard que tu as faites au chapitre 5, page 177).

## Problème à résoudre

Quelles données dois-tu recueillir pour être en mesure de comparer la réactivité de divers métaux ?

### Consignes de sécurité

- Porte des lunettes de sécurité et un tablier.
- Avertis toujours ton enseignante ou ton enseignant quand tu renverses un produit chimique.
- Manipule tous les produits chimiques avec précaution.
- L'acide chlorhydrique dilué est très corrosif. S'il s'en retrouve malencontreusement sur ta peau ou tes vêtements, rince aussitôt abondamment l'endroit atteint à l'eau courante et avertis ton enseignante ou ton enseignant.

### Matériel

six éprouvettes
un support à éprouvettes
une source de chaleur
une pince à éprouvettes
un bain d'eau bouillante

### Matériel non réutilisable

de l'eau distillée
de l'acide chlorhydrique dilué
des échantillons des métaux suivants : de l'aluminium, du calcium, du fer, du plomb, du magnésium et du zinc ;
des éclisses de bois
du ruban adhésif

## Marche à suivre

1. Fais une copie du tableau suivant et donne un titre à ton tableau :

| Métal | Eau froide | Eau chaude | Acide chlorhydrique dilué |
|---|---|---|---|
| aluminium | | | |
| calcium | | | **ATTENTION !** Ne fais pas cette analyse. |
| fer | | | |
| plomb | | | |
| magnésium | | | |
| zinc | | | |

2. À l'aide du ruban adhésif, inscris le nom d'un métal à analyser sur chaque éprouvette. Verse 5 à 10 mL d'eau distillée dans chaque éprouvette.

3. Ajoute un petit morceau de chacun des métaux dans les éprouvettes en prenant soin de mettre chaque métal dans l'éprouvette qui porte son nom. Note tes observations dans ton tableau.

4. S'il y a production d'un gaz, identifie ce gaz à l'aide de l'analyse standard pour l'hydrogène. (N'oublie pas que ce que tu as observé pourrait n'être que des bulles d'air.) Réfléchis bien : si un métal quelconque réagit avec l'eau froide, pourquoi serait-il nécessaire de faire d'autres analyses ?

5. Ton enseignante ou ton enseignant va installer un bain d'eau bouillante. Place dans ce bain toutes les éprouvettes contenant un métal qui n'a pas réagi avec l'eau froide et attends quelques minutes. Si un ou des métaux produisent un gaz en réagissant avec l'eau chaude, vérifie si ce gaz est bien de l'hydrogène. Note tes observations dans ton tableau. Pourquoi est-il inutile de placer ces métaux sur de l'acide ?

6. Retire les éprouvettes de l'eau chaude à l'aide de la pince à éprouvettes. Enlève avec précaution l'eau chaude des éprouvettes contenant un métal qui n'a pas réagi. Laisse refroidir les éprouvettes pendant une minute.

7. Ajoute environ 5 mL d'acide chlorhydrique dilué dans chaque éprouvette contenant un métal qui n'a réagi ni avec l'eau froide ni avec l'eau chaude. Note tes observations.

   Lave-toi soigneusement les mains après avoir terminé.

## Analyse

1. Classe les métaux analysés en fonction de leur réactivité, du plus réactif au moins réactif. De quels critères et de quelles observations t'es-tu servi pour faire ce classement ?
2. Y a-t-il un ou des métaux qui n'ont pas réagi du tout ? Si oui, lequel ou lesquels ? Quelle conclusion peux-tu en tirer ?

## Conclusion et mise en pratique

3. Le sodium est plus réactif que le calcium ; sa masse volumique est inférieure à celle de l'eau ; il se liquéfie à 98 °C. À quel problème aurais-tu à faire face si tu devais éteindre un feu et qu'il y ait du sodium parmi les objets en flamme ?
4. Selon toi, quelle relation y a-t-il entre la date de la découverte d'un métal et son degré de réactivité ?
5. Comment l'extraction et l'utilisation des métaux sont-ils affectés par leur réactivité ?
6. Explique pourquoi on emploie fréquemment le cuivre comme matériau de couverture des grands édifices. Selon toi, pourquoi emploie-t-on du fer seulement pour les toits temporaires ?
7. Aujourd'hui, on emploie des conduites d'eau en cuivre, mais dans l'Antiquité les Romains utilisaient le plomb pour fabriquer les conduites d'eau. Pourquoi ces deux métaux devraient-ils convenir à un tel usage ? Pourquoi le plomb n'est-il pas approprié ?

## Différentes catégories d'éléments

La plupart des métaux que tu as analysés te sont probablement familiers. Les **métaux** constituent une catégorie d'éléments ayant des propriétés communes. Par exemple, les métaux conduisent l'électricité et la chaleur. On peut les aplatir pour en faire des feuilles ou les étirer pour en faire des fils : ces propriétés physiques des métaux (dont il a été question au chapitre 5) sont appelées respectivement *malléabilité* et *ductilité*. De plus, les métaux ont un aspect brillant et ils sont tous solides à la température ambiante, sauf le mercure.

Les **non-métaux**, comme l'oxygène et le soufre, diffèrent des métaux sur plusieurs points. À la température ambiante, certains sont gazeux, d'autres sont solides, et le brome est liquide. Les non-métaux solides sont cassants et l'on ne peut pas les étirer pour en faire des fils. De plus, ils sont plutôt ternes et ce sont de mauvais conducteurs de l'électricité et de la chaleur.

**Figure 6.10 B)** Du brome

Certains éléments, comme le silicium, se situent, en raison de leurs propriétés, entre les métaux et les non-métaux. Ces éléments, appelés **métalloïdes**, sont qualifiés d'« intermédiaires » parce qu'ils ont à la fois des propriétés des métaux et des propriétés des non-métaux.

Le tableau 6.3 établit une comparaison des propriétés des éléments des trois catégories.

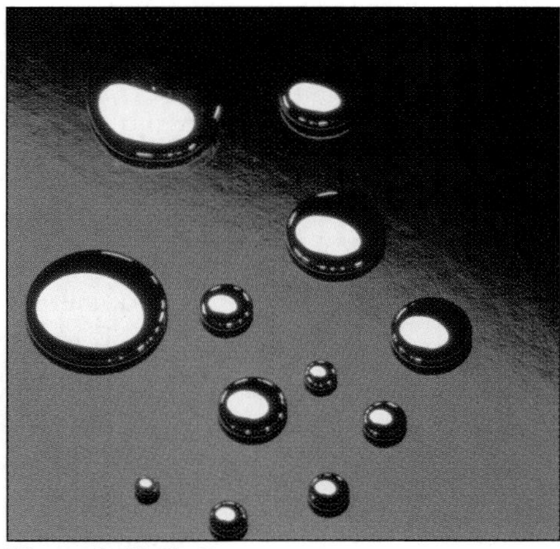

**Figure 6.10 A)** Du mercure

**Figure 6.10 C)** Un morceau de silicium et des puces de microprocesseur

| | État | Aspect | Conductibilité | Malléabilité et ductilité |
|---|---|---|---|---|
| **Métaux** | • solides à la température ambiante, à l'exception du mercure (liquide) | • brillants | • bons conducteurs de la chaleur et de l'électricité | • malléables<br>• ductiles |
| **Non-métaux** | • à la température ambiante, certains sont gazeux<br>• certains sont solides<br>• un seul est liquide : le brome | • peu brillants | • mauvais conducteurs de la chaleur et de l'électricité | • cassants<br>• non ductiles |
| **Métalloïdes** | • solides à la température ambiante | • brillants ou ternes | • certains conduisent l'électricité<br>• mauvais conducteurs de la chaleur | • cassants<br>• non ductiles |

L'oxygène est le seul non-métal parmi les principaux éléments de la croûte terrestre (*voir la figure 6.9*). L'oxygène ne conduit pas l'électricité, même lorsqu'il est suffisamment refroidi pour être liquide, et l'oxygène solide est très cassant. Le silicium est le seul métalloïde parmi les principaux éléments de la croûte terrestre. Le composé le plus commun du silicium est le bioxyde de silicium ($SiO_2$). Le silicium est un élément intermédiaire : même si on peut l'utiliser pour conduire l'électricité, il se situe entre les métaux et les non-métaux en raison de ses propriétés.

Il existe peu de métalloïdes. Les non-métaux sont plus nombreux, mais c'est la catégorie des métaux qui regroupe le plus grand nombre d'éléments. Le métal le plus abondant dans la croûte terrestre est l'aluminium : cet élément est encore plus abondant que le fer. Pourtant, ce n'est que plusieurs siècles après avoir martelé le premier outil en fer pur qu'on a commencé à utiliser l'aluminium pour fabriquer des ustensiles de cuisine ou des matériaux de construction. Pourquoi a-t-on mis tellement de temps à se servir de l'aluminium ? Tu vas découvrir la réponse dans la prochaine section.

## Vérifie ce que tu as compris

1. Compare les métaux, les non-métaux et les métalloïdes sur la base de quatre propriétés physiques.
2. Décris les cycles respectifs de l'oxygène, du bioxyde de carbone, de l'azote et de l'eau. Assure-toi d'indiquer de quelle façon chacune de ces substances retourne dans l'atmosphère.
3. Dresse la liste des composés chimiques présents dans l'hydrosphère. Explique en une phrase le rôle de chaque composé.
4. Décris en un paragraphe une analyse que tu pourrais faire en laboratoire pour comparer la réactivité de divers métaux. Pourquoi l'analyse visant à déterminer si le gaz est bien de l'hydrogène est-elle si importante ?
5. **Mise en pratique** Dans la liste suivante, les métaux sont classés par ordre alphabétique et la date de leur découverte est indiquée entre parenthèses. Reclasse les métaux selon leur réactivité, du plus réactif au moins réactif.
   - l'aluminium (1825)
   - le chrome (1797)
   - le plomb (durant la préhistoire)
   - le nickel (1751)

# 6.3 La science et la technologie des éléments métalliques

Retourne à la figure 6.9 (page 200). Si on soustrait le montant d'oxygène (non-métal) et le montant de silicium (métalloïde), on peut déduire que les métaux forment environ un quart de la croûte terrestre. Cependant, presque tous ces métaux sont enfermés dans des composés, à l'exception de ceux qui sont peu réactifs. Les débuts des progrès de l'humanité sont étroitement liés à la découverte des substances contenues dans la croûte terrestre et du raffinement de ces substances en vue d'en extraire des métaux.

La présente section porte sur la **métallurgie**, c'est-à-dire la science et la technologie de l'extraction des éléments métalliques et de l'utilisation de ces éléments. La métallurgie comprend trois processus fondamentaux: l'extraction, le traitement et la fabrication d'alliages.

Figure 6.11 Vois-tu les minéraux contenus dans ces échantillons de minérai?

## L'extraction

Peu de métaux existent à l'état pur dans la nature. Il faut donc extraire la plupart des métaux de minéraux. On appelle **minéral** une substance pure solide contenue dans la croûte terrestre. Le nom de plusieurs minéraux se termine en «ite».

Les minéraux se présentent généralement sous la forme de veines, de pépites ou de blocs enfermés dans du **minerai** (*voir la figure 6.11*). L'extraction de l'élément métallique du minerai comprend deux étapes principales, comme l'indique la figure 6.12.

La concentration consiste à éliminer le plus de roche possible du minérai de manière que le mélange résultant contienne le plus de minéraux possible.

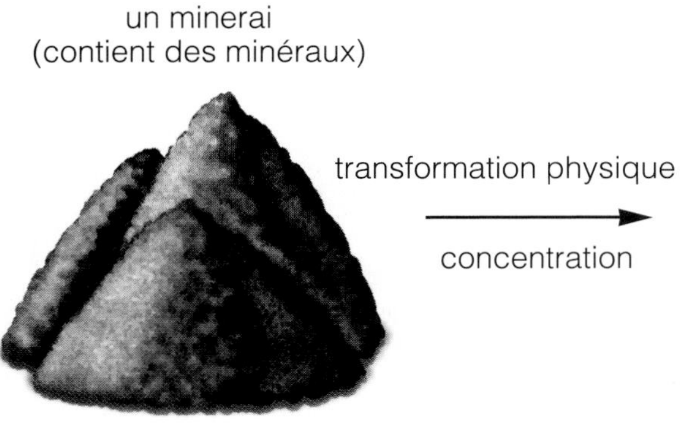


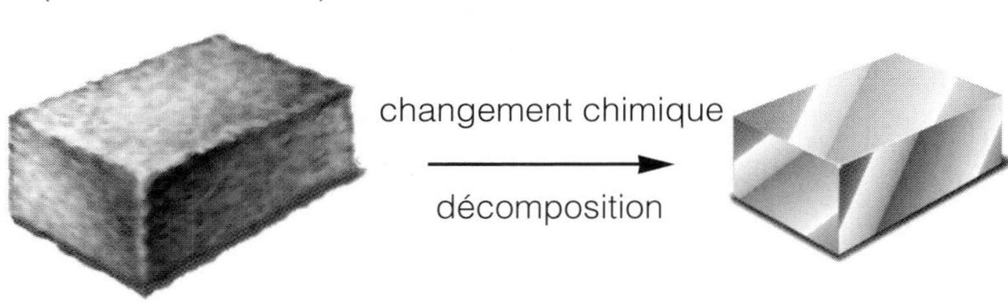


La décomposition consiste à diviser un composé minéral au moyen d'un processus chimique; on élimine les substances indésirables de manière à isoler presque entièrement le métal recherché.

**Figure 6.12** La concentration et la décomposition

### Les outils de la science

La technologie est une aide précieuse pour localiser les dépôts de minéraux. On peut détecter les petites variations du champ magnétique terrestre, causées par de vastes dépôts de minéraux, à l'aide d'un *magnétomètre.* La masse volumique des roches fournit d'autres indices. On emploie un appareil appelé *séismographe* pour enregistrer les vibrations qui se propagent dans des roches de masses volumiques différentes. On peut détecter d'autres minéraux à l'aide d'un *compteur Geiger,* qui enregistre les particules émises par les substances radioactives.

**Figure 6.13** Les forgerons modifient les propriétés des métaux par des méthodes physiques. Pendant des milliers d'années on a appliqué des techniques de ce type avant que la science soit en mesure de les expliquer.

### Le traitement

En métallurgie, on appelle **traitement** la modification des propriétés d'un métal pur *non accompagnée* de changements chimiques. Par exemple, un forgeron peut changer les propriétés du fer pur par des méthodes physiques, soit en le chauffant, en le martelant et en le refroidissant rapidement (*voir la figure 6.13*). Cette opération est appelée **trempe**.

### La fabrication d'alliages

Tu as appris au chapitre 5 qu'on peut également modifier les propriétés d'un métal en mélangeant plusieurs éléments de manière à produire un alliage. Ce processus entraîne parfois des changements spectaculaires.

## L'extraction d'un métal d'un minerai

Les deux formes d'énergie employées pour provoquer les changements chimiques requis pour extraire les métaux des minerais sont la chaleur et l'électricité. L'emploi de la chaleur à cette fin est appelée **fusion**. Par exemple, pour séparer les liaisons chimiques qui unissent le fer et l'oxygène à l'intérieur des composés de magnétite ($Fe_3O_4$) et d'hématite ($Fe_2O_3$), on a recours au procédé de fusion. Il existe des dépôts de ces deux minerais d'oxyde de fer au Canada.

Pour obtenir un concentré à partir d'un minerai de fer contenant de la magnétite, on emploie des aimants puissants pour attirer les particules de minéraux, laissant derrière les particules de roche préalablement écrasée. Si le minerai contient de l'hématite (une substance non magnétique), on emploie une méthode appelée flottation (*voir la figure 6.14*). Les deux techniques permettent d'obtenir un concentré riche en minéraux.

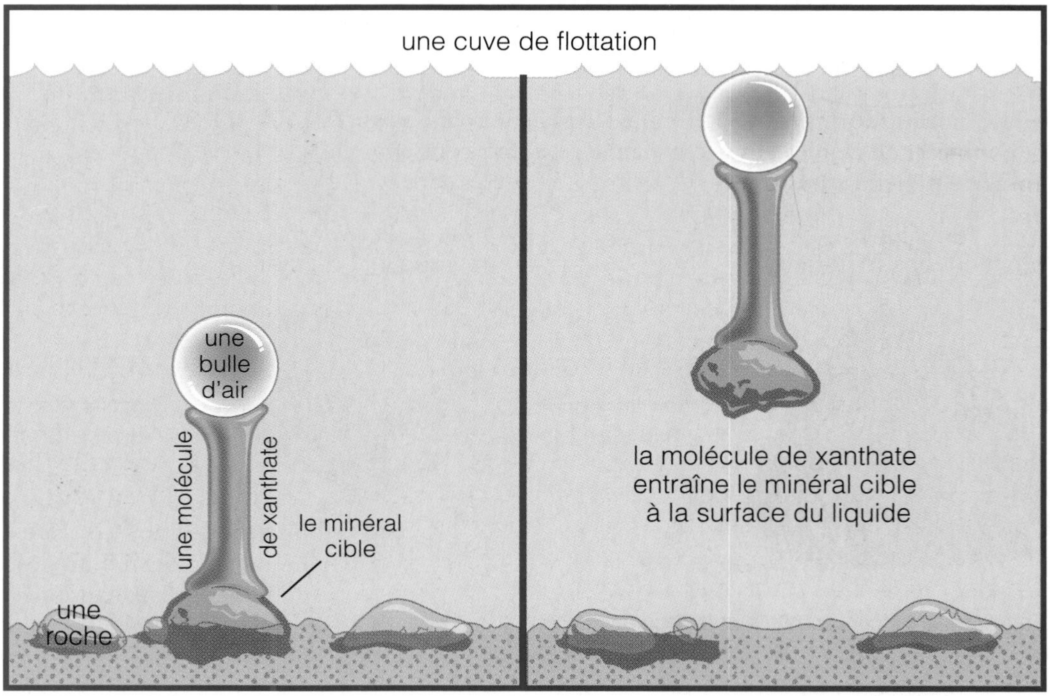

**le savais-tu ?**

Le nitinol est un alliage qui se comporte comme s'il était doté d'une mémoire. Il est formé de quantités égales de nickel et de titanium, et il « conserve en mémoire » la forme qu'on lui a donnée en le moulant à environ 500 °C. Tu viens de t'asseoir sur tes lunettes et la monture est déformée ? Si elle est en nitinol, tu n'as pas à t'en faire. Tu n'as qu'à tremper tes lunettes dans de l'eau chaude et le nitinol reprendra sa forme initiale. Quels autres usages peut avoir cet alliage aux propriétés étonnantes ?



**Figure 6.14** On mélange du minerai de fer pulvérisé avec de l'eau et des substances mouillantes, puis on introduit de l'air dans le mélange liquide. Il se forme alors des bulles transparentes qui collent à l'hématite mais non à la roche. En montant, les bulles entraînent les particules d'hématite vers la surface du liquide.

Ce concentré est mélangé avec du calcaire et du coke (du carbone presque pur). On chauffe le mélange à haute température dans d'immenses fours. Examine attentivement la figure 6.15 qui illustre le processus de décomposition des minéraux pour obtenir du fer presque pur.

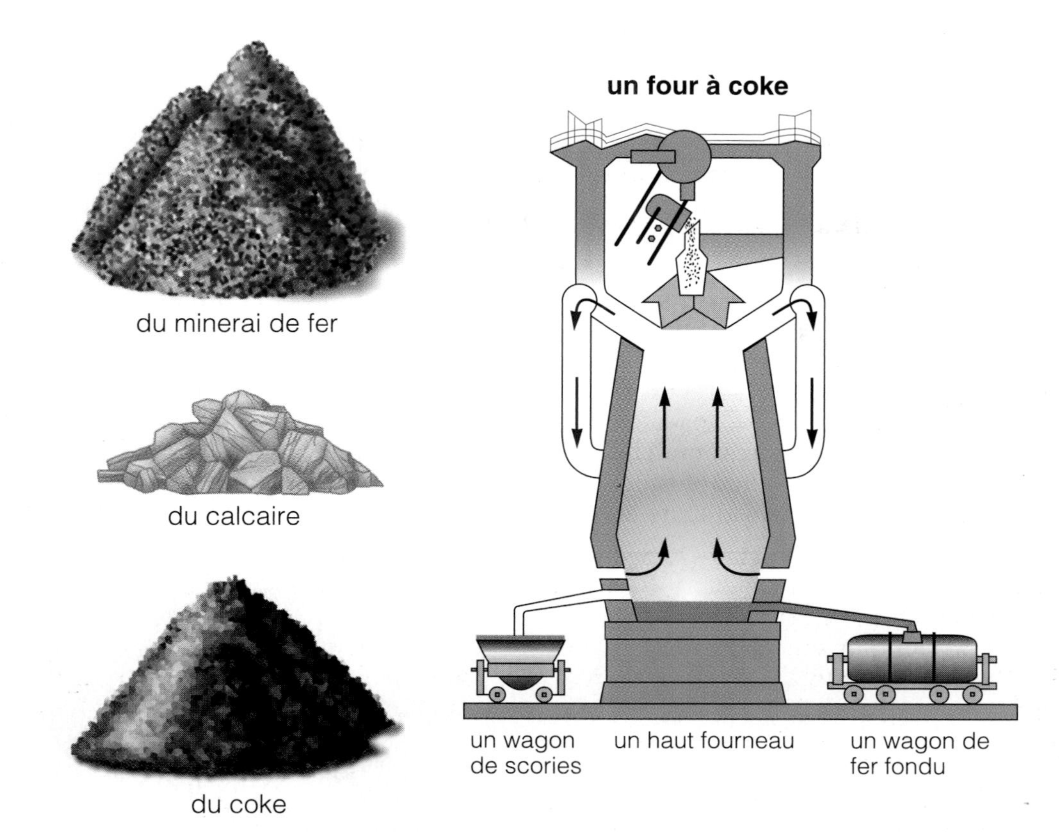


**Figure 6.15** Le processus de fusion du fer

**LIEN terminologique**

Le mot « coke » a un sens très précis dans le contexte du processus de fusion. Le coke utilisé pour la fusion s'obtient en chauffant du charbon ordinaire à de très hautes températures dans un four étanche à l'air. La majorité des impuretés du charbon s'évaporent et il reste comme résidu du carbone presque pur, appelé coke.

Des processus semblables de fusion servent à l'extraction d'autres métaux à partir de minerais. C'est en 1856 qu'on a découvert le nickel, près de Sudbury, en Ontario. Thomas Edison (1847-1931) a détecté des dépôts de nickel à l'aide d'un magnétomètre et, en 1901, a commencé à faire des forages dans cette région. Il cherchait une source de nickel parce qu'il voulait utiliser ce métal pour fabriquer une pile de son invention. Il a enfoncé plusieurs sondes dans le sol à Falconbridge, mais il a atteint une couche de sables mouvants à 25 m de profondeur, ce qui l'a amené à abandonner ses recherches. Un nouveau projet de forage a permis de découvrir, en 1916, du minerai à 5 m à peine sous les sables mouvants. Les mines de Falconbridge comptent aujourd'hui parmi les principaux producteurs de nickel du monde. La découverte de dépôts de nickel, de cuivre et de cobalt dans la baie de Voisey, au Labrador (Terre-Neuve), permettra au Canada d'accroître sa part du marché de ces métaux importants.

Le cuivre et le nickel se trouvent fréquemment ensemble. Les recettes des exportations de cuivre de la Colombie-Britannique, de l'Ontario, du Québec et du Manitoba s'élèvent en tout à près de 3 milliards de dollars. Le cuivre est le métal le plus approprié pour la fabrication de fils électriques parce que c'est le meilleur conducteur à l'exception de l'argent, qui est généralement beaucoup trop cher.

Au début de 1848, James Marshall a entrepris la construction d'une scierie sur la rive d'un cours d'eau, près de Coloma, en Californie. Il avait presque terminé ses travaux lorsqu'il a vu un objet briller au soleil. C'était une pépite d'or de la grosseur d'une moitié de pois environ. À partir de 1849, des milliers de mineurs amateurs (les prospecteurs de la ruée vers l'or de 1849) ont tenté de réaliser leur rêve de devenir riches, armés uniquement d'un pic, d'une pelle et d'une batée (récipient pour laver la terre ou le sable qui contient de l'or). Ils ont provoqué le plus grand courant de migration que la terre ait connu. La majorité des mineurs n'ont pas trouvé d'or, mais ils se sont quand même établis sur la côte ouest des États-Unis et du Canada.

Le Canada a commencé à produire de l'or dès 1823, dans le bassin de la rivière Chaudière, au Québec. Dans les premières mines, on extrayait l'or en prenant avantage de sa très grande masse volumique. Ce processus est efficace pour les grosses particules d'or mais non pour les petites, surtout si elles sont enfermées

**LIEN terminologique**

En 1516, on a découvert un important dépôt d'argent près de la ville de Joachimsthal, située sur le territoire actuel de la République tchèque. Les gens disposaient de sources abondantes d'eau et de bois, et ils ont construit une presse pour fabriquer des pièces d'argent. Une pièce de monnaie frappée à Joachimsthal était appelée « joachimsthaler », et ce nom a par la suite été abrégé en « thaler ». Peux-tu deviner quel mot du langage courant est dérivé de « thaler » ?

dans de la roche. Dans ce cas, il faut broyer le minerai et le concentrer par flottation. On place le minerai concentré dans une solution de cyanure pour dissoudre l'or, puis on ajoute de la poudre de zinc à la solution pour faire précipiter l'or. Ce procédé de lessivage au cyanure a été inventé en Écosse, en 1888, et il a rapidement été adopté par les Canadiens. L'emploi de cette nouvelle technique a fait doubler la production mondiale d'or au cours des 10 années suivantes.

Jusqu'à ce qu'on découvre qu'on peut employer l'uranium comme combustible nucléaire, ce métal peu courant n'avait pas beaucoup d'usages (on l'utilisait, par exemple, pour teindre des vêtements haut de gamme). La demande d'uranium a augmenté considérablement après la Seconde Guerre mondiale. La première usine moderne d'Amérique du Nord a été inaugurée à Eldorado, dans les Territoires du Nord-Ouest, en 1952. Le Canada est actuellement le premier producteur d'uranium du monde. Les ventes annuelles de ce métal s'élèvent à environ 600 millions de dollars, et le pays produit plus de 12 000 t d'uranium chaque année. Environ 85 % de la production canadienne est exportée, principalement aux États-Unis.

**Figure 6.16** Un gros camion déverse du minerai d'uranium sur une grille en métal, qui joue le rôle de crible.

Le charbon occupe une place importante dans les exportations du Canada, qui est le quatrième exportateur de charbon du monde. Le Canada produit presque 80 millions de tonnes de charbon par année et les exportations se font principalement vers le Japon et la Corée du Sud. Presque toutes les mines de charbon canadiennes sont des mines à ciel ouvert et la plupart sont situées en Saskatchewan, en Alberta et en Colombie-Britannique. Le charbon est un mélange hétérogène provenant de la décomposition de végétaux, qui se transforment en un solide dense sur une période de plusieurs millions d'années, sous l'effet de la pression et de la chaleur. Le charbon est le combustible fossile le plus abondant sur la planète, et il est essentiel pour la production de l'acier. Tu sais qu'on emploie également le charbon dans la fusion du fer.

La technique de fusion consiste à chauffer des composés minéraux à très haute température pour en extraire des éléments métalliques. Les métallurgistes utilisent aussi l'électricité pour extraire les métaux. Tu as apprivoisé la technique appelée électrolyse en réalisant l'activité sur l'électrolyse de l'eau au chapitre 5. Dans l'expérience 6-C, tu vas extraire un métal (du cuivre) de l'un de ses composés (le chlorure de cuivre) en solution au moyen de l'électrolyse. Dans l'expérience 6-D, tu vas découvrir quelles difficultés il faut surmonter pour extraire l'aluminium : un métal remarquable.

**Le savais-tu ?**

Le Canada est l'un des principaux exportateurs de minéraux et de produits métallurgiques du monde. Il exporte ces produits dans plus de 100 pays. Environ 300 mines sont exploitées au Canada et l'industrie métallurgique emploie près de 200 000 personnes.

# L'extraction d'un métal par électrolyse

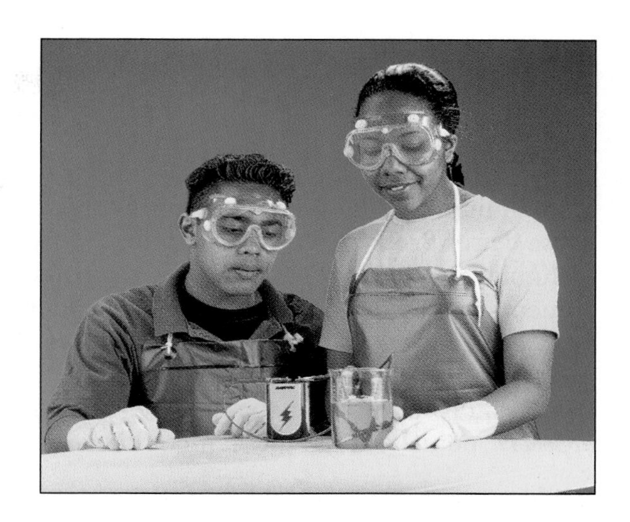

Dans la présente expérience, tu vas utiliser l'électricité pour décomposer un minerai contenant du cuivre. Observe attentivement les changements de couleur tout au long du processus.

## Problème à résoudre

Est-il possible d'extraire le cuivre d'un composé à l'aide de l'énergie électrique ?

### Consigne de sécurité

Le chlorure de cuivre (II) est toxique et irritant.

### Matériel non réutilisable

une solution de chlorure de cuivre (II)

### Matériel

un bécher de 400 mL
deux tiges de graphite (du carbone) pour les électrodes
deux fils électriques munis de pinces terminales
une source d'énergie de 6 V

## Marche à suivre

1. Verse environ 100 mL de la solution de chlorure de cuivre dans le bécher.
2. Place les deux tiges de graphite dans la solution en les éloignant le plus possible l'une de l'autre. Les tiges ne doivent pas se toucher.
3. Fixe un fil à l'une des tiges de graphite au moyen d'une pince. Fixe l'autre extrémité du fil à la borne positive de la source d'énergie. Branche de la même façon la seconde tige à la borne négative.
4. Laisse le courant circuler pendant quelques minutes et note tous les changements que tu observes.
5. Sens le bécher en prenant les précautions suivantes : prends une inspiration à une certaine distance du dispositif et dirige avec ta main l'air qui se trouve au-dessus du bécher vers ton nez. Si tu sens une odeur particulière, note-la.
6. Débranche l'un des fils de la source d'énergie. Note l'aspect de chaque tige de graphite en précisant à quelle borne de la source d'énergie elle était branchée.
7. Remets le contenu du bécher à ton enseignante ou à ton enseignant qui s'en débarrassera de façon sécuritaire.
   Lave-toi soigneusement les mains après avoir terminé l'expérience.

## Analyse

1. Quels faits démontrent que le processus d'électrolyse a produit du cuivre ? À quelle borne était branchée la tige de graphite à la surface de laquelle tu as observé la présence de cuivre ?
2. Quels faits démontrent que le processus d'électrolyse a produit un gaz ? Selon toi, de quel gaz s'agit-il ?

## Conclusion et mise en pratique

3. Demande-toi si l'électrolyse aurait donné les résultats espérés si tu avais employé de la poudre de chlorure de cuivre au lieu d'une solution de chlorure de cuivre. Que devrais-tu faire pour vérifier ton hypothèse ? (Au besoin, révise ce que tu as appris à propos de l'électrolyse en relisant l'analyse du travail de Davy au chapitre 5.)

PASSE À L'ACTION

RÉFLÉCHIS ET FAIS DES LIENS 6-D

# L'histoire de l'aluminium

## Réfléchis

L'aluminium est une substance extrêmement utile à cause de ses propriétés exceptionnelles. Le papier d'aluminium convient parfaitement à la cuisson des aliments parce que ce métal est un bon conducteur de la chaleur et qu'il est très malléable. Il est étonnant de constater que la très grande réactivité de l'aluminium en fait un matériau de couverture *approprié* pour les toits : une mince couche résistante d'oxyde d'aluminium se forme immédiatement sur le métal et le protège des effets de la pluie et du vent.

C'est également à cause de la très grande réactivité de l'aluminium que plusieurs années se sont écoulées entre la découverte scientifique de cet élément et l'invention de techniques permettant d'en extraire de grandes quantités à un coût raisonnable. Les événements qui se sont produits durant cette période constituent une histoire intéressante et complexe, résumée dans le tableau ci-dessous.

| Année et pays | Événement marquant |
|---|---|
| 1807 Angleterre | Humphry Davy (1778-1829) démontre la présence d'un élément inconnu dans un échantillon d'argile. Cependant, il est incapable d'isoler ce nouvel élément, même par électrolyse. Les méthodes connues permettent seulement d'obtenir le composé blanc que cet élément forme avec l'oxygène. Davy appelle le nouveau composé alumina (en français, « alumine ») |
| 1825 Dnemark | Hans Christian Oersted (1777-1851) mélange le composé appelé chlorure d'aluminium avec un alliage de mercure et de potassium, et il chauffe ce mélange à haute température. Par ce processus très dangereux il obtient un minuscule morceau d'un élément métallique pur, appelé aujourd'hui aluminium. Mais l'échantillon est trop petit pour qu'on puisse en étudier les propriétés. |
| 1827 Allemagne | Friedrich Wöhler (1800-1882) mélange du chlorure d'aluminium avec du potassium pur et chauffe ce mélange à haute température. Il obtient de l'aluminium pur, mais les particules, très fines, se couvrent immédiatement d'une couche d'alumine (ou oxyde d'aluminium). Wöhler n'est donc pas capable, lui non plus, de déterminer les propriétés de l'aluminium. |
| 1845 Allemagne | Wöhler produit finalement des particules d'aluminium assez grosses pour lui permettre d'analyser les propriétés de ce métal. Il démontre la faible masse volumique de l'aluminium. |
| 1855 France | On donne un hochet d'aluminium au nouveau-né de Napoléon III (1808-1873) et à l'empereur, un ensemble de couverts en aluminium, réservés aux invités d'honneur. L'empereur voudrait bien commander, pour l'armée française, de l'équipement fait de ce métal merveilleusement léger, mais ce serait trop coûteux. On se lance dans la recherche d'un procédé bon marché de fabrication de l'aluminium. |
| 1859 France | Jusqu'à maintenant, on fabrique de l'aluminium seulement par des procédés de fusion à très haute température. Henri Deville (1818-1881) améliore la technique de fusion, ce qui fait baisser le prix de l'aluminium. Cependant, ce prix est encore trop élevé pour permettre l'usage courant du métal. |

Deville n'a pas été le seul à chercher une nouvelle méthode d'extraction de l'aluminium. En 1860, tous les métallurgistes savaient que la personne qui inventerait une méthode peu coûteuse de raffinage de l'aluminium ferait fortune. Cependant, tous ceux qui essayaient faisaient face aux mêmes problèmes :

- Il se forme toujours une couche d'oxyde d'aluminium ($Al_2O_3$) sur la surface de l'aluminium pur. Si l'on enlève cette couche, il s'en forme une autre immédiatement.
- Les atomes de l'oxyde d'aluminium sont fortement liés de sorte qu'il est très difficile de décomposer cette substance. La fusion de l'aluminium ne peut donc se faire qu'à de très hautes températures et elle requiert l'emploi d'ingrédients coûteux et de matières dangereuses.
- L'électrolyse est souvent un bon moyen pour séparer des atomes fortement liés, mais ce procédé ne fonctionne qu'avec les substances pures liquides ou les solutions.
- L'oxyde d'aluminium est un solide. La fusion de ce composé n'est pas une technique pratique, et la poudre d'oxyde d'aluminium ne se dissout ni dans l'eau, ni dans l'alcool, ni dans aucun autre liquide d'usage courant.

Quelle était donc la solution du problème? Employer un liquide d'usage non courant. Mais quel liquide avait les propriétés exceptionnelles qui permettraient de l'utiliser pour dissoudre l'alumine? Étonnamment, deux jeunes chimistes, séparés par des milliers de kilomètres, ont résolu le problème à peu près de la même façon et presque en même temps.

En 1886, l'Américain Charles Martin Hall et le Français Paul Louis Héroult ont tous deux pensé à utiliser la cryolite liquide (ou fluorure d'aluminium et de sodium, $Na_3AlF_6$) pour dissoudre la poudre d'oxyde d'aluminium. Cette idée était plutôt étrange, car la cryolite est un minéral peu courant dont la température de fusion s'approche de 1000 °C. Cependant, la cryolite liquide est effectivement un solvant qui dissout l'oxyde d'aluminium. Si l'on fait circuler un courant électrique intense dans une solution chaude d'oxyde d'aluminium, celui-ci se décompose. De l'aluminium liquide pur se dépose au fond du récipient. On peut alors le récupérer et le laisser refroidir.

## Ce que tu dois faire 

Réponds aux questions suivantes. Discute de tes réponses en équipe ou avec une ou un de tes camarades de classe.

1. Qui a découvert l'aluminium? Énonce les faits sur lesquels ta réponse repose.

2. Napoléon III n'était pas un scientifique. Pourquoi trouve-t-on le nom de cet empereur français dans le tableau des événements marquants?

3. Peu de découvertes sont dues entièrement à une seule personne. Hall avait deux mentors.
   **a)** Frank Jewett, professeur au collège d'Oberlin, a encouragé Hall dans ses recherches, même après que ce dernier a eu terminé ses études. Jewett avait pour sa part étudié en Allemagne, où il avait rencontré Friedrich Wöhler. Quelle influence ont eu exactement Wöhler et Jewett sur les travaux de Hall?
   **b)** La sœur aînée de Hall, Julia, avait elle aussi étudié la chimie au collège d'Oberlin. Quelle influence a-t-elle eue sur les travaux de son frère?

4. Tous les chercheurs en sciences appliquées ont besoin d'un laboratoire et d'équipement. Réfléchis aux informations suivantes et explique chacune de tes réponses:
   **a)** Héroult avait accès à un laboratoire bien équipé. Hall effectuait ses travaux dans un hangar situé dans le jardin à l'arrière de la maison de ses parents. Lequel des deux chercheurs avait un avantage sur l'autre?
   **b)** Héroult avait accès à un fourneau. Hall a dû en fabriquer un. Pourquoi les deux chercheurs avaient-ils besoin d'un fourneau? Lequel des deux avait un avantage sur l'autre?
   **c)** Héroult a emprunté une génératrice pour produire du courant électrique. Hall a dû fabriquer ses propres batteries. Pourquoi les deux chercheurs avaient-ils besoin de courant? Lequel des deux avait un avantage sur l'autre?

5. Le 23 février 1886, Hall a obtenu le premier échantillon d'aluminium à avoir été jamais extrait par électrolyse. Julia Hall était à l'extérieur de la ville ce jour-là, de sorte que Charles a dû attendre au lendemain pour lui faire une démonstration du procédé qu'il avait utilisé.
   **a)** Du point de vue scientifique, pourquoi les chercheurs doivent-ils être capables de répéter exactement les résultats qu'ils obtiennent?
   **b)** À quoi sert en pratique la démonstration d'un nouveau procédé à une personne instruite et bien informée?
   **c)** Pourquoi une personne dans la situation où se trouvait Hall doit-elle choisir soigneusement la ou les personnes auxquelles elle fait connaître un nouveau procédé? Pourquoi Julia représentait-elle un bon choix?

## Enrichis tes connaissances

**1.** Dans l'expérience 6-C, tu as fait l'électrolyse d'une solution aqueuse de chlorure de cuivre (II), c'est-à-dire de $CuCl_2$. Comment sais-tu que c'est bien le $CuCl_2$ qui s'est décomposé, et non l'eau?

**2.** Quelles ressemblances y a-t-il entre le procédé employé par Héroult et Hall et le procédé que tu as utilisé pour extraire du cuivre? Quelles différences y a-t-il entre les deux procédés?

**3.** Combien de fois par semaine utilises-tu de l'aluminium? Évalue la fréquence approximativement et vérifie ton estimation en tenant un «journal de l'aluminium»: chaque fois que tu te sers d'une boîte de jus doublée d'une pellicule en aluminium, que tu manges un aliment cuit ou enveloppé dans du papier d'aluminium ou que tu circules dans un véhicule fait en partie en aluminium, note-le dans ton journal. Quels autres objets contiennent de l'aluminium?

**Le savais-tu ?**

On extrait l'aluminium d'un minerai appelé bauxite. La bauxite rouge est une substance ayant l'aspect de l'argile ; on en trouve au Brésil, en Autriche, en Guinée, en Jamaïque et en Inde. Ce minerai porte cependant le nom du village français où il a été découvert : Les Baux-de-Provence.

## Le Canada et l'aluminium

Même après avoir amélioré le processus de Hall-Héroult, il restait encore à résoudre deux problèmes pour produire de l'aluminium à grande échelle :

- Comment concentrer le minerai dont on extrait la majorité de l'aluminium commercial ?
- Comment produire de l'électricité à un coût assez bas pour pouvoir se servir de cette source d'énergie pour l'électrolyse et obtenir de l'aluminium bon marché ?

C'est Karl Joseph Bayer qui a résolu le premier problème, en 1888. Il a fait chauffer de la bauxite mêlée à de la soude caustique pendant deux jours, puis il a filtré le mélange pour éliminer les impuretés. Ce procédé a donné un bon concentré pour l'électrolyse.

Le second problème était davantage d'ordre financier que scientifique. La bauxite était (et est toujours) extraite principalement en Amérique du Sud, et il n'existe pas de sources d'électricité bon marché à proximité des mines de bauxite. On s'est rendu compte qu'il était beaucoup plus économique de transporter la bauxite dans des pays qui produisent de l'électricité à faible coût, comme le Canada.

Le Canada ne renferme pas de mines de bauxite, mais ses ressources importantes en énergie hydroélectrique permettent de produire de l'électricité à un coût plus faible que n'importe où ailleurs au monde. D'autres pays raffinent plus d'aluminium que le Canada, mais le Canada en raffine plus qu'il n'en utilise et exporte le surplus. Les ventes d'aluminium rapportent des bénéfices importants au Canada et elles créent des emplois non seulement pour les ouvriers d'usine, mais aussi pour les personnes qui enseignent ou travaillent par exemple dans les hôpitaux et les magasins des villes où les usines sont situées.

## Le traitement et les propriétés des métaux

Les alliages d'un métal sont toujours plus durs et plus solides que le métal pur. Par contre, les alliages ont un point de fusion plus bas et ils conduisent moins bien l'électricité que le métal, ce qui n'est pas toujours avantageux. Heureusement, il existe des méthodes pour rendre un métal plus dur et plus solide sans le faire fondre, sans le mélanger à un autre métal et sans le modifier chimiquement. On appelle traitement l'ensemble de ces méthodes. Dans la prochaine expérience, tu vas vérifier toi-même comment le traitement peut modifier les propriétés d'un objet métallique.

**Le savais-tu ?**

Il est beaucoup moins coûteux de faire fondre et de remouler de l'aluminium recyclé que d'extraire l'aluminium de minerai de bauxite. C'est pourquoi le taux de recyclage de l'aluminium est exceptionnellement élevé. Des camions viennent décharger au Canada leur cargaison de canettes en provenance des États-Unis en vue du recyclage. Une canette est transformée, par exemple, en un contenant pour mets à emporter, et ce contenant sera peut-être à son tour transformé plus tard en une feuille de papier aluminium qui servira à cuire des pommes de terre.

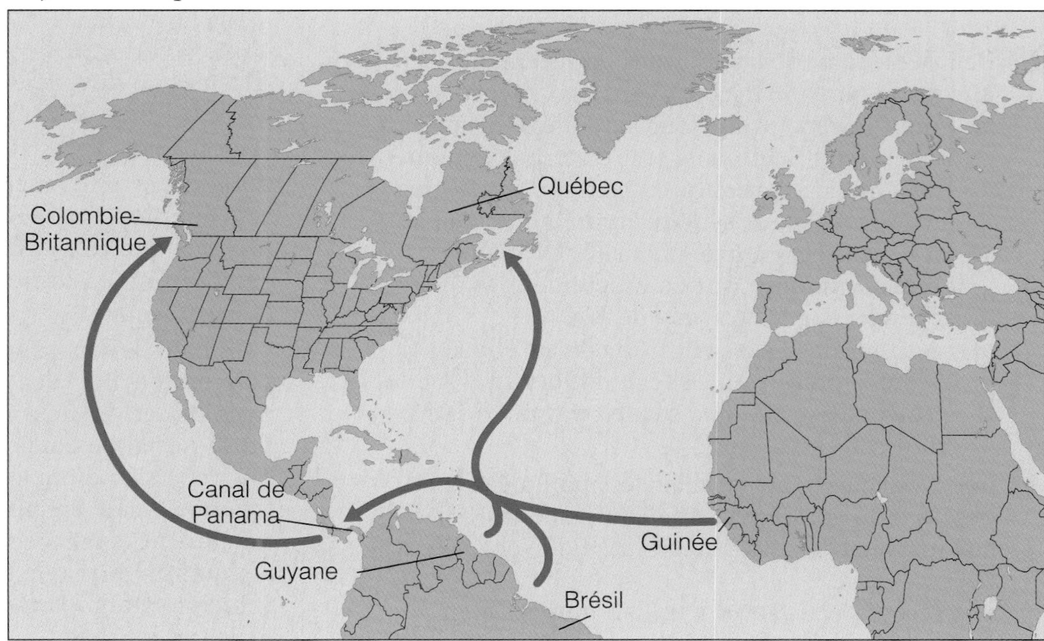


**Figure 6.17** On transporte le minerai de bauxite concentré par bateau des mines du Brésil, de la Guyane et de la Guinée jusqu'en Colombie-Britannique et au Québec.

RÉALISE UNE EXPÉRIENCE 6-E

# Le traitement des propriétés des métaux

Les forgerons emploient un procédé appelé trempe pour durcir et façonner les fers à cheval et d'autres objets en métal. Dans la présente expérience, tu vas démontrer comment cette méthode modifie un petit objet métallique, soit un trombone.

## Problème à résoudre

Quelles propriétés d'un métal la trempe modifie-t-elle ?

### Consignes de sécurité

- Manipule les objets chauds avec précaution.
- Fais bien attention à ce que tes cheveux ou tes vêtements, surtout s'il sont amples, n'entrent pas en contact avec la flamme.

### Matériel

un brûleur Bunsen
un coussinet résistant à la chaleur
une pince universelle
un bécher de 100 mL

### Matériel non réutilisable

trois trombones en métal
de l'eau froide

## Marche à suivre

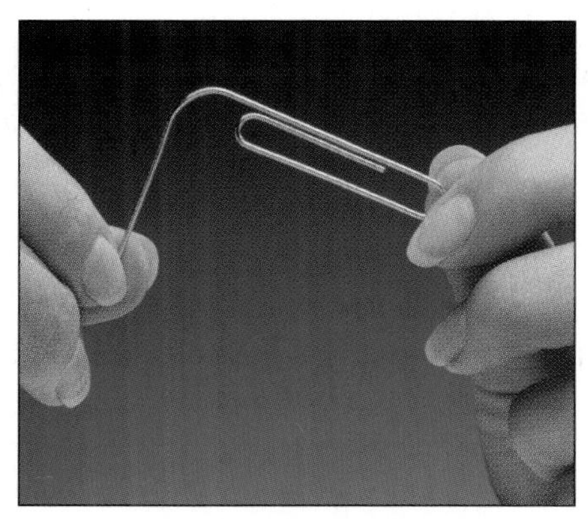

1. Prends un trombone et déplie-le pour en faire un fil presque droit.
2. Plie soigneusement ce fil de manière à former un angle droit, puis replie-le au même endroit de manière à former un angle droit en sens inverse.
3. Compte le nombre de fois que tu peux déplier le fil et le replier au même endroit avant qu'il casse.
4. Déplie un autre trombone. Plie ce fil de la même manière que le premier, mais la moitié moins de fois.
5. Tiens le second fil avec la pince et chauffe-le dans la flamme du brûleur Bunsen jusqu'à ce qu'il devienne brillant. Laisse-le dans la flamme encore environ 10 s, puis laisse-le refroidir lentement en le tenant toujours avec la pince. Place-le ensuite sur le coussinet résistant à la chaleur pour qu'il finisse de refroidir à la température ambiante. Tu vas te servir de nouveau de ce fil à l'étape 8.
6. Remplis à moitié le bécher d'eau. Refais l'étape 4 avec le troisième trombone. Chauffe ce fil et garde-le dans la flamme pendant 10 s après qu'il est devenu brillant, puis trempe-le immédiatement dans l'eau froide. Laisse-le refroidir dans l'eau pendant 1 min.
7. Retire le fil de l'eau et compte le nombre de fois que tu peux le plier à angle droit avant qu'il casse. Note ce nombre.
8. Reprends le fil que tu as chauffé à l'étape 5. Compte le nombre de fois que tu peux le plier à angle droit avant qu'il casse. Note ce nombre.

   Lave-toi soigneusement les mains après avoir terminé l'expérience.

## Analyse

1. Tu as comparé la flexibilité d'un fil de métal chauffé et refroidi lentement avec la flexibilité d'un fil chauffé et refroidi rapidement. Quel traitement a produit un fil dur et cassant ? Quel traitement a produit un fil plus flexible ?
2. Explique en un court paragraphe les effets de la trempe et du traitement par la chaleur sur un métal.

Dans le présent chapitre, tu as appris qu'il existe trois catégories d'éléments et tu as découvert des propriétés des éléments de chaque catégorie. Comme la majorité des grands groupes, ces catégories se subdivisent en classes plus petites, dont les éléments ont en commun des propriétés plus spécifiques ou spécialisées. Dans la dernière section du présent chapitre, tu vas apprendre comment on classe les éléments de façon plus précise.

## Vérifie ce que tu as compris

1. Explique ce qui distingue une roche d'un minerai. Décris brièvement les deux principales phases de l'extraction d'un métal à partir d'un minerai. Quelle phase comporte une transformation chimique ? Quelle phase comporte une transformation physique ?
2. Que signifie le terme « fusion » ? Nomme deux métaux extraits par un procédé de fusion.
3. Nomme le minéral qui contient de l'aluminium. Pourquoi mélange-t-on ce minéral avec un autre composé avant de procéder à l'électrolyse ?
4. Nomme les éléments présents dans l'alumine, l'hématite et la magnétite.
5. **Mise en pratique** L'aluminium est plus abondant que le fer dans la croûte terrestre. Pourtant, le fer est moins cher. Explique ce fait.
6. **Réflexion critique** Lis l'article suivant sur la fabrication du chocolat. Réponds ensuite aux questions.

# La science du chocolatier

L'enveloppe brillante et dure du chocolat n'est pas aussi facile à faire qu'on pourrait le croire. Sa confection exige des manipulations délicates. Comme dans certaines pratiques ésotériques, il faut aligner tous les cristaux.

Si vous ne le croyez pas, faites fondre du chocolat et trempez-y une garniture quelconque. Vous obtiendrez probablement quelque chose de pas très appétissant.

Pourquoi ? Parce que vous n'avez pas tempéré le chocolat.

Cette opération est l'affaire des chocolatiers, des confiseurs et des amateurs avertis.

Le problème, c'est que la texture croquante et l'aspect brillant du chocolat solide sont dus à un alignement précis des cristaux de matière grasse du cacao. Lorsqu'on fait fondre le chocolat, on détruit cette structure. En se refroidissant, le chocolat se solidifie et des cristaux se forment à nouveau, mais il est peu probable qu'ils se réalignent exactement de la même façon.

Il existe quatre types principaux d'alignement des cristaux de matière grasse, et un de ces alignements correspond à celui des cristaux du chocolat tempéré.

Ce qui est vrai pour la matière grasse du cacao l'est aussi pour la majorité des gras. Le désalignement des cristaux explique également, en partie, qu'en se solidifiant le beurre fondu ne retrouve pas tout à fait l'aspect lisse et cireux qu'il avait lorsqu'on l'a retiré de son emballage. (Le changement est dû aussi au fait que l'eau et les solides du lait ne sont plus à l'état d'émulsion, mais ça c'est une autre histoire.)

Heureusement, les chocolatiers ont appris à réaligner correctement les cristaux de chocolat liquide en tempérant le chocolat. La méthode traditionnelle consiste à chauffer le chocolat jusqu'à 31 ou 32 °C, puis à verser les deux tiers du mélange sur une table en marbre. Le chocolat est ensuite travaillé à la spatule jusqu'à ce qu'il atteigne une température d'environ 27 °C, qui est favorable à la formation des cristaux désirés.

On ajoute alors le chocolat étalé sur le marbre au reste du chocolat liquide et l'on mélange bien pour obtenir une température uniforme et des cristaux ayant tous l'alignement recherché.

*Source :* Russ Parsons, « Truffles without tears », dans *The Los Angeles Times*, 24 février 1999.

a) Le procédé qui consiste à tempérer le chocolat te rappelle-t-il un autre procédé dont tu as fait l'expérience ? Quel est ce procédé ? À quel type de substances ce procédé était-il appliqué ?

b) Dans l'expérience 6-C, tu as modifié les propriétés d'un métal en te servant d'une force mécanique et de la chaleur. Quelles ressemblances y a-t-il entre ce procédé et celui que Ross Parsons décrit dans son article ? Quelles différences y a-t-il entre les deux procédés ?

# 6.4 Les familles d'éléments

En chimie, on appelle **famille chimique** un ensemble d'éléments apparentés. Par exemple, le cuivre, l'argent et l'or appartiennent tous les trois à la même famille. On les appelle encore métaux de frappe (ou de monnayage), même si peu de pays de nos jours les utilisent pour fabriquer de la monnaie.

Il y a moins d'un siècle, on employait couramment des pièces d'or de cinq dollars et de dix dollars au Canada. Jusqu'en 1967, les pièces canadiennes de un dollar étaient en argent. La Monnaie royale canadienne produit encore chaque année des pièces de un dollar en argent destinées aux collectionneurs, mais la pièce de un dollar utilisée couramment n'est pas en argent. On peut l'échanger contre un bien valant un dollar, même si le métal dont cette pièce est faite ne vaut pas grand-chose. De même, jusqu'en 1967, les pièces canadiennes de 25 cents et de 10 cents étaient en argent presque pur, et les pièces de un cent étaient en cuivre presque pur. Actuellement, la valeur du métal contenu dans une pièce de 25 cents ou de 10 cents est bien inférieure à la valeur inscrite sur ces pièces.

L'emploi du cuivre, de l'argent et de l'or pour la fabrication de la monnaie canadienne était conforme à une tradition vieille de plusieurs millénaires. La plupart des pièces de monnaie des civilisations anciennes étaient faites avec ces métaux. La raison pour laquelle cette tradition a été maintenue si longtemps est la même que celle qui a amené les chimistes à classer les métaux de frappe dans une même famille : malgré leurs différences de couleur, ils ont des propriétés communes.

**Figure 6.18** L'argent contenu dans une pièce de un dollar fabriquée avant 1967 valait à l'époque au moins un dollar, alors que la valeur du métal contenu dans un « huard » est bien inférieure à la valeur inscrite sur cette pièce.

**Figure 6.19** Ces pièces de monnaie romaines, vieilles de près de 2000 ans, sont faites en cuivre, en argent et en or : les trois métaux de frappe.

## Les propriétés caractéristiques d'une famille d'éléments

Les membres d'une famille humaine ne sont pas identiques ; il en est de même pour les éléments d'une même famille. Cependant, les éléments d'une même famille ont eux aussi des caractéristiques communes. Examine le tableau suivant et réponds ensuite aux questions.

| Propriété | Aluminium (Al) | Cuivre (Cu) | Or (Au) | Fer (Fe) | Argent (Ag) |
|---|---|---|---|---|---|
| effet de l'acide sur le métal pur, nu et propre | réagit avec l'acide ; dégagement d'hydrogène | ne réagit pas avec la majorité des acides | ne réagit pas avec la majorité des acides | réagit avec l'acide ; dégagement d'hydrogène | ne réagit pas avec la majorité des acides |
| forme des composés avec l'oxygène? | facilement | pas facilement | pas facilement | facilement | pas facilement |
| malléabilité | très malléable | très malléable | extrêmement malléable | malléable | très malléable |
| conductibilité électrique | très bon conducteur | le deuxième meilleur conducteur métallique | excellent conducteur | bon conducteur | le meilleur conducteur métallique |

### Ce que tu dois faire

Réponds aux questions suivantes. Utilise le mot « caractéristique » dans chacune de tes réponses.

1. Les trois métaux de frappe, soit le cuivre, l'argent et l'or, appartiennent à une même famille d'éléments. Donne trois raisons qui expliquent ce fait.
2. **a)** Énumère les faits qui incitent à classer l'aluminium dans la même famille que les métaux de frappe.
   **b)** Énumère les faits qui s'opposent au classement de l'aluminium dans la même famille que les métaux de frappe.
3. **a)** Énumère les faits qui incitent à classer le fer dans la même famille que les métaux de frappe.
   **b)** Énumère les faits qui s'opposent au classement du fer dans la même famille que les métaux de frappe.
4. Selon toi, l'aluminium appartient-il à la même famille que le fer ? Énumère les faits qui incitent à classer ces deux métaux dans une même famille, puis les faits qui s'opposent à un tel classement.

## Le besoin d'une classification plus appropriée

Jusqu'en 1850, les chimistes avaient découvert en tout 58 éléments, et personne ne connaissait le nombre qu'il restait encore à découvrir. Grâce à l'invention des symboles chimiques par Berzelius, il est devenu plus facile de parler des éléments. L'invention de la pile par Volta a permis de classer les éléments en trois catégories : les métaux (bons conducteurs d'électricité), les non-métaux (isolants électriques) et les métalloïdes (mauvais conducteurs d'électricité). Cependant, ces trois classes ne sont pas très pratiques parce qu'elles contiennent trop d'éléments, en particulier dans le cas des métaux.

L'idée de regrouper les éléments en familles a été utile dans le cas des éléments présentant des caractéristiques communes évidentes, comme les métaux de frappe, mais la plupart des relations entre les éléments n'étaient pas du tout évidentes. Des propriétés comme la masse volumique et la conductibilité électrique ne suffisent pas pour établir une classification complète. Grâce aux travaux de Dalton, les chimistes du XIX$^{e}$ siècle savaient que la seule caractéristique qui distingue un élément de tous les autres est sa masse atomique relative. Dans la théorie atomique de Dalton, chaque élément est fait d'un type particulier d'atomes qui ont une masse atomique spécifique, c'est-à-dire différente de celle de tous les autres éléments.

Durant les années 1860, plusieurs scientifiques ont tenté de classer les éléments connus selon leur masse atomique. La meilleure classification a été proposée par le chimiste russe Dmitri Mendeleïev (1834-1907).

**Figure 6.20** Dmitri Ivanovich Mendeleïev est né en Sibérie. Il était le plus jeune d'une famille de 17 enfants.

## Comment Mendeleïev a établi sa classification des éléments

Mendeleïev a rédigé une fiche pour chaque élément connu : il y a inscrit des informations du même type que celles de la fiche de la figure 6.21. (La figure 6.21 donne les valeurs employées aujourd'hui pour le silicium, et non les valeurs utilisées par Mendeleïev, même si celles-ci sont étonnamment proches des valeurs actuelles.)

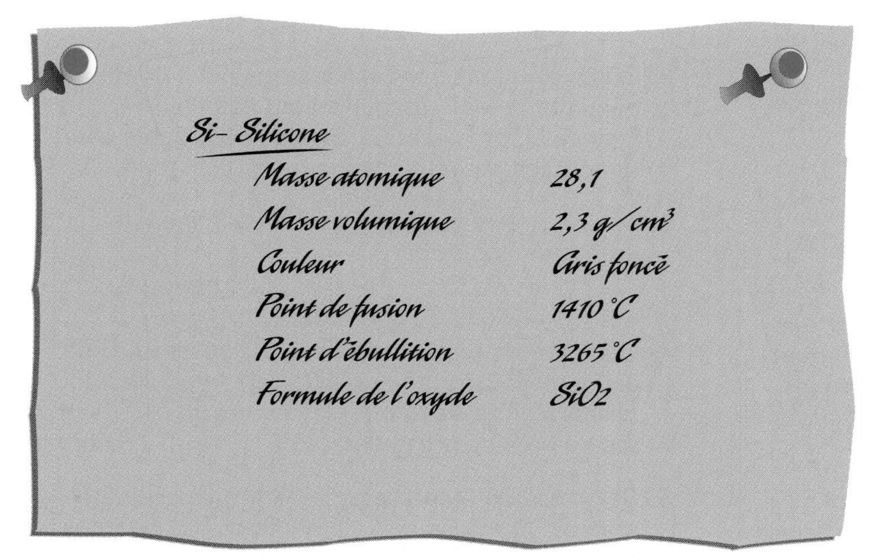


**Figure 6.21** Voici un exemple du type d'informations que Mendeleïev inscrivait sur ses fiches de propriétés.

Mendeleïev a ensuite fixé toutes les fiches au mur, selon l'ordre croissant des masses atomiques des éléments. Tous les jours, il examinait les fiches et il en déplaçait certaines dans l'espoir de découvrir un modèle fondé sur les propriétés des éléments. Dans la prochaine activité, tu vas tenter d'appliquer toi-même la méthode de Mendeleïev.

Le chimiste a ainsi « joué » avec ses fiches pendant plusieurs mois. Il a essayé différents arrangements formés de plusieurs lignes et colonnes. Lorsqu'il a placé les fiches selon l'ordre croissant des masses atomiques des éléments, il s'est rendu compte que les propriétés des éléments revenaient à intervalles réguliers. Dans son arrangement, le huitième élément (le sodium) avait des propriétés semblables au premier élément (le lithium), et le quinzième élément (le potassium) avait des propriétés semblables au huitième. Il a donc placé ces trois éléments dans une même famille. L'analyse des intervalles réguliers, ou périodes, ont amené Mendeleïev à établir la classification connue aujourd'hui sous le nom de **tableau périodique** des éléments.

Il ne faut pas oublier que tous les éléments n'étaient pas connus à l'époque de Mendeleïev, ce qui a obligé le chimiste à faire preuve de beaucoup de créativité. Sa classification a été rapidement adoptée parce qu'elle permettait de faire des prédictions. Mendeleïev avait laissé des espaces libres dans son tableau, et on pouvait penser qu'un élément non identifié ou totalement inconnu correspondait à chacun de ces espaces. Mendeleïev a même prédit les propriétés des éléments manquants, ce qui a incité les autres chimistes à prouver ou à infirmer ses prédictions.

**ACTIVITÉ de recherche**

## Une patience originale

Dans la présente activité, tu vas grouper des fiches d'éléments en fonction de la masse atomique et d'autres propriétés.

### Ce dont tu as besoin 

une feuille (que te fournira ton enseignante ou ton enseignant) contenant des fiches sur les propriétés d'éléments fictifs

des ciseaux

### Ce que tu dois faire

1. Découpe les fiches contenues dans la feuille.
2. Examine les fiches pour trouver la masse atomique de chaque élément.
3. Place les fiches selon l'ordre croissant des masses atomiques.
4. Examine les fiches et tente de découvrir des similitudes entre les propriétés qui te permettraient de grouper plusieurs fiches. Note le premier arrangement auquel tu arrives sur une feuille de papier.
5. Examine chaque groupe et demande-toi s'il existe un meilleur arrangement que celui que tu as établi à l'étape 4. Si oui, note ton nouvel arrangement.
6. Demande à un ou à deux de tes camarades d'examiner ton arrangement et examine aussi le leur. Si cela t'amène à faire des changements, note ton nouvel arrangement.

### Qu'as-tu découvert ?

1. Quelles fiches se rapportent probablement à des éléments métalliques ? à des éléments non métalliques ? Explique sur quels faits tu appuies tes réponses.
2. Quels éléments sont solides dans des conditions normales ? Lesquels sont liquides ? Lesquels sont gazeux ? Explique sur quels faits tu appuies tes réponses.
3. Selon toi, lequel de tes arrangements est le meilleur ? Pourquoi ?

### Approfondissement

4. Combien de temps as-tu mis à classer tous les éléments ? Selon toi, combien de temps a-t-il fallu à Mendeleïev pour classer les 63 éléments connus à son époque ?
5. Selon toi, où Mendeleïev a-t-il trouvé les informations à propos des éléments qu'il a inscrites sur ses fiches ? (Indice : Crois-tu qu'il a fait lui-même toutes les expériences nécessaires pour obtenir ces données ?)

**LIENS INTERNET**

**www.dlcmcgrawhill.ca**

Plusieurs sites fournissent de l'information à propos des éléments et de leurs propriétés, de même que des données historiques. Visite le site Web dont l'adresse est donnée ci-dessus. Choisis **Matériel complémentaire/Primaire et secondaire**, puis **OMNISCIENCES 9** pour savoir où te diriger.

Comment Mendeleïev a-t-il fait pour prédire les propriétés d'éléments encore non découverts ? En étudiant attentivement les propriétés des éléments inscrits dans son tableau périodique, il a été capable de déduire les propriétés des éléments « manquants » d'une famille. La découverte de deux éléments, soit le gallium et le germanium, peu de temps après que Mendeleïev a prédit leur existence et leurs propriétés, constitue un exemple remarquable de la vérification expérimentale d'une théorie scientifique.

Le tableau périodique de Mendeleïev est devenu avec le temps l'une des bases de la chimie moderne. L'activité suivante va te permettre de te familiariser avec le tableau périodique actuel : une structure très importante pour le classement de données chimiques. Tu vas étudier le tableau périodique des éléments plus en détail au chapitre 7.

# Le tableau périodique des éléments

## Partie 1
## Chaque élément possède un numéro

### Réfléchis

Mendeleïev a remarqué l'existence d'une relation périodique entre la croissance de la masse atomique et les propriétés chimiques des éléments. Il a publié deux versions de sa classification : la première en 1869, et la seconde en 1871. Ses travaux ont fourni une structure logique pour organiser une quantité considérable de données à propos des éléments, mais personne n'était capable d'expliquer l'étonnante périodicité des éléments.

En 1915, des chimistes et des physiciens avaient déjà élaboré des modèles atomiques. Il paraissait de plus en plus certain que la structure atomique était responsable de la périodicité des propriétés chimiques. On a donc réorganisé le tableau périodique des éléments en se fondant avant tout sur leur structure atomique, et non seulement sur leur masse atomique. Il en est résulté très peu de changements, à la surprise générale. Ce nouveau tableau périodique des éléments a comme base le nombre associé à chaque élément, appelé numéro atomique. Ce numéro a une relation avec la structure atomique de l'élément, comme tu le verras au chapitre 7. Rappelle-toi seulement que le numéro atomique d'un élément détermine celui-ci de façon unique.

Le tableau suivant est une version simplifiée du tableau périodique. Il met en évidence la structure et la forme de la classification actuelle. Il comprend les symboles des éléments, ordonnés selon leur numéro atomique. Il indique de plus quels éléments sont liquides dans des conditions normales, et lesquels sont gazeux.

(liquide) liquide (gaz) gaz

| | | | | | | | | | | | | | | | | | |
|---|---|---|---|---|---|---|---|---|---|---|---|---|---|---|---|---|---|
| H (gaz) | | | | | | | | | | | | | | | | | He (gaz) |
| Li | Be | | | | | | | | | | | B | C | N (gaz) | O (gaz) | F (gaz) | Ne (gaz) |
| Na | Mg | | | | | | | | | | | Al | Si | P | S | Cl (gaz) | Ar (gaz) |
| K | Ca | Sc | Ti | V | Cr | Mn | Fe | Co | Ni | Cu | Zn | Ga | Ge | As | Se | Br (liquide) | Kr (gaz) |
| Rb | Sr | Y | Zr | Nb | Mo | Tc | Ru | Rh | Pd | Ag | Cd | In | Sn | Sb | Te | I | Xe (gaz) |
| Cs | Ba | La | Hf | Ta | W | Re | Os | Ir | Pt | Au | Hg (liquide) | Tl | Pb | Bi | Po | At | Rn (gaz) |

Une représentation simplifiée d'une partie du tableau périodique des éléments utilisé actuellement

### Ce que tu dois faire

1. La place d'un élément dans le tableau périodique est déterminée par son numéro atomique. La numérotation des éléments commence avec l'hydrogène (H), dont le numéro atomique est 1 et qui est situé dans le coin supérieur gauche. Les nombres vont en ordre croissant de gauche à droite, sans tenir compte des espaces. Le numéro atomique de l'hélium (He) est donc 2, puis l'élément suivant, à l'extrême gauche, est le lithium (Li), dont le numéro atomique est 3.

   Fais une copie de la représentation simplifiée du tableau périodique et inscris sur ta copie les numéros atomiques 1, 2 et 3.

2. Déduis les numéros atomiques respectifs du béryllium (Be) et du bore (B), et inscris ces numéros sur ta copie. Fais la même chose pour les autres éléments de la deuxième rangée, du carbone (C) au néon (Ne).

### Analyse

Dans chacune des paires suivantes, quel élément a le numéro atomique le plus élevé ? Comment le sais-tu ?

**a)** le carbone (C) ou le silicium (Si)

**b)** le silicium (Si) ou le phosphore (P)

**c)** le béryllium (Be) ou le sodium (Na)

## Partie 2

# Chaque élément appartient à un groupe

### Réfléchis

Chaque colonne du tableau périodique correspond à un **groupe**. Par exemple, les métaux de frappe, dont nous avons dit qu'ils forment une « famille », appartiennent à un même groupe. On a donné un nom spécial à certains groupes dont les éléments sont étroitement reliés. Tu vas étudier quelques-uns de ces groupes tout de suite après avoir terminé la présente activité.

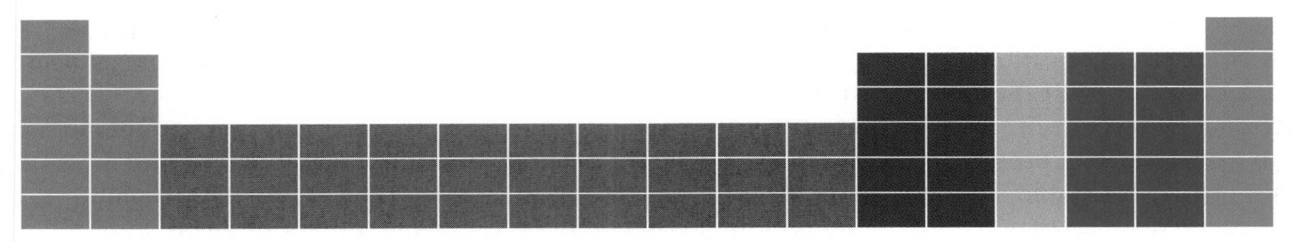

Les groupes correspondent aux colonnes du tableau.

### Ce que tu dois faire

Sers-toi à la fois des informations données dans le tableau périodique simplifié de la partie 1 et du tableau ci-dessus pour répondre aux questions suivantes :

1. Le tableau périodique des éléments comprend, en fait, 18 groupes, comme tu peux le vérifier en comptant les colonnes du tableau. Pour cette activité d'initiation, nous avons coloré seulement huit colonnes, pour illustrer ce qu'est un groupe. Cherche les éléments du deuxième groupe (à partir de la gauche) dans le tableau simplifié.
2. Note les symboles des éléments du deuxième groupe en les plaçant l'un sous l'autre. Lequel de ces éléments a le plus grand numéro atomique ?
3. Selon toi, quel élément a la plus grande masse atomique ? Pourquoi ?
4. Selon toi, quel élément a la plus grande masse volumique ? Pourquoi ?

### Analyse

1. Énumère le plus grand nombre d'éléments possible appartenant au même groupe que l'élément donné en inscrivant leur symbole et, si c'est possible, leur nom.
   **a)** aluminium (Al)
   **b)** potassium (K)
   **c)** plomb (Pb)
2. Cherche le cuivre (Cu), l'argent (Ag) et l'or (Au) dans le tableau simplifié. Ces éléments appartiennent-ils au même groupe ? T'y attendais-tu ? Explique ta réponse.
3. Le platine est qualifié de « métal précieux », comme l'or. Cherche le platine dans le tableau simplifié. Le platine appartient-il au même groupe que l'or ? T'y attendais-tu ? Explique ta réponse.

## Partie 3

# Chaque élément appartient à une période

### Réfléchis

Chaque ligne du tableau périodique correspond à une **période**. Tu as probablement remarqué les grands espaces laissés dans les lignes 1, 2 et 3. (On numérote les périodes en commençant par le haut. Il y a sept périodes, mais les tableaux simplifiés n'en comprennent que six.) Ces espaces ont une signification. Il ne fallait pas mettre l'hélium (He) dans la période 1 juste à côté de l'hydrogène (H) simplement parce que l'espace était disponible : l'hélium appartient au même groupe que les éléments avec lesquels il a des propriétés en commun, soit le néon (Ne), l'argon (Ar), etc. Le tableau doit être assez large et assez souple pour indiquer la périodicité sur laquelle il est fondé. Les espaces dans le tableau moderne jouent un rôle important ; ils n'ont rien à voir avec les espaces que Mendeleïev avait insérés dans son tableau aux endroits où devaient figurer des éléments inconnus.

Façon dont les périodes apparaissent dans le tableau périodique.

### Ce que tu dois faire

Sers-toi à la fois des informations données dans le tableau simplifié de la partie 1 et dans le tableau ci-dessus pour répondre aux questions suivantes :

1. Dresse la liste des symboles des éléments de la période 2 (la deuxième ligne) en les plaçant sur une même ligne de manière à occuper tout l'espace disponible. Place les symboles des éléments de la période 3 (la troisième ligne) directement sous les symboles que tu viens d'écrire, comme dans le tableau.

2. La majorité des éléments sont solides à la température ambiante. Dans le tableau simplifié, les éléments liquides à la température ambiante sont indiqués par le symbole 💧. Encercle tous ces éléments sur ton tableau périodique simplifié. Y a-t-il des éléments qui appartiennent à la période 2 ou à la période 3 ?

3. Dans le tableau simplifié, les éléments gazeux à la température ambiante sont indiqués par le symbole 🎈. Surligne tous ces éléments dans ton tableau périodique simplifié. Certains de ces éléments appartiennent à la période 2 et d'autres, à la période 3. Pour chaque élément gazeux de la période 2, y a-t-il un élément gazeux (du même groupe) placé directement au-dessous dans la période 3 ? dans la période 4 ? dans la période 5 ?

### Analyse

1. Si un élément d'un groupe est gazeux à la température ambiante, tous les autres éléments du même groupe sont-ils aussi gazeux ? Explique ce que cela signifie du point de vue de la périodicité ? (Indice : L'état d'une substance à la température ambiante est-il une propriété chimique ou une propriété physique ?)
2. Les éléments de l'avant-dernier groupe (à partir de la droite) se ressemblent beaucoup. On les appelle halogènes.
   - **a)** Dans le tableau périodique des éléments, les groupes sont numérotés de 1 à 18, de gauche à droite. À quel groupe les halogènes appartiennent-ils ?
   - **b)** Cherche l'iode (I), dans la période 5. Le tellure (Te) se trouve directement à gauche de l'iode, même si sa masse atomique est légèrement supérieure à celle de l'iode. C'est l'une des plus remarquables « interversions » du tableau périodique, et Mendeleïev la connaissait. Explique en un court paragraphe pourquoi, selon toi, Mendeleïev a introduit cette interversion dans l'arrangement des éléments selon l'ordre croissant de leur masse atomique.

**LIEN terminologique**

Les noms de trois halogènes, soit le chlore (Cl), le brome (Br) et l'iode (I), viennent de mots grecs qui décrivent une propriété de ces éléments. Le nom « chlore » vient de *khlôros*, qui signifie « vert », et il évoque la couleur jaune verdâtre de ce gaz. (Tu te rappelles peut-être avoir rencontré plus tôt le mot « chlorophylle ». Quelle est la couleur de la chlorophylle ?) Le mot grec *iodês* signifie « violet », et cette couleur est celle de l'iode gazeux. Cherche le terme « brome » dans ton dictionnaire. De quel mot grec ce terme est-il dérivé ? Qu'est-ce que cela laisse entendre à propos du brome gazeux ?

**Le savais-tu ?**

Seulement 9 éléments ont été découverts au cours du XX^e siècle. Cependant, depuis la découverte de l'énergie atomique durant les années 1930, les chimistes ont créé plusieurs éléments. Comme ces éléments n'existent pas à l'état naturel, on dit souvent que ce sont des éléments « artificiels » ou « de synthèse ». Visite l'un des sites Web que tu as trouvés au cours de ta dernière recherche (page 218) pour en apprendre davantage à propos de ces éléments.

## Les caractéristiques des éléments de quelques groupes particulièrement intéressants

Les groupes situés aux deux extrémités, gauche et droite, du tableau périodique illustrent de manière frappante la périodicité des éléments. Les métaux alcalins (groupe 1) réagissent rapidement en présence de l'air ou de l'eau. Par exemple, le sodium (Na) réagit avec l'eau pour former de l'hydrogène, et tu sais que l'hydrogène est un gaz très inflammable. Cette réaction est tellement forte que l'hydrogène peut même exploser. On entrepose donc le sodium dans du kérosène pour empêcher que les vapeurs d'eau contenues dans l'air entrent en contact avec ce métal extrêmement réactif.

Cherche le sodium dans le tableau périodique simplifié et note les autres éléments qui appartiennent au même groupe. Cela t'étonne peut-être de constater que l'hydrogène, qui est un gaz, fait partie du même groupe que les métaux solides. C'est la structure atomique qui explique ce fait, comme tu le verras au chapitre 8. Tu sais que l'hydrogène est extrêmement réactif (comme tous les autres éléments du groupe 1). En fait, il est tellement réactif qu'à l'état naturel il existe seulement sous la forme de molécules diatomiques, jamais sous la forme d'atomes isolés.

Les métaux alcalins sont les métaux les plus réactifs, et les halogènes (dont il a été question précédemment) sont les non-métaux les plus réactifs. Note que les halogènes occupent l'avant-dernière colonne (à droite) dans le tableau périodique (groupe 17). Le fluor (F) est tellement réactif qu'il ronge le verre ; en fait, on s'en sert (en prenant de très grandes précautions) pour décorer les panneaux de verre et les sculptures. L'inhalation de chlore (Cl) provoque de graves problèmes respiratoires, et le brome (Br) provoque des brûlures douloureuses s'il vient en contact avec la peau. Il est étonnant de constater que le sodium (un métal alcalin très réactif qui peut endommager les tissus humains) réagit avec le chlore (un halogène très réactif qui peut aussi endommager les tissus humains) pour former le chlorure de sodium, un produit que nous consommons tous les jours. Il s'agit là réellement d'une transformation ! Tu vas découvrir pourquoi de tels changements se produisent en poursuivant ton étude du présent module.

Le groupe 18 occupe la dernière colonne (à droite) dans le tableau périodique. (Ce groupe était totalement absent de la classification de Mendeleïev.) Ses éléments sont appelés gaz « nobles » parce qu'ils sont peu réactifs, et qu'on considérait anciennement les nobles comme des gens calmes. Tu vas apprendre au chapitre 7 qu'en excitant les gaz nobles au moyen d'un courant électrique on produit des couleurs intéressantes dans des tubes à décharge, mais les gaz ne subissent pas de transformations *chimiques* au cours de cette opération.

## Vérifie ce que tu as compris

1. Quels sont les trois métaux appelés métaux de frappe ? Nomme une propriété chimique et une propriété physique qui t'ont servi à classer ces trois métaux dans une même famille.
2. Cherche le sélénium (Se) dans le tableau périodique simplifié, puis réponds aux questions suivantes :
   a) Quel est l'état physique du sélénium à la température ambiante : solide, liquide ou gazeux ?
   b) À quel groupe du tableau périodique le sélénium appartient-il ?
   c) À quelle période le sélénium appartient-il ?
3. Quelles différences y a-t-il entre le tableau périodique de Mendeleïev et celui que l'on utilise actuellement ? Quelles ressemblances y a-t-il entre les deux tableaux ?
4. Qu'est-ce qu'on entend par une « famille » d'éléments ? Nomme les trois « familles » dont il a été question à la fin de la dernière section et donne une caractéristique de chaque famille.
5. **Réflexion critique** Le tableau périodique de Mendeleïev ne contenait pas le groupe des éléments appelés gaz nobles. Pour quelle raison, selon toi ?

## RÉSUMÉ du chapitre 6

Tu arrives à la fin du chapitre 6. Essaie de faire ce qui est demandé ; si tu n'es pas capable, retourne à la section indiquée entre parenthèses.

Écris les noms et les symboles des 20 premiers éléments du tableau périodique. (6.1)

Interprète une formule chimique en nommant les éléments présents dans la molécule et en donnant le nombre d'atomes combinés. (6.1)

Donne la formule moléculaire de quelques gaz communs. (6.1)

Donne le nom et la formule moléculaire des quatre gaz les plus abondants dans l'air sec. (6.2)

Explique la différence entre l'atmosphère et l'hydrosphère terrestres. Nomme des éléments présents dans ces deux parties de notre Univers. (6.2)

Effectue des analyses chimiques pour classer des métaux en fonction de leur réactivité. Nomme le gaz qui se dégage de l'eau lorsqu'un métal réagit avec l'eau. (6.2)

Explique comment on peut déterminer si une substance est un métal ou un non-métal à l'aide de ses propriétés physiques. (6.2)

Nomme les trois principaux procédés étudiés en métallurgie. (6.3)

Explique la différence entre un minéral et un minerai. (6.3)

Définis les termes « concentration » et « décomposition » employés dans le contexte de l'extraction d'un élément d'un minerai. (6.3)

Nomme les deux formes d'énergie utilisées dans l'extraction de métaux d'un minerai. (6.3)

Nomme les principales étapes de la production du fer à partir de minéral. (6.3)

Dessine un schéma illustrant l'électrolyse d'une solution de chlorure de cuivre (II), et écris le nom des principales composantes du schéma. Indique l'électrode où le cuivre s'accumule. (6.3)

Décris brièvement les principales étapes de l'invention du processus commercial de raffinage de l'aluminium. (6.3)

Explique pourquoi le Canada est l'un des principaux producteurs d'aluminium. (6.3)

Énumère les avantages associés au recyclage de l'aluminium. (6.3)

Décris comment on peut modifier les propriétés des métaux grâce à la trempe et au traitement par la chaleur. (6.3)

Définis le terme « famille » utilisé dans le contexte du tableau périodique des éléments. (6.4)

Explique la différence entre la masse atomique et le numéro atomique d'un élément. (6.4)

Explique la différence entre une période et un groupe dans le tableau périodique des éléments. (6.4)

Localise les familles suivantes dans le tableau périodique des éléments : les métaux alcalins, les halogènes et les gaz nobles. (6.4)

À l'aide du tableau périodique des éléments, prédis approximativement les propriétés (la masse volumique, le point de fusion, le point d'ébullition, etc.) des éléments d'une famille donnée. (6.4)

### Prépare ton propre résumé

Fais un résumé du présent chapitre sous l'une ou l'autre des trois formes suivantes. Trace une représentation graphique (par exemple, un réseau conceptuel), dessine une affiche ou rédige un résumé du chapitre de manière à mettre en évidence les concepts principaux. Les idées suivantes pourront te servir de guide :

- Comment représente-t-on les éléments chimiques et leurs composés à l'aide de symboles ?
- Quels sont les éléments les plus abondants dans l'atmosphère, l'hydrosphère et la croûte terrestre ?
- Quelle réaction chimique effectuerais-tu pour comparer la réactivité de différents métaux ?
- Décris brièvement les propriétés physiques des métaux, des non-métaux et des métalloïdes.
- Décris comment on procède pour localiser, concentrer et amener au point de fusion du minerai de fer.
- Décris comment on procède pour concentrer du minerai d'aluminium et obtenir de l'aluminium pur par électrolyse.
- Explique l'arrangement des éléments dans le tableau périodique, et comment on peut utiliser cette classification pour prédire les propriétés physiques des éléments.

CHAPITRE

# 6 Révision

## Des termes à connaître

Si tu as besoin de revoir la signification de certains termes, retourne à la section indiquée entre parenthèses.

**1.** Indique si le nom de l'élément correspond bien au symbole donné. Remplace chaque symbole inexact par le bon symbole. (6.1)

**a)** l'azote, Az  **d)** le fluor, F
**b)** le potassium, P  **e)** le néon, Ne
**c)** le sodium, S  **f)** le carbone, Ca

**2.** Quelles informations une formule chimique fournit-elle ? (6.1)

**3.** Nomme des propriétés caractéristiques des catégories suivantes d'éléments : les métaux, les non-métaux et les métalloïdes. (6.2)

**4.** Quels éléments désigne-t-on couramment par l'expression « métaux de frappe » ? (6.4)

**5.** Donne le nom et le symbole :
**a)** d'un métal et d'un non-métal liquides à la température ambiante ;
**b)** d'un métal et d'un non-métal solides à la température ambiante ;
**c)** de plusieurs éléments gazeux à la température ambiante. (6.4)

## Des concepts à comprendre

Si tu as besoin de réviser certains concepts, retourne à la section indiquée entre parenthèses.

**6.** Aucun des symboles donnés n'est exact. Énonce la règle de formation des symboles qui n'a pas été respectée. (6.1)

**a)** c (carbone)  **c)** cU (cuivre)
**b)** CA (calcium)  **d)** Cob (cobalt)

**7.** Nomme les éléments présents dans chacun des composés suivants. Donne le nombre d'atomes de chaque élément présent dans une molécule du composé. (6.1)
**a)** $N_2H_2$, utilisé comme combustible dans les fusées
**b)** $CaCO_3$, présent dans les médicaments antiacides
**c)** $Ca_3P_2$, utilisé dans les feux des véhicules d'urgence
**d)** $Na_2S_2O_3$, utilisé en photographie

**8.** Nomme quatre éléments connus dans l'Antiquité. Donne le symbole de chacun de ces éléments. (6.1)

**9.** Qu'est-ce qui est le plus abondant dans une mine : la roche ou le minéral ? Explique ta réponse. (6.3)

**10.** Quelles sont les principales étapes du raffinage d'un élément métallique ? (6.3)

**11.** Lequel de ces éléments est le plus réactif : l'aluminium ou le fer ? Lequel est le plus durable ? Explique tes réponses. (6.3)

**12.** Nomme un élément :
**a)** qui réagit avec l'eau froide ;
**b)** qui réagit avec l'acide chlorhydrique dilué, mais pas avec l'eau chaude ;
**c)** qui ne réagit pas avec l'acide chlorhydrique dilué. (6.2)

**13.** En raison de quelles propriétés de l'aluminium le papier d'aluminium est-il un matériau approprié pour la cuisson des aliments ? (6.3)

**14.** Qu'est-ce que le coke ? Quel rôle cette substance joue-t-elle dans la production du fer ? (6.3)

**15. a)** De quelle façon Mendeleïev a-t-il disposé les éléments dans son tableau périodique ?
**b)** Dans le présent chapitre, tu as appris que Mendeleïev a prédit l'existence de deux éléments non encore découverts. Quels sont ces deux éléments ? (6.4)

**16.** Pourquoi le tableau périodique des éléments est-il l'une des bases de la chimie moderne ? (6.4)

## Des habiletés à acquérir

**17.** Fais une recherche sur les maladies pulmonaires, comme l'asbestose et la silicose, qui étaient autrefois fréquentes chez les mineurs. Cherche quelles méthodes visant à réduire l'incidence des maladies pulmonaires sont appliquées dans les mines modernes.

**18.** Rédige la biographie de Charles Martin Hall et celle de Paul Louis Héroult, inventeurs du procédé d'électrolyse employé pour la production d'aluminium. Cherche les similitudes dans la vie de ces deux hommes.

**19.** Le tableau suivant donne la moyenne du prix le plus bas et du prix le plus élevé de l'or (en dollars US l'once) au cours de chaque année entre 1983 et 1997.

| | | | | | |
|---|---|---|---|---|---|
| 1983 | 442 $ | 1988 | 440 $ | 1993 | 366 $ |
| 1984 | 357 $ | 1989 | 386 $ | 1994 | 383 $ |
| 1985 | 313 $ | 1990 | 385 $ | 1995 | 384 $ |
| 1986 | 382 $ | 1991 | 374 $ | 1996 | 391 $ |
| 1987 | 445 $ | 1992 | 345 $ | 1997 | 325 $ |

**a)** La moyenne du prix le plus bas et du prix le plus élevé de l'or au cours d'une année n'est pas nécessairement la meilleure estimation du prix moyen de l'or pour cette année-là. Pourquoi ?

**b)** Représente les données du tableau par un diagramme à bandes.

**c)** Selon toi, pourquoi le prix de l'or varie-t-il ? Durant quelles années le prix de l'or était-il élevé ?

**d)** Selon toi, le prix du pétrole a-t-il varié de la même façon que le prix de l'or ? Comment peux-tu trouver la réponse à cette question ?

## Des problèmes à résoudre

**20.** Voici une liste de métaux :

| | | |
|---|---|---|
| l'aluminium | le cuivre | le plomb |
| l'acier | le tungstène | le mercure |

Lequel ou lesquels de ces métaux peuvent être utilisés pour la fabrication des objets suivants ?

**a)** une casserole

**b)** un fil électrique

**c)** une conduite d'eau chaude

**d)** le toit d'un immeuble

**e)** le filament d'une ampoule à incandescence

**f)** la structure métallique d'un immeuble

**21.** Le minerai de cuivre extrait au Canada contient généralement 2 % de métal. Combien de tonnes de minerai faut-il extraire chaque année d'une mine pour produire annuellement 700 000 t de cuivre ?

**22. a)** S'il faut 1 kg d'aluminium pour fabriquer 70 canettes, quelle est la masse (en grammes) de chaque canette ?

**b)** Pèse une canette d'aluminium vide. Y a-t-il une différence entre la valeur de ton calcul et celle de ta mesure ? Donne une explication.

## Réflexion critique

**23.** Le secteur de l'automobile et des autres types de véhicules constitue le principal marché pour l'aluminium.

**a)** Nomme plusieurs utilisations de l'aluminium dans l'industrie du transport.

**b)** Quelles propriétés de l'aluminium font de ce métal un matériau particulièrement utile dans ce secteur ?

**24.** Pourquoi la carrosserie de nombreux véhicules est-elle faite d'acier, métal qui rouille, alors qu'on n'emploie jamais l'aluminium à cette fin, même si ce métal ne rouille pas ?

**25.** Devrait-on limiter le droit de propriété et d'exploitation des ressources canadiennes à des entreprises entièrement canadiennes ? Quels sont les avantages et les inconvénients d'une approche « 100 % canadien » de l'exploitation des ressources ?

**26.** Le Canada occupe le premier rang mondial pour la production d'uranium. Quels sont les avantages et les inconvénients reliés à la position dominante dans la production d'une substance quelconque ?

## Pause réflexion

1. Il ne faut jamais ajouter un métal très réactif à de l'acide pour produire de l'hydrogène en laboratoire. Pourquoi ?
2. Pour chaque ouvrier employé à l'extraction d'un minerai, plusieurs personnes sont employées dans des industries apparentées. Nomme des industries apparentées à l'extraction de minerai de fer.
3. Quelles relations existe-t-il entre la production canadienne de métaux et de minéraux et l'économie d'autres pays ?
4. Quels bénéfices retires-tu de l'extraction de minerais dans des provinces autres que celle où tu habites ?

CHAPITRE 7

# Les modèles de la

## Pour commencer...

- Qu'est-ce que les couleurs d'un feu d'artifice peuvent-elles te dire au sujet de l'intérieur d'un atome ?
- Comment peut-on trouver l'âge d'une momie égyptienne ?
- Qu'ont en commun un téléviseur, des rayons X et une centrale électronucléaire ?

## Journal scientifique

Dans ton journal scientifique, écris ce que tu sais sur l'intérieur de l'atome. Fais ensuite des schémas qui illustrent ce à quoi ressemble, selon toi, un atome. Dans ce chapitre, tu apprendras des choses sur les particules constituant un atome et sur le travail des femmes et des hommes qui nous permettent de mieux connaître l'atome. Tu verras qu'en te renseignant sur l'atome il te sera plus facile de comprendre comment utiliser le tableau périodique.

Dans les temps préhistoriques, les humains ne disposaient que d'une source de lumière : le Soleil. De nos jours, nous disposons d'une variété incroyable de techniques d'éclairage. Les étincelles colorées d'un feu d'artifice nous inspirent des Oh ! et des Ah ! Nous éclairons nos maisons avec des ampoules incandescentes contenant des filaments de tungstène et avec des tubes fluorescents contenant des vapeurs de mercure. Nous éclairons nos commerces avec des lumières au néon et nos autoroutes avec des lampes à vapeur de sodium.

Les premières automobiles éclairaient la route avec des lampes à kérosène accrochées sur leurs côtés. Ces lampes ont ensuite été remplacées par un système plus complexe dans lequel de l'eau coulait goutte à goutte sur du carbure de calcium. Il en résultait une réaction chimique libérant de l'acétylène, gaz qui, en brûlant, émettait une lumière très brillante. (Les chalumeaux utilisant un mélange d'acétylène et d'oxygène sont encore utilisés pour travailler le métal.) La plupart des automobiles sont équipées de phares halogènes, mais une nouvelle technologie de phares à « décharge à haute intensité » comprenant du xénon et des sels métalliques deviendra peut-être bientôt la norme.

Tu connais déjà le tungstène, le néon, le mercure, le sodium, le calcium, le xénon et les halogènes comme des noms d'éléments ou de groupes d'éléments. Chacun émet de la lumière selon un arrangement ou un mélange particulier qui produit une couleur caractéristique : la brillance rouge éclatant du néon, la lueur violette du mercure, le rayonnement orange chaud du sodium ou la lumière éblouissante des phares d'automobiles modernes. Tu sais déjà qu'une coloration de flamme peut permettre d'identifier un élément. La lumière émise par un élément révèle bien plus que son identité. Un œil exercé pourra se servir de la lumière émise pour déduire la structure interne de l'élément qui brûle.

# structure de l'atome

## Concepts clés

Dans ce chapitre, tu découvriras :

- comment les scientifiques ont découvert les électrons et les protons en faisant des expériences avec des tubes semblables à ceux d'un téléviseur ou d'un écran d'ordinateur ;
- comment on a découvert la radioactivité et comment on l'a utilisée pour explorer la structure de l'atome ;
- pourquoi on a proposé différents modèles de l'atome après l'invention de nouvelles technologies et de nouvelles expériences ;
- comment la structure de l'atome explique la position des éléments dans le tableau périodique ;
- pourquoi les atomes d'un même élément ont parfois différentes masses.

## Habiletés clés

Dans ce chapitre :

- tu utiliseras un spectroscope pour observer le spectre de diverses sources de lumière ;
- tu effectueras des expériences simples et des observations qui te permettront de faire des déductions sur la structure interne d'une boîte fermée ;
- tu détermineras le nombre d'électrons, de protons et de neutrons dans un atome et tu feras le schéma d'un atome en te fondant sur son numéro atomique et son nombre de masse ;
- tu utiliseras tes habiletés dans la construction de modèles et dans la présentation de ces modèles pour explorer le développement des modèles de l'atome.

## Mots clés

- spectre
- tube à décharge gazeuse
- anode
- cathode
- rayon cathodique
- électron
- proton
- particule subatomique
- rayons X
- radioactivité
- particule alpha
- particule bêta
- rayon gamma
- noyau
- nuage électronique
- médecine nucléaire
- neutron
- énergie nucléaire
- couche (ou niveau) électronique
- modèle de Bohr-Rutherford
- numéro atomique
- nombre de masse
- unité de masse atomique (u)
- isotope

de départ

## Les éléments et les couleurs

Lorsque tu orientes un réseau de diffraction ou un spectroscope portatif vers une source de lumière, tu peux produire un **spectre**, ou gamme de couleur distribuée par raies. Différentes sources de lumière produisent-elles différents spectres ?

### Ce dont tu as besoin

un spectroscope portatif

différentes sources de lumière, y compris le Soleil, une ampoule ordinaire, une lampe fluorescente

**ATTENTION :** N'oriente pas le spectroscope directement vers le Soleil.

### Ce que tu dois faire

1. Oriente ton spectroscope vers une fenêtre bien éclairée ou vers une source de lumière blanche dans le laboratoire. Tu devrais voir un spectre semblable à un arc-en-ciel. Cela te demandera peut-être un peu de pratique ! Fais un schéma annoté du spectre et énumère les couleurs selon leur ordre d'apparition.
2. Oriente ton spectroscope vers une ampoule et une lampe fluorescente. Fais des schémas annotés de chaque spectre et énumère les couleurs selon leur ordre d'apparition. Les spectres sont-ils continus (les couleurs changent graduellement) ou interrompus (il y a des espaces noirs entre les raies colorées) ?

### Qu'as-tu découvert ?

1. Laquelle des sources de lumière observées a produit le spectre le plus complet ? Pourquoi les autres spectres sont-ils interrompus ?
2. **a)** Quelles couleurs forme la lumière d'une lampe fluorescente ? Explique comment tu le sais.
   **b)** De quelle couleur semble être la lumière d'une lampe fluorescente quand tu la regardes sans spectroscope ?
3. La lumière d'une ampoule est produite par un filament de tungstène. Comment les images du spectre pourraient-elles t'aider à différencier la lumière produite par le tungstène incandescent de celle produite par le sodium d'un réverbère ?

# 7.1 L'exploration de l'atome

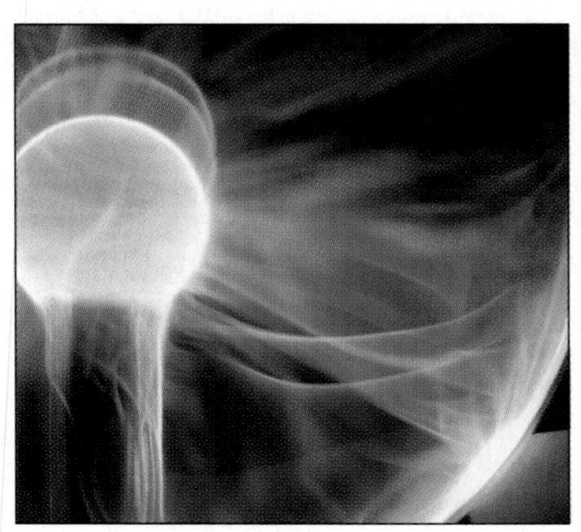

**Figure 7.1** Sous certaines conditions, les gaz peuvent conduire l'électricité assez facilement.

Au cours du XIX$^{e}$ siècle, plusieurs chimistes ont travaillé à déterminer les propriétés des éléments connus et à découvrir de nouveaux éléments pour compléter le tableau périodique de Mendeleïev. Pendant que les chimistes effectuaient ce travail important, d'autres scientifiques s'intéressaient de plus en plus à la façon dont l'électricité interagissait avec la matière. Comme tu l'as appris en réalisant les expériences d'électrolyse des chapitres 5 et 6, l'électricité provoque la décomposition des liquides tels que l'eau et des composés en solution tels que le chlorure de cuivre. Tu as vu que les métaux conduisent très bien l'électricité. L'électricité passe directement à travers eux sans causer de changements apparents. L'éclair spectaculaire que tu vois lors d'un orage montre que les gaz peuvent aussi conduire l'électricité. Il se produit alors une décharge électrique qui rend l'air incandescent. Cette décharge est souvent assez violente pour nous faire peur ou assez puissante pour allumer un incendie. Dans le prochain module, tu en apprendras plus sur les causes des éclairs et sur les autres caractéristiques de l'électricité. Dans le présent chapitre, tu te concentreras sur la façon dont l'électricité a été utilisée pour acquérir des connaissances sur l'atome.

**Modeler un atome**

À mesure que tu avances dans ce chapitre, tu feras la connaissance de plusieurs des scientifiques dont le travail a conduit, étape par étape, aux connaissances actuelles sur la structure de l'atome. Tu auras ensuite l'occasion d'utiliser tes habiletés dans la construction de modèles et les présentations pour recréer leurs percées scientifiques.

Dans des conditions normales, les gaz ne conduisent pas l'électricité aussi bien que les métaux. Il faut une très forte décharge électrique pour causer les violents éclairs que tu vois parfois lors d'un orage. Cependant, en 1821, Humphry Davy (on a parlé de ses travaux sur l'électrolyse dans le chapitre 5) a découvert que l'air conduit mieux l'électricité s'il est confiné et que sa pression est réduite.

D'autres scientifiques ont suivi les traces de Davy. Ils ont confiné de l'air et d'autres gaz dans de petits **tubes à décharge gazeuse** faits de verre et équipés d'électrodes connectées à une source d'énergie. Une électrode, appelée **anode**, était chargée positivement. L'autre électrode, appelé **cathode**, était chargée négativement. En enlevant un peu d'air dans le tube avec une pompe à vide rudimentaire, les scientifiques ont réduit la pression à l'intérieur du tube. Lorsqu'ils ont activé la source d'énergie, les gaz confinés ont commencé à être incandescents. En raison de la mauvaise qualité de la pompe, les scientifiques n'ont pu cependant obtenir une pression assez basse pour observer d'autres effets. Après la découverte de Davy, il a fallu attendre environ 30 ans pour voir apparaître une meilleure technologie.

## Comment la technologie a-t-elle changé notre vision de l'atome ?

La science ouvre parfois la voie aux découvertes technologiques et il arrive que les nouvelles technologies stimulent les découvertes scientifiques. La réalisation technologique qui a le plus contribué à changer notre vision de l'atome a été l'amélioration du tube à décharge gazeuse. En 1855, Heinrich Geissler (1814-1879), souffleur de verre et mécanicien expert allemand, a fabriqué un nouveau tube à décharge gazeuse avec une pompe à vide considérablement améliorée.

L'appareil inventé par Geissler était composé de deux parties. La figure 7.2 montre seulement une partie : un tube de verre fermé hermétiquement et pourvu d'électrodes à chaque extrémité. L'autre partie était une pompe puissante capable de produire un très grand vide. La figure 7.3 montre ce qui se produisait lorsqu'on connectait l'électrode à une source d'électricité à haute énergie et qu'on commençait à pomper de l'air à l'extérieur du tube.

**Figure 7.2** Un tube à décharge gazeuse de Geissler

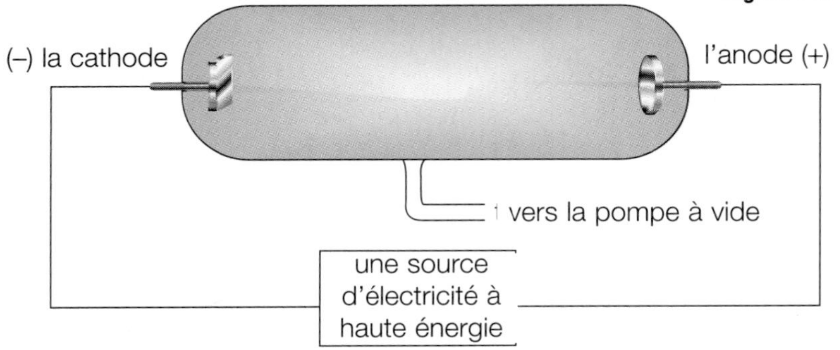


La pression de l'air à l'intérieur du tube est seulement de 0,5 % (ou $\frac{1}{200}$) de la pression de l'air à l'extérieur.

Le tube est fait d'un verre résistant qui empêche le tube de briser quand la différence de pression augmente. L'air qui reste émet une lueur bleue.

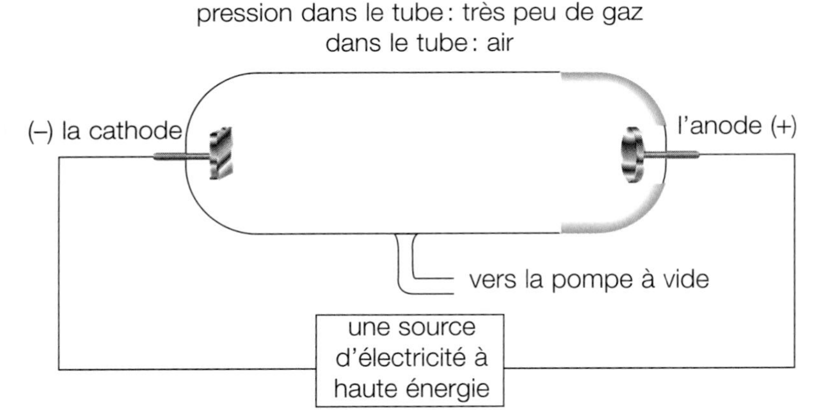


Comme plus d'air est pompé vers l'extérieur, il reste très peu de molécules à l'intérieur. L'air à l'intérieur du tube arrête d'émettre une lueur bleue, mais la partie du tube de verre opposée à la cathode commence à émettre une lueur verte.

**Figure 7.3** Cette figure simplifiée d'un tube à décharge gazeuse montre seulement le tube.

De nos jours, les tubes à décharge gazeuse ne sont pas seulement des curiosités historiques : tu en as probablement un dans ta maison. Le tube à image de ton téléviseur est un tube à décharge gazeuse. À l'arrière, il est pourvu d'une cathode (appelée « canon électronique ») et à l'avant, d'un écran tapissé de matériaux fluorescents. Les substances fluorescentes produisent une lueur visible lorsque certains types de rayons invisibles, dans ce cas le faisceau d'électrons, les frappent. Les électro-aimants dirigent les électrons de façon que le faisceau balaie l'écran, ce qui produit 525 lignes de minuscules points en $\frac{1}{30}$ de seconde. Tu perçois ces points comme des images continues.

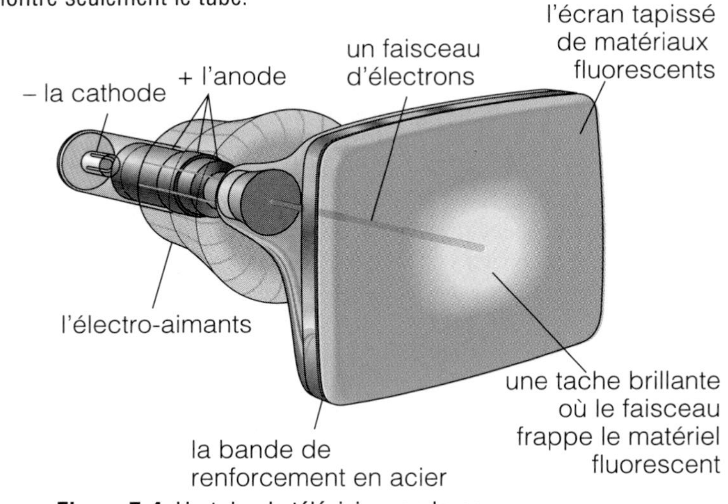


**Figure 7.4** Un tube de télévision moderne

À partir du moment où les scientifiques ont eu facilement accès à des pompes et à des tubes à décharge bien conçus, plusieurs ont commencé à faire des recherches sur le mouvement de l'électricité dans les gaz. La chaîne d'événements suivante résume ce qu'ils ont appris.

Sous des pressions normales, les gaz ne conduisent pas l'électricité. Sous de basses pressions, ils conduisent l'électricité, ce qui les rend incandescents. (L'air incandescent émet une lueur bleue.)

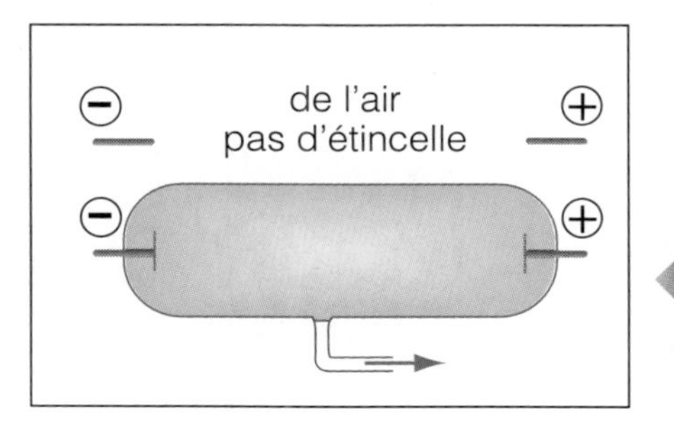


Quand la pression devient très basse, la couleur du gaz disparaît.

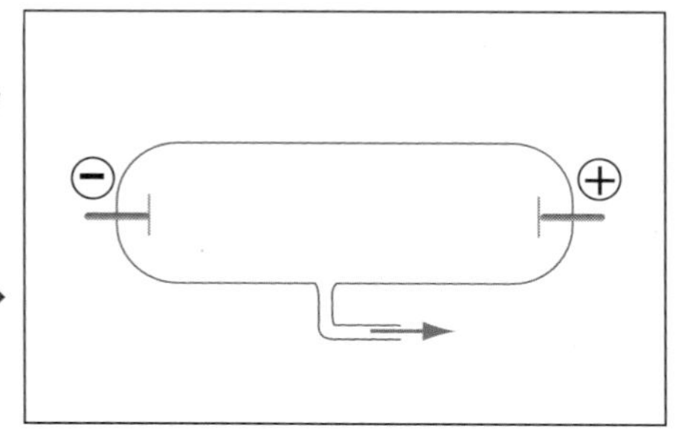

La paroi de verre du tube qui est du côté opposé à la cathode devient alors incandescente et émet une lueur verte. L'incandescence reste verte, peu importe le type de gaz à l'intérieur.

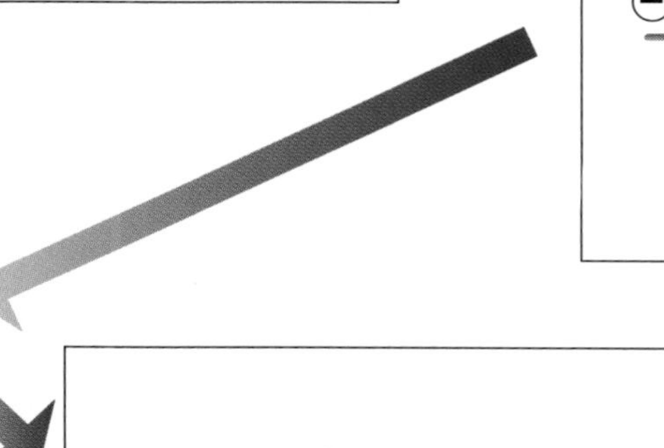

*Déduction:* L'incandescence verte se produit lorsque le verre est bombardé par un type de rayons émis par la cathode (électrode négative).

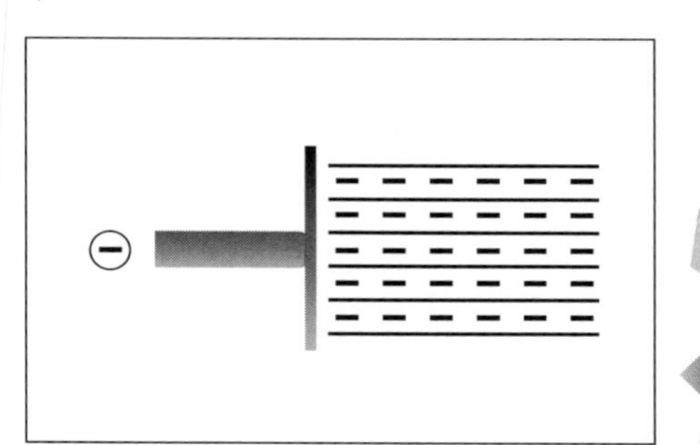

Les rayons cathodiques se dirigent vers l'anode et portent une charge négative.

Cu
Fe
Ag
Pt

Tous les rayons cathodiques sont identiques, *peu importe le type de métal dont est constituée la cathode.*

**LIENS INTERNET**

**www.dlcmcgrawhill.ca**

Si tu as déjà vu une enseigne au néon, alors tu as vu un tube à décharge gazeuse. La couleur de l'enseigne dépend du type de gaz à l'intérieur du tube. Quelle est la couleur de la lumière produite par le néon? Quand a-t-on commencé à utiliser le néon à des fins artistiques et non purement commerciales? Pour répondre à ces questions et en apprendre plus sur les enseignes au néon, va au site Web indiqué ci-dessus. Va à **Matériel complémentaire/Primaire et secondaire**, ensuite à **OMNISCIENCES 9**, et l'on t'indiquera où aller ensuite.

Les scientifiques savaient alors que les **rayons cathodiques** provenaient de la cathode et se déplaçaient dans le tube à décharge gazeuse vers l'anode. Ils en ont déduit que ces rayons portaient une charge négative. La dernière découverte mentionnée dans cette chaîne d'événements a beaucoup intrigué les scientifiques. Dans le chapitre 6, tu as appris qu'en excitant les atomes des métaux avec de la chaleur il se produit des flammes de différentes couleurs, même quand les atomes font partie d'un composé. Les scientifiques du XIXe siècle croyaient que le type de métal de la cathode devait aussi influer sur les rayons de la cathode. Ce n'était toutefois pas le cas. Les atomes de différents métaux doivent donc tous avoir quelque chose en commun: quelque chose chargé négativement.

## Les corpuscules de Crookes

Dans les années 1870, le scientifique britannique William Crookes (1832-1919) a réalisé plusieurs expériences avec des tubes à décharge qu'il avait lui-même conçus. L'expérience de la figure 7.5 est bien connue. La croix de fer empêche les rayons de passer. En regardant le trajet des rayons, peux-tu dire de quelle électrode ils proviennent : de la cathode ou de l'anode ? Qu'est-ce que cela t'apprend sur leur charge ?

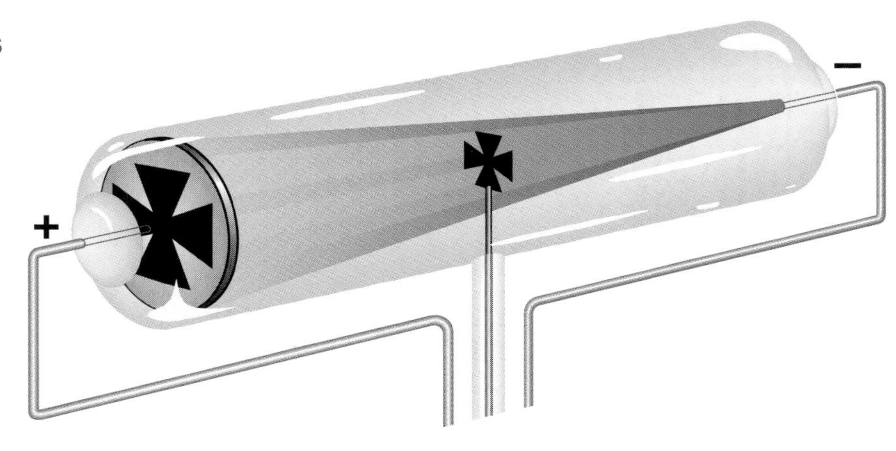


**Figure 7.5** Crookes s'est fait connaître par cette expérience. Qu'est-ce qui rend le verre incandescent ? Pourquoi une partie du verre n'est-elle pas incandescente ?

Dans une autre expérience (*voir la figure 7.6*), Crookes a monté un minuscule moulinet à l'intérieur d'un tube à décharge personnalisé. Lorsqu'il faisait passer du courant électrique, le moulinet commençait à tourner d'une façon assez semblable à celle d'une éolienne sous un fort vent. Crookes en a conclu que les rayons cathodiques devaient avoir une masse ainsi qu'un mouvement. Les autres scientifiques ont accepté rapidement l'idée que les rayons cathodiques étaient faits de corpuscules, ou minuscules morceaux de matière, qui se déplaçaient rapidement. La taille exacte de ces corpuscules a été étudiée par un autre grand scientifique qui allait, lui aussi, passer à l'histoire.

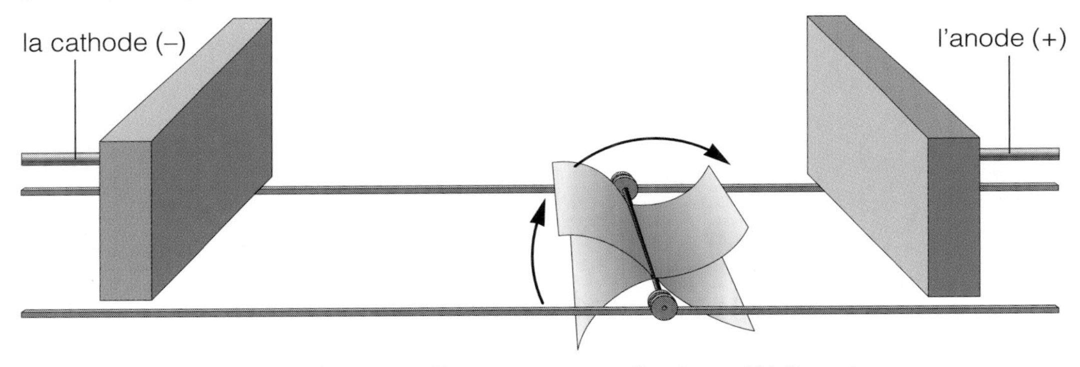


**Figure 7.6** Grâce à cette expérience intelligemment conçue, Crookes a déduit que les rayons cathodiques devaient être faits de matière.

La recherche sur ce que nous appelons aujourd'hui « électron » a atteint son point culminant avec les travaux du scientifique britannique Joseph John Thomson (1856-1940). En 1894, Thomson a commencé à travailler avec une nouvelle version de l'appareil de Crookes afin de découvrir comment ces corpuscules chargées d'électricité se déplaçaient dans un champ électrique et afin de savoir à quel point elles étaient petites. Dans la prochaine expérience, tu suivras la voie expérimentale de Thomson et tu pourras constater ce qu'il a été capable d'en déduire.

**Figure 7.7** J.J. Thomson, « le père de l'électron »

# La chasse à l'électron

## Réfléchis

Comment pourrais-tu utiliser la technologie du tube à gaz non seulement pour produire des rayons cathodiques, mais aussi pour les diriger ? Quelle information cela te donne-t-il sur la charge et la masse des particules individuelles ? (Rappelle-toi que plus une particule est légère, plus il est facile de changer sa direction.)

## Ce que tu dois faire

1. La figure A montre un tube à décharge élémentaire, qui a été le point de départ des expériences de Thomson. Compare-le au tube à décharge de Geissler de la figure 7.3.
   - **a)** Quelles sont les ressemblances de ce tube à décharge avec celui de Geissler ?
   - **b)** Quelles sont les différences ?
2. Analyse la figure B.
   - **a)** Dans quelle direction les rayons se déplacent-ils ?
     - de l'anode vers la cathode ?
     - de la cathode vers la pompe à vide ?
     - de la source d'électricité vers la cathode ?
     - de la cathode vers l'anode ?
   - **b)** Ta réponse à la partie a) est un exemple de déduction. Sur quoi fondes-tu cette déduction ?
   - **c)** Comment la fente de l'anode influe-t-elle sur les rayons ?
3. Pour que tu puisses voir plus facilement ce que Thomson a ajouté à l'appareil, certaines des annotations de la figure B ont été enlevées dans la figure C.
   - **a)** Décris le nouvel équipement.
   - **b)** De quelle façon la deuxième source d'électricité diffère-t-elle de la première ?

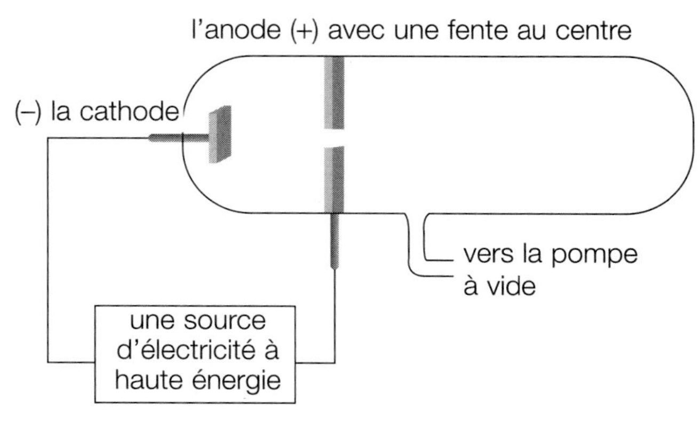


Figure A

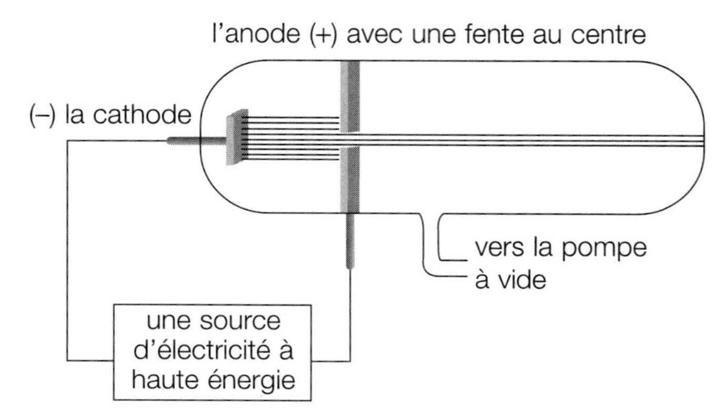


Figure B

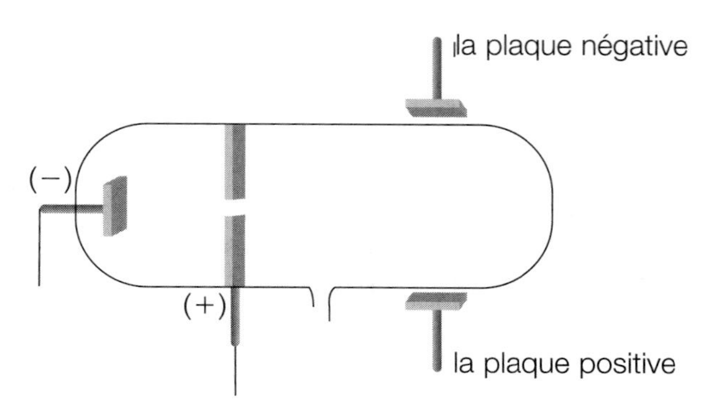


Figure C

**4** Une seule des figures suivantes montre ce qui arrive quand on allume les deux circuits électriques. Laquelle des figures montre ce qui se produit réellement : la figure D, E ou F ? Justifie ton choix.

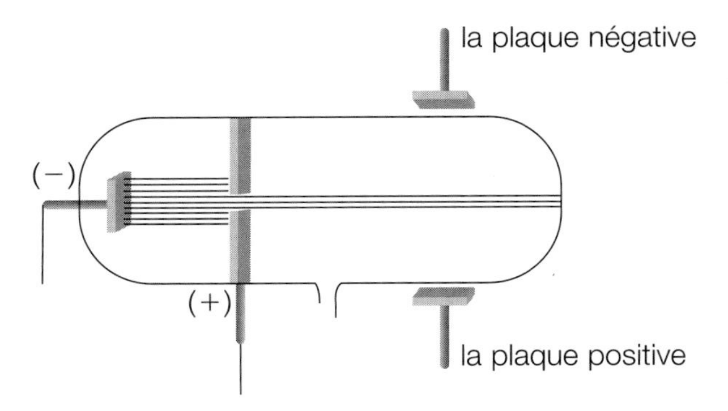


**Figure D**

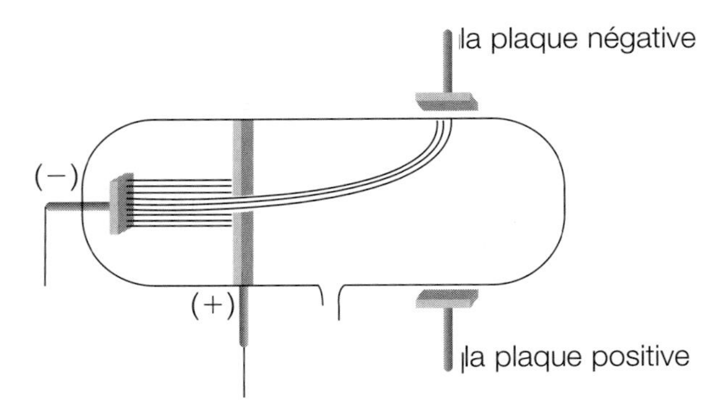


**Figure E**

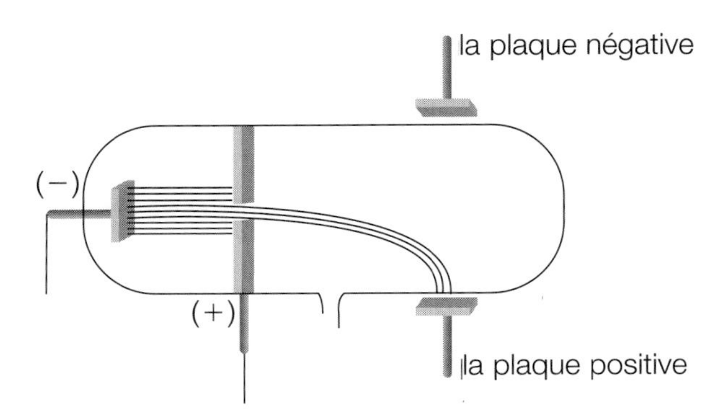


**Figure F**

## Analyse

**1.** Fais un schéma qui montre ce qui serait arrivé, selon toi, si Thomson avait échangé les deux plaques (c'est-à-dire s'il avait mis la plaque positive en haut et la plaque négative en bas). Explique ta réponse.

**2.** Fais un schéma qui montre ce qui serait arrivé, selon toi, si Thomson avait mis les deux plaques à gauche, plus près de l'anode.

**3.** Avant Thomson, les scientifiques avaient conclu que les rayons cathodiques portaient une charge négative. Les recherches de Thomson lui ont-elles permis d'appuyer cette conclusion ?

**4.** En mesurant le trajet des rayons cathodiques très précisément, Thomson a été capable non seulement de confirmer la charge négative des rayons, mais aussi d'établir une relation entre la charge et la masse des « corpuscules ». Il a montré qu'elles étaient soit beaucoup plus chargées qu'aucune autre particule alors connues, soit beaucoup plus petites. Étonnamment, il s'est avéré qu'elles avaient à peine le $\frac{1}{2000}$ de la masse d'un seul atome d'hydrogène. En quoi cela diffère-t-il de l'image que Dalton se faisait des plus petites particules de matière ?

## La déduction de Thomson sur le proton

Il était alors évident que l'atome avait des parties chargées négativement qui pouvaient se déplacer. Les scientifiques s'entendirent pour appeler **électrons** ces minuscules morceaux de matière chargés négativement. Cependant, les atomes n'ont habituellement pas de charge. Ils sont électriquement neutres. Thomson en a déduit que l'atome devait posséder quelque chose chargé positivement pour contrebalancer les électrons chargés négativement.

En 1886, le physicien allemand Eugen Goldstein (1850-1930) avait détecté des rayons qui sortaient de l'anode d'un tube à décharge rempli d'hydrogène. Thomson a fait des expériences semblables et a conclu que ces rayons anodiques devaient être faits de particules positives. Il les a appelés **protons**. Voici ce que Thomson a déduit sur les électrons et sur les protons.

- Tous les atomes contiennent des protons et des électrons.
- Tous les protons sont identiques. Tous les électrons sont identiques. Toutefois, les électrons diffèrent des protons.
- Un électron a une charge négative. Un proton a une charge positive.
- Un électron a la même quantité de charge qu'un proton, même si les charges sont de types opposés.
- Un proton a une masse beaucoup plus grande qu'un électron.

## De la science à la technologie : le microscope électronique

Tu as lu sur le microscope électronique dans le module 1. Cette technologie est en fait une descendante directe du tube à décharge gazeuse. Les électro-aimants sont utilisés pour contrôler la direction et l'intensité d'un puissant faisceau d'électrons.

Le microscope électronique a été inventé pour répondre à un besoin. En 1900, le microscope optique avait atteint ses limites. Des opérations minutieuses permettaient un grossissement de 2000 fois. Albert Prebus et James Hillier, deux étudiants diplômés de l'Université de Toronto, se sont rendu compte que les électrons pouvaient servir à fabriquer un microscope plus puissant. En 1938, ils ont construit le premier microscope électronique fonctionnel.

Selon le type de microscope électronique, un faisceau focalisé d'électrons peut passer directement à travers un spécimen préparé (« pénétration par effet tunnel ») ou rebondir dessus (« balayage »). Dans les deux cas, on obtient un agencement modifié d'électrons que l'on peut afficher sur un écran sous forme d'image dont le grossissement peut atteindre 800 000 fois.

Il est peu probable que Thomson aurait pensé utiliser sa découverte de cette façon. Mais la méthode scientifique qui consiste à construire sur la connaissance en communiquant ses résultats de recherche a permis à d'autres scientifiques de voir comment on pouvait utiliser l'électron pour explorer l'atome dont il fait partie, comme Thomson l'avait découvert.

**Figure 7.8** Cette image faite avec un microscope électronique montre des atomes individuels sous forme de « fossettes ».

**Le savais-tu ?**

Thomson est parfois appelé « le père de l'électron ». Lorsqu'il a publié ses résultats en 1897, il désignait cependant encore les particules des rayons cathodiques sous le nom de « corpuscules ». Ce n'est pas Thomson, mais un autre scientifique du nom de G. Johnstone Stoney, qui a inventé le mot « électron » en 1891 pour décrire une unité de charge dans les expériences d'électrolyse. Un troisième scientifique, George Fitzgerald, a soutenu que cet électron et le corpuscule de Thomson était bel et bien la même chose.

## L'atome divisible

En 1803, Dalton avait décrit l'atome comme une minuscule sphère indivisible, semblable à une boule de billard extrêmement petite. À l'époque de Thomson, il était évident que les atomes pouvaient être séparés par de l'électricité à haute énergie. Ainsi, les atomes étaient donc divisibles. On en est venu à appeler **particules subatomiques** les protons et les électrons parce qu'ils étaient plus petits que les atomes.

Thomson a décrit l'atome comme une entité formée de ces particules subatomiques (*voir la figure 7.9*). Son modèle semblable à un muffin a été une étape importante dans la connaissance de la structure de l'atome. Il a été cependant assez vite modifié par ses propres étudiants.

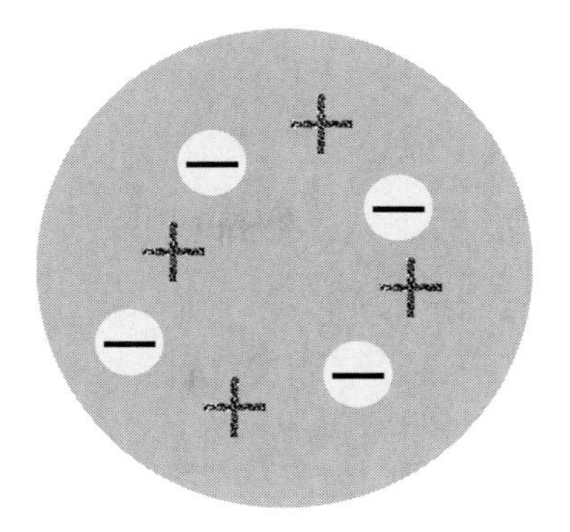

**Figure 7.9** Dans le modèle de Thomson, les électrons négatifs sont comme des raisins insérés dans une structure pâteuse elle-même formée de charges positives. Avec un peu d'effort, tu peux extraire les électrons de la même façon que tu peux extraire les raisins d'un muffin.

Dans la figure 7.9, on compare le modèle de Thomson à un muffin, mais Thomson lui-même comparait son modèle à un dessert anglais populaire à son époque, le plum pudding (ou « plum duff »). C'est pourquoi, dans certains livres, on en parle comme du modèle plum pudding.

## Vérifie ce que tu as compris

1. La découverte de l'électron a donné aux scientifiques le premier indice que les atomes étaient divisibles. Comment a-t-on découvert l'électron et quelles sont ses propriétés ?
2. Qu'est-ce qu'un tube à décharge gazeuse ? Fais un schéma d'un tube à décharge gazeuse typique et écris le nom de ses principales parties.
3. Décris les modifications que William Crookes a apportées à ses tubes et les conclusions qu'il a tirées de ses expériences.
4. Comment a-t-on découvert le proton ? Quelles sont ses propriétés ?
5. **Mise en pratique** Nomme le plus d'applications possible qui sont fondées sur les électrons.
6. **Réflexion critique** Penses-tu que l'on pourrait fabriquer un téléviseur qui fonctionne avec des protons mobiles plutôt qu'avec des électrons ? Explique ta réponse.

**NOUVEAUX horizons**

Où se situe la frontière entre la science et la science-fiction ? En 1932, on a découvert une nouvelle particule, le positron, plus rare que les autres particules. Le positron ne fait pas partie de l'atome. Il a la même masse qu'un électron et une charge positive comme le proton. À peine sept ans plus tard, un jeune auteur de science-fiction, du nom d'Isaac Asimov, a imaginé que cette particule était la base du « cerveau positronique » des robots et a suggéré que ce cerveau avait un code moral câblé, qu'il a appelé les « Three Laws of Robotics » (les « trois lois de la robotique »). À la bibliothèque de ta localité ou sur Internet, fais une recherche sur le positron, sur les robots qui existent actuellement et sur les trois lois d'Asimov. Comment le cerveau positronique pourrait-il fonctionner, selon toi ? De quelle façon les vrais robots pourraient-ils bénéficier de ces trois lois ?

# 7.2 Le modèle de Bohr-Rutherford

Au chapitre 5, tu as vu que les modèles scientifiques aident à se représenter les structures ou les processus que l'on ne peut pas voir directement. Dans le cas de l'atome, l'observation directe est impossible, mais un bon modèle peut fournir une explication satisfaisante de ce qui peut être observé indirectement et de ce que les scientifiques de l'époque peuvent déduire de ces observations. Par exemple, le modèle atomique de Dalton était un bon modèle lorsqu'il l'a développé, mais celui de Thomson était fondé sur presque un siècle de recherche scientifique et d'interprétations subséquentes. Dans cette section, tu suivras le développement de deux autres modèles qui ont changé le modèle de Thomson de la même façon qu'il avait lui-même changé celui de Dalton.

**ACTIVITÉ de recherche**

## Construis un modèle mental

Dans l'étude de la structure de l'atome, les modèles mentaux dépendent des déductions. Pour faire des déductions et construire des modèles mentaux, il faut de la pratique et de bonnes capacités de raisonnement.

Dans cette activité, tu construiras une boîte mystère et tu feras ton propre modèle mental de ce qui se trouve à l'intérieur. Tu demanderas ensuite à une ou à un camarade de classe de trouver des preuves, de faire des déductions et de faire un modèle mental relatifs à ce qui se trouve à l'intérieur.

### Ce dont tu as besoin

une boîte de carton de la taille d'une boîte à chaussures

des objets pour mettre à l'intérieur de la boîte

du ruban adhésif

un fil métallique mince et raide

### Ce que tu dois faire

1. Conçois une boîte mystère. Garde à l'esprit:
   - qu'il est mieux de faire une boîte mystère simple mais originale qu'une boîte compliquée;
   - que ta boîte ne doit contenir aucun liquide qui peut renverser ni aucun objet qui peut se décomposer, tel que de la nourriture;
   - que ton concept doit permettre de faire des mises à l'essai ou des expériences simples, comme secouer ou explorer à l'aide d'un fil métallique mince.
2. Fabrique ta boîte. Tu peux:
   - mettre à l'intérieur un ou deux objets qui peuvent bouger et faire du bruit lorsque tu penches la boîte;
   - coller quelques objets à l'intérieur de la boîte avec du ruban adhésif.
3. Fais un modèle mental de l'intérieur de ta boîte. Ton modèle mental doit être fondé sur les déductions que tu crois que ta ou ton partenaire peut faire sur lui.
4. Scelle ta boîte et échange-la avec celle de ta ou de ton partenaire.
5. Fais des mises à l'essai simples pour déterminer ce qui est à l'intérieur de la boîte de ta ou de ton partenaire. Fais un tableau comme celui ci-dessous pour noter ce que tu as fait et ce que tu peux déduire sur la structure interne de la boîte. Donne un titre à ton tableau.

| Mises à l'essai effectuées sur la boîte | Observations et preuves recueillies | Déductions fondées sur les preuves |
|---|---|---|
| | | |

6. Sers-toi de tes déductions pour créer un modèle mental de la structure interne de la boîte. Fais ensuite un schéma qui décrit ton modèle.

### Qu'as-tu découvert?

1. Compare ton modèle mental à celui de ta ou de ton partenaire. À quel point se ressemblent-ils? Quelles déductions pourraient expliquer les différences entre vos modèles?
2. Quelle mise à l'essai a donné la preuve la plus utile?
3. Définis dans tes propres mots le terme «déduction».

## Des radiations mystérieuses : les rayons X

À mesure que les scientifiques en apprenaient sur la matière, ils commençaient également à en apprendre plus sur les nouveaux types de radiations. En 1895, le scientifique allemand Wilhelm Konrad Roentgen (1845-1923) a découvert, presque accidentellement, un nouveau type de radiations, invisibles mais grandement pénétrantes : les **rayons X**.

Roentgen étudiait les effets des rayons cathodiques en utilisant comme détecteur un cristal connu pour être luminescent (fluorescent) sous le rayonnement ultraviolet. Pour mieux voir les effets, il a fait une chambre noire et a enveloppé son tube de rayons cathodiques dans du carton. Lorsqu'il a allumé le tube, une lueur brillante de l'autre côté de la pièce a attiré son attention. Elle provenait d'une feuille de papier recouverte du matériau fluorescent, mais le papier n'était pas sur le trajet du tube. Il a observé ce phénomène même lorsque le papier était dans la pièce voisine. La mystérieuse radiation « X » pouvait pénétrer le carton ainsi que les murs !

Dans la profession médicale, on a commencé à utiliser les rayons X à peine quelques mois après leur découverte. Plusieurs opératrices et opérateurs de tube à rayons X ont été trop exposés aux radiations et sont morts avant que les effets des rayons X sur les tissus vivants soient correctement compris. Quelles précautions prennent les techniciennes et les techniciens en radiologie de nos jours ?

La médecine moderne serait très différente sans les rayons X. Parce qu'ils pénètrent les tissus mous du corps, mais sont arrêtés par les os et les autres tissus denses, les rayons X peuvent être utilisés pour explorer la structure interne du corps humain. Peu après la découverte de Roentgen, une nouvelle découverte allait aider à révéler la structure interne de l'atome.

## La radioactivité : un nouveau type d'exploration

Le chimiste français Henri Becquerel (1852-1908) connaissait les travaux de Roentgen et, en 1896, il faisait lui-même des travaux de recherche sur les rayons X. Il avait déduit qu'il y avait peut-être un lien entre la fluorescence et les rayons X parce que le papier fluorescent de Roentgen avait émis des lueurs lorsqu'il avait été exposé aux rayons X. En sachant que la lumière du Soleil est une bonne source de rayonnement ultraviolet, Becquerel s'est demandé si les substances exposées à la lumière du Soleil émettraient des rayons X en plus de la fluorescence habituelle. Il a mis des échantillons de cristaux, parmi lesquels certains contenaient de l'uranium, sur des plaques photographiques bien enveloppées. Il les a exposés à la lumière du Soleil pendant plusieurs heures pour voir si les rayons X traverseraient les plaques à l'abri de la lumière et exposeraient le film. Un jour nuageux, il a mis ses échantillons dans un tiroir. Imagine sa surprise lorsqu'il a constaté plus tard que certains de ses films avaient été exposés, même dans le noir.

Becquerel en a conclu que les rayons X ne pouvaient avoir exposé les films parce qu'il n'y avait pas de rayonnement ultraviolet pour les faire réagir. Il venait de découvrir une *nouvelle* sorte de rayons, une forme de radiations autogènes qui provenaient des échantillons contenant de l'uranium. Ses essais ont montré que l'uranium pur émettait également ces rayons. Marie Curie (1867-1934) s'est intéressée vivement à cette nouvelle découverte et a inventé le terme **radioactivité** pour décrire l'émission de ces rayons par certaines substances.

La découverte de la radioactivité a conduit à trois types d'expériences :

- la recherche d'autres éléments radioactifs ;
- l'exploration de la composition des rayons ;
- l'utilisation des rayons pour explorer la structure de l'atome.

**Figure 7.10** Même dans l'obscurité d'un tiroir, l'échantillon d'uranium de Becquerel a été capable de se photographier lui-même. Les rayons ont pénétré l'enveloppe à l'épreuve de la lumière qui entourait les plaques photographiques placées dans le même tiroir que les échantillons.

### À la recherche d'éléments radioactifs

Au cours des années 1890, l'uranium était utilisé pour faire une teinture jaune très en demande pour teindre les vêtements à la mode. La principale source d'uranium était un minerai appelé pechblende. À la surprise générale, la pechblende s'est avérée encore plus radioactive que l'uranium pur. Marie Curie a émis l'hypothèse que la pechblende contenait un second élément radioactif. Avec l'aide de son époux Pierre, qui était chimiste, elle a entrepris de vérifier son hypothèse. Tu peux retracer leur long et difficile parcours expérimental dans la figure 7.11.

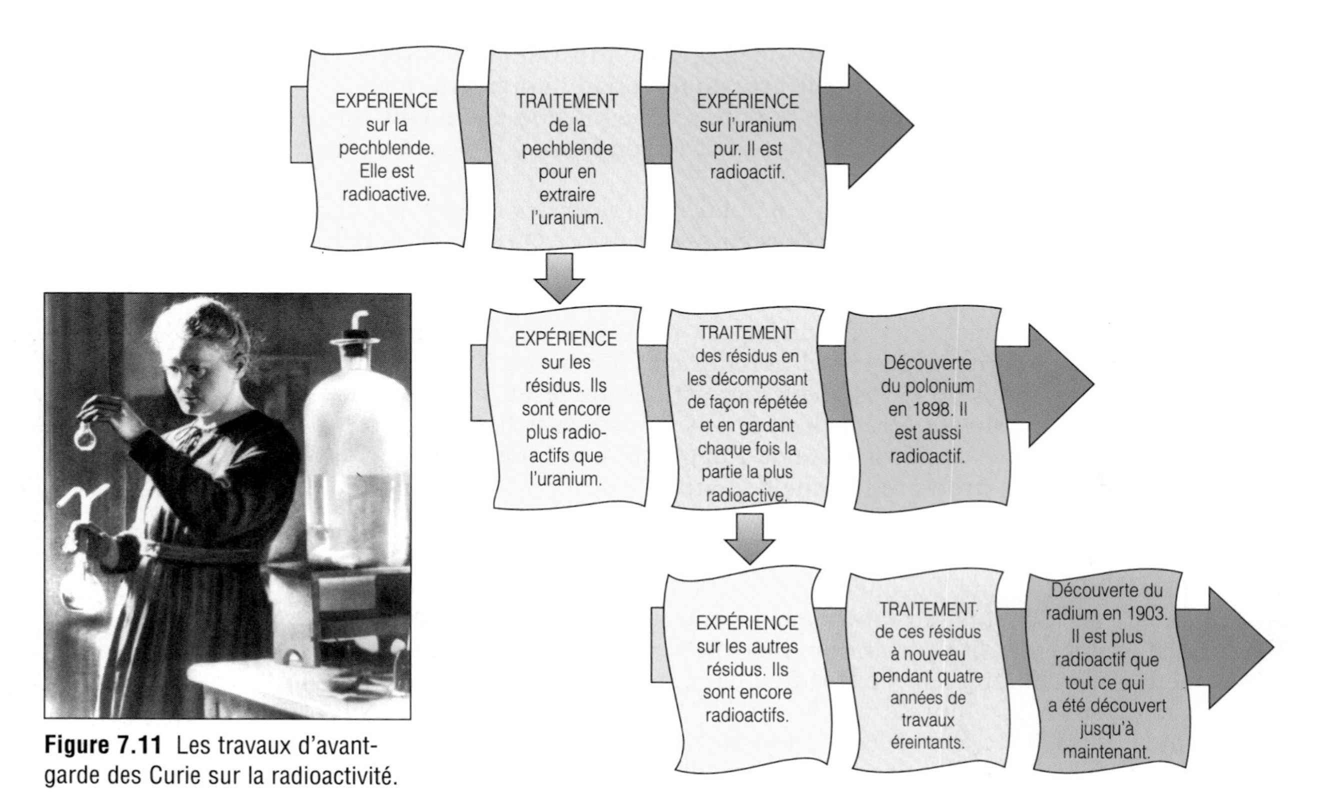


**Figure 7.11** Les travaux d'avant-garde des Curie sur la radioactivité.

**Le savais-tu ?**

En 1903, les Curie ont partagé le prix Nobel de physique avec Becquerel. En 1911, cinq ans après la mort de Pierre dans un accident de la route, Marie a remporté le prix Nobel de chimie pour la découverte du radium.

### L'exploration de la composition de la radioactivité

Pendant ce temps, en 1895, un Néo-Zélandais du nom de Ernest Rutherford est arrivé en Angleterre pour étudier avec Thomson. En 1898, la nouvelle de la découverte de la radioactivité a encouragé Rutherford, alors enseignant à l'Université McGill à Montréal, à commencer un programme de recherche approfondi. Il a fait plusieurs expériences et a découvert que la radioactivité comprenait trois types de radiations. Il les a appelés **particules alpha, particules bêta et rayons gamma**, noms des trois premières lettres de l'alphabet grec. La figure 7.13 résume leurs propriétés individuelles. En 1908, Rutherford a reçu le prix Nobel de chimie pour ces découvertes. Il était à ce moment-là de retour en Angleterre où il continuait de travailler avec Thomson.

**Figure 7.12** Rutherford a réfléchi profondément à la radioactivité durant son séjour à Montréal.

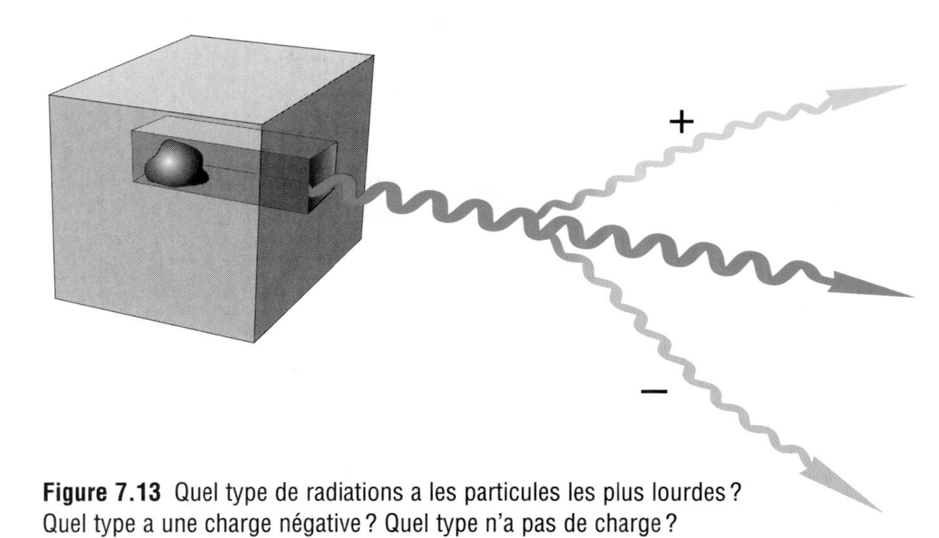


**Figure 7.13** Quel type de radiations a les particules les plus lourdes ? Quel type a une charge négative ? Quel type n'a pas de charge ?

### L'exploration de l'atome avec la radioactivité

En 1909, Rutherford a conçu une expérience pour explorer l'atome en utilisant les particules alpha comme des boulets atomiques. Pour faire un « canon », Rutherford a placé du polonium dans un contenant de plomb pourvu d'une ouverture étroite. Il « tira » un faisceau de particules alpha dans l'ouverture sur une mince feuille d'or (*voir la figure 7.14*).

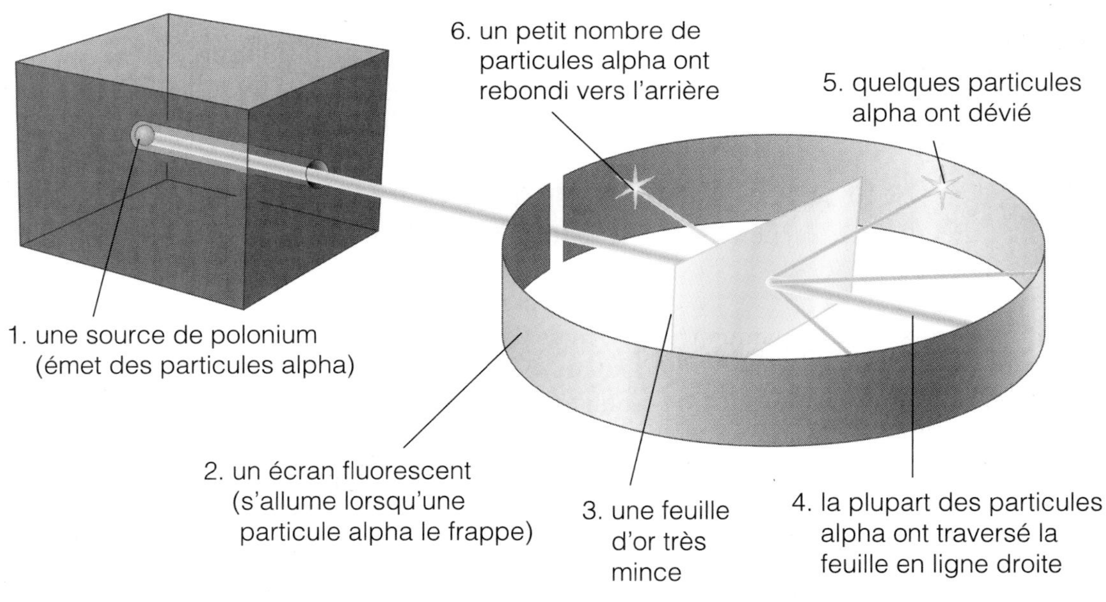


**Figure 7.14** Rutherford était là quand Thomson a élaboré sa théorie sur l'électron et le proton. Il n'avait donc pas de raison de douter du modèle d'atome en muffin de Thomson – jusqu'à ce qu'il observe ce que tu vois dans cette figure.

En premier lieu, Rutherford a observé que la plupart des particules alpha passaient à travers la feuille d'or comme si celle-ci était faite d'espace vide. Il s'attendait à cela parce qu'il savait qu'il devait y avoir une distance relativement grande entre les atomes. En second lieu, cependant, il a été étonné de voir que quelques particules alpha rebondissaient sur la feuille d'une façon assez comparable à une balle qui rebondit sur un mur solide. Pourquoi crois-tu que le « modèle de l'atome en muffin » de Thomson ne pouvait expliquer cette deuxième observation ?

**Pause réflexion**

As-tu déjà fait une expérience qui « n'a pas fonctionné » ? Lorsque Rutherford a raconté plus tard les résultats de son expérience avec la feuille d'or, il a dit : « Cela a été l'événement le plus incroyable qui me soit arrivé au cours de ma vie. C'était presque aussi incroyable que si vous tiriez un obus de 38 cm sur un papier mouchoir et qu'il revenait vous frapper. » Rutherford savait, cependant, que les expériences procurent toujours des informations utiles, même si les résultats ne sont pas ceux auxquels on s'attend, et il a développé un modèle pour expliquer ce qu'il avait observé.

Dans ton journal scientifique, note ce que tu crois que Rutherford *s'attendait* à observer, selon le modèle de Thomson.

## Le modèle de la structure de l'atome de Rutherford

Quel modèle de structure de l'atome pourrait expliquer le deuxième résultat surprenant? Pour le trouver, suis le raisonnement de la figure 7.15.

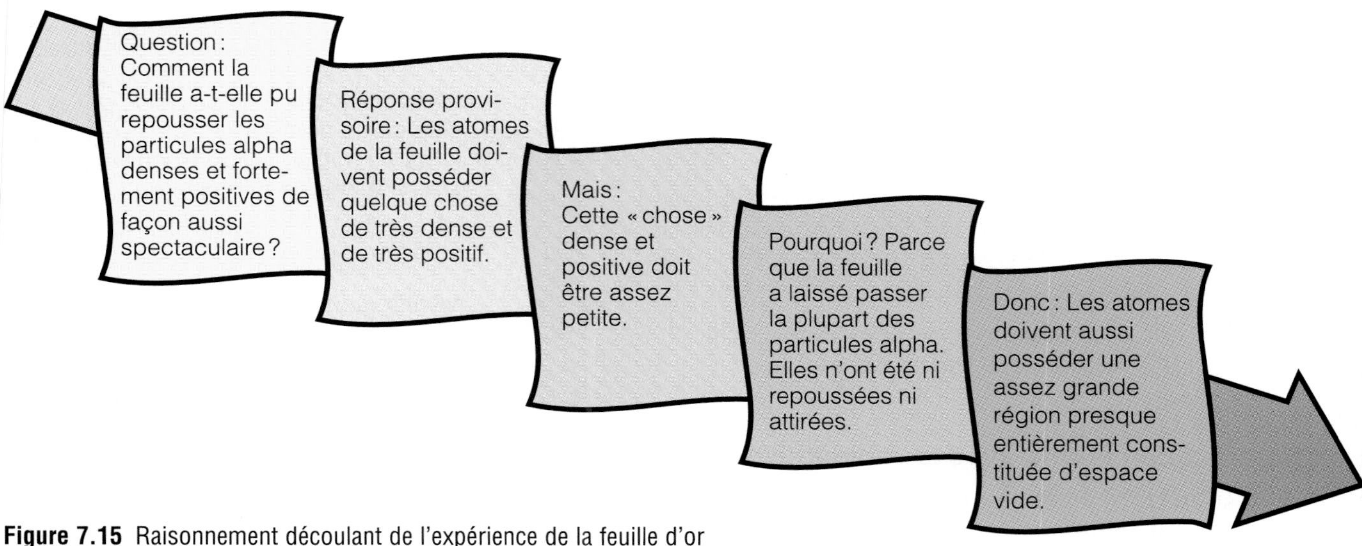


**Figure 7.15** Raisonnement découlant de l'expérience de la feuille d'or

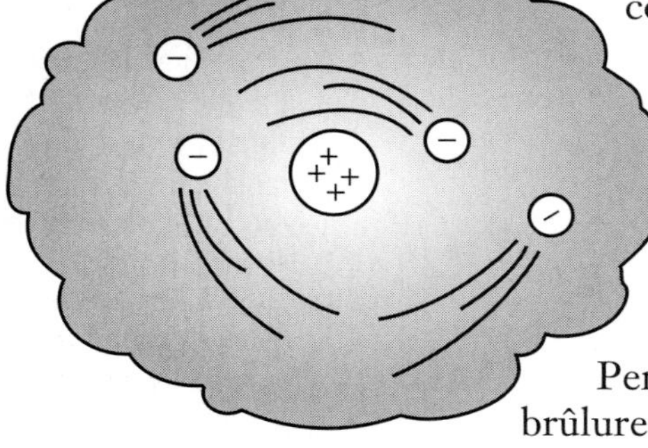

**Figure 7.16** Le modèle nucléaire de Rutherford

Rutherford en a conclu que les atomes de métal de la feuille devaient contenir ce qui suit:

- un **noyau** — un centre minuscule à très petit volume, dense comparativement au reste de l'atome et très positif;
- un **nuage électronique** — une enveloppe à très grand volume, légère comparativement au noyau et chargée négativement.

## De la science à la technologie: la médecine nucléaire

Pendant ses recherches sur la radioactivité, Marie Curie a subi une grave brûlure par irradiation causée par une fiole de chlorure d'uranium qu'elle avait transportée dans sa poche. La capacité de la radioactivité de pénétrer le corps humain a donc été reconnue très tôt, mais il a fallu beaucoup plus de recherches avant que les bénéfices de ce phénomène soient connus. La **médecine nucléaire**, l'application contrôlée d'éléments radioactifs choisis, est désormais un élément clé du diagnostic et du traitement du cancer ainsi que d'autres maladies graves.

Des trois types de radioactivité, les rayons gamma sont les plus utiles en médecine. Ils sont beaucoup plus pénétrants que les particules alpha ou bêta et plus faciles à détecter. Par exemple, quand on injecte du technétium radioactif (mélangé à un composé phosphoré) dans le sang, il est transporté directement dans les os. Là, le noyau de technétium libère les rayons gamma, qui sont détectés par une *caméra à rayons gamma*. L'image obtenue peut être utilisée pour diagnostiquer les anormalités des os, telles que le cancer ou l'ostéoporose, beaucoup plus tôt qu'il n'est possible de le faire avec les images obtenues avec les rayons X (*voir la photographie*).

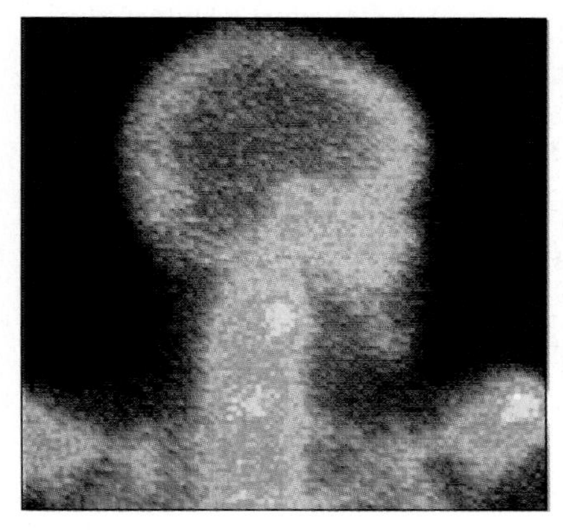

La médecine nucléaire peut aussi être utilisée dans certains types de thérapies. Par exemple, le corps concentre l'iode (qui normalement n'est pas radioactif) dans la glande thyroïde. Cela signifie que les tumeurs de la thyroïde peuvent être traitées avec une forme d'iode radioactif. L'iode radioactif libère les particules bêta directement dans la région affectée, en minimisant les dommages aux cellules des autres parties du corps.

## La déduction de l'existence du neutron : où est la masse manquante ?

L'expérience de dispersion de Rutherford lui a appris aussi quelque chose d'inattendu au sujet de la masse du noyau d'un atome d'or. Ce dernier contient 79 protons, mais leur masse totale représente moins de la moitié de la masse que Rutherford avait calculée. Il en a conclu qu'il n'y avait pas que des protons dans un noyau. Il a déduit que le noyau devait aussi contenir d'autres particules, qui n'étaient pas chargées (des particules neutres). Chacun de ces **neutrons** devait avoir à peu près la même masse qu'un proton, mais aucune charge.

La déduction de Rutherford n'a pas été confirmée avant les années 1930. Nous savons désormais que les neutrons sont importants dans la structure de l'atome. Ils contrebalancent l'effet de la répulsion entre les protons qui autrement, comme ils sont intensément positifs, se repousseraient l'un l'autre. Dans la section suivante, tu apprendras le rôle des neutrons dans le tableau périodique.

## De la science à la technologie : la puissance nucléaire

À la fin de 1938, une équipe de scientifiques australiens formée d'une tante et de son neveu, Lise Meitner (1878-1968) et Otto Frisch (1904-1979), s'est rendue au Danemark pour y passer des vacances d'hiver. Parce qu'ils étaient juifs, les deux avaient déjà quitté leur pays natal, alors sous la domination de l'Allemagne nazie. C'était l'époque où l'**énergie nucléaire** — la libération d'énergie du noyau de l'atome — était un des sujets scientifiques les plus populaires.

Dans la célèbre équation d'Einstein $E = mc^2$, $E$ représente l'énergie, $m$, la masse et $c$, la vitesse de la lumière. En unités SI, $c$ est un grand nombre — environ $3 \times 10^8$ m/s —, alors en le mettant au carré, on obtient un nombre colossal. En théorie, cela signifie qu'une très petite quantité de matière peut être transformée en une très grande quantité d'énergie. Mais quelle méthode pouvait-on utiliser pour réaliser cette transformation ? Voilà la question qui a occupé Meitner et Frisch pendant leurs vacances.

Au cours de leurs longues marches dans les boisés enneigés, ils discutaient des dernières nouvelles scientifiques. Un des collègues de Meitner avait récemment utilisé des neutrons pour bombarder de l'uranium. Les résultats ont été étonnants. Le gros noyau d'uranium s'était brisé en deux noyaux d'éléments différents : en barium et en krypton. Meitner et Frisch pensaient qu'ils pouvaient expliquer ce phénomène.

Leur conversation s'est animée. Ils sont devenus si entousiastes qu'ils se sont assis séance tenante sur une bille de bois enneigée. En utilisant les masses atomiques exactes dont Meitner se rappelait et un bout de papier que Frisch avait dans sa poche, ils ont calculé la quantité de masse perdue durant la désintégration du noyau d'uranium. Ils ont calculé ensuite combien d'énergie pouvait être libérée.

Plus tard, Meitner et Frisch ont publié un article décrivant le potentiel énergétique du processus qu'ils avaient appelé la « fission nucléaire ». À cette époque, la plus grande partie du monde était en guerre. Meitner a décidé de rester en Suisse, pays neutre, mais Frisch est allé aux États-Unis. Là, comme plusieurs autres scientifiques européens réfugiés, il a travaillé sur le très secret « Manhattan Project », au cours duquel on a fabriqué la première bombe nucléaire du monde. À la fin de la guerre, la science et la technologie mises au point au cours de ce projet ont été utilisées pour fabriquer des réacteurs nucléaires servant à générer de l'énergie électrique. Tu en apprendras plus au sujet de ces réacteurs au chapitre 12.

**Figure 7.17** Cette centrale nucléaire située à Pickering, en Ontario, fournit une partie importante de l'électricité produite en Ontario.

**Le savais-tu ?**

Plusieurs des scientifiques qui ont quitté l'Europe sous le régime nazi (1933-1945) ont travaillé au projet « Manhattan Project » aux États-Unis, au cours duquel la première bombe atomique a été mise au point. Par exemple, Lisa Goeppart Mayer (1906-1972) a résolu le problème de la séparation du rare isotope d'uranium 235 nécessaire à une réaction explosive en chaîne. Après la guerre, elle a mis au point avec des collègues un modèle des couches du noyau atomique qui expliquait pourquoi certains types de noyaux sont beaucoup plus stables que d'autres. Pour ce travail, elle a partagé le prix Nobel de physique en 1963.

**LIEN *mathématique***

Écris au long la vitesse de la lumière. Combien de zéros dois-tu mettre ? Maintenant, calcule le carré de cette vitesse et écris la réponse au long. Peux-tu écrire la réponse sur une seule ligne ?

## Bohr décrit la configuration électronique

Malgré toutes les preuves à l'appui du modèle de Rutherford, ce modèle a été considérablement contesté. L'atome nucléaire expliquait certainement les résultats de l'expérience de la feuille d'or (particules alpha), mais il ne concordait pas avec ce qu'on connaissait déjà de l'électricité. Comme les autres scientifiques le soutenaient, toutes les expériences précédentes sur la charge électrique avaient montré que des objets avec des charges opposées s'attiraient l'un l'autre. Pourquoi les électrons négatifs ne tournaient-ils pas en spirale vers le noyau positif et ne s'y « écrasaient-ils » pas ?

En 1912, un jeune scientifique danois à l'avenir prometteur du nom de Niels Bohr (1885-1962) est arrivé à Manchester, en Angleterre, pour étudier avec Rutherford. C'est Bohr qui, en 1913, a expliqué pourquoi les électrons ne tournaient pas en spirale vers le noyau.

Bohr assuma que le modèle nucléaire était essentiellement exact, mais qu'il était incomplet. Il n'a pas fait d'expérience de bombardement d'atomes avec de la radioactivité. Il a choisi plutôt de faire un retour en arrière et d'étudier de plus près la lumière émise par les atomes dans un tube à décharge gazeuse. Comme plusieurs scientifiques l'avaient fait avant lui, il a décidé de se concentrer sur l'élément possédant le plus simple atome : l'hydrogène.

Dans l'Activité de départ de ce chapitre, tu as vu que la lumière peut être analysée (séparée) avec un spectroscope. Bohr a utilisé un spectroscope pour analyser la lumière émise par des atomes d'hydrogène luminescents. La figure 7.18 montre ce que Bohr a vu : le spectre visible de l'hydrogène consiste seulement en quatre raies étroites. Pourquoi y a-t-il seulement quatre raies brillantes ? Pourquoi y a-t-il tant d'espace vide sans aucune lumière ? Bohr s'est rendu compte que la réponse à ces questions pouvait également expliquer pourquoi les électrons restaient sur des orbites fixes et il en a déduit un modèle qui comparait l'atome au système solaire.

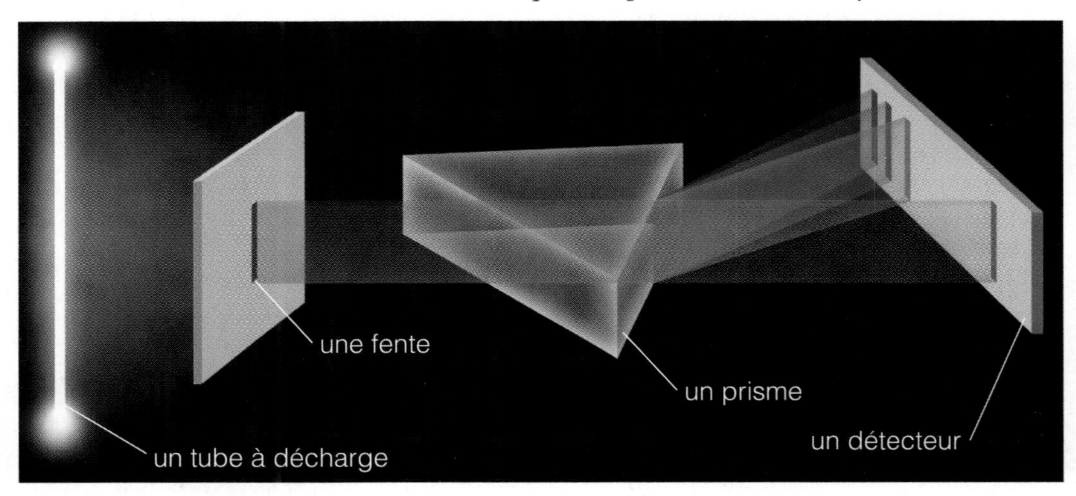


**Figure 7.18** Le spectre de l'hydrogène a ouvert à Bohr une fenêtre sur l'atome.

Le modèle de Bohr comparait le noyau au Soleil et les électrons aux planètes. Le Soleil exerce une attraction gravitationnelle énorme sur les planètes, mais celles-ci ne tournent pas en spirale vers lui et ne s'y écrasent pas. Pourquoi ? Parce qu'elles tournent exactement à la bonne vitesse pour rester sur leur orbite. D'une façon similaire, le noyau positif de l'atome exerce une grande force d'attraction sur les électrons négatifs. Cependant, les électrons ne tournent pas en spirale vers lui et ne s'y écrasent pas, parce qu'ils se déplacent rapidement dans des régions fixes autour du noyau. Ces régions sont tridimensionnelles et sphériques. On les appelle niveaux ou **couches électroniques**. Une autre façon d'imaginer le modèle de Bohr est de penser à des poupées gigognes. Chaque poupée représente une couche électronique, et la plus petite poupée, au centre, représente le noyau.

Bohr a conclu que la position de l'unique électron d'un atome d'hydrogène dépendait de la quantité d'énergie qui lui était donné. Des électrons ayant une plus grande quantité d'énergie pouvaient occuper des couches (ou niveaux) électroniques plus éloignées. Les quatre raies spectrales de l'hydrogène ont indiqué à Bohr la distance exacte qui séparait le noyau de ces couches électroniques. Par la suite, on a étendu cette idée de Bohr à de plus gros atomes, comme le montre la figure 7.20.

**Figure 7.19** Les couches électroniques peuvent être comparées à des poupées que l'on emboîte l'une dans l'autre.

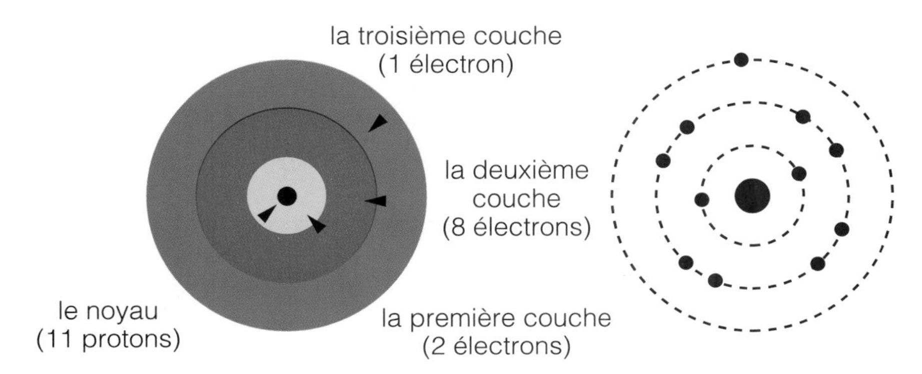


**Figure 7.20** L'anatomie d'un atome. Ces deux modèles sont différents, mais les deux décrivent le même atome de sodium. Quel modèle te serait plus facile à utiliser ?

L'image de l'atome qui a émergée du travail de Rutherford et de Bohr, avec un noyau central et des couches électroniques, est généralement appelé le **modèle de Bohr-Rutherford** de la structure de l'atome. Ce n'est certainement pas le dernier modèle de la structure de l'atome. Un siècle s'est écoulé depuis la fin de leurs travaux et, depuis, on a fait beaucoup d'ajouts aux modèles des scientifiques et aux théories de la structure de l'atome. Le modèle de Bohr-Rutherford peut toutefois être qualifié de première vision « moderne » de l'atome et, encore de nos jours, il est très utile pour comprendre la chimie des éléments.

Comment Bohr pouvait-il être certain que les orbites des électrons sont fixes ? Plus un électron est éloigné du noyau, plus il doit se déplacer rapidement et a besoin d'énergie. En faisant passer de l'électricité dans de l'hydrogène gazeux, on donne plus d'énergie aux électrons, et ils peuvent ainsi « sauter » depuis les couches rapprochées du noyau jusqu'aux couches éloignées. Cependant, dans une période très courte, tous les électrons retombent sur leur ancienne couche et dégagent ainsi de l'énergie. L'énergie dégagée est la luminescence visible dans le tube à décharge. Rappelle-toi que le spectre de cette luminescence a seulement quatre raies brillantes. Si tu supposes qu'un électron d'hydrogène peut libérer de l'énergie seulement en quelques quantités fixes, comment peux-tu associer ces quantités d'énergie aux raies du spectre ? Pourquoi le modèle de « couches » explique-t-il mieux ces quantités fixes d'énergie qu'un modèle dans lequel les électrons tournent en spirale vers le noyau ? (Indice : Plus la couleur se rapproche du violet, plus il y a de l'énergie et plus l'électron « saute » loin.)

## Résumer la structure de l'atome

Le terme « structure de l'atome » inclut deux idées : parties et arrangement. Cette activité te permettra de réviser ce que tu sais maintenant sur la structure de l'atome.

### Ce que tu dois faire

1. Copie et complète le tableau suivant pour résumer ce que tu sais sur les parties d'un atome.

| | Électron | Proton | Neutron |
|---|---|---|---|
| **Charge** | négative | | |
| **Masse** | | lourde | environ la même que celle d'un proton |
| **Position** | nuage électronique | | noyau |

2. Pour résumer ce que tu sais sur l'arrangement des parties, copie la figure suivante et remplis les espaces vides.

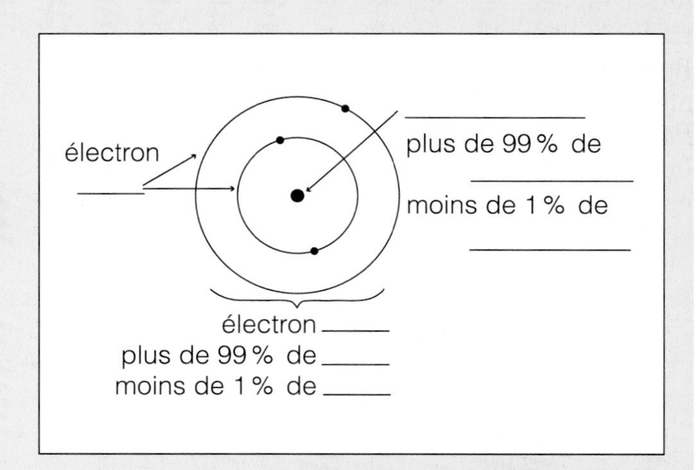


## Vérifie ce que tu as compris

1. Donne un exemple d'un élément radioactif naturel.
2. Quels sont les trois types d'expériences qui ont découlé directement de la découverte de la radioactivité ?
3. Comment le spectre des atomes d'hydrogène diffère-t-il d'un spectre continu ? Comment Bohr a-t-il utilisé le spectre de l'atome d'hydrogène pour mettre au point un nouveau modèle de l'atome ?
4. **Réflexion critique** Énumère toutes les applications que tu connais qui dépendent de la compréhension de la structure de l'atome. Choisis-en deux et rédige un paragraphe sur chacune d'elles en évaluant les avantages et les inconvénients qu'elles offrent à la société.
5. **Réflexion critique** Rutherford a fait ses études de premier cycle en Nouvelle-Zélande, ses études de troisième cycle pour l'obtention d'un doctorat à la Cambridge University, en Angleterre, des recherches à l'Université McGill, à Montréal, et est retourné ensuite en Angleterre à la Manchester University. Crois-tu que tous ces déplacements ont été désavantageux ou avantageux pour Rutherford en tant que scientifique ?
6. **Mise en pratique** Tu te rappelles probablement la façon de dessiner un réseau alimentaire pour montrer comment l'énergie se transfère dans un écosystème. Sers-toi de ce que tu as appris dans cette section pour dessiner un réseau de théories qui montre comment les connaissances se sont transmises dans le milieu scientifique.

# 7.3 Une nouvelle base pour le tableau périodique

Dans le chapitre 6, tu as vu comment Mendeleïev a construit son tableau périodique en utilisant les propriétés chimiques et la masse atomique comme principes directeurs. Cependant, il devait parfois choisir entre ces deux principes. Lorsque cela se produisait, il suivait les propriétés chimiques d'un élément, même s'il ne pouvait placer l'élément selon l'ordre croissant de masse. Il était en mesure de voir que parfois les masses ne concordaient simplement pas, mais il n'avait pas le modèle détaillé de la structure de l'atome qui lui aurait expliqué pourquoi.

Dans l'activité de la page suivante, tu étudieras de plus près quelques-unes des « inversions » de Mendeleïev. Puisque le tableau simplifié utilisé dans le chapitre 6 est insuffisant pour cette activité, tu utiliseras une version plus complète du tableau, qui se trouve à la page 562. Note les quelques ajouts importants qui ont été faits pour chaque élément, dont le nom, le numéro atomique et le nombre de masse. De plus, les groupes et les périodes sont numérotés. Par la suite, tu étudieras et tu utiliseras d'autres caractéristiques de ce tableau périodique plus complet .

Jusqu'en 1913, les connaissances approfondies de Rutherford sur le noyau ainsi que le modèle des électrons de Bohr ont permis d'expliquer les inconsistances à l'intérieur du tableau périodique. Tu découvriras dans cette section que la pièce manquante du casse-tête s'est avérée être le neutron : la « masse manquante » de l'atome.

## Une nouvelle base pour classer les éléments

L'ordre des éléments dans le tableau périodique a été solidement établi grâce à la découverte de Henry Moseley (1887-1915), qui est venu travailler dans le laboratoire de Rutherford en 1910. En 1913, Moseley avait déjà découvert que différents éléments réagissaient aux rayons X de façon très constante. Cette constance était la preuve dont les chimistes avaient besoin pour faire des déductions importantes sur le noyau atomique de chaque élément.

Moseley a obtenu ce comportement constant des éléments en les plaçant dans un tube à rayons X, l'un après l'autre, selon leur ordre d'apparition dans le tableau périodique de l'époque. En se fondant sur les longueurs d'onde des rayons X produits, il a été capable de voir que Mendeleïev avait agi correctement en plaçant le cobalt avant le nickel et le tellure avant l'iode, même si pour cela il avait dû « inverser » des nombres de masse. Il a été aussi capable de voir s'il y avait des éléments manquants dans l'ordre périodique.

Les chimistes ont supposé que la réaction de chaque élément aux rayons X était le résultat d'une interaction avec la partie de l'atome qui avait la plus grande masse, plutôt qu'avec les électrons. (Vois-tu comment ils pouvaient déduire cela ?) L'augmentation croissante de la réaction des éléments suggérait une augmentation constante de quelque chose qui se trouvait dans le noyau. Les chimistes en ont conclu qu'un nombre croissant de protons expliquait ce fait.

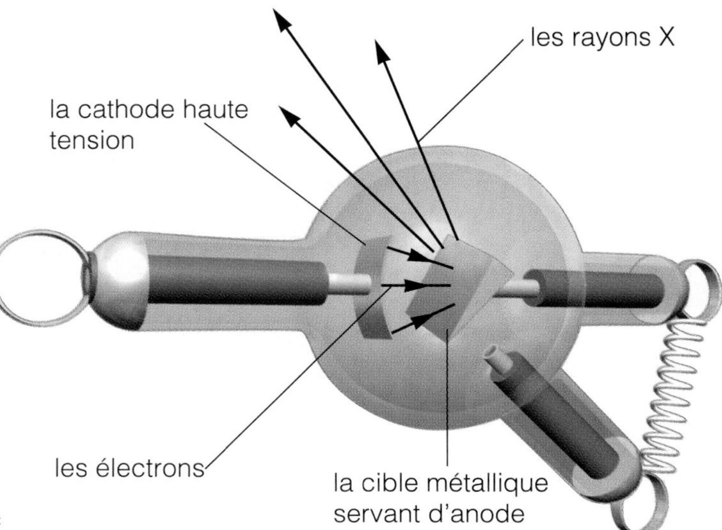


**Figure 7.21** L'appareil à rayons X de Moseley

## Des couples bizarres

À certains endroits du tableau périodique, tu peux voir des paires d'éléments voisins qui, si tu regardes seulement leur masse atomique, semblent être en ordre inversé, l'élément le plus lourd apparaissant en premier. Dans cette activité, tu examineras certaines de ces inversions, ou « couples bizarres ».

### Ce dont tu as besoin

l'annexe C : Le tableau périodique (page 562)

### Ce que tu dois faire

1. Trouve Te et I dans la période 5.
   a) Que peux-tu noter au sujet de leur masse atomique ?
   b) Si Mendeleïev avait utilisé seulement la masse atomique pour établir la succession des éléments, il aurait placé le tellure avec le brome et les autres halogènes dans le groupe 17. Utilise des sources informatiques et imprimées pour trouver si le tellure a les propriétés d'un halogène.
2. Trouve l'argent et le cobalt dans la période 4.
   a) Dans quel ordre apparaissent-ils de gauche à droite : Ni-Co ou Co-Ni ?
   b) Si Mendeleïev avait classé ces éléments uniquement selon leur masse atomique, dans quel ordre les aurait-il placés ?
3. Rappelle-toi ce que tu as appris sur les gaz rares (groupe 18) dans le chapitre 6.
   a) Trouve la masse atomique de l'argon (Ar) et va ensuite à l'élément suivant, le potassium (K). Tu dois chercher dans le groupe 1 pour le trouver. Que remarques-tu sur la masse atomique de ces deux éléments ?
   b) Si les éléments du tableau périodique étaient classés uniquement selon leur masse atomique, l'argon et le potassium seraient intervertis. Quelles propriétés de l'argon ne permettent pas de le classer avec les métaux alcalins ? Pourquoi le potassium n'est-il pas classé avec les gaz rares ?

### Qu'as-tu découvert ?

Rédige dans tes propres mots un court paragraphe expliquant pourquoi les éléments du tableau périodique ne sont pas uniquement classés selon leur masse atomique.

**LIEN terminologique**

Cherche « argon » dans le dictionnaire et regarde de quel mot grec il provient. Pourquoi « argon » est-il un nom approprié pour un gaz inerte ?

**Figure 7.22** Henry Moseley n'a pas eu la chance de voir les importantes répercussions de son travail sur l'évolution de la chimie en tant que science. En 1915, il a quitté le laboratoire de Rutherford, à Manchester, pour devenir soldat pendant la Première Guerre mondiale. Il a été tué par les Anglais lors de l'assaut de Gallipoli, une des batailles les plus sanglantes de la guerre.

Avec cette idée, le nombre de protons dans le noyau de l'atome de chaque élément est devenu très important pour comprendre la périodicité. On a fini par appeler **numéro atomique** le nombre de protons de chaque élément. Le tableau périodique moderne est fait selon le concept du numéro atomique.

## Le numéro atomique, le nombre de masse et la structure de l'atome

Le numéro atomique d'un élément fournit des informations sur sa structure atomique. Par exemple, le numéro atomique du fluor est 9, ce qui veut dire qu'il y a neuf protons dans son noyau. Selon notre modèle de la structure de l'atome, il doit aussi y avoir neuf électrons dans un atome de fluor.

Dans la section 7.1, tu as appris qu'un atome est constitué de neutrons ainsi que de protons et d'électrons. Les neutrons contribuent de façon importante à maintenir le noyau ensemble et à empêcher les protons de se séparer.

En soi, le numéro atomique ne nous indique pas le nombre de neutrons dans un atome. À cette fin, les chimistes utilisent un autre nombre appelé le **nombre de masse** pour indiquer le nombre total de protons et de neutrons. En soustrayant le numéro atomique du nombre de masse, tu peux calculer le nombre de neutrons. La notation appropriée de la structure d'un atome doit inclure le symbole chimique ainsi que le nombre de masse et le numéro atomique. Par exemple, le fluor devrait être représenté comme suit :

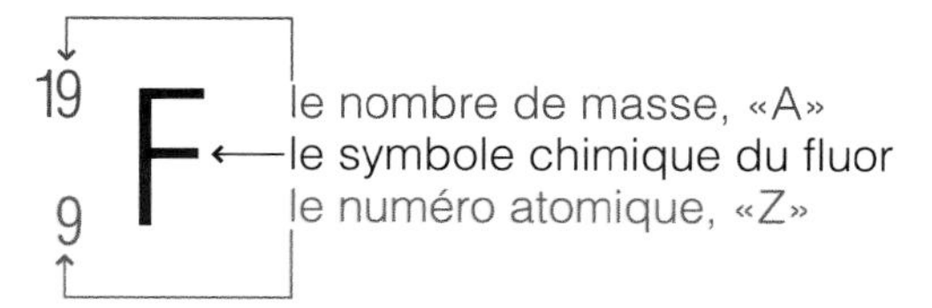


Dans cette notation, le nombre de masse est parfois noté « A » et le numéro atomique, « Z ». Peux-tu maintenant calculer le nombre de neutrons dans un atome de fluor ?

L'UICPA (Union internationale de chimie pure et appliquée) a mis au point un système temporaire de « noms » pour désigner des éléments qui existent en théorie, mais qui n'ont pas encore été découverts ou qui ont été découverts si récemment qu'aucun nom « propre » internationalement approuvé ne leur a encore été attribué. Ce système utilise des mots latins et se fonde sur les numéros atomiques des éléments. Chaque nom regroupe trois des mots latins suivants :

| | | | | |
|---|---|---|---|---|
| nil=0 | un=1 | bi=2 | tri=3 | quad=4 |
| pent=5 | hex=6 | sept=7 | oct=8 | enn=9 |

Par exemple, l'unnilquadium (symbole chimique Unq) signifie littéralement élément 104. Cet élément est maintenant appelé rutherfordium (symbole Rf) en l'honneur du travail d'Ernest Rutherford.

Jusqu'au numéro 109, tous les éléments ont été nommés. Tu remarqueras toutefois, dans ton tableau périodique, que les quatre derniers éléments, découverts récemment par des scientifiques en Allemagne et en Russie, sont encore sans nom et portent les symboles Uun, Uuu, Uub et Uuq. Peux-tu comprendre pourquoi ils sont représentés par ces symboles ? On prédit que l'élément 115, bien qu'il n'ait pas encore été découvert, sera assez stable. Quel nom temporaire donnerait-on à cet élément ?

### Unités de masse atomique

Le nombre de masse d'un élément n'est pas indiqué pour chaque élément du tableau périodique, contrairement à la masse atomique. Regarde le tableau périodique de la page 562 pour trouver la masse atomique du lithium. Tu verras qu'on y indique 6,941, ce qui n'est pas un nombre entier comme le nombre de masse. En fait, tu peux voir que la plupart des masses atomiques du tableau sont données en nombres décimaux. (Les exceptions, qui se trouvent dans la période 7, sont entre parenthèses. Ce sont des estimations pour des éléments synthétiques.)

Les masses atomiques du tableau périodique sont données en **unités de masse atomique (u).** Les unités de masse atomique ne sont pas des unités de mesure de la masse comparables aux grammes, qui sont des unités de mesure de la masse d'un objet placé sur une balance. Rappelle-toi que, lorsque Dalton a proposé pour la première fois l'idée de masse atomique au XIX$^{e}$ siècle, il imaginait les masses des atomes *les unes relativement aux autres*. La masse atomique relative est donc un rapport. Dalton a utilisé l'hydrogène comme unité de base. Il lui a donné une masse atomique de 1 et a exprimé les masses atomiques des autres éléments relativement à elle. Par exemple, une masse atomique relative de 6 sur l'échelle de Dalton signifie que l'atome est six fois plus lourd que l'atome d'hydrogène.

Les unités de masse atomique modernes sont aussi des rapports. Le tableau périodique moderne est fondé sur une norme qui définit une unité de masse atomique comme le $\frac{1}{12}$ de la masse d'un atome de ${}^{12}_{6}C$. Ainsi, toutes les masses atomiques sont définies relativement à la masse de cet atome particulier de carbone. Par exemple, un proton a une masse atomique relative d'environ 1 u, et un électron est beaucoup, beaucoup plus léger : environ $\frac{1}{2000}$ ($\frac{1}{1837}$ exactement) de la masse du proton. La masse atomique relative d'un neutron est environ la même que celle d'un proton : environ 1 u.

## Introduction aux isotopes

Pourquoi les masses atomiques relatives sont-elles en décimales et pas en nombres entiers simples ? Dans son premier modèle d'un atome, Dalton supposait que tous les atomes de chacun des éléments étaient identiques. Selon le modèle de la structure de l'atome que nous avons présenté, cela voudrait dire que chaque atome d'un élément aurait le même nombre de protons, d'électrons et de neutrons que tous les autres atomes de cet élément. Ainsi, la masse atomique de chaque atome d'un élément serait la même.

Au début du XX^e^ siècle, les scientifiques qui étudiaient la radioactivité ont trouvé que certaines substances avaient des masses atomiques différentes, mais qu'elles avaient des propriétés chimiques identiques. Les scientifiques en ont déduit qu'il devait y avoir différentes formes atomiques d'un même élément. Ce phénomène a aussi été observé parmi des éléments non radioactifs beaucoup plus légers. Par exemple, il y a deux formes de l'élément lithium. Elles ont les mêmes propriétés chimiques, mais leurs propriétés physiques diffèrent, ce qui a amené les scientifiques à conclure que ces deux formes sont constituées des atomes d'un même élément, mais avec certaines différences de structure.

Ces deux formes de l'atome de lithium — « légère » et « lourde » — sont appelées **isotopes** du lithium. Le mot « isotope » provient de mots grecs signifiant « même place ». Les deux isotopes du lithium occupent la même place dans le tableau périodique. Les deux ont le même numéro atomique et le même nombre d'électrons. Ils n'ont cependant pas le même nombre de neutrons. En conséquence, les deux isotopes ont une masse atomique relative et un nombre de masse différents.

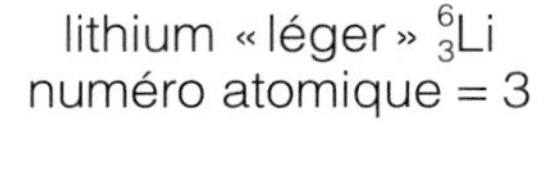


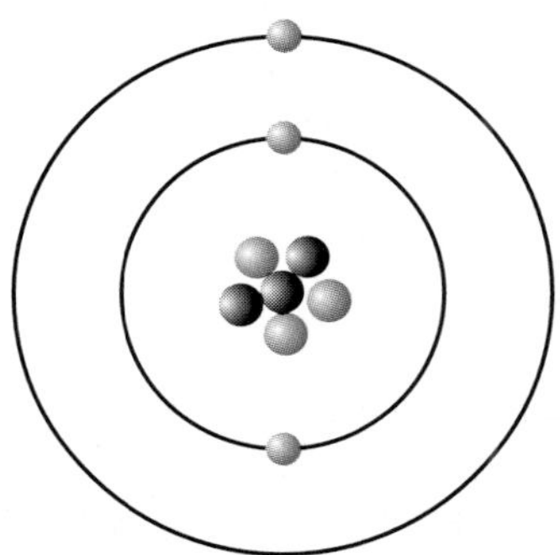


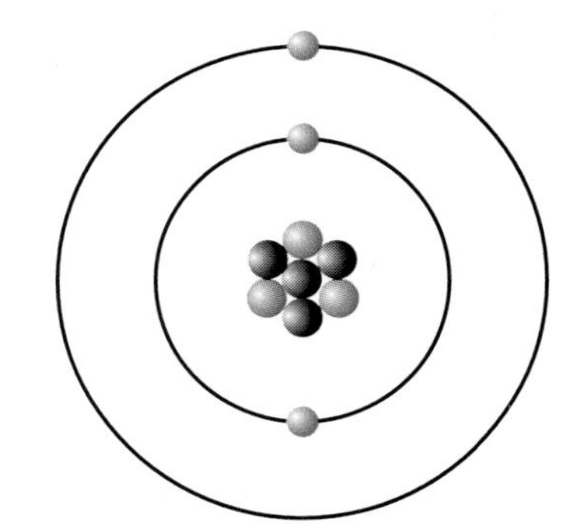


**Figure 7.23** Les isotopes du lithium

Dans le tableau périodique, la masse atomique du lithium est de 6,941 u, ou 6,9 u à une décimale près. Ce n'est pas 6,0 u, comme ce serait le cas si tous les atomes de lithium étaient du lithium « léger », ou lithium 6. Ce n'est pas non plus 7,0 u, comme ce serait le cas si tous les atomes étaient du lithium « lourd », ou lithium 7.

La masse atomique du lithium qui apparaît dans le tableau périodique est calculée en tenant compte de ce qu'on appelle une « moyenne pondérée ». Cette moyenne est plus près de 7 u que de 6 u, ce qui reflète le fait que dans la nature il y a un pourcentage très élevé de l'isotope lithium 7 et un pourcentage beaucoup plus faible de l'isotope lithium 6. Vois-tu pourquoi ?

La plupart des éléments ont différentes formes, ou isotopes, qui ont des masses atomiques différentes, mais des propriétés chimiques identiques. Les masses atomiques de ces éléments dans le tableau périodique proviennent du même système de moyenne pondérée que celui qui est utilisé pour le lithium. L'activité de la page suivante t'aidera à associer la masse atomique aux nombres de neutrons pour deux éléments ayant des isotopes différents, l'hélium et l'étain.

### De la science à la technologie : datation au carbone 14 en archéologie

Un exemple d'isotope utile est le carbone 14, ou $^{14}_{6}C$, une forme rare de carbone ayant six protons et huit neutrons dans son noyau. Le carbone 14 est très légèrement radioactif — pas assez pour être dangereux, mais assez pour que ses atomes libèrent des particules bêta de façon constante et se changent en des atomes d'azote 14 ($^{14}_{7}N$).

Il faut environ 5600 ans pour que la moitié des atomes d'un échantillon se transforment en azote. Si tu connais la concentration naturelle de carbone 14 dans l'environnement et si tu trouves un artefact ancien en bois qui contient seulement la moitié de cette concentration, tu peux déduire que l'artefact doit dater d'environ 3600 av. J.-C., date à laquelle le bois dont il est fait était encore vivant. Un artefact plus ancien contiendrait moins de carbone 14 et un artefact plus récent en contiendrait un peu plus. Tu peux remonter jusqu'à 50 000 ans (bien avant l'histoire écrite ou période historique) avant que la concentration de carbone 14 soit trop faible pour être mesurée précisément. Cette technique est appelée *datation au carbone 14* et est extrêmement importante pour les archéologues.

**Figure 7.24** Ce bateau funéraire égyptien reconstruit a été soumis à l'analyse du carbone 14 et daterait de 3000 ans av. J.-C. environ.

**NOUVEAUX horizons**

Copie le tableau suivant dans ton cahier de notes et écris dans les espaces vides la masse atomique du lithium :

| | Lithium 7 | Lithium 6 |
|---|---|---|
| La masse atomique d'un atome de l'isotope est... | 7,02 u | 6,02 u |
| Le pourcentage des atomes ayant cette masse atomique dans un échantillon naturel est... | 92,4 % | 7,6 % |
| Un échantillon contenant 1000 atomes de Li naturel aurait... | _____ atomes ayant une masse de 7,02 u | _____ atomes ayant une masse de 6,02 u |
| La masse totale de chaque isotope (à la dizaine d'unité de masse atomique près) serait... | | |

1. Quelle est la masse totale des 1000 atomes de l'échantillon (à la dizaine d'unités de masse atomique près) ?
2. Quelle est la masse moyenne des atomes dans l'échantillon ?
3. Compare cette masse moyenne avec la masse atomique du lithium qui apparaît dans le tableau périodique.

# La déduction du nombre de neutrons

## Réfléchis

Imagine que tu as analysé un échantillon d'hélium naturel. Tous les atomes ont deux protons et ont donc tous deux électrons. Ils ont tous le même numéro atomique et occupent tous ainsi la même place dans le tableau périodique. Toutefois, tu as détecté deux isotopes différents.

## Ce que tu dois faire

1. Copie le tableau suivant dans ton cahier de notes. Donne un titre à ce tableau.

| | Hélium « léger » | Hélium « lourd » |
|---|---|---|
| **Numéro atomique** | 2 | 2 |
| **Nombre de protons** | 2 | 2 |
| **Nombre d'électrons** | 2 | 2 |
| **Masse d'un atome de l'isotope** | 3 u | 4 u |
| **Nombre de neutrons** | 1 | |

Les isotopes d'hélium

a) Quelle méthode a été utilisée pour déduire le nombre de neutrons dans un atome d'hélium « léger » ? Explique ta réponse.

b) Utilise cette méthode pour déduire le nombre de neutrons dans un atome d'hélium « lourd ». Note ce nombre dans ton tableau.

c) Écris la notation appropriée des deux isotopes.

2. Une ou un camarade de classe a fait une recherche similaire sur l'étain. Malheureusement, certaines des données sur l'étain ont été effacées du disque dur au cours d'une panne de courant. Le tableau ci-dessous montre les données qui restent. Copie le tableau dans ton cahier de notes et donne-lui un titre.

a) Remplis les cases vides du tableau. (Il reste assez de données pour que tu puisses le faire.)

b) Combien d'isotopes de l'étain ta ou ton camarade de classe a-t-il identifiés ?

c) Quelle est la masse atomique de l'étain selon le tableau périodique ?

d) Crois-tu qu'il y a beaucoup d'isotopes A dans un échantillon moyen d'étain ? Explique ta réponse.

### Développe tes habiletés

Construis un modèle à trois dimensions des deux isotopes de l'hélium. Dans un magasin d'artisanat, tu peux trouver des sphères en plastique transparent pour représenter les couches électroniques. Tu peux faire le noyau avec des billes et le suspendre avec du fil métallique. Construis ta maquette de façon qu'un observateur extérieur puisse compter toutes les particules subatomiques. Si un autre atome s'approchait de tes modèles, pourrait-il réagir à la différence entre les deux isotopes ? Explique ta réponse.

| | A | B | C | D | E | F | G | H | I | J |
|---|---|---|---|---|---|---|---|---|---|---|
| **Numéro atomique** | | 50 | 50 | 50 | | | 50 | | | |
| **Nombre de protons** | | | | 50 | | | 50 | 50 | | |
| **Nombre d'électrons** | | | | | 50 | | | | 50 | 50 |
| **Masse d'un atome de l'isotope** | 112 u | 114 u | | 116 u | 117 u | | 119 u | | 122 u | 124 u |
| **Nombre de neutrons** | 62 | 64 | 65 | | | 68 | | 70 | | |

Les isotopes d'étain

# La modélisation de l'atome

Tu as lu sur plusieurs scientifiques au cours de ce chapitre. Chacun de ces scientifiques a, d'une certaine façon, permis l'avancement des connaissances en matière de structure de l'atome.

## Projet

Ton enseignante ou ton enseignant divisera la classe en groupes et attribuera à chacun des groupes une ou un des scientifiques suivants: John Dalton, William Crookes, J.J. Thomson, Ernest Rutherford, Marie Curie, Niels Bohr et Henry Moseley.

Votre projet consiste à préparer une présentation de cette ou de ce scientifique. La partie principale de votre présentation doit être un modèle de la théorie de l'atome ou d'une des principales expériences de cette ou de ce scientifique. Votre présentation devrait aussi inclure des dessins ou des photographies ainsi qu'une simulation d'entrevue avec cette ou ce scientifique.

## Matériel

matériaux pour faire les modèles: par exemple, pâte à modeler, feuille métallique, sphères en plastique, pailles ou nettoie-pipes, guimauves (de différentes couleurs et tailles), objets sphériques (de différentes tailles), raisins

matériaux pour faire les dessins ou pour monter et présenter les photographies: par exemple, papier blanc, papier de bricolage, carton, crayons-feutres de couleur ou crayons de couleur

## Critères de conception

**A.** Votre modèle doit contenir assez de détails pour montrer les principales caractéristiques du dessin de l'atome ou de l'expérience de la ou du scientifique.

**B.** Il doit surtout être dynamique. Par exemple, pour la théorie de l'atome de Thomson, votre modèle doit vous permettre de montrer ce qui peut arriver à un atome dans la cathode d'un tube à décharge électrisé.

**C.** Votre modèle doit illustrer les forces et les faiblesses du travail de recherche du ou de la scientifique.

## Plan et construction

**1** En groupe, discutez du rôle qu'a joué votre scientifique dans l'histoire de l'atome en abordant les trois points suivants:
- les questions initiales qu'elle ou il a posées;
- la façon dont elle ou il a répondu à ces questions, avec un modèle de l'atome ou une expérience;
- les nouvelles questions que les travaux de cette ou de ce scientifique ont soulevées.

**2** Choisissez les caractéristiques que votre modèle doit inclure. Dessinez des plans de votre modèle (vous aurez probablement besoin de plus d'un plan si vous voulez que votre modèle soit dynamique) et choisissez vos matériaux.

**a)** Divisez votre groupe en deux équipes qui travailleront en étroite collaboration. La première équipe construira le modèle en suivant les plans, en fera la mise à l'essai pour s'assurer qu'il démontre bien les idées du ou de la scientifique et en fera la démonstration pendant la présentation.

**b)** La seconde équipe préparera la présentation, en se fondant sur le modèle terminé.
- Une personne de l'équipe de présentation jouera le rôle de la ou du scientifique et fera la narration de la présentation.
- Une deuxième personne jouera le rôle d'une ou d'un journaliste scientifique et préparera des questions à poser à la ou au scientifique.
- Vous pouvez utiliser des dessins, des affiches ou d'autres matériaux visuels pour appuyer votre présentation, et des cartons aide-mémoire pour vous aider à présenter la partie orale.
- Dans votre présentation, n'oubliez pas d'utiliser les idées discutées au cours de l'étape 1.

**3** Donnez la présentation en direct ou filmée à l'aide d'une caméra vidéo. À la fin de la présentation, faites une entrevue en « tête-à-tête » entre la ou le scientifique et la ou le journaliste. Après l'entrevue, invitez, si vous le voulez, les membres de l'auditoire à poser d'autres questions à la ou au scientifique.

## Évaluation

1. Quel groupe a présenté les idées de la ou du scientifique de la façon la plus efficace? Quel groupe a donné une meilleure image des questions auxquelles a répondu la ou le scientifique et des nouvelles questions soulevées par son travail?
2. À quel point votre modèle a-t-il démontré le travail de votre scientifique? Quel partie de votre modèle pourriez-vous améliorer?

## Le numéro atomique et la réactivité chimique

Tu as vu que la meilleure façon de classer les éléments du tableau périodique est de les mettre par ordre de numéro atomique. Les propriétés chimiques des éléments, particulièrement leur réactivité, peuvent aussi être interprétées par leur numéro atomique. Le numéro atomique est un indicateur clé de la réactivité chimique parce qu'il détermine l'arrangement des électrons sur les couches. Tu peux donc utiliser le tableau périodique, dont le classement suit le numéro atomique, pour faire des prédictions sur les propriétés chimiques des éléments. Dans le chapitre 8, tu seras en mesure de faire des prédictions sur certains des éléments que tu as vus dans le chapitre 6.

## D'un océan à l'autre

Le cobalt 60, isotope radioactif du cobalt, est un élément métallique qui peut être utilisé dans le traitement du cancer. Le Canada a été le chef de file de cette application qui permet de sauver des vies. Sylvia Fedoruk a été l'une des pionnières dans ce domaine. Elle a été physicienne médicale en chef de la Saskatchewan Cancer Foundation pendant 35 années. Au cours de cette période, elle a participé à la mise au point de l'un des premiers appareils médicaux à balayage par rayonnement nucléaire.

Sylvia Fedoruk est née à Canora, en Saskatchewan. Lorsqu'elle était adolescente, elle adorait les sports comme le hockey, le ballon-panier, le ballon-volant, la course et le curling. Elle a continué à faire de l'athlétisme et, en 1986, a été inscrite au Temple de la renommée du Curling Canadien. Sylvia Fedoruk a aussi eu une vie publique active. De 1988 à 1994, elle a été lieutenante-gouverneure de la Saskatchewan. Elle a défendu des causes telles que la protection de l'environnement et l'excellence en éducation.

Quand Sylvia Fedoruk a commencé à travailler comme physicienne, il y avait très peu de femmes dans ce domaine. Lorsqu'elle est devenue lieutenante-gouverneure de la Saskatchewan, elle a été la première femme à travailler dans ce bureau. Quel conseil donne-t-elle aux jeunes femmes modernes ? « Fixez-vous des buts personnels. Rêvez de faire mieux que ce dont vous vous êtes jamais cru capable. Si vous rêvez d'accomplir l'impossible, vous pouvez le faire ! »

Sylvia Fedoruk

## Vérifie ce que tu as compris

1. En quoi consistaient les « inversions » de Mendeleïev ? De quelle façon Henry Moseley les a-t-il expliquées ?
2. Qu'est-ce qu'une unité de masse atomique (u) ? Quelles sont les masses approximatives des particules subatomiques, exprimées en unités de masse atomique ?
3. Qu'est-ce qu'un isotope ? Explique comment l'existence des différents isotopes d'un élément pourrait influer sur la masse atomique relative de l'élément dans le tableau périodique.
4. Pour chacun des isotopes suivants, donne le nom de l'élément ainsi que le nombre de protons, de neutrons et d'électrons qu'il contient :
   a) $^{35}_{17}Cl$ b) $^{238}_{92}U$ c) $^{56}_{26}Fe$
5. Reprends la série de fiches sur les éléments que tu as préparées au chapitre 5 (page 176) et ajoute des fiches pour les nouveaux éléments que tu as étudiés dans ce chapitre. Ajoute aussi sur tes cartes de l'information sur les isotopes ou sur les applications technologiques.
6. **Réflexion critique** Pourrait-on utiliser la datation au carbone 14 pour estimer l'âge d'un squelette ? Comment une ou un archéologue pourrait-il dater une graine de plante ou une tête de hache en pierre trouvée avec le squelette ?

## RÉSUMÉ du chapitre 7

Maintenant que tu as terminé ce chapitre, essaie d'accomplir les tâches suivantes. Si tu as de la difficulté, révise les sections indiquées entre parenthèses.

Fais un schéma annoté d'un spectre continu et énumère les couleurs du spectre selon leur ordre d'apparition. (7.1)

Fais un schéma annoté d'un tube à décharge et rédige un bref compte rendu de la façon dont les tubes à décharge ont été importants dans la découverte des électrons. (7.1)

Résume les observations qui ont suggéré que les électrons étaient des particules avec une charge et une masse. (7.1)

Rédige un bref compte rendu des événements qui ont conduit à la découverte de la radioactivité et qui ont permis d'isoler certains éléments radioactifs. (7.2)

Résume les propriétés des radiations alpha, bêta et gamma. (7.2)

Fais un schéma annoté de l'expérience de Rutherford avec la feuille d'or et décris les observations qu'il a faites. (7.2)

Décris le modèle de l'atome de Rutherford. Donne les raisons qui expliquent pourquoi on a considéré ce modèle incomplet. (7.2)

Dessine des schémas illustrant les modèles de l'atome suggérés par Dalton, Thomson, Rutherford et Bohr. (7.1, 7.2)

Énumère les noms et résume les travaux des scientifiques présentés dans ce chapitre qui ont contribué à accroître nos connaissances de la structure de l'atome. (7.1, 7.2, 7.3)

Fais la distinction entre les termes « numéro atomique » et « masse atomique ». Dis sur quoi est fondée la classification du tableau périodique moderne. (7.3)

En te fondant sur le numéro atomique et le nombre de masse d'un isotope particulier, écris le nombre de protons, d'électrons et de neutrons présents dans son atome. (7.3)

Rédige un bref compte rendu de la façon dont on peut utiliser la datation au carbone 14 pour déterminer l'âge d'un objet ancien en bois. (7.3)

### Prépare ton propre résumé

Résume ce chapitre en faisant l'une des tâches suivantes. Fais une représentation graphique (tel un réseau conceptuel), une affiche ou un résumé qui inclut les concepts clés de ce chapitre.

- Résume les expériences ayant conduit à la découverte de l'électron et de certaines de ses propriétés.
- Rédige un bref compte rendu de la façon dont la radioactivité a été découverte et explique pourquoi elle a permis de mieux comprendre la structure de l'atome.
- Résume les caractéristiques importantes des trois principaux modèles atomiques présentés dans ce chapitre et les observations ayant conduit d'un modèle à l'autre.
- Décris comment on classe les éléments dans le tableau périodique et explique comment on peut utiliser les données indiquées pour déterminer le nombre de particules subatomiques présentes dans les atomes de chacun de ces éléments.

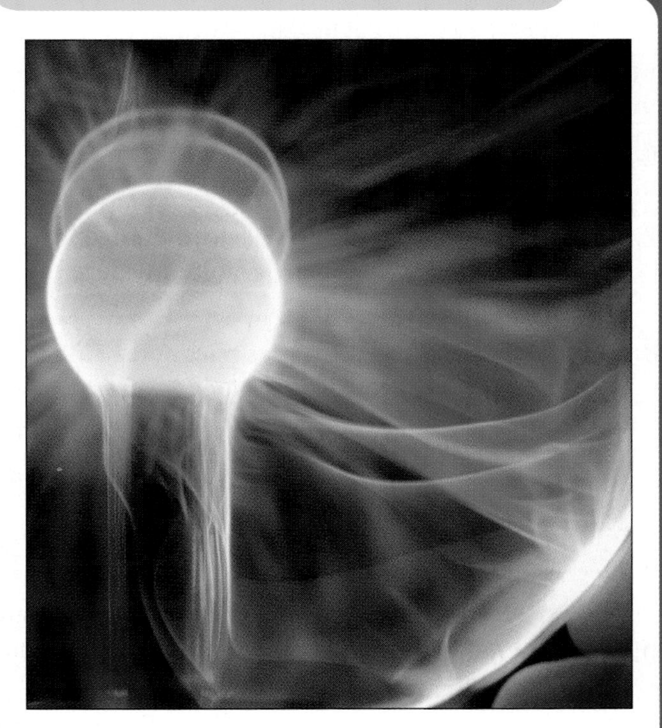

# CHAPITRE 7 Révision

## Des termes à connaître

Si tu as besoin de réviser les termes ci-dessous, rends-toi aux numéros de section qui indiquent où ils ont été mentionnés pour la première fois.

1. Quel lien y a-t-il entre un tube à décharge gazeuse et certaines lumières d'enseignes publicitaires; et entre un tube à décharge gazeuse et le tube d'un téléviseur? (7.1)
2. Qu'est-ce que les rayons cathodiques? Comment peut-on les rendre visibles? Quel type d'émission radioactive est semblable aux rayons cathodiques? (7.1)
3. Explique la différence entre les termes « preuve » et « déduction » en donnant des exemples tirés de l'expérience de Rutherford avec la feuille d'or. (7.2)
4. Nomme quelques propriétés des rayons alpha, bêta et gamma. (7.2)
5. Comment Henry Moseley a-t-il trouvé une façon de déterminer le numéro atomique d'un élément? (7.3)

## Des concepts à comprendre

Si tu as besoin de réviser un concept, consulte les numéros de section donnés.

6. Quelle preuve démontre que les électrons font partie de toutes les matières? (7.1)
7. En quoi l'expérience de Rutherford était-elle similaire à ton activité avec la boîte mystère? (7.2)
8. Lorsque Rutherford a tiré des particules alpha sur de minces feuilles d'or, il a découvert que certaines des particules alpha rebondissaient directement dans la direction de la source. Quelle conclusion sur la structure de l'atome Rutherford a-t-il pu en tirer? (7.2)
9. Décris au moins deux problèmes relatifs au modèle de l'atome de Rutherford. (7.2)
10. Explique pourquoi les masses atomiques de la plupart des éléments ne sont pas des nombres entiers. (7.3)
11. Les isotopes naturels de rubidium et de strontium ont le même nombre de masse, 87. Explique comment cela est possible. (7.3)
12. L'étain a 10 isotopes stables. Décris au moins deux manières dans lesquelles les atomes de ces isotopes seraient semblables. (7.3)

## Des habiletés à acquérir

13. Fais un graphique des 20 premiers éléments du tableau périodique en plaçant la masse atomique relative sur l'axe des $y$ (ordonnées) et le numéro atomique sur l'axe des $x$ (abcisses). Quelle tendance périodique est illustrée? Commente toute exception.
14. Fais un réseau conceptuel du modèle de Bohr-Rutherford qui inclut le numéro atomique, le nombre de masse, les couches électroniques et les neutrons.
15. La recherche a démontré que les protons et les neutrons sont eux-mêmes faits de petites particules appelées « quarks ». Fais une recherche sur ces particules et rédige un bref compte rendu de ta recherche.
16. La plupart des atomes d'hydrogène ne contiennent pas de neutron dans leur noyau. Le deutérium est un isotope naturel de l'hydrogène qui contient un neutron. L'eau lourde est constituée d'atomes de deutérium, plutôt que d'atomes d'hydrogène, liés à l'oxygène. Trouve pourquoi l'eau lourde est utilisée dans le réacteur CANDU (Canadian Deuterium Uranium) situé à Pickering, en Ontario, et rédige un bref compte rendu à ce sujet.
17. Prolonge le schéma chronologique que tu as fais au chapitre 5 (page 186) pour montrer l'élaboration des théories au sujet de la structure atomique.

## Des problèmes à résoudre

18. Utilise un tableau périodique pour déterminer le numéro atomique du chlore. Il existe deux isotopes du chlore qui ont un nombre de masse de 35 et de 37 respectivement.

a) Combien y a-t-il de neutrons dans chaque isotope ?

b) Si tu échantillonnes 100 atomes de chlore, il y aura peut-être 75 atomes de chlore 35 et 25 de chlore 37. Quelle serait la masse moyenne des atomes de chlore de cet échantillon ?

**19.** Un isotope particulier du magnésium (de numéro atomique 12) a une unité de masse atomique de 24. Si un ion de cet isotope a le même nombre d'électrons qu'un atome d'argon, combien de protons, de neutrons et d'électrons aura-t-il ?

**20.** Si la masse d'un neutron était la moitié de sa masse réelle et que la masse d'un électron était de deux fois sa masse réelle, la masse d'un seul atome de calcium 40 serait-elle plus grande ou plus petite, et d'environ combien ? (Tiens pour acquis que la masse du proton est inchangée.)

## Réflexion critique

**21.** Le tube que Geissler a inventé était, et est encore aujourd'hui, connu sous plusieurs noms : tube à décharge gazeuse, tube de Geissler, tube à rayons cathodiques et tube de Crookes. Explique comment un seul appareil peut avoir autant de noms, tous appropriés d'une certaine façon.

**22.** Si le modèle de l'atome de Thomson avait été exact, de quelle façon les résultats de l'expérience de Rutherford avec la feuille d'or auraient-ils différés ?

**23.** Pourquoi Rutherford a-t-il utilisé les rayons alpha plutôt que les rayons bêta dans son expérience de recherche sur les atomes ?

**24.** Recopie le schéma ci-dessous et note les différentes parties de l'appareil. À l'aide de flèches, indique ce qui se passe lorsque les électrodes sont reliées à une source de courant électrique. Qui a conduit cette expérience pour la première fois ?

**25.** Un élément qui contient deux isotopes naturels ou plus est-il une substance pure ?

**26.** Comment la datation au carbone 14 pourrait-elle être utilisée pour estimer l'âge d'une momie égyptienne ? (Indice : Pense aux différents éléments organiques dans ce type d'artefact.)

### Pause réflexion

1. Quels sont les liens entre la science et la technologie ? Donne un exemple trouvé dans ce chapitre où la technologie devait avoir été inventée avant que d'autres progrès scientifiques soient possibles, et un autre exemple où le progrès scientifique a conduit à une nouvelle technologie.
2. « On décrit souvent la méthode scientifique comme logique et systématique. »

   « Le chemin de la connaissance scientifique prend parfois de mauvaises directions et mène parfois accidentellement à une découverte inattendue. »

   Commente ces affirmations en complétant tes réponses avec des exemples tirés de ce chapitre.

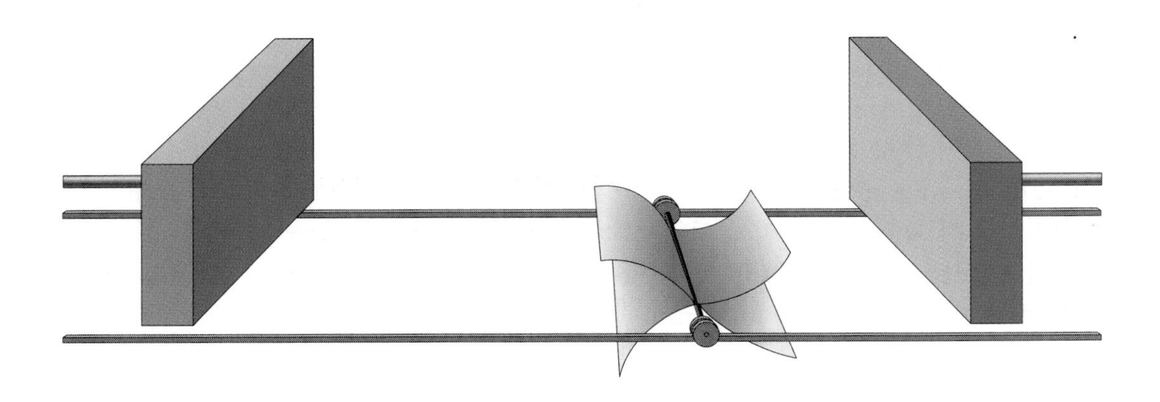

CHAPITRE

# 8 Les liaisons

## Pour commencer...

- Quels sont les points communs entre le sucre et le sel ? Quelles sont les différences ?
- Pourquoi la formule de l'eau est-elle $H_2O$ ?
- Que sont les plastiques ?

## Journal scientifique

Dans ton journal scientifique, écris tout ce que tu as appris jusqu'à présent sur le fluor, le néon et le sodium. Décris les propriétés de ces éléments, leur nombre d'électrons et où ces éléments se trouvent dans le tableau périodique. Pense à des réactions chimiques possibles entre ces éléments et consigne les composés que, d'après toi, ces éléments pourraient former.

Que fait l'athlète sur la photo ? Si tu as répondu qu'elle étanchait sa soif, tu as raison. Mais ce n'est pas tout. Elle remplace l'eau et les ions que son corps a perdus au cours du processus de la transpiration. Si l'eau ainsi perdue n'est pas remplacée, le corps humain risque de se déshydrater. La déshydratation, qui s'accompagne d'une perte d'ions, peut entraîner de la fatigue, des nausées et des étourdissements. Le liquide, dans la bouteille, est une boisson destinée aux sportifs. Cette boisson se compose d'ions, de glucides et de sucres pour reconstituer l'énergie.

Le chlorure de sodium (le sel de table) et le chlorure de potassium sont des sources courantes d'ions. Le sucre ressemble au sel, mais il ne forme pas d'ions dans une solution. Pourquoi certaines substances contiennent-elles des ions alors que d'autres n'en contiennent pas ?

Il te sera peut-être difficile de distinguer le sucre du sel, mais tu n'auras aucune difficulté à distinguer l'une de ces deux substances de la bouteille qui contient la boisson. Le plastique dont est faite la bouteille a des propriétés très différentes du sucre ou du sel. Pour comprendre ces propriétés et les propriétés décrivant tous les autres matériaux, tu dois savoir comment les atomes et les molécules qui constituent différentes substances sont liés. Ce chapitre traite des liaisons chimiques.

# chimiques

## Concepts clés

Dans ce chapitre, tu découvriras :

- comment se forment les ions et comment s'établissent les liaisons ioniques ;
- comment les liaisons s'établissent dans les substances qui n'ont pas d'ions (ou de liaison ionique) ;
- pourquoi les substances dont les types de liaisons sont différents ont des propriétés différentes ;
- l'importance des produits chimiques dans ta vie.

## Habiletés clés

Dans ce chapitre :

- tu feras des tests pour identifier les substances ioniques et les substances non ioniques ;
- tu utiliseras le tableau périodique pour prévoir différents types de liaisons entre les atomes ;
- tu étudieras les propriétés de différents plastiques.

## Mots clés

- métaux alcalinoterreux
- octet stable
- ion
- composé ionique
- liaison ionique
- électron de valence
- réseau cristallin
- composé moléculaire
- liaison covalente
- graphite
- diamant
- polymère

## ACTIVITÉ de départ

### Maintenant, c'est de l'énergie !

Quand une réaction chimique a lieu, il y a transfert d'énergie et formation d'une nouvelle substance. Examine ce qui se passe dans cette activité. Pense aux propriétés des substances en cause et à la transformation énergétique qui a lieu.

#### Ce dont tu as besoin 

une lampe éclair non électronique neuve
une lampe éclair non électronique usagée

#### Ce que tu dois faire

1. Examine la lampe éclair neuve. Décris ses propriétés par écrit.
2. Observe ton enseignante ou ton enseignant utiliser la lampe éclair. Consigne tes observations.
3. Ton enseignante ou ton enseignant demandera à un ou à une élève de toucher la lampe éclair. Consigne les observations de l'élève.
4. Maintenant, examine la lampe éclair usagée et décris les propriétés que tu observes.

#### Qu'as-tu découvert ?

1. En quoi les propriétés de la lampe éclair sont-elles semblables ou différentes avant et après l'avoir utilisée ?
2. Qu'as-tu observé qui te permette de dire qu'il y a de l'énergie ? De quelles formes d'énergie s'agit-il ?
3. Explique pourquoi tu peux déduire qu'une réaction chimique a eu lieu.

# 8.1 Les familles chimiques expliquées

Le modèle de la structure atomique que tu as élaboré au chapitre 7, qu'on appelle parfois le modèle de Bohr-Rutherford, peut se prolonger et devenir un modèle de la formation des composés chimiques. Dans l'Activité de départ, tu as vu un autre exemple de ce que tu as appris au chapitre 5: quand les éléments forment des composés, leurs propriétés chimiques changent. Le filament de la lampe éclair se compose de magnésium. Quand ton enseignante ou ton enseignant a fait fonctionner la lampe éclair, le magnésium s'est associé à l'oxygène pour former le composé d'oxyde de magnésium dans une réaction chimique qui a aussi produit de la chaleur et la lumière que tu as observée. Les propriétés du composé sont assez différentes des propriétés des éléments. Tu devais bien t'en douter, puisque tu l'as déjà étudié.

Un modèle de la formation des composés devra expliquer pourquoi les propriétés chimiques d'un composé sont différentes des propriétés des éléments qui forment ce composé. Cette tâche peut te paraître très compliquée, mais elle sera bien plus facile si tu analyses les familles d'éléments pour expliquer leurs similarités. Cette première étape est importante pour élaborer un modèle de la formation des composés.

Dans l'activité de la page suivante, tu vas utiliser le modèle de Bohr-Rutherford pour examiner l'agencement des électrons dans les atomes de chacun des 20 premiers éléments du tableau périodique. L'utilisation de ces nombreux éléments te permettra d'examiner les propriétés chimiques de quatre familles en particulier. Tu devras faire spécialement attention au nombre d'électrons de la couche périphérique de chaque élément. En effet, quand les atomes se déplacent et s'entrechoquent, c'est leur dernière couche d'électrons qui entre en contact. La figure 8.1 te montre des schémas des couches sur lesquelles l'activité repose.

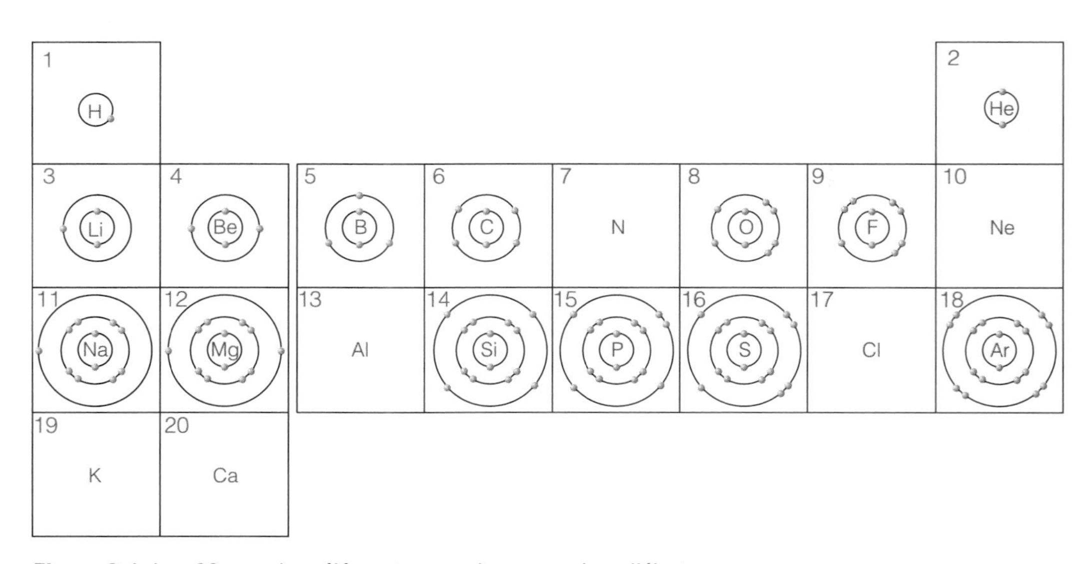


**Figure 8.1** Les 20 premiers éléments, avec leurs couches d'électrons

## Les électrons périphériques

Les schémas des couches sont une façon de représenter les atomes, d'après le modèle de Bohr-Rutherford. Ces schémas sont aussi utiles pour comprendre comment les substances réagissent chimiquement. Dans cette activité, tu vas étudier les 20 premiers éléments du tableau périodique et tu vas représenter sur un schéma la couche d'électrons de certains de ces éléments.

### Ce que tu dois faire

1. Examine le tableau périodique simplifié ci-dessous. Tu remarqueras qu'il n'y a que deux éléments, l'hydrogène et l'hélium, dans la période 1. La première couche de Bohr ne peut contenir que deux électrons : l'hydrogène a un électron sur cette couche et l'hélium a deux électrons. Quels sont les numéros atomiques de ces deux éléments ?

2. Examine maintenant la période 2. La plupart des éléments de cette période ont une première couche pleine (deux électrons) et une deuxième couche partiellement remplie. La première et la deuxième couche du dernier élément, le néon, sont pleines. Compte le nombre d'éléments de la période 2. Combien d'électrons la deuxième couche peut-elle contenir ?

3. Examine maintenant la figure 8.1, sur la page ci-contre. Cette figure t'indique les 20 premiers éléments ainsi que le schéma des couches pour la plupart de ces éléments. Recopie ce tableau soigneusement dans ton cahier. Commence à remplir les schémas des couches qui manquent, jusqu'au numéro atomique 10 (néon).

4. Examine la rangée suivante du tableau, qui indique les éléments de la période 3. Cette rangée commence par le sodium et se termine par l'argon (numéro atomique 18). Trace les schémas des couches qui manquent dans cette rangée aussi.

5. Le potassium et le calcium sont les derniers des 20 éléments que tu étudies. Trace le schéma de la couche du calcium dans la dernière case du tableau.

### Qu'as-tu découvert ?

1. Combien d'électrons maximum la couche périphérique peut-elle contenir dans la première période ? Combien d'électrons maximum la couche périphérique des deuxième et troisième périodes peut-elle contenir ?

### Approfondis

2. Examine « l'escalier », à droite de la table périodique simplifiée ci-dessous. Les éléments à gauche de cet escalier sont des métaux (à l'exception de l'hydrogène) et les éléments à droite de cet escalier ne sont pas des métaux. Sur l'escalier, et en rouge, il y a les métalloïdes que tu as découverts au chapitre 6. Essaie de définir des tendances dans le nombre d'électrons des couches périphériques de ces éléments. Plus loin dans cette section, tu vas lire des passages sur le gain et la perte d'électrons. Essaie de trouver pourquoi ces tendances surviennent.

| $_{1}$H | | | | | | | | | | | | | | | | | $_{2}$He |
|---|---|---|---|---|---|---|---|---|---|---|---|---|---|---|---|---|---|
| $_{3}$Li | $_{4}$Be | | | | | | | | | | | $_{5}$B | $_{6}$C | $_{7}$N | $_{8}$O | $_{9}$F | $_{10}$Ne |
| $_{11}$Na | $_{12}$Mg | | | | | | | | | | | $_{13}$Al | $_{14}$Si | $_{15}$P | $_{16}$S | $_{17}$Cl | $_{18}$Ar |
| $_{19}$K | $_{20}$Ca | | | | | | | | | | | | $_{32}$Ge | $_{33}$As | | | |
| | | | | | | | | | | | | | | $_{51}$Sb | $_{52}$Te | | |
| | | | | | | | | | | | | | | | $_{84}$Po | $_{85}$At | |
| | | | | | | | | | | | | | | | | | |

## Les électrons périphériques et les groupes d'éléments

Tu peux voir, sur les schémas des couches de la dernière activité, que les éléments de chaque groupe sont quelque peu différents. La masse atomique et le nombre de couches d'électrons augmentent à mesure que tu descends dans un groupe. Par exemple, dans le groupe 2, le calcium a une masse atomique plus élevée et un plus grand nombre de couches d'électrons que le magnésium ou le béryllium. De plus, le rayon d'un atome de calcium est plus grand. Malgré ces différences, tous les éléments des groupes que tu as étudiés ont un point en commun : le nombre d'électrons de leur couche périphérique est identique.

Le tableau 8.1 illustre cette idée avec quatre groupes : les halogènes, les gaz rares, les métaux alcalins et un groupe que tu n'as pas encore étudié, les **métaux alcalinoterreux** (groupe 2). Ces groupes sont présentés selon un agencement particulier pour que tu puisses comparer la disposition des électrons. Consulte fréquemment le tableau 8.1 à mesure que tu lis le reste de cette section.

**Tableau 8.1** L'agencement des électrons de quatre familles

| Halogènes (très réactifs) | Gaz rares | Métaux alcalins (très réactifs) | Métaux alcalinoterreux (assez réactifs) |
|---|---|---|---|
| | 2 He | 3 Li | 4 Be |
| 9 F | 10 Ne | 11 Na | 12 Mg |
| 17 Cl | 18 Ar | 19 K | 20 Ca |
| 35 Br | 36 Kr | 37 Rb | 38 Sr |
| 53 I | 54 Xe | 55 Cs | 56 Ba |
| 85 At | 86 Rn | 87 Fr | 88 Ra |

### Les gaz rares : une couche périphérique stable

Les chimistes trouvent les gaz rares intéressants en raison de leur grande inertie. Comme tu le découvriras, l'inertie peut être une propriété très utile.

**Figure 8.2 A)** Les premières ampoules électriques brûlaient rapidement du fait que l'oxygène de l'air réagissait avec le filament incandescent.

**Figure 8.2 B)** Les ampoules électriques modernes sont remplies d'argon, un gaz inerte.

Examine une ampoule électrique ordinaire. Si la moindre fuite permet à de l'air de se glisser à l'intérieur de la paroi de verre, le filament brûlera dans un grand éclair de lumière et l'ampoule noircira. L'exposition à l'oxygène fait brûler le filament en tungstène. En voici la raison : la couche d'électrons du tungstène est affectée par la couche de l'oxygène, surtout quand le tungstène est chaud. Mais s'il n'y a pas d'oxygène, le tungstène ne peut pas réagir. Les ampoules électriques modernes sont remplies d'argon, un gaz inerte, pour éviter que le filament de tungstène brûle.

L'argon est un gaz rare. Les phares à décharge à grande intensité dont on te parlait au début du chapitre 7 contiennent un autre gaz rare, le xénon. Le rôle du xénon dans les phares à décharge à grande intensité est différent du rôle de l'argon dans les ampoules électriques. Les nouveaux phares sont en fait des tubes à décharge gazeuse sans filament. Ces phares fonctionnent comme les tubes à décharge que Crookes et Thomson utilisaient pour étudier les atomes. Les phares sont remplis de xénon à basse pression et la surface intérieure du verre est revêtue de sels métalliques. Comme le courant forme des arcs dans le tube, il alimente les atomes de xénon et les fait briller d'intenses rayons ultraviolets. Cette lumière active les sels métalliques qui, à leur tour, brillent de leur propre lumière bleue.

De nombreuses expériences en laboratoire ont confirmé que tous les gaz rares étaient chimiquement stables, ce qui signifie qu'il est fort peu probable que ces gaz participent à un changement chimique. En fait, seuls les plus gros atomes des gaz rares peuvent réagir chimiquement. Et même lorsque ces atomes réagissent, leurs composés se décomposent rapidement, permettant ainsi aux gaz rares de se séparer de nouveau en atomes individuels.

D'après ces propriétés et d'autres propriétés observées, les chimistes ont conclu que l'agencement des électrons des atomes des gaz rares devait être exceptionnellement stable. Par exemple, l'hélium n'a que deux électrons au total. La couche qui les maintient ensemble ne peut contenir que deux électrons. Cette couche est donc pleine. Quand un atome d'hélium rencontre un atome d'un autre élément, sa couche périphérique reste inchangée.

Il en va de même pour tous les autres gaz rares. Leur couche périphérique a huit électrons au lieu de deux, mais cette couche périphérique reste inchangée quand elle entre en collision avec d'autres atomes, même si les autres atomes sont généralement réactifs. Cet agencement de huit électrons sur la couche périphérique s'appelle souvent un **octet stable**. L'octet stable est un concept important parce qu'il peut permettre d'expliquer pourquoi les halogènes et les métaux alcalins sont si instables ou si réactifs, et ce qui se passe quand ils réagissent.

**Le savais-tu ?**

Avant 1963, tous les manuels de chimie avançaient que tous les gaz rares étaient totalement inertes, c'est-à-dire qu'ils ne pourraient jamais former de composés chimiques. Mais le chimiste canadien Neil Bartlett a surpris le monde scientifique en préparant des composés à base de gaz rares dans un laboratoire de l'Université de Colombie-Britannique. Les méthodes qu'il a utilisées pour réorganiser les électrons n'étaient pas très difficiles, mais les composés se sont avérés instables. Les atomes des gaz rares sont vraiment beaucoup plus stables quand ils ne sont pas combinés.

**LIEN terminologique**

Vérifie, dans un dictionnaire, la racine du mot « octet » et la langue dont il vient. Donne le plus de mots possible formés à partir de la même racine. Élabore ensuite une grille mystère avec ces mots écrits horizontalement, verticalement et en diagonale. Demande à un ou à une partenaire de trouver tous les mots.

**Le savais-tu ?**

Pendant la Première Guerre mondiale, on utilisait le chlore pur à l'état gazeux comme arme chimique. Le chlore est deux fois plus dense que l'air. C'est pourquoi le chlore plongeait directement dans les tranchées et y restait. Plusieurs soldats sont morts sur-le-champ. D'autres ont survécu et plusieurs ont souffert toute leur vie de problèmes respiratoires. Le poète Wilfred Owen a décrit une attaque aux gaz dans les tranchées en ces termes :

*Vague et indistinct à travers les vitres brumeuses et l'épaisse lumière verte,*

*Comme si je me trouvais sous une mer émeraude, je le voyais nous submerger...*

## Les halogènes : la stabilité... à un électron près

Réfléchis à la question suivante pendant ta lecture :

> Où un atome de fluor peut-il trouver l'électron supplémentaire dont il a besoin pour former un octet stable ?

Comme tu l'as vu dans le tableau 8.1, page 260, tous les atomes d'halogènes ont sept électrons périphériques, quels que soient leur masse, le nombre de couches ou le nombre total d'électrons. Les atomes d'halogènes réagissent vigoureusement avec presque tout. Même les halogènes les moins réactifs sont extrêmement corrosifs et nocifs.

**Figure 8.3 A)** Auparavant, on utilisait de la teinture d'iode (une solution alcoolisée) pour tuer les microbes dans une coupure. Malheureusement, l'iode tuait aussi les cellules voisines.

**Figure 8.3 B)** Dans la plupart des piscines, il y a du chlore à l'état gazeux pour tuer les microbes.

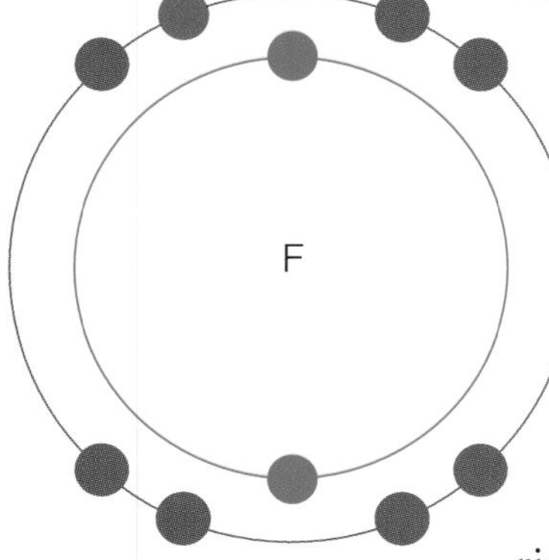


**Figure 8.4** Voici à quoi ressembleraient les couches d'électrons du fluor si ce dernier avait un électron supplémentaire.

Le fluor est si réactif que le premier à l'avoir isolé, Henri Moissan, en 1886, a gagné un prix Nobel. Presque 40 ans se sont écoulés avant qu'on ait réussi à mettre au point des méthodes pour produire sans danger de grandes quantités de fluor. Pour y parvenir, il a fallu consentir des investissements coûteux ainsi que des efforts ardus en recherche scientifique.

À partir de ces exemples de la réactivité des halogènes, nous pouvons en déduire qu'une couche périphérique contenant sept électrons est instable. Examine attentivement l'agencement des électrons de fluor. Tu remarqueras que les couches ressemblent beaucoup aux couches du néon. Que se passerait-il si le fluor pouvait acquérir un électron supplémentaire ? La couche périphérique du fluor aurait alors un octet stable, comme sur la figure 8.4.

Le fluor, situé au haut du groupe 17, est plus réactif que le chlore, qui se trouve juste en dessous. Plus un atome d'halogène contient de couches d'électrons, moins il est réactif. Peux-tu expliquer pourquoi ?

### Les métaux alcalins : un électron de trop pour être stables

Réfléchis à la question suivante pendant ta lecture :

> Comment un atome de sodium pourrait-il se débarrasser de son électron de trop pour devenir chimiquement stable ?

L'agencement des électrons périphériques du groupe des métaux alcalins diffère considérablement de l'agencement des électrons du groupe des halogènes. Quels que soient le rayon atomique ou le nombre de couches d'électrons, tous les métaux alcalins ont un électron périphérique. Les métaux alcalins réagissent vigoureusement au contact de plusieurs autres substances (*voir la figure 8.5*), ce qui suggère que la structure des électrons commune à ces métaux doit être instable. Dans le chapitre 6, tu as vu à quel point le sodium était réactif.

**Figure 8.5 A)** Du sodium fraîchement coupé est éclatant, mais seulement quand il est gardé dans de l'huile.

**Figure 8.5 B)** Au bout de quelques minutes d'exposition à l'air, la surface du sodium se ternit parce que les atomes de sodium ont réagi au contact de l'oxygène de l'air.

**Figure 8.5 C)** Quand on plonge un petit morceau de sodium dans de l'eau, il se produit une réaction vigoureuse.

Ce sont les plus gros atomes des métaux alcalins qui sont les plus réactifs. Le sodium a presque le même nombre d'électrons que le néon et le fluor. Il est donc facile de comparer ces trois éléments. À première vue, les couches d'électrons du sodium ne ressemblent pas aux couches du néon. La couche périphérique du néon a huit électrons alors que la couche périphérique du sodium n'en a qu'un seul. Que se passerait-il si le sodium pouvait se débarrasser de cet électron ? La figure 8.6 représente ce à quoi ressembleraient les couches d'électrons du sodium si cela arrivait.

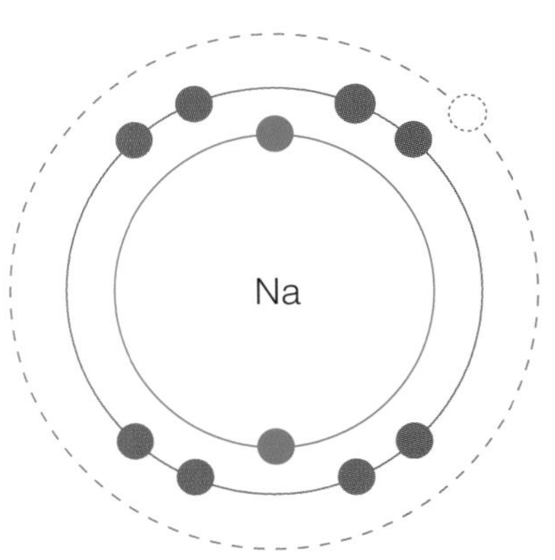


**Figure 8.6** Voici comment les couches d'électrons du sodium changeraient si le sodium pouvait perdre un électron. La ligne rouge en pointillé représente l'ancienne couche périphérique.

Dans la figure 8.6, la couche périphérique presque vide du sodium (la ligne rouge) est maintenant complètement vide. La couche suivante (la ligne bleue) est devenue la nouvelle couche périphérique et elle a huit électrons périphériques. Il s'agit donc du même octet stable que le néon. Par conséquent, le sodium serait chimiquement stable s'il pouvait se débarrasser d'un électron.

**le savais-tu ?**

Voici comment on a donné leur nom aux métaux alcalinoterreux. Les premiers chimistes nommaient « terre » tout ce qui était insoluble dans l'eau et que la chaleur ne transformait pas. L'oxyde de calcium et l'oxyde de magnésium sont tous les deux légèrement solubles dans l'eau, ce qui leur donne des propriétés légèrement alcalines (en gros, un alcali est le contraire d'un acide). Enfin, quand Humphry Davy a isolé le calcium et le magnésium grâce à l'électrolyse, il a réussi à définir ces éléments comme des *métaux alcalinoterreux*.

### Les métaux alcalinoterreux : deux électrons de trop pour être stables

L'agencement des électrons périphériques des éléments du groupe 2 est similaire à l'agencement des électrons périphériques des métaux alcalins du groupe 1. Ainsi, le calcium a deux électrons de trop pour former un octet stable. Quels que soient le noyau atomique ou le nombre de couches d'électrons, tous les métaux alcalinoterreux ont cette même structure. Ils réagissent assez vigoureusement au contact d'un certain nombre de substances, mais pas aussi vigoureusement que les métaux alcalins. Par exemple, le magnésium réagit au contact de l'eau, mais moins vigoureusement que le sodium, même si ces deux éléments se trouvent dans la même période.

Comme pour les métaux alcalins, les métaux les plus réactifs du groupe 2 sont ceux contenant les plus gros atomes. Tu remarqueras qu'il faudrait enlever deux électrons pour obtenir un octet stable. Dans une réaction entre le calcium et le fluor, par exemple, un atome de calcium devrait pouvoir transférer un électron chacun à deux atomes de fluor.

Comme tu l'as vu dans l'Activité de départ, le magnésium est aussi un métal alcalinoterreux. Afin d'approfondir encore ton modèle de la formation des composés, la prochaine section t'en apprendra plus sur la réaction du magnésium au contact de l'oxygène.

## Vérifie ce que tu as compris

1. a) Pourquoi pense-t-on que la couche d'électrons périphérique est la plus importante pour déterminer les propriétés chimiques ?
   b) Pourquoi les gaz rares sont-ils généralement inertes ?
2. Décris brièvement les usages de certains gaz rares mentionnés dans cette section.
3. Pourquoi les métaux alcalins et les halogènes sont-ils si réactifs ?
4. Reprends les cartes d'éléments et de composés que tu as fabriquées au chapitre 5 (page 176). Ajoutes-y les informations que tu as trouvées dans ce chapitre sur la réactivité et les applications des différentes substances.
5. **Réflexion critique** Dresse la liste de certaines des propriétés physiques du sodium et du chlore. Les propriétés physiques du chlorure de sodium (sel de table) sont-elles une moyenne des propriétés des éléments qu'il contient ? Explique ta réponse.
6. **Mise en pratique** Compare les usages de l'argon, du xénon et du magnésium dans les technologies faisant appel à la lumière. Dans quelles technologies la réactivité chimique, ou l'inertie, est-elle importante ?

# 8.2 Les composés ioniques

Dans la section précédente, on t'a demandé de réfléchir aux deux questions ci-dessous. Vois-tu comment chaque question suggère une réponse à l'autre question ?

| Comment un atome de sodium pourrait-il se débarrasser de son électron de trop pour devenir chimiquement stable ? | Où un atome de fluor peut-il trouver l'électron supplémentaire dont il a besoin pour former un octet stable ? |
|---|---|

Les réponses à ces deux questions sont une partie importante de ton modèle de formation des composés. Les atomes de fluor peuvent obtenir, des atomes de sodium, les électrons dont ils ont besoin pour devenir des octets stables. Les atomes de sodium perdront les électrons dont ils doivent se débarrasser pour devenir stables. Ce processus de réorganisation des électrons explique la formation du composé de fluorure de sodium.

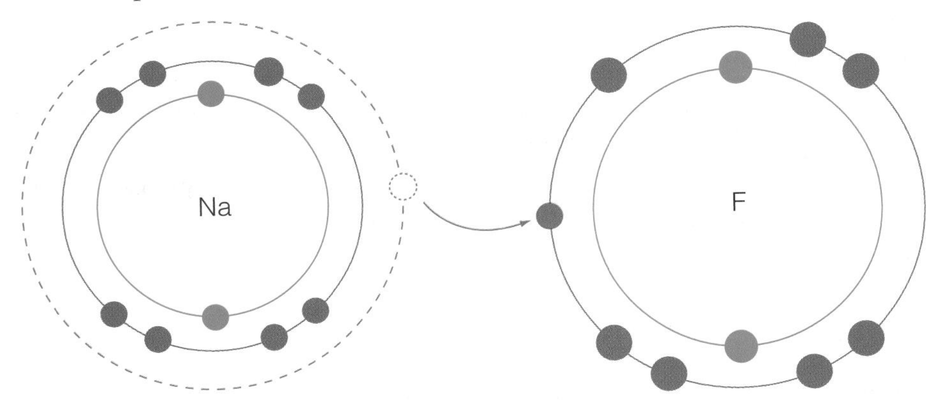


**Figure 8.7** Un électron est passé de la couche périphérique du sodium à la couche périphérique du fluor. Les deux atomes ont désormais un agencement d'électrons stable, comme le néon.

Le sodium n'aura plus ses propriétés initiales, pas plus que le fluor d'ailleurs. La réorganisation des électrons laisse le fluor avec une charge négative et le sodium avec une charge positive. Il n'y a plus un nombre égal d'électrons ni de protons dans chaque atome. À la place des deux éléments, les atomes forment désormais un composé, le fluorure de sodium, ou NaF. Il s'agit du principal ingrédient de la pâte dentifrice. Tu as découvert un composé très semblable, le NaCl, dans le chapitre 6 (page 195).

Le tableau 8.2 te montre qu'il y a d'autres combinaisons de métaux alcalins et d'halogènes qui constituent des composés à partir de deux éléments. Ce modèle de liaison est le résultat de la structure atomique des éléments en cause. Dans cette section, tu utiliseras tes nouvelles connaissances de la structure atomique pour prévoir les modèles de liaison de nombreuses autres combinaisons d'éléments.

Les métaux alcalinoterreux ont des modèles de liaison légèrement différents avec les halogènes. Il faut deux atomes d'halogènes pour que la réorganisation des électrons permette à un métal alcalinoterreux de devenir un octet stable. Peux-tu dresser un tableau des modèles de liaison des trois premiers métaux alcalinoterreux avec les quatre mêmes halogènes ?

**Tableau 8.2** Modèles de liaison entre les métaux alcalins et les halogènes

| | Fluor | Chlore | Brome | Iode |
|---|---|---|---|---|
| **Lithium** | LiF | LiCl | LiBr | LiI |
| **Sodium** | NaF | NaCl | NaBr | NaI |
| **Potassium** | KF | KCl | KBr | KI |

## La formation des ions

Quand un atome gagne ou perd des électrons, l'atome n'est plus neutre. Il est devenu un **ion**, c'est-à-dire une particule ou un groupe de particules avec une charge positive ou négative. Tu te rappelles certainement que les atomes sont neutres parce qu'ils contiennent un nombre égal de charges positives et de charges négatives. Un atome de sodium contient 11 protons et 11 électrons. Si cet atome perd un électron, il aura 11 protons mais 10 électrons seulement, de sorte que l'ion sera positif. Tu peux indiquer ce phénomène très simplement en traçant un signe + à côté du symbole chimique du sodium, comme ceci : $Na^{+}$.

Les atomes de fluor doivent gagner un électron pour devenir un octet stable. Quand le fluor obtient un électron du sodium, il a 10 électrons mais 9 protons seulement, de sorte que l'ion a une charge négative et son symbole est $F^{-}$.

Ton modèle de la formation des composés inclut maintenant un moyen de comprendre comment les **composés ioniques** se forment. Les ions positifs et les ions négatifs s'attirent mutuellement après la réorganisation des électrons. Cette attraction s'appelle une **liaison ionique**. Non seulement l'attraction est forte, mais elle est identique dans toutes les directions. L'attraction se propage d'un ion à l'autre, dans tout le composé ionique.

Tu peux utiliser ton modèle pour prédire les éléments du tableau périodique qui formeront des composés ioniques. Le moyen le plus efficace consiste à utiliser le concept de familles ou de groupes d'éléments. Trouve le nombre d'électrons de la couche périphérique des éléments d'un groupe en utilisant le modèle de Bohr-Rutherford, comme pour l'activité de la page 259. Les électrons de la dernière couche s'appellent des **électrons de valence**. Il s'agit des électrons dont la liaison est la plus souple dans l'atome. Ces électrons sont donc disponibles pour former des composés. Si le nombre d'électrons de valence est bas pour un groupe mais élevé pour un autre groupe, tu peux prédire qu'un composé ionique va se former d'emblée. (Vois-tu pourquoi les gaz rares sont un cas à part ?) Par exemple, les métaux alcalins ont tous un électron de valence et les halogènes ont tous sept électrons de valence. Tu sais que le sodium et le fluor forment un composé ionique, le fluorure de sodium. Tu peux avoir plus confiance en ton modèle quand tu peux vérifier ce qu'il prédit. Que prédirais-tu pour ce qui est de la liaison entre un métal alcalinoterreux (groupe 2) ayant deux électrons de valence et un halogène ?

**Figure 8.8** Toi aussi, tu peux déplacer des électrons ! Brosse-toi les cheveux. Entends-tu un crépitement ? Dans le chapitre 9, tu découvriras comment les électrons provoquent ce genre de situation.

Dans l'Activité de départ, tu as observé une réaction chimique entre du magnésium et de l'oxygène. Deux électrons passent du magnésium à l'oxygène pour former un composé, l'oxyde de magnésium (MgO). Les ions de ce composé ont les symboles suivants : $Mg^{2+}$ et $O^{2-}$. Comment le concept des électrons de valence peut-il expliquer ce phénomène ?

**NOUVEAUX horizons**

Quand les métaux et les non-métaux réagissent, le nombre total d'électrons transférés à partir d'ions positifs doit être égal au nombre total d'électrons reçus par les ions négatifs. En effet, les électrons doivent être conservés. Tu peux utiliser ce concept pour prévoir la formule de n'importe quel composé ionique, quelle que soit sa complexité. Par exemple, tu as vu au chapitre 6 que l'aluminium se combine d'emblée avec l'oxygène pour former un composé ionique qu'on appelle oxyde d'aluminium. Les atomes d'aluminium ont trois électrons de valence. Ils forment donc des ions $Al^{3+}$. L'oxygène va former des ions $O^{2-}$. Peux-tu utiliser cette information pour expliquer la formule $Al_2O_3$ ? Représente la couche des cinq atomes en cause sur un schéma pour montrer les transferts d'électrons.

## Une forte attraction

Les ions d'un composé ionique s'associent selon un modèle qui se répète. On appelle ce modèle un **réseau cristallin**. La figure 8.9 te montre comment ce modèle régulier donne aux cristaux d'un chlorure de sodium sa forme caractéristique, comme tu l'as vu au chapitre 6. Les forces puissantes entre les ions rendent les composés ioniques durs. Les solides ioniques ne sont pas des conducteurs d'électricité parce que les ions ne peuvent pas se déplacer. Quand un solide ionique est dissout dans de l'eau ou chauffé au-delà de son point de fusion, les ions sont libres de se déplacer et ils conduisent l'électricité.

Dans la réalité, un cristal de chlorure de sodium se conduit comme une grande structure. En règle générale, la formule du chlorure de sodium est NaCl parce que le composé est constitué d'un nombre égal d'ions $Na^+$ et $Cl^-$. Il n'y a pas de particule individuelle de NaCl.

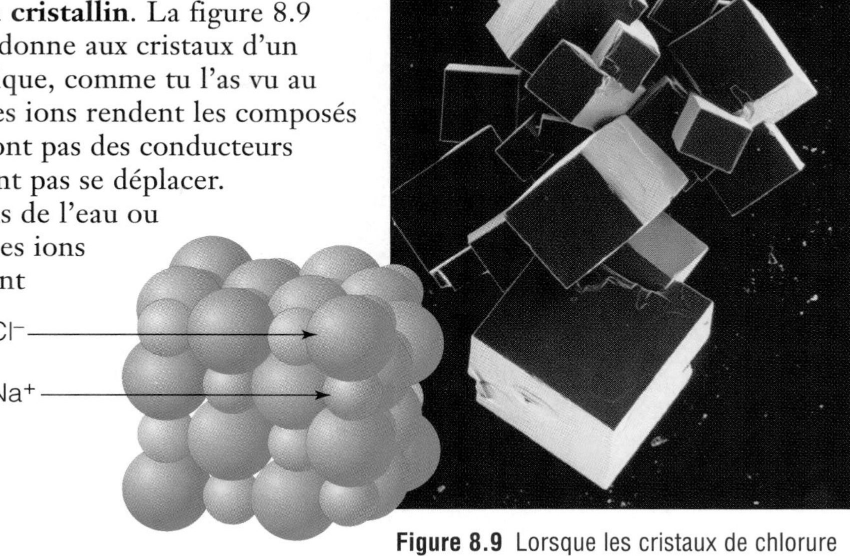


**Figure 8.9** Lorsque les cristaux de chlorure de sodium sont formés soigneusement, ils sont cubiques.

## Vérifie ce que tu as compris

1. Explique l'expression « électron de valence ».
2. Utilise le tableau périodique pour répondre aux questions suivantes.
   a) Combien d'électrons de valence le calcium a-t-il ?
   b) Combien d'électrons de valence le phosphore a-t-il ? Combien faut-il d'électrons pour former un octet stable ?
3. Nomme trois propriétés des composés ioniques.
4. Pourquoi les composés ioniques ne sont-ils pas conducteurs d'électricité à l'état solide, mais le deviennent-ils quand ils fondent ?
5. Quand on nomme un composé ionique puis quand on détermine sa formule, quelle catégorie d'élément se trouve en première position ? Quelle est la charge de ses ions ?
6. **Mise en pratique** Compare la conductivité électrique d'un métal et la conductivité électrique d'un composé ionique. Quels sont les points communs ? Quelles sont les différences ?
7. **Réflexion critique** L'élément Q est un métal ayant deux électrons de valence. L'élément X n'est pas un métal et a cinq électrons de valence.
   a) Quels ions Q et X devraient-ils former ?
   b) Quelle est la formule du composé ionique résultant de la réaction chimique de ces deux éléments ?

# 8.3 Les composés moléculaires

**LIEN terminologique**

Le préfixe « co » modifie ordinairement le sens d'un mot et suppose qu'on parle de partage. Dans le domaine de la chimie, d'où, d'après toi, vient le terme « covalent » ? La deuxième moitié du terme « covalent » vient d'un mot latin qui signifie « force ». Est-ce que tu vois pourquoi ? (Indice : Pense à la réactivité.)

Tu as déjà vu, au chapitre 6, que toutes les substances ne sont pas ioniques. Tu peux maintenant élargir ton modèle de la formation des composés pour y inclure les composés non ioniques, ou **composés moléculaires**. Contrairement aux composés ioniques, les composés moléculaires se composent d'atomes neutres. Comment les atomes peuvent-ils rester neutres alors qu'ils se combinent pour former de nouveaux composés ?

Dans les composés ioniques, le modèle te dit que les atomes métalliques et non métalliques se lient en *échangeant* des électrons. Pour élargir ce modèle, imagine que les atomes non métalliques peuvent se combiner en *partageant* leurs électrons. N'oublie pas que le nombre d'électrons de valence te permet de calculer le nombre d'électrons dont un atome a besoin pour former un octet stable. Par exemple, l'oxygène a six électrons de valence et a donc besoin de deux électrons supplémentaires. Si deux atomes d'oxygène partagent chacun deux de leurs électrons avec l'autre atome, une molécule stable, $O_2$, se forme. Tu te rappelles peut-être cette molécule diatomique du chapitre 6. Ce partage d'électrons s'appelle une **liaison covalente**. La figure 8.10 te montre comment ton modèle, qui a été élargi pour inclure la formation de liaisons covalentes, s'applique à certains composés moléculaires connus, en plus de $H_2$ et $O_2$.

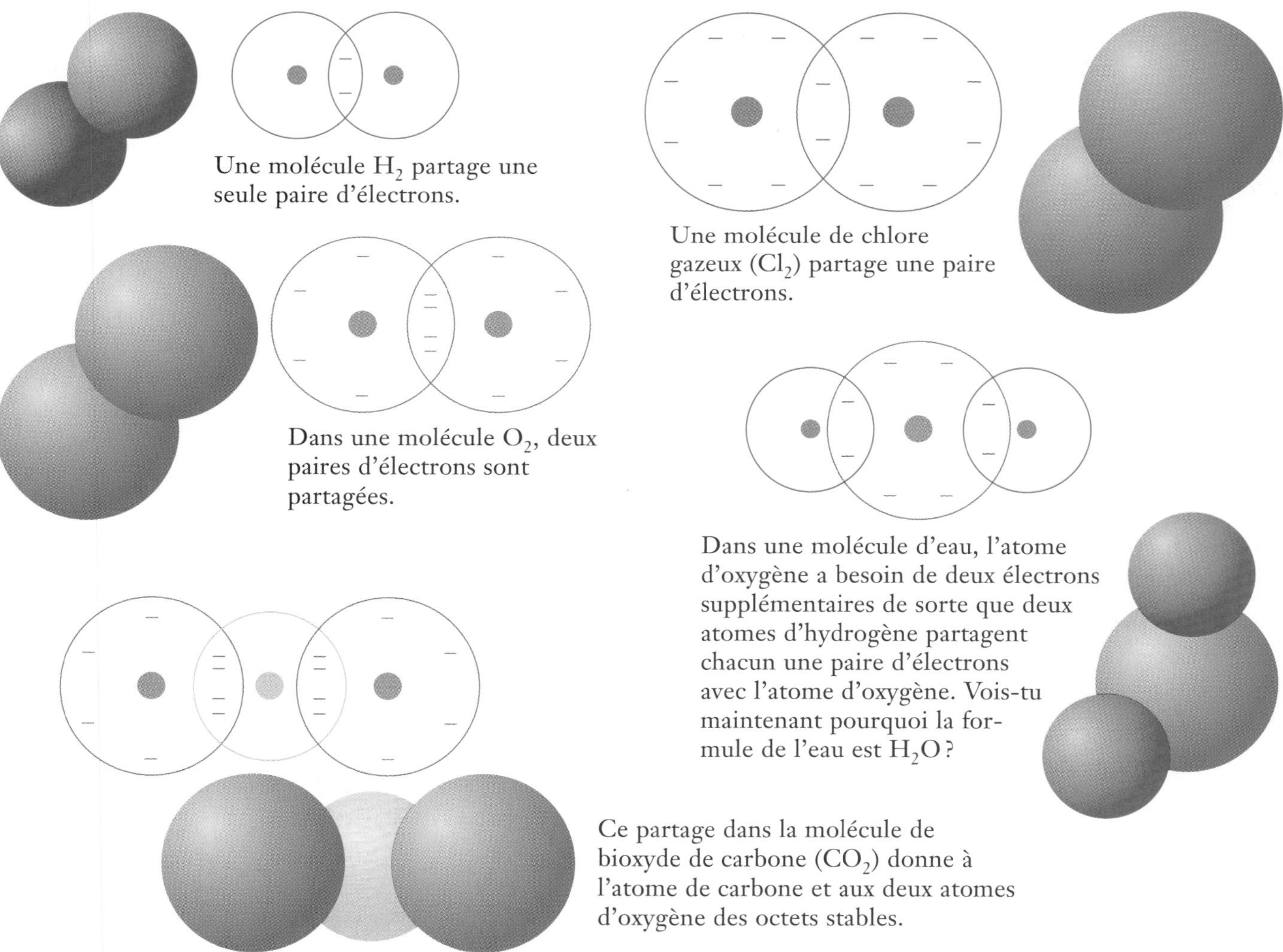

Une molécule $H_2$ partage une seule paire d'électrons.

Une molécule de chlore gazeux ($Cl_2$) partage une paire d'électrons.

Dans une molécule $O_2$, deux paires d'électrons sont partagées.

Dans une molécule d'eau, l'atome d'oxygène a besoin de deux électrons supplémentaires de sorte que deux atomes d'hydrogène partagent chacun une paire d'électrons avec l'atome d'oxygène. Vois-tu maintenant pourquoi la formule de l'eau est $H_2O$ ?

Ce partage dans la molécule de bioxyde de carbone ($CO_2$) donne à l'atome de carbone et aux deux atomes d'oxygène des octets stables.

**Figure 8.10** Le partage des électrons de valence dans certains composés moléculaires

## Quelle est la différence ?

Quelle est la différence entre une liaison ionique et une liaison covalente ? Les liaisons covalentes entre les atomes sont de force différente, tout comme les liaisons ioniques entre les ions. En général, toutefois, les liaisons covalentes et les liaisons ioniques sont à peu près de force égale. La principale différence est l'attraction entre les molécules. Un composé ionique se comporte comme une grande structure, chaque ion étant entouré d'ions de charge opposée. Cela signifie que de fortes attractions s'étendent dans tout le cristal. La plupart des composés moléculaires ne forment pas de grandes structures. Même si la *liaison* entre les *atomes* est forte, l'*attraction* entre les *molécules* est faible.

Si tu fais fondre ou si tu vaporises un composé moléculaire, tu dois appliquer suffisamment d'énergie pour contrebalancer l'attraction entre les molécules. Du fait que cette attraction est faible, la plupart des composés moléculaires ont un point de fusion ou d'ébullition relativement faible. La faible attraction entre les molécules explique aussi leur mollesse relative. Enfin, parce que les composés moléculaires n'ont ni ions ni atomes libres, ils sont toujours de mauvais conducteurs d'électricité, même à l'état liquide. Dans l'activité ci-dessous, et dans la prochaine expérience, tu exploreras ces différences de propriétés entre les composés ioniques et les composés moléculaires.

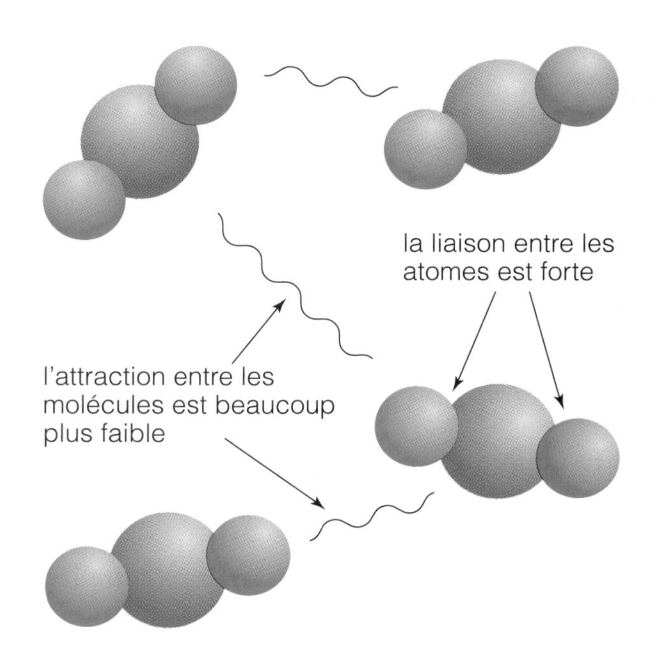


**Figure 8.11** Dans les composés moléculaires comme l'eau, l'attraction entre les molécules est bien plus faible que la liaison des atomes de chaque molécule individuelle.

**ACTIVITÉ de recherche**

### Quelles sont les forces les plus puissantes ?

Tu peux comparer l'attraction entre les ions (dans un composé ionique) à l'attraction entre les molécules (dans un composé moléculaire).

**Ce dont tu as besoin**    

une balance à plateaux

des cristaux de sel, NaCL (un composé ionique)

de l'alcool éthylique, du $C_2H_5OH$ (un composé moléculaire)

deux béchers de 100 mL

**Ce que tu dois faire**

1. Place quelques cristaux de sel dans un bécher, sur l'un des plateaux de la balance.
2. Place une masse égale d'alcool dans un autre bécher, sur l'autre plateau de la balance.
3. Émets, par écrit, une hypothèse sur ce qui va se passer, d'après ce que tu sais des liaisons ioniques et des liaisons covalentes.
4. Laisse la balance pendant environ 15 minutes et observe ensuite s'il y a des changements. Consigne tes observations.

**Qu'as-tu découvert ?**

1. Qu'est-il arrivé à la balance au bout d'un certain temps ?
2. D'après toi, que s'est-il passé ?
3. Quel lien peux-tu faire entre tes observations et ce que tu sais sur les composés ioniques et les composés moléculaires ?

RÉALISE UNE EXPÉRIENCE 8-A

# Compare les propriétés ioniques et les propriétés moléculaires

Dans cette expérience, tu examineras un certain nombre de substances en vue de trouver lesquelles sont ioniques et lesquelles ne sont pas ioniques. Tu procéderas ensuite à des tests plus approfondis pour comparer les propriétés de ces substances.

### Consigne de sécurité

Si tu utilises un ancien modèle avec deux électrodes distinctes pour tester la conductivité, fais toujours bien attention de garder les deux électrodes séparées pendant que tu procèdes aux tests.

## Problème à résoudre

Quels sont les points de comparaison entre les propriétés des substances ioniques et les propriétés des substances moléculaires ?

### Matériel

un appareil pour tester la conductivité
une toile métallique
une capsule d'évaporation en céramique
huit petits béchers (de 100 mL)
un brûleur Bunsen
une spatule
une loupe
un agitateur
un anneau universel
huit étiquettes
un support universel (pour chauffage)

### Matériel non réutilisable

400 mL d'eau distillée
de l'iodure de sodium, NaI
du nitrate de cuivre II, $Cu(NO_3)_2$
du chlorure de magnésium, $MgCl_2$
du graphite (carbone)
de la paraffine, $C_{25}H_{52}$
du saccharose, $C_{12}H_{22}O_{11}$
de l'amidon (grande molécule basée sur le saccharose)

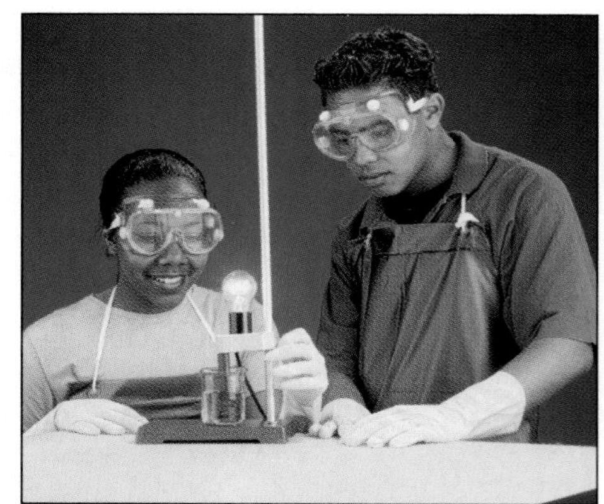

| Substance | Solubilité dans l'eau | Test de conductivité | Ionique ? (oui/non) | Apparence | Odeur | Texture | Point de fusion relatif |
|---|---|---|---|---|---|---|---|
| iodure de sodium | | | | | | | |
| nitrate de cuivre | | | | | | | |
| chlorure de magnésium | | | | | | | |
| graphite | | | | | | | |
| paraffine | | | | | | | |
| saccharose | | | | | | | |
| amidon | | | | | | | |

## Marche à suivre

1. Recopie le tableau ci-dessus et donne un titre à ton tableau.
2. D'après les données du tableau périodique et ce que tu sais déjà, lesquelles de ces substances, d'après toi, sont ioniques ?
3. Indique, sur chaque bécher, le nom de la substance qui est testée. Verse environ 50 mL d'eau distillée dans chaque bécher. Sur l'un des béchers, colle une étiquette portant la mention « Témoin ».

4. Fais le test de conductivité avec le bécher portant la mention « Témoin » et consigne tes résultats.

5. Avec la spatule, ajoute une petite quantité d'iodure de sodium (de la taille d'une cacahuète) dans le bécher portant l'étiquette appropriée. Dissous le solide avec un agitateur. Note si le solide se dissout complètement.
   a) Fais le test de la conductivité avec la solution et consigne tes résultats.
   b) Consigne si oui ou non le solide est ionique.

6. Recommence l'étape 5 pour chacune des autres substances.

7. Examine un petit échantillon de chaque substance avec une loupe. Décris brièvement la taille des grains.
   a) Sens avec précaution chaque composé. Décris les odeurs dans ton tableau.
   b) **ATTENTION :** Tu dois porter des gants de protection pour ce test. Vérifie la texture de chaque substance en frottant un petit échantillon entre ton pouce et ton index. Utilise des mots comme « doux », « cireux », « friable » et « granuleux » pour consigner tes observations.
   c) Lave-toi les mains à grande eau quand tu auras terminé cette étape.

8. Choisis un solide qui, d'après toi, est ionique et un solide qui, d'après toi, n'est pas ionique.
   a) Place un petit échantillon de chacun des solides dans la capsule d'évaporation en céramique. Mets les échantillons sur les côtés opposés de la capsule de façon qu'ils ne se touchent pas. Utilise un support universel, la toile métallique et un petit anneau universel en fer pour maintenir la capsule.
   b) Avec un brûleur Bunsen, chauffe uniformément jusqu'à ce que l'une des substances fonde. Dans ton tableau, consigne le point de fusion relatif de cette substance comme étant « bas » et le point de fusion relatif de l'autre substance comme étant « haut ».
   c) Lorsque la capsule d'évaporation sera froide, nettoie-la et range-la. Fais attention quand tu rangeras l'anneau universel : il peut rester chaud plus longtemps que le reste du matériel.

## Analyse

1. a) Quels composés utilisés dans cette activité sont ioniques ?
   b) Dans quelle partie du tableau périodique les éléments des composés ioniques se trouvent-ils ?
2. a) Quels sont les composés moléculaires ?
   b) Dans quelle partie du tableau périodique les éléments des composés moléculaires se trouvent-ils ?
3. a) En général, les composés ioniques sont-ils solubles dans l'eau ?
   b) En général, les composés moléculaires sont-ils solubles dans l'eau ?
   c) As-tu trouvé des exceptions à tes réponses aux parties a) et b) parmi les composés ?

## Conclusion et mise en pratique

4. Prépare un énoncé global comparant l'apparence d'un composé ionique et l'apparence d'un composé moléculaire.
5. Les composés ioniques ont-ils tendance à avoir une odeur ? Les composés moléculaires ont-ils tendance à avoir une odeur ?
6. En règle générale, quel type de substances est plus dur : les substances ioniques ou les substances moléculaires ?
7. Partage tes résultats sur les points de fusion relatifs avec les élèves de ta classe qui ont testé d'autres composés. Quel type de composés a le point de fusion le plus élevé ?
8. Résume certaines des propriétés générales des composés ioniques et des composés moléculaires.

## Le carbone : un élément qui se déguise

Tu as déjà vu que les composés ioniques forment de grandes structures. En effet, leurs ions forment des motifs réguliers et ces ions sont liés entre eux, dans le composé, par des forces très puissantes. Les composés moléculaires sont le plus souvent constitués de petites molécules. Mais il arrive parfois que des liaisons covalentes entre les atomes d'une substance forment des molécules géantes aux propriétés importantes. Tu as peut-être même un exemple de l'une de ces substances sous la main.

Le **graphite** contient des atomes de carbone liés entre eux par de très puissantes liaisons covalentes formant des hexagones (des figures à six côtés). Les hexagones forment des feuilles et les forces entre les plans sont très faibles. Par conséquent, les feuilles ou les plans peuvent glisser l'un sur l'autre, ce qui fait du graphite un excellent lubrifiant. Quand on le mélange avec de la glaise, on peut donner au graphite la forme d'un bâtonnet en le roulant pour en faire une mine de crayon. De même, les électrons se déplacent entre les plans des hexagones de carbone. Ce mouvement signifie que le carbone (sous forme de graphite) est le seul élément non métallique et non métalloïde qui est conducteur d'électricité.

Le **diamant** est une autre forme beaucoup plus rare de carbone. Il est constitué de graphite dans les processus géologiques faisant intervenir une pression extrême. La mine de plomb d'un crayon a des propriétés très différentes des propriétés du diamant parce que les atomes de carbone sont liés entre eux de façon différente.

Dans le diamant, chaque atome forme quatre liaisons covalentes avec d'autres atomes de carbone afin de créer un réseau tridimensionnel d'atomes (*voir la figure 8.13*). Même un tout petit diamant contient environ $10^{20}$ (cent milliards de milliards) d'atomes liés ensemble sans aucun lien faible. En raison de ces très fortes liaisons dans tout le cristal, le diamant est la substance naturelle la plus dure qu'on connaisse. Cela ne te surprendra donc pas de savoir qu'il faut une température très élevée, 3550 °C, pour faire fondre un diamant. La beauté d'un diamant taillé est liée aux propriétés de son cristal. Mais ces propriétés donnent aussi au diamant plusieurs utilités pratiques.

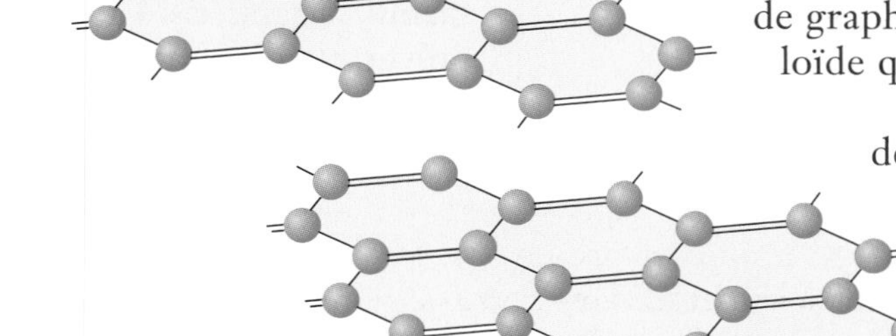

**Figure 8.12** Dans le graphite, les atomes de carbone se lient pour former des feuilles.

**LIEN terminologique**

Les crayons à mine de plomb ne se composent pas du tout de plomb mais de graphite suffisamment mou pour laisser des traces sur le papier. À une certaine période, on appelait le graphite le « plomb noir », expression qu'on a ensuite abrégée en « plomb ». Le mot « graphite » vient du latin *graphein,* qui signifie « écrire ». Dans ton carnet de notes, écris une définition des mots suivants : biographie, autographe et télégraphe.

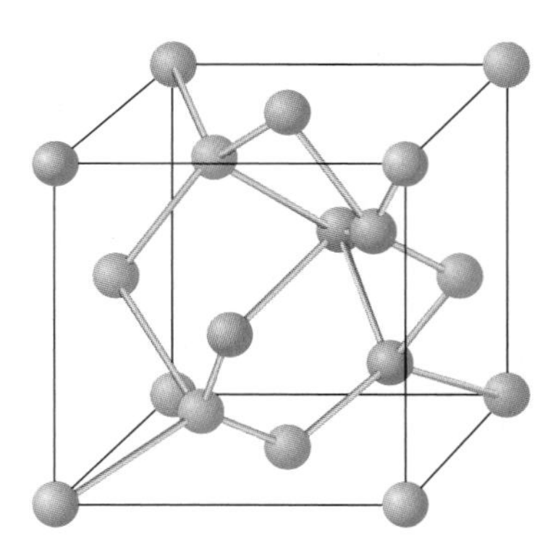

**Figure 8.13** Les liaisons covalentes entre des atomes de carbone produisent une structure géante que l'on retrouve dans les diamants.

Les lames, les perçeuses et les outils de meulage sont parfois dotés d'un revêtement en diamant pour les tâches vraiment difficiles (*voir la figure 8.14*). Non seulement un diamant est dur, mais il a une capacité de conduire la chaleur beaucoup plus grande que la plupart des métaux. Par conséquent, le processus de forage ou de découpage peut aller beaucoup plus vite, et la durée de vie de l'outil est prolongée. On peut déposer un film très mince de diamant à la surface d'un objet. Ces films de diamant s'utilisent en électronique dans la fabrication des plaquettes en silicone conductrices de chaleur qui deviennent bien plus résistantes. Imagine une lame de rasoir recouverte d'un film de diamant ou une surface en verre qui, grâce à son revêtement chimique, ne s'égratigne jamais. Quels pourraient être les autres usages des films de diamant?

**Figure 8.14** Les diamants sont les meilleurs amis du maçon.

## Les polymères: des structures encore plus grandes

Les plastiques et de nombreuses fibres utilisées pour fabriquer des vêtements se composent de molécules géantes qu'on appelle des **polymères**. Un polymère se compose de plusieurs petites sous-molécules qui se répètent et qu'on appelle des monomères. Un polymère est comme un collier de perles, mais il devrait y avoir des milliers de perles pour qu'il y ait le même nombre de monomères présents dans la plupart des chaînes de polymères. Dans le module 1 de ce manuel, tu as découvert un polymère naturel très complexe, l'ADN. Tu as aussi trouvé les monomères de ce polymère. Vois-tu maintenant de quoi il s'agit?

Plusieurs des polymères artificiels les plus courants sont constitués du monomère éthylène ($C_2H_4$, qu'on appelle aussi éthène). Cette molécule toute simple est au cœur de processus de fabrication complexes, comme l'indique la figure 8.15.

**Figure 8.15 A)** Les produits en plastique que tu utilises sont fabriqués de polymères. Nombre de ces produits se composent d'un produit chimique qu'on appelle couramment éthylène.

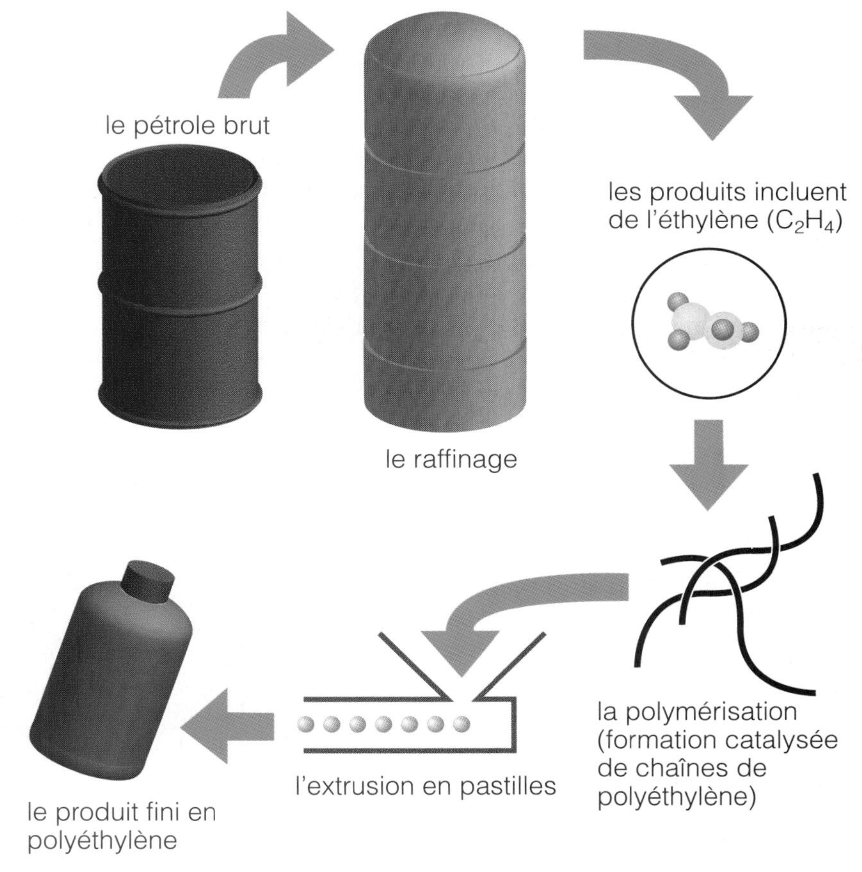



**Figure 8.15 B)** La fabrication du polyéthylène

RÉFLÉCHIS ET FAIS DES LIENS 8-B

# Les propriétés et les usages des polymères

## Réfléchis

Au Canada, environ 40 % de tous les polymères artificiels sont utilisés dans les produits d'emballage. Dans cette expérience, tu vas découvrir de quels polymères se composent quelques contenants que tu as chez toi et tu décriras les propriétés de ces polymères.

### Matériaux

plusieurs contenants en plastique :
une bouteille de 2 L de boisson gazeuse ou une bouteille d'eau en polyéthylène (PE)
un sac de magasin ou une bouteille d'eau de Javel en polyéthylène de haute densité (PEHD)
une bouteille d'huile végétale ou de nettoyant à vitres en chlorure de polyvinyle (PVC)
un sac à épicerie ou un sac à déchets en polyéthylène de basse densité (PEBD)
un contenant de margarine, un plateau alimentaire allant au four à micro-ondes ou une bouteille de ketchup en polypropylène (PP)
des produits d'emballage ou un verre jetable en polystyrène (PS)

## Ce que tu dois faire

1. Dresse un tableau comme le tableau ci-dessous.

Les polymères utilisés dans les produits d'emballage

| Polymère | Logo | Contenants types | Propriétés |
|---|---|---|---|
| polyéthylène | | | |
| | | | |
| | | | |

2. Examine les contenants en plastique que ton enseignante ou ton enseignant t'a donnés. Pour chaque contenant, trouve le logo qui désigne le polymère dont il est composé. Utilise ce logo pour identifier le polymère dans le tableau et ajoute le contenant à la liste des contenants types.
3. Consigne les propriétés de chaque polymère. Est-il relativement souple ou relativement rigide ? Peut-on le déformer ou va-t-il se casser, s'étirer, craqueler, se déchirer ou se briser ? Semble-t-il résister à la corrosion ? Conduit-il bien la chaleur ? Est-il transparent ou opaque ? Décris toutes les autres propriétés auxquelles tu penses.

## Analyse

1. Analyse les propriétés de chaque polymère et fais le lien avec l'usage qu'on en fait. Nomme les propriétés qui, d'après toi, étaient les plus importantes pour le fabricant qui voulait produire un contenant pour :
   **a)** de l'huile de cuisine
   **b)** du shampooing
   **c)** des pilules pour les migraines ou des vitamines

## Conclusion et mise en pratique

2. Les tubes de pâte dentifrice sont fabriqués en plastique mais, d'ordinaire, il n'y a pas de logo d'identification. Quelles sont les propriétés souhaitables pour un tube de dentifrice et avec quel polymère ce tube de dentifrice doit-il être fabriqué ?
3. Décris le contenu d'un contenant fabriqué dans chacun des matériaux suivants : verre, plastique et métal. Pour chaque contenant, décris les avantages et les inconvénients du matériau de fabrication, en tenant compte du contenu. Aurait-on pu procéder à des substitutions ? Par exemple, aurait-on pu utiliser du plastique à la place du métal ? ou du verre à la place du plastique ?

## Développe tes habiletés

4. Les plastiques et les autres matériaux peuvent avoir une grande variété de propriétés. Fais le tour de ta maison et trouve un article fabriqué dans chacun des matériaux suivants : métal, plastique, bois, verre et papier. Quelles propriétés étaient importantes quand le fabricant a décidé de produire ces articles ?
5. Dans ta cuisine, tu as peut-être trois produits d'emballage différents : de la pellicule plastique, du papier paraffiné et du papier d'aluminium. Les propriétés de chaque produit d'emballage déterminent son utilisation. Dresse un tableau pour comparer les propriétés et les usages de chaque produit d'emballage.

## Des connexions gluantes

L'un des moyens que les chimistes utilisent pour modifier les propriétés d'un polymère consiste à créer des liaisons chimiques entre les différentes chaînes de polymères. On parle alors de liaisons croisées. Dans cette activité, tu observeras comment les propriétés de l'alcool polyvinylique changent quand on ajoute un autre produit chimique pour produire des liaisons croisées. Avant de commencer, essaie de prévoir ce qui va arriver aux propriétés d'un polymère si des liaisons croisées se forment entre les chaînes de polymères.

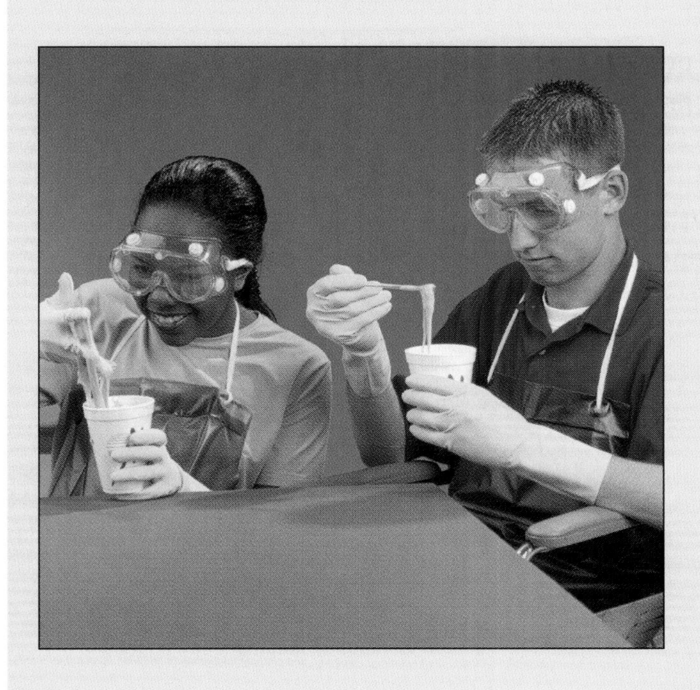

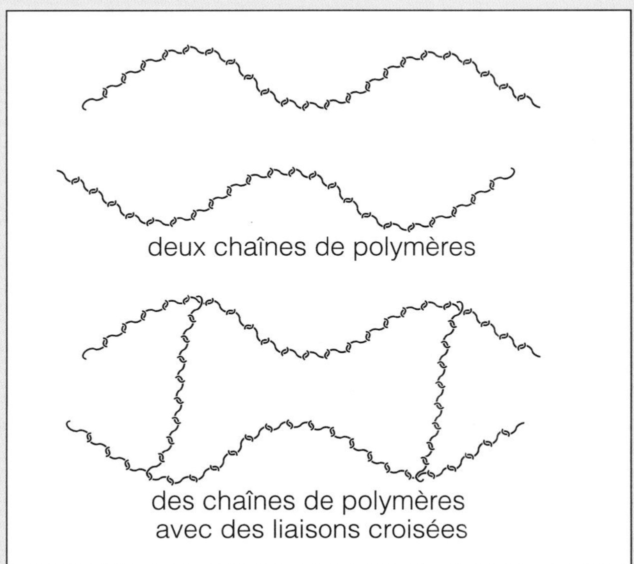

**de recherche**

### Ce dont tu as besoin  

une solution d'alcool polyvinylique de 50 mL
une solution saturée de borate de sodium de 5 mL
une tasse jetable
un agitateur
des essuie-tout
du colorant alimentaire (facultatif)
une feuille de papier
un marqueur lavable

### Ce que tu dois faire

1. Verse environ 50 mL de solution d'alcool polyvinylique dans un verre jetable. Ajoute quelques gouttes de colorant alimentaire, si tu le désires, et mélange. Décris les propriétés de la solution.
2. Verse environ 5 mL de solution de borate de sodium dans la tasse tout en mélangeant. Consigne ce qui arrive au mélange.
3. Place le film gélatineux sur un essuie-tout. Ramasse-le et décris ce qui se passe quand tu laisses le film couler entre tes doigts.
4. Essaie ensuite d'étirer le film gélatineux rapidement et note tes observations.
5. Sur une feuille de papier, écris ton nom à l'envers avec un marqueur soluble dans l'eau. Presse le film gélatineux sur le papier durant seulement une demi-seconde. (Le film va coller au papier si tu le laisses trop longtemps.) Qu'observes-tu ?
6. Jette le film gélatineux conformément aux directives de ton enseignante ou de ton enseignant. Lave-toi les mains à grande eau après avoir terminé cette activité.

### Qu'as-tu découvert ?

1. Quel élément suggère que la solution de borate de sodium a produit des liaisons croisées entre les chaînes d'alcool polyvinylique ?
2. Les liaisons croisées sont-elles fortes ou relativement faibles ? Explique ta réponse.

## Vérifie ce que tu as compris

1. Qu'est-ce qu'une liaison covalente ? Quels types d'atomes se combinent suivant des liaisons covalentes ?
2. Dresse la liste de quatre propriétés de nombreux composés moléculaires.
3. En quoi le graphite est-il identique au diamant ? En quoi le graphite est-il différent du diamant ? Explique certains usages des deux formes de graphite pour ce qui est de leurs propriétés.
4. Explique la différence entre un monomère et un polymère.
5. Nomme trois polymères différents et suggère un usage pour chacun d'eux.
6. **Réflexion critique** Un élève décrit une molécule comme la plus petite particule d'un composé moléculaire qui contient toutes les propriétés du composé.
   a) Est-ce vrai pour les propriétés chimiques ?
   b) Est-ce vrai pour les propriétés physiques ?
   
   Explique tes réponses.
7. **Réflexion critique** Le polyéthylène peut avoir une haute densité (PEHD) ou une basse densité (PEBD). Décris brièvement une expérience que tu pourrais faire pour distinguer ces deux formes de polyéthylène.

# 8.4 Les produits chimiques dans ta vie

Tu as vu comment les atomes, les molécules et les ions se combinent chimiquement pour former de nouvelles substances. Dans cette section, tu vas examiner comment nous utilisons ces substances.

## Les produits chimiques dans l'agriculture

Si tu avais vécu au Canada il y a 150 ans, tu aurais probablement vécu dans une ferme. Même il y a 50 ans seulement, plus de 20 % des Canadiens travaillaient et vivaient dans des fermes. Aujourd'hui, il n'y a plus que 2,5 % de la population qui vit dans des fermes. Ces agriculteurs nourrissent une bien plus grande partie de la population et produisent des aliments que l'on exporte dans le reste du monde.

La mécanisation est l'une des raisons de ce changement. Un agriculteur avec un tracteur et d'autres machines agricoles peut faire le travail qui nécessitait la présence de douzaines de personnes. Les produits chimiques sont une autre raison de ce changement. Ces produits permettent d'obtenir des récoltes donnant un meilleur rendement, ainsi que de réduire la détérioration des aliments.

**Figure 8.16** L'utilisation judicieuse des produits chimiques aide à garder le prix des aliments bas.

Les plantes ont besoin d'azote pour former des protéines et des acides nucléiques, comme l'ADN. Certaines plantes, comme les pois et les fèves, trouvent l'azote dont elles ont besoin par l'action des bactéries qui vivent dans le sol. La plupart des plantes absorbent les composés d'azote du sol et un engrais chimique peut augmenter leur rendement. L'ammoniac, $NH_3$, qui se compose de molécules contenant 82 % d'azote par masse, est un engrais couramment utilisé. C'est un gaz à la pression atmosphérique. Mais ce gaz se liquéfie facilement à une pression plus élevée. Sous sa forme liquide, on l'injecte sous la surface du sol. Les engrais à l'azote s'appliquent aussi sous forme solide, comme les granules d'un engrais pour gazon. Le nitrate d'ammonium, $NH_4NO_3$, est un exemple courant d'engrais solide. Il s'agit d'un composé ionique très soluble dans l'eau. Les granules ont un revêtement qui leur permet de se dissoudre très lentement.

### Les outils de la science

En Alberta, certains agriculteurs se servent de tracteurs qui vérifient le sol à intervalles de quelques mètres. Un logiciel à bord du tracteur utilise les données d'analyse des sols en laboratoire pour calculer la quantité exacte d'engrais nécessaire pour chaque mètre carré.

**Figure 8.17** Les engrais chimiques sont un composant essentiel de l'agriculture moderne.

**Figure 8.18** L'éthylène, composé chimique, aidera ces bananes à mûrir.

Les plantes doivent aussi absorber du phosphore, élément essentiel pour la gestion de l'énergie dont elles ont besoin pour croître et se reproduire. Plusieurs composés de phosphore ne sont pas très solubles dans l'eau. Ils seraient donc mal absorbés par les plantes. Ces composés peuvent être traités chimiquement pour produire d'autres composés solubles contenant du phosphore.

Le potassium est un autre élément essentiel qui permet aux plantes de résister aux maladies et aux dommages causés par les insectes. Absorbés en tant qu'ions $K^+$ par les racines de la plante, les engrais au potassium sont fabriqués à partir de potasse. Le Canada est le premier fabricant mondial de potasse.

Un agriculteur peut aussi employer plusieurs sortes de pesticides. Les pesticides sont des produits chimiques qui contrôlent les mauvaises herbes, les maladies des plantes et les insectes. Un pesticide qui contrôle les mauvaises herbes s'appelle un herbicide. Un pesticide qui contrôle les insectes s'appelle un insecticide. Quand ils sont appliqués correctement, les pesticides améliorent la qualité et la quantité des récoltes.

Même après une récolte, on utilise certains produits chimiques pour s'assurer que les produits récoltés arrivent frais au supermarché. Les bananes fraîches que tu trouves dans ton épicerie ont peut-être été cueillies il y a plusieurs semaines en Amérique centrale. Avant d'être distribuées aux magasins, les bananes vertes sont exposées à de l'éthylène, $C_2H_4$, pour stimuler le processus de mûrissement. Puisque l'éthylène est le même gaz qui est utilisé pour fabriquer le polymère de polyéthylène, c'est peut-être le même gaz qui a servi à faire mûrir tes bananes et à fabriquer le sac en plastique dans lequel tu rapportes ces bananes de l'épicerie !

Tu peux manger des pommes canadiennes fraîches durant toute l'année parce que ces pommes, après avoir été cueillies en septembre ou en octobre, sont placées dans un entrepôt où l'atmosphère est contrôlée. Ces pommes sont « enfermées » dans une atmosphère de bioxyde de carbone, $CO_2$, où l'absence d'oxygène ralentit leur dégradation.

**Le savais-tu ?**

Une seule pomme pourrie peut contaminer toutes les autres pommes du panier. En effet, un fruit trop mûr libère de l'éthylène à l'état gazeux, ce qui provoque le mûrissement des autres fruits et accélère leur dégradation.

## Les produits chimiques de ton armoire à pharmacie

La chimie a joué un rôle essentiel dans l'armoire à pharmacie. Les médicaments sont des ingrédients actifs, autrement dit des substances chimiques qui ont un effet sur le corps. Les premiers médicaments étaient, en réalité, des plantes, c'est-à-dire différentes feuilles et graines qui semblaient soulager les symptômes des malades. Si tu avais une douleur, par exemple, tu devais mâcher de l'écorce de saule. On a fini par isoler l'ingrédient actif de l'écorce de saule et, en 1899, on a trouvé un moyen de fabriquer ce composé. Il s'agissait de l'acide acétylsalicylique ($C_9H_8O_4$), qu'on connaît aujourd'hui sous le nom d'aspirine.

L'un des premiers médicaments synthétiques à avoir été créé est l'éther $(C_2H_5)_2O$. L'éther est un composé moléculaire liquide à température ambiante, mais qui se vaporise facilement. On a commencé à l'utiliser comme anesthésique en 1846. Ce composé avait un effet évident sur les interventions chirurgicales, surtout pour les patients. À mesure que les connaissances en chimie et les techniques progressaient, on s'est attaché à isoler les ingrédients actifs des médicaments traditionnels. Chercher de nouveaux médicaments reste un domaine important de la recherche.

**LIEN carrière**

**Le bon mélange**

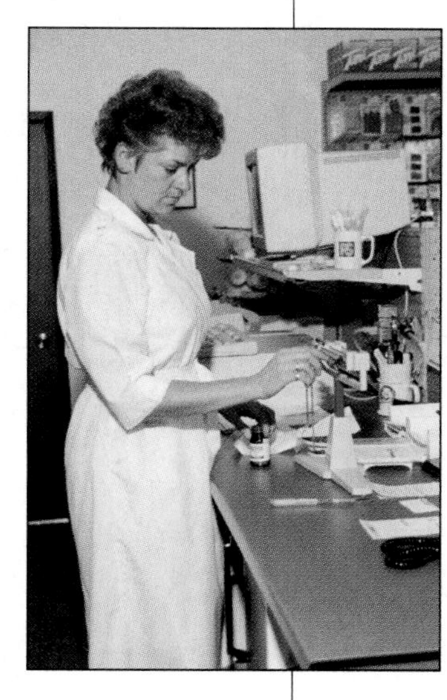

Il y a plusieurs années, les pharmaciens préparaient et mélangeaient les ingrédients de plusieurs ordonnances eux-mêmes. Aujourd'hui, les médicaments d'ordonnance sont déjà préparés par les compagnies pharmaceutiques. Mais les pharmaciens et les pharmaciennes comme Ginette Goulet ont encore besoin de connaître leur chimie.

Ginette doit savoir quelles combinaisons de médicaments d'ordonnance et quels facteurs peuvent provoquer une réaction chimique indésirable et des problèmes pour le patient. Par exemple, elle indique à ses clients que les médicaments que leur médecin leur a prescrits ne doivent pas être pris avec du lait ou qu'ils doivent être pris à jeûn pour être plus efficaces. Elle leur mentionne aussi s'ils doivent s'abstenir de prendre certains médicaments en vente libre, comme les antihistaminiques, durant leur traitement. Certains clients prennent plusieurs médicaments en même temps ; c'est pourquoi Ginette doit savoir quels médicaments peuvent être combinés sans danger.

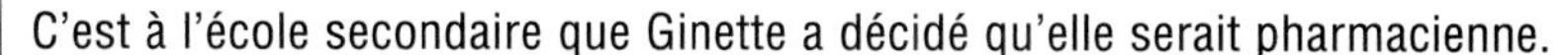

C'est à l'école secondaire que Ginette a décidé qu'elle serait pharmacienne.

- Suppose que tu sois à l'école secondaire et que tu veuilles devenir pharmacien ou pharmacienne. Élabore un plan pour t'aider à atteindre ton objectif.
- Si tu préfères une autre carrière, élabore un plan pour atteindre cet objectif professionnel.

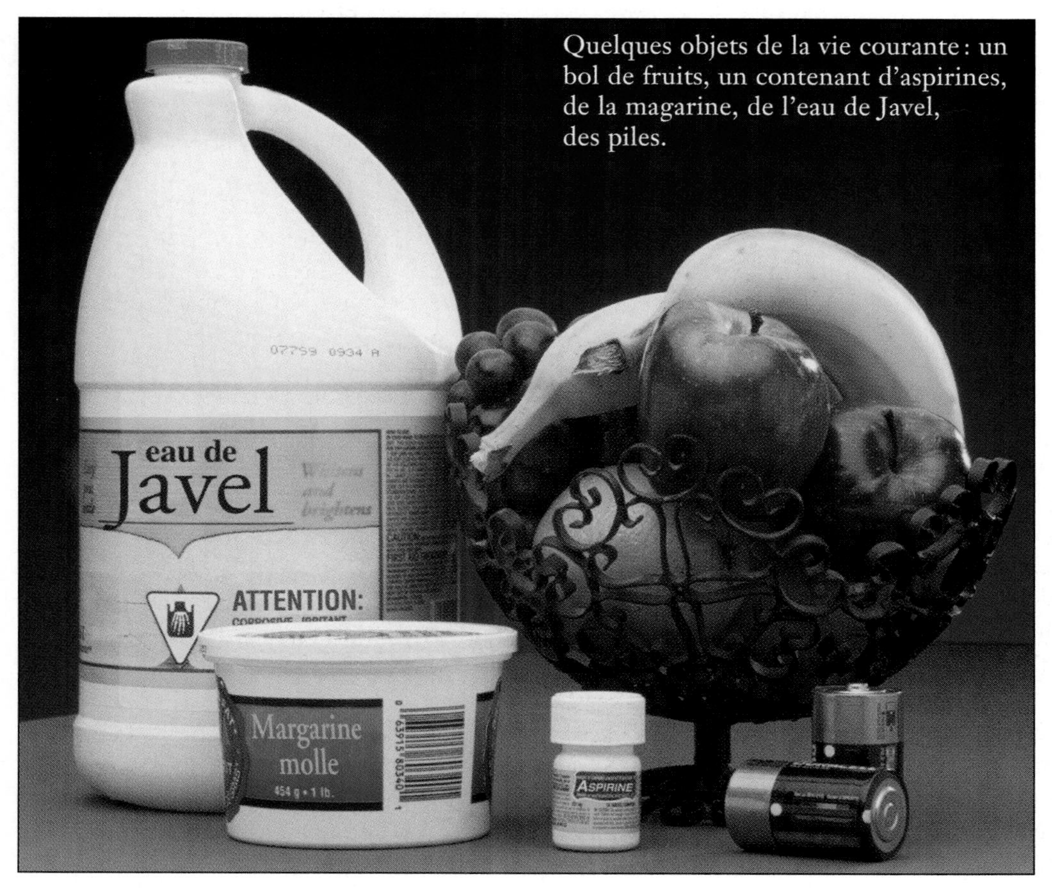


Quelques objets de la vie courante : un bol de fruits, un contenant d'aspirines, de la magarine, de l'eau de Javel, des piles.

**Figure 8.19** Tous ces objets ont une connexion chimique.

## Des produits chimiques dans nos aliments

En 1869, Napoléon III a offert un prix à qui pourrait fabriquer une « matière grasse, économique, qui se conserve bien et qui remplacerait le beurre ». C'est un chimiste qui a remporté le prix, Hippolyte Mège-Mourriés. Il a mélangé des gras comestibles, de l'huile et de l'eau. Il venait d'inventer la margarine. Seuls quelques aliments, comme la margarine, sont le résultat d'une invention chimique. La plupart des aliments préparés contiennent des produits chimiques. Il s'agit notamment de vitamines artificielles, de colorants et d'agents de conservation. Le simple fait de faire cuire des aliments est une autre façon de provoquer un changement chimique, pour que la nourriture soit plus facile à digérer.

**Figure 8.20** Combien d'ingrédients de cette boisson destinée aux sportifs portent des noms qui se terminent par « ure » ou par « ate » ? Ces sels forment des ions dans ton corps.

## Vérifie ce que tu as compris

1. Donne deux raisons pour lesquelles on a besoin de moins de personnes pour faire fonctionner une ferme moderne. En quoi cette situation est-elle favorable au consommateur ?
2. Nomme trois types de produits chimiques que les agriculteurs ou les jardiniers peuvent utiliser.
3. Quels sont les trois éléments essentiels à la croissance saine des plantes ?
4. **Réflexion critique** En quoi la chimie et les changements chimiques sont-ils liés aux aliments ? Donne un exemple particulier pour illustrer chacune de tes réponses.

# RÉSUMÉ du chapitre 8

Maintenant que tu as terminé ce chapitre, essaie de faire les activités proposées ci-dessous. Si tu n'y arrives pas, consulte de nouveau la section indiquée.

Identifie les familles suivantes dans le tableau périodique et compare l'agencement de leurs électrons : métaux alcalins, métaux alcalinoterreux, halogènes et gaz rares. (8.1)

Explique, en te basant sur l'agencement des électrons, pourquoi les gaz rares sont inertes. (8.1)

Explique, en te basant sur les électrons de valence, la réactivité des métaux alcalins et des halogènes. (8.1)

Donne un exemple explicite de deux éléments qui se combineraient pour former un composé ionique. Décris comment les atomes de chaque élément formeraient des ions. (8.2)

Décris la formation des liaisons ioniques comme un transfert d'électrons et les liaisons covalentes comme le partage d'électrons entre des atomes particuliers. (8.2, 8.3)

Décris les tests qui peuvent permettre de distinguer des composés ioniques et des composés moléculaires typiques. (8.3)

Dresse la liste des propriétés physiques typiques des composés moléculaires. Explique ces propriétés quant à l'attraction relativement faible entre les molécules. (8.3)

Donne des exemples de substances qui ont de grandes structures. (8.2, 8.3)

Décris différentes propriétés physiques du diamant et du graphite. (8.3)

Décris brièvement les étapes de la fabrication des plastiques. (8.3)

Décris l'importance des composés chimiques pour les agriculteurs ou les jardiniers. (8.4)

Décris brièvement l'utilisation des composés chimiques dans ta maison. (8.4)

## Prépare ton propre résumé

Résume le contenu de ce chapitre en élaborant une représentation graphique (comme un réseau conceptuel), en réalisant une affiche ou en résumant par écrit les concepts clés du chapitre. Voici quelques idées dont tu peux t'inspirer :

- Explique la réactivité d'un métal alcalin au contact d'un halogène pour ce qui est de la réorganisation des électrons dans les couches périphériques.
- Explique la formation des ions quand un métal réagit avec un non-métal.
- Explique la formation d'une liaison covalente entre les atomes de deux éléments non métalliques.
- Compare les propriétés des composés ioniques et des composés moléculaires. Explique ces propriétés pour ce qui est de l'attraction entre les ions et les molécules.
- Donne des exemples de structures moléculaires géantes et décris les propriétés importantes qui sont propres à ces structures.
- Identifie les différents polymères utilisés dans les produits d'emballage. Fais le lien entre les propriétés d'un polymère particuliers et l'usage de ce polymère.
- Décris les usages particuliers des composés chimiques dans la société moderne.

CHAPITRE

# 8 Révision

## Des termes à connaître

Si tu as besoin de réviser les termes ci-dessous, les numéros de section t'indiquent où ils ont été mentionnés pour la première fois.

**1.** Quels sont les groupes qui ont des noms spéciaux ? Remplis le tableau ci-dessous : (8.1)

| Groupe | Nom | Nombre d'électrons de valence |
|---|---|---|
| 1 | | |
| | métaux alcalinoterreux | |
| | | 7 |
| 18 | | |

**2.** En quoi la formation d'une liaison ionique diffère-t-elle de la formation d'une liaison covalente ? (8.2, 8.3)

**3.** Qu'entend-on par « électron de valence » ? Combien d'électrons de valence le soufre a-t-il ? (8.2)

**4.** En quoi les composés ioniques diffèrent-ils des composés moléculaires quand on y ajoute de l'eau ? (8.3)

**5.** En quoi un polymère ressemble-t-il à une clôture à mailles losangées ? Qu'est-ce que représenterait chaque maille de la clôture ? (8.3)

**6.** Explique la différence entre les termes suivants : pesticide, herbicide et insecticide. (8.4)

## Des concepts à comprendre

Les numéros de section te permettront de faire des révisions, si tu en as besoin.

**7.** En quoi les électrons des atomes produisent-ils un changement chimique ? (8.1)

**8.** Qu'entend-on par couche d'électrons ? En quoi le nombre d'électrons de la couche de valence de l'atome d'un élément donné est-il lié à la position de l'élément dans le tableau périodique ? (8.1)

**9.** Comment la structure des électrons des gaz rares permet-elle d'expliquer les propriétés chimiques de ces gaz ? (8.1)

**10.** Explique pourquoi un métal alcalin réagirait très vigoureusement au contact d'un halogène. (8.2)

**11.** Quel est la relation entre la charge positive totale et la charge négative totale dans la formule d'un composé ionique ? (8.2)

**12.** Combien y a-t-il d'ions de calcium représentés dans la formule de chacun des composés ioniques suivants ? (8.2)

**a)** $CaO$

**b)** $CaBr_2$

**c)** $Ca_3N_2$

**13.** Décris deux façons dont une liaison chimique peut se former. Donne un exemple de chaque type de liaison chimique. (8.2, 8.3)

**14.** Si les liaisons ioniques sont aussi fortes que les liaisons covalentes, pourquoi les solides ioniques tendent-ils à avoir un point de fusion supérieur au point de fusion des solides moléculaires ? (8.3)

**15.** Le sable est un quartz impur, $SiO_2$, qui forme une structure géante maintenue par des liaisons covalentes.

**a)** D'après toi, quelles sont les propriétés du quartz ?

**b)** Penses-tu que le quartz est un bon conducteur d'électricité ? Explique ta réponse. (8.3)

**16.** Quels sont les points communs entre le sel, le diamant et le polyéthylène ? Quelles sont les différences ? (8.2, 8.3)

**17.** Qu'est-ce qu'un polymère ? Donne un exemple de polymère naturel et un exemple de polymère artificiel. (8.3)

**18.** Explique pourquoi un engrais ne doit être ni insoluble ni trop soluble. (8.4)

## Des habiletés à acquérir

**19.** Prédis certaines des propriétés du bromure de lithium. Utilise un manuel de chimie pour vérifier tes prédictions.

**20.** Trace un diagramme en toile d'araignée avec le terme « composés » au centre du diagramme.

**21.** Élabore un réseau conceptuel des liaisons chimiques.

## Des problèmes à résoudre

**22.** À l'aide du tableau périodique, trouve combien il y a de protons et d'électrons dans chacun des ions suivants :

**a)** $K^+$

**b)** $Ca^{2+}$

**c)** $N^{3-}$

**d)** $Al^{3+}$

**23.** Quand les paires d'éléments suivants se combinent, elles forment des composés ioniques. Utilise le tableau périodique pour trouver les formules des composés ioniques formés. (Note que chaque paire est présentée par ordre alphabétique.)

**a)** barium et fluor

**b)** brome et potassium

**c)** azote et sodium

**d)** magnésium et phosphore

**e)** calcium et soufre

**24.** L'oxygène a six électrons de valence. Combien d'électrons de valence les autres éléments ont-ils dans chacun des oxydes suivants ?

**a)** $Na_2O$

**b)** $MnO$

**c)** $PbO_2$

## Réflexion critique

**25.** Pourquoi, d'après toi, place-t-on habituellement l'hydrogène dans le groupe 1 du tableau périodique, même s'il ne s'agit pas d'un métal comme les autres éléments du groupe 1 ?

**26.** Lesquelles des formules suivantes sont impossibles ? Explique tes réponses.

**a)** $LiCl_2$

**b)** $KS$

**c)** $MgF_2$

**d)** $AlO_3$

**27.** Le bioxyde de carbone contient des liaisons covalentes, tout comme le diamant. Pourtant, le bioxyde de carbone est un gaz à température ambiante, alors que le diamant est un solide dont le point de fusion est très élevé. Explique pourquoi ces deux substances sont différentes.

**28.** Tu as peut-être des boules à mites ou peut-être un assainisseur d'air solide à la maison. Sont-ils constitués de composés ioniques ou de composés moléculaires ?

**29.** L'usage de toute technologie présente des risques et des avantages. Dresse un tableau indiquant les risques et les avantages de l'utilisation des insecticides dans l'agriculture.

### Pause réflexion

1. En quoi les liaisons d'une substance sont-elles liées aux propriétés de cette substance ?
2. Comment peux-tu utiliser le tableau périodique pour prédire le type de liaison qui se produira probablement entre deux atomes ?

MODULE 2

# Consulte une experte

Judy Logan

**En 1981, l'archéologue André Lépine décidait de ramener à la surface un gros canon et d'autres artefacts qu'il avait trouvés dans une épave gisant au fond de la baie de Gaspé. Les artefacts, qui avaient passé plus de 200 ans sous l'eau, étaient recouverts d'une couche de rouille grumeleuse. André Lépine a fait appel à la spécialiste Judy Logan, de l'Institut canadien de conservation, pour savoir si son équipe de conservateurs pouvaient nettoyer et préserver les artefacts.**

**Q Cet objet n'a pas vraiment l'air d'un canon. Comment s'est-il encroûté et déformé à ce point ?**

**R** La fonte de fer dont le canon est fait a subi une réaction électrochimique qui l'a transformée. Le fer a réagi à l'eau, à l'oxygène et aux ions chlorure de l'eau salée. Cela a causé la corrosion du métal et fait apparaître une rouille dommageable. Le mélange de la rouille et du limon du fond océanique a ensuite favorisé la croissance du corail. La croûte qui recouvre le canon est ce qu'on appelle une concrétion.

**Q Ne pouvez-vous pas gratter l'artefact pour enlever la concrétion et nettoyer ce qu'il y a en dessous?**

**R** Ce ne serait pas une bonne idée. Le fer de ce canon est corrodé et donc fragilisé. La rouille agit comme un ciment dur qui tient ensemble le fer fragile et la concrétion. Si l'on grattait la concrétion, on risquerait d'enlever aussi une partie du fer corrodé. Cela endommagerait le canon et ferait disparaître tous les détails de surface. En plus, les ions chlorure resteraient dans le métal et continueraient de le corroder, même une fois la concrétion enlevée.

**Q Alors, comment pouvez-vous nettoyer le canon si le fer est à la veille de se désagréger ?**

**R** C'est une réaction électrochimique qui a causé sa corrosion, et c'est une autre réaction électrochimique qui permet de le restaurer. Quand un artefact en fer contient encore assez de métal non attaqué, on se sert de l'électrolyse ; c'est un des meilleurs procédés pour enlever les ions chlorure et la corrosion.

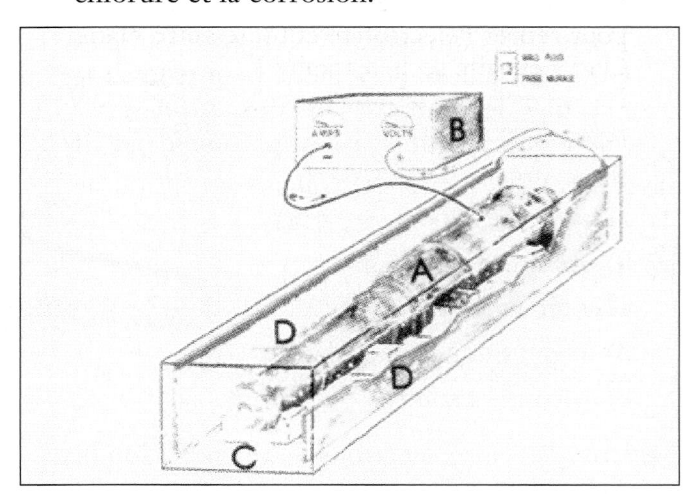


**Q Comment fonctionne l'électrolyse ?**

**R** On enroule un fil autour du canon et l'on place le canon dans un électrolyte. Le fil est branché à la borne négative d'une source de courant électrique (B). Le canon devient une cathode (A). Deux plaques en acier inoxydable de haute qualité (D) sont mises en suspension dans le réservoir (C), une de chaque côté du canon, pour servir d'anodes. La conservatrice fait passer un courant très faible dans le réservoir.

Le courant envoie à l'objet une charge négative. Comme les ions chlorure (qui ont causé la corrosion) ont une charge négative, ils s'éloignent de la cathode (le canon) chargée négativement et se rapprochent des anodes (électrodes positives). Après une période assez longue, les ions chlorure sont partis, et le canon est protégé contre la corrosion.

**Q Mais qu'arrive-t-il à la corrosion déjà présente ?**

**R** L'autre effet utile de l'électrolyse sur ces artefacts est qu'elle cause une réaction chimique qui transforme la rouille, qui est de l'hydroxyde de fer (FeOOH), en magnétite ($Fe_3O_4$). Comme la magnétite est friable, nous pouvons, après l'électrolyse, enlever des éclats de concrétion sans endommager le canon. La concrétion n'est plus collée au canon par la rouille.

**Q Combien de temps faut-il pour nettoyer un canon comme celui-ci ?**

**R** Ce canon a passé plus de quatre ans en électrolyse. On l'a débranché régulièrement et sorti du réservoir pour ôter petit à petit la couche extérieure de concrétion. Après avoir fait disparaître la concrétion et tous les ions chlorure restants, on a lavé le canon pendant 21 mois pour retirer l'électrolyte et toute autre matière. On l'a ensuite séché et traité à l'acide tannique afin de le protéger de la rouille.

**Q Y a-t-il d'autres artefacts que vous nettoyez à l'électrolyse ?**

**R** L'électrolyse convient à tous les objets en fonte de fer, comme les boulets de canon, les ustensiles de cuisine et les poêles qui ont passé du temps sous l'eau ou sous terre. On l'utilise parfois pour nettoyer des outils en fer forgé, comme des haches et des marteaux, dont la corrosion n'est pas trop étendue. L'électrolyse sert aussi à la conservation d'artefacts en plomb, comme les tuyaux d'eau, et en argent, comme les pièces de monnaie, les médailles et les bijoux. Il existe toutes sortes de techniques de conservation employées selon les types d'artefacts.

**Q Comment avez-vous appris l'art de conserver les artefacts ?**

**R** J'ai étudié l'archéologie à la University of Calgary, puis, en 1972, j'ai été embauchée par Parcs Canada. Cet organisme venait tout juste de lancer un programme de conservation parce que le Canada ne possédait pas d'installation du genre à l'époque. Après avoir travaillé quatre ans à Parcs Canada, j'ai passé deux ans à la Queen's University pour obtenir ma maîtrise en conservation. Depuis lors, j'ai restauré d'innombrables objets provenant d'épaves de navires, de postes de traite et de bien d'autres sites intéressants.

**POUR EN SAVOIR Plus**

## L'archéologie sous-marine

Pour les archéologues, la mer est une riche source d'étude parce que les artefacts, même les navires entiers, peuvent y rester pendant des siècles sans être dérangés. Mais l'examen et la récupération de ces artefacts s'avèrent parfois délicats, et l'électrolyse n'est qu'une des nombreuses techniques scientifiques que les spécialistes de l'archéologie sous-marine utilisent. Pour en savoir plus long sur l'étude scientifique des épaves sous-marines, consulte Internet. Tape d'abord l'adresse **www.dlcmcgrawhill.ca** Rends-toi à **Matériel complémentaire/Primaire et secondaire,** puis à **OMNISCIENCES 9** ; de là, suis les indications fournies.

UNE ÉTUDE DE CAS

# Le diagnostic et le traitement du cancer des os

## Réfléchis

Pour les athlètes, les douleurs physiques sont choses courantes ; mais, en 1977, un jeune athlète du nom de Terry Fox éprouvait une douleur persistante au genou droit. Après les analyses, les médecins ont dû annoncer une nouvelle atterrante à leur patient : Terry avait un ostéosarcome, une forme de cancer des os, dans le genou gauche. Pour lui sauver la vie, il fallait lui amputer la jambe droite immédiatement. Il n'avait que 18 ans.

Terry a résolu d'amasser des fonds pour la recherche sur le cancer en traversant le Canada au pas de course. Le 12 avril 1980, il commençait sa course à St. John's (Terre-Neuve), s'étant fixé un objectif de 1 million $. Il parcourait en moyenne 42 km par jour, accomplissement remarquable pour n'importe quel athlète, et les dons commençaient à affluer. Toutefois, en traversant l'Ontario, Terry a été pris d'une toux persistante. En septembre, près de Thunder Bay, son « Marathon de l'Espoir » prenait fin. Le cancer avait gagné les poumons de Terry. Il est mort à la fin de juin 1981, un mois avant son 23e anniversaire. En septembre de chaque année, plusieurs villes du Canada et d'ailleurs organisent une Course Terry Fox. À ce jour, environ 200 millions $ ont été amassés pour la recherche sur le cancer.

## Préparation et présentation

1. La classe sera divisée en quatre groupes représentant respectivement : une patiente ou un patient chez qui on vient de diagnostiquer un ostéosarcome, une chirurgienne ou un chirurgien, une ou un oncologue (médecin spécialiste du cancer) et une ou un radiologue (médecin qui administre des traitements de radiothérapie aux patients cancéreux).
2. Chaque groupe doit faire la recherche qui lui est assignée ci-dessous et préparer une présentation sur le sujet.
   - Le groupe qui représente la patiente ou le patient fait une recherche sur les symptômes de l'ostéosarcome. Il formule des questions à poser aux groupes représentant les spécialistes qui interviennent dans le diagnostic et le traitement de la maladie. Quelles sont les possibilités ? Quel sera le déroulement probable du traitement ?
   - Le groupe qui représente la chirurgienne ou le chirurgien fait une recherche sur la façon d'évaluer la gravité d'une tumeur. Une tumeur de bas grade peut être traitée sans qu'on ampute le membre, alors qu'une tumeur qui a envahi les tissus voisins peut être trop avancée pour qu'on la traite par chirurgie. Diminue-t-on les chances de survie de la patiente ou du patient si l'on n'ampute pas le membre atteint ?
   - Le groupe qui représente l'oncologue fait une recherche sur les possibilités de traitement de chimiothérapie (traitement par substances chimiques qui attaquent les cellules cancéreuses). En général, il y a plusieurs possibilités, selon la gravité du cancer des os et sa propagation ou non à d'autres organes. Essayez de vous renseigner sur les effets secondaires les plus répandus, de courte et de longue durée, de la chimiothérapie.
   - Le groupe qui représente la ou le radiologue fait une recherche sur le rôle du phosphate de technétium, composé radioactif utilisé dans le diagnostic du cancer des os. Le traitement d'une tumeur peut faire appel aux rayons X, à des sources radioactives, comme le cobalt 60, ou à des faisceaux de particules comme les protons ou les neutrons. L'efficacité des différents traitements par rayonnement varie. Quels sont les avantages et les inconvénients de chaque type de traitements ?
3. Le dossier sera présenté à la classe. D'abord, le groupe de la patiente ou du patient décrira les symptômes. Le groupe de la chirurgienne ou du chirurgien exposera ensuite le diagnostic et le traitement chirurgical recommandé. Suivra le groupe de l'oncologue ou celui de la ou du radiologue. Durant les présentations, le groupe de la patiente ou du patient peut intervenir à tout moment pour poser des questions.

## Analyse

1. De quelles façons la patiente ou le patient a-t-il pris part aux décisions concernant le traitement de sa maladie ?
2. Les groupes de spécialistes ont-ils été clairs dans leur description des risques et des avantages du traitement proposé ?

# Le jeu de la chimie

Sers-toi de tes connaissances en chimie pour créer un jeu fondé sur les différents genres de substances étudiés au cours du module. Ton jeu peut porter sur un ou plusieurs des aspects suivants :

- l'évolution des théories de la matière
- la structure du tableau périodique
- les utilités concrètes des éléments, des composés, des alliages et des isotopes
- les aspects industriels et économiques de la chimie

## Projet

Toi et ton groupe, inventez un jeu sur les substances chimiques.

## Matériel

du matériel d'artiste tel que fiches de carton, stylos, autocollants, colle, ciseaux
des dés à jouer
vos séries de cartes d'éléments et de composés du chapitre 5 (voir la page 176)
le tableau périodique des éléments (page 562)

## Critères de conception

**A.** Vous êtes libres de donner à votre jeu la forme qui vous plaît. Vous pourriez, par exemple, créer un jeu-questionnaire, un jeu de cartes ou un jeu de société. Votre jeu doit comporter un certain degré de difficulté tout en étant facile à apprendre. Vos séries sur « les éléments et les composés » pourraient vous être utiles au départ, mais elles ne doivent pas être la seule base de votre jeu, qui peut comporter des alliages ou des isotopes, par exemple.

**B.** Votre jeu doit admettre un nombre de joueurs varié.

**C.** Vous devez accompagner votre jeu de règles écrites, qui seront claires et faciles à suivre pour une personne qui joue pour la première fois.

**D.** Votre jeu fera ressortir quelques-uns des principes de chimie étudiés au cours du module, comme les combinaisons chimiques d'éléments métalliques et non métalliques, ainsi que certains usages courants ou technologiques de substances chimiques.

## Plan et construction

1. Votre enseignante ou votre enseignant divisera la classe en groupes. En groupe, décidez de la forme de votre jeu et des aspects de la chimie que vous voulez y incorporer. Donnez un nom à votre jeu.
2. Tracez ou écrivez le plan de conception de votre jeu. Révisez votre plan et ajoutez-y des éléments au besoin.
3. Dressez la liste du matériel dont vous aurez besoin et la liste des données scientifiques à trouver.
4. À l'intérieur du groupe, affectez des équipes à la recherche et à l'organisation des données, ainsi qu'à la fabrication des éléments du jeu.
5. Rédigez soigneusement les règles de votre jeu.
6. Essayez votre jeu et apportez les correctifs nécessaires.
7. Échangez votre jeu contre celui d'un autre groupe et jouez au jeu conçu par ce groupe.

## Évaluation

**1. a)** Les règles du jeu de l'autre groupe étaient-elles claires ?

**b)** Le groupe qui a joué à votre jeu a-t-il trouvé vos règles claires ?

**2.** Pour jouer à votre jeu et aux jeux des autres, quels concepts avez-vous dû vous rappeler et quelles données avez-vous dû trouver ?

**3.** En quoi la phase de conception vous a-t-elle fait réfléchir à ce que vous avez appris dans le module ?

**4.** Comparez tous les jeux créés par la classe.

**a)** Quel jeu est le plus amusant ? Expliquez votre réponse.

**b)** Quel jeu utilise le plus efficacement les concepts et les problèmes chimiques ? Expliquez votre réponse.

**c)** Quel jeu a la meilleure apparence ?

MODULE

# 2 Révision

Maintenant que tu as étudié les chapitres 5, 6, 7 et 8, réponds aux questions ci-dessous pour évaluer tes nouvelles connaissances en chimie. Avant de commencer, il serait bon que tu relises le Résumé et la Révision à la fin de chaque chapitre.

## Vrai ou faux

Dans ton cahier de notes, réponds à chacun des énoncés suivants par vrai ou faux. Corrige les énoncés qui sont faux.

1. Tous les échantillons de matière doivent être faits de substances pures ou de composés.
2. Les solutions sont des mélanges homogènes de composition constante.
3. Les métaux alcalins réagissent fortement à l'eau, à l'oxygène et aux gaz nobles.
4. L'atome de chlore possède un électron de plus que l'ion chlorure.
5. La trempe renforce et assouplit le cuivre.
6. Tous les composés aux structures géantes sont des composés ioniques.

## Phrases à compléter

Dans ton cahier de notes, complète chacune de ces phrases.

7. Un composé est constitué de substances combinées en proportions ______.
8. Les deux types de substances pures sont ______ et ______.
9. La rouille du fer est un exemple de changement ______.
10. Les isotopes d'un élément ont des nombres de ______ variés.
11. Dans leur couche électronique périphérique, les métaux alcalins ont un électron de moins que ______.
12. Dans le tableau périodique, les éléments d'une même ______ ont des propriétés semblables.

## Associations

13. Dans ton cahier de notes, recopie les descriptions de la colonne A. À côté de chaque description, écris le terme de la colonne B qui y correspond le mieux. Chaque terme peut correspondre à une, à plusieurs ou à aucune des descriptions.

**A**

- processus comportant la formation d'un nouveau composé
- réarrangement des atomes dans de nouvelles substances
- mélange homogène
- atomes d'un même élément présentant des nombres différents de neutrons
- type d'ions le plus souvent formé quand un non-métal devient un ion
- nombre total de protons et de neutrons dans le noyau
- base de la classification des éléments dans le tableau périodique

**B**

- solution
- isotopes
- nombre de masse
- changement chimique
- ion négatif
- liaison ionique
- alliage
- nombre atomique
- ions
- liage chimique
- changement physique

## Questions à choix multiple

Dans ton cahier de notes, écris, pour chacune des questions suivantes, la lettre qui correspond à la meilleure réponse.

**14.** Regarde ce schéma d'un atome de lithium. Parmi les parties (a) à (e), laquelle renferme plus de 99 % de la masse de l'atome ?

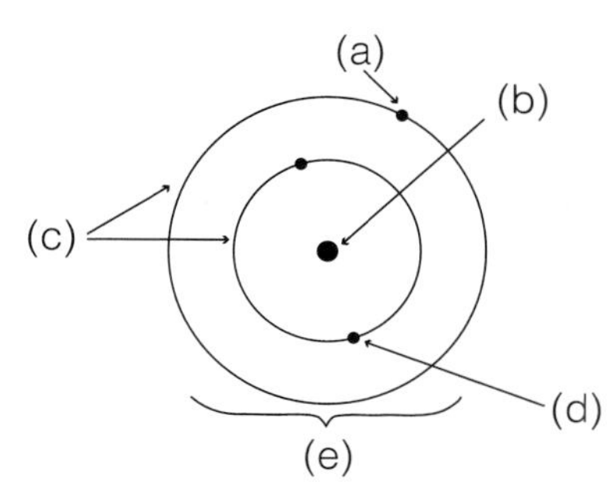


**15.** L'acide sulfurique est utilisé dans beaucoup de procédés industriels. Si l'acide sulfurique concentré a une masse volumique de 1,84 g/mL, quelle est la masse d'un échantillon de 26,2 mL ?

**a)** 0,0702 g
**b)** 14,2 g
**c)** 26,2 g
**d)** 28,0 g
**e)** 48,2 g

**16.** En travaillant au laboratoire, tu te brûles la main sur une éprouvette chaude. Qu'est-ce que tu dois faire ?

**a)** Ne rien faire à moins que la brûlure ne soit grave.
**b)** Mettre un bandage sur la blessure.
**c)** Te faire aider par ta coéquipière ou ton coéquipier et éviter de te servir de ta main.
**d)** Rapporter l'incident à ton enseignante ou à ton enseignant.
**e)** Rincer la brûlure à l'eau froide courante, puis rapporter l'incident à ton enseignante ou à ton enseignant.

**17.** Un mélange homogène se classe parmi :

**a)** les substances pures
**b)** les éléments
**c)** les solutions
**d)** les mélanges mécaniques
**e)** les composés

**18.** Parmi les énoncés (1) à (4), lesquels représentent des propriétés de l'or ?

**(1)** Il est jaune.
**(2)** Sa masse volumique est de 19,3 g/cm$^3$.
**(3)** Il ne réagit pas à l'oxygène à la température ambiante.
**(4)** De tous les métaux, c'est le meilleur conducteur électrique.

**a)** (1) seulement
**b)** (2) seulement
**c)** (3) seulement
**d)** (1) et (2) seulement
**e)** (1), (2) et (3) seulement

**19.** Parmi les idées suivantes sur la structure de l'atome, laquelle a été élaborée par Rutherford ?

**a)** Les électrons gravitent en couches fixes.
**b)** Le nombre atomique devrait être la base du tableau périodique.
**c)** L'atome possède un noyau et un nuage d'électrons.
**d)** Le modèle semblable à un muffin de l'atome
**e)** Tous les atomes d'un élément sont identiques.

**20.** Quel atome ou ion possède le même nombre d'électrons que l'ion $Cl^-$ ?

**a)** Ne
**b)** Cl
**c)** $K^+$
**d)** $Li^+$
**e)** $N^{5+}$

**21.** Parmi les procédés (1) à (3), lequel ou lesquels comporte(nt) l'utilisation de l'éthylène ?

**(1)** le mûrissement des fruits
**(2)** la fabrication d'anesthésiques
**(3)** la fabrication de sacs de polythène

**a)** (1) seulement
**b)** (2) seulement
**c)** (1) et (3) seulement
**d)** (1) et (2) seulement
**e)** (1), (2) et (3)

## Questions à réponse courte

Dans ton cahier de notes, réponds à chacune des questions suivantes par une phrase ou un court paragraphe.

**22.** Nomme trois propriétés physiques quantitatives qui pourraient servir à identifier un métal inconnu.

**23.** Explique la différence qui existe entre :

**a)** une propriété physique et un changement physique

**b)** une propriété chimique et un changement chimique

**c)** un changement physique et un changement chimique

**d)** un soluté et un solvant

**24.** Quelle différence y a-t-il entre un minéral et un minerai ? Pourquoi les minerais sont-ils généralement concentrés à l'endroit où ils sont extraits ?

**25.** Qu'est-ce que l'électrolyse ? Décris brièvement l'une des deux expériences d'électrolyse de ce module.

**26.** Établis la distinction entre les termes « nombre de masse » et « numéro atomique ».

**27.** En quoi le spectre solaire diffère-t-il du spectre produit par l'hydrogène en combustion ?

**28.** Pourquoi la couche électronique périphérique d'un atome est-elle importante ?

**29.** De quelle façon Bohr a-t-il modifié le modèle atomique de Rutherford ?

**30.** Établis un lien entre la structure électronique de l'aluminium et sa position (période 3, groupe 13) dans le tableau périodique.

**31.** Trace les schémas des couches électroniques du calcium et de l'argon. En quoi ces schémas se comparent-ils aux schémas électroniques du strontium et du krypton ?

**32.** Nomme deux métaux de réactivité très différente, mais qui sont néanmoins utilisés à la même fin. Justifie ta réponse.

**33.** Quand tu parcours un groupe de non-métaux de haut en bas, la réactivité chimique augmente-t-elle ou diminue-t-elle généralement ? Justifie ta réponse en fonction de la structure électronique.

**34.** En quoi Boyle a-t-il changé la façon dont les scientifiques considéraient les éléments ?

**35.** Quelle déduction Dalton a-t-il faite à propos des atomes d'hydrogène et d'oxygène à partir de l'électrolyse de l'eau ? Compare le raisonnement de Dalton à un schéma moderne de la structure des molécules d'eau.

**36.** En quoi le tableau périodique moderne diffère-t-il de celui que Mendeleïev avait élaboré ?

**37.** Recopie le schéma de l'appareil expérimental de Thomson. Sur ta copie, écris le nom de chaque partie de l'appareil et explique ce que Thomson a observé.

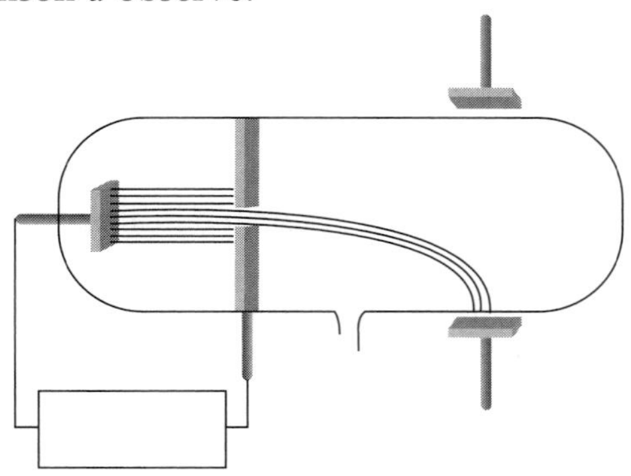

**38. a)** Trace le schéma de l'appareil que Rutherford a utilisé pour établir par déduction l'existence du noyau des atomes d'or. Nomme les parties de l'appareil.

**b)** Résume les principales déductions de Rutherford à propos de la structure des atomes.

**c)** Dans l'expérience de Rutherford, la plupart des particules alpha n'étaient pas défléchies. À partir de cette observation, quelle déduction Rutherford a-t-il faite à propos de la matière ?

**39.** Le bioxyde de carbone et un polymère tel que le polythène renferment tous deux des liaisons covalentes. Pourquoi ces deux substances ont-elles des propriétés si différentes ?

**40.** Nomme deux propriétés physiques et une propriété chimique de l'oxygène.

**41.** Pourquoi les composés moléculaires ont-ils des points de fusion et d'ébullition peu élevés ?

## Problèmes à résoudre

Pour tous les problèmes comportant des équations et des nombres, présente ta solution complète et sers-toi de la méthode SMARP de résolution de problèmes ou de la méthode recommandée par ton enseignante ou ton enseignant.

**42.** Pour chacun des ions suivants, donne le nombre de protons, de neutrons et d'électrons, et nomme l'élément :

**a)** $^{56}_{26}Fe^{3+}$ **b)** $^{66}_{30}Zn^{2+}$ **c)** $^{14}_{7}N^{3-}$ **d)** $^{120}_{50}Sn^{4+}$

**43.** Combien d'ions d'oxygène sont représentés dans la formule de chacune des substances ioniques suivantes ?

**a)** MgO

**b)** $Fe_2O_3$

**c)** $P_2O_5$

**44.** Dans chacun des groupes donnés, les éléments sont nommés par ordre alphabétique. Quand ils sont combinés, ces éléments forment un composé ionique. À l'aide du tableau périodique, écris les formules des composés ioniques formés des éléments suivants :

**a)** oxygène et potassium

**b)** sodium et soufre

**c)** brome et magnésium

**d)** aluminium et iode

**e)** béryllium et oxygène

**45.** Parmi les formules suivantes, lesquelles sont impossibles ?

**a)** $FO_3$

**b)** $Na_2O_3$

**c)** HCl

**d)** $Ca_2Cl$

## Réflexion critique

**46.** Trouve l'élément césium (Cs) dans le tableau périodique. À partir de sa position dans le tableau, dis :

**a)** si c'est un métal ou un non-métal ;

**b)** s'il est plus ou moins réactif que le sodium ;

**c)** s'il est malléable ou friable ;

**d)** quel est son état à la température ambiante.

**47.** La réaction de deux substances chimiques en solution peut produire un nouveau composé qui apparaît comme un précipité. Que peux-tu dire au sujet de la solubilité d'un précipité dans l'eau ? Pourquoi est-ce une preuve de changement chimique ?

**48.** Avant d'utiliser le fer comme matériau de fabrication des outils, on s'est servi du bronze, qui est un alliage d'étain et de cuivre. Explique pourquoi l'âge du bronze a précédé l'âge du fer. (Indice: Consulte l'annexe D, à la page 564.)

**49.** Les alchimistes espéraient pouvoir faire de l'or à partir d'autres métaux comme le cuivre ou le plomb. Quelles propriétés du cuivre et du plomb sont semblables aux propriétés de l'or? Pourquoi le but des alchimistes était-il impossible à atteindre?

**50.** Supposons qu'on te donne une longue aiguille fine et une masse de pâte à modeler qui renferme une clé. Comment pourrais-tu trouver l'emplacement et la taille de la clé ? En quoi cela ressemble-t-il à l'expérience de Rutherford sur la feuille d'or ?

## Applications

**51.** À la bibliothèque ou sur Internet, fais une recherche sur les alliages utilisés dans la construction des avions. L'aluminium est-il largement employé ? et l'acier ? Les avions de types différents (le supersonique *Concorde*, par exemple) comportent-ils des alliages différents ? Pourquoi ?

**52.** Même les éléments les plus rares trouvés dans la croûte terrestre sont employés à des fins industrielles ou technologiques spéciales. Fais une recherche sur les emplois de quelques-uns de ces éléments rares : le lanthane, le sélénium, le tantale, le thallium, l'yttrium.

**53.** Renseigne-toi davantage sur la conception et la mise au point du microscope électronique. Dans quelles sciences et dans quelles industries a-t-il joué un rôle important ? Quelles ressemblances y a-t-il entre les principes de conception du microscope électronique et ceux d'un tube à décharge gazeuse ? Quelles différences y a-t-il ?

MODULE

3

# Les caractéristiques de l'électricité

L'une des plus longues tempêtes de verglas du XX^e siècle a duré six jours. La couche de glace qui s'est formée sur toutes les surfaces exposées atteignait 80 mm en certains endroits. La glace a recouvert les édifices depuis le toit jusqu'au sol, a fait ployer les arbres jusqu'au point de rupture et a détruit les lignes à haute tension. Des pylônes tordus, des poteaux électriques brisés et des lignes mortes jonchaient le sol dans les campagnes. Dans l'est du Canada, plus de 1,5 million de personnes n'avaient plus aucun moyen de se chauffer ni de s'éclairer. Santé Canada a distribué des milliers de couvertures, de piles et de lampes de poche aux gens dans le besoin. On a dénombré 1300 tours de transmission et 35 000 poteaux électriques écroulés sous le poids de la glace. Une grande quantité de lignes à haute tension étaient inutilisables. Les militaires et les nombreuses équipes envoyées par les compagnies d'électricité et de téléphone pour venir en aide aux milliers de personnes dans le besoin faisaient figure de héros. On a fait venir des génératrices électriques à essence de toutes les parties du Canada et des États-Unis. Leur bruit résonnait dans le paysage d'une beauté saisissante. Dans certaines régions, les agriculteurs devaient se partager les génératrices qui leur fournissaient l'énergie électrique nécessaire au fonctionnement des pompes à eau et des trayeuses. Mais, même en les partageant, il n'y en avait pas assez pour répondre à tous les besoins.

Les catastrophes comme la tempête de verglas de janvier 1998 permettent de se rendre compte à quel point les sociétés modernes dépendent de l'électricité. Tous les gens utilisent l'électricité, mais combien de personnes savent vraiment comment on la produit et on la distribue dans des câbles qui s'étendent sur des milliers de kilomètres ? Combien savent de quelle façon leur grille-pain et leur téléviseur fonctionnent ? Tu trouveras les réponses à ces questions dans le présent module. Tu devras aussi réfléchir à certains des problèmes écologiques causés par la production et la distribution de l'énergie électrique. Il est essentiel de comprendre l'électricité pour l'utiliser de façon appropriée et contribuer à l'économie de cette ressource qui joue un rôle très important dans la vie moderne.

## Contenu du module

CHAPITRE

# 9 L'électricité statique

**Pour commencer...**

- Qu'est-ce qui cause la foudre et pourquoi frappe-t-elle les grands édifices et les grands arbres ?
- Pourquoi reçoit-on parfois, mais pas toujours, une décharge électrique en touchant à une poignée de porte ?
- Pourquoi les vêtements collent-ils parfois les uns aux autres lorsqu'on vient de les sortir de la sécheuse ?

**Journal scientifique**

Réfléchis aux questions posées dans la rubrique Pour commencer... et partage tes idées avec tes camarades. Retiens quelques réponses possibles et note-les dans ton journal scientifique. La foudre produit des effets spectaculaires : c'est pourquoi on a de tout temps créé des mythes à son sujet. Les réponses que tu as écrites dans ton journal reposent-elles sur des mythes ? Au fur et à mesure que tu avanceras dans ce chapitre, relis ce que tu as écrit dans ton journal et demande-toi si tu devrais changer certaines réponses.

C'est un soir d'été. Il fait très chaud et le temps est lourd. Des nuages menaçants, en forme d'enclume, font leur apparition. Soudain, des éclairs sillonnent le ciel. Le spectacle est beaucoup plus impressionnant que n'importe quel effet artificiel. Le tonnerre retentit dans la nuit. La foudre frappe le sommet d'un arbre ; l'arbre fend en deux comme si un géant l'avait frappé avec sa hache. Les lampadaires s'éteignent et toute une partie de la ville est plongée dans le noir. Les éclairs dansent dans le ciel. L'orage électrique ne semble pas vouloir s'arrêter.

Trouves-tu qu'un éclair ressemble à une énorme étincelle ? Qu'est-ce qui cause une étincelle ou un éclair ? L'électricité peut provoquer de graves dommages si elle n'est pas maîtrisée. Peut-on maîtriser l'électricité ? Si oui, de quelle façon ? Quels autres effets de l'activité électrique peut-on observer ? Au fait, qu'est-ce que l'électricité exactement ?

Dans ce chapitre, tu vas apprendre ce qu'est une charge électrique. Tu vas découvrir que les charges électriques peuvent produire des effets spectaculaires, comme ceux que tu vois sur les photos. Tu vas aussi apprendre comment on peut maîtriser et utiliser les charges électriques.

## Concepts clés

Dans ce chapitre, tu découvriras :

- comment les objets s'électrisent ;
- comment les charges positives et négatives agissent les unes sur les autres ;
- quelle est la différence entre un isolant et un conducteur ;
- qu'est-ce qui cause la foudre.

## Habiletés clés

Dans ce chapitre :

- tu apprendras à charger un objet ;
- tu apprendras à utiliser un électroscope ;
- tu apprendras à mettre une prise de terre à un conducteur.

## Mots clés

- chargé
- charge électrique
- électricité statique
- électrostatique
- neutre
- isolant
- conducteur
- loi de l'attraction et de la répulsion
- charge négative
- charge positive
- électroscope
- induction
- étincelle
- mettre une prise de terre
- éclair
- foudre
- paratonnerre
- précipitateur électrostatique

de départ

### Un ballon collé au mur!

As-tu déjà fait l'expérience de frotter un ballon contre tes vêtements et de le placer ensuite contre un mur pour qu'il y reste collé ? Pourquoi le ballon reste-t-il collé ? Quelle est l'explication scientifique de ce phénomène ?

Que se passe-t-il à la surface d'un ballon lorsqu'on frotte celui-ci contre ses vêtements ou avec de la laine ?

#### Consigne de sécurité 

Il est interdit de manger ou de boire au laboratoire.

#### Ce dont tu as besoin

un ballon en caoutchouc

différentes substances : par exemple du sel, du papier de soie déchiqueté, du papier d'aluminium, de la pellicule plastique, du blé concassé, du riz soufflé

#### Ce que tu dois faire

1. Gonfle un ballon en caoutchouc et fais un nœud de manière que le ballon ne se dégonfle pas.
2. Frotte vigoureusement le ballon avec de la laine ou contre tes vêtements.
3. Approche le ballon de l'une des substances que tu as réunies.
4. Passe ta main sur toute la surface du ballon et recommence la troisième étape.

#### Qu'as-tu découvert ?

1. Que s'est-il passé la première fois que tu as approché le ballon de chacune des substances ? Note la réaction de chaque substance.
2. Note toutes les différences que tu as observées dans les réactions des diverses substances.
3. Explique en une phrase pourquoi, selon toi, chaque substance a réagi lorsque tu as approché le ballon après l'avoir frotté contre du tissu. Explique en une phrase pourquoi, selon toi, les substances ont réagi différemment lorsque tu as approché le ballon après avoir passé ta main sur toute sa surface.
4. Fais part de tes explications à la classe.
5. Après avoir étudié le présent chapitre, relis tes explications et demande-toi si elles sont exactes. Change-les au besoin.

# 9.1 L'électricité statique est omniprésente

C'est un soir d'hiver; le temps est froid et sec. Tu viens de pratiquer ton sport d'hiver préféré. En rentrant chez toi, tu te blottis dans ton lit pour te réchauffer. Tu admires le tapis neuf qui recouvre le plancher. Tu penses qu'une collation pourrait t'aider à te réchauffer. Tu sautes dans tes pantoufles, tu traverses ta chambre faiblement éclairée et tu avances la main vers la poignée de la porte. Aie! La décharge que tu as reçue est tellement forte que tu as vu une étincelle.

**Figure 9.1** As-tu déjà reçu une décharge électrique en avançant la main vers une poignée de porte? On peut recevoir aussi une décharge en caressant un chien ou un chat, ou en avançant simplement la main vers une autre personne. Tu vas découvrir pourquoi cela se produit en lisant le présent chapitre.

**Figure 9.2** Le savant Thalès a vécu à Milet, en Grèce, environ 600 ans avant J.-C. Il a été le premier à noter que les propriétés de l'ambre changent quand on frotte cette substance avec de la fourrure.

## Les décharges électriques et la foudre

La décharge électrique que l'on reçoit en touchant à une poignée de porte en métal après avoir marché sur un tapis ressemble à la foudre. En fait, la foudre est elle aussi une décharge électrique, mais d'une intensité infiniment plus grande. Est-il possible que le fait de marcher sur un tapis produise le même genre d'effet qu'un orage électrique? Au cours d'un orage, les gouttelettes d'eau et les cristaux de glace des nuages sont secoués par des vents très forts: ils entrent en collision et frottent les uns contre les autres. Quand tu traverses une pièce, tes chaussures ou tes bas frottent contre le tapis. Mais pourquoi le frottement crée-t-il des conditions propices à la production d'étincelles?

Dans l'Activité de départ, tu as frotté un ballon contre du tissu, puis tu as approché le ballon de différentes substances. Tu n'as probablement pas observé d'étincelles mais, si les conditions l'avaient permis, tu aurais pu en voir. Le fait de frotter deux substances différentes l'une contre l'autre peut changer les propriétés de ces substances. Le philosophe grec Thalès de Milet a noté que, si l'on frotte un morceau d'ambre avec de la fourrure, l'ambre attire des brins de paille ou de petits copeaux de bois, et la fourrure attire, elle aussi, ces objets. Des centaines d'années plus tard, des scientifiques ont étudié en détail les effets observés par Thalès. Ils ont découvert que plusieurs substances acquièrent la propriété d'attirer de menus objets, comme des brins de paille ou de petits bouts de papier, lorsqu'on les frotte l'une contre l'autre. Les scientifiques ont choisi l'adjectif **chargé** pour qualifier les objets qui, après avoir été frottés, attirent d'autres objets. Ils disent que l'objet chargé porte une **charge électrique**. Ils appellent cette charge **électricité statique** parce qu'elle reste immobile à la surface de l'objet chargé. La partie de la science qui étudie l'électricité statique est appelée l'**électrostatique**. Les objets qui ne portent pas de charge sont qualifiés de **neutres**.

## Les conducteurs et les isolants

Certaines substances accumulent les charges à l'endroit où on les frotte, c'est le cas par exemple d'un ballon. On les appelle des **isolants**. On qualifie d'isolants les substances qui ne permettent pas aux charges de se déplacer librement à l'intérieur de l'objet. Les substances qui permettent aux charges de se déplacer librement sont appelées **conducteurs**. La plupart des métaux sont des conducteurs et la plupart des non-métaux sont des isolants.

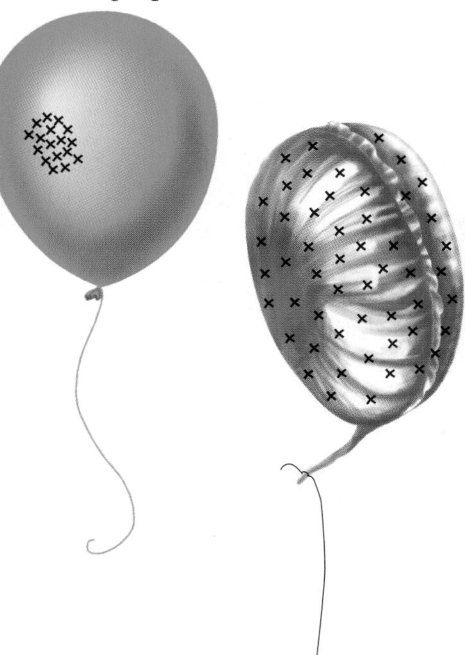

**Figure 9.3** Quand on frotte un ballon de caoutchouc, les charges créées (représentées par un x) restent immobiles. Par contre, si l'on frotte un ballon métallique, les charges créées sont libres de se déplacer dans le conducteur : elles se répartissent uniformément sur toute la surface du ballon.

Mets des gants de caoutchouc et charge un ballon métallique en le frottant avec un morceau de tissu. Répète ensuite l'expérience après avoir enlevé les gants de caoutchouc. D'après ce que tu as constaté, quelles propriétés peux-tu attribuer au caoutchouc et au métal ? Tu en sauras plus à propos de l'électrisation par frottement après avoir réalisé l'activité des pages suivantes.

### Pause réflexion

Maintenant que tu connais la différence entre un conducteur et un isolant, reviens à l'Activité de départ. Relis l'explication que tu as donnée à propos de la réaction des objets lorsque tu en as approché le ballon après avoir passé ta main sur toute sa surface. Qu'est-ce qui s'est produit lorsque tu as touché au ballon ? (Indice : le corps humain est un conducteur.) Si ta réponse était inexacte et que tu désires la changer, note les nouvelles idées qui te viennent à l'esprit. Explique pourquoi ta première explication était incorrecte.

### Le savais-tu ?

L'ambre est une résine fossilisée qui provient d'arbres comme le pin et le sapin. Cette substance jaune doré, très dure, est employée pour faire des bijoux.

Il arrive qu'un insecte reste collé à une coulée de résine fraîche. La résine continue alors de s'agglutiner autour de l'insecte jusqu'à ce qu'elle le recouvre complètement. Lorsque la résine se solidifie et se fossilise, l'insecte y est conservé, comme le montre la photo.

PASSE À L'ACTION

RÉALISE UNE EXPÉRIENCE 9-A

# L'électrisation d'un objet

Plusieurs objets s'électrisent lorsqu'on les frotte l'un contre l'autre : par exemple, des souliers contre du tapis ou un morceau d'ambre contre de la laine. Au cours de cette expérience, tu vas observer les réactions de divers objets après les avoir frottés l'un contre l'autre. Tu tireras ensuite des conclusions sur la façon dont un objet chargé et un objet neutre agissent l'un sur l'autre. Enfin, tu observeras de quelle façon deux objets chargés agissent l'un sur l'autre.

**Partie 1**

## Interaction entre un objet chargé et un objet neutre

### Problème à résoudre

De quelle façon un objet neutre réagit-il lorsqu'on en approche un objet chargé ?

### Consigne de sécurité

Manipule la tige de verre avec précaution.

### Matériel

un peigne en plastique
des tiges de verre
des tiges d'ébonite
de la laine
du polyéthylène
de la fourrure

### Matériel non réutilisable

de petits bouts de papier

### Marche à suivre

1. Copie le tableau suivant et note tes observations sur la copie.

L'interaction d'un objet chargé et d'un objet neutre

| Objet chargé | Réaction des bouts de papier |
|---|---|
| un peigne en plastique | |
| une tige de verre | |
| une tige d'ébonite | |

2. Place plusieurs bouts de papier sur ton pupitre ou sur ta table.
3. Frotte le peigne avec la laine (ou, si c'est ton peigne, passe-le dans tes cheveux).
4. Approche lentement le peigne des bouts de papier. Dans le tableau, décris en une phrase la façon dont le papier réagit quand tu en approches le peigne.
5. Recommence les étapes 3 et 4 en utilisant la tige de verre et le polyéthylène.
6. Recommence les étapes 3 et 4 en utilisant la tige d'ébonite et la fourrure.
7. Lave tes mains avant de quitter le local.

### Analyse

1. Écris un énoncé qui résume la réaction des bouts de papier neutres à des objets chargés.

### Conclusion et mise en pratique

2. Écris une hypothèse qui prédit la réaction de n'importe quel objet neutre à un objet chargé.

## Partie 2
# L'interaction de deux objets chargés

## Problème à résoudre

De quelle façon deux objets chargés agissent-ils l'un sur l'autre ?

### Consigne de sécurité

Manipule la tige de verre avec précaution.

### Matériel

un support
une pince
un étrier
deux peignes en plastique
deux bandes d'acétate
deux tiges de verre
deux tiges d'ébonite
de la laine
un gant en caoutchouc
du polyéthylène
de la fourrure

## Marche à suivre

1. Copie le tableau suivant et note tes observations sur la copie.

L'interaction de deux objets chargés

| Objet chargé tenu dans la main | Objet chargé placé dans l'étrier | | | |
|---|---|---|---|---|
| | Peigne de plastique | Bande d'acétate | Tige de verre | Tige d'ébonite |
| un peigne de plastique | | | | |
| une bande d'acétate | | | | |
| une tige de verre | | | | |
| une tige d'ébonite | | | | |

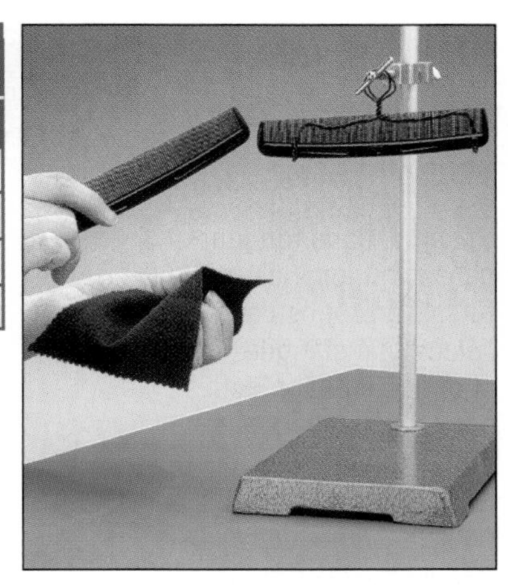

2. Frotte un peigne avec la laine et place le peigne dans l'étrier. (Regarde la photo pour savoir comment placer le peigne.)
3. Frotte le deuxième peigne avec la laine et approche-le lentement de l'une des extrémités du peigne placé dans l'étrier. Note dans le tableau l'interaction des deux peignes.
4. Effectue les expériences suivantes l'une à la suite de l'autre : frotte une bande d'acétate avec un gant de caoutchouc, frotte une tige de verre avec le polyéthylène et frotte une tige d'ébonite avec la fourrure. Approche l'un après l'autre ces objets chargés du peigne placé dans l'étrier. Note dans ton tableau la réaction du peigne dans l'étrier à l'approche de chaque autre objet.
5. Recommence les étapes 3 et 4 en plaçant dans l'étrier d'abord une bande d'acétate chargée, puis une tige de verre chargée et, enfin, une tige d'ébonite chargée.

## Analyse

1. De quelle façon deux objets identiques chargés agissent-ils l'un sur l'autre ? Par exemple, quelle a été l'interaction des deux peignes chargés ?
2. Dresse la liste de tous les objets qui agissent l'un sur l'autre de la même façon que deux objets identiques.
3. Dresse la liste de tous les objets qui interagissent de façon contraire à l'interaction de deux objets identiques.

## Conclusion et mise en pratique

4. Explique en une phrase pourquoi, selon toi, certains objets chargés s'attirent l'un l'autre, tandis que d'autres objets chargés se repoussent l'un l'autre.

## La déformation d'un filet d'eau

### Ce dont tu as besoin

un gros peigne en plastique
de la laine, de la flanelle ou du feutre

### Ce que tu dois faire

1. Ouvre un robinet de manière à laisser couler un petit filet d'eau régulier.
2. Frotte vigoureusement le peigne avec la laine, la flanelle ou le feutre.
3. Approche lentement le dos du peigne du filet d'eau jusqu'à ce que tu observes une déviation du filet d'eau.

### Qu'as-tu découvert ?

1. Que s'est-il passé lorsque tu as approché le peigne du filet d'eau ? Explique ta réponse.
2. En quoi la réaction du filet d'eau ressemble-t-elle à celle des objets que tu as testés dans l'activité 9-A (première partie et deuxième partie) ? Lesquels des objets testés ont eu la même réaction que le filet d'eau ?
3. Selon toi, l'eau est-elle chargée ou neutre ? Explique ta réponse.
4. Essaie d'imaginer une façon de vérifier la réponse que tu as donnée à l'étape 3. Écris la marche à suivre pour réaliser l'expérience que tu as imaginée. Effectue cette expérience si tu le peux.

### Pause réflexion

Résume, dans ton journal scientifique, ce que tu sais à propos de l'électricité statique et de l'interaction de deux objets chargés ou non chargés. Note toutes les questions que tu te poses au sujet de l'électricité statique. En étudiant le présent chapitre, cherche les informations qui peuvent apporter une réponse à tes questions. Vérifie également si les explications que tu as notées sont exactes.

## Vérifie ce que tu as compris

1. En quoi une étincelle et un éclair se ressemblent-ils ?
2. Quelle différence y a-t-il entre l'interaction de certains objets chargés et l'interaction d'un objet chargé et d'un objet neutre ?
3. Quelle différence y a-t-il entre un conducteur chargé et un isolant chargé ?
4. Explique pourquoi une personne peut recevoir une décharge électrique après avoir marché sur un tapis.
5. Dans les expériences, pourquoi t'a-t-on demandé de passer ta main sur le ballon chargé ?
6. **Réflexion critique** Selon toi, que se passera-t-il si tu frottes deux objets identiques l'un contre l'autre ? Les deux objets vont-ils s'attirer, se repousser, ou bien ne va-t-il rien se passer ? Pourquoi ?

# 9.2 Comprendre l'électricité statique

Tu as recueilli beaucoup d'informations sur les objets chargés et l'électricité statique. Par exemple, tu as découvert qu'un objet chargé attire un objet neutre. Tu as aussi observé que deux objets identiques chargés se repoussent l'un l'autre. En fait, certains objets chargés se repoussent l'un l'autre même s'ils ne sont pas identiques. Cependant, d'autres objets chargés s'attirent l'un l'autre. Tu as peut-être remarqué que deux objets qui attirent un troisième objet se repoussent l'un l'autre. Il est temps maintenant d'essayer de comprendre ce que signifient les informations que tu as recueillies.

Tu te rappelles probablement que les scientifiques créent des modèles pour mieux structurer leurs idées. Un modèle s'exprime par des mots, une équation mathématique, une illustration ou un schéma. Quelle que soit sa forme, il fournit une explication des faits observés. De plus, les modèles aident les scientifiques à concevoir des expériences pour mettre à l'épreuve leurs explications.

## Les types de charges

Après avoir étudié une grande quantité d'objets chargés, les scientifiques ont découvert que tous les objets chargés appartiennent à l'une ou à l'autre de deux catégories. Tout objet chargé de la catégorie *A* repousse n'importe quel autre objet chargé de la catégorie *A*, tandis qu'il attire n'importe quel objet chargé de la catégorie *B*. De même, tous les objets chargés de la catégorie *B* se repoussent l'un l'autre, tandis qu'ils attirent n'importe quel objet chargé de la catégorie *A*. Les scientifiques ont utilisé cette information pour créer un modèle. Le modèle énonce qu'il existe deux types de charges : les objets de la catégorie *A* portent une charge du premier type et les objets de la catégorie *B* portent une charge du second type. En se servant de ce modèle et des données qu'ils ont recueillies, les scientifiques sont arrivés à la conclusion suivante : « Des charges identiques se repoussent et des charges différentes s'attirent. » On appelle cette conclusion la **loi de l'attraction et de la répulsion**.

Le célèbre inventeur et politicien américain Benjamin Franklin (1706-1790) a appelé les deux types de charges « charges positives » et « charges négatives ». Il a donné le nom de **charge négative** au type de charge que porte un morceau d'ambre frotté avec de la fourrure. La fourrure elle-même porte alors une **charge positive**.

**Figure 9.4** Les charges se comportent selon la loi de l'attraction et de la répulsion.

## Les objets neutres sont-ils dépourvus de charge ?

La loi de l'attraction et de la répulsion explique pourquoi deux objets chargés s'attirent ou se repoussent l'un l'autre. Cependant, cette loi n'explique pas pourquoi un objet chargé attire un objet neutre. Pour comprendre ce phénomène, réfléchis à la matière dont est fait un objet neutre. Tu sais que, si l'on frotte deux objets neutres faits de matière différente l'un contre l'autre, ils s'électrisent. Dans ce cas, les charges doivent provenir des objets neutres eux-mêmes.

Les objets neutres renferment donc des charges. Comme ils sont neutres, ils ont nécessairement un même nombre de charges positives et de charges négatives.

Comment des objets chargés positivement ou négativement peuvent-ils attirer des objets neutres puisque les objets neutres renferment un même nombre de charges positives et de charges négatives ? Les charges contenues dans les molécules qui composent un isolant ne peuvent se déplacer à la surface de l'isolant ou à travers l'isolant. Cependant, les molécules peuvent tourner sur elles-mêmes ou s'étirer. Examine les illustrations de la figure 9.5 pour comprendre de quelle façon ces rotations et ces élongations peuvent causer une attraction.

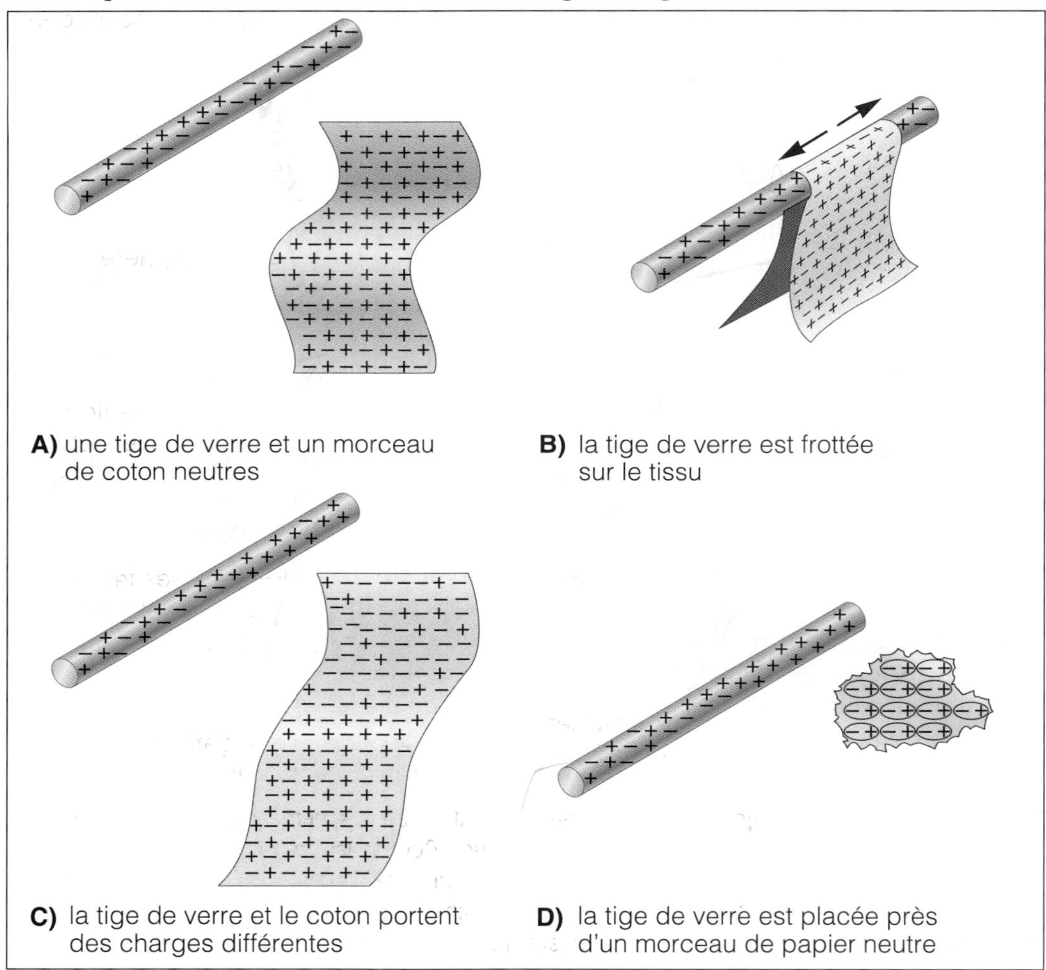


**Figure 9.5** A) La tige de verre et le morceau de coton possèdent tous les deux un même nombre de charges positives et de charges négatives, réparties uniformément. B) Lorsqu'on frotte la tige de verre avec le morceau de coton, des charges négatives sont transférées de la tige au tissu. C) La tige de verre a maintenant plus de charges positives que de charges négatives, et le morceau de coton a maintenant plus de charges négatives que de charges positives. D) Si l'on approche la tige de verre chargée positivement d'un morceau de papier neutre, la distribution des charges dans le morceau de papier est modifiée.

Les charges positives d'un objet chargé (la tige de verre) attirent les charges négatives d'un objet neutre (un bout de papier). Les charges négatives ne peuvent se déplacer à travers un isolant ; cependant, elles peuvent se regrouper à la limite extérieure des molécules de sorte que toutes les molécules d'un objet s'en trouvent déformées. Une extrémité de l'objet (le bout de papier) acquiert alors une charge négative, tandis que l'autre extrémité acquiert une charge positive. Les charges positives de la tige de verre attirent les charges négatives de l'une des extrémités du bout de papier. Même si celui-ci renferme toujours un même nombre de charges positives et de charges négatives, ces charges ne sont plus réparties de la même manière.

## La détection des charges

Un **électroscope** à feuilles métalliques est un instrument qui sert à détecter les charges électriques. Les électroscopes de ce type n'ont pas tous la même taille ni la même forme, mais ils ont tous une chose en commun : ils comprennent deux petites bandes de métal légères, qui plient facilement. Les feuilles métalliques sont fixées à une tige de métal centrale, surmontée d'une sphère de métal. La tige et les feuilles sont parfois placées dans un boîtier en verre ou en plastique pour éviter que de légers courants d'air ne fassent bouger les feuilles.

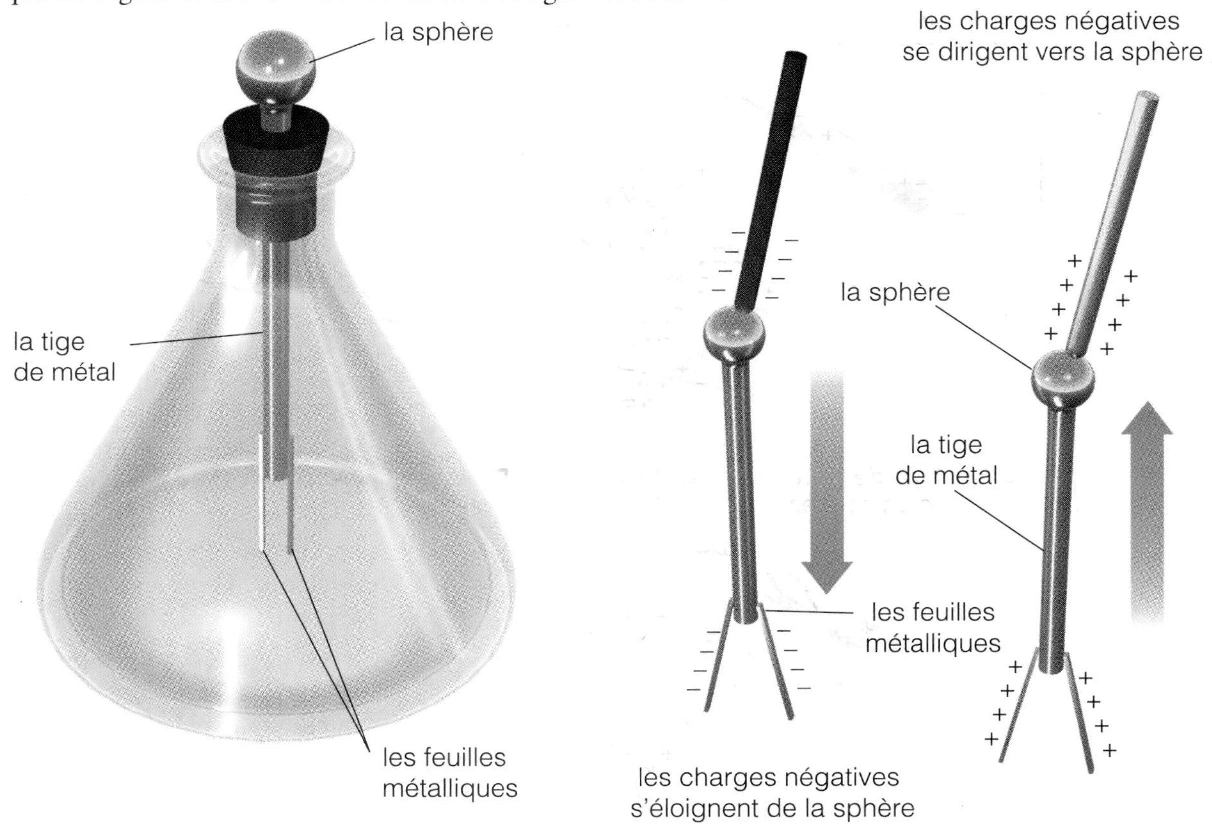


**Figure 9.6** Lorsqu'on place une tige chargée négativement contre la sphère d'un électroscope, les charges négatives se déplacent vers les feuilles métalliques. Comme les deux feuilles deviennent ainsi chargées négativement, leurs extrémités libres se repoussent et s'éloignent l'une de l'autre. Lorsqu'on place une tige chargée positivement contre la sphère, les charges négatives se déplacent vers la sphère, de sorte que les feuilles métalliques deviennent chargées positivement.

La figure 9.6 montre comment l'électroscope indique la présence d'une charge. La sphère, la tige et les feuilles sont faites de métal ; les charges peuvent donc s'y déplacer librement. Lorsque l'électroscope s'électrise pour une raison quelconque, les charges excédentaires s'éloignent le plus possible les unes des autres. Ainsi, les feuilles métalliques s'électrisent et, par conséquent, se repoussent. Lorsque les feuilles s'écartent l'une de l'autre, on sait qu'elles sont chargées.

Il n'est pas nécessaire de toucher à la sphère d'un électroscope pour charger les feuilles. Si l'on approche une tige chargée négativement de la sphère, sans y toucher, la charge négative de la tige repousse les charges négatives de la sphère, qui se déplacent vers les feuilles. La sphère porte alors temporairement une charge positive. Si l'on éloigne la tige chargée négativement, les charges négatives qui s'étaient déplacées vers les feuilles remontent et se redistribuent, de sorte que les feuilles reprennent leur position initiale. Cette façon de charger un objet est appelé **induction.** L'explication de ce processus va te servir pour réaliser ta prochaine expérience.

# Un détecteur de charges

Si l'on connaît le signe de la charge d'un objet, on peut employer cet objet et un électroscope pour vérifier si un autre objet est chargé et pour déterminer si la charge du second objet est positive ou négative. Au cours de la présente expérience, tu vas avoir à déterminer le signe de la charge de quelques-uns des objets que tu as examinés en faisant l'expérience 9-A.

## Problème à résoudre

On sait qu'une tige d'ébonite porte une charge négative après avoir été frottée avec de la fourrure. Comment peux-tu utiliser cette information pour déterminer le signe de la charge des deux objets suivants : une tige de verre frottée avec de la soie ou du polyéthylène, et un peigne en plastique frotté avec de la laine ?

### Consignes de sécurité

- Prends soin de ne pas donner une trop grosse charge à l'électroscope. Si les feuilles s'écartent trop de la tige, elles peuvent s'en détacher.
- Manipule la tige de verre avec précaution.

### Matériel

un électroscope à feuilles métalliques
une tige de verre
de la soie ou du polyéthylène
une tige d'ébonite
de la fourrure
un peigne
de la laine

## Marche à suivre

1. Examine l'électroscope à feuilles métalliques. Repère les parties illustrées dans la figure 9.6.
2. Touche à la sphère de métal avec tes doigts. Si l'électroscope porte une charge, cette action va le rendre neutre.
3. Frotte la tige d'ébonite avec la fourrure pour charger la tige négativement.
4. Approche lentement la tige de la sphère de l'électroscope, sans y toucher. Note la position des feuilles de l'électroscope. Éloigne la tige de l'électroscope et note de nouveau la position des feuilles.
5. Dessine la position des feuilles de l'électroscope pour chacune des deux positions de la tige dans l'étape 4. Indique aussi la position de la tige, comme dans l'exemple donné ci-dessous. Donne un titre à chaque dessin.
6. Frotte de nouveau la tige d'ébonite avec la fourrure. Touche à la sphère de l'électroscope avec la tige, puis éloigne la tige. Dessine l'électroscope en prenant soin d'indiquer la position des feuilles.
7. Frotte la tige de verre avec la soie ou le polyéthylène.

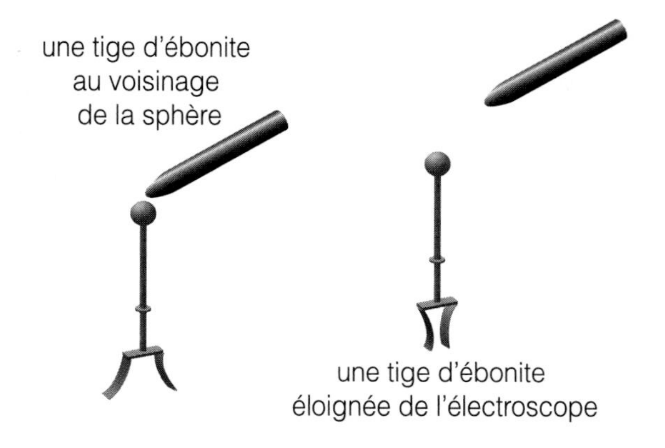

8. L'électroscope est dans l'état où tu l'as laissé à la fin de l'étape 6. Approche lentement la tige de verre de la sphère, sans y toucher. Fais deux dessins de l'électroscope et de la tige de verre : le premier avant d'approcher la tige de la sphère, et le second au moment où la tige est proche de la sphère.
9. Frotte le peigne en plastique avec la laine et recommence l'étape 8.
10. Lave tes mains après avoir terminé l'expérience.

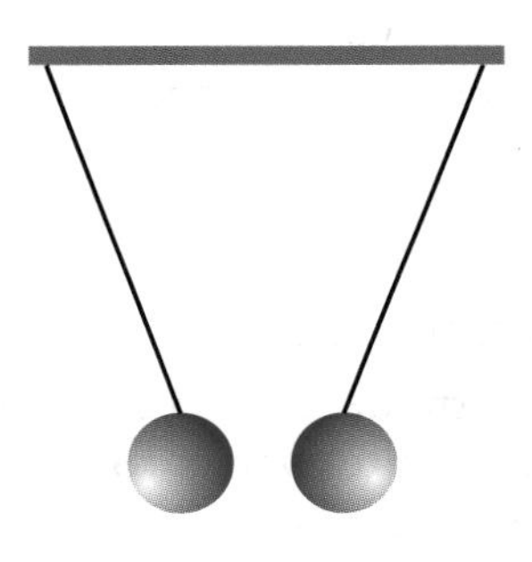

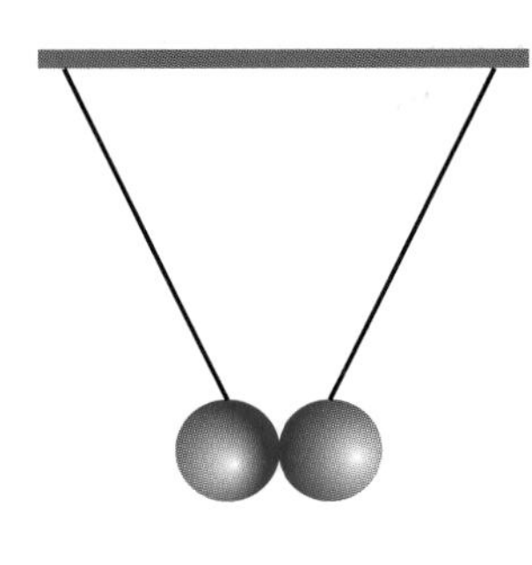

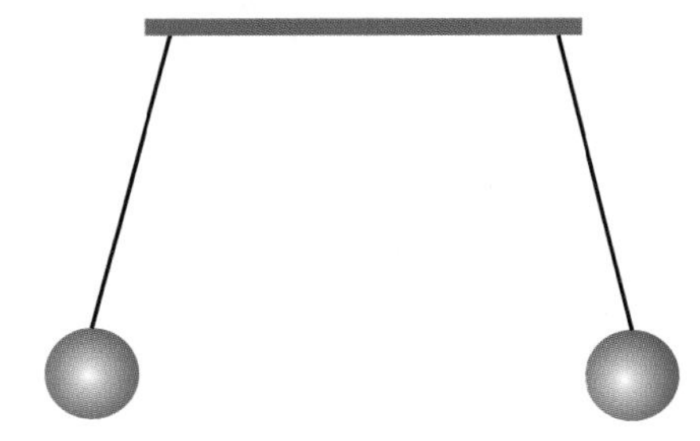

## Analyse

1. N'écris pas sur les schémas que tu as dessinés pendant l'expérience. Fais une copie de chaque schéma et sers-toi de ces copies pour l'analyse.
2. Sur la copie de ton schéma original, écris des moins (-) sur la tige d'ébonite.
3. Analyse chaque schéma et demande-toi où les charges positives et négatives doivent être situées pour causer la réaction de l'électroscope que tu as observée. Écris des plus (+) et des moins (-) aux endroits appropriés. Explique par écrit pourquoi tu as placé un plus ou un moins à ces endroits.

## Conclusion et mise en pratique

4. Explique par écrit la marche à suivre pour déterminer la charge d'un objet au moyen d'une tige qui porte une charge de signe connu et d'un électroscope.

## Enrichis tes connaissances

Les balles illustrées ci-contre sont extrêmement légères et elles sont recouvertes d'une mince couche d'un conducteur. Les charges ne sont pas indiquées ; ce sera à toi de les ajouter.

5. Copie d'abord les figures en augmentant les dimensions.
6. Dessine sur chaque balle huit charges positives réparties uniformément. Chaque balle va conserver ces charges.
7. Tu dois ajouter en tout douze charges négatives sur chaque figure.
   a) Dans la première figure, ajoute le nombre de charges négatives requis pour rendre la balle de droite neutre et laisser la balle de gauche chargée positivement.
   b) Dans la deuxième figure, les deux balles se touchent. Demande-toi ce qui se passe dans ce cas. Ajoute les 12 charges négatives pour indiquer ce qui se produit, selon toi.
   c) Dans la troisième figure, les deux balles se repoussent. Ajoute des moins de manière à indiquer le nombre de charges négatives sur chaque balle.
8. Explique, en un paragraphe, pourquoi les balles de la troisième figure se repoussent.

## Les outils de la science

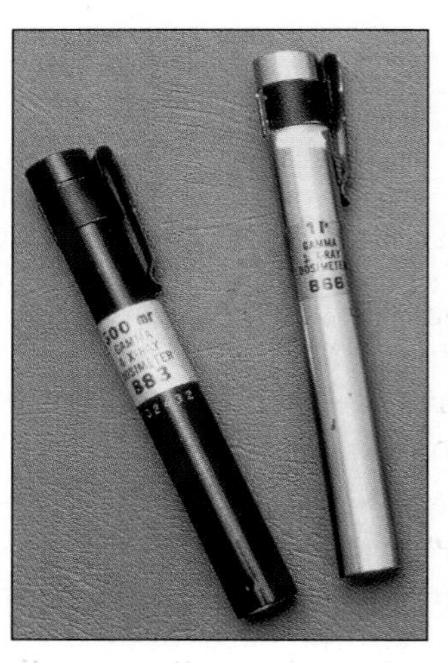

Un dosimètre de poche est un électroscope à usage spécial. Il sert à détecter des radiations nucléaires (des rayons gamma) ou des rayons X. Les personnes qui travaillent dans des endroits à haut risque, par exemple près de réacteurs nucléaires, portent sur elles un dosimètre pour connaître le niveau de radiation auquel elles sont exposées. Les astronautes emportent aussi avec eux des dosimètres lorsqu'ils s'envolent dans l'espace.

Un dosimètre doit être chargé pour être capable de détecter les radiations. Le seul moyen de charger certains dosimètres est de les placer dans un appareil spécial. Il est possible, cependant, de charger d'autres types de dosimètres en tordant simplement les extrémités plusieurs fois. Le dosimètre de poche a la forme d'un stylo. Une échelle de graduation est visible à travers une petite fenêtre placée à un bout de l'instrument. Quand des radiations traversent le dosimètre, les atomes ou les molécules forment des groupements de charges positives et de charges négatives. Ces charges réagissent avec les charges introduites au départ dans le dosimètre et une partie de celles-ci sont neutralisées. La portion de la charge initiale neutralisée indique quelle quantité de radiations a traversé le dosimètre et, bien sûr, la personne qui le porte. On peut connaître la dose de radiations absorbée en lisant l'échelle à la lumière. Les personnes qui travaillent dans des endroits à haut risque lisent fréquemment leur dosimètre. Si la lecture est voisine d'un niveau de radiation jugé inacceptable, la personne quitte les lieux.

### Pause réflexion

Examine la photo de la première page du présent chapitre. On y voit une fillette toucher à un appareil appelé générateur de Van de Graaff. La sphère porte une très grande charge. Explique pourquoi la fillette a les cheveux dressés sur la tête en te servant de ce que tu as appris à propos des charges et des électroscopes.

## Vérifie ce que tu as compris

1. Décris les faits qui ont permis aux scientifiques de découvrir la loi de l'attraction et de la répulsion.
2. Pourquoi certains objets sont-ils neutres ?
3. Comment procède-t-on pour déterminer à l'aide d'un électroscope si un objet est chargé positivement ou négativement ?
4. Pourquoi la sphère, la tige centrale et les feuilles d'un électroscope doivent-elles être conductrices ?
5. Explique la différence entre un objet chargé négativement et un objet chargé positivement.

# 9.3 L'explication de l'électricité statique

**LIEN terminologique**

J.J. Thomson a découvert la particule appelée « électron ». Ce nom vient du mot grec *êlektron.* Cherche la signification initiale de ce mot.

Les scientifiques du XVIII^e siècle savaient déjà tout ce que tu as appris jusqu'à maintenant à propos de l'électricité statique. Cependant, ils ne savaient pas ce qu'est une charge électrique. Ils ne connaissaient pas non plus la relation entre les charges électriques et la matière dont sont faits des matériaux tels qu'un morceau d'ambre, de la laine, de la fourrure ou du caoutchouc. En 1600, William Gilbert (1544-1603) a affirmé que l'électricité est un fluide qui ne fait pas partie de la matière constituant les objets. Pendant plus de 100 ans, les scientifiques ont considéré cette « théorie du fluide » comme la meilleure explication de l'électricité.

## Le gain et la perte d'électrons

Les scientifiques doivent souvent modifier les théories établies lorsqu'ils recueillent des faits nouveaux. Ainsi, la découverte de l'électron par J.J. Thomson (1856-1940), en 1897, a entraîné le rejet de la « théorie du fluide ». Aujourd'hui, 2600 ans après que Thalès eut découvert qu'on modifie les propriétés de l'ambre en frottant cette substance avec de la fourrure, on sait que la charge négative du morceau d'ambre provient des électrons.

Qu'est-ce que la théorie électronique de la charge ? De quelle façon cette théorie explique-t-elle le fait que certains objets acquièrent une charge négative lorsqu'on les frotte, tandis que d'autres objets acquièrent une charge positive ? Au chapitre 7, tu t'es familiarisé avec le modèle de l'atome de Bohr-Rutherford. Tu sais donc que toute la matière est composée d'atomes. Tu sais aussi que chaque atome comprend un noyau chargé positivement, qui renferme des protons et des neutrons, et qui est entouré d'électrons chargés négativement. Les divers éléments ont des caractéristiques différentes. Par exemple, les atomes de certains éléments retiennent moins fortement leurs électrons que d'autres. Il est donc plus facile de transférer par frottement des électrons d'un objet fait de l'un de ces éléments à un autre objet. Dans ce cas, les protons chargés positivement restent en place : ils ne se déplacent pas d'un objet à l'autre. L'objet qui acquiert des charges négatives devient chargé négativement, tandis que l'objet qui perd des électrons devient chargé positivement.

**Figure 9.7** Retournons au travail ! J'ai une nouvelle idée : la théorie électronique de la charge.

## Les conducteurs, les semi-conducteurs et les isolants

Grâce à ce que tu as appris à propos des électrons, tu pourras mieux comprendre plusieurs faits ou phénomènes, et en particulier ce qu'est un conducteur, un isolant et une étincelle. Tu sais qu'on appelle conducteur une substance dans laquelle les charges peuvent se déplacer librement. Tu sais aussi que les charges qui se déplacent dans un solide sont des électrons. Tu dois donc te douter qu'un conducteur est une substance qui retient mal ses électrons. Et c'est effectivement le cas. Dans un métal, les électrons peuvent sauter d'un atome à l'autre. Cependant, les électrons se déplacent beaucoup plus librement dans certains métaux en particulier. Par exemple, l'argent est un bien meilleur conducteur que l'aluminium parce que les électrons se déplacent plus librement dans de l'argent que dans de l'aluminium.

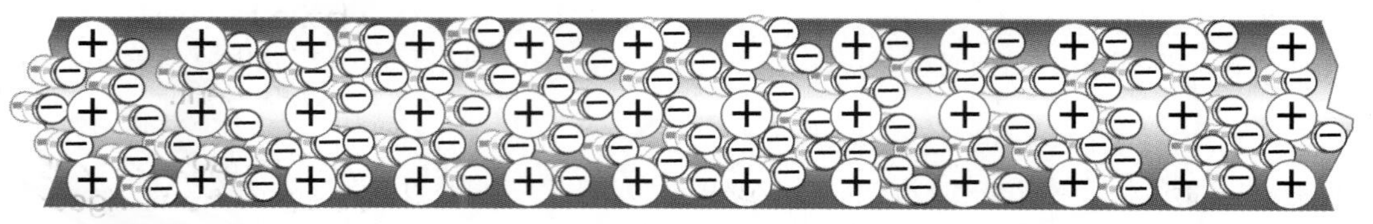

**Figure 9.8** Les électrons se déplacent dans les conducteurs en sautant d'un atome à l'autre.

Tu as probablement compris que les isolants sont des substances dont les atomes retiennent fortement leurs électrons. De plus, certains isolants retiennent plus fortement leurs électrons que d'autres. Ainsi, tous les conducteurs ne sont pas tous d'aussi bons conducteurs et tous les isolants ne sont pas tous d'aussi bons isolants les uns que les autres. En fait, certaines substances ne sont ni tout à fait conductrices ni tout à fait isolantes. Les électrons peuvent s'y déplacer, mais pas aussi librement que dans les bons conducteurs. Ces matières faiblement conductrices opposent une grande résistance au mouvement des électrons, qui sont tout de même capables de s'y déplacer un peu.

### Le savais-tu ?

On peut connaître la pureté d'une eau en mesurant sa résistance électrique. L'eau pure est un assez bon isolant. Elle ne laisse que très peu de liberté de mouvement aux charges électriques. Comme tu l'as appris au chapitre 8, l'eau potable, l'eau des rivières et, surtout, l'eau salée sont de meilleurs conducteurs. En effet, les impuretés dissoutent dans l'eau, comme les minéraux et les sels, en améliorent la conductivité.

### Pause réflexion

Maintenant que tu en sais davantage sur les électrons et les conducteurs, retourne voir tes réponses aux questions de l'activité Passe à l'action 9-B. Es-tu toujours d'accord avec tes réponses sur les conducteurs et les isolants ? Si ce n'est pas le cas, corrige tes réponses.

**Tableau 9.1** Les conducteurs et les isolants d'usage courant

| Conducteurs | Semi-conducteurs | Isolants |
|---|---|---|
| l'aluminium | le silicone | l'ambre |
| le cuivre | le carbone | le coton |
| l'or | la Terre | l'ébonite |
| le fer | le corps humain | la fourrure |
| le magnésium | l'air humide | le verre |
| le mercure | le nichrome | le papier |
| le nickel | l'eau (salée) | le plastique |
| le platine | | la porcelaine |
| l'argent | | le caoutchouc |
| le tungstène | | la soie |
| | | le soufre |
| | | l'eau (pure) |
| | | le bois |
| | | la laine |

## Un copieur au poivre

Lorsqu'on frotte un isolant, il s'électrise seulement aux endroits où on le frotte. On sait qu'un objet chargé attire un objet non chargé. On devrait donc être capable de charger une partie d'un isolant et d'attirer des objets neutres vers la partie chargée. Comment peux-tu faire une copie d'une image en appliquant ces informations à propos des charges électriques ?

### Consigne de sécurité

Manipule les ciseaux avec précaution.

### Ce dont tu as besoin

une boîte de Petri en plastique et un couvercle
du poivre moulu
du papier
des ciseaux
un morceau de lainage

### Ce que tu dois faire

1. Découpe dans une feuille de papier un disque de même diamètre que la boîte de Petri.
2. Fabrique un pochoir en découpant une lettre ou une forme quelconque dans le disque de papier.
3. Place une très petite quantité de poivre dans la boîte de Petri. Mets le couvercle sur la boîte et secoue-la doucement pour répartir le poivre uniformément.
4. Place le disque de papier sur le couvercle de la boîte et frotte vigoureusement la zone du pochoir avec le morceau de lainage.
5. Enlève le disque de papier de la boîte. Tourne la boîte à l'envers en tenant bien le couvercle, puis retourne la boîte à l'endroit. (Prends soin de toucher seulement aux bords de la boîte et du couvercle.)

### Qu'as-tu observé ?

1. Décris la boîte de Petri.
2. Pourquoi le poivre s'est-il rassemblé en prenant la forme du pochoir ?
3. Quelle ressemblance y a-t-il entre le fonctionnement d'un copieur au poivre et le fonctionnement d'un photocopieur ?

## L'air est-il un conducteur ou un isolant ?

Que se passe-t-il lorsqu'on place côte à côte, sans qu'ils se touchent, deux objets portant des charges opposées ? Si les charges sont assez grandes, il se produit une **étincelle**, ou décharge électrique. À la suite de cette décharge, les objets ne sont plus chargés. Les électrons excédentaires de l'objet chargé négativement ont « sauté » sur l'objet chargé positivement en traversant l'air.

À première vue, cela n'aurait pas dû se produire parce que l'air est très faiblement conducteur, surtout lorsqu'il est sec. Les électrons ne devraient donc pas pouvoir se déplacer dans l'air. Cependant, lorsque deux objets portent de grandes charges opposées, les forces en jeu sont assez grandes pour briser des molécules de gaz contenues dans l'air. Ces molécules se séparent en ions positifs et en ions négatifs. Quand une molécule se brise, elle provoque la rupture des molécules qui l'entourent.

**Figure 9.9** Les étincelles sont produites par les électrons qui sautent d'un conducteur à un autre conducteur en traversant l'air.

Les molécules ionisées créent dans l’air un « pont » qui agit comme conducteur. Les électrons excédentaires de l’objet chargé négativement se déplacent le long de ce « nouveau conducteur » jusqu’à l’objet chargé positivement. Les électrons se déplacent à une vitesse très grande. Lorsqu’ils entrent en collision avec des molécules d’air, ils transmettent une telle quantité d’énergie à ces molécules qu’elles émettent de la lumière. Ces événements se produisent si rapidement que tout ce qu’on peut voir, c’est une étincelle.

## Les applications de l’électrostatique

Le fonctionnement d’un photocopieur repose sur une propriété électrique unique de l’élément appelé sélénium. En l’absence de lumière, le sélénium est un isolant. Mais lorsqu’il est exposé à une lumière vive, il devient un conducteur. Examine la figure 9.10, en suivant les flèches, pour comprendre comment cette propriété du sélénium est utilisée dans la conception des photocopieurs.

**2.** La page à photocopier est éclairée par une lumière très vive. L’image imprimée sur la feuille est réfléchie sur un premier miroir par une lentille convergente, puis sur un second miroir et, enfin, sur le tambour recouvert d’une couche de sélénium. (Suis les flèches.)

**1.** Le tambour est recouvert d’une couche de sélénium. En l’absence de lumière, la barre frotte contre le tambour en rotation ; le tambour devient ainsi chargé positivement.

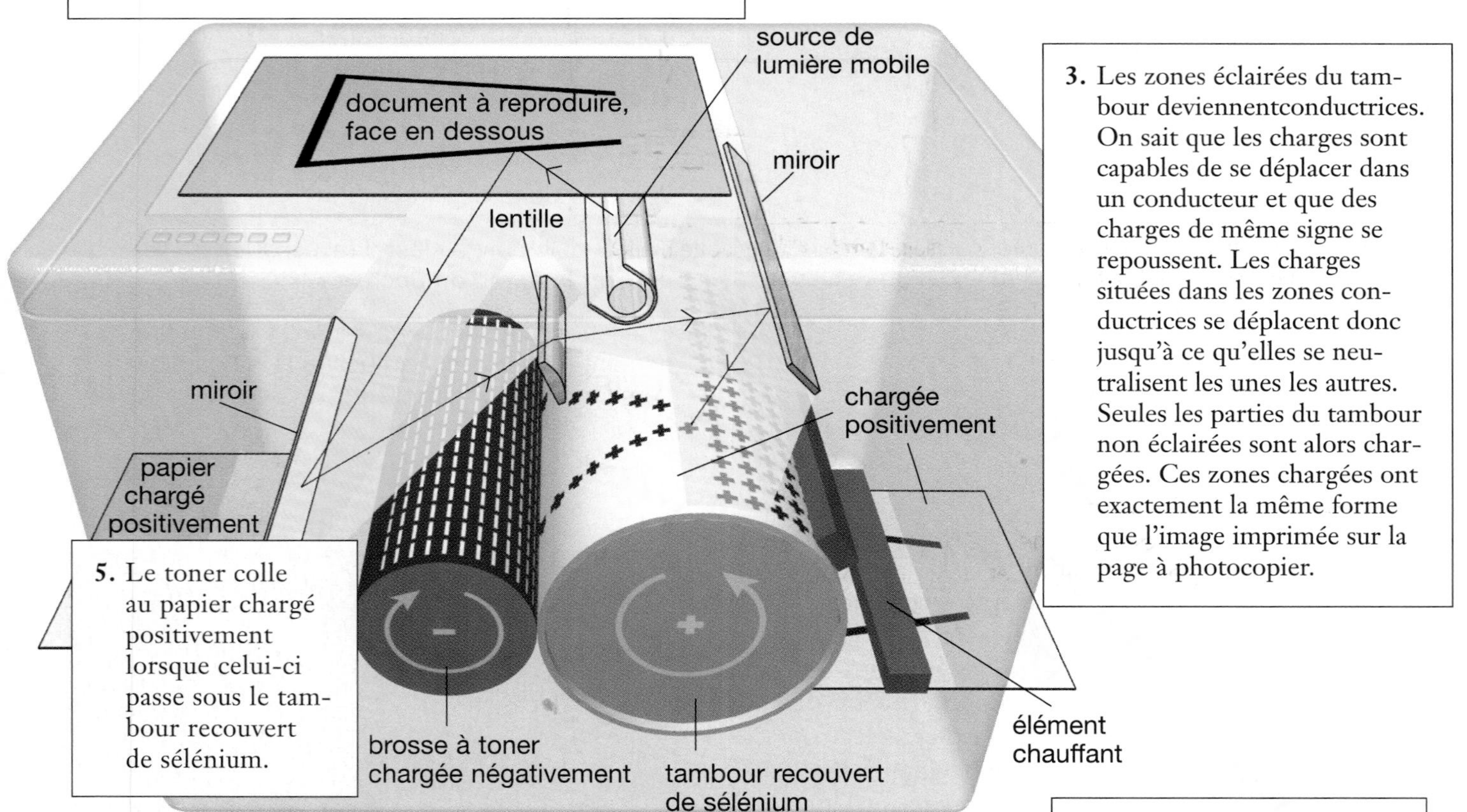


**3.** Les zones éclairées du tambour deviennentconductrices. On sait que les charges sont capables de se déplacer dans un conducteur et que des charges de même signe se repoussent. Les charges situées dans les zones conductrices se déplacent donc jusqu’à ce qu’elles se neutralisent les unes les autres. Seules les parties du tambour non éclairées sont alors chargées. Ces zones chargées ont exactement la même forme que l’image imprimée sur la page à photocopier.

**5.** Le toner colle au papier chargé positivement lorsque celui-ci passe sous le tambour recouvert de sélénium.

**6.** Le papier est chauffé pour faire fondre les billes de plastique et sceller les particules de carbone dans le papier.

**4.** Une brosse cylindrique ramasse une fine poudre noire, chargée négativement. Cette poudre, appelée toner, est faite de fines particules de carbone et de minuscules billes de plastique. Lorsque la brosse frotte contre le tambour, le toner chargé négativement colle aux parties du tambour chargées positivement. Le toner dessine ainsi sur le tambour une forme tout à fait identique à l’image imprimée sur la page à photocopier.

**Figure 9.10** Les photocopieurs sont une application de la loi de l’attraction et de la répulsion.

## La mise à la terre

Si ton enseignante ou ton enseignant te dit de **mettre une prise de terre** à un conducteur, saurais-tu quoi faire ? En fait, on te demande tout simplement de relier le conducteur au sol, ou à la Terre, avec n'importe quel matériau conducteur. Même si la Terre n'est pas très bon conducteur, elle peut donner ou recevoir de nombreux électrons sans que sa charge soit sensiblement modifiée, en raison de son énorme volume. C'est un peu comme si l'on versait une tasse d'eau dans l'océan : cela n'en changerait pas le niveau. Si l'on veut enlever ou ajouter des électrons à un appareil, on relie celui-ci, au moyen d'un fil conducteur, à un objet métallique, comme une canalisation d'eau, enfoncé profondément dans le sol. En faisant la prochaine activité, tu vas te rendre compte à quel point la mise à la terre peut être utile.

**Pause réflexion**

Retourne aux chapitres 7 et 8 et révise ce que tu y as appris à propos des ions, des atomes excités et des molécules. Écris ensuite, dans ton journal scientifique, un paragraphe où tu expliques la formation d'une étincelle en te servant des informations données à ces chapitres.

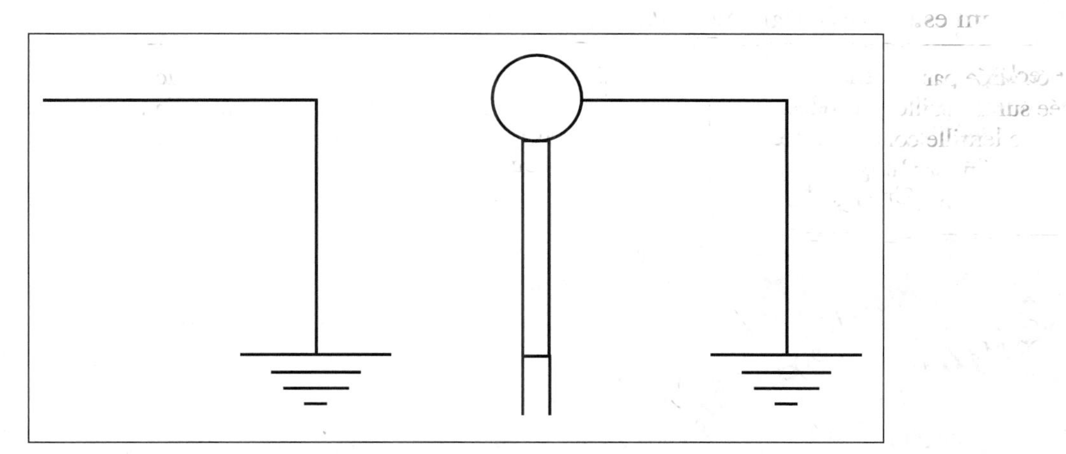

**Figure 9.11** Le symbole de gauche signifie « prise de terre » et la figure de droite illustre un électroscope mis à la terre.

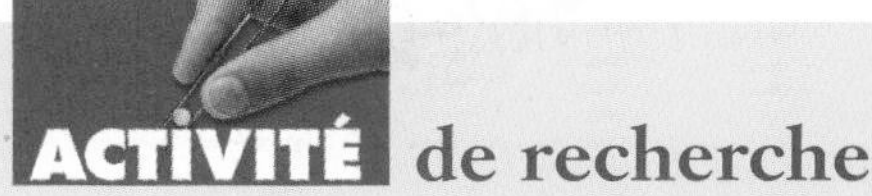


de recherche

### Défense de toucher !

Comment peut-on donner une charge permanente à un électroscope sans y toucher avec un objet chargé ?

**Ce dont tu as besoin**

un électroscope
une tige d'ébonite
de la fourrure

**Ce que tu dois faire**

1. Frotte la tige d'ébonite avec la fourrure.
2. Approche la tige d'ébonite de la sphère de l'électroscope, sans y toucher.
3. En gardant la tige d'ébonite près de la sphère, mets la sphère à la terre en y touchant avec un doigt. Éloigne ton doigt, mais garde la tige d'ébonite près de la sphère. (Tu peux mettre la sphère à la terre en y touchant avec ton doigt parce que ton corps est conducteur.)
4. Éloigne la tige d'ébonite de la sphère et note tes observations.

**Qu'as-tu observé ?**

L'électroscope était-il chargé ou neutre après que tu as eu éloigné la tige d'ébonite ? Comment le sais-tu ? Dessine un schéma pour illustrer la situation, en employant des moins et des plus pour indiquer où les charges sont situées. Écris un paragraphe dans lequel tu expliques pourquoi l'électroscope a réagi de cette façon.

**Figure 9.12** Lorsqu'un camion-citerne roule par grand vent, alors que l'air est chargé de poussières, sur une autoroute ou une route bosselée, il acquiert souvent une charge. Au moment où l'on remplit la citerne avec de l'essence, la moindre étincelle au voisinage des vapeurs d'essence peut provoquer une énorme explosion. C'est pourquoi on met le camion à la terre avant de commencer à remplir la citerne, de manière à éviter la production d'étincelles.

Dans la photo, le camion a été mis à la terre pour éliminer le risque d'un accident grave. La mise à la terre des appareils électriques utilisés à la maison vise aussi à prévenir les accidents causés par des décharges électriques, qui sont parfois mortels. La carrosserie métallique des appareils ménagers, comme les cuisinières, les réfrigérateurs, les laveuses et les sécheuses, doit toujours être mise à la terre. Voici, par exemple, ce qui peut arriver si l'on ne prend pas la précaution de relier la carrosserie d'un réfrigérateur à la terre. Si, à l'intérieur du réfrigérateur, un fil devient lâche et touche à la carrosserie, il peut communiquer une très grande charge au cadre. En touchant à la poignée, une personne recevra une décharge électrique qui peut aller jusqu'à la tuer. Par contre, si le réfrigérateur est mis à la terre, la charge est transmise à la terre au lieu de s'accumuler sur le cadre.

Par ailleurs, les appareils électroniques, comme les ordinateurs, doivent être mis à la terre parce qu'ils sont très sensibles à la saute de courant que peut causer une étincelle. Les installations électriques des maisons, des commerces et des usines sont toujours mises à la terre. La plupart du temps, on attache un fil conducteur à une canalisation d'eau en cuivre qui s'enfonce profondément dans la terre, sous l'édifice. La troisième fiche de la prise mâle, qu'on enfonce dans la prise femelle fixée au mur, est reliée à la prise de terre. Il s'agit là d'une technique simple de prévention des incendies qui peut sauver des vies.

**Pause réflexion**

Dans l'activité de recherche, tu as chargé un électroscope par induction. Te rappelles-tu ce que signifie « charger un objet par induction » ? Sinon, relis la section « La détection des charges », à la page 303. Prends des notes dans ton journal scientifique pour bien te rappeler ce qu'est l'induction.

## Vérifie ce que tu as compris

1. Qu'est-ce que la « théorie du fluide » énoncée par Gilbert pour expliquer l'électricité ? Pourquoi les scientifiques ont-ils rejeté cette théorie ?
2. Quel est le signe des charges qui se déplacent dans un conducteur ? Explique le mouvement de ces charges.
3. Que veut dire l'expression « mettre un conducteur à la terre » ?
4. Nomme deux conducteurs et deux isolants.
5. En te servant de la théorie électronique de la charge, explique pourquoi certains objets sont chargés négativement alors que d'autres objets sont chargés positivement.
6. Que doit-il se produire dans des molécules d'air pour qu'une étincelle s'y forme ?

# 9.4 La maîtrise de l'électricité statique

Il est temps maintenant de sortir du laboratoire et d'appliquer à la vie courante les connaissances que tu as acquises. C'est exactement ce que font les scientifiques. Ils observent des phénomènes, par exemple la foudre qui frappe un objet. Ils réunissent ensuite toutes les informations qui existent sur ce phénomène et formulent une hypothèse ou un modèle. Ils mettent ensuite leur modèle à l'épreuve, soit au laboratoire soit sur le terrain. Au besoin, ils modifient leur modèle. Lorsqu'ils pensent avoir réuni suffisamment d'informations, ils mettent leurs connaissances en pratique. Bien sûr, ce processus nécessite souvent des années d'étude et d'expérimentation de la part de plusieurs scientifiques. Cependant, leurs efforts peuvent conduire à la création d'appareils, de produits chimiques ou de techniques qui ont une grande influence sur la vie de tous les jours.

## Quelle est la cause de la foudre?

**Figure 9.13** La foudre qui frappe la Terre provient le plus souvent de nuages imposants, en forme d'enclume, qui s'amoncellent dans le ciel.

Tu as sans doute examiné la photo d'un **éclair** à la première page du présent chapitre. Maintenant que tu sais ce qu'est l'électricité statique, tu verras probablement cette photo différemment. Tu comprendras que les vents violents, de même que les collisions entre les gouttelettes d'eau et les cristaux de glace des nuages, ont pour effet d'arracher des électrons à certaines particules et d'en ajouter à d'autres particules. De plus, les forts courants d'air chaud vers le haut, qui traversent un nuage orageux en son centre, entraînent les particules et les cristaux de glace les plus fins, tandis que les particules et les cristaux les plus lourds sont entraînés vers le bas par leur poids. Les météorologistes ne comprennent pas encore tout à fait pourquoi les charges négatives s'accumulent dans le bas des nuages, là où la température est supérieure à -20 °C. La partie la plus élevée et la plus froide des nuages est chargée positivement.

**LIEN terminologique**

On appelle météorologiste une personne qui étudie les conditions atmosphériques et fait des prévisions du temps. Le terme « météorologie » vient du mot grec *meteôrologia*. Cherche la signification de ce mot. Comment le mot *meteôrologia* décrit-il le travail d'un météorologiste?

**Figure 9.14** Dans un nuage orageux, les charges négatives ont tendance à se regrouper dans le bas, tandis que les charges positives ont tendance à se regrouper dans le haut. La température atteint parfois 65 °C dans le bas du nuage, alors qu'elle peut descendre aussi bas que -50 °C dans le haut du nuage.

**LIENS INTERNET**

**www.dlcmcgrawhill.ca**

Ce site contient des informations supplémentaires sur les orages électriques et d'autres renseignements sur les éclairs et le tonnerre. Choisis **Matériel complémentaire/Primaire et secondaire** puis **OMNISCIENCES 9** pour savoir où te diriger ensuite. Écris un court article sur ce que tu as appris.

Les charges négatives qui s'accumulent dans le bas des nuages repoussent les électrons qui se trouvent à la surface de la Terre. Le sol directement sous les nuages est ainsi chargé positivement. Le processus est ensuite identique à la formation de n'importe quelle autre décharge électrique. La grande force d'attraction qui s'exerce entre la partie des nuages chargée négativement et la partie du sol chargée positivement arrache des électrons aux atomes et aux molécules de l'air. Ce phénomène a plus de chances de se produire au-dessus des points les plus élevés de la surface terrestre. Il se forme ainsi une chaîne d'ions, puis une énorme décharge électrique se produit entre les nuages et le sol. Une quantité considérable d'électrons sont projetés à toute vitesse dans l'air et ces électrons entrent en collision avec d'autres molécules. On peut alors voir des éclairs spectaculaires et la température de l'air augmente. En fait, au voisinage d'un éclair, la température de l'air peut atteindre 33 000 °C, soit plusieurs fois la température à la surface du Soleil. La chaleur provoque une expansion rapide de l'air. Les molécules d'air ainsi déplacées entrent en collision avec d'autres molécules d'air, ce qui produit une onde de choc. C'est cette onde de choc qui est responsable du bruit qu'on appelle tonnerre. La chaleur produite par la foudre peut déclencher des incendies de forêt ou incendier des immeubles. Si la **foudre** frappe directement une personne, elle peut causer un arrêt cardiaque ou respiratoire, ce qui entraîne presque toujours la mort.

**Le savais-tu?**

Dans 65 % des cas, la foudre va d'un nuage à l'autre sans jamais toucher le sol.

## Le paratonnerre

Maintenant que tu sais ce qu'est la foudre et pourquoi elle peut causer des dommages très graves, essaie d'imaginer un moyen pour la maîtriser, ou au moins pour réduire les dommages qu'elle cause. Il est probablement impossible d'empêcher la foudre de frapper des objets. Essaie donc de trouver un moyen de diriger le courant d'électrons loin des immeubles, de manière à prévenir les incendies. Dans quel type de substances les électrons se déplacent-ils le plus aisément? Dans les conducteurs, bien sûr. L'invention du paratonnerre repose précisément sur ces principes.

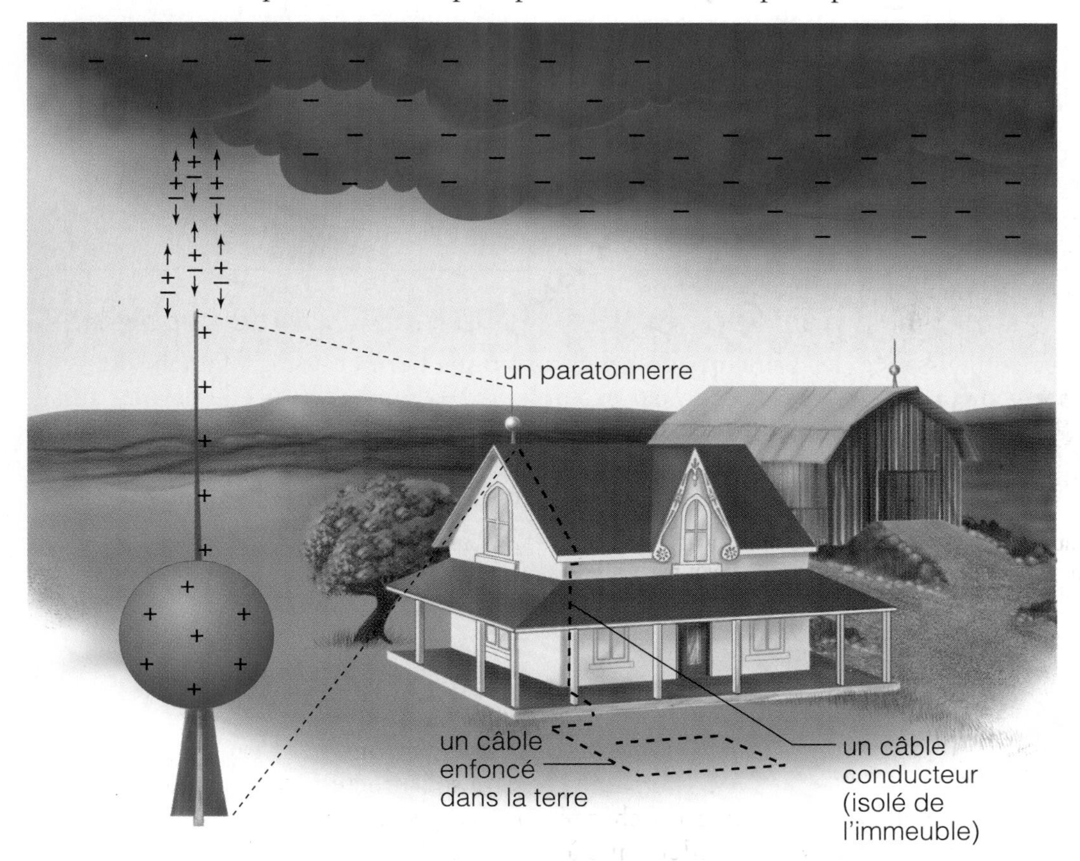


**Figure 9.15** Durant un orage électrique, les charges négatives accumulées dans le bas des nuages repoussent les électrons qui se trouvent dans la sphère et la pointe d'un paratonnerre. La sphère et la pointe acquièrent ainsi une charge positive puisque les électrons, libres de se déplacer, descendent dans le fil de terre et s'enfoncent dans le sol.

Durant un orage électrique, un **paratonnerre** s'électrise par induction, tout comme la sphère d'un électroscope lorsqu'on en approche une tige chargée négativement. Le paratonnerre, chargé positivement, est le point le plus haut des environs. C'est pourquoi il attire les ions négatifs qui se forment dans l'air, tandis que les nuages attirent les ions positifs. Une chaîne d'ions se forme entre les nuages et le paratonnerre. Cette chaîne d'ions agit comme un fil conducteur qui sert de chemin à la foudre. Quand la foudre éclate, elle frappe le paratonnerre. Les électrons font le tour de l'édifice et s'enfoncent dans la terre en empruntant un gros câble, composé le plus souvent de plusieurs fils conducteurs tressés. Comme les électrons ne pénètrent pas dans l'édifice, ils ne peuvent pas y élever la température suffisamment pour provoquer un incendie.

**Le savais-tu?**

La quantité totale d'énergie convertie en lumière, en chaleur et en ondes sonores pendant un gros orage électrique est beaucoup plus grande que la quantité d'énergie produite par l'explosion d'une bombe atomique.

**Le savais-tu?**

La foudre frappe la Terre plus de 100 fois par seconde.

**LIEN *mathématique***

Les éclairs se déplacent tellement vite qu'on peut les apercevoir du sol presque au moment où ils se produisent. Par contre, l'onde sonore qu'engendre le tonnerre met environ trois secondes pour parcourir un kilomètre. On peut donc savoir à quelle distance se produit un éclair en mesurant le temps entre l'instant où l'on aperçoit un éclair et l'instant où l'on entend le tonnerre qui l'accompagne. Par exemple, imagine que tu as entendu un coup de tonnerre six secondes après avoir vu un éclair. Calcule à quelle distance de l'éclair tu te trouvais.

**Le savais-tu ?**

Benjamin Franklin a été le premier à supposer qu'il existe une ressemblance entre les éclairs et les étincelles causées par une décharge électrique dans l'air. Pour vérifier son hypothèse, il a attaché une clé en métal à l'une des extrémités d'un long fil de soie et une tige de métal à l'autre extrémité. Il a ensuite fixé la tige de métal à un cerf-volant, qu'il a fait voler durant un orage électrique. Il a, bien sûr, vu des étincelles s'échapper de la clé. Il a survécu à l'expérience, mais deux personnes qui ont essayé de faire la même chose n'ont pas eu autant de chance : elles ont été tuées par la foudre. Fais preuve de prudence ! N'essaie pas de répéter cette expérience. Heureusement, Benjamin Franklin s'en est bien tiré et il a inventé le paratonnerre.

## L'application de l'électrostatique à la résolution de problèmes

La connaissance des principes de l'électrostatique permet non seulement de prévenir les dommages causés, par exemple, par la foudre, mais elle permet aussi de résoudre des problèmes qui ne sont pas dus à des décharges électriques.

L'un des graves problèmes environnementaux des sociétés modernes est l'énorme quantité de poussières et de contaminants rejetés par les cheminées des fonderies et des centrales thermiques au charbon. L'emploi d'un **précipitateur électrostatique** peut réduire la quantité de contaminants émis dans l'air, comme l'indique la figure 9.16.

**Figure 9.16** La cheminée de la photo de gauche est l'une des quatre cheminées de la photo de droite. L'usine était en activité lorsque les deux photos ont été prises. La seule différence, c'est que le précipitateur électrostatique ne fonctionnait pas au moment où la photo de gauche a été prise, alors qu'il fonctionnait au moment où la photo de droite a été prise.

Un précipitateur électrostatique est en réalité un appareil très simple. Ses éléments sont illustrés dans la figure 9.17. Les gaz d'échappement pénètrent dans un cylindre dont la paroi est faite d'un conducteur mis à la terre. Un second conducteur, isolé de la paroi, traverse le cylindre en son centre. Le conducteur central porte une charge assez grande pour provoquer la division des molécules de gaz en ions. Il s'ensuit des décharges électriques très semblables à la foudre, et chaque décharge entraîne la formation d'autres ions. Après un certain temps, presque toutes les particules et les gouttelettes d'eau des gaz d'échappement sont ionisées. Le conducteur central, chargé, repousse les ions vers la paroi du cylindre. Comme cette paroi est reliée à la terre, elle neutralise les ions qui viennent en contact avec elle. Les ions neutralisés forment des gouttelettes (liquides) ou des particules (solides). Les gouttelettes coulent sur la paroi et les particules y restent collées. On peut faire tomber les particules en faisant vibrer la paroi ou, si cela est nécessaire, en les grattant.

## De la peinture électrisée !

Comment peut-on recouvrir entièrement un objet d'une mince couche uniforme de peinture ? En électrisant la peinture ! Cette technique est appelée peinture par pulvérisation électrostatique. L'objet à peindre, par exemple l'automobile de la figure 9.18, est chargé positivement. Au moment où la peinture sort du bec du pulvérisateur, elle est chargée négativement. Elle est donc attirée par la cible positive. Cette technique donne d'excellents résultats.

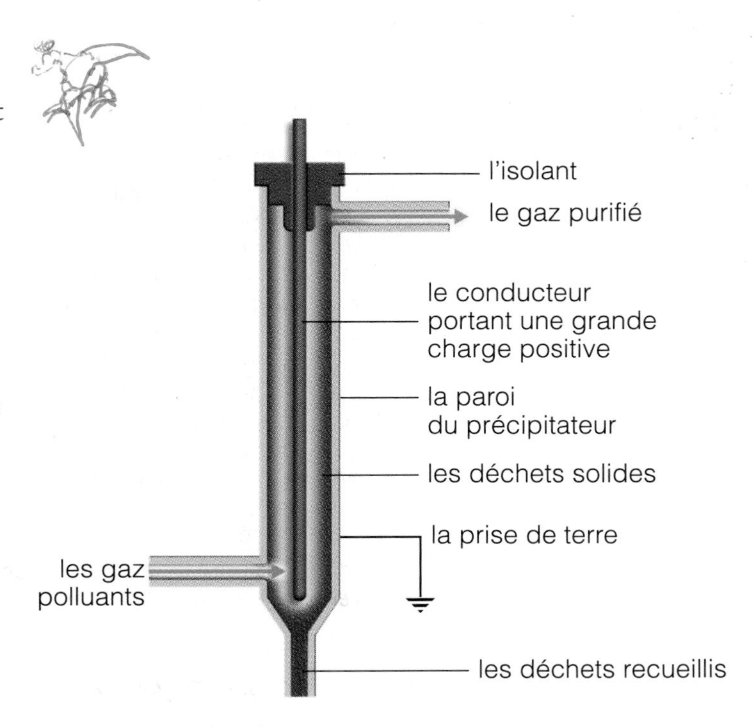


**Figure 9.17** Le précipitateur électrostatique est un appareil très efficace : il permet d'extraire jusqu'à 99,99 % des solides et des liquides contenus dans les gaz d'échappement.

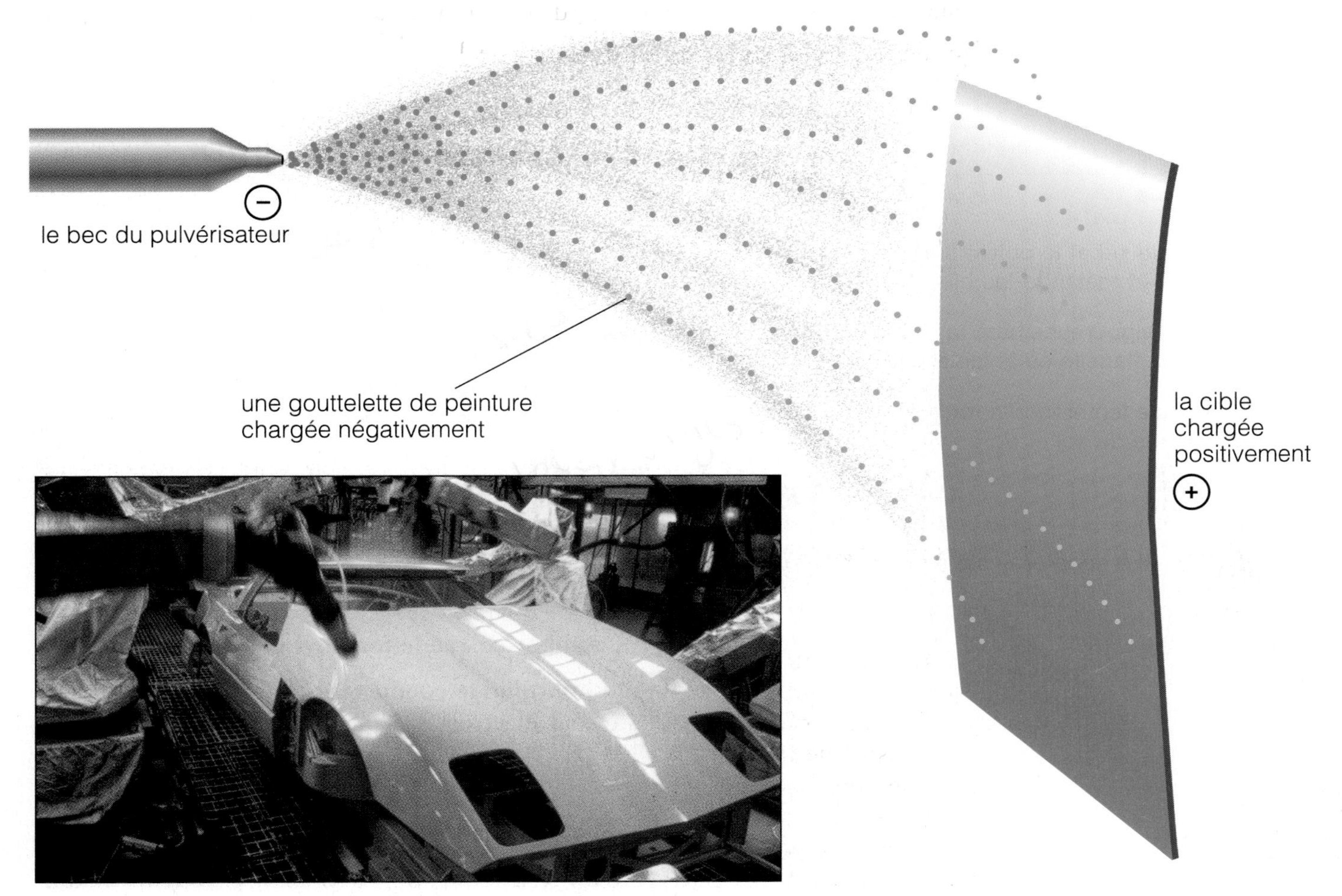


**Figure 9.18** La peinture par pulvérisation électrostatique permet de réaliser des économies de peinture, elle réduit le temps de séchage et elle donne un fini lisse.

de liaison

### Un séparateur au poivre

**Réfléchis**

Comment peut-on séparer du sel et du poivre mélangés ?

**Ce dont tu as besoin**

du sel
du poivre
une règle en plastique
de la flanelle ou du lainage
du papier

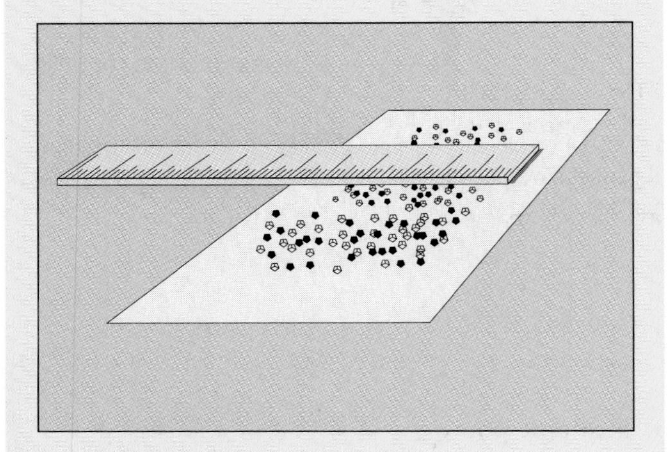

**Ce que tu dois faire**

1. Place le sel et le poivre sur une feuille de papier et mélange-les bien.
2. Frotte vigoureusement la règle en plastique avec la flanelle ou le lainage.
3. Déplace lentement la règle au-dessus du mélange de sel et de poivre. Note tes observations.

**Qu'as-tu appris ?**

As-tu réussi à séparer le sel du poivre ? Explique pourquoi.

## L'électrostatique au quotidien

Même s'il est amusant de séparer du sel et du poivre, ce n'est pas un processus électrostatique très important. D'autres applications des principes de l'électrostatique sont beaucoup plus utiles : par exemple, la séparation industrielle de divers minéraux et du fer. De plus, on peut fréquemment observer des phénomènes électrostatiques dans la vie courante. As-tu déjà remarqué que les vêtements collent parfois les uns aux autres quand on vient de les sortir de la sécheuse ? Les tissus qui forment une combinaison appropriée acquièrent des charges opposées en tournant et en frottant l'un contre l'autre dans la sécheuse ; c'est pourquoi ils collent l'un à l'autre.

Tu désires peut-être en savoir davantage sur les applications de l'électrostatique. Par exemple, pourquoi les adoucisseurs de tissu réduisent-ils le frottement électrostatique ? Comment les purificateurs d'air à filtre électrostatique, utilisés dans les maisons et les bureaux, fonctionnent-ils ? Tu aimerais peut-être savoir ce qu'est un générateur d'ions négatifs. On utilise même l'électrostatique pour étudier les cellules des êtres vivants. Choisis un sujet qui t'intéresse et fais une recherche.

**LIENS INTERNET**

**www.dlcmcgrawhill.ca**

Consulte ce site Web pour en savoir plus sur les applications industrielles de l'électrostatique. Choisis **Matériel complémentaire/Primaire et secondaire**, puis **OMNISCIENCES 9** pour savoir où te diriger. Écris un court article sur ce que tu as appris.

## Vérifie ce que tu as appris

1. Explique pourquoi la présence d'un paratonnerre peut empêcher la foudre de mettre le feu à une maison ou à une grange.
2. Qu'est-ce que le tonnerre ?
3. Pourquoi le conducteur central d'un précipitateur électrostatique est-il fortement électrisé ?
4. Pourquoi les vêtements collent-ils les uns aux autres quand on vient de les sortir de la sécheuse ?

# RÉSUMÉ du chapitre 9

Tu arrives à la fin du chapitre 9. Essaie de faire les exercices proposées ci-dessous. Si tu n'y arrives pas, consulte de nouveau la section mentionnée entre parenthèses.

Décris les premières observations qui ont conduit à la formulation du concept d'électricité statique. (9.1)

Explique la différence entre un isolant et un conducteur. (9.1)

Explique le concept de « modèle scientifique ». (9.2)

Décris les données qui ont amené les scientifiques à conclure qu'il existe deux types de charges. (9.2)

Explique pourquoi un objet chargé attire un objet neutre. (9.2)

Décris les éléments d'un électroscope. (9.2)

On peut charger un électroscope par contact ou par induction. Explique la différence entre ces deux techniques. (9.2)

Décris la « théorie du fluide » imaginée par William Gilbert pour expliquer l'électricité et dis pourquoi elle a été rejetée. (9.3)

Décris les propriétés des conducteurs et des isolants en te servant de la théorie électronique de la charge. (9.3)

Décris, étape par étape, le processus de formation d'une étincelle électrique. (9.3)

Explique comment et pourquoi on met un conducteur à la terre. (9.3)

Décris les différents éléments d'un paratonnerre et la fonction de chaque élément. (9.4)

Nomme trois effets de l'électrostatique qui peuvent avoir une influence sur ta vie quotidienne. (9.4)

## Prépare ton propre résumé

Fais un résumé du présent chapitre sous l'une ou l'autre des trois formes suivantes. Prépare une représentation graphique (par exemple, un réseau conceptuel), réalise une affiche ou résume le contenu du chapitre de manière à mettre en évidence les concepts principaux. Les idées suivantes pourront te servir de guide :

- Explique pourquoi le fait de frotter deux substances l'une contre l'autre peut modifier leurs propriétés.
- Explique pourquoi on a choisi les adjectifs « positif » et « négatif » pour désigner les deux types de charges.
- Énonce la loi de l'attraction et de la répulsion.
- Explique pourquoi les métaux sont de bons conducteurs.
- L'air est généralement un bon isolant. Explique comment l'air peut devenir un bon conducteur et ce qui se produit dans ce cas.
- Explique pourquoi un éclair est accompagné d'un coup de tonnerre.
- Décris un précipitateur électrostatique et explique le fonctionnement de cet appareil.
- Décris la propriété unique du sélénium utilisée dans la conception des photocopieurs.

CHAPITRE

# 9 Révision

## Des termes à connaître

Complète chaque phrase en utilisant les mots clés donnés au début du chapitre. Si tu as besoin de revoir la signification de certains mots, retourne à la section mentionnée entre parenthèses.

1. Un objet neutre a le même nombre de ________ et de ________. (9.2)
2. Les charges se répartissent sur toute la surface d'un ________ lorsqu'on charge celui-ci. (9.2)
3. Le noyau d'un atome renferme des ________ et des ________. Les ________ sont situés autour du noyau. (9.3)
4. Benjamin Franklin a nommé les deux types de charges « charges ________ » et « charges ________ ». (9.2)
5. Pour charger un électroscope par ________, on approche une tige chargée de la sphère, sans y toucher. (9.2)
6. On relie un paratonnerre à un câble tressé pour mettre une ________. (9.4)
7. L'étude des charges immobiles est appelée ________.(9.1)
8. Lorsque des molécules dans l'air se séparent en ions, elles forment un ________ qui favorise la production de ________. (9.3)

## Des concepts à comprendre

Si tu as besoin de réviser certains concepts, retourne à la section mentionnée entre parenthèses.

9. Décris une façon de charger un objet. Explique pourquoi cette méthode permet de charger un objet. (9.2)
10. Énumère les divers types d'interactions d'objets chargés ainsi que d'objets chargés et d'objets non chargés qui ont conduit à la formulation de la loi de l'attraction et de la répulsion. (9.2)
11. Toute la matière est composée d'atomes. Les atomes renferment des charges positives et des charges négatives. Comment se fait-il qu'il existe des objets neutres ? (9.2)
12. Donne une raison pratique de mettre un conducteur à la terre. (9.3)
13. Explique la relation entre ce que Benjamin Franklin a appelé « charges positives » et « charges négatives » et les différentes parties d'un atome. (9.3)
14. Explique le fonctionnement d'un conducteur et d'un isolant en te servant de la théorie électronique de la charge. (9.3)
15. Décris la propriété des nuages à l'origine de la foudre. (9.4)
16. Explique comment on peut charger un électroscope de façon permanente sans y toucher avec un objet chargé. (9.3)
17. On peut recevoir une décharge électrique si l'on touche à une poignée de porte en métal après avoir marché sur un tapis de nylon, mais cela ne se produit jamais lorsqu'on touche une poignée en bois. Explique pourquoi il en est ainsi. (9.3)
18. Suppose que tu frottes un objet avec de la fourrure et que l'objet devient chargé. Explique comment on peut déterminer le signe de la charge de l'objet au moyen d'une tige d'ébonite chargée négativement ou d'une tige de verre chargée positivement. (9.2)

## Des habiletés à acquérir

19. Complète le réseau conceptuel suivant :

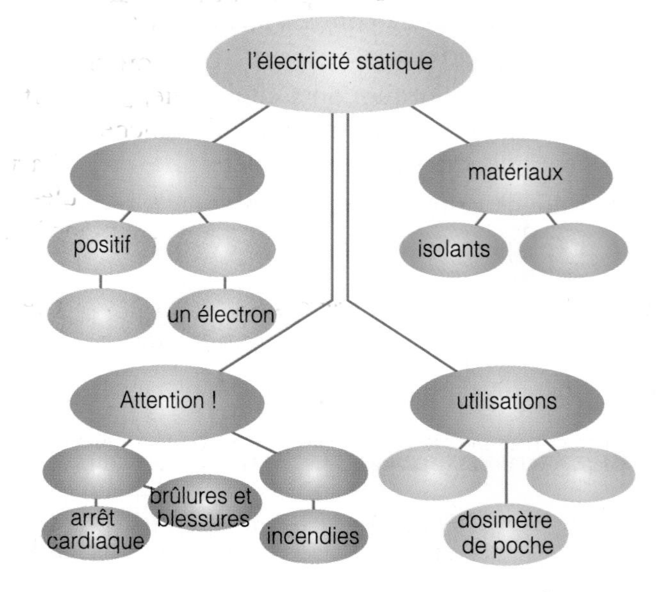

20. Les scientifiques ont commencé à étudier les concepts de l'électrostatique longtemps avant que J.J. Thomson découvre l'électron. Nomme au moins trois concepts que les scientifiques avaient compris avant qu'on connaisse l'existence des protons et des électrons.

21. Explique dans tes propres mots ce qui cause la foudre.

22. Imagine que tu entres dans un local où se trouve un électroscope. Il n'y a personne dans la pièce et il n'y a aucun objet près de l'appareil. Pourtant, les feuilles de l'électroscope sont éloignées l'une de l'autre. Tu frottes une tige d'ébonite avec de la fourrure. Lorsque tu approches lentement la tige de la sphère de l'électroscope, les feuilles se rapprochent l'une de l'autre.
   **a)** En supposant que quelqu'un se soit servi de l'électroscope avant que tu entres dans la pièce, explique pourquoi l'appareil était dans l'état où tu l'as trouvé.
   **b)** Explique ce qui s'est produit lorsque tu as approché la tige de la sphère de l'électroscope.

## Des problèmes à résoudre

23. Au moment où tu entres dans un local où se trouve un grand baril de métal, quelqu'un te dit que le baril porte probablement une grande charge électrique parce qu'un fil électrique l'a touché. Tu as besoin de savoir si le baril est réellement chargé parce que, s'il l'était, il pourrait être très dangereux d'y toucher. Imagine une méthode pour déterminer si le baril est chargé sans avoir à y toucher. Utilise seulement des objets qu'on trouve habituellement à la maison.

24. Chaque fois que tu traverses une pièce dont le plancher est recouvert de tapis et que tu avances la main vers la poignée de la porte, tu reçois une décharge électrique. Imagine un moyen d'éviter de recevoir une décharge en touchant à la poignée.

25. Même si tu frottes vigoureusement deux objets l'un contre l'autre, tu n'arrives jamais à les charger. Donne une explication plausible de ce fait.

26. Pourquoi le manche d'un tournevis est-il généralement en plastique ou en caoutchouc ?

27. Les manufacturiers de tapis appliquent les principes de l'électrostatique dans la conception de leurs produits. Comment pourraient-ils fabriquer un tapis de manière à réduire le risque de recevoir une décharge électrique après avoir marché dessus ?

28. Quatre balles très légères, désignées par les lettres A, B, C et D, sont suspendues au moyen de fils isolants. Les balles A, B et C s'attirent l'une l'autre. La balle C repousse la balle D. Si la balle A est chargée positivement, quel type de charge les balles B, C et D portent-elles ?

29. On donne une charge négative à une balle de métal posée sur un matériau isolant. La charge se répartit-elle uniformément dans la balle ou reste-t-elle sur la surface ? Explique ta réponse à l'aide des propriétés des charges et des conducteurs.

30. Quand on caresse un chat ou un chien, on entend parfois de petits craquements ou de petits crépitements. Cela se produit surtout par temps froid et sec. Quelle est la cause probable de ces bruits ?

## Réflexion critique

31. Tu es en pleine nature au moment où un orage électrique éclate. Que fais-tu ? Cours-tu te réfugier sous un arbre ou cours-tu jusqu'à l'auto, même si elle est située plus loin ? Explique ton choix.

32. Le platine et l'argent sont d'excellents conducteurs, mais on les emploient rarement dans des applications courantes. Pourquoi ?

### Pause réflexion

1. Décris une information que tu as apprise à propos de l'électrostatique et qui peut avoir une grande influence sur ta vie de tous les jours.
2. Choisis un modèle scientifique d'un concept relié à l'électricité statique. Explique comment le modèle t'aide à comprendre le concept.

CHAPITRE

# 10 L'électricité

## Pour commencer...

- Que se passe-t-il lorsque tu allumes une lampe de poche ? De quelle façon l'interrupteur contrôle-t-il l'émission de lumière ?
- Quelle est la différence entre une ampoule de 60 watts et une ampoule de 100 watts? Qu'est-ce qu'un watt ?
- Pourquoi les fils électriques ne sont-ils pas tous de la même grosseur ?

## Journal scientifique

Réfléchis aux questions posées dans la rubrique Pour commencer... et partage tes idées avec tes camarades. Note tes conclusions dans ton journal scientifique. Au fur et à mesure que tu en apprends davantage sur l'électricité en étudiant le présent chapitre, relis ce que tu as écrit dans ton journal. Si les réponses aux questions que tu as données ne sont pas complètes, corrige-les.

Tu bondis de ton siège pour applaudir le frappeur qui vient de faire un coup de circuit. Tu ne penses même pas que la soirée est avancée et que le ciel est complètement noir. Grâce à l'éclairage électrique, tu vois aussi bien qu'en plein jour. Un éclair illumine le ciel pendant quelques secondes. En contrôlant l'énergie électrique, il est possible de l'employer à des fins utiles, comme éclairer un terrain de football ou de baseball pour pouvoir jouer le soir, éclairer la route pour rentrer à la maison après la partie, ou même éclairer ton bureau pour étudier à la maison après le coucher du soleil. La découverte de techniques qui permettent de contrôler et d'utiliser l'énergie électrique ont changé notre mode de vie.

Dans ce chapitre, tu vas étudier les principaux concepts reliés à l'électricité. Tu vas découvrir quels sont les composants de base d'un circuit électrique qui permet, par exemple, d'allumer une lampe, de faire chauffer de l'eau dans une bouilloire ou de mettre un ordinateur en marche. Tu vas apprendre ce qu'est un courant électrique, une différence de potentiel et la puissance électrique. Tu vas comprendre comment une source d'énergie électrique alimente une ampoule ou n'importe quel appareil électrique. Tu vas également apprendre à calculer l'efficacité d'un appareil électrique.

# dynamique

## Concepts clés

Dans ce chapitre, tu découvriras :
- ce qu'est une différence de potentiel, un courant, une résistance et la puissance électrique ;
- quels sont les composants de base d'un circuit électrique simple et quelle est la fonction de chaque composant ;
- quelle relation existe entre la différence de potentiel, le courant, la résistance et la puissance électrique ;
- comment on transporte l'énergie électrique et on la convertit en d'autres formes d'énergie.

## Habiletés clés

Dans ce chapitre :
- tu apprendras à lire le schéma d'un circuit et à construire un circuit simple ;
- tu utiliseras un voltmètre et un ampèremètre ;
- tu résoudras des problèmes où interviennent le courant, la différence de potentiel, la résistance et la puissance ;
- tu détermineras l'efficacité d'un appareil électrique.

## Mots clés

- pile sèche
- borne positive
- borne négative
- circuit
- interrupteur
- schéma d'un circuit
- batterie
- résistance
- charge d'un circuit
- courant
- coulomb
- ampère
- ampèremètre
- énergie potentielle électrique
- différence de potentiel
- volt
- voltmètre
- ohm
- loi d'Ohm
- puissance
- watt

de départ

### Allume une ampoule

As-tu déjà changé les piles dans une lampe de poche ? As-tu profité de l'occasion pour examiner l'intérieur de la lampe de poche ? T'es-tu demandé quelle partie de la lampe de poche entre en contact avec les piles et comment le contact s'établit entre l'ampoule et les piles ? Sais-tu comment relier un fil, une ampoule de lampe de poche et une pile sèche de manière que l'ampoule s'allume ?

#### Ce dont tu as besoin

une pile D (1,5 V)

une ampoule de lampe de poche (2 V)

deux fils de cuivre isolés dont les deux extrémités ont été dénudées

#### Consigne de sécurité

Débranche le fil de cuivre s'il devient chaud.

#### Ce que tu dois faire

1. Essaie d'allumer l'ampoule en utilisant la pile et un fil de cuivre. Prends l'ampoule et mets-la en contact avec la pile à divers endroits. Fais toucher une extrémité d'un fil de cuivre à différents endroits de l'ampoule et l'autre extrémité à différents endroits de la pile jusqu'à ce que l'ampoule s'allume. Trouve plus d'une façon de connecter les trois éléments de manière que l'ampoule s'allume.
2. Dessine un croquis de l'ampoule, du fil et de la pile chaque fois que tu trouves une nouvelle façon de les connecter de manière que l'ampoule s'allume.
3. Essaie d'allumer l'ampoule en utilisant la pile et les deux fils de cuivre.
4. Dessine un croquis de l'ampoule, des deux fils et de la pile chaque fois que tu trouves une nouvelle façon de les connecter de manière que l'ampoule s'allume.

#### Qu'as-tu découvert ?

Explique en un paragraphe de quels composants tu as besoin pour allumer une ampoule et comment tu dois relier ces composants. Prépare un croquis annoté et indique le nom de chaque composant.

# 10.1 Faire circuler des charges

Il fait encore nuit lorsque le radioréveil sonne. En tâtonnant, tu appuies sur le bouton de retardement. Neuf minutes plus tard, la sonnerie se fait entendre de nouveau. Tu sais que cette fois tu dois te lever. Encore dans un demi-sommeil, tu allonges la main pour allumer la lampe. Surprise, puis frustration : il ne se passe rien quand tu actionnes l'interrupteur. Comme la majorité des gens, tu utilises l'électricité sans même y penser. Tu ne t'es probablement jamais demandé ce qui se produit lorsqu'une ampoule s'allume. Comment un interrupteur fonctionne-t-il ? Pourquoi une ampoule s'allume-t-elle ? Que se passe-t-il lorsqu'une ampoule grille ? Tu vas trouver des réponses à ces questions dans le présent chapitre.

## Boucler la boucle

Dans l'Activité de départ, tu as découvert de quels composants on a besoin pour allumer une ampoule. Tu as utilisé une **pile sèche** comme source d'énergie, des fils conducteurs pour transporter l'énergie jusqu'à l'ampoule et une ampoule pour convertir cette énergie en lumière. Tu as appris qu'il est nécessaire d'établir un contact à deux endroits de la pile. Ces deux endroits sont la **borne positive** et la **borne négative** de la pile. Tu as également appris qu'il faut établir un contact à deux endroits de l'ampoule. Mais la chose la plus importante que tu as découverte, c'est qu'il faut relier les composants de manière à former une boucle fermée. Cette boucle est, en fait, un **circuit** électrique. Même si l'on peut faire fonctionner un circuit sans l'aide d'un **interrupteur**, il est très pratique d'en mettre un dans chaque circuit. Cela permet de mettre un appareil en marche ou de l'arrêter en actionnant simplement un bouton, sans avoir à toucher aux autres composants.

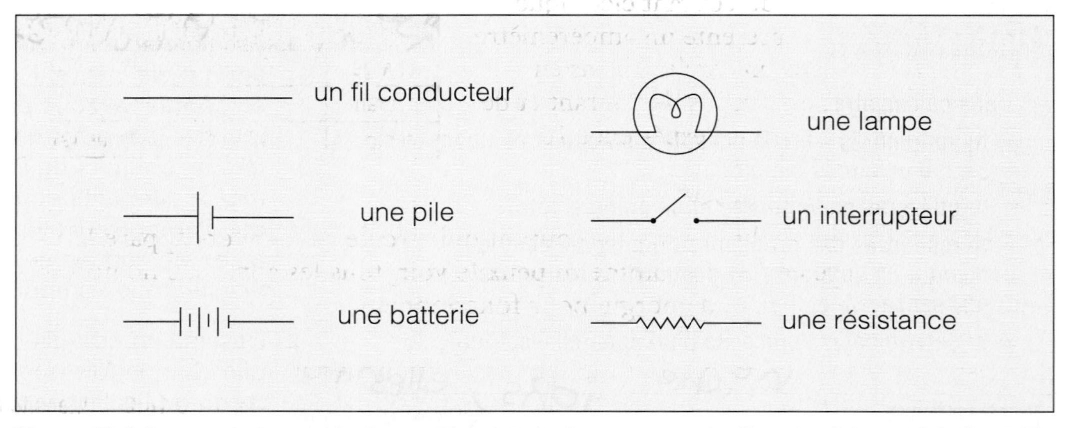


**Figure 10.1** Les symboles employés pour représenter les composants d'un circuit jouent le même rôle que les mots : ils permettent de communiquer de façon rapide et précise.

### Pause réflexion

Dans ton journal scientifique, dresse un tableau des symboles et des noms des composants d'un circuit. Note les symboles donnés dans la figure 10.1 et prévois assez d'espace pour ajouter les symboles que tu vas découvrir en poursuivant ton étude de l'électricité dynamique.

On peut toujours décrire un circuit avec des mots, mais il est plus pratique de tracer un **schéma du circuit**. Dans ce cas, on emploie des symboles pour représenter les différents composants ou éléments du circuit. La figure 10.1 montre quelques-uns des symboles couramment utilisés. Tu as peut-être remarqué deux termes dont nous n'avons pas encore donné la signification. Le mot **batterie** désigne un ensemble de piles. La batterie et la pile sont représentées par des symboles semblables parce que ce sont deux sources d'énergie. On emploie une **résistance** pour représenter divers composants, appelés **charges d'un circuit**, dont le rôle est de convertir l'énergie électrique en une autre forme d'énergie. Par exemple, les moteurs, les grille-pain, les lampes, les radios, les téléviseurs, les fours à micro-ondes et les bouilloires électriques convertissent l'énergie électrique en mouvement, en chaleur, en ondes sonores ou en lumière. Il existe tellement d'appareils électriques différents qu'il ne serait pas pratique de représenter chacun par un symbole distinct. C'est pourquoi on emploie une résistance pour représenter leur fonction commune : ils opposent tous une résistance au mouvement des charges dans le circuit.

**Le savais-tu ?**

Une charge de un coulomb est égale à la charge totale de $6,25 \times 10^{18}$ électrons.

## Des charges en mouvement

L'énergie fournie par une pile ou une batterie sert à déplacer des charges négatives dans les conducteurs d'un circuit. On appelle **courant** ce mouvement des charges. On peut décrire un courant d'eau en précisant, par exemple, le nombre de litres d'eau qui passent par un point d'une canalisation en une minute. De façon semblable, les scientifiques décrivent un courant électrique en précisant la quantité de charges qui passent par un point d'un conducteur en une seconde. Ils emploient le symbole $I$ pour représenter le courant, le symbole $Q$ pour représenter la charge et le symbole $t$ pour représenter le temps. Le modèle mathématique du courant est le suivant :

$$I = \frac{Q}{t} \qquad \text{Courant} = \frac{\text{Charge passant par un point}}{\text{Intervalle de temps}}$$

La charge $Q$ est mesurée en **coulombs** (C), le courant $I$ est mesuré en **ampères** (A) et le temps $t$ est mesuré en secondes. Lorsqu'on dit qu'un courant de 1,0 A traverse un circuit, cela signifie qu'une charge de 1,0 C passe par un point du circuit chaque seconde. Les symboles et les unités des quantités qui interviennent dans l'équation sont donnés au tableau 10.1. Si tu veux savoir comment utiliser cette formule, examine le problème modèle de la rubrique Nouveaux horizons, à la page 328.

On appelle **ampèremètre** l'appareil qui sert à mesurer l'intensité d'un courant électrique. Dans un circuit, on représente un ampèremètre par un « A » écrit dans un cercle. Tu vas en apprendre davantage à propos du courant et de l'ampèremètre en réalisant l'expérience 10-A.

**Tableau 10.1** Les symboles et les unités des quantités qui interviennent dans la formule du courant

| | Symbole | Unité (symbole) |
|---|---|---|
| charge | $Q$ | coulomb (C) |
| courant | $I$ | ampère (A) |
| temps | $t$ | seconde (s) |

**Le savais-tu ?**

Les unités de la charge et du courant ont été respectivement appelées « coulomb » et « ampère » en l'honneur de deux physiciens français qui ont étudié l'électricité et le magnétisme : Charles Augustin de Coulomb (1736-1806) et André Marie Ampère (1775-1836).

**Pause réflexion**

Dans ton journal scientifique, dresse un tableau des symboles et des unités en prenant comme modèle le tableau 10.1. Chaque fois que tu rencontres une nouvelle unité, note son nom et son symbole dans le tableau.

## Le courant à la maison

Le tableau 10.2 donne l'intensité du courant qui circule dans divers appareils électriques d'usage courant. Comme tu peux le voir, tous les appareils ne nécessitent pas la même quantité d'énergie pour fonctionner.

**Figure 10.2** Compare l'intensité du courant employé par les appareils qui convertissent l'énergie électrique en chaleur et l'intensité du courant qui circule dans les appareils qui convertissent l'énergie électrique en lumière ou en ondes sonores. Observes-tu une différence constante ?

**Tableau 10.2** L'intensité du courant dans divers appareils ménagers

| Appareil | Courant (A) |
|---|---|
| une radio | 0,4 |
| une ampoule de 100 W | 0,8 |
| un téléviseur couleur | 1,7 |
| une grille-pain | 8,8 |
| un four à micro-ondes | 11,7 |
| une bouilloire électrique | 12,5 |
| une cuisinière électrique | 40 |

# Mesurer le courant

En construisant un circuit simple, tu vas apprendre où placer un interrupteur et comment brancher un ampèremètre. Tu vas mesurer le courant en divers points du circuit, puis tu vas comparer les résultats. Enfin, tu vas comparer les mesures du courant dans des circuits qui comprennent des ampoules différentes.

Que penses-tu découvrir en comparant le courant dans le fil qui relie la borne négative de la batterie à l'ampoule avec le courant dans le fil qui relie l'ampoule à la borne positive de la batterie ? Formule une hypothèse et discutes-en avec une ou un de tes camarades. Réalise ensuite l'expérience pour mettre ton hypothèse à l'épreuve.

## Problème à résoudre

Où faut-il placer l'interrupteur dans le circuit ? Quel est le courant en différents points du circuit ?

### Consignes de sécurité

Tu dois t'assurer de brancher l'ampèremètre correctement pour éviter de l'endommager. La borne positive de l'ampèremètre doit être connectée à la borne positive d'une batterie ou d'une autre source d'énergie. La borne négative de l'ampèremètre doit être connectée à la borne négative d'une batterie ou d'une autre source d'énergie. Suis les fils conducteurs depuis l'ampèremètre jusqu'à la batterie pour vérifier si les connexions ont été faites correctement, comme dans le schéma A. Le circuit doit comprendre une charge, par exemple une ampoule, pour limiter le flux d'électrons.

- Demande à ton enseignante ou à ton enseignant de vérifier le branchement de l'ampèremètre avant de fermer l'interrupteur.

### Matériel

un ampèremètre
une batterie de 6 V
une ampoule de 6 V
une ampoule de 9 V
quatre fils conducteurs
une loupe
un interrupteur

## Marche à suivre

1. Fais une copie du tableau ci-dessous pour y noter tes observations.

Propriétés d'un circuit simple

| Localisation de l'interrupteur et de l'ampèremètre | Type d'ampoule | Diamètre du filament (petit, grand) | Intensité de la lumière (faible, grande) | Courant électrique en ampères (A) |
|---|---|---|---|---|
| entre la borne positive et l'ampoule | 9 V | | | |
| entre la borne négative et l'ampoule | 9 V | | | |
| entre la borne négative et l'ampoule | 6 V | | | |

2. Sers-toi de la loupe pour déterminer quelle est l'ampoule dont le filament a le plus grand diamètre. Note tes observations dans le tableau.
3. Construis le circuit représenté par le schéma A en prenant soin de placer l'ampèremètre entre la borne positive de la batterie et l'ampoule. Emploie l'ampoule de 9 V.
4. Ferme l'interrupteur. Note l'intensité de l'ampoule et du courant.

**Omni TRUC**

Si l'ampèremètre que tu utilises comporte plus d'une échelle et que tu as besoin d'apprendre à lire correctement cet appareil, rends-toi à la page 600.

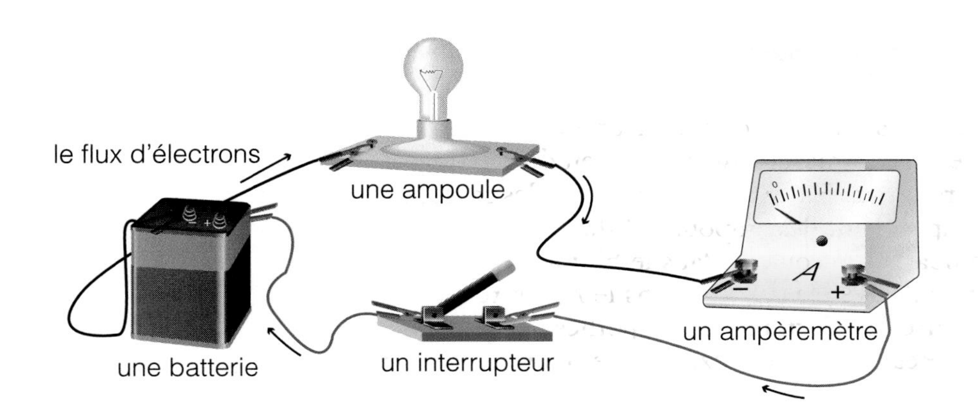


**Schéma A** Comme le courant passe par chaque point du circuit, l'ampèremètre doit être intégré au circuit de manière que la totalité du courant le traverse. Pourquoi l'ampèremètre représenté indique-t-il qu'il n'y a aucun courant ?

6. Pendant que l'ampèremètre enregistre un courant, dévisse l'ampoule de 9 V. Ferme l'interrupteur et note tout changement dans la luminosité de l'ampoule ou dans le courant.
7. Ouvre l'interrupteur. Remplace l'ampoule de 9 V par l'ampoule de 6 V. Refais l'étape 4.

5. Construis le circuit représenté par le schéma B en prenant soin de placer l'ampèremètre entre la borne négative de la source d'énergie et l'ampoule. Refais l'étape 4.

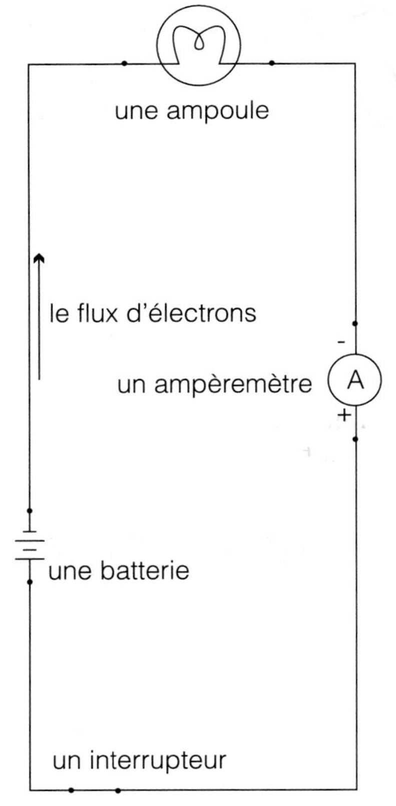


**Schéma B**

## Analyse

1. Quel effet la position de l'interrupteur (près de la borne négative ou près de la borne positive de la batterie) a-t-elle sur le courant qui parcourt le circuit ?
2. Compare le courant à l'intérieur du circuit qui va de la borne négative de la batterie à l'ampoule avec le courant à l'intérieur du circuit qui va de l'ampoule à la borne positive de la batterie.
3. **a)** Quelle ampoule émet le plus de lumière : l'ampoule de 9 V ou celle de 6 V ?
   **b)** Avec quelle ampoule l'intensité du courant est-elle la plus grande ?
   **c)** Quelle ampoule a un filament de plus petit diamètre ?

## Conclusion et mise en pratique

4. Explique brièvement si la position de l'interrupteur dans un circuit simple a de l'importance.
5. Compare l'intensité du courant en différents points du circuit. Décris en une phrase le courant qui parcourt le circuit.
6. Comment le courant a-t-il varié lorsque tu as dévissé l'ampoule ? Explique ce résultat dans ton journal.
7. **a)** Quelle ampoule diminue le plus l'intensité du courant ?
   **b)** Quelle est l'ampoule dont le filament a le plus petit diamètre ?
   **c)** Avec quelle ampoule la charge sur le circuit est-elle la plus grande ?
   **d)** Explique dans ton journal la relation entre le courant et l'intensité de l'ampoule.

Le croirais-tu ?

Le chimiste et physicien anglais Henry Cavendish (1731-1810) a employé la méthode la plus directe qu'on puisse imaginer pour mesurer l'intensité d'un courant électrique. Il se donnait des décharges électriques et évaluait l'intensité du courant en fonction de la douleur qu'il ressentait. Malgré cela, il avait presque 80 ans lorsqu'il est mort. **ATTENTION !** N'essaie pas de faire la même chose que Cavendish.

Le savais-tu ?

À l'époque où Benjamin Franklin a choisi les termes « charge positive » et « charge négative », personne ne savait ce qu'était une charge ni quelles charges se déplaçaient. Franklin pensait que c'étaient les charges positives qui se déplaçaient. Il dessinait des circuits où le courant partait de la borne positive d'une batterie et arrivait à la borne négative après avoir parcouru le circuit. En réalité, ce sont les électrons qui se déplacent, et dans le sens opposé. Cependant, le système de Franklin a été utilisé tellement longtemps qu'on a pris l'habitude de décrire le courant de cette façon. Même dans des livres de physique avancée, on indique encore souvent aujourd'hui le sens du courant comme le faisait Franklin.

Nouveaux horizons

Si la charge totale qui passe par un point d'un conducteur en 5,0 min est de 240 C, quel est le courant en ce point du conducteur ?

**Structurer**

$Q = 240$ C

$t = 5{,}0$ min

**Mettre en évidence**

Le courant $I$ en ampères (A)

**Analyser**

Emploie la formule :

$$I = \frac{Q}{t}$$

Convertis les minutes en secondes parce que un ampère vaut un coulomb par seconde (1 A = 1 C/s).

**Résoudre**

$$t = 5{,}0\ \cancel{\text{min}} \times \frac{60\ \text{s}}{\cancel{\text{min}}} = 300\ \text{s}$$

$$I = \frac{Q}{t} = \frac{240\ \text{C}}{300\ \text{s}} = 0{,}800\ \text{A}$$

**Présenter**

Si la charge totale qui passe par un point d'un conducteur en 5,0 min est de 240 C, alors le courant en ce point du conducteur est de 0,800 A.

## Des charges poussant sur des charges

Dans le circuit que tu as construit pour l'expérience 10-A, une batterie fournissait l'énergie nécessaire pour faire circuler les électrons. Les électrons quittaient la borne négative de la batterie, se déplaçaient dans le conducteur, traversaient l'ampoule, puis revenaient à la batterie. Les électrons parcouraient en moyenne moins de 3 cm par minute. Comme se fait-il alors que l'ampoule s'est allumée dès que tu as fermé l'interrupteur ? Il s'est passé quelque chose de semblable à ce qui se produit lorsque tu ouvres un robinet : l'eau se met à couler immédiatement parce que les tuyaux sont déjà remplis d'eau. Dès que tu ouvres le robinet, l'eau qui se trouve dans les tuyaux coule parce qu'elle subit la pression de l'eau accumulée dans une réserve située très loin du robinet. Les électrons, comme l'eau dans les tuyaux, sont distribués uniformément dans le conducteur. Chaque électron qui quitte la borne négative de la batterie pousse l'électron qui le précède. Tu as appris dans le chapitre sur l'électrostatique qu'il n'est pas nécessaire que des électrons se touchent pour se repousser l'un l'autre : ils exercent à distance, l'un sur l'autre, une force de répulsion. C'est pourquoi les électrons parcourent tout le circuit dès que tu fermes l'interrupteur.

Omni TRUC

Pour en savoir plus sur la résolution des problèmes numériques, va à la page 603.

**ACTIVITÉ de recherche**

### Le meilleur modèle du courant

Comment créer un modèle approprié du mouvement des électrons dans un circuit électrique?

**Ce dont tu as besoin**

plusieurs cubes en bois
six pailles en plastique
trois aimants droits

**Ce que tu dois faire**

1. Place en ligne quelques cubes en bois en t'assurant qu'ils se touchent.
2. Pousse plusieurs fois sur le cube situé à l'une des extrémités de la ligne, en lui donnant chaque fois une vitesse différente. Observe le cube situé à l'autre extrémité de la ligne. Quelle relation existe-t-il entre la vitesse que tu donnes au premier cube et le temps qui s'écoule entre le moment où tu pousses sur le premier cube et le moment où le dernier cube se met à bouger?
3. Aligne les aimants sur les pailles de manière que celles-ci servent de rouleaux, comme le montre la photo ci-contre. Pousse doucement sur l'aimant situé à l'une des extrémités. Observe le mouvement de l'aimant situé à l'autre extrémité.

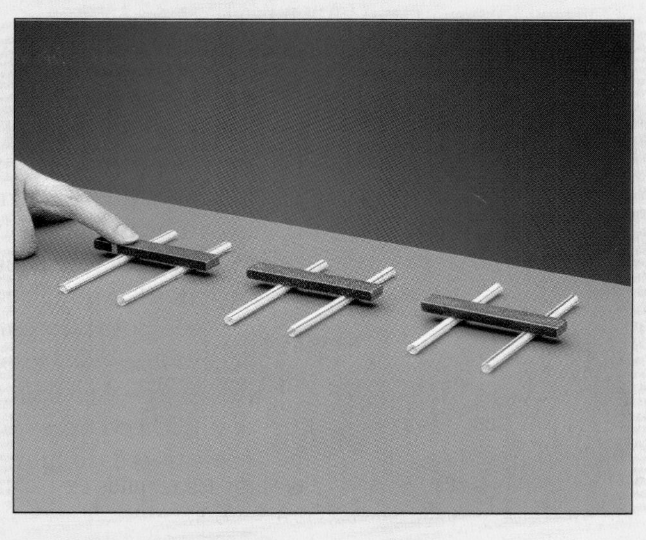

**Qu'as-tu découvert?**

Explique brièvement dans ton journal pourquoi le mouvement des cubes constitue un modèle du mouvement des électrons dans un circuit. Décris aussi le mouvement des aimants. Dans un autre paragraphe, explique pourquoi le mouvement des aimants constitue un modèle du mouvement des électrons dans un circuit. Quel modèle te semble le meilleur: les cubes ou les aimants? Pourquoi ce modèle représente-t-il mieux que l'autre le mouvement des électrons?

## Vérifie ce que tu as compris

1. Définis les termes suivants: **a)** un coulomb; **b)** un courant; **c)** un circuit; **d)** un interrupteur.
2. Dessine un circuit en employant des symboles pour représenter les composants: une batterie, un interrupteur, une lampe, un ampèremètre et des fils conducteurs. Indique au moyen de flèches dans quel sens les électrons se déplacent. Décris la fonction de chaque élément du circuit.
3. Écris la relation entre le courant $I$, la charge $Q$ et le temps $t$ dans tes propres mots et au moyen d'une formule. Écris aussi la relation entre les unités des grandeurs qui interviennent dans la formule.
4. **Réflexion critique** Suppose que tu aies construit le circuit que tu as dessiné à la question 2. Pourquoi la lampe s'éteint-elle lorsque tu ouvres l'interrupteur? Applique ce que tu sais à propos du mouvement des électrons dans un circuit pour répondre à cette question.
5. **Mise en pratique** Lequel des deux courants suivants a la plus grande intensité: le courant qui circule dans un fer à repasser ou le courant qui circule dans un rasoir électrique? (Les deux appareils sont branchés sur une prise de courant de 120 V.) Explique ton choix.

# 10.2 L'énergie potentielle et la différence de potentiel

Dans le chapitre sur l'électricité statique, tu as appris ce qui produit les étincelles et les éclairs. Tu sais qu'au cours d'un orage ce sont des accumulations séparées de charges positives et de charges négatives qui fournissent l'énergie permettant aux électrons de se déplacer dans l'air. En effet, des électrons se rassemblent dans le bas des nuages de sorte que la partie inférieure des nuages se trouve chargée négativement. La partie du sol située directement sous les nuages perd des électrons et devient chargée positivement. La partie du sol chargée positivement attire les électrons, tandis que les charges négatives accumulées dans le bas des nuages les repoussent. Pendant un court moment, des charges se déplacent dans l'air à une grande vitesse, ce qui produit un éclair. De très grandes quantités d'énergie sont converties en lumière et en chaleur, puis le calme revient.

Dans un circuit, le mouvement des électrons est continu et contrôlé. Cependant, ce qui cause le mouvement des électrons dans un circuit est très semblable à ce qui cause la décharge électrique qu'on appelle la foudre. Les électrons qui se rassemblent à l'une des bornes de la batterie forment une accumulation de charges négatives. En même temps, des électrons s'éloignent de l'autre borne, qui devient alors chargée positivement. Dans une batterie, c'est l'énergie dégagée par des réactions chimiques qui sert à séparer les deux types de charges. Les électrons qui ont reçu cette énergie ont la capacité de produire un même travail, comme allumer une ampoule ou chauffer un élément d'une cuisinière. L'énergie électrique emmagasinée dans une batterie est appelée **énergie potentielle électrique**. Même si les électrons ont la capacité de produire un travail, ils ne peuvent le faire à moins que la batterie ne soit connectée à une charge et que le circuit ne soit fermé.

**Figure 10.3** L'énergie qui cause la foudre ou qui fait circuler le courant dans un circuit est emmagasinée sous la forme d'accumulations séparées de charges négatives et de charges positives.

**A)** Les réactions chimiques qui se forment dans la batterie produisent des électrons prêts à « travailler ».

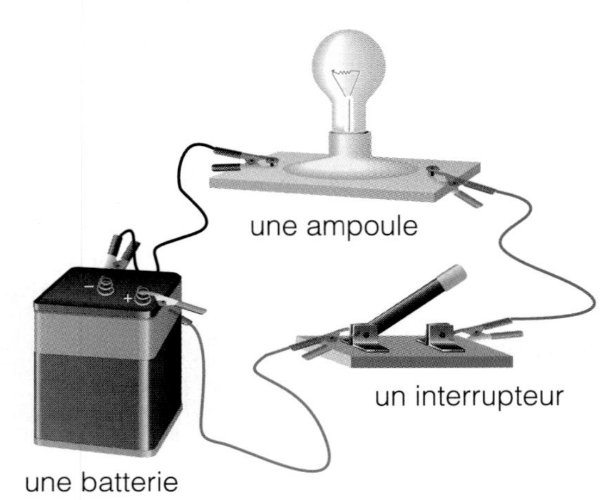


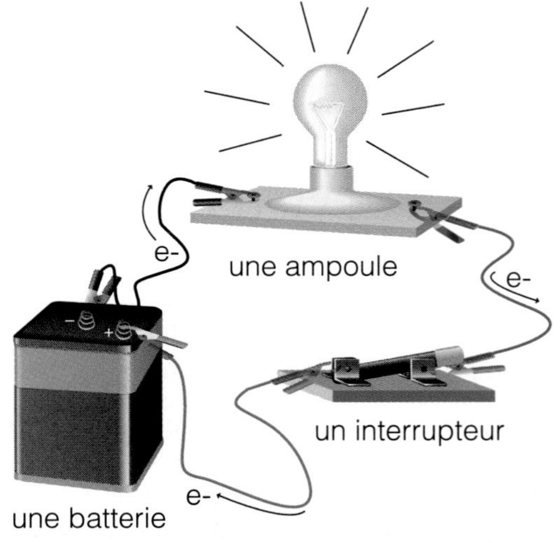


**B)** Lorsqu'on ferme l'interrupteur, les électrons, prêts à voyager, s'échappent de la batterie et se déplacent jusqu'à l'ampoule; l'énergie électrique est alors convertie en lumière. Les électrons retournent à la batterie, où ils se préparent à voyager de nouveau.

**Figure 10.4**

L'énergie est mesurée en joules (J), quelle que soit sa forme. Cependant, lorsqu'on veut décrire l'énergie des électrons qui parcourent un circuit électrique, c'est l'énergie potentielle d'une charge de un coulomb que l'on décrit et non l'énergie totale de toutes les charges. De plus, on compare toujours deux points différents d'un même circuit. On appelle **différence de potentiel** la différence d'énergie potentielle en deux points d'un même circuit pour une charge de un coulomb. L'unité de mesure de la différence de potentiel est le joule par coulomb (J/C). Ce quotient de deux unités est appelé **volt** (V), nom donné en l'honneur du comte Alessandro Giuseppe Antonio Anastasio Volta (1745-1827). Si une charge de un coulomb a, en un point d'un circuit, une énergie potentielle supérieure de un joule à l'énergie potentielle d'un autre point du même circuit, la différence de potentiel entre ces deux points est de un volt. Cette relation s'écrit sous la forme d'une équation où interviennent la différence de potentiel $V$, l'énergie potentielle $E$ et la charge $Q$ :

$$V = \frac{E}{Q} \qquad \text{Différence de potentiel} = \frac{\text{Énergie}}{\text{Charge}}$$

Dans une batterie, une énergie chimique de 45 J est convertie en énergie électrique au moment de la séparation des charges positives et des charges négatives. À la suite de cette conversion, une charge négative de 15 C est située à la borne négative, ce qui laisse une charge positive à l'autre borne. Quelle est la différence de potentiel entre les bornes négative et positive de la batterie ?

**Structurer**

$E = 45$ J

$Q = 15$ C

**Mettre en évidence**

La différence de potentiel $V$ en volts (V)

**Analyser**

Emploie la formule

$$V = \frac{E}{Q}$$

**Résoudre**

$$V = \frac{E}{Q}$$

$$V = \frac{45 \text{ J}}{15 \text{ C}}$$

$= 3{,}0$ J/C

$= 3{,}0$ V

**Présenter**

Si une batterie emploie une énergie chimique de 45 J pour séparer une quantité de charge de 15 C, la différence de potentiel entre les deux bornes de cette batterie est de 3,0 V.

**LIEN *mathématique***

Il faut une énergie chimique de 42 J pour accumuler une charge négative de 7,0 C à la borne négative d'une batterie, ce qui laisse une charge positive à la borne positive. Quelle est la différence de potentiel entre les deux bornes de cette batterie ?

**Tableau 10.3** Les symboles et les unités qui interviennent dans la formule de la différence de potentiel

| | Symbole | Unité (symbole) |
|---|---|---|
| énergie | $E$ | joule (J)) |
| charge | $Q$ | coulomb (C) |
| différence de potentiel | V | volt (V) $V = \frac{J}{C}$ |

**Le savais-tu ?**

En général, à la maison, c'est dans le téléviseur qu'on peut mesurer la plus haute tension (ou différence de potentiel), soit une tension comprise entre 15 000 V et 20 000 V.

Pour mieux comprendre ce qu'est la différence de potentiel entre deux points d'un circuit, compare le moulin à eau et le circuit électrique représentés à la figure 10.5. Dans le moulin à eau, la pompe exerce une force dans le sens opposé au sens de la force gravitationnelle pour élever l'eau à un niveau supérieur. Une valve située en haut du tuyau contrôle le courant d'eau. Lorsque l'eau descend, elle fait tourner la roue hydraulique. Dans le circuit électrique, la batterie (qui joue un rôle semblable à celui de la pompe) donne aux électrons accumulés à la borne négative une énergie potentielle plus grande que l'énergie potentielle à la borne positive. L'interrupteur joue le même rôle que la valve : il permet de contrôler le mouvement des électrons. Lorsque les électrons sont libres de se déplacer dans le circuit, le courant circule dans le moteur, qui se met à tourner. On mesure la différence de potentiel entre deux points d'un circuit à l'aide d'un instrument appelé **voltmètre**.

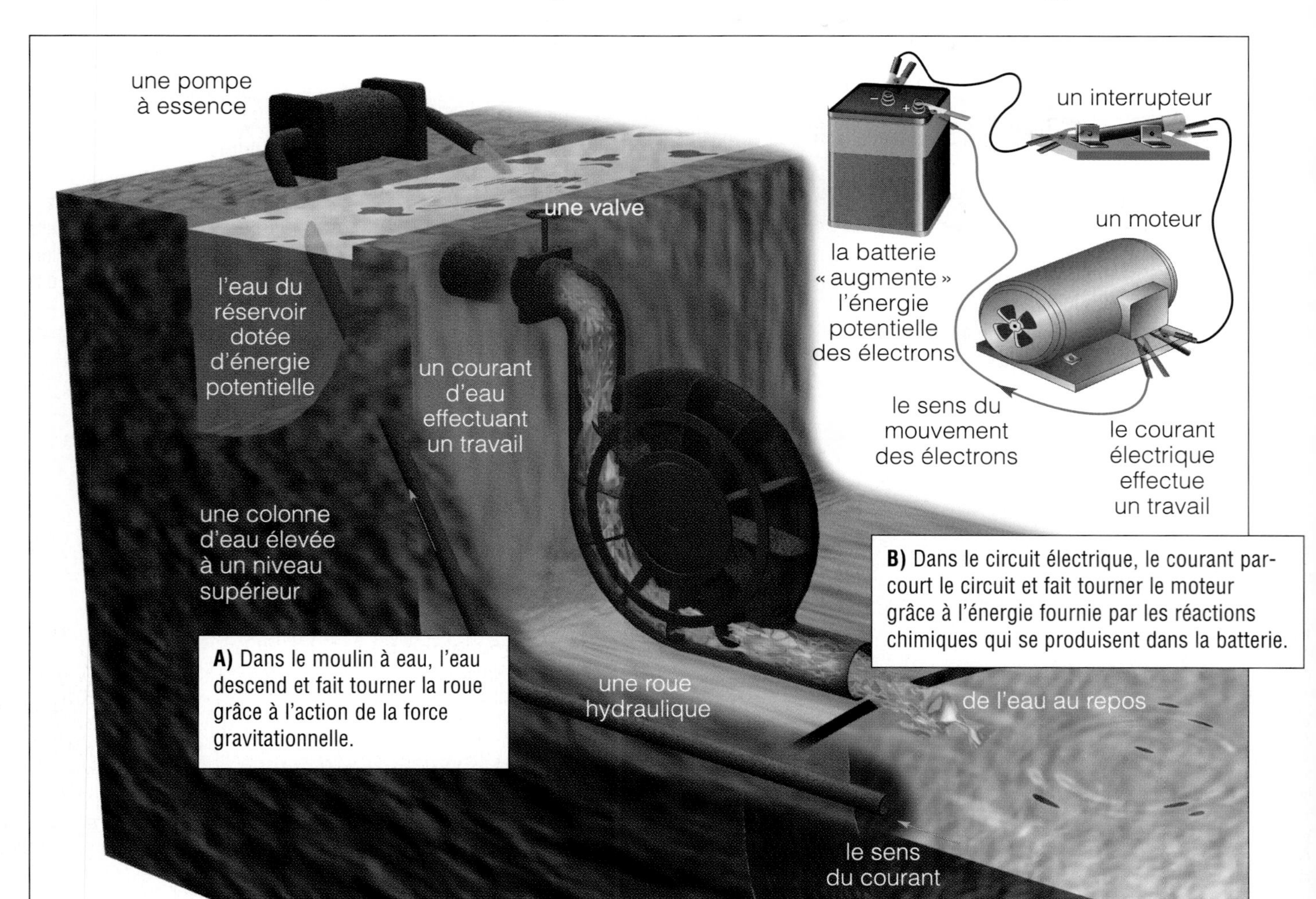


**Figure 10.5**

## Créer un modèle physique

Dans la présente activité, tu vas construire un modèle qui illustre la relation entre la charge électrique, l'énergie électrique et la différence de potentiel.

### Ce dont tu as besoin

- de la pâte à modeler
- un bâton pour mélanger de la peinture
- du ruban adhésif de cellophane
- douze granules de tapioca ou douze pois secs
- des ciseaux
- du papier cartonné

### Ce que tu dois faire

1. Forme un support avec la pâte à modeler pour maintenir le bâton en position verticale.
2. Découpe quatre rectangles de 2 cm sur 8 cm dans le papier.
3. Écris les informations suivantes sur les rectangles : 3 V = 3 J/C ; 6 V = 6 J/C ; 9 V = 9 J/C ; 12 V = 12 J/C.
4. Colle les rectangles sur le bâton en laissant le même espace entre chacun.
5. Suppose que chaque granule de tapioca ou chaque pois sec représente une charge de un coulomb.

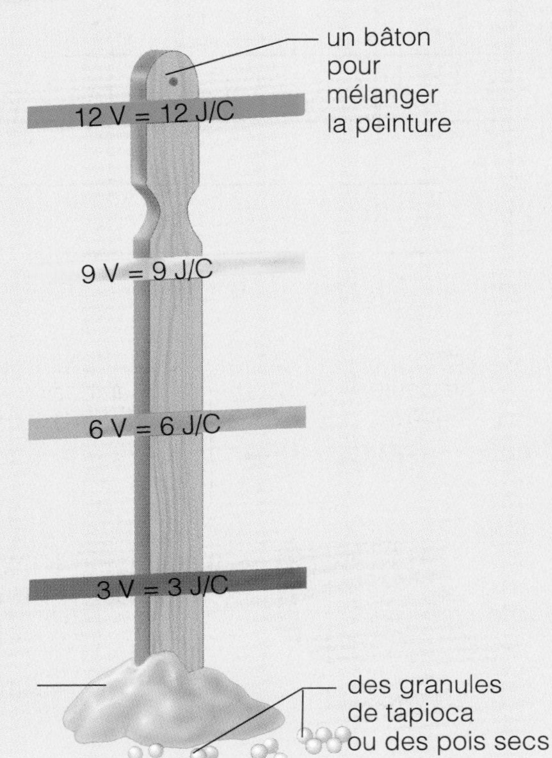


6. Colle quatre granules ou quatre pois sur le rectangle où tu as écrit 3 V ; colles-en trois sur le rectangle où tu as écrit 6 V ; colles-en deux sur le rectangle où tu as écrit 9 V ; et colles-en un sur le rectangle où tu as écrit 12 V.
7. Fais une copie du tableau suivant :

| Différence de potentiel V (en volts) | Charge Q (en coulombs) | Énergie électrique E (en joules) |
|---|---|---|
| | | |
| | | |
| | | |

8. Écris les données demandées dans le tableau pour chaque niveau du modèle. Indice : Rappelle-toi que la charge totale est différente à chaque niveau.
9. Nettoie la surface de travail après avoir terminé l'activité.

### Qu'as-tu découvert ?

1. Où dois-tu placer les deux dernières granules ou les deux derniers pois pour représenter le niveau d'énergie zéro ?
2. De quelle quantité d'énergie a-t-on besoin pour « élever » une charge de un coulomb depuis la table jusqu'au niveau 12 V.
3. Quelle est l'énergie potentielle électrique totale emmagasinée au niveau 9 V ? au niveau 6 V ? au niveau 3 V ?
4. Quelle quantité d'énergie est dégagée lorsque les charges emmagasinées au niveau 9 V descendent au niveau 6 V ? Explique ta réponse.
5. Explique en une phrase la relation entre l'énergie électrique, la charge électrique et la différence de potentiel.
6. Les dimensions d'une pile de 9 V d'une radio sont très petites comparativement aux dimensions d'une batterie de 12 V d'une automobile. À l'aide du modèle que tu as construit, explique pourquoi deux piles de 9 V connectées de manière à créer une différence de potentiel de 18 V ne fournissent pas l'énergie nécessaire pour démarrer une automobile.

RÉALISE UNE EXPÉRIENCE 10-B

# L'énergie dans un circuit simple

Dans cette expérience, tu vas construire un circuit simple et mesurer la différence de potentiel entre les deux bornes de la source d'énergie. Tu vas ensuite mesurer la différence de potentiel entre deux points situés de part et d'autre d'une ampoule de 6 V, puis d'une ampoule de 9 V. Crois-tu que la différence de potentiel sera la même pour les deux ampoules ? Formule une hypothèse et discutes-en avec une ou un de tes camarades. Fais ensuite l'expérience pour mettre ton hypothèse à l'épreuve.

## Problème à résoudre

La différence de potentiel entre les deux bornes de la source et la différence de potentiel entre deux points situés de part et d'autre d'une charge sont-elles identiques ? Si l'on emploie une même source d'énergie, la différence de potentiel entre deux points situés de part et d'autre d'une charge varie-t-elle lorsqu'on change la charge ?

### Consignes de sécurité

Tu dois connecter la borne négative du voltmètre à la borne négative de la batterie ou de la source d'énergie. Tu peux faire cette connexion directement ou au moyen de fils conducteurs. La borne négative du voltmètre est noire et porte un signe moins (-), tandis que la borne positive est rouge et porte un signe plus (+).

- Demande à ton enseignante ou à ton enseignant de vérifier la façon dont tu as connecté le voltmètre dans le circuit avant de fermer l'interrupteur.

### Matériel

un voltmètre
une batterie de 6 V
une ampoule de 6 V
une ampoule de 9 V
cinq fils conducteurs
un interrupteur

**Omni TRUC**

Si le voltmètre que tu utilises comporte plusieurs échelles et si tu ne sais pas comment le lire, rends-toi à la page 600.

## Marche à suivre

1. Fais une copie du tableau suivant et note tes observations sur la copie.

2. Construis le circuit représenté par le schéma A pour mesurer la différence de potentiel entre les bornes de la source d'énergie. Emploie l'ampoule de 9 V.

Différences de potentiel dans un circuit simple

| Connection du voltmètre | Type d'ampoule | Intensité de la lumière (faible, grande) | Différence de potentiel en volts (V) |
|---|---|---|---|
| aux deux bornes de la batterie | 9 V | | |
| de part et d'autre de l'ampoule | 9 V | | |
| de part et d'autre de l'ampoule | 6 V | | |
| de part et d'autre de l'ampoule dévissée | 6 V | | |

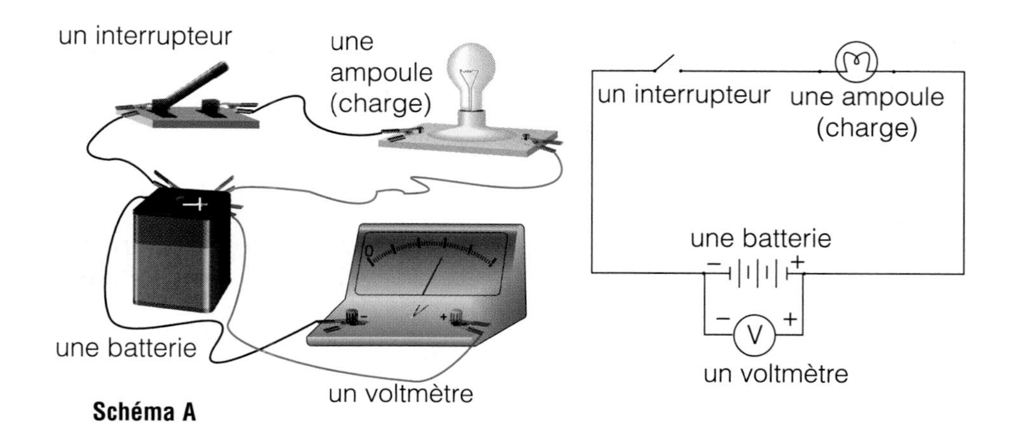

Schéma A

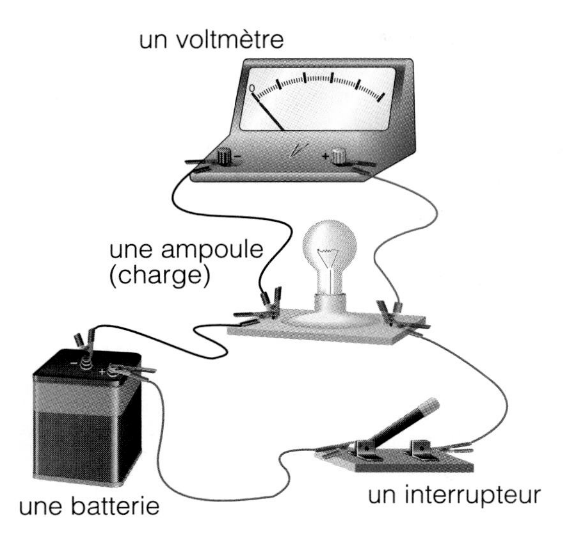


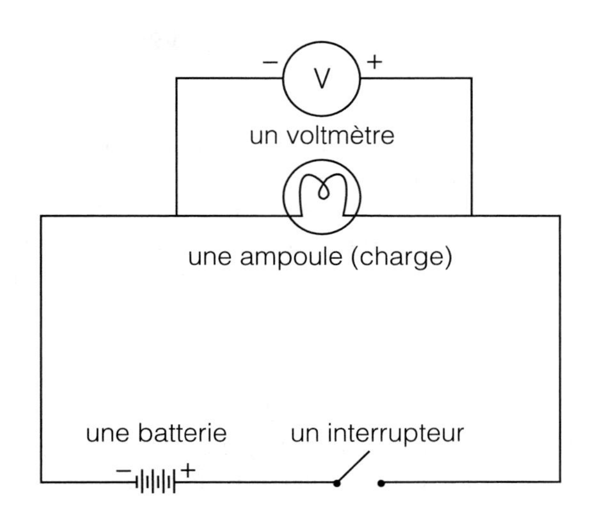


**Schéma B**

3. Ferme l'interrupteur. Note l'intensité de la lumière et la différence de potentiel entre les bornes de la batterie.
4. Ouvre l'interrupteur. Débranche le voltmètre et reconnecte-le de part et d'autre de l'ampoule, comme dans le schéma B.
5. Ferme l'interrupteur et mesure la différence de potentiel entre deux points situés de part et d'autre de l'ampoule.
6. Remplace l'ampoule de 9 V par l'ampoule de 6 V et refais l'étape 5.
7. Ouvre l'interrupteur et dévisse l'ampoule de 6 V. Ferme l'interrupteur. Note la lecture du voltmètre connecté de part et d'autre de l'ampoule dévissée.

## Analyse

1. Compare la différence de potentiel entre les bornes de la batterie et la différence de potentiel entre deux points situés de part et d'autre de l'ampoule de 9 V.
2. Compare la différence de potentiel entre les bornes de la batterie et la différence de potentiel entre deux points situés de part et d'autre de l'ampoule de 6 V.
3. Compare la différence de potentiel entre deux points situés de part et d'autre de l'ampoule de 9 V et la différence de potentiel entre deux points situés de part et d'autre de l'ampoule de 6 V.
4. Compare l'intensité de la lumière diffusée par l'ampoule de 6 V et l'ampoule de 9 V.
5. De quelle façon la différence de potentiel a-t-elle varié lorsque tu as dévissé l'ampoule ?

## Conclusion et mise en pratique

6. Compare la quantité d'énergie que la batterie donne à une charge de un coulomb avec la quantité d'énergie que cette charge donne à l'ampoule. Explique comment tes observations t'ont permis d'arriver à cette conclusion.
7. Compare les réponses que tu as données aux étapes 3 et 4 de l'analyse. Explique pourquoi ces réponses peuvent être toutes les deux vraies.
8. Si aucun courant ne circule dans l'ampoule, quelle quantité d'énergie reçoit-elle ? Explique comment tes observations t'ont permis d'arriver à cette conclusion.

## D'un océan à l'autre

Monique Frize s'est d'abord inscrite en chimie à l'Université d'Ottawa, mais l'étude de cette matière ne la satisfaisait pas vraiment. Lorsqu'un étudiant en génie électrique, alors en troisième année, lui a fait visiter le laboratoire où il travaillait, Monique a été « très impressionnée par les utilisations possibles de l'électricité et par le fait qu'elle pouvait voir ce qui se passait sur l'écran d'un oscilloscope ». (Un oscilloscope est un instrument électronique qui convertit les variations de courant électrique en ondes visibles sur un écran.) Cette expérience l'a amenée à changer de département après sa troisième année d'étude. Elle s'est inscrite en génie électrique en 1963 et a obtenu son diplôme en 1966. Elle a été la première femme à étudier le génie à l'Université d'Ottawa.

Au cours des 30 dernières années, Monique Frize a travaillé dans plusieurs domaines. Elle a d'abord occupé des postes en génie biomédical dans des hôpitaux, où elle était chargée de voir à ce que les équipements soient sûrs et efficaces. Durant les années 1970, elle a fait de la recherche sur des stimulateurs cardiaques : elle s'est demandé si les champs magnétiques pouvaient causer de l'interférence.

Actuellement, Monique Frize met au point des logiciels destinés à aider les médecins à faire des diagnostics plus précis. Elle enseigne également le génie dans deux universités à Ottawa, en Ontario : au Département de génie informatique de l'Université Carleton et au Département du génie et de la technologie de l'information à l'Université d'Ottawa. Monique Frize enseigne le génie, supervise des étudiants du deuxième cycle, publie des articles dans des revues spécialisées et donne des conférences. Elle est bilingue et considère que le fait de venir d'un milieu francophone a constitué un avantage dans plusieurs des postes qu'elle a occupés.

Lorsque des étudiants lui demandent conseil, Monique Frize leur dit : « Un diplôme universitaire associé à des habiletés en communication et dans les relations interpersonnelles est une combinaison qui permet généralement de trouver un bon travail. » Selon elle, la maîtrise de la langue parlée et écrite est très importante dans n'importe quelle carrière. Elle souligne que le travail de l'ingénieur ne consiste pas seulement à construire des ponts et des édifices. Elle insiste sur le fait que le génie est une discipline centrée sur les gens.

**Monique Frize**

## Vérifie ce que tu as compris

1. Explique ce que signifie l'expression « différence de potentiel ».
2. Explique comment il faut connecter un voltmètre dans un circuit pour mesurer la différence de potentiel entre deux points situés de part et d'autre d'une ampoule. Fais un schéma pour que tes explications soient plus claires.
3. Explique la ressemblance entre le rôle d'une batterie dans un circuit et le rôle d'une pompe qui élève le niveau de l'eau dans un réservoir.
4. **Réflexion critique** Quelle est la différence de potentiel entre deux points situés de part et d'autre de l'ampoule dans un circuit composé d'une batterie de 12 V, d'un interrupteur et d'une ampoule ?
5. **Réflexion critique** Une ampoule est connectée à une batterie dont la différence de potentiel est de 6 V. Quelle sera la lecture d'un voltmètre connecté de part et d'autre de l'ampoule lorsque celle-ci grillera ?

# 10.3 La résistance au mouvement d'une charge

As-tu déjà rampé dans un tunnel étroit d'une caverne? Si tu as vécu cette expérience, tu sais combien cela est difficile et qu'on ne peut avancer que très lentement. Plus le tunnel est étroit, plus la résistance au mouvement est grande. Le «flot» de personnes dans un tunnel étroit est très réduit. Cette situation est semblable à celle des électrons qui se déplacent dans le filament d'une ampoule. Les atomes du filament s'opposent au mouvement des électrons. On appelle résistance la propriété d'une substance de faire obstacle au mouvement et de convertir l'énergie électrique en d'autres formes d'énergie. Par exemple, la résistance du filament de tungstène d'une ampoule est égale à 400 fois la résistance d'un fil électrique en cuivre. Lorsqu'un courant circule dans le filament à haute résistance d'une ampoule, une grande partie de l'énergie transportée par le courant est convertie en lumière et en chaleur. Lorsque le même courant circule dans un fil électrique en cuivre, la quantité d'énergie convertie en chaleur est généralement si faible qu'on remarque à peine la transformation.

## Une description de la résistance

Quelle quantité d'énergie faut-il dépenser pour faire glisser une caisse de 50 kg d'un bout à l'autre d'une pièce? Cela dépend de la résistance que les surfaces offrent au mouvement. Par exemple, il faut une quantité énorme d'énergie si la caisse est faite de bois rugueux et qu'on la fait glisser sur un tapis. Il faut beaucoup moins d'énergie si la caisse est faite d'une substance lisse et qu'on la fait glisser sur un plancher carrelé.

Quelle quantité d'énergie électrique faut-il dépenser pour déplacer une charge de un coulomb à travers le filament d'une ampoule électrique? Cela dépend de la résistance du filament. On définit la résistance électrique comme le quotient de la différence de potentiel $V$, entre deux points situés de part et d'autre de l'ampoule, sur le courant $I$ qui circule dans l'ampoule. Si l'on représente la résistance par le symbole $R$, le modèle mathématique de la résistance est

**Figure 10.6** On peut décrire la résistance au mouvement d'une caisse comme l'énergie nécessaire pour faire glisser une caisse de 1 kg d'un bout à l'autre d'une pièce. Il est alors possible de comparer la résistance de deux caisses quelconques, même si elles n'ont pas la même taille.

$$R = \frac{V}{I} \qquad \text{Résistance} = \frac{\text{Différence de potentiel}}{\text{Courant}}$$

D'après cette équation, l'unité de mesure de la résistance est le volt par ampère (V/A). Ce quotient de deux unités est appelé **ohm** en l'honneur de Georg Simon Ohm (1789-1854). Le symbole de l'ohm est la lettre grecque oméga Ω. Si un courant de un ampère circule dans un filament lorsque la différence de potentiel aux bornes du filament est de un volt, alors la résistance électrique du filament est de un ohm.

Ohm a été le premier à publier les résultats d'expériences sur la résistance de fils de diamètres différents. Il a fabriqué une grande quantité de fils de différentes longueurs et de différents diamètres. Aujourd'hui, nous donnons le nom de résistance à ces petits dispositifs parce que leur unique fonction est d'opposer une résistance au courant. Ohm a créé une différence de potentiel aux bornes de

**Pause réflexion**

Ajoute le symbole de la résistance $R$ et le symbole de l'ohm $\Omega$ au tableau des symboles et des unités que tu as dressé dans ton journal scientifique.

petits fils qu'il employait en guise de résistance et il a mesuré le courant qui circulait dans chaque fil. Il a ainsi découvert que la résistance d'un fil particulier est la même quelle que soit la différence de potentiel à ses bornes. On a donné le nom de **loi d'Ohm** aux résultats des expériences réalisées par le célèbre physicien. La loi d'Ohm est donnée par la formule mathématique

$$V = IR$$

Tout dispositif dont la résistance est constante, quelle que soit la différence de potentiel à ses bornes, est appelé résistance ohmique, parce qu'il répond à la loi d'Ohm. Cependant, plusieurs appareils électriques ne sont pas ohmiques : leur résistance varie en fonction de la différence de potentiel à leurs bornes.

**Le savais-tu ?**

À l'époque où Ohm a réalisé ses expériences, on ne trouvait pas de résistances dans les magasins. Heureusement, Omh a découvert comment fabriquer des résistances de différents diamètres en aidant son père, qui était serrurier.

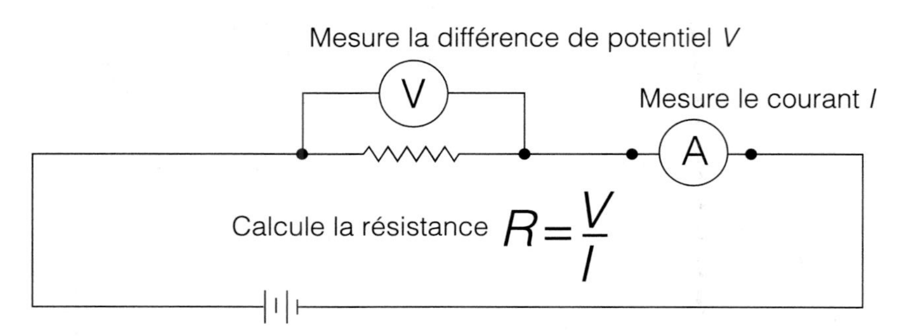


**Figure 10.7** Pour déterminer la résistance d'une ampoule ou de tout autre dispositif électrique, on mesure le courant $I$ qui circule dans le dispositif et la différence de potentiel ($V$) à ses bornes. On divise ensuite la différence de potentiel par le courant, c'est-à-dire qu'on calcule le quotient ($V/I$).

**Le savais-tu ?**

Henry Cavendish a découvert la relation entre le voltage et le courant environ 50 ans avant Ohm. Malheureusement, il n'a pas publié les résultats de ses expériences. Essaie d'imaginer quelles auraient été les conséquences sur les progrès de la technologie si l'on avait connu cette relation un demi-siècle plus tôt.

## Problème type

Quelle est la résistance d'un radiateur électrique dans lequel circule un courant de 12,5 A lorsque le radiateur est branché à une prise de courant ordinaire ?

### Structurer

$I = 12,5$ A

Le radiateur est branché à une prise de courant ordinaire.

### Mettre en évidence

La résistance $R$, en ohms ($\Omega$), du radiateur.

### Analyser

Une prise de courant fournit une différence de potentiel de 120 V.

Utilise la formule $R = \frac{V}{I}$ pour trouver la résistance.

### Résoudre

$$R = \frac{V}{I}$$

$$= \frac{120 \text{ V}}{12,5 \text{ A}} = 9,60 \text{ V/A}$$

$$= 9,60\ \Omega$$

### Présenter

La résistance d'un radiateur électrique est de 9,60 Ω lorsqu'il est parcouru par un courant de 12,5 A et que la différence de potentiel à ses bornes est de 120 V.

**LIENS mathématique**

Quelle est la résistance d'une ampoule dans laquelle circule un courant de 2,4 A si la différence de potentiel aux bornes de l'ampoule est de 12 V ?

## Une perte d'énergie ?

À première vue, on ne voit pas pourquoi on introduit dans un circuit une ou des résistances qui ne servent pas à convertir l'énergie électrique en lumière, en ondes sonores ou en une autre forme d'énergie utile. Pourtant ces résistances sont importantes : elles servent à contrôler le courant ou la différence de potentiel en fonction des besoins des autres dispositifs électriques du circuit.

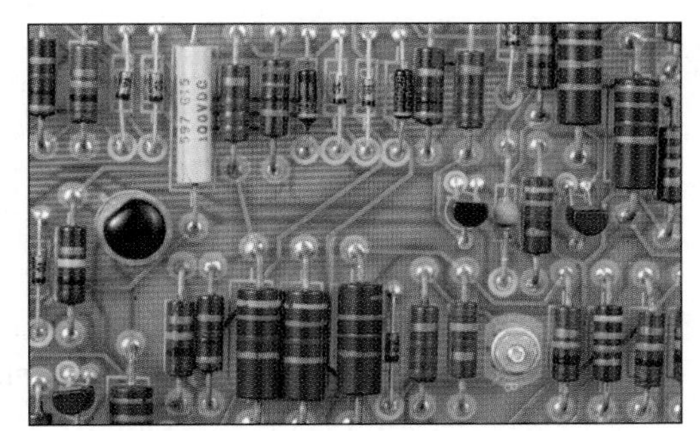

**Figure 10.8** Comme la valeur des résistances illustrées est constante quelle que soit la différence de potentiel appliquée à leurs bornes, un électricien peut les utiliser pour contrôler de façon très précise le courant et la différence de potentiel dans divers composants d'un circuit.

### Le savais-tu ?

Le mathématicien et physicien écossais lord Kelvin (1824-1907) a découvert, en 1854, que la résistance d'un fil conducteur varie lorsqu'il est étiré ou comprimé. Plus on étire un fil, plus sa résistance augmente. On applique ce concept pour surveiller les forces qui s'exercent sur un pont ou même sur la main d'un robot. Es-tu capable d'expliquer pourquoi on peut utiliser la variation de la résistance à cette fin ?

### LIEN *mathématique*

Les mathématiciens définissent la pente d'une droite comme le rapport qui existe entre la variation verticale et la variation horizontale. Pour calculer la pente d'une droite, on choisit deux points quelconques de la droite. On représente ces points par les couples $(x_1, y_1)$ et $(x_2, y_2)$. On détermine ensuite la variation verticale en calculant la distance verticale entre les deux points, c'est-à-dire $(y_2 - y_1)$. La variation horizontale est la distance horizontale entre les deux points, c'est-à-dire $(x_2 - x_1)$. Enfin, on calcule la pente à l'aide de la formule

$$\text{Pente} = \frac{\text{Variation verticale}}{\text{Variation horizontale}} = \frac{(y_2 - y_1)}{(x_2 - x_1)}$$

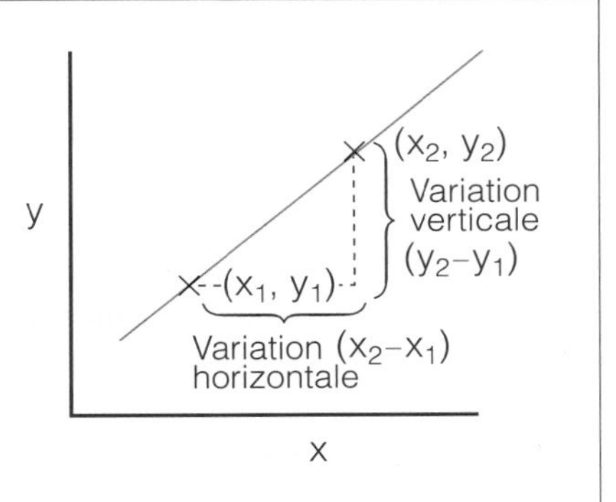


## La mesure de la résistance

On peut étudier la résistance de n'importe quel dispositif électrique en l'intégrant à un circuit comme celui qui est illustré à la page suivante. On donne diverses valeurs à la différence de potentiel et l'on mesure le courant pour chaque valeur de la tension. Si l'on représente les données par un diagramme, il est plus facile d'analyser les informations recueillies. On porte donc les valeurs du courant sur l'axe horizontal d'un plan cartésien et les valeurs de la différence de potentiel sur l'axe vertical, comme l'indique la figure 10.9.

Le diagramme de la figure 10.9 obtenu à l'aide des données recueillies pour une résistance particulière est une droite. On peut déterminer la valeur de cette résistance en calculant la pente de la droite, puisque celle-ci est égale au quotient de la différence de potentiel et du courant, c'est-à-dire à *V*/*I*. La résistance est

$$R = \frac{(5{,}0\ \text{V} - 1{,}0\ \text{V})}{(0{,}25\ \text{A} - 0{,}05\ \text{A})} = \frac{4{,}0\ \text{V}}{0{,}20\ \text{A}} = 20\,\Omega$$

Si le graphique de la différence de potentiel en fonction du courant n'est pas une droite, il est impossible de déterminer la valeur de la résistance en calculant une pente. Le fait que le graphique n'est pas une droite signifie que la résistance n'est pas ohmique.

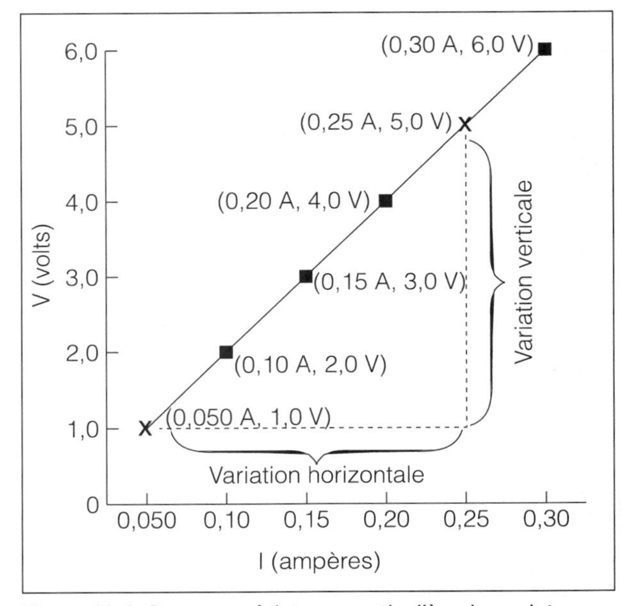


**Figure 10.9** Pour une résistance particulière, les points correspondant à la différence de potentiel et au courant sont portés sur un plan cartésien. Le graphique obtenu en reliant ces points est une droite. On a choisi les deux points marqués d'un « x » pour calculer la pente de la droite.

RÉALISE UNE EXPÉRIENCE 10-C

# Différence de potentiel et courant pour une résistance donnée

On utilise de petites résistances dans les appareils électriques tels que les magnétophones et les radios. Dans la présente activité, tu vas étudier la relation entre le courant qui circule dans une résistance et la différence de potentiel aux bornes de cette résistance. Selon toi, quelle allure a le graphique de la différence de potentiel en fonction du courant ? Dessine un diagramme pour illustrer ton hypothèse et partage tes idées avec une ou un de tes camarades. Réalise ensuite l'expérience pour mettre ton hypothèse à l'épreuve.

## Problème à résoudre

Quelle est la relation entre la différence de potentiel aux bornes d'une petite résistance et le courant qui circule dans cette résistance ?

### Consignes de sécurité

Revois la marche à suivre pour brancher un voltmètre et un ampèremètre.

- Demande à ton enseignante ou à ton enseignant de vérifier le premier circuit avant de fermer l'interrupteur.
- Assure-toi de choisir une échelle appropriée sur chaque compteur.

### Matériel

un ampèremètre
une source d'énergie variable
six fils conducteurs
deux petites résistances de valeur différente
un interrupteur
un voltmètre

**Caractéristiques de la résistance**

| Différence de potentiel $V$ (V) | Courant électrique $I$ (mA) |
|---|---|
| 0 | 0 |
| | |
| | |

## Marche à suivre

1. Fais deux copies du tableau « Caractéristiques de la résistance » et note tes observations sur ces copies. Assure-toi que chaque tableau compte assez de lignes pour pouvoir enregistrer les données pour cinq valeurs de la différence de potentiel.

2. Construis le circuit illustré ci-dessous. (La flèche qui traverse le symbole de la batterie indique que la différence de potentiel est variable. Tu peux l'ajuster en tournant le bouton du cadran.)

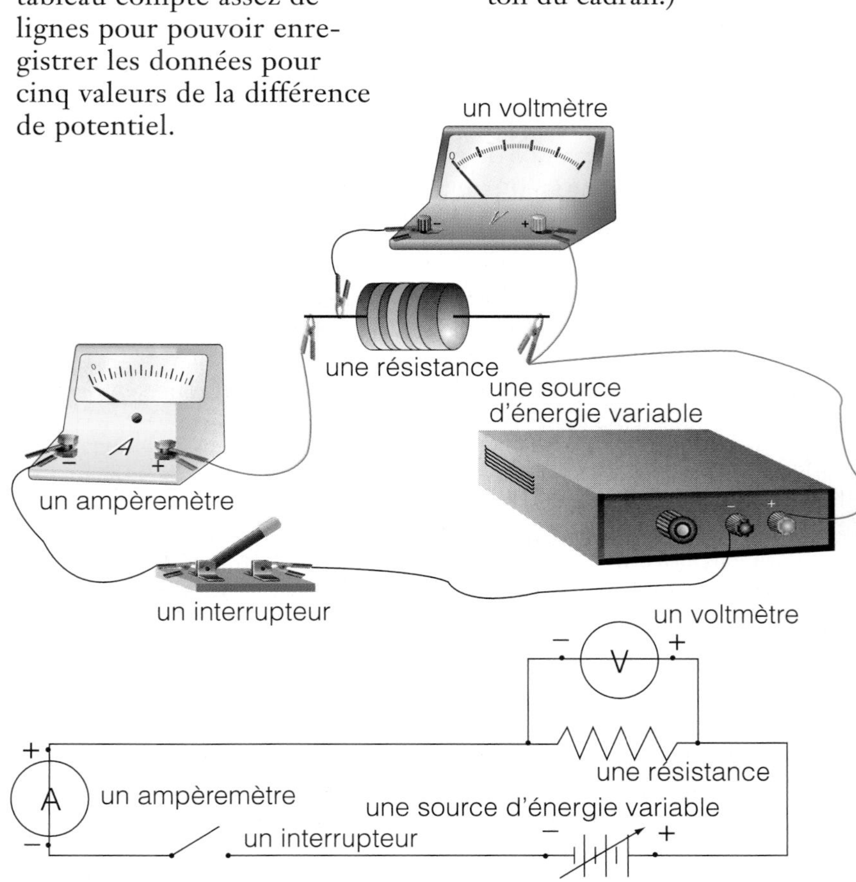

**3** Ajuste la source d'énergie de manière que la différence de potentiel soit d'environ un volt. Inscris les valeurs de la différence de potentiel et du courant dans le premier tableau.

**4** Refais l'étape 3 quatre autres fois en choisissant des valeurs de la différence de potentiel comprises entre un volt et six volts ou en suivant les instructions de ton enseignante ou de ton enseignant.

**5** Refais les étapes 3 et 4 en utilisant la deuxième résistance.

## Analyse

1. Sur la même feuille de papier quadrillé, trace le graphique de la différence de potentiel en fonction du courant pour chacune des deux résistances. Place le courant sur l'abscisse et la différence de potentiel sur l'ordonnée. Utilise une couleur ou un symbole différent pour représenter les points de chaque ensemble de données.
2. Trace la droite qui s'ajuste le mieux à chaque ensemble de points.
3. Calcule la pente de chaque droite pour déterminer la valeur de la résistance électrique. N'oublie pas d'inscrire les unités de la variation verticale, de la variation horizontale et de la pente.

## Conclusion et mise en pratique

4. Décris le graphique de la différence de potentiel en fonction du courant.
5. Décris la relation entre la tension et le courant pour chaque résistance.
6. Quelle est la valeur de chaque résistance ? Indice : La résistance $R$ est égale au quotient de la différence de potentiel $V$ et du courant $I$, c'est-à-dire que le modèle mathématique de la résistance est
$$R = \frac{V}{I}$$
La pente des droites que tu as tracée est donc égale à
$$\frac{V}{I}$$
7. Les deux résistances ont-elles la même valeur ?
8. Écris une équation qui donne la valeur de chaque résistance en employant le symbole $V$ pour représenter la différence de potentiel, $I$ pour le courant et $R$ pour la valeur de la résistance. La loi d'Ohm s'applique-t-elle parfaitement aux résistances que tu as employées ? Explique ta réponse.

## Enrichis tes connaissances et développe tes habiletés

Conçois une expérience pour déterminer si une ampoule donnée se comporte selon la loi d'Ohm. Demande une ampoule à ton enseignante ou à ton enseignant. Fais les lectures requises pour diverses intensités de la lumière, depuis une lueur très faible jusqu'à une grande luminosité.

### Consigne de sécurité

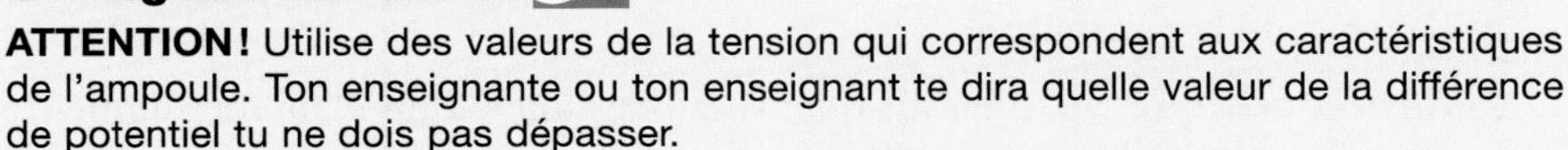

**ATTENTION !** Utilise des valeurs de la tension qui correspondent aux caractéristiques de l'ampoule. Ton enseignante ou ton enseignant te dira quelle valeur de la différence de potentiel tu ne dois pas dépasser.

Si tu as accès à un ordinateur, trace le graphique représentant les données en utilisant un tableur. Décris en un paragraphe les manipulations que tu as effectuées, les résultats que tu as obtenus et la conclusion que tu as tirée de l'expérience. Qu'est-ce qui te permet de dire que le filament de l'ampoule n'est pas une résistance ohmique ?

**LIEN informatique**

Si tu as accès à un ordinateur, trace le graphique représentant les données que tu as recueillies en utilisant un tableur.

**Le savais-tu ?**

N'importe quelle mesure comporte une erreur. Lorsque tu traces un diagramme, tu peux indiquer que tu sais que les données ne sont pas exactes en dessinant un petit cercle (de 2 mm de diamètre) autour de chaque point.

**Omni TRUC**

Si tu as besoin de renseignements sur la façon de porter des points sur un plan cartésien, de tracer la droite la mieux ajustée ou de calculer la pente d'une droite, rends-toi à la page 587.

## Pause réflexion

Le tableau de symboles et d'unités que tu as construit dans ton journal scientifique devrait maintenant être complet. Il devrait contenir le symbole et l'unité de la charge, de l'énergie, du temps, du courant, de la différence de potentiel et de la résistance. S'il manque des données, ajoute-les maintenant. Ajoute aussi le symbole d'une source d'énergie variable à ta liste des symboles des composants d'un circuit.

## La conception des éléments utilisés dans les circuits

Les ingénieurs emploient leurs connaissances des caractéristiques des conducteurs pour concevoir des résistances et des fils conducteurs efficaces. Les quatre caractéristiques, ou facteurs, qui ont une influence sur la résistance d'un fil sont énumérées dans le tableau 10.4.

**Tableau 10.4** Facteurs déterminant la résistance d'un fil

| Facteur | Effet |
|---|---|
| longueur | La résistance *augmente* avec la longueur : si la longueur double, la résistance double. |
| aire de la section transversale du fil | La résistance *diminue* lorsque l'aire de la section augmente : si l'aire de la section double, la résistance diminue de moitié. |
| température | La résistance *augmente* lorsque la température augmente. |
| substance | À cause de la structure des atomes, les électrons se déplacent plus librement dans certains métaux. |

Certaines résistances sont faites de graphite ou d'un autre matériau faiblement conducteur, mais la plupart sont formées de longs fils minces, enroulés en spirale pour réduire leur taille.

Si l'on prévoit faire circuler un courant très fort dans un conducteur, on choisit un fil de gros diamètre pour réduire la résistance au minimum. C'est pourquoi le fil de raccordement d'une cuisinière est plus gros que le fil d'une bouilloire électrique. Dans les deux cas, le fil est fait de cuivre, ce métal étant bon conducteur. Cependant, les gros câbles sont formés de plusieurs fils entourés d'une gaine isolante.

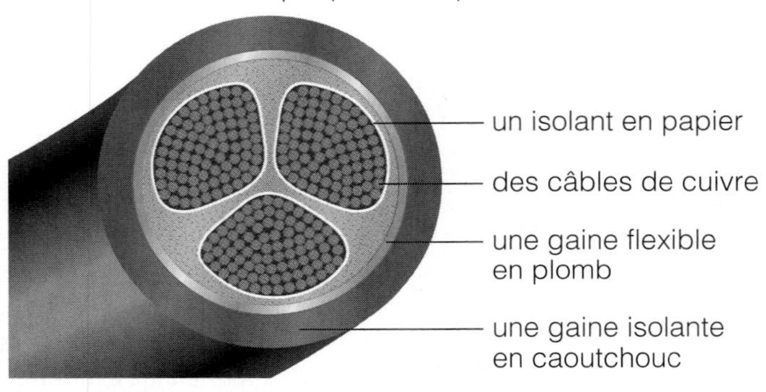


**Figure 10.10** Si le câble électrique était fait d'un seul fil de cuivre de gros diamètre, il serait très rigide. Les câbles électriques modernes sont composés de plusieurs fils de cuivre de faible diamètre, ce qui réduit la résistance du câble tout en augmentant sa flexibilité.

## Vérifie ce que tu as compris

1. Explique dans tes propres mots la signification de l'expression « résistance électrique ».
2. Quel quotient d'unités est égal à un ohm ?
3. Nomme trois caractéristiques d'un fil qui ont une influence sur sa résistance électrique.
4. **Mise en pratique** Un courant de 0,83 A circule dans une lampe lorsqu'on applique une différence de potentiel de 120 V à ses bornes. Quelle est la résistance de l'ampoule en ohms ?
5. **Mise en pratique** Si un courant de 6,8 A circule dans une résistance d'un chauffe-eau dont la valeur est de 32 Ω, quelle est la différence de potentiel aux bornes de la résistance ?
6. **Réflexion critique** Mathieu dit que, si la résistance d'un élément augmente, le courant qui circule dans cet élément augmente aussi. Angela lui répond que, si la résistance d'un élément augmente, le courant qui circule dans cet élément diminue. Selon toi, qui a raison : Mathieu ou Angela ? Explique ton choix.

# 10.4 Des charges puissantes

Quelles expressions emploie-t-on habituellement pour décrire la performance d'un athlète ? « As-tu vu avec quelle force il a frappé le ballon ? » « Elle met tellement d'énergie à patiner ! » « Elle a dû faire beaucoup de travail pour arriver à jouer aussi bien au ballon-panier. » « Il est certainement un des batteurs les plus puissants ! » Les termes « force », « énergie », « travail » et « puissance » sont plus ou moins équivalents lorsqu'on s'en sert pour décrire la performance d'un athlète. Cependant, en physique, chacun de ces termes a un sens bien précis et il est important d'utiliser chacun correctement. Tu as appris que deux charges électriques exercent l'une sur l'autre une force d'attraction ou de répulsion. Tu as aussi découvert qu'une batterie effectue un travail pour séparer les charges positives et négatives et leur communiquer de l'énergie. Mais qu'est-ce que l'énergie électrique exactement ?

**Le savais-tu ?**

Le célèbre ingénieur écossais James Watt (1736-1819) a augmenté l'efficacité de la machine à vapeur. Dans ses descriptions, il comparait la puissance de la machine à vapeur et de divers appareils à celle d'un cheval. Ainsi, il a appelé cheval-vapeur la puissance d'un cheval très fort. Un cheval-vapeur est égal à 746 W.

**Figure 10.11** Bien que les deux coureuses de tête dépensent une même quantité d'énergie pour aller de la ligne de départ à la ligne d'arrivée, la gagnante est plus puissante. On définit la puissance comme l'énergie dépensée pendant un certain intervalle de temps. La gagnante dépense la même quantité d'énergie que l'autre coureuse, mais dans un temps plus court ; elle a donc plus de puissance.

## Le temps et l'énergie

Dans toutes les branches de la physique, on définit la **puissance** comme l'énergie dépensée par unité de temps. Ainsi, la puissance électrique est la quantité d'énergie électrique convertie en chaleur, en lumière, en ondes sonores ou en mouvement en une seconde. On appelle aussi puissance électrique la quantité d'énergie électrique transportée d'un point à un autre, au moyen d'un câble de transmission, pendant un certain intervalle de temps.

On représente la puissance par le symbole *P*. La définition mathématique de la puissance est donnée par l'équation

$$P = \frac{E}{t} \qquad \text{Puissance} = \frac{\text{Énergie}}{\text{Unité de temps}}$$

Puisque l'unité d'énergie est le joule et que l'unité de temps est la seconde, la puissance s'exprime en joules par seconde. On a donné le nom de **watt** (W) au joule par seconde, en l'honneur de James Watt (1736-1819). Si la quantité d'énergie électrique qu'une ampoule convertit en lumière et en chaleur chaque seconde est de un joule, alors la puissance de cette ampoule est de un watt.

Il existe plusieurs méthodes pour calculer la puissance électrique. Si tu veux en connaître une, étudie la rubrique Nouveaux horizons de la page suivante.

On parle rarement d'énergie et de temps lorsqu'on décrit un circuit électrique. On emploie plutôt les termes différence de potentiel et courant. Il est donc utile de connaître une formule qui définit la puissance en fonction de ces deux grandeurs. On peut déduire une telle formule de la définition mathématique de la puissance électrique :

$$P = \frac{E}{t}$$

Rappelle-toi que la différence de potentiel est l'énergie par charge unitaire :

$$V = \frac{E}{Q}$$

En multipliant chaque membre de cette équation par $Q$, on obtient :

$$QV = \frac{QE}{Q} \text{ ou } E = QV$$

Puisque $E$ et $QV$ sont égaux, on peut remplacer $E$ par $QV$ dans la formule de la puissance, ce qui donne :

$$P = \frac{E}{t}$$
$$= \frac{QV}{t}$$

Te rappelles-tu avoir déjà vu le quotient $Q/t$ ? Ce rapport est égal au courant $I$ :

$$I = \frac{Q}{t}$$

On peut donc remplacer $Q/t$ par $I$ dans la formule du courant, ce qui donne finalement $P = IV$

Si l'on connaît les valeurs de la différence de potentiel appliquée aux bornes d'un dispositif électrique et celles du courant qui circule dans le dispositif, on peut donc calculer la puissance à l'aide de la formule $P = IV$. Le résultat obtenu est la quantité d'énergie, en joules, convertie en une autre forme d'énergie, en une seconde.

## Pause réflexion

Revois les unités et les symboles des grandeurs que tu viens de découvrir. Ajoute ces unités et ces symboles dans le tableau que tu as construit dans ton journal scientifique. Écris aussi dans ton journal la relation entre le watt, le joule et la seconde.

### Problème type

Un courant de 13,6 A circule dans un radiateur électrique branché à une prise de 110 V. Quelle est la puissance du radiateur ?

**Structurer**

$I$ = 13,6 V

$V$ = 110 V

**Mettre en évidence**

La puissance $P$, en watts (W), du radiateur

**Analyser**

Comme tu connais la différence de potentiel et le courant, emploie l'équation $P = IV$ pour calculer la puissance du radiateur.

**Résoudre**

$P = IV$
$= 13,6 \text{ A} \times 110 \text{ V}$
$= 1496 \text{ W}$
$= 1,50 \times 10^3 \text{ W}$

**Présenter**

Si un courant de 13,6 A circule dans un radiateur électrique branché dans une prise de courant qui fournit une différence de potentiel de 110 V, alors la puissance du radiateur est de $1,50 \times 10^3$ W. Peux-tu vérifier si la résistance du radiateur est d'environ 8,10 Ω ?

## L'estimation de la puissance

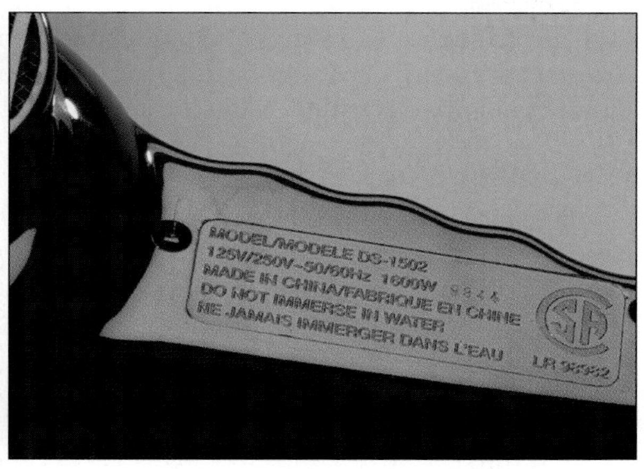


**Figure 10.12** Comment calcule-t-on l'intensité du courant qui circule dans le sèche-cheveux ou l'ampoule ?

La puissance de la plupart des appareils électriques, tels les ampoules, les sèche-cheveux et les bouilloires électriques, est écrite sur l'appareil. Cette valeur de la puissance indique quelle quantité d'énergie l'appareil emploie pour chaque seconde d'utilisation. Comment peut-on utiliser cette information pour calculer la quantité totale d'énergie utilisée par l'appareil durant un intervalle de temps donné ? La formule de la puissance est $P = \frac{E}{t}$. On peut isoler $E$ en multipliant chaque membre par $t$.

$$Pt = \frac{Et}{t} = \mathrm{E}$$

$$E = Pt$$

Pour déterminer la quantité d'énergie employée par l'appareil, on multiplie la puissance indiquée en watts par le temps, en secondes, pendant lequel on utilise l'appareil.

Énergie (en joules) = puissance (en watts) × temps (en secondes)

## Rien n'est parfait

L'appareil électrique idéal convertirait toute l'énergie qu'il consomme en énergie utile. Par exemple, un mélangeur électrique idéal convertirait toute l'énergie électrique dépensée en mouvement ; une ampoule idéale convertirait toute l'énergie électrique dépensée en lumière. Cependant, aucun appareil n'est parfait. Une partie de l'énergie électrique consommée par n'importe quel appareil est convertie en chaleur. Même les appareils électriques qui servent à produire de la chaleur ne sont pas efficaces à 100 %. Par exemple, une bouilloire électrique est conçue pour faire chauffer de l'eau. Mais une partie de l'énergie s'échappe à l'extérieur et ne chauffe pas l'eau. Même si aucun appareil électrique n'est totalement efficace, les ingénieurs s'efforcent de concevoir des appareils et des mécanismes les plus efficaces possible en maintenant leur coût à un niveau relativement bas.

On peut calculer l'efficacité d'un appareil électrique à l'aide de la relation suivante :

$$\text{Pourcentage de l'efficacité de l'appareil électrique} = \frac{\text{Rendement en énergie utile}}{\text{Valeur en énergie totale}} \times 100\,\%$$

Par exemple, le rendement en énergie utile d'une ampoule est la quantité d'énergie que l'ampoule convertit en lumière ; le rendement en énergie utile d'une bouilloire électrique est la quantité d'énergie que la bouilloire convertit en chaleur et qui sert effectivement à chauffer l'eau. Dans l'activité 10-D, tu vas déterminer l'efficacité d'une bouilloire électrique. Mais étudie d'abord le problème type ci-dessous.

## Problème type

La puissance d'une bouilloire est évaluée à 1000 W. La bouilloire met 4,00 min à élever la température de 600 mL (ou 0,600 kg) d'eau de 22,0 °C à 100 °C. Si la quantité d'énergie nécessaire pour chauffer l'eau est de $1,96 \times 10^5$ J (196 000 J), quelle est l'efficacité de la bouilloire ?

### Structurer

$P = 1000$ W
$t = 4,00$ min
Rendement en énergie utile = $1,96 \times 10^5$ J

### Mettre en évidence

L'efficacité de la bouilloire, en pourcentage

### Analyser

Il faut exprimer le temps en secondes parce que la puissance s'exprime en watts, et un watt est égal à un joule par seconde. On convertit donc d'abord les minutes en secondes.

La « valeur énergétique totale » est l'énergie électrique qu'utilise la bouilloire.

Pour calculer l'énergie totale que la bouilloire consomme, on utilise la formule $E = Pt$.

Pour trouver l'efficacité de la bouilloire, on utilise la formule suivante :

$$\text{Pourcentage de l'efficacité} = \frac{\text{Rendement en énergie utile}}{\text{Valeur énergétique totale}} \times 100\,\%$$

**LIEN mathématique**

Des chimistes ont démontré que la quantité d'énergie nécessaire pour élever la température de 1,00 kg d'eau de 1,00 °C est de 4180 J. Es-tu capable de vérifier, à l'aide de cette information, si la quantité d'énergie nécessaire pour élever la température de 0,60 kg d'eau de 22 °C à 100 °C (soit une augmentation de 78 °C) est de 196 000 J ?

### Résoudre

On convertit d'abord le temps en secondes.

$$t = 4,00 \cancel{\text{min}} \times \frac{60 \text{ s}}{\cancel{\text{min}}} = 240 \text{ s}$$

On calcule ensuite la quantité totale d'énergie que la bouilloire consomme.

$$\begin{aligned} E &= Pt \\ &= 1000 \text{ W} \times 240 \text{ s} \\ &= 240\,000 \text{ W} \bullet \text{s} \\ &= 2,40 \times 10^5 \text{ J} \end{aligned}$$

$$\text{Pourcentage de l'efficacité de l'appareil électrique} = \frac{\text{Rendement en énergie utile}}{\text{Valeur énergétique totale}} \times 100\,\%$$

$$\text{Pourcentage de l'efficacité} = \frac{1,96 \times 10^5 \text{ J}}{2,40 \times 10^5 \text{ J}} \times 100\,\% = 81,7\,\%$$

### Présenter

La bouilloire a une efficacité d'environ 81,7 % lorsqu'on élève la température de 600 mL d'eau de 22 °C à 100 °C.

# L'efficacité d'une bouilloire électrique

## Réfléchis

Un scientifique a fait les observations illustrées par les photos ci-contre et il a recueilli les données décrites dans les légendes sous les photos. À toi de déterminer l'efficacité de la bouilloire électrique. Tu as appris que la quantité d'énergie nécessaire pour élever la température de 1,00 kg d'eau de 1,00 °C est de 4180 J. La quantité d'énergie nécessaire pour élever la température de 1,00 kg d'eau de 26 °C à 70 °C (soit une augmentation de 44 °C) est donc de 44 × 4180 J, c'est-à-dire de $1,8 \times 10^5$ J. La quantité d'énergie nécessaire pour élever la température de 1,00 kg d'eau de 26 °C à 96 °C (soit une augmentation de 70 °C) est de 70 × 4180 J, c'est-à-dire de $2,9 \times 10^5$ J.

Mesure exactement 1,00 L (soit 1,00 kg) d'eau avec un cylindre gradué et verse cette eau dans une bouilloire électrique de 1500 W.

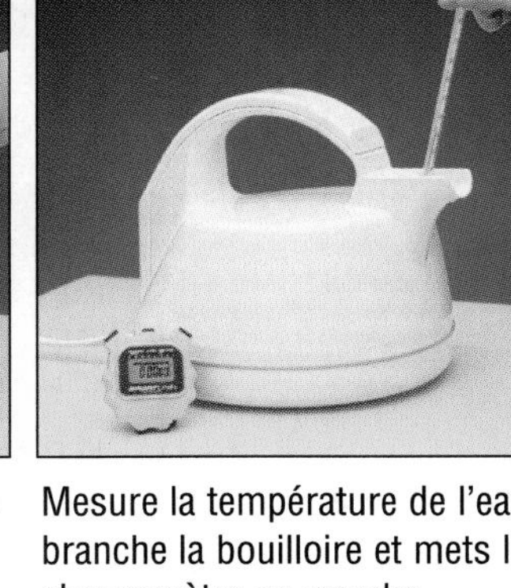

Mesure la température de l'eau, puis branche la bouilloire et mets le chronomètre en marche.

T = 26 °C ; t = 0 s

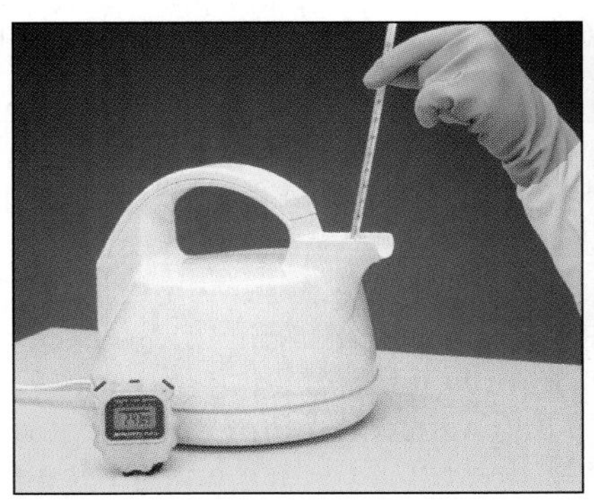

Après quelques minutes, lis le thermomètre et le chronomètre, puis note la température et le temps écoulé.

T = 70 °C ; t = 163 s

Dès que l'eau commence à bouillir, lis le thermomètre et le chronomètre, puis note la température et le temps écoulé. Débranche la bouilloire.

T = 96 °C ; t = 264 s

## Ce que tu dois faire

1. Construis un tableau pour noter tes observations. Inclus dans ce tableau toutes les données fournies dans les légendes des photos, de même que la quantité d'énergie nécessaire pour élever la température de 1,00 kg d'eau de 26 °C à 70 °C, et de 26 °C à 96 °C. Prévois assez d'espace pour noter les calculs de la quantité d'énergie totale consommée par la bouilloire et de l'efficacité du processus de conversion de l'énergie pour les deux variations de température.

2. Utilise l'évaluation de la puissance de la bouilloire et le temps nécessaire pour chauffer l'eau afin de calculer la quantité d'énergie nécessaire pour élever la température de l'eau :

   **a)** de 26 °C à 70 °C ; **b)** de 26 °C à 96 °C.

   Note les résultats que tu as obtenus dans ton tableau.

3. Utilise les résultats que tu as obtenus à l'étape 2 et les quantités d'énergie nécessaires pour chauffer l'eau pour calculer l'efficacité de la bouilloire électrique dans le cas où la température de l'eau est élevée :

   **a)** de 26 °C à 70 °C ; **b)** de 26 °C à 96 °C.

## Analyse

1. Compare l'efficacité de la bouilloire dans le cas des deux élévations de température. Si tu observes une différence, suggère une explication de la variation de l'efficacité.

2. Selon toi, existe-t-il un moyen de fabriquer une bouilloire électrique plus efficace ?

**Le savais-tu ?**

Le mégajoule est une unité employée pour mesurer de grandes quantités d'énergie. Le symbole du mégajoule est MJ. Un mégajoule est égal à un million de joules ($1 \text{ MJ} = 1 \times 10^6 \text{ J}$).

## La puissance des appareils ménagers

Le tableau 10.5 donne l'évaluation de la puissance de quelques appareils ménagers d'usage courant. La quantité approximative d'énergie que chaque appareil consomme en un an, dans une famille moyenne, est aussi indiquée. Vérifie si tu peux lire l'évaluation de la puissance sur un appareil que tu as chez toi.

### Consigne de sécurité

Si tu veux essayer de lire l'évaluation de la puissance sur un appareil, débranche d'abord l'appareil.

**Tableau 10.5** L'évaluation de la puissance de divers appareils et l'énergie consommée par ces appareils

| Appareil | Puissance $P$ (W) | Énergie consommée par année en moyenne $E$ (MJ) | Appareil | Puissance $P$ (W) | Énergie consommée par année en moyenne $E$ (MJ) |
|---|---|---|---|---|---|
| une sécheuse | 4356 | 3600 | un lecteur de disques comp. | 85 | 500 |
| un lave-vaisselle | 1200 | 1300 | un téléviseur couleur | 200 | 1600 |
| une cuisinière avec four | 12 200 | 4200 | une laveuse | 512 | 400 |
| un réfrigérateur | 615 | 6600 | un chauffe-eau | 2475 | 5000 |

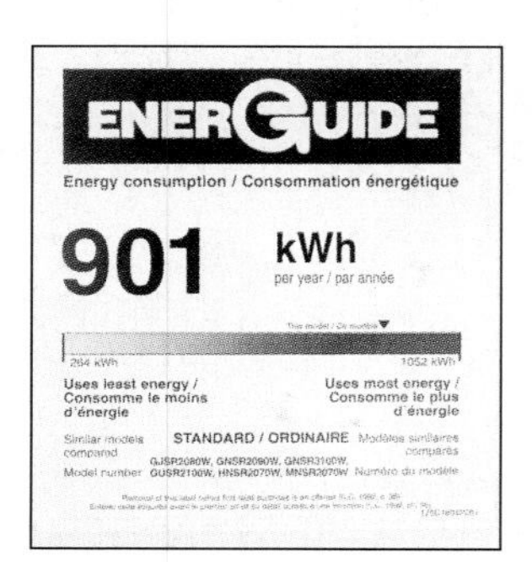


Figure 10.13

L'étiquette EnerGuide, comme celle de la figure 10.13, peut t'aider à faire un meilleur choix lors de l'achat d'un appareil électroménager. On trouve cette étiquette sur presque tous les gros appareils électriques comme les cuisinières, les réfrigérateurs, les laveuses, les sécheuses et les climatiseurs. Le nombre bien en évidence au centre de l'étiquette indique la consommation approximative de l'appareil sur une période d'un an. Sous ce nombre se trouve une barre portant deux autres nombres, un à chaque extrémité. Ces nombres indiquent la consommation annuelle de l'appareil de même catégorie le moins efficace (à gauche) et le plus efficace (à droite) actuellement sur le marché. Ces mesures sont établies par l'Association canadienne de normalisation.

**Pause réflexion**

Tu as appris plusieurs formules dans le présent chapitre. Écris les formules suivantes dans ton journal scientifique. Vérifie si tu sais quelle grandeur chaque symbole représente et si tu connais les unités de chaque grandeur.

$$R = \frac{V}{I}$$

$$V = I\,R$$

$$P = \frac{E}{t}$$

## Vérifie ce que tu as compris

1. Quelle est la relation entre l'énergie et la puissance ? Énonce ta réponse dans tes propres mots et au moyen d'un modèle mathématique.
2. Qu'est-ce que cela signifie lorsqu'on dit qu'une radio n'est pas efficace à 100 % ?
3. **Mise en pratique** L'évaluation de la puissance d'une machine à laver est de 512 W. Quelle quantité d'énergie cet appareil consomme-t-il durant un cycle de lavage de 30 min ?
4. **Mise en pratique** La quantité d'énergie électrique qu'un lecteur de disques compacts consomme en une heure est de 360 000 J. Quelle est la puissance de cet appareil en watts ?
5. **Mise en pratique** Une ampoule qui consomme 30 000 J d'énergie électrique émet 900 J d'énergie lumineuse. Quelle est le pourcentage de l'efficacité de cette ampoule ?
6. **Réflexion critique** L'évaluation de la puissance d'une laveuse est six fois celle d'un lecteur de disques compacts. Pourtant, dans une famille moyenne, l'énergie totale consommée en un an par la laveuse est inférieure à l'énergie totale consommée par le lecteur de disques. Es-tu capable d'expliquer ce fait ?

# RÉSUMÉ du chapitre 10

Tu arrives à la fin du chapitre 10. Essaie de faire ce qui est demandé ; si tu n'y arrives pas, retourne à la section indiquée entre parenthèses.

Nomme les composants de base d'un circuit électrique et décris la fonction de chaque composant. (10.1)

Dessine le schéma d'un circuit qui comprend les éléments nécessaires pour allumer et éteindre une ampoule. (10.1)

Décris, dans tes propres mots et au moyen d'un modèle mathématique, en indiquant les unités, la relation entre le courant et la charge. (10.1)

Explique comment il faut brancher un ampèremètre pour mesurer le courant dans un circuit. (10.1)

Explique la relation qui existe entre l'énergie et la différence de potentiel dans un circuit électrique. (10.2)

Explique de quelle façon varie l'énergie d'une charge électrique durant un tour complet dans un circuit simple. (10.2)

Explique la relation qui existe entre la différence de potentiel aux bornes d'une batterie et la différence de potentiel aux bornes d'un élément, comme une ampoule, dans un circuit simple. (10.2)

Explique comment il faut brancher un voltmètre à un circuit pour mesurer la différence de potentiel aux bornes d'un élément. (10.2)

Définis la résistance électrique et donne l'unité de cette grandeur. (10.3)

Nomme les quatre facteurs qui déterminent la résistance d'un fil. (10.3)

Décris, dans tes propres mots et au moyen d'un modèle mathématique, la relation qui existe entre la résistance ($R$), la différence de potentiel ($V$) aux bornes d'une résistance et le courant ($I$) qui circule dans cette résistance. (10.3)

Donne la signification de la loi d'Ohm. (10.3)

Explique la relation qui existe entre l'énergie et la puissance. (10.4)

Explique comment on peut utiliser l'évaluation de la puissance écrite sur un appareil électrique pour calculer la quantité d'énergie que cet appareil consomme durant un intervalle de temps donné. (10.4)

Explique la méthode de calcul de l'efficacité d'un appareil électrique. (10.4)

## Prépare ton propre résumé

Fais un résumé du présent chapitre sous l'une ou l'autre des trois formes suivantes. Dessine une représentation graphique (par exemple, un réseau conceptuel), une affiche ou résume le contenu du chapitre de manière à mettre en évidence les concepts principaux. Les idées suivantes pourront te servir de guide.

- Même si les électrons se déplacent très lentement dans un conducteur, une ampoule intégrée dans un circuit s'allume immédiatement dès qu'on ferme l'interrupteur. Explique ce phénomène.

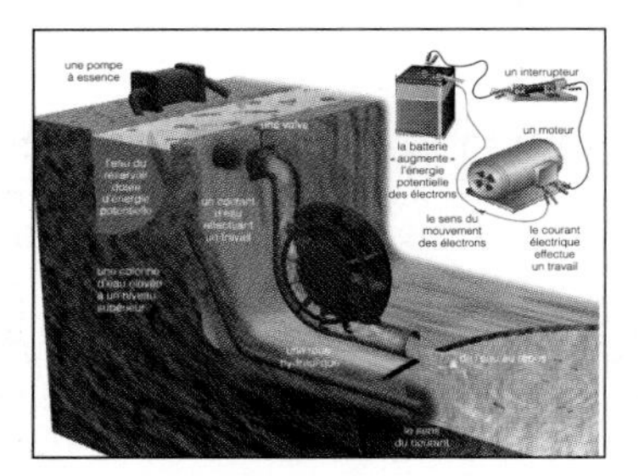


- Nomme les composants d'un circuit électrique qui remplissent un rôle semblable à celui de la pompe à essence, de la valve et de la roue hydraulique du moulin à eau représenté par le schéma. Explique pourquoi leur rôle est semblable.
- Explique l'importance du mot « différence » dans l'expression « différence de potentiel ».
- Comment mesure-t-on la résistance d'une résistance électrique à l'aide d'un ampèremètre et d'un voltmètre ?
- Explique pourquoi la lumière émise par une ampoule de 100 W est plus vive que la lumière émise par une ampoule de 25 W.
- Explique pourquoi l'efficacité d'une ampoule se situe généralement entre 5 et 10 %.

CHAPITRE

# 10 Révision

## Des termes à connaître

Complète chaque phrase en utilisant les mots clés donnés au début du chapitre. Si tu as besoin de revoir la signification de certains mots, retourne à la section indiquée entre parenthèses.

1. On appelle ▬▬▬▬▬ la quantité de charges électriques qui passent par un point durant une unité de temps. (10.1)
2. On appelle ▬▬▬▬▬ l'énergie par unité de charge. (10.2)
3. On appelle ▬▬▬▬▬ la partie d'une batterie où les électrons s'accumulent. (10.1)
4. On appelle ▬▬▬▬▬ le composant d'un circuit qui s'oppose au mouvement des charges. (10.3)
5. On appelle ▬▬▬▬▬ l'instrument qui sert à mesurer le courant dans un circuit. (10.1)
6. Dans ton cahier, associe chaque terme de la colonne A à l'unité appropriée de la colonne B. Tu peux employer chaque unité plusieurs fois ou ne pas l'employer du tout.

| A | B |
|---|---|
| • puissance (10.4) | • ohm |
| • courant (10.1) | • seconde |
| • résistance (10.3) | • watt |
| • différence de potentiel (10.2) | • joule |
| • charge (10.1) | • newton |
| • temps (10.1, 10.4) | • volt |
| • énergie (10.2, 10.4) | • coulomb |
| | • kilogramme |
| | • ampère |

## Des concepts à comprendre

Si tu as besoin de réviser certains concepts, retourne à la section indiquée entre parenthèses.

7. Donne la définition du courant, d'abord dans tes propres mots, puis en utilisant les symboles mathématiques. (10.1)
8. Quel appareil consomme le plus de courant : un grille-pain ou une lampe de bureau ? (10.1)
9. Quel est le rôle d'une batterie dans un circuit électrique ? (10.2)
10. Quelle unité est équivalente au joule par coulomb ? (10.2)
11. À l'aide de l'analogie avec un moulin à eau (figure 10.5), explique la fonction de chacun des composants suivants d'un circuit électrique : (10.2)
    **a)** une batterie
    **b)** un interrupteur
    **c)** un moteur
    **d)** des fils conducteurs
12. Explique la différence entre une résistance ohmique et une résistance non ohmique. (10.3)
13. Quel fil a la plus grande résistance : le filament d'une ampoule ou un fil conducteur en cuivre ? (10.3)
14. Quel effet la longueur d'un fil a-t-elle sur sa résistance ? (10.3)
15. Explique la différence entre les concepts de grandeur, de puissance et d'énergie. (10.4)
16. Quelle est la forme de l'énergie utile fournie par : a) une radio ? b) un mélangeur électrique ? c) un fer à repasser ? (10.4)

## Des habiletés à acquérir

17. **a)** Porte les points correspondant aux données du tableau ci-dessous dans un plan cartésien. Place les valeurs du courant sur l'axe horizontal et les valeurs de la différence de potentiel sur l'axe vertical.
    **b)** Trace la droite la mieux ajustée aux points du graphique.
    **c)** Calcule la pente de la droite.
    **d)** Donne la signification de la pente de la droite.

La différence de potentiel en fonction du courant

| **Différence de potentiel $V$ (V)** | 0,00 | 0,60 | 1,0 | 2,0 | 4,0 | 8,0 | 16 |
|---|---|---|---|---|---|---|---|
| **Courant $I$ (A)** | 0,00 | 0,03 | 0,05 | 0,10 | 0,20 | 0,40 | 0,80 |

18. Dessine un circuit qui indique comment il faut connecter un voltmètre pour mesurer la différence de potentiel aux bornes d'une ampoule.
19. Dessine un circuit qui indique comment il faut connecter un ampèremètre pour mesurer le courant qui circule dans une résistance.

**20.** **Réseau conceptuel** Écris les grandeurs électriques à l'intérieur d'un cercle, comme le montre la figure 10.14, où une relation mathématique parmi les trois grandeurs est donnée en exemple. Trouve quatre autres relations mathématiques qui lient trois des grandeurs mentionnées. Pour chaque relation, trace un triangle en plaçant chaque sommet vis-à-vis d'une des grandeurs liées par la relation et écris la formule mathématique à l'intérieur du triangle, comme dans l'exemple donné dans la figure. Emploie une couleur différente pour chaque triangle.

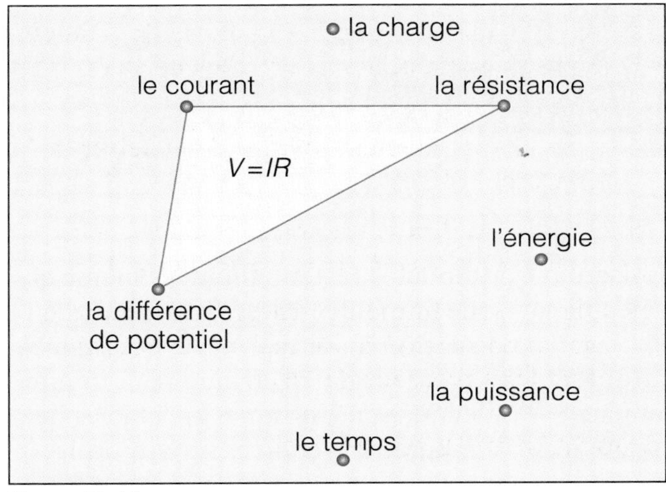


**Figure 10.14**

## Des problèmes à résoudre

**21.** Le moteur d'un réfrigérateur de 615 W fonctionne pendant 14 heures chaque jour. Quelle quantité d'énergie ce réfrigérateur consomme-t-il : **a)** en une journée ? **b)** en une année ?

**22.** La quantité d'énergie fournie par une pile pour faire fonctionner une radio portative pendant 30 min est de 810 J. Quelle est la puissance de cette radio ?

**23.** La résistance d'une ampoule est de 96,8 Ω. Quelle est l'intensité du courant qui circule dans l'ampoule lorsque celle-ci est branchée à une source d'énergie électrique de 120 V ?

**24.** Un courant de 0,50 A circule dans une ampoule lorsque la différence de potentiel entre ses bornes est de 120 V. Quelle est la résistance de cette ampoule ?

**25.** Un courant de 5,00 A circule dans le moteur d'un réfrigérateur branché à une prise murale (de 120 V). Quelle est la résistance de ce réfrigérateur ?

**26.** La résistance d'une lampe de poche est de 3,0 Ω. Quel courant circule dans cette lampe si celle-ci est alimentée par une pile de 1,5 V ?

**27.** Quelle quantité d'énergie consomme un lave-vaisselle de 1200 W qui fonctionne pendant 20 min ?

**28.** La résistance d'un téléviseur couleur est de 80 Ω. Quel courant circule dans ce téléviseur si celui-ci est branché à une prise murale (120 V) ?

## Réflexion critique

**29.** Tu as branché un fer à repasser au moyen d'une rallonge et tu as utilisé le fer durant une demi-heure. Tu te rends compte que la rallonge est chaude. Explique ce phénomène. Que dois-tu faire si tu veux continuer à repasser ?

**30.** Tu aimerais être capable d'ajuster la quantité de lumière émise par l'ampoule d'une lampe. Décris un moyen qui te permettrait de faire cet ajustement.

**31.** Selon toi, laquelle des deux méthodes suivantes est plus efficace pour chauffer de l'eau ? Explique ton choix.

**a)** Chauffer l'eau avec une bouilloire électrique

**b)** Chauffer l'eau sur la cuisinière

**32.** On dit qu'une lampe à halogène fournit autant de lumière qu'une ampoule ordinaire (filament de tungstène) dont la puissance est plus élevée. Comment cela est-il possible ?

### Pause réflexion

1. Relis tes réponses aux questions de la rubrique Pour commencer… que tu as écrites dans ton journal scientifique. Ces réponses te paraissent-elles toujours exactes ? Sinon, corrige-les.
2. Quel est le concept le plus intéressant que tu aies appris dans ce chapitre ? Écris un paragraphe à propos de ce concept.

CHAPITRE

# 11 L'utilisation de

## Pour commencer...

- Quand tu mets sous tension un trop grand nombre d'appareils électriques, pourquoi certaines ampoules et certaines prises de courant fonctionnent-elles et d'autres pas ?
- Comment un gradateur fonctionne-t-il ?
- Comment un fusible ou un disjoncteur protège-t-il ta maison contre les incendies ?
- Quels moyens peut-on prendre pour économiser l'électricité ?

## Journal scientifique

Lis les questions ci-dessus. Compare tes idées aux idées des autres élèves de ta classe. Écris tes idées dans ton journal scientifique. Tu pourras vérifier tes réponses à mesure que tu lis ce chapitre. Si tu te rends compte que certaines de tes réponses sont fausses, corrige-les dans ton journal scientifique.

Depuis que Thomas Edison a inventé la première ampoule électrique utilisable, les gens sont fascinés par les lumières électriques. Les lumières du centre communautaire de la photo ci-dessus souhaitent la bienvenue aux visiteurs de cette nouvelle subdivision, et ce, tout au long de l'année. On utilise des guirlandes électriques pour décorer les cours, les vitrines des magasins et nombre de lieux publics.

Pourquoi les guirlandes électriques sont-elles plus à la mode qu'il y a 20 ou 30 ans ? Si tu avais essayé d'utiliser les ampoules qui étaient sur le marché à cette époque, tu pourrais répondre à cette question assez facilement. Dans les anciennes guirlandes, si une ampoule grillait, toutes les autres ampoules s'éteignaient. On devait alors retirer et remplacer toutes les ampoules pour trouver l'ampoule qui avait brûlé ! Quel travail ! Quelle est la différence entre les anciennes guirlandes et les nouvelles guirlandes électriques, où les ampoules restent allumées même si une ampoule grille ? Tu le sauras en lisant ce chapitre.

L'énergie électrique peut donner lieu à de magnifiques spectacles de lumière. Par contre, si on n'utilise pas l'énergie électrique correctement, cette énergie peut entraîner des incendies catastrophiques. Comment le câblage électrique peut-il causer un incendie ? Comment des mesures de protection et un câblage adéquats peuvent-ils prévenir des catastrophes, comme les incendies et les chocs électriques ? Même quand l'électricité ne provoque pas de désastre, elle coûte de l'argent. Comment calcule-t-on le coût de l'énergie électrique ? Quels moyens peut-on prendre pour économiser l'électricité ? Dans ce chapitre, tu étudieras les circuits électriques qu'on trouve à la maison. Tu examineras aussi de quelles façons on peut économiser les précieuses ressources que nous utilisons pour produire de l'électricité.

# l'électricité

de départ

## Baisse la lumière

Comment un appareil électrique peut-il influer sur un autre appareil électrique ? Quel est le meilleur moyen de connecter plus d'une ampoule électrique à un autre appareil électrique dans un circuit ?

### Ce dont tu as besoin

une pile (6 V)
deux ampoules de lampe de poche (6 V)
un potentiomètre (avec une résistance variable)
un interrupteur
sept fils de connexion

### Ce que tu dois faire

1. Connecte les deux ampoules électriques, le potentiomètre et l'interrupteur à la pile l'un après l'autre, comme sur le schéma A. Sur l'illustration, le symbole de la résistance traversé d'une flèche représente le potentiomètre.

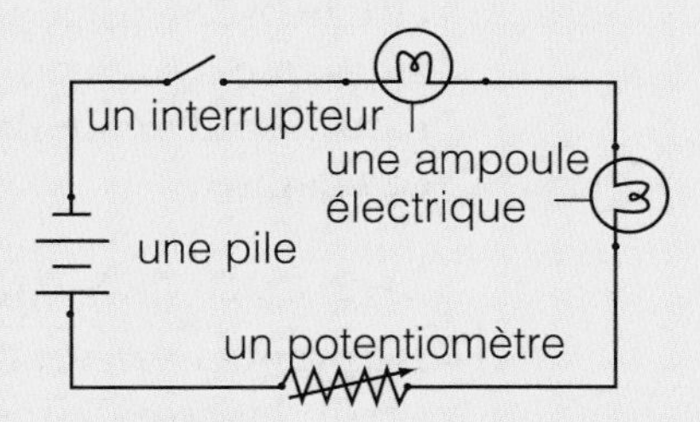


**Schéma A**

2. Demande à ton enseignante ou à ton enseignant de vérifier ton circuit. Ferme l'interrupteur. Change la résistance en tournant le bouton du potentiomètre dans le sens des aiguilles d'une montre, puis dans le sens contraire des aiguilles d'une montre. Observe les effets sur la luminosité des ampoules électriques. Ouvre l'interrupteur.
3. Dévisse l'une des ampoules électriques et ferme l'interrupteur. Observe les effets sur l'autre ampoule électrique. Ouvre l'interrupteur.
4. Connecte de nouveau les ampoules électriques, le potentiomètre et l'interrupteur, comme sur le schéma B.

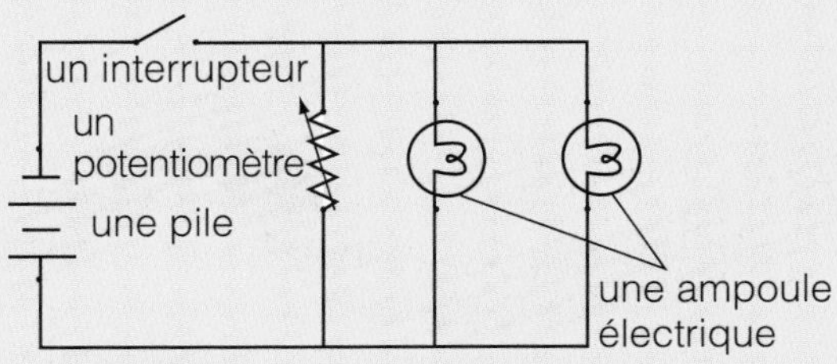


**Schéma B**

5. Recommence les étapes 2 et 3.

### Qu'as-tu découvert ?

Quelle méthode de connexion est préférable pour les circuits de la maison ? Explique comment tu as fait ton choix.

## Concepts clés

Dans ce chapitre, tu découvriras :

- la différence entre les circuits en série et les circuits en parallèle ;
- la différence de potentiel entre les circuits en série et les circuits en parallèle, et les caractéristiques du courant dans ces deux types de circuits ;
- la signification de la résistance équivalente d'un circuit ;
- comment déterminer le coût d'exploitation d'un appareil électrique ;
- le fonctionnement d'un disjoncteur ;
- comment économiser l'énergie électrique ;
- les composants des circuits de ta maison.

## Habiletés clés

Dans ce chapitre :

- tu connecteras les charges d'un circuit en série et d'un circuit en parallèle à partir du schéma d'un circuit ;
- tu détermineras la résistance équivalente d'un circuit en série et d'un circuit en parallèle ;
- tu détermineras l'efficacité des ampoules incandescentes.

## Mots clés

- circuit en série
- circuit en parallèle
- fusible
- disjoncteur
- résistance équivalente
- kilowatt-heure
- court-circuit

# 11.1 L'utilisation des circuits

Tu as fait plusieurs expériences dans lesquelles tu as connecté une ampoule électrique ou une résistance à une pile et tu as observé certaines des caractéristiques d'un circuit. Dans tous les cas, à l'exception de la dernière Activité de départ, tu as utilisé une source d'énergie et la charge d'un circuit électrique. Mais ce n'est pas très pratique d'avoir une source d'énergie distincte pour chaque appareil électrique. Chez toi, les lampes, le téléviseur, la cuisinière, le réfrigérateur, l'ordinateur et nombre d'autres appareils sont alimentés par la même source d'énergie électrique. Pourtant, chaque appareil semble fonctionner indépendamment des autres. La mise sous tension d'un appareil influe-t-elle sur la quantité de courant qui alimente un autre appareil ou sur la différence de potentiel ? Comment les circuits sont-ils connectés pour qu'on puisse mettre un appareil sous tension alors que les autres appareils sont hors tension ? Tu as trouvé quelques réponses dans l'Activité de départ. Tu trouveras d'autres réponses sur les circuits dans ce chapitre.

## Les charges qui se déplacent sur une seule boucle

Le premier circuit que tu as connecté dans l'Activité de départ est un **circuit en série**. Dans un circuit en série, le courant emprunte un seul chemin. Tu pourrais comparer un circuit en série à une piste de course comprenant plusieurs virages dangereux. Toutes les voitures font le plein d'essence au poste de ravitaillement et se déplacent sur une boucle fermée, comme sur la figure 11.1.

Contrairement aux voitures, les électrons ne peuvent s'accumuler à un endroit du circuit. Comme tu l'as appris au chapitre 10, chaque électron pousse l'électron qui le précède, ce qui entraîne un flux électrique régulier et circulant avec fluidité. Par conséquent, le courant à n'importe quel point du circuit en série est exactement identique au courant à n'importe quel autre point du circuit. Les charges qui constituent le flux du courant passent d'une charge du circuit électrique, comme une ampoule électrique, à une autre charge du circuit électrique. Les charges passent à travers toutes les charges du circuit électrique avant de retourner à la source d'énergie pour être de nouveau alimentées.

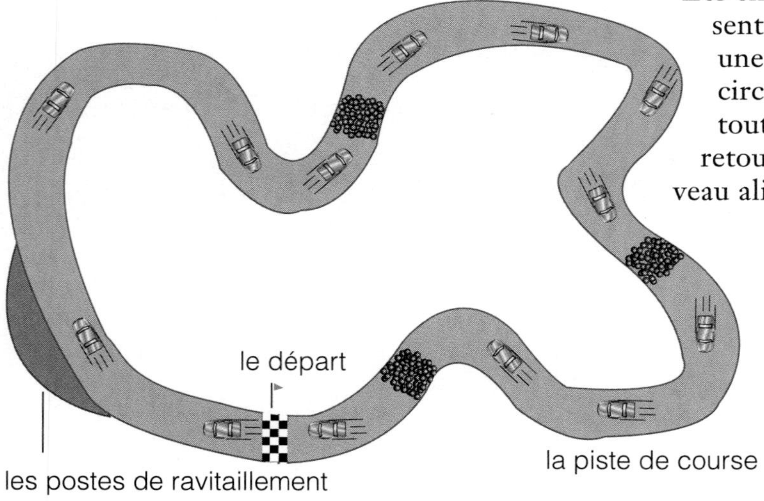

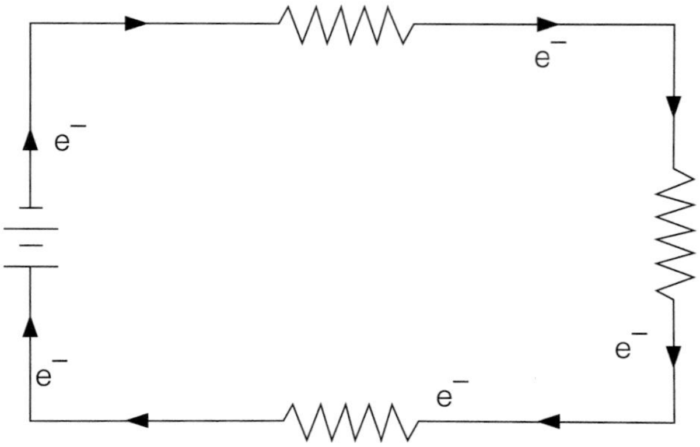

**Figure 11.1** Chaque voiture qui se trouve sur la piste suit le même chemin. Les voitures sont comme les électrons d'un circuit en série.

## Les charges qui se déplacent sur des boucles à embranchements

Le deuxième circuit que tu as branché dans l'Activité de départ est un **circuit en parallèle**. Un circuit en parallèle ressemble plus aux rues d'une ville qu'à une piste de course. Les voitures peuvent emprunter plusieurs chemins. Chaque chemin a ses virages dangereux et ses zones étroites. Un chemin peut être une autoroute à six voies alors qu'un autre chemin sera une rue à deux voies. Mais, en fin de compte, toutes les voitures doivent s'arrêter dans une station-service pour refaire le plein d'énergie. Dans un circuit en parallèle, les charges se déplacent autour de deux boucles ou plus. Après avoir quitté la source d'énergie, les charges atteignent un embranchement. Certaines charges prennent un chemin alors que d'autres charges prennent un autre chemin. Comme des voitures sur une autoroute et des voitures dans une rue transversale, le courant dans un circuit parallèle n'est pas identique à tous les points du circuit. Néanmoins, toutes les charges retournent à la source d'énergie pour être de nouveau alimentées, après avoir emprunté différents chemins du circuit.

Comment des boucles simples et des embranchements multiples influent-ils sur la résistance au flux du courant? En quoi la résistance au flux du courant dans un circuit en série est-elle différente de la résistance au flux du courant dans un circuit en parallèle? L'expérience suivante te permettra de te faire une idée de la résistance dans différents types de circuits.

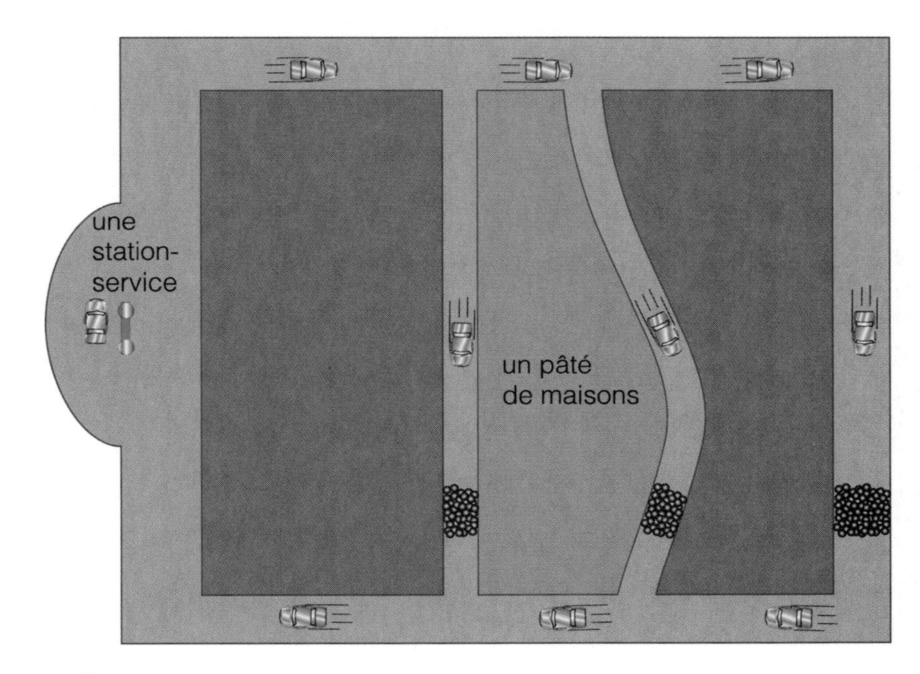


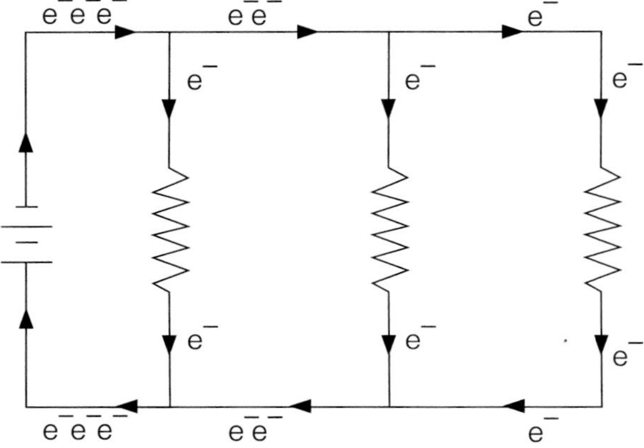


**Figure 11.2** Les voitures qui se déplacent en ville sont comme des électrons dans un circuit en parallèle. Ces voitures peuvent emprunter plusieurs chemins.

# « Sens » la résistance

Tu peux comparer la résistance à l'air qui passe dans un tube à la résistance au courant dans un circuit. Dans cette expérience, tu vas vérifier la résistance à l'air de plusieurs combinaisons de tubes et de pailles. Tu utiliseras tes résultats pour faire des prévisions sur les circuits électriques en série et en parallèle. Tu voudras peut-être réviser les facteurs qui influent sur la résistance d'un câble. Pour ce faire, consulte le tableau 10.4 (page 342).

## Problème à résoudre

Si tu connectes des tubes identiques côte à côte (en parallèle), ce dispositif va-t-il faciliter ou freiner le flux de l'air ? Comment la connexion bout à bout (en série) d'un tube de diamètre moyen et d'un tube de petit diamètre va-t-elle se répercuter sur les résultats ? Réfléchis à ces questions et partage tes idées avec un ou une élève de ta classe, puis fais l'activité pour mettre tes idées à l'essai.

### Consignes de sécurité

- Fais attention quand tu utilises des ciseaux.
- Utilise uniquement des pailles et des bâtonnets à mélanger qui n'ont jamais servi.
- N'aspire pas d'eau avec les pailles.

### Matériel non réutilisable

onze agitateurs à café munis d'une ouverture de petit diamètre
trois pailles de diamètre moyen
une paille de grand diamètre
du ruban adhésif
de l'eau

### Matériel

un bécher
des ciseaux

## Marche à suivre

1. Fais un tableau comme le tableau ci-dessous pour consigner tes données.
2. Coupe toutes les pailles pour qu'elles aient la même longueur que les agitateurs à café.
3. Commence avec un seul agitateur à café. Plonge l'agitateur à café sous l'eau sur une longueur de 1 cm. Souffle doucement dans l'agitateur à café pour faire des bulles dans l'eau, comme sur la photo.

Résistance à l'air

| Configuration du tube | Est-ce facile de souffler ? (non, moyennement, oui) | Rapidité du flux de l'air (grande, moyenne, faible) | Résistance au flux de l'air (forte, moyenne, faible) |
|---|---|---|---|
| un agitateur à café | | | |
| une paille de diamètre moyen | | | |
| une paille de grand diamètre | | | |
| quatre agitateurs à café en série | | | |
| quatre agitateurs à café en parallèle | | | |
| un agitateur à café et une paille de diamètre moyen en série | | | |
| un agitateur à café et une paille de diamètre moyen en parallèle | | | |

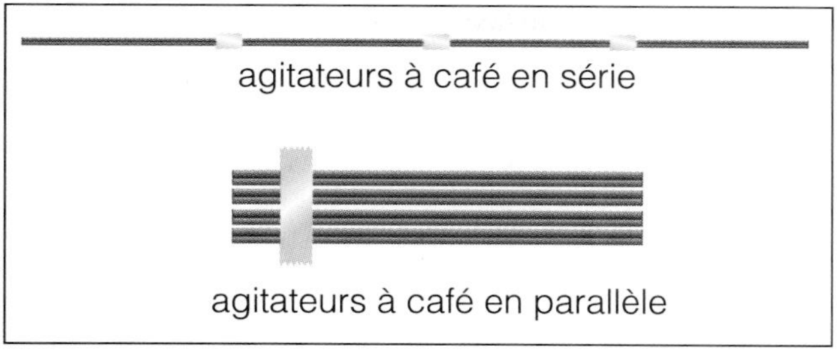


**Schéma A**

agitateur à café et paille de diamètre moyen

agitateur à café en parallèle et paille de diamètre moyen

**Schéma B**

4. Ensuite, utilise une paille de diamètre moyen. Plonge l'extrémité de la paille (1 cm) dans l'eau et souffle doucement dans la paille, comme à l'étape 3. Recommence avec une paille de grand diamètre.
5. Compare a) la facilité avec laquelle tu peux souffler, b) la rapidité du flux d'air et c) la résistance des trois types de tubes au flux d'air. Consigne tes résultats dans le tableau.
6. Utilise du ruban-cache pour assembler quatre agitateurs à café en série et quatre agitateurs à café en parallèle, comme sur le schéma A. Assure-toi que les joints sont étanches et qu'ils ne laissent pas passer d'air.
7. Plonge l'extrémité des agitateurs à café en série (1 cm) dans l'eau et souffle doucement dedans. Recommence avec les agitateurs à café en parallèle. Reprends l'étape 5 pour les deux combinaisons d'agitateurs.
8. Avec du ruban-cache, assemble un agitateur à café et une paille de diamètre moyen en série et en parallèle, comme sur le schéma B. Assure-toi que les joints sont étanches et qu'ils ne laissent pas passer d'air.
9. Plonge l'extrémité des tubes en série (1 cm) dans l'eau et souffle doucement dedans. Recommence avec les tubes en parallèle. Reprends l'étape 5 pour les deux combinaisons.
10. Jette tous les agitateurs et les pailles à la poubelle et lave-toi les mains.

## Analyse

1. Pourquoi était-il important de couper toutes les pailles à la même longueur que les agitateurs à café ?
2. Lequel des trois tubes a la plus grande résistance à l'air ?
3. Est-ce la combinaison en série (bout à bout) ou la combinaison en parallèle (côte à côte) des quatre agitateurs à café munis d'une ouverture de petit diamètre et des deux pailles de différents diamètres qui présente la plus grande résistance à l'air ?

## Conclusion et mise en pratique

4. Pour utiliser le modèle des « tubes d'air » en vue de faire des prédictions sur les circuits électriques, l'arrangement du modèle doit être le même que celui de la résistance électrique des câbles au courant. Explique comment ta réponse à la question 2 te permet de t'assurer que les tubes sont de bons modèles. Indice : Consulte l'information sur les facteurs qui influent sur la résistance des câbles (voir le tableau 10.4, page 342).
5. Utilise ta réponse à la question 3 pour prédire quel circuit électrique aura la plus grande résistance d'ensemble au flux du courant, un ensemble de résistances en série ou en parallèle.

NOUVEAUX horizons

Certaines personnes comprennent mieux les concepts quand ils sont exprimés en mots. D'autres personnes les comprennent mieux quand ils sont exprimés sous forme d'équations et plusieurs personnes ont besoin d'un schéma pour visualiser un concept. La meilleure solution consiste à combiner ces trois possibilités. Examine les schémas, les équations nominatives et les équations symboliques, et essaie de synthétiser ces équations. Y a-t-il une méthode qui te permet de mieux comprendre le concept ?

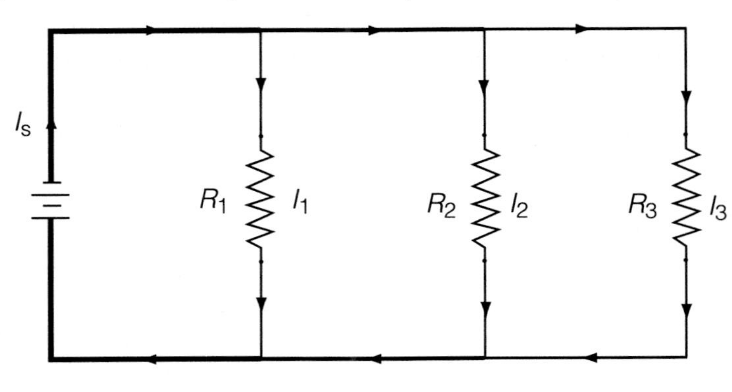


$I_S = I_1 + I_2 + I_3$

La somme de courant qui passe dans les trois résistances est identique au courant qui entre dans la source et au courant qui quitte la source.

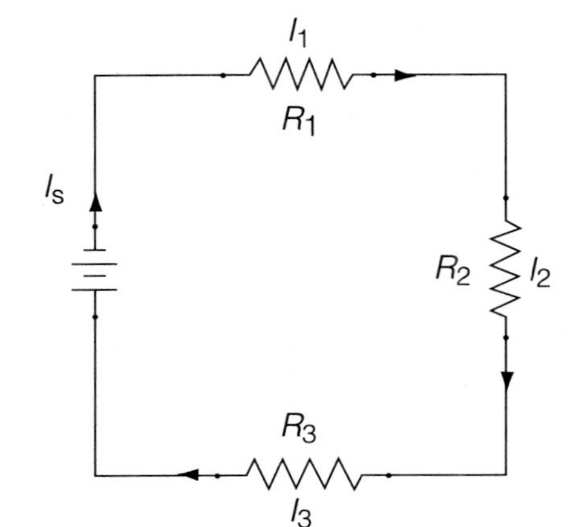


$I_S = I_1 = I_2 = I_3$

Le courant qui passe dans chacune des trois résistances est exactement le même que celui qui entre dans la source et qui la quitte.

**Pause réflexion**

Dans ton journal scientifique, trace un tableau résumant les caractéristiques des circuits en série et des circuits en parallèle. Fais deux colonnes. Une colonne portera le titre « Circuits en série » et l'autre colonne portera le titre « Circuits en parallèle ». Sous chaque titre, écris un résumé des caractéristiques du courant dans chaque type de circuit. Laisse de la place pour les renseignements supplémentaires que tu découvriras probablement sur ces circuits.

As-tu trouvé la réponse à la question posée dans l'introduction sur la différence entre les anciennes guirlandes électriques et les guirlandes électriques actuelles ? Si tu as conclu que les anciennes guirlandes électriques étaient raccordées en série et que les guirlandes électriques actuelles sont raccordées en parallèle, tu as raison. Tu connais déjà l'une des propriétés essentielles des circuits en série et des circuits en parallèle.

## Vérifie ce que tu as compris

1. Définis l'expression « circuit en série ».
2. Trace le schéma d'un circuit en série qui se compose de trois ampoules électriques, d'un interrupteur et d'une pile.
3. Définis l'expression « circuit en parallèle ».
4. Trace le schéma d'un circuit. Commence par une pile et un interrupteur. Ajoute ensuite trois ampoules en parallèle.

# 11.2 La comparaison des circuits

Dans l'Activité de départ, tu as découvert que les caractéristiques des circuits en série et des circuits en parallèle étaient assez différentes. Dans un circuit en série, les changements d'un composant du circuit ont une influence beaucoup plus grande sur le rendement des autres composants que dans un circuit en parallèle. Pour expliquer plus en détail ces différences, tu dois savoir ce qui arrive à la différence de potentiel et au courant dans ces deux types de circuits.

Dans la prochaine expérience, tu vas étudier l'intensité du courant entre chaque charge du circuit électrique ainsi que les différences de potentiel aux bornes de chaque charge du circuit en série et du circuit en parallèle. Tu pourras ensuite synthétiser cette information et expliquer comment ces deux types de circuits fonctionnent.

## Faire les bonnes connexions

Quel est le meilleur moyen de brancher des appareils électriques à la maison ou au bureau ? Imagine que des appareils comme un grille-pain, un four à micro-ondes, un téléviseur et une lampe sont branchés sur un circuit en série. Si tu mets le grille-pain sous tension, la lampe sera moins lumineuse. Si tu fais du maïs soufflé dans le four à micro-ondes, les images du téléviseur seront moins claires. Si l'ampoule de la lampe grille, tous les appareils électriques vont cesser de fonctionner. L'ajout d'un plus grand nombre de composants à un circuit en série change la différence de potentiel de tous les composants qui sont déjà branchés sur le circuit. C'est pourquoi les circuits en série ne sont pas adaptés pour la maison. Pour que les appareils électroménagers fonctionnent bien, la différence de potentiel doit être stable. Seul un circuit en parallèle peut offrir cette stabilité.

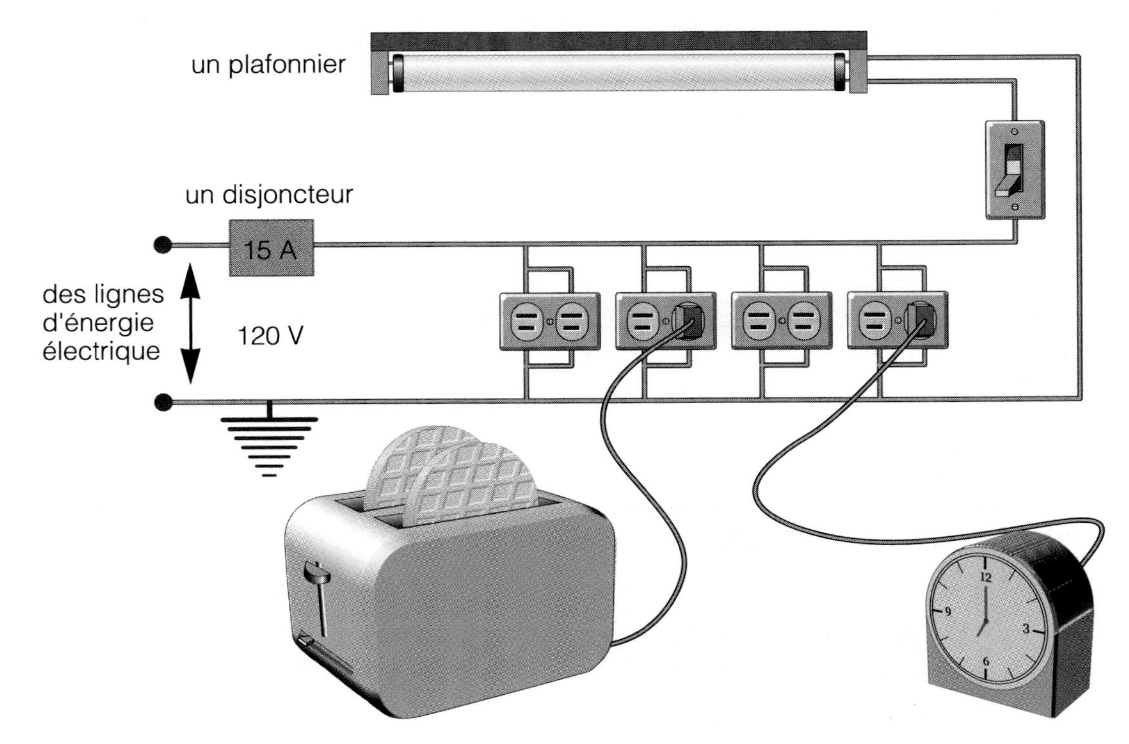


**Figure 11.3** Les compagnies d'électricité approvisionnent ta maison en courant de 120 V ou de 240 V. La plupart des appareils utilisent du 120 V. Quelques-uns, comme les cuisinières électriques, exigent du 240 V.

RÉALISE UNE EXPÉRIENCE 11-B

# Les propriétés des circuits en série et des circuits en parallèle

Dans le chapitre 10, tu as appris que la résistance d'une ampoule électrique variait selon que l'ampoule se réchauffe ou se refroidit. Les ampoules électriques ne sont pas des résistances ohmiques parce que la résistance change avec la température. Lorsque tu fais une étude détaillée du courant et de la différence de potentiel des circuits, tu ne veux pas que la résistance d'un composant du circuit change quand une plus grande quantité de courant passe dans ce composant. Par conséquent, dans cette expérience, tu utiliseras des résistances radio parce que ce sont des résistances ohmiques. Si tu ne te rappelles pas la signification de l'expression «résistance ohmique», retourne à la page 338 et révise les propos qui s'y trouvent.

Qu'arrive-t-il au courant qui passe dans une résistance et à la différence de potentiel aux bornes de cette résistance quand on raccorde d'autres résistances en série à la première résistance ? Qu'arrive-t-il à la quantité de courant qui passe dans une résistance et à la différence de potentiel aux bornes de cette résistance quand on raccorde d'autres résistances en parallèle à la première résistance ? Fais des prédictions et observe ensuite les instructions de ton enseignante ou de ton enseignant. Ton enseignante ou ton enseignant va probablement choisir de faire cette expérience avec toute la classe. Elle ou il demandera à chaque élève de faire certaines des connexions. Tout le monde consignera les données de la classe.

### Consigne de sécurité

Observe attentivement les instructions ci-dessous.

### Matériel

un ampèremètre
une pile (6 V)
huit câbles de raccord
trois résistances radio
un interrupteur
un voltmètre

### Partie 1

## Les circuits en série

### Problème à résoudre

Qu'arrive-t-il au courant et à la différence de potentiel si l'on raccorde de plus en plus de résistances en série ?

### Marche à suivre

1. Dresse un tableau comme le tableau ci-contre pour consigner tes données.

2. Raccorde le circuit du schéma A. Assure-toi que l'ampèremètre est raccordé en série avec la résistance et que le voltmètre est raccordé en parallèle avec la résistance. Ferme l'interrupteur.

3. Relève le courant dans le circuit et la différence de potentiel de la résistance, et consigne ces données. Appelle-la résistance n° 1.

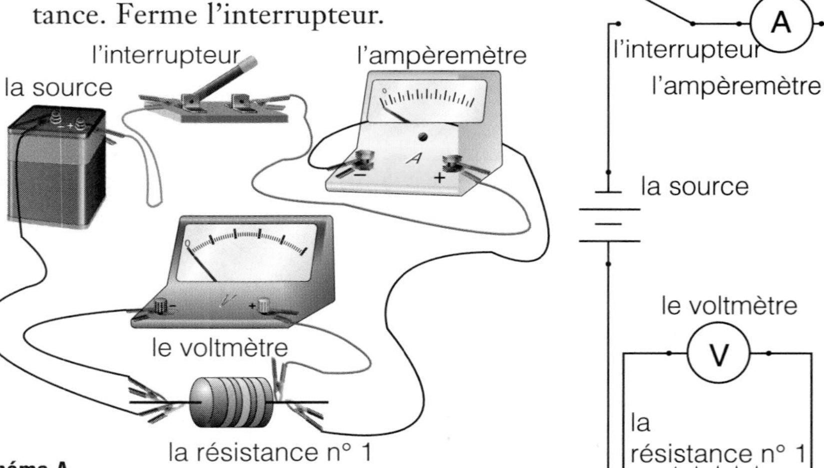


**Schéma A**

Courant et différences de potentiel dans un circuit en série

| Nombre de résistances raccordées | Courant dans le circuit, $I$ (A) | Différence de potentiel $V$ (V) | | | |
|---|---|---|---|---|---|
| | | à la source | aux bornes de la résistance | | |
| | | | 1 | 2 | 3 |
| 1 | | | | | |
| 2 | | | | | |
| 3 | | | | | |

Consigne la valeur de la différence de potentiel sur chaque ligne correspondant à la rubrique « Différence de potentiel à la source ».

4. Ouvre l'interrupteur. Raccorde une deuxième résistance en série à la première résistance, comme sur le schéma B. Ferme l'interrupteur. Relève et consigne le courant dans le circuit et la différence de potentiel de la résistance nº 1, avec la deuxième résistance en place.

5. Ouvre l'interrupteur. Débranche le voltmètre de la résistance nº 1 et connecte le voltmètre à la résistance nº 2. Ferme l'interrupteur. Relève et consigne la différence de potentiel.

6. Ouvre l'interrupteur. Raccorde une troisième résistance en série aux deux premières résistances, comme sur le schéma C. Ferme l'interrupteur. Relève et consigne le courant qui passe dans le circuit et la différence de potentiel de la résistance nº 2, avec les trois résistances en place.

7. Ouvre l'interrupteur. Débranche le voltmètre de la résistance nº 2 et raccorde le voltmètre à la résistance nº 3. Ferme l'interrupteur. Relève et consigne la différence de potentiel.

8. Ouvre l'interrupteur. Débranche le voltmètre de la résistance nº 3 et raccorde le voltmètre à la résistance nº 1. Ferme l'interrupteur. Relève et consigne la différence de potentiel, avec les trois résistances en place.

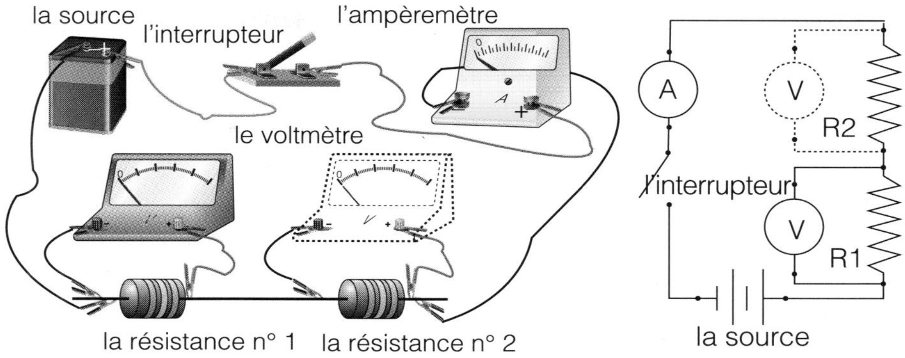

**Schéma B**

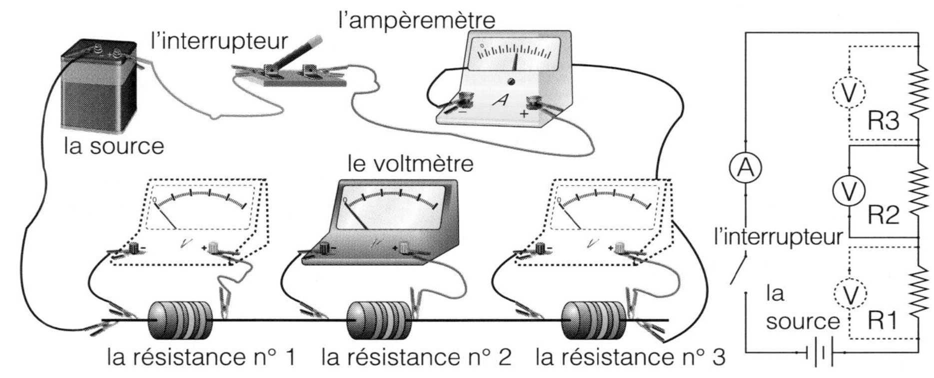

**Schéma C**

9. Conserve les données dans ton tableau pour utiliser ces données dans une autre activité.

## Analyse

1. Quand on raccorde d'autres résistances en série à la première résistance, qu'arrive-t-il
   a) au courant dans le circuit ?
   b) à la différence de potentiel de chaque résistance ?
2. Pourquoi était-il pertinent d'utiliser le premier relevé de la différence de potentiel de la résistance nº 1 pour établir la différence de potentiel à la source ?
3. Examine les différences de potentiel des trois résistances en série et la différence de potentiel à la source. Quelle relation y a-t-il entre ces valeurs ?

## Conclusion et mise en pratique

4. Écris une équation nominative indiquant la relation entre le courant qui quitte la source et le courant qui passe dans chaque résistance.
5. Écris une équation nominative indiquant la relation entre la différence de potentiel à la source et la différence de potentiel de chaque résistance.

## Partie 2
# Les circuits en parallèle

### Consigne de sécurité

Observe attentivement les instructions ci-dessous.

### Problème à résoudre

De quelle façon le courant et la différence de potentiel changent-ils quand on branche un plus grand nombre de résistances en parallèle ?

### Marche à suivre

1. Dresse un tableau comme le tableau ci-dessous pour consigner tes données.

Courant à la source dans un circuit en parallèle

| Nombre de résistances | Courant, *I*, à la source |
|---|---|
| 1 | |
| 2 | |
| 3 | |

2. Raccorde le circuit en parallèle, comme sur le schéma D. Laisse tous les interrupteurs ouverts.
3. Ferme l'interrupteur n° 1. Relève et consigne le courant. Le courant passe uniquement dans la résistance n° 1.
4. Ferme l'interrupteur n° 2. Le courant passe ainsi dans la résistance n° 2 et dans la résistance n° 1. Relève et consigne le courant.
5. Ferme l'interrupteur n° 3. Le courant passe ainsi dans les trois résistances. Relève et consigne le courant.
6. Ouvre l'interrupteur n° 1 et débranche l'ampèremètre.
7. Dresse un tableau comme le tableau ci-dessous pour consigner tes données.

Courant qui passe dans les résistances raccordées en parallèle et différence de potentiel des résistances

| Numéro des résistances en parallèle | Courant, *I*, dans la résistance | Différence de potentiel, *V*, aux bornes de la résistance |
|---|---|---|
| 1 | | |
| 2 | | |
| 3 | | |

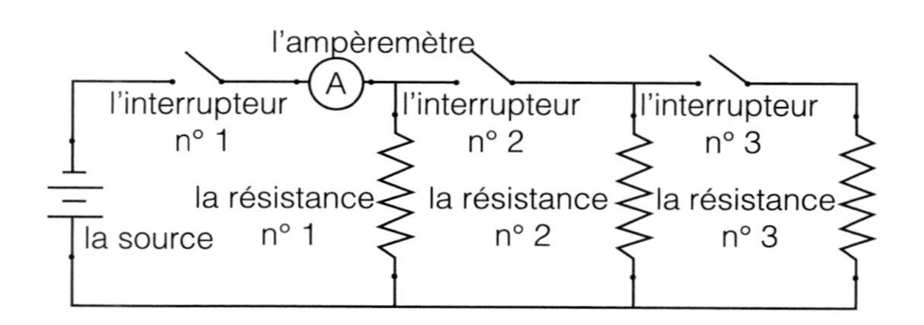


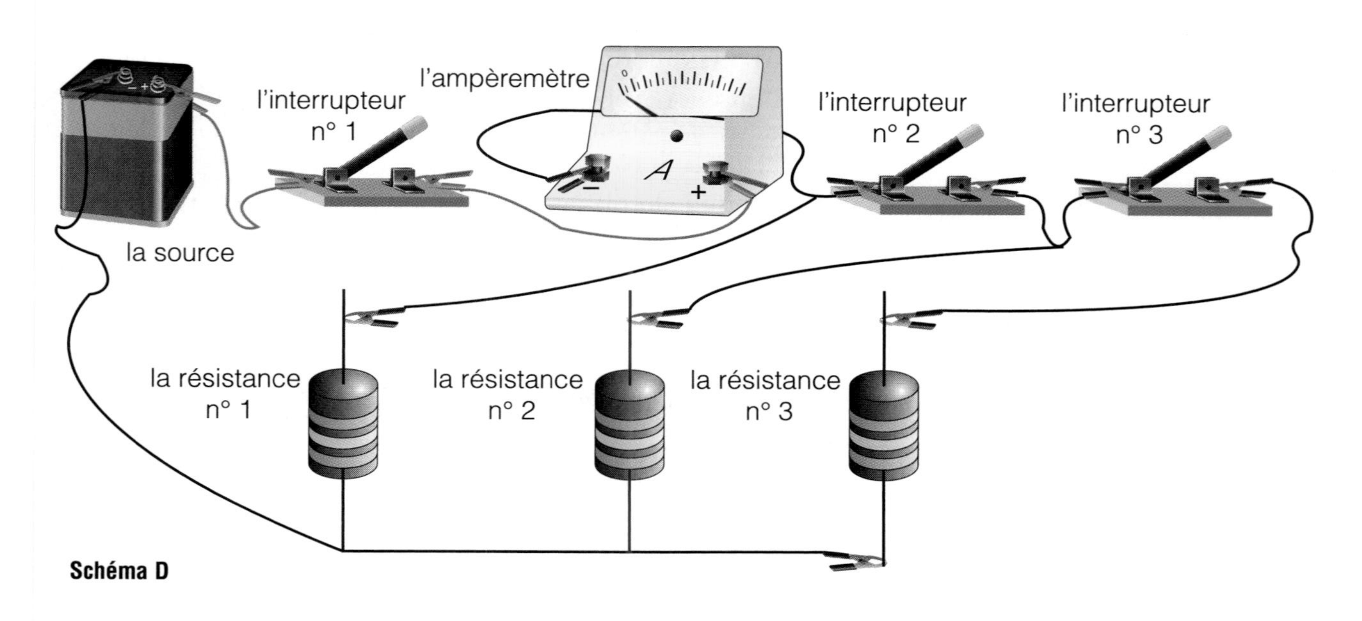


**Schéma D**

8. Raccorde l'ampèremètre en série à la première résistance, après le premier point de branchement, comme sur le schéma E. L'ampèremètre lira uniquement le courant qui passe dans la résistance nº 1.

9. Raccorde le voltmètre à la résistance nº 1, comme sur le schéma E.

10. Ferme l'interrupteur nº 1. (Les interrupteurs 2 et 3 doivent encore être fermés pour permettre au courant de passer dans les trois résistances.) Relève et consigne le courant dans la résistance nº 1 et la différence de potentiel de la résistance nº 1 pendant que le courant passe dans les trois résistances.

11. Ouvre l'interrupteur nº 1. Débranche l'ampèremètre et le voltmètre, et raccorde de nouveau l'ampèremètre en série et le voltmètre en parallèle avec la résistance nº 2.

12. Ferme l'interrupteur nº 1. Relève et consigne le courant dans la résistance nº 2 ainsi que la différence de potentiel de la résistance nº 2, pendant que le courant passe dans les trois résistances.

13. Recommence les étapes 11 et 12 pour la résistance nº 3.

14. Conserve ces données. Tu en auras besoin pour effectuer une autre expérience.

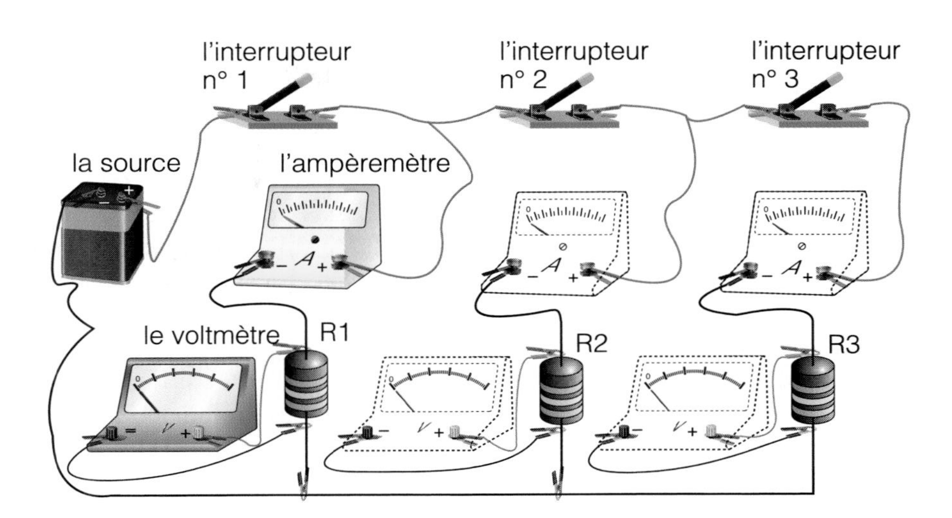


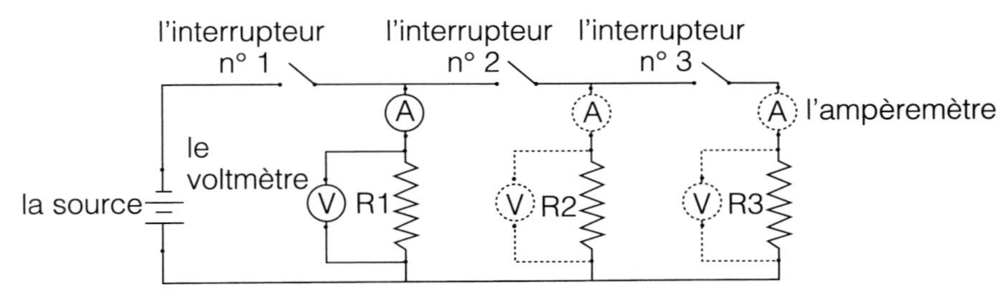


**Schéma E**

## Analyse

1. Qu'arrive-t-il au courant à la source quand le courant passe dans une, puis deux et enfin trois résistances qui sont raccordées en parallèle ?
2. Examine les valeurs du courant dans chaque résistance du circuit en parallèle. Compare ces valeurs à la valeur du courant à la source, quand le courant passe dans les trois résistances. Quelle relation y a-t-il entre ces valeurs ?
3. Compare la différence de potentiel de chaque résistance et à la source dans un circuit en parallèle. Que constates-tu à propos de ces valeurs ?

## Conclusion et mise en pratique

4. Écris une équation nominative indiquant la relation entre le courant à la source et la somme des courants dans les embranchements.
5. Donne une explication de la relation entre les différences de potentiel de chaque résistance et à la source dans un circuit en parallèle.

Les circuits électriques adaptés à la maison sont des circuits en parallèle, comme sur la figure 11.3. Dans ton expérience, tu as découvert que la différence de potentiel de chaque charge d'un circuit électrique était identique dans un circuit en parallèle. Par conséquent, chaque appareil électrique, dans un circuit en parallèle, a la même différence de potentiel. Si tu mets un appareil sous tension, cela ne réduira pas la puissance des lampes.

Toutefois, les circuits en parallèle posent un problème éventuel de taille à la maison. Comme tu l'as découvert au cours de ton expérience, l'intensité du courant qui passe dans le câble branché à la source augmente quand un autre embranchement du circuit est fermé. De la même façon, quand tu mets un appareil électrique sous tension à la maison, le courant qui passe dans les câbles les plus proches de la source augmente. Quand l'intensité du courant augmente, la température des fils conducteurs augmente aussi. Si tu mets trop d'appareils sous tension en même temps et si l'intensité du courant augmente trop, les câbles vont devenir suffisamment chauds pour provoquer un incendie. Afin de prévenir un incendie d'origine électrique, il y a toujours des fusibles ou des disjoncteurs dans les circuits domestiques.

## Pause réflexion

Ajoute les données sur la différence de potentiel à la source et sur les charges électriques dans chaque type de circuit au tableau de ton journal scientifique résumant les caractéristiques des circuits en série et des circuits en parallèle.

## Le savais-tu ?

Tu as probablement déjà vu des prises électriques avec un bouton de remise en marche, comme sur la photo. Ces boutons indiquent que la prise est raccordée à un interrupteur de défaut à la terre. Ces dispositifs sont obligatoires dans les salles de bains et dehors, là où la combinaison de l'eau et de l'électricité présente un danger.

Le courant passe de la source, dans l'interrupteur de défaut à la terre, à la prise et à l'appareil. Le courant retourne ensuite à la source par l'interrupteur de défaut à la terre. Imagine que quelqu'un utilise un séchoir à cheveux alors qu'il y a des éclaboussures d'eau et que de l'eau entre en contact avec le séchoir. Du courant peut passer du séchoir à cheveux au sol par le corps de la personne qui tient le séchoir à cheveux, sans retourner à l'interrupteur de défaut à la terre. L'interrupteur de défaut à la terre va détecter cette différence de courant et ouvrir immédiatement le circuit, évitant ainsi un choc électrique qui pourrait être mortel.

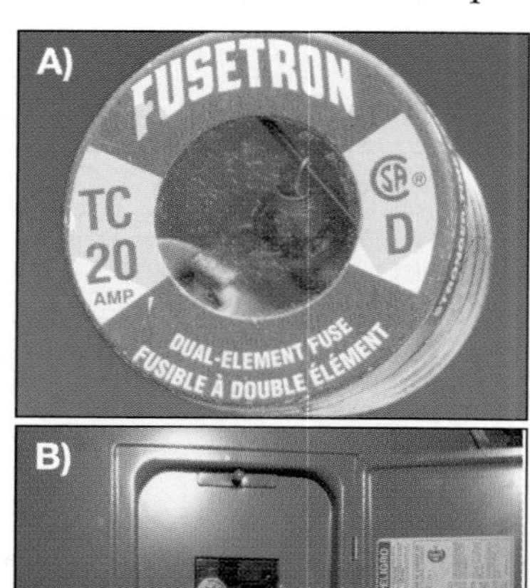


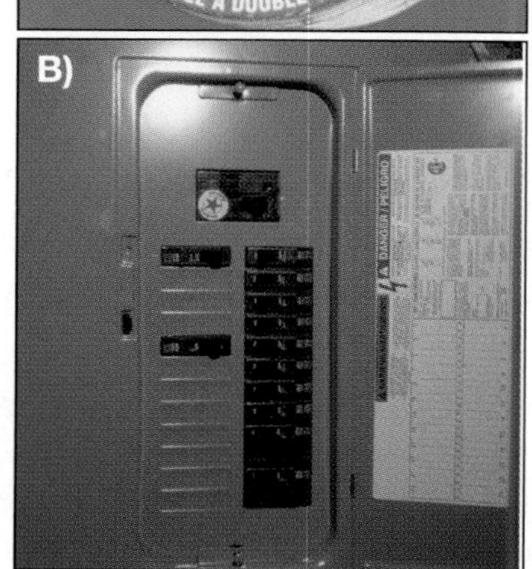


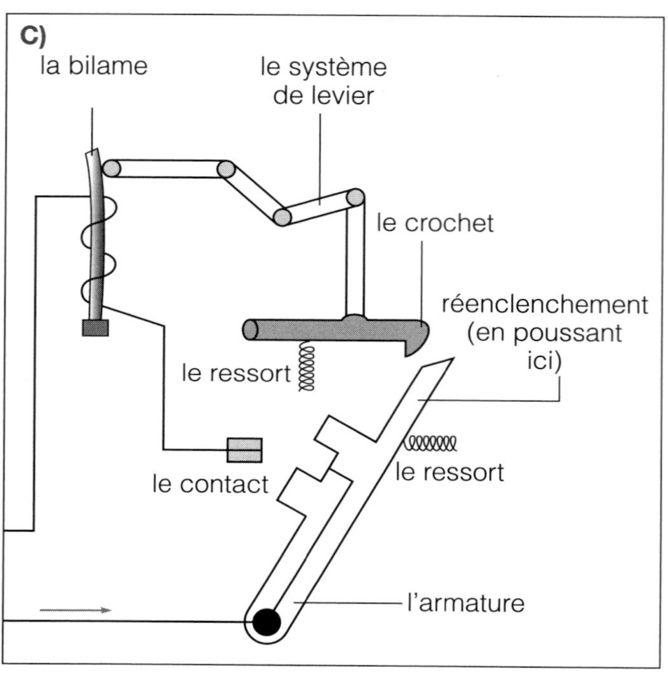


**Figure 11.4** Le conducteur du fusible de l'illustration A) va fondre si l'intensité du courant dépasse 20 A. Derrière chaque interrupteur du boîtier de disjoncteurs de l'illustration B), il y a un mécanisme, comme celui de l'illustration C). Quand l'intensité du courant est trop élevée, l'interrupteur s'ouvre automatiquement. Tu peux remettre le disjoncteur en marche en poussant l'interrupteur sur la distance qu'il a parcourue avant de le remettre à sa position initiale.

Un **fusible** a un conducteur métallique dont le point de fusion est bien inférieur au point de fusion des câbles conducteurs. Quand le courant atteint un niveau prédéterminé, qui est bien inférieur au niveau qui pourrait causer un incendie, le métal du fusible fond. Le courant ne passe plus, évitant ainsi un incendie éventuel. On trouve rarement des fusibles dans les maisons et les bureaux modernes. Mais tu trouveras des fusibles sur les cuisinières électriques et dans le système électrique des voitures.

Un **disjoncteur** a les mêmes fonctions qu'un fusible mais fonctionne de façon bien différente. La figure 11.4 C) représente un type de disjoncteur. Le courant passe à travers une armature, un contact et une bilame (lame composée de deux métaux). Si le courant augmente, la température de la bilame augmente aussi. À mesure que la température augmente, l'un des métaux se dilate plus que l'autre. La différence des taux de dilatation arque la lame, ce qui libère le crochet. Quand l'armature bascule, le circuit s'ouvre et le courant s'arrête. Quand tu remets le disjoncteur en marche, le disjoncteur remet l'armature en place et le courant passe de nouveau. Bien entendu, si tu ne corriges pas le problème qui produit un courant excessif, le boîtier du disjoncteur va continuer de s'ouvrir.

## La résistance dans les circuits en série et les circuits en parallèle

Quand tu as réalisé ton expérience sur le courant et la différence de potentiel dans les circuits en parallèle, tu as découvert que le courant à la source augmentait chaque fois que tu ajoutais un autre embranchement contenant une résistance au circuit en parallèle. C'est à cause de cette augmentation de courant qu'on installe des fusibles ou des disjoncteurs dans les circuits domestiques. Pendant que tu manipulais ces concepts, t'es-tu demandé pourquoi l'ajout d'un embranchement en parallèle contenant un dispositif résistant au flux du courant entraînait une augmentation du courant ? Le concept de **résistance équivalente** va t'aider à répondre à cette question.

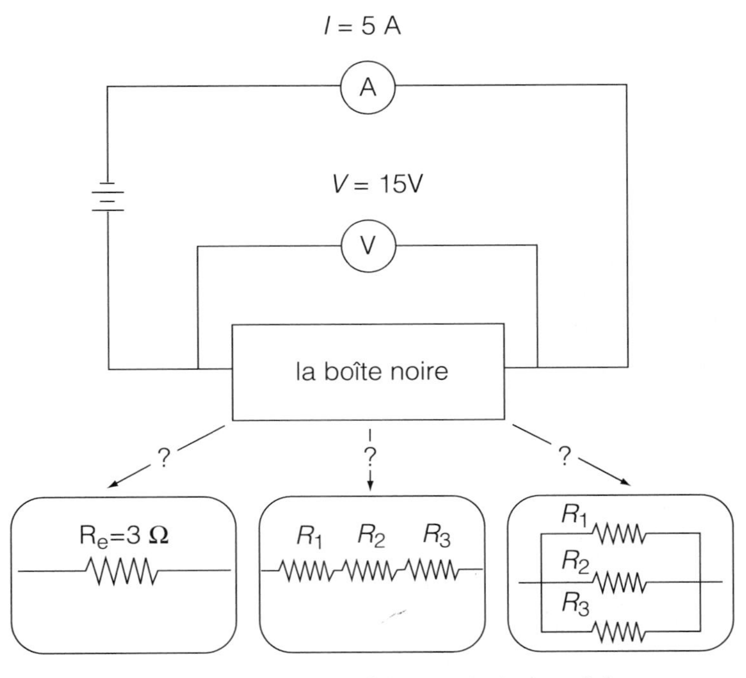


**Figure 11.5** Ce qu'il y a dans la boîte noire a une résistance équivalente à 3 Ω.

**Pause réflexion**

Avant d'étudier plus en détail la résistance électrique des circuits en série et des circuits en parallèle, révise les résultats de l'activité Passe à l'action : réalise une expérience 11-A. Quelles prévisions avais-tu faites sur la résistance des circuits en série et des circuits en parallèle ? Pourquoi ? Les observations que tu as faites au cours de cette expérience devraient t'aider à mieux comprendre la résistance électrique des circuits en série et des circuits en parallèle.

Pour mieux comprendre le concept de résistance équivalente, imagine qu'on te donne un circuit, comme celui qui est illustré à la figure 11.5. On te demande ensuite de déterminer ce qu'il y a dans la boîte noire. Tu te rappelles qu'on calcule la résistance en utilisant l'équation $R = V/I$. Tu détermines donc que la résistance du contenu de la boîte est $R = V/I = 15\ V/5\ A = 3\ \Omega$. Tu répondrais : « La boîte noire contient une résistance de 3 ohms. » Que répondrais-tu si l'on te disait ensuite qu'il y a trois résistances en série ou qu'il y a trois résistances en parallèle dans la boîte ? Tu répondrais peut-être : « Peu importe ce qu'il y a dans la boîte, le contenu de la boîte a une résistance équivalente à une résistance de trois ohms. » Et tu aurais raison. La résistance équivalente d'un circuit en série ou d'un circuit en parallèle est la résistance d'une résistance qui produirait exactement la même quantité de courant et la même différence de potentiel que le circuit. La prochaine expérience t'en apprendra plus sur les résistances équivalentes des circuits en série et des circuits en parallèle.

RÉFLÉCHIS ET FAIS DES LIENS 11-C

# La résistance équivalente d'un circuit

## Réfléchis

Comment peux-tu comparer la résistance équivalente de trois résistances si l'on a d'abord raccordé ces résistances en série, puis si on les a raccordées en parallèle ?

## Ce dont tu as besoin

Utilise les données que tu as rassemblées au cours de l'expérience 11-B.

### Partie 1

## La résistance équivalente d'un circuit en série

## Ce que tu dois faire

1. Copie le tableau ci-dessous pour consigner tes résultats.

Circuit en série

| Résistance | Courant $I$ (A) | Différence de potentiel $V$ (V) | Résistance $R$ (Ω) |
|---|---|---|---|
| 1 | | | |
| 2 | | | |
| 3 | | | |
| circuit entier | | | |

2. Utilise les données du tableau de la partie 1 de l'expérience 11-B. Copie la valeur de la dernière ligne de la colonne intitulée « Courant dans le circuit $I$ (A) » dans chaque rangée de la colonne qui s'appelle « Courant $I$ (A) » du tableau intitulé « Circuit en série ».

3. Copie les valeurs de la dernière ligne du tableau de la partie 1 de l'expérience 11-B, « Différence de potentiel $V$ (V) aux bornes de chaque résistance », dans ton nouveau tableau « Circuit en série ». Les chiffres de la dernière ligne sous les n° 1, n° 2 et n° 3 de ce tableau doivent se trouver dans la colonne intitulée « Différence de potentiel $V$ (V) » du nouveau tableau, vis-à-vis de 1, 2 et 3. Copie la valeur de la rubrique « Différence de potentiel $V$ (V) à la source » sur la dernière ligne, sous le titre « Différence de potentiel $V$ (V) » de ton nouveau tableau.

4. Calcule la résistance de chaque résistance et la résistance équivalente du circuit en utilisant la formule $R = V/I$. Écris ces résultats dans la dernière colonne.

## Analyse

Examine tes valeurs pour la résistance des trois résistances du circuit en série. Compare ces valeurs à la résistance équivalente de tout le circuit. Quelle relation y a-t-il entre ces valeurs ? Écris une équation nominative exprimant cette relation.

### Partie 2

## La résistance équivalente d'un circuit en parallèle

## Ce que tu dois faire

1. Dresse un autre tableau, exactement comme le tableau de gauche, mais appelle ce deuxième tableau « Circuit en parallèle ».

2. Utilise les données du tableau de la partie 2 de l'expérience 11-B, « Courant qui passe dans les résistances raccordées en parallèle et différence de potentiel des résistances ». Copie les valeurs de ce tableau directement dans les colonnes correspondant au courant et à la différence de potentiel, pour les résistances 1, 2 et 3. Les valeurs de la différence de potentiel doivent être identiques ou presque identiques. Écris ces valeurs dans ton tableau intitulé « Circuit en parallèle », sous la rubrique « Différence de potentiel $V$ (V) », pour tout le circuit.

3. Consulte le tableau intitulé « Courant à la source dans un circuit en parallèle », de la partie 2 de l'expérience 11-B. Utilise la valeur du courant à la source quand les trois résistances sont raccordées comme la valeur pour « Courant $I$ (A) » de tout le circuit dans le tableau intitulé « Circuit en parallèle ».

4. Calcule la résistance de chaque résistance et la résistance équivalente du circuit en utilisant la formule $R = V/I$. Écris ces résultats dans la dernière colonne.

## Analyse

Compare la valeur de la résistance équivalente du circuit en parallèle aux valeurs de résistance des résistances individuelles. La résistance équivalente est-elle plus grande ou plus petite que les valeurs des résistances individuelles, ou la résistance équivalente est-elle identique à ces valeurs ? Donne une explication possible de ces résultats.

Les observations que tu as faites sur la résistance équivalente des résistances en série et en parallèle sont vraies pour tous ces circuits. La résistance équivalente des résistances en série est toujours plus grande que la résistance de n'importe quelle résistance individuelle. En fait, il s'agit toujours de la somme des résistances de toutes les résistances d'un circuit en série.

$$R_{\text{équivalente}} = R_1 + R_2 + R_3 + \ldots$$

Par exemple, si tu avais trois résistances en série de 1,0 W, la résistance équivalente serait :

$$R_{\text{équivalente}} = R_1 + R_2 + R_3$$

$$R_{\text{équivalente}} = 1{,}0\ \Omega + 1{,}0\ \Omega + 1{,}0\ \Omega$$

$$R_{\text{équivalente}} = 3{,}0\ \Omega$$

La résistance équivalente des résistances d'un circuit en parallèle est toujours plus petite que la plus petite résistance du circuit. Il n'est pas facile de voir comment tu pourrais calculer la résistance équivalente des résistances en parallèle. Comment obtiendrais-tu une valeur plus petite que n'importe quelle résistance individuelle ? Si tu veux savoir, lis la rubrique Nouveaux horizons.

La formule de la résistance équivalente de plusieurs résistances en parallèle est la suivante :

$$\frac{1}{R_{\text{équivalente}}} = \frac{1}{R_1} + \frac{1}{R_2} + \frac{1}{R_3} + \cdots$$

Par exemple, si tu avais trois résistances de 9,0 Ω en parallèle, la résistance équivalente du circuit se calculerait comme suit :

$$\frac{1}{R_{\text{équivalente}}} = \frac{1}{9{,}0\ \Omega} + \frac{1}{9{,}0\ \Omega} + \frac{1}{9{,}0\ \Omega}$$

$$\frac{1}{R_{\text{équivalente}}} = \frac{3}{9{,}0\ \Omega}$$

$$\frac{1}{R_{\text{équivalente}}} = \frac{1}{3{,}0\ \Omega}$$

Multiplie les deux membres de l'équation par $3{,}0\ \Omega \times R_{\text{équivalente}}$ pour obtenir

$$R_{\text{équivalente}} = 3{,}0\ \Omega$$

La résistance équivalente des trois résistances de 9,0 Ω en parallèle est de 3,0 Ω.

### Pause réflexion

Ajoute l'information sur la résistance équivalente des circuits en série et des circuits en parallèle dans le tableau de ton journal scientifique qui résume les caractéristiques de ces circuits.

## Vérifie ce que tu as compris

1. En quoi la différence de potentiel des résistances d'un circuit en série se compare-t-elle à la différence de potentiel à la source ?
2. En quoi les différences de potentiel des résistances individuelles d'un circuit en parallèle se comparent-elles entre elles ?
3. En quoi la différence de potentiel de chaque résistance d'un circuit en parallèle se compare-t-elle à la différence de potentiel à la source ?
4. Explique le fonctionnement d'un disjoncteur.
5. Définis la résistance équivalente pour un circuit en série et pour un circuit en parallèle et donne des exemples.

# 11.3 L'énergie électrique à la maison

Tu viens de découvrir les principes fondamentaux de l'électricité. Tu peux donc examiner maintenant certains aspects très pratiques du coût de l'énergie électrique à la maison et de la façon d'économiser cette énergie. Comment la compagnie d'électricité connaît-elle la quantité d'énergie que tu consommes ? Quel est le coût de l'énergie électrique ? Comment peux-tu économiser l'énergie et réduire les coûts ? Quels sont les dangers éventuels de l'électricité à la maison, même quand le disjoncteur fonctionne bien ? Comment peux-tu éviter ces dangers ?

## Le coût de l'énergie

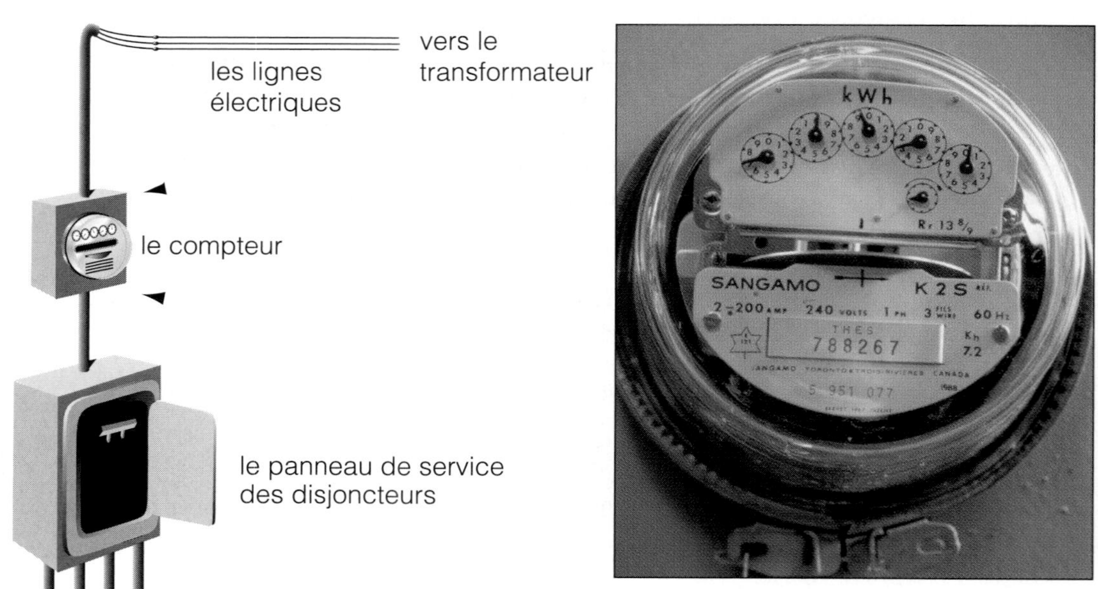


**Figure 11.6** Le compteur électrique qui se trouve chez toi ressemble probablement au compteur de la photo. Si tu examines ce compteur de près, tu verras que le disque plat qui se trouve au centre tourne. La vitesse à laquelle ce disque tourne indique le taux de consommation d'énergie électrique dans la maison.

Les lignes électriques provenant du transformateur le plus proche sont en général raccordées à un compteur électrique avant d'entrer dans ta maison. Chaque fois que tu mets la charge d'un circuit électrique sous tension, comme une lampe, un téléviseur, un four à micro-ondes ou un fer à repasser, une plus

**Figure 11.7** Imagine que ces cadrans représentent les cadrans d'un compteur électrique dont on a relevé les données aux dates indiquées.

grande quantité de courant passe dans le compteur, ce qui fait tourner le disque. Un employé de la compagnie d'électricité lit le compteur pour savoir quelle quantité d'énergie électrique toi et ta famille avez consommée depuis le dernier relevé. Plusieurs compagnies d'électricité envoient une facture à leurs clients tous les deux mois. Chaque petit cadran du compteur représente un chiffre d'un numéro à cinq chiffres. Quand l'aiguille pointe entre deux chiffres, tu dois lire le chiffre le moins élevé. Par exemple, regarde les cadrans de la figure 11.7. Le relevé du 30 août est de 20 769 unités. Pour le 28 octobre, ce relevé est de 23 930 unités. Pour savoir quelle quantité d'énergie a été consommée au cours de ces deux mois, soustrais le relevé du 30 août du relevé du 28 octobre.

$$\begin{array}{r} 23\ 930 \text{ unités} \\ -\ 20\ 769 \text{ unités} \\ \hline 3\ 161 \text{ unités} \end{array}$$

Cette unité d'énergie des compteurs électriques s'appelle un **kilowatt-heure** (kWh). Un kilowatt est une unité d'énergie qui représente mille watts. Un kilowatt-heure est la quantité d'énergie transmise par mille watts d'énergie en l'espace d'une heure. Étudie maintenant le problème ci-dessous pour savoir comment utiliser ces valeurs et calculer le montant d'une facture d'électricité.

**Le savais-tu ?**

La quantité d'énergie qu'une personne dépense au cours d'une journée de 24 h où elle est peu active est à peu près la même que la quantité d'énergie d'une ampoule de 100 W allumée sans interruption pendant 24 heures. Bien entendu, les gens trouvent leur énergie dans la nourriture.

## Problème type

Une famille consomme 3000 kWh d'énergie électrique en l'espace de deux mois. Si l'énergie coûte 8 ¢ le kWh, quel sera le montant de la facture d'électricité pour cette période de deux mois ?

### Structurer

$E$ = 3000 kWh
Coût unitaire = 8 ¢ le kWh

### Mettre en évidence

Le coût total en dollars

### Analyser

Convertis le coût unitaire de cents en dollars.
Trouve ensuite le coût total en utilisant la formule suivante :
Coût total (en dollars) = énergie totale utilisée en kWh × coût en $/kWh.

### Résoudre

$$\frac{8{,}0\ ¢}{\text{kWh}} \times \frac{1{,}00\ \$}{100\ ¢} = \frac{0{,}080\ \$}{\text{kWh}}$$

$$\text{Coût total} = 3000\ \cancel{\text{kWh}} \times \frac{0{,}080\ \$}{\cancel{\text{kWh}}} = 240\ \$$$

### Présenter

Le coût de l'énergie électrique utilisée dans cette maison pendant une période de deux mois est de 240 $, ce qui représente une moyenne de 4 $ par jour.

## Un circuit domestique typique

Imagine que tu regardes la télévision et que ton frère branche le fer à repasser. En attendant que le fer chauffe, il se sèche les cheveux. Si tous ces appareils se trouvaient dans la même pièce, y compris le téléviseur, ils pourraient tous disjoncter. Si la quantité supplémentaire de courant déclenchait un disjoncteur de surcharge, pourquoi toutes les lumières de la maison ne s'éteindraient-elles pas ?

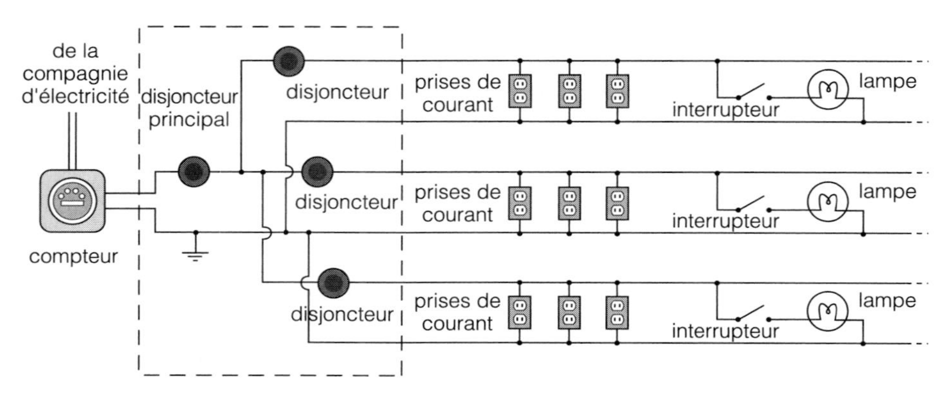


**Figure 11.8** La ligne en pointillé renferme les câbles qui se trouvent dans le panneau d'un disjoncteur classique. Seuls trois circuits apparaissent ici mais, en général, il y en a beaucoup plus.

Chaque maison, chaque école et chaque immeuble de bureaux a plusieurs circuits différents, avec son propre disjoncteur de surcharge. Si quelque chose déclenchait le disjoncteur, seuls les appareils branchés sur un circuit seraient momentanément hors service. La figure 11.8 te montre comment le câblage d'un panneau de disjoncteur forme plusieurs circuits qui sont raccordés à la principale source d'énergie. Un très gros câble apporte le courant dans la maison à partir de la compagnie d'électricité. Ce câble a son propre disjoncteur qui peut couper l'électricité dans toute la maison. Des câbles plus petits, raccordés au circuit principal, créent d'autres circuits. Si une forte intensité de courant dans un circuit déclenchait un disjoncteur de surcharge, les autres circuits ne seraient pas touchés.

Le câblage d'une cuisine est quelque peu différent du câblage d'une chambre à coucher, par exemple. Il serait très ennuyeux de voir tous les appareils que tu utilises dans la cuisine disjoncter alors que tu prépares un repas gastronomique. Pour éviter ce genre de situation dans une cuisine, les deux sorties d'une prise double sont parfois raccordées à des circuits différents. Parce qu'une cuisinière nécessite une grande quantité de courant, on lui réserve généralement un circuit. De plus, une cuisinière exige du 240 V alors que tous les autres appareils fonctionnent avec du 120 V.

Dans les maisons plus anciennes, tu verras parfois des prises dans les plinthes, à quelques centimètres du sol. Dans les maisons modernes, les prises se trouvent à au moins 45 cm du plancher. Dans les sous-sols, elles se trouvent à près d'un mètre du sol. Ces changements sont établis pour éviter les problèmes électriques graves qui se produiraient si la maison était inondée. Le niveau d'eau peut facilement monter à quelques centimètres au-dessus du sol, mais il est peu probable qu'il atteigne 45 cm ou un mètre. Plusieurs dispositifs de sécurité, outre les fusibles et les disjoncteurs, sont inclus dans le câblage des maisons.

**LIEN terminologique**

Cherche la définition du mot « incandescent ». En quoi ce terme est-il pertinent pour décrire les ampoules classiques ? Garde cette signification présente à l'esprit pendant que tu fais l'activité Passe à l'action : réfléchis et fais des liens 11-D.

## Un usage efficace de l'énergie

Tu viens d'apprendre comment lire un compteur électrique et calculer le coût de l'énergie. Toutefois, ces chiffres ne t'indiquent pas si ta consommation d'énergie est efficace. Les ampoules incandescentes sont l'un des usages les plus courants de l'énergie électrique. La prochaine activité Passe à l'action : réfléchis et fais des liens t'en apprendra plus sur l'efficacité des ampoules incandescentes.

# L'efficacité d'une ampoule incandescente

Même si les ampoules incandescentes ont fait l'objet de nombreuses améliorations depuis que Thomas Edison (1847-1931) a inventé cette ampoule en 1879, le principe de base est le même. Un courant électrique passe dans un petit filament en tungstène et rend ce filament si chaud qu'il brille. Si l'ampoule contenait de l'air, l'oxygène de l'air réagirait avec le filament chaud en tungstène et le filament brûlerait. Les ampoules classiques contenant un filament en tungstène sont remplies d'azote ou d'argon, parce que ces gaz ne réagissent pas au contact du filament chaud. Quelle est l'efficacité de cette méthode de production d'électricité ?

## Réfléchis

Une ampoule allumée est trop chaude pour qu'on la touche. Quelle est la quantité d'énergie électrique dépensée pour chauffer l'ampoule et ce qui l'entoure et quelle quantité d'énergie électrique est transformée en lumière ?

**(A)** Ton enseignante ou ton enseignant raccorde une ampoule incandescente de 12 W à une source d'énergie et règle la différence de potentiel à 12 V. Elle ou il plonge l'ampoule dans exactement 100 mL d'eau froide. Le thermomètre indique 14 °C. Elle ou il met la source d'énergie sous tension et déclenche le chronomètre. Au bout de 14,1 min, l'eau atteint une température de 30 °C. Ton enseignante ou ton enseignant met la source d'énergie hors tension.

**(B)** Ton enseignante ou ton enseignant recommence l'expérience précédente avec un seul changement. L'eau contient désormais de l'encre de Chine. L'eau est donc noire. L'ampoule est allumée, mais tu ne peux pas la voir parce que toute l'énergie lumineuse est absorbée par l'encre de l'eau. Cette fois-ci, il ne faut que 12,4 min pour que la température de l'eau passe de 14 °C à 30 °C.

**Le savais-tu ?**

Une ampoule de 12 V et 12 W a une puissance de 12 W seulement quand elle est raccordée à une source de 12 V. Si tu raccordais l'ampoule à une source avec une autre différence de potentiel, l'intensité du courant serait différente de la valeur estimée.

### Consigne de sécurité

L'ampoule, la douille et le câblage qui se trouvent sur les photos ci-dessous sont étanches. De plus, la source d'alimentation s'arrêterait immédiatement si le courant atteignait une valeur prédéterminée. N'ESSAIE PAS de faire des expériences avec de l'énergie électrique et de l'eau !

### Ce que tu dois faire

1. Lis les explications décrivant les deux expériences présentées sur les photos ci-dessous.

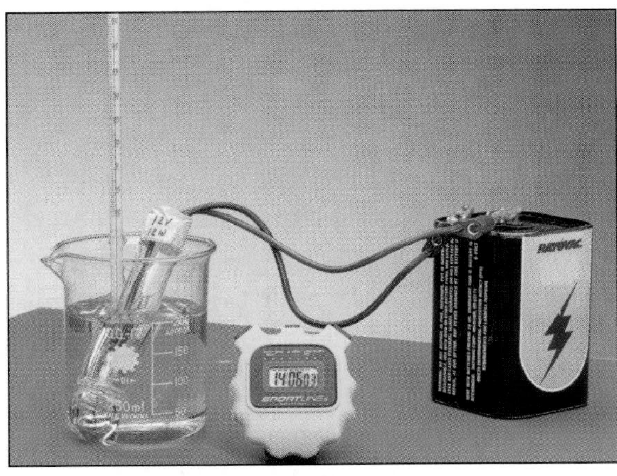


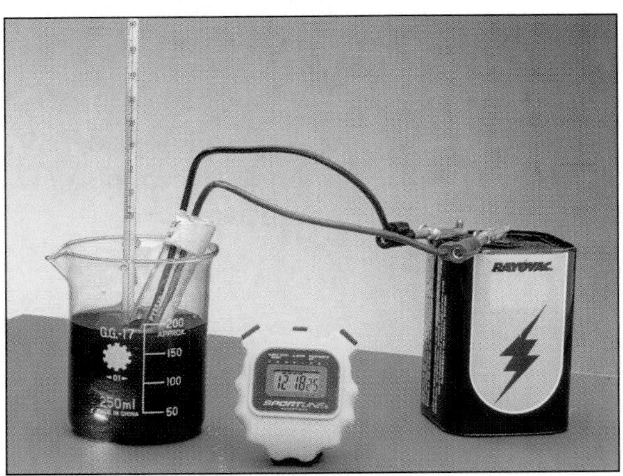

**2** Dresse un tableau comme le tableau ci-dessous pour consigner tes données.

L'énergie et l'ampoule incandescente

| Substance | Puissance nominale de l'ampoule électrique *P* (W) | Temps écoulé *t* (s) | Énergie électrique *E* (J) | Forme d'énergie absorbée (lumière, chaleur) |
|---|---|---|---|---|
| eau claire | | | | |
| eau mélangée à de l'encre de Chine | | | | |

**3** Étudie les points ci-dessous afin d'interpréter les données correctement.

- Il faut la même quantité d'énergie pour chauffer deux échantillons d'eau de 100 mL et faire passer ces échantillons de 14 °C à 30 °C. La quantité totale d'énergie absorbée par l'eau et la solution d'eau et d'encre dans les deux béchers sont identiques.
- L'eau claire absorbe l'énergie thermique émise par l'ampoule alors que l'énergie lumineuse se diffuse dans l'eau.
- Dans la solution d'encre de Chine et d'eau, l'eau absorbe l'énergie thermique. L'encre de Chine absorbe l'énergie lumineuse et la transforme en chaleur. Très peu d'énergie s'échappe du bécher.

**4** Regarde les photos qui décrivent la démonstration et consigne la puissance nominale et le temps écoulé dans les deux premières colonnes du tableau.

**5** Utilise la formule $E = Pt$ pour calculer la quantité d'énergie électrique qui a été transformée en chaleur et en lumière dans les deux cas. Consigne tes réponses dans la troisième colonne.

**6** Utilise l'information de l'étape 3 pour remplir la dernière colonne du tableau.

**7** Analyse l'information des deux dernières colonnes. Utilise cette information pour déterminer quelle quantité d'énergie électrique a été transformée en énergie lumineuse.

**8** Calcule l'efficacité de l'ampoule en utilisant l'équation suivante :

$$\text{efficacité de l'ampoule en pourcentage} = \frac{\text{production d'énergie lumineuse} \times 100\,\%}{\text{énergie électrique initiale}}$$

## Analyse

1. Tu constateras que les températures de la solution d'eau et d'encre de Chine étaient d'environ 8 °C au-dessous et d'environ 8 °C au-dessus de la température ambiante. Pourquoi était-il important d'utiliser un écart de température identique au-dessous et au-dessus de la température ambiante ?
2. Pourquoi était-il important d'utiliser exactement la même quantité d'eau dans les deux expériences ?
3. Résume tes résultats sur l'efficacité d'une ampoule électrique incandescente.

## Économiser l'énergie

Tu viens de découvrir que les ampoules classiques utilisent l'énergie électrique de façon très peu efficace. La plus grande part de l'énergie est transformée en chaleur. Quelles sont les solutions possibles pour remplacer l'ampoule incandescente classique ?

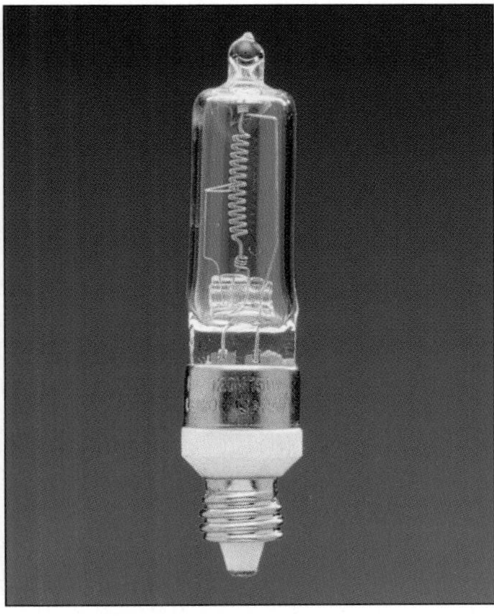

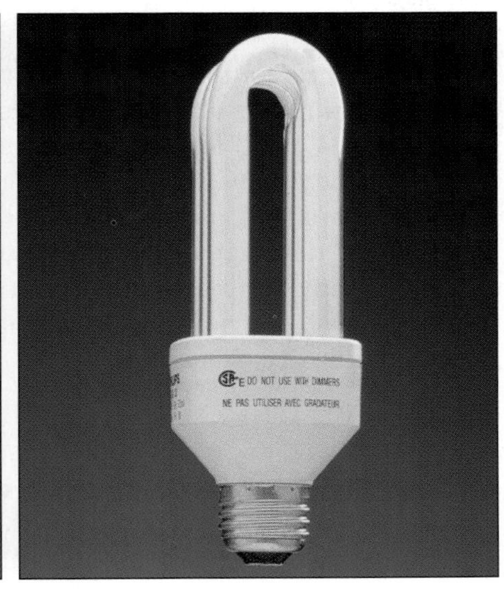



**Figure 11.9** Les trois types d'ampoules qu'on trouve actuellement sur le marché sont A) l'ampoule classique avec un filament en tungstène, B) l'ampoule halogène avec un filament en tungstène et C) l'ampoule fluorescente compacte.

Quand la température d'un filament en tungstène dépasse la température d'une ampoule classique, le filament produit un ratio plus élevé de lumière par rapport à la chaleur. Toutefois, si l'on augmentait la température du filament d'une ampoule classique, l'ampoule grillerait plus vite. Les ampoules électriques grillent parce que le tungstène du filament s'évapore. Dans les ampoules halogènes, des vapeurs d'iode ou de brome, généralement, aident à préserver le filament en tungstène. Du fait que les ampoules halogènes supportent des températures très élevées, elles sont plus efficaces que les ampoules classiques, qui sont pleines d'azote ou d'argon. Les ampoules halogènes sont plus chères que les ampoules ordinaires, mais elles durent de deux à six fois plus longtemps. Toutefois, les ampoules halogènes ont un inconvénient majeur. En raison de leur température très élevée, elles créent des risques d'incendie.

Le principe des ampoules fluorescentes est différent du principe des ampoules incandescentes. Un jet d'électrons bombarde un gaz, comme de la vapeur de mercure, qui est scellé dans l'ampoule. Les molécules de gaz sont excitées et excitent à leur tour un film qui se trouve à l'intérieur de l'ampoule, ce qui fait briller ce film. Parce que les ampoules fluorescentes fonctionnent à une température relativement faible, elles utilisent 75 % moins d'énergie que les ampoules incandescentes classiques pour produire la même quantité de lumière. Ces ampoules sont plus chères que les ampoules incandescentes classiques, mais elles durent de dix à treize fois plus longtemps.

L'une des façons d'économiser l'énergie électrique consiste à éteindre les ampoules quand on n'en a pas besoin. Un long couloir ou un escalier où il n'y a qu'un seul interrupteur à une extrémité peut rendre la tâche difficile. Deux interrupteurs, chacun à une extrémité du couloir, qui contrôlent la même ampoule, peuvent régler le problème. Dans la prochaine expérience, tu pourras vérifier tes aptitudes en matière d'électricité. Tu vas, en effet, concevoir un interrupteur va-et-vient.

**Le savais-tu ?**

La pellicule noire que tu vois à l'intérieur d'une ampoule classique usagée est du tungstène. Quand le filament est chaud, le tungstène s'évapore et se dépose à l'intérieur de l'ampoule. Non seulement le filament s'abîme, mais la pellicule noire réduit la quantité de lumière que l'ampoule émet.

Le tungstène du filament des ampoules halogènes s'évapore aussi quand la lampe est allumée. Toutefois, le gaz halogène se combine au tungstène qui s'évapore. Résultat : le tungstène se dépose de nouveau sur le filament au lieu de se déposer sur la surface interne de l'ampoule.

# Un interrupteur va-et-vient

Ce dispositif se compose de deux interrupteurs qui contrôlent la même ampoule ou le même ensemble d'ampoules. Quand les ampoules sont éteintes, n'importe lequel des deux interrupteurs peut les allumer. Quand les ampoules sont allumées, n'importe lequel des deux interrupteurs peut les éteindre. L'élément principal d'un circuit composé d'un interrupteur va-et-vient est l'interrupteur à trois directions illustré ci-dessous.

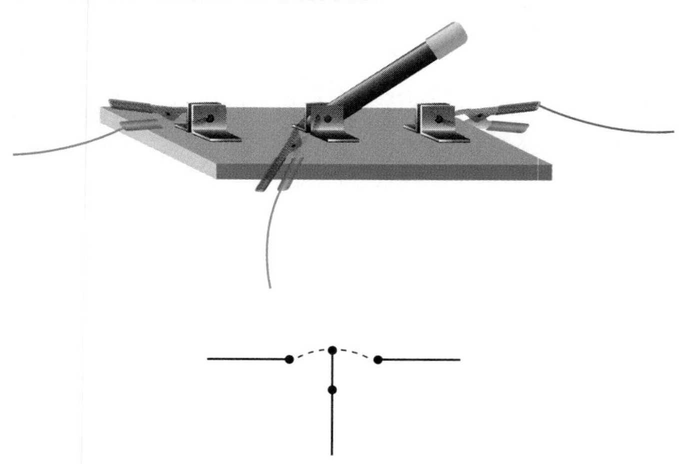

Un interrupteur à trois directions a trois fils. Un pôle central établit le contact électrique avec n'importe lequel des deux fils de connexion.

## Projet

Élabore un circuit avec un interrupteur va-et-vient. Construis ton circuit et essaie-le.

### Matériel

une pile de 6 V
huit fils de connexion
deux ampoules de 6 V avec les douilles
deux interrupteurs à trois directions

## Critères de conception

**A.** Tu dois utiliser au moins sept des fils de connexion et tout le reste du matériel.

**B.** On doit pouvoir allumer et éteindre les deux mêmes ampoules avec les deux interrupteurs.

**C.** Tu as 30 minutes pour concevoir, construire et vérifier ton circuit et ton interrupteur va-et-vient.

## Plan et construction

1. Travaille en petit groupe. Avec ton groupe, trace les schémas du circuit et discute de la façon dont le circuit va fonctionner. Continue à modifier tes schémas jusqu'à ce que le groupe pense que le montage va fonctionner.
2. Raccorde le circuit que tu as élaboré.
3. Demande à ton enseignante ou à ton enseignant de vérifier ton circuit avant de fermer l'interrupteur dans une direction ou dans l'autre.
4. Essaie ton circuit.
5. Si ton circuit ne fonctionne pas correctement, modifie la conception et essaie de nouveau.

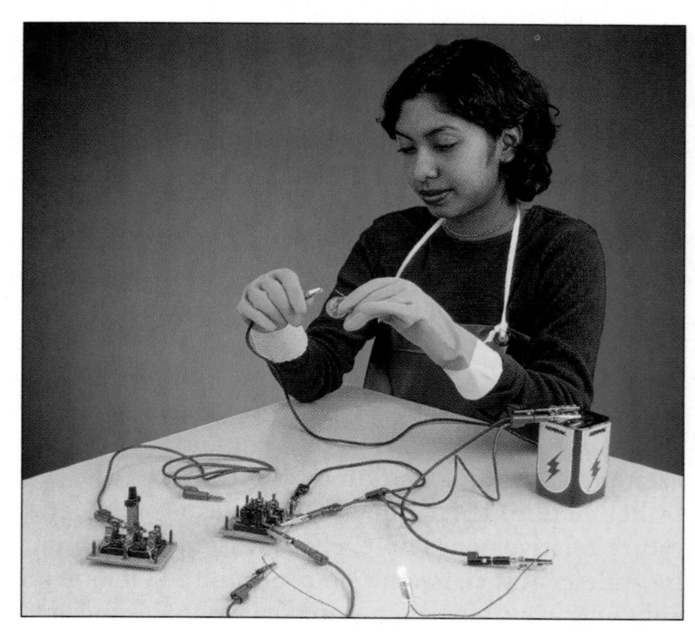

## Évaluation

1. Est-ce que le premier circuit a fonctionné correctement ? Sinon, explique pourquoi.
2. Quelles modifications dois-tu faire pour utiliser le circuit que tu as conçu dans une maison ?

## La sécurité électrique à la maison

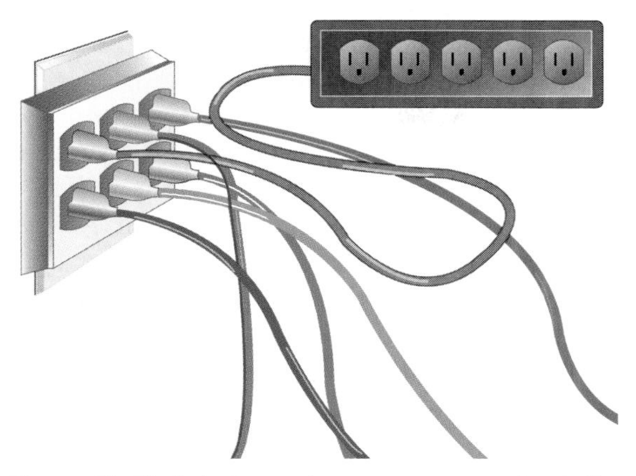

**Figure 11.10** Qu'est-ce qui ne va pas sur ce dessin?

La prise électrique de la figure 11.10 n'est que l'une des nombreuses prises d'un circuit en parallèle. Ce circuit sera probablement surchargé sous peu et disjonctera. Toutefois, il ne servira à rien de réenclencher le disjoncteur, sauf si l'on retire l'appareil qui cause le problème. Si tu dois utiliser plusieurs appareils électriques en même temps, branche ces appareils sur différents circuits. Un guide sur le panneau du disjoncteur t'indiquera les pièces correspondant aux différents circuits.

**Figure 11.11** Remplace ou répare toujours les fils électriques endommagés.

Quand tu débranches un appareil, tire sur la prise mâle et non pas sur le fil, sinon le fil se détachera bientôt de la prise, comme sur la figure 11.11. Si le câble commence à s'effilocher, les deux fils de connexion vont entrer en contact et provoquer un court-circuit. Un **court-circuit** signifie que les deux fils de

**ACTIVITÉ** de liaison

### Économise l'électricité

Éteindre les lumières est l'un des moyens d'économiser l'énergie à la maison, mais ce n'est pas le seul. Trouve le plus de moyens possible.

### Ce que tu dois faire

1. Trouve des moyens d'économiser l'électricité à la maison. Vérifie dans Internet, va chercher des documents à ta compagnie d'électricité locale ou va à la bibliothèque. Trouve des moyens d'économiser l'électricité dans les domaines suivants:
   **a)** la cuisine
   **b)** la lessive
   **c)** le réfrigérateur et le congélateur
   **d)** le chauffe-eau
   **e)** l'artisanat et les loisirs
2. Apporte ta liste en classe. Combine toutes les listes. Combien de moyens d'économiser l'énergie électrique à la maison ta classe a-t-elle trouvés?

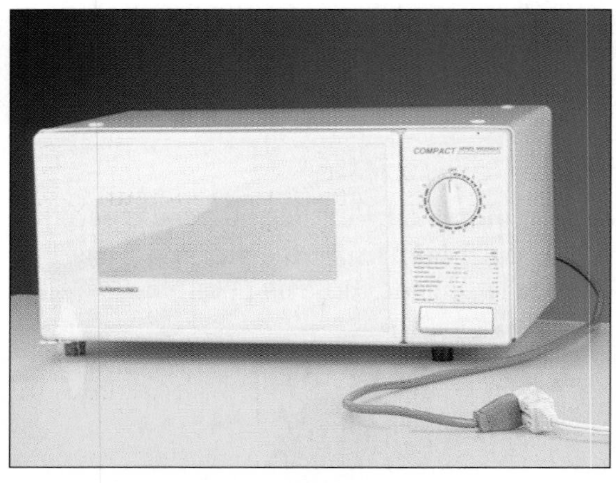

**Figure 11.12** N'utilise jamais une rallonge plus petite que le câble de l'appareil électrique.

connexion se touchent et que le courant court-circuite l'appareil. Du fait que les fils ont une résistance électrique très faible, l'intensité du courant augmente très vite. Les fils peuvent devenir suffisamment chauds pour provoquer un incendie.

Si tu as besoin d'utiliser une rallonge, assure-toi que cette rallonge est aussi épaisse ou plus épaisse que le câble de l'appareil sur lequel tu vas brancher la rallonge. Les appareils qui produisent de la chaleur, comme les grille-pain et les fers à repasser, ont souvent un câble épais parce qu'ils ont besoin d'une forte intensité de courant. Un courant intense qui passe dans une rallonge fine va provoquer un excès de chaleur. Le courant n'atteindra peut-être jamais le niveau nécessaire pour déclencher le disjoncteur, mais la rallonge peut devenir suffisamment chaude pour provoquer un incendie.

**Le savais-tu ?**

L'intensité maximale de courant que le corps humain peut supporter sans danger est de 0,006 A ou 6 mA. Si le courant atteint 16 mA, il n'y a plus de mouvement musculaire volontaire possible. Quand le courant atteint cette valeur, il provoque des contractions musculaires involontaires chez le conducteur vivant qui est touché faisant en sorte que sa main serrera involontairement le conducteur.

## Vérifie ce que tu as compris

1. Explique la signification de l'unité « kilowatt-heure ».
2. Pourquoi les ampoules halogènes fonctionnent-elles à une température plus élevée que les ampoules incandescentes classiques, qui sont remplies d'azote ? Pourquoi est-ce souhaitable ?
3. Donne deux moyens d'économiser l'énergie électrique à la maison.
4. Que pourrait-il arriver si tu repassais tes vêtements dans la cuisine pendant que tu prépares le souper dans le four à micro-ondes et que tu fais griller du pain ?
5. **Mise en pratique** Un bureau utilise 5000 kWh d'énergie pendant une période de deux mois. Si l'énergie électrique coûte 7,50 ¢ le kWh, quel sera le montant de la facture d'électricité pour cette période de deux mois ?

# RÉSUMÉ du chapitre 11

Maintenant que tu as terminé ce chapitre, essaie de faire les activités proposées ci-dessous. Si tu n'y arrives pas, consulte de nouveau la section indiquée.

Trace le schéma d'un circuit en série composé d'une pile et de trois résistances. (11.1)

Explique la signification de l'expression « circuit en série ». (11.1)

Trace le schéma d'un circuit en parallèle composé d'une pile et de trois résistances. (11.1)

Explique en quoi un circuit en parallèle est différent d'un circuit en série. (11.1)

Explique pourquoi on utilise des circuits en parallèle à la maison. (11.2)

Explique pourquoi il y a des risques d'incendie quand tu mets sous tension des appareils électriques supplémentaires, raccordés au même circuit en parallèle. (11.2)

Explique comment un fusible peut prévenir un incendie. (11.2)

Explique le fonctionnement d'un disjoncteur. (11.2)

Définis l'expression « résistance équivalente ». (11.2)

Compare la résistance équivalente d'un circuit en série et la résistance des résistances individuelles du circuit. (11.2)

Compare la résistance équivalente d'un circuit en parallèle et la résistance des résistances individuelles du circuit. (11.2)

Compare l'efficacité d'une ampoule incandescente et d'une ampoule fluorescente. (11.3)

Nomme trois façons d'éviter un incendie d'origine électrique ou un choc électrique grave à la maison. (11.3)

## Prépare ton propre résumé

Résume le contenu de ce chapitre en élaborant une représentation graphique (comme un réseau conceptuel), en réalisant une affiche ou en résumant par écrit les concepts clés du chapitre. Voici quelques idées dont tu peux t'inspirer.

- Explique les avantages d'une guirlande électrique dont les ampoules sont raccordées en parallèle plutôt qu'en série.
- Compare le courant qui passe à travers différents points d'un circuit en série.
- Compare la différence de potentiel de résistances qui sont raccordées en parallèle.
- Explique comment calculer le coût de l'énergie électrique.
- Compare des voitures sur une piste de course à des électrons dans un circuit. Nomme le type de circuit correspondant à cette comparaison.
- Explique comment une compagnie d'électricité détermine la quantité d'énergie électrique qu'une famille consomme.

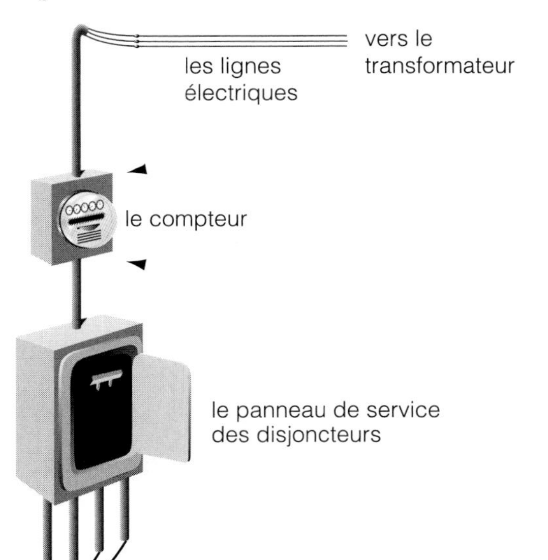

CHAPITRE

# 11 Révision

## Des termes à connaître

Si tu as besoin de réviser les termes ci-dessous, rends-toi aux numéros de section données qui t'indiquent où ils ont été mentionnés pour la première fois.

Indique si chacun des énoncés ci-dessous est vrai ou faux. Si l'énoncé est faux, écris l'énoncé exact.

1. Dans un circuit en parallèle, les électrons peuvent emprunter plusieurs chemins. (11.1)
2. La résistance équivalente d'un circuit en série est inférieure à la résistance de n'importe quel résistance du circuit. (11.2)
3. Un fusible ouvre le circuit quand l'intensité du courant est trop élevée. (11.2)
4. Quand tu remets en marche un disjoncteur, tu fermes le circuit. (11.2)
5. La différence de potentiel de chaque résistance d'un circuit en série est toujours la même. (11.2)
6. Un kilowatt-heure est une unité de mesure du courant. (11.3)
7. Le courant ne circule plus quand il y a un court-circuit. (11.3)

## Des concepts à comprendre

Les numéros de section te permettront de faire des révisions, si tu en as besoin.

8. Dessine deux schémas de circuits électriques pour illustrer un circuit en série et un circuit en parallèle. (11.1)
9. Quel est le plus petit nombre de chemins qu'un circuit électrique peut avoir? Explique ta réponse. (11.1)
10. Deux ampoules identiques sont connectées à une pile dans un circuit en série. Que va-t-il arriver à la luminosité d'une des ampoules si tu dévisses l'autre ampoule? (11.1)
11. Quel type de circuit les énoncés suivants décrivent-ils? (11.2)
    a) La différence de potentiel de chaque résistance est identique.
    b) L'intensité du courant qui passe dans chaque résistance peut être différente.
12. Suppose qu'un four à micro-ondes, un grille-pain, un batteur électrique et une radio soient tous branchés sur le même circuit domestique. Explique ce qui arrive au courant dans les câbles qui sont raccordés directement à la source quand tu mets sous tension, l'un après l'autre, la radio, le grille-pain, le four et, enfin, le batteur, sans mettre hors tension aucun de ces appareils. (11.2)
13. Où le disjoncteur doit-il se trouver dans un circuit? Pourquoi? (11.2)
14. Nomme trois façons d'économiser l'énergie électrique à la maison. (11.3)

## Des habiletés à acquérir

15. Termine le réseau conceptuel ci-dessous en utilisant les termes suivants:

circuit en série
circuit en parallèle
un seul chemin
circuit principal
embranchements
courant identique
les courants s'additionnent
les tensions s'additionnent
circuits domestiques

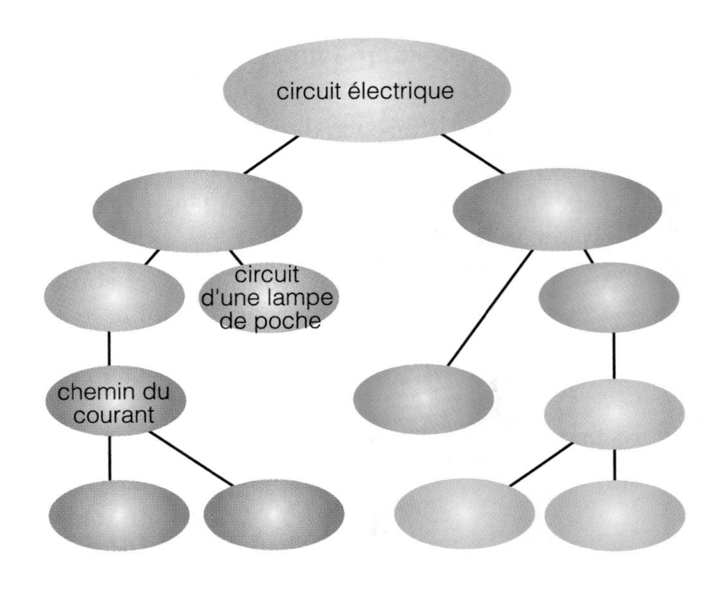

**16.** La figure ci-dessous représente un circuit contenant une pile sèche, des fils conducteurs, un interrupteur et deux ampoules. Si l'interrupteur est fermé, les ampoules vont-elles s'allumer ? Explique ta réponse.

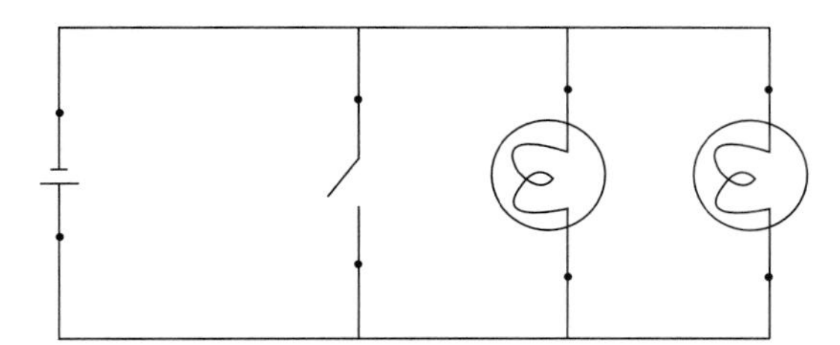

**17.** Dessine un schéma de circuits montrant la connexion en série d'une pile sèche, d'un interrupteur et d'une ampoule. Représente un voltmètre raccordé pour mesurer la différence de potentiel électrique à la source et un ampèremètre raccordé pour mesurer l'intensité du courant dans le circuit. Indique les pôles positif et négatif de la pile, du voltmètre et de l'ampèremètre.

**18.** Un étudiant veut utiliser un voltmètre, un ampèremètre et une pile pour mesurer la résistance équivalente de deux résistances raccordées en série et en parallèle. Trace des schémas représentant chaque montage. Indique les pôles positif et négatif de la pile, du voltmètre et de l'ampèremètre.

## Problèmes à résoudre

**19.** Suppose que tu veuilles construire un circuit avec une source, un interrupteur, un moteur et une lampe. Tu veux que la lampe indique le moment où le moteur s'arrête. Dessine le circuit.

**20.** Un circuit se compose d'une source, de deux ampoules et de deux interrupteurs. Les deux ampoules n'ont aucun effet l'une sur l'autre et chaque ampoule est contrôlée par un interrupteur différent. Dessine le circuit.

**21.** Une famille a consommé 4250 kWh d'énergie électrique pendant une période de facturation. Si la compagnie d'électricité facture 7,50 ¢ le kWh, quel sera le montant de la facture d'électricité de la famille pendant la période de facturation ?

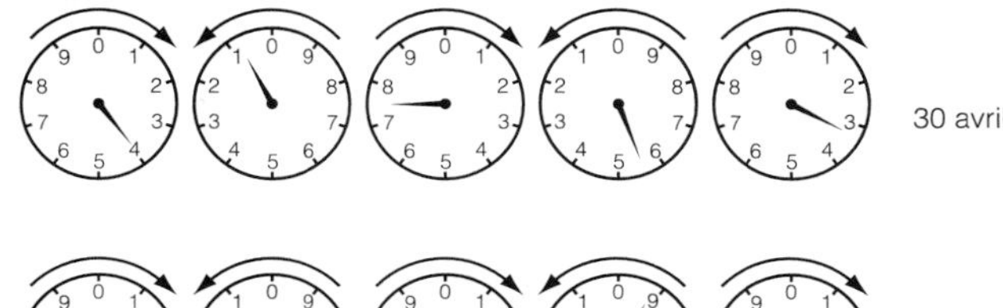


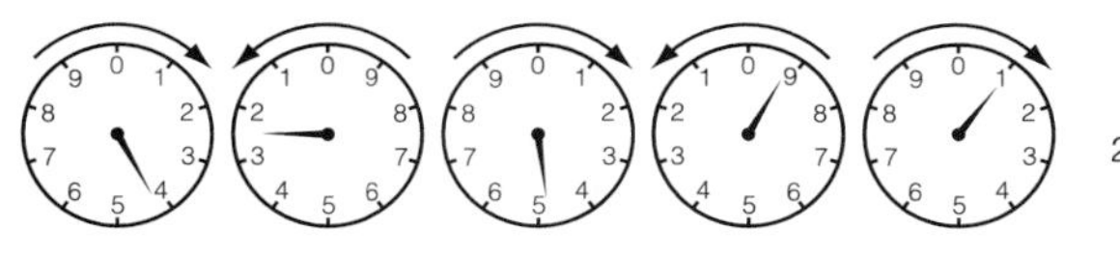


**22.** La figure ci-dessus représente les cadrans d'un compteur électrique au début et à la fin d'une période de deux mois. Quelle quantité d'énergie électrique la famille a-t-elle consommée pendant cette période de deux mois ?

## Réflexion critique

**23.** Un de tes amis vit dans une vieille maison rénovée qui a encore une boîte à fusibles. Quand un fusible grille, ton ami doit le remplacer. Celui-ci te dit que ce n'est pas un problème s'il n'a pas de fusibles neufs ; il met alors une pièce de un cent dans l'espace réservé au fusible. Le cuivre conduit le courant et ferme le circuit. Quel conseil donnerais-tu à ton ami à propos du remplacement du fusible par un cent ? Explique ta réponse.

**24.** Suppose que, chez toi, il y a un lustre avec un gradateur. Le gradateur fonctionne comme le potentiomètre (la résistance variable) que tu as utilisé dans l'Activité de départ de ce chapitre. Ton frère aîné insiste pour que la lumière soit toujours tamisée quand elle est allumée afin d'économiser de l'énergie. Ton frère a-t-il raison ? Si la réponse est non, explique pourquoi il a tort.

## Pause réflexion

1. Dans ton journal scientifique, examine les réponses aux questions de la rubrique Pour commencer... Si tu dois corriger ou améliorer certaines de tes réponses, fais ces changements. Si tu ne connaissais pas les réponses à certaines de ces questions, réponds-y maintenant.
2. Après avoir étudié ce chapitre, quels changements apporteras-tu à ta façon d'utiliser l'énergie électrique ?
3. Quel conseil donnerais-tu aux autres sur la sécurité en matière d'électricité ?

CHAPITRE

# 12 L'électricité et

## Pour commencer...

- Comment une pile fonctionne-t-elle ?
- Qu'est-ce qu'un combustible fossile ? Comment produit-on de l'énergie électrique à partir de combustibles de ce type ?
- Pourquoi emploie-t-on des lignes à haute tension pour assurer le transport de l'énergie électrique ?
- Que se passe-t-il à l'intérieur d'un réacteur nucléaire ?
- Quels effets la production d'énergie électrique peut-elle avoir sur l'environnement ?

## Journal scientifique

Discute des questions de la rubrique Pour commencer... avec la classe ou avec une ou un de tes camarades. Note le plus grand nombre de réponses possible dans ton journal scientifique. Énumère les faits sur lesquels tes réponses reposent et nomme des activités que tu pourrais faire pour vérifier si tes réponses sont exactes. Si tu te poses d'autres questions à propos de la production d'énergie électrique, note-les aussi dans ton journal. Tu vas sans doute découvrir des réponses à ces questions au cours de l'étude du présent chapitre.

Plusieurs fois par jour, tu actionnes un commutateur en entrant dans une pièce pour allumer la lumière. Te demandes-tu parfois d'où vient l'énergie électrique dont tu te sers si souvent ? Sais-tu quel type de centrale électrique produit l'énergie électrique que tu utilises ? Est-ce une centrale hydroélectrique ? un réacteur nucléaire ? Sinon, c'est probablement une centrale thermoélectrique, où l'on fait brûler un combustible fossile. Combien de kilomètres les câbles de transmission utilisés pour transporter l'énergie électrique de la centrale jusque chez toi, ou jusqu'à l'école, totalisent-ils ? La plupart des gens n'ont jamais réfléchi à ces questions. Et toi, y as-tu déjà pensé ?

On a la chance de disposer de l'énergie électrique depuis quelques générations. Il n'est donc pas étonnant qu'on s'en serve sans même y penser. De plus, nous nous habituons très vite aux progrès réalisés dans ce domaine. Par exemple, on voit partout des gens en train de se servir d'un téléphone cellulaire. Le développement de piles ou de batteries de plus en plus perfectionnées nous permet de transporter avec nous une source d'énergie. Dans ce chapitre, tu en apprendras davantage à propos de la production d'énergie électrique, que ce soit dans les grandes centrales ou dans des piles minuscules.

# l'environnement

## Concepts clés

Dans ce chapitre, tu découvriras :
- comment on utilise l'énergie produite par des réactions chimiques pour produire de l'électricité ;
- quelle est la différence entre une pile primaire et une pile secondaire ;
- quelles sont les formes d'énergie les plus couramment utilisées pour produire de l'énergie électrique ;
- quels effets de la production d'énergie sont potentiellement nocifs pour l'environnement ;
- quelle est la différence entre une source d'énergie renouvelable et une source d'énergie non renouvelable.

## Habiletés clés

Dans ce chapitre :
- tu brancheras des piles en série ou en parallèle ;
- tu construiras une pile voltaïque et tu analyseras les facteurs qui ont des effets sur le fonctionnement d'une pile de ce type ;
- tu feras fonctionner une pile solaire et tu étudieras les caractéristiques d'une pile de ce type.

## Mots clés

- pile voltaïque
- électrode
- électrolyte
- pile sèche
- pile humide
- pile primaire
- pile secondaire
- pile à combustible
- pile solaire
- hydroélectrique
- combustible fossile
- thermoélectrique
- produits de fission
- fission nucléaire
- thermonucléaire
- barres de combustible
- transformateur
- courant continu
- courant alternatif
- mine à ciel ouvert
- pluies acides
- épurateur
- gaz à effet de serre
- réchauffement de la planète
- pollution thermique
- source d'énergie non renouvelable
- source d'énergie renouvelable
- coefficient de marée
- fusion

## ACTIVITÉ de départ

### Que contient une pile électrique ?

Lorsque tu as utilisé une pile électrique comme source d'énergie, t'es-tu demandé quels éléments sont essentiels pour que la pile fonctionne ? Cette activité te fournira quelques indices.

#### Ce dont tu as besoin

Procure-toi un fil d'aluminium de 10 cm de longueur (ou une bande découpée dans une assiette en aluminium), un fil de cuivre de 10 cm de longueur, deux fils électriques, un voltmètre et un citron. Rassemble également divers fruits et légumes : par exemple, une pomme de terre, un concombre et une tomate.

#### Ce que tu dois faire

1. Enfonce profondément le fil d'aluminium et le fil de cuivre dans le citron, sans transpercer le fruit de part en part. Laisse un espace d'environ 1 cm entre les deux fils.

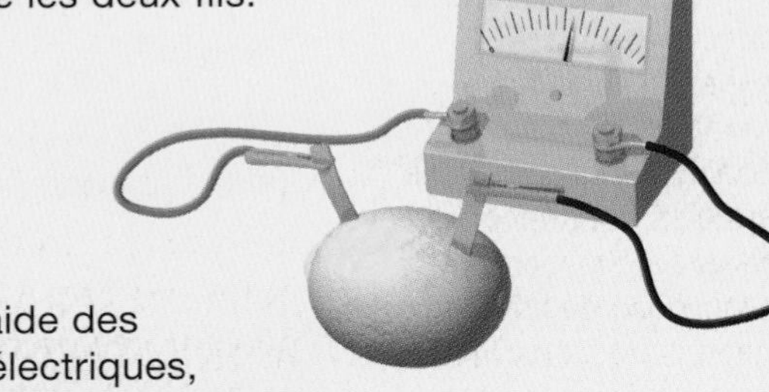

2. À l'aide des fils électriques, relie le fil d'aluminium à la borne négative du voltmètre et le fil de cuivre, à la borne positive.
3. Lis et note la valeur qu'indique le voltmètre.
4. Refais les trois premières étapes avec les autres fruits ou légumes.

#### Qu'as-tu découvert ?

1. Quels fruits ou légumes font de bonnes piles ?
2. Quel est le rôle du fil de cuivre, du fil d'aluminium et du fruit ou du légume dans l'expérience que tu viens de faire ?

# 12.1 Une source d'énergie portative

**Figure 12.1** Combien de dispositifs à piles ou à batterie l'illustration contient-elle ? Combien de ces dispositifs utilises-tu presque tous les jours ?

Combien de fois par jour utilises-tu des dispositifs à piles ? Combien de temps s'est écoulé depuis la dernière fois que tu as lu l'heure sur ta montre ou que tu as utilisé ta calculatrice ? Les piles et les batteries sont des exemples de sources d'énergie électrique qui rendent la vie quotidienne plus facile. N'oublie pas qu'on appelle batterie un ensemble de piles reliées les unes aux autres. Mais à qui doit-on cette invention ingénieuse ?

## Les origines de la pile

Comme il arrive souvent dans le cas de découvertes scientifiques importantes, les premières observations qui ont conduit à l'invention de la pile électrique ont été faites par hasard. Le médecin et physicien italien Luigi Galvani (1737-1798) était en train d'étudier les nerfs et les muscles d'une grenouille lorsque lui et ses assistants ont remarqué qu'un muscle de la grenouille se contractait lorsqu'ils touchaient un nerf avec un scalpel en métal. L'un des assistants a affirmé que le contact provoquait également une étincelle.

Galvani s'est alors mis à étudier les effets des étincelles électriques sur les nerfs et les muscles d'une grenouille. Il a bientôt constaté qu'un muscle se contractait lorsqu'il le touchait avec deux objets faits de métaux différents, même en l'absence d'étincelle. Il en a conclu que les tissus de la grenouille produisent de l'électricité et il a appelé cette énergie « électricité animale ». Peu de temps après, Alessandro Volta a prouvé que l'interprétation que son ami Galvani avait donné de ses observations était fausse. Volta a montré qu'on peut créer une différence de potentiel entre deux métaux différents en plaçant ces métaux dans une solution salée ou acide. C'était donc la présence de deux métaux différents dans la solution qui produisait la différence de potentiel, et non le tissu vivant de la grenouille. En 1800, Volta a inventé une pile, qu'on appelle pile de Volta ou pile voltaïque *(voir la figure 12.2)*. Cette « batterie », ou cet ensemble de piles reliées les unes aux autres, a été la première source fiable de courant électrique continu.

**Le savais-tu ?**

Même si le concept d'« électricité animale » inventé par Galvani était inexact, les travaux de ce physicien ont donné naissance à la neurophysiologie, ou étude du système nerveux. On sait maintenant que les nerfs conduisent des impulsions électriques et que ces impulsions provoquent la contraction des muscles.

**LIEN terminologique**

Alessandro Volta a inventé le terme « galvanisme », en l'honneur de Luigi Galvani. Cherche la signification des mots « galvanisme », « galvanique », « galvaniser » et « galvanomètre ». Quel est le lien entre ces termes et les travaux de Galvani ?

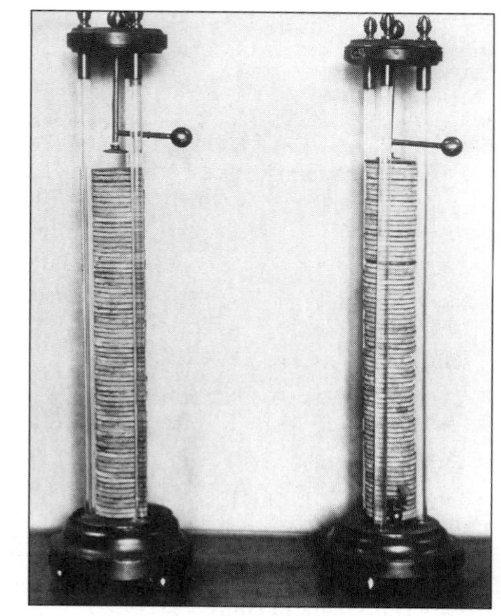

**Figure 12.2** Ces piles voltaïques sont formées en superposant en alternance des disques de zinc et de cuivre, et en les séparant par un morceau de feutre imbibé d'eau salée.

## Les réactions dans une pile électrochimique

Qu'est-ce qui crée la différence de potentiel dans une **pile voltaïque** comme celle que tu as construite dans l'Activité de départ ? Les réactions chimiques qui se produisent à l'intérieur de divers types de piles sont différentes. Cependant, toutes les piles voltaïques reposent sur le même principe. Deux métaux ou deux alliages différents n'exercent pas la même force d'attraction sur les électrons. Si deux métaux sont placés dans un milieu où les électrons peuvent se déplacer, l'un donne des électrons à l'autre. Ainsi, dans la « pile-citron » que tu as fabriquée, le fil d'aluminium donne des électrons au fil de cuivre, et l'acide du citron joue un rôle dans cette réaction.

Dans une pile voltaïque, ou dans n'importe quelle pile électrique, on appelle **électrodes** les deux plaques de métal. Les électrodes doivent être immergées dans une solution où le courant électrique peut circuler. On appelle une solution de ce type **électrolyte.** Tout en lisant la description de la réaction chimique qui a lieu dans une pile, examine la figure 12.3, qui illustre cette réaction.

**Figure 12.3** Une plaque d'aluminium et une plaque de cuivre sont immergées dans une solution acide. Les électrons qui circulent de la plaque d'aluminium à la plaque de cuivre, en empruntant le fil conducteur, fournissent l'énergie nécessaire pour allumer l'ampoule.

Les atomes d'aluminium laissent s'échapper des électrons qui empruntent le fil conducteur pour se rendre à l'électrode de cuivre. Lorsqu'un atome d'aluminium perd des électrons, il devient chargé positivement. Tu as appris, au chapitre 8, qu'on appelle ions les atomes électrisés. Les ions d'aluminium ne restent pas collés à l'électrode : ils s'en vont dans la solution acide. La plaque d'aluminium se désagrège donc au fur et à mesure qu'elle perd des ions. Une solution acide contient des ions d'hydrogène. Lorsque les électrons arrivent à la plaque de cuivre, les ions d'hydrogène s'accaparent des électrons et de ce fait, les neutralisent. L'hydrogène neutre se transforme en gaz et forme des bulles autour de la plaque de cuivre.

## Les outils de la science

Un thermocouple est un dispositif dont le fonctionnement repose lui aussi sur la différence de potentiel entre deux métaux différents. Cependant, dans un thermocouple, les deux métaux entrent en contact en deux endroits, appelés soudures. Si les deux soudures ne sont pas à la même température, il existe une différence de potentiel entre elles et un faible courant circule de l'une à l'autre.

La différence de potentiel entre les soudures d'un thermocouple dépend de l'écart de température entre les soudures. Cette caractéristique du thermocouple permet d'utiliser ce dispositif pour mesurer des températures. Comme le montre le schéma, on maintient l'une des soudures à une température connue, par exemple la température de la glace fondante. On place l'autre soudure à l'endroit où l'on veut mesurer la température. On se sert du thermocouple pour mesurer des températures très élevées, alors que le thermomètre est presque inutilisable. On peut aussi employer un thermocouple pour actionner des interrupteurs sensibles à la chaleur. Il est même possible de fabriquer des thermocouples assez petits pour être insérés dans les tissus d'un organisme vivant.

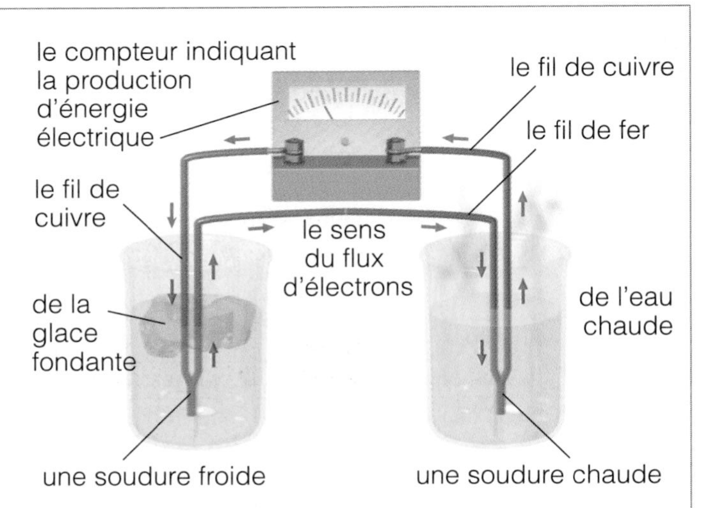

RÉALISE UNE EXPÉRIENCE 12-A

# La fabrication d'une bonne pile

Au cours de la présente expérience, tu vas examiner différents types de piles voltaïques. Tu vas ainsi découvrir quels facteurs accroissent ou réduisent l'utilité d'une pile.

## Problème à résoudre

Quels facteurs déterminent la différence de potentiel et le courant fournis par une pile voltaïque ?

### Consignes de sécurité

- Porte un sarrau et des lunettes de protection.
- Porte des gants de protection et utilise du papier absorbant pour manipuler les plaques de métal qui ont trempé dans l'acide.
- L'acide sulfurique est corrosif. Utilise donc seulement de l'acide sulfurique dilué. Si tu échappes de l'acide sur ta peau ou tes vêtements, rince immédiatement les endroits touchés avec de l'eau et avertis ton enseignante ou ton enseignant.
- Demande à ton enseignante ou à ton enseignant de vérifier si l'ampèremètre et le voltmètre sont reliés correctement avant de faire le dernier branchement.

### Matériel non réutilisable

- une paire de gants en caoutchouc
- de l'acide sulfurique dilué
- de l'eau distillée
- des essuie-tout
- une solution saline
- de l'eau du robinet

### Matériel

- un ampèremètre (0-1 A)
- une plaque d'aluminium
- un vase à bec ou un bocal
- quatre fils conducteurs
- deux plaques de cuivre
- un voltmètre (0-5 V)
- de la laine d'acier
- une plaque de zinc

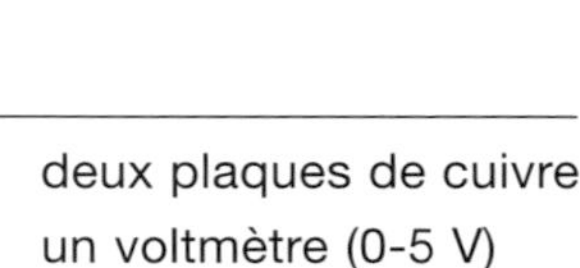


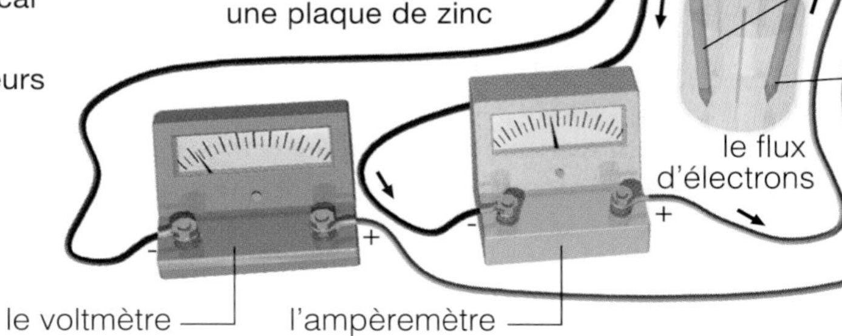


## Marche à suivre

1. Copie le tableau ci-dessous.
2. Frotte les plaques de métal des deux côtés avec la laine d'acier.
3. Remplis le vase ou le bocal aux deux tiers avec de l'acide sulfurique dilué.
4. Dépose une plaque de zinc et une plaque de cuivre dans la solution. Assure-toi que les deux plaques ne se touchent pas.
5. Relie, avec deux fils différents, la plaque de zinc à la borne négative du voltmètre et de l'ampèremètre. Relie ensuite la plaque de cuivre à la borne positive du voltmètre et de l'ampèremètre.

Les facteurs qui déterminent le rendement d'une pile voltaïque

| Facteur modifié | Plaques de métal | Solution | Courant (A) | Différence de potentiel (V) | Formation de bulles |
|---|---|---|---|---|---|
| Lecture initiale | cuivre et zinc | acide sulfurique dilué | | | |
| Lecture après 5 min | cuivre et zinc | acide sulfurique dilué | | | |
| Élimination des bulles | cuivre et zinc | acide sulfurique dilué | | | |
| Diminution de l'aire de la partie immergée des plaques | cuivre et zinc | acide sulfurique dilué | | | |
| Utilisation d'une autre plaque de métal | aluminium et zinc | acide sulfurique dilué | | | |
| Utilisation de deux plaques identiques | cuivre et cuivre | acide sulfurique dilué | | | |
| Remplacement de la solution par de l'eau | cuivre et zinc | eau distillée | | | |

6. Lis et note les valeurs du courant et de la différence de potentiel. Note également si des bulles se forment autour de l'une ou de l'autre plaque de métal.
7. Laisse la pile fonctionner pendant 5 min. Surveille la formation de bulles autour des plaques de métal. Note tes observations. Indique s'il y a plus de bulles autour de la plaque de zinc ou de la plaque de cuivre.
8. Lis les compteurs après avoir laissé la pile fonctionner pendant 5 min et note tes lectures.
9. Élimine les bulles sur les plaques de métal avec du papier absorbant. N'oublie pas de mettre des gants de protection pour effectuer cette opération. Refais l'étape 6.
10. Élimine de nouveau les bulles sur les plaques de métal. Replace les plaques dans l'acide sulfurique dilué de manière que seule la moitié de chaque plaque soit immergée. Refais l'étape 6.
11. Remplace la plaque de cuivre par la plaque d'aluminium. Refais l'étape 6.
12. Remplace la plaque de zinc et la plaque d'aluminium par deux plaques de cuivre dans la solution. Refais l'étape 6.
13. Rince les plaques de métal avec de l'eau du robinet et remplace la solution de la pile voltaïque par de l'eau distillée. Remplace également une plaque de cuivre par une plaque de zinc. Refais l'étape 6.
14. Suis les instructions de ton enseignante ou de ton enseignant pour jeter l'acide dont tu n'as pas besoin et pour éponger l'acide, si tu en renverses.
15. Nettoie l'espace de travail et lave-toi bien les mains avant de quitter le laboratoire.

## Conclusion et mise en pratique

1. Quel phénomène survenu autour de la plaque de cuivre t'indique qu'il s'est produit une réaction chimique ?
2. De quelle façon le courant et la différence de potentiel varient-ils avec le temps ?
3. Quel est l'effet de chacune des actions suivantes sur **a)** la différence de potentiel ? **b)** le courant ?
   - L'élimination des bulles sur les plaques de métal
   - La diminution de l'aire de la partie immergée des plaques de métal
   - Le remplacement des plaques de cuivre et de zinc par des plaques d'aluminium et de zinc
   - L'utilisation de deux plaques de métal identiques
4. Quels facteurs semblent déterminer la différence de potentiel ?
5. Quels facteurs semblent augmenter le courant ?
6. Dans le cas des plaques de cuivre et de zinc, quelle combinaison de facteurs produit le courant le plus élevé ?
7. Quelle combinaison de métaux produit la différence de potentiel la plus élevée : cuivre et zinc, ou aluminium et zinc ?
8. Si tu devais fabriquer une pile voltaïque, quelle combinaison de métaux utiliserais-tu et à quelles conditions les soumettrais-tu ? Pourquoi ?

## Enrichis tes connaissances

Penses-tu qu'une pile voltaïque fonctionnerait encore si on remplaçait l'acide sulfurique par de l'eau salée concentrée ? Fais une expérience pour vérifier ton hypothèse.

## Pause réflexion

Relis les réponses aux questions de la rubrique Pour commencer… que tu as notées dans ton journal scientifique. Relis également tes réponses aux questions posées dans l'Activité de départ. Tes réponses sont-elles en accord avec ce que tu viens d'apprendre à propos des piles ? Sinon, corrige-les.

## Le savais-tu ?

Le chimiste anglais John Daniell (1790-1845) a inventé, en 1836, la pile qui porte son nom. Cette pile comprend une électrode de cuivre, une électrode de zinc et deux électrolytes : des solutions d'acide sulfurique et de sulfate de cuivre. La pile de Daniell a été la première source fiable de courant électrique.

### Les inconvénients de la pile voltaïque

L'invention de la pile voltaïque a représenté un progrès spectaculaire dans le domaine de l'électricité. Cependant, le modèle de Volta comportait plusieurs défauts qui limitaient son utilisation. Premièrement, l'électrode de zinc réagissait avec l'acide sulfurique et il s'érodait. De plus, des bulles d'hydrogène se formaient autour de l'électrode de cuivre. La présence de ces bulles réduisait grandement l'aire de la partie de l'électrode en contact avec la solution, ce qui ralentissait le fonctionnement de la pile. Le courant était donc lui aussi réduit. De plus, l'hydrogène gazeux est très explosif. Il suffit d'une étincelle pour enflammer ce gaz et le faire exploser. L'acide sulfurique, très corrosif, serait alors projeté dans toutes les directions. Même une petite éclaboussure de cet acide peut causer une blessure grave. Il a donc fallu apporter des modifications importantes à la pile de Volta afin d'en faire une source pratique d'énergie électrique.

## Vérifie ce que tu as compris

1. Dessine un schéma simple montrant une pile voltaïque branchée à une ampoule électrique. Indique le nom des trois principaux composants de la pile.
2. Quel est le rôle des électrodes dans une pile électrique ?
3. Qu'est-ce qu'un électrolyte ? Quel est le rôle d'un électrolyte dans une pile électrique ?
4. Quelle est la principale différence entre une pile et une batterie ?
5. Nomme trois caractéristiques de la pile voltaïque qui en réduisent l'utilisation.

## D'un océan à l'autre

**Réginald Fessenden**

Les ondes radioélectriques sont des ondes électromagnétiques : elles se déplacent dans l'air et ne nécessitent pas de lignes de transmission pour se propager. La radio est un important moyen de communication dans le monde entier, de l'Afrique à l'Asie ; les gens écoutent la radio aussi bien dans leur cuisine que dans leur automobile. Nombreux sont ceux qui pensent que la radiodiffusion a été inventée par le physicien italien Guglielmo Marconi. C'est effectivement Marconi qui a envoyé le premier signal en morse au-dessus de l'Atlantique, depuis l'Angleterre jusqu'à St. John's, la capitale de Terre-Neuve, en 1901. Cependant, Marconi ne croyait pas qu'il était possible d'appliquer le même principe, soit la transformation de l'énergie électrique en ondes électromagnétiques, pour transmettre la voix humaine. Mais un Canadien, Reginald Fessenden, y a cru.

Fessenden est né à Bolton-Est, au Québec. Il a d'abord étudié le français, le latin et le grec, puis il a opté pour l'étude des sciences à l'Université de Lennoxville, au Québec. Durant les années 1880, il a travaillé avec l'inventeur américain Thomas Edison. Edison ne croyait pas non plus qu'il était possible de transmettre la voix humaine par un procédé radioélectrique, mais Fessenden n'a jamais renoncé à son rêve.

En 1906, la veille de Noël, des marins, qui se trouvaient en pleine mer, ont été abasourdis d'entendre une voix sortir de l'appareil qu'ils utilisaient pour recevoir des signaux en morse. Certains ont probablement pensé qu'il s'agissait d'un fantôme, mais ce n'était que la voix de Reginald Fessenden. Ce dernier a prononcé un bref discours, puis il a joué du violon et a chanté des cantiques de Noël avec sa femme et un ami. Il venait en fait d'inventer la radiodiffusion. Les principes découverts par le Canadien Reginald Fessenden, tombé dans l'oubli, sont encore en usage aujourd'hui.

# 12.2 Des piles et des batteries pratiques

Au cours des deux siècles qui se sont écoulés depuis que Volta a inventé la pile qui porte son nom, on a mis au point une large gamme de piles et de batteries ayant différentes applications. On emploie aujourd'hui plusieurs combinaisons de métaux et d'alliages pour fabriquer des électrodes. Les batteries contiennent des substances chimiques qui réagissent avec l'hydrogène et le transforment en eau, ce qui évite la formation d'hydrogène gazeux, très explosif. L'un des plus grands progrès de la technologie a été l'invention de la **pile sèche**. Comme son nom l'indique, cette pile ne contient pas d'électrolyte liquide; l'électrolyte a plutôt la consistance d'une pâte ou d'un gel. On évite ainsi tous les problèmes reliés aux éclaboussures et aux fuites. Cependant, on utilise encore des **piles humides**, qui contiennent un électrolyte liquide. Par exemple, les batteries d'automobile employées actuellement contiennent une solution d'acide sulfurique.

L'invention de piles et de batteries rechargeables a également représenté un progrès important de la technologie. On recharge une pile à plat en appliquant à ses bornes la différence de potentiel fournie par une autre source d'énergie, ce qui provoque des réactions chimiques inverses. Ainsi, la pile rechargée revient à son état initial. Les piles non rechargeables, qu'on jette lorsqu'elles sont mortes, sont appelées **piles primaires**; les piles rechargeables sont appelées **piles secondaires.** Le tableau 12.1, à la page suivante, contient des informations à propos de diverses piles modernes de l'un ou de l'autre type.

## Les outils de la science

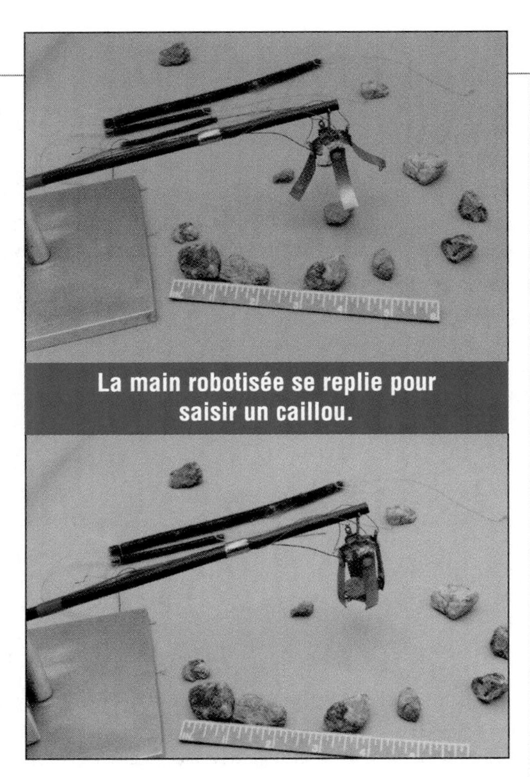
La main robotisée se replie pour saisir un caillou.

L'énergie électrique d'une batterie peut servir à contracter les muscles robotisés, qui peuvent alors saisir un objet de la même manière que les doigts de la main. Joseph Bar-Cohen, physicien qui fait de la recherche au Jet Propulsion Laboratory du California Institute of Technology (Caltech), a choisi un polymère souple pour la fabrication des muscles robotisés. Le polymère est formé de chaînes d'atomes de carbone, de fluor et d'oxygène. Si l'on applique une charge électrique sur l'une des faces du morceau de polymère, les particules chargées sont repoussées vers la face opposée. Celle-ci s'étire puisque les charges de même signe se repoussent les unes les autres, alors que la face où la charge a été appliquée se contracte. Si l'on attache ensemble quatre bandes de polymère, à la manière de quatre doigts, on obtient une main robotisée capable de ramasser de petits cailloux. Ce dispositif n'a pas beaucoup de force: il peut soulever seulement des objets ne dépassant pas 10 g (soit la masse d'un stylo). Cependant, cette main robotisée est peu coûteuse, durable et légère, et sa puissance n'est que de 0,05 W. On tente actuellement de munir les robots destinés à l'exploration des astéroïdes de « muscles » de polymère de ce type.

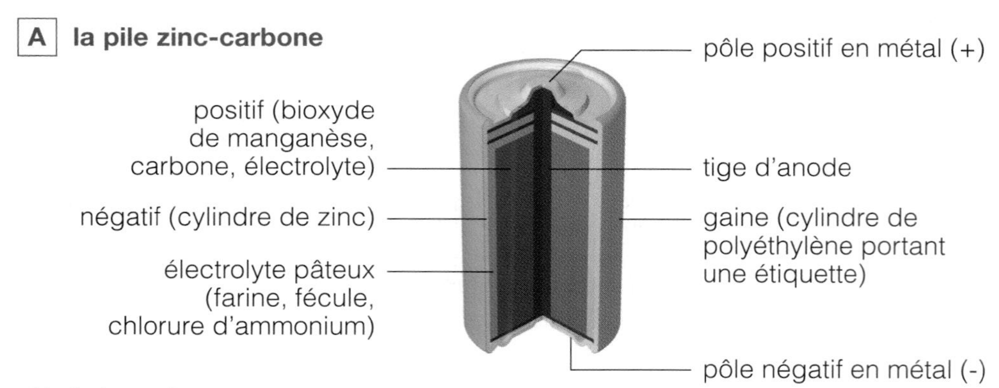


**Tableau 12.1** Piles et batteries modernes

| Type de pile | Primaire ou secondaire | Sèche ou humide | Électrode positive | Électrode négative | Électrolyte | Principales utilisations | Le pour et le contre |
|---|---|---|---|---|---|---|---|
| zinc-carbone | primaire | sèche | bioxyde de manganèse et tige d'anode | zinc | chlorure d'ammonium | lampe de poche, radio et lecteur de disques compacts portatifs | non efficace à basse température |
| alcaline | primaire | sèche | bioxyde de manganèse, carbone | zinc | hydroxyde de potassium ou hydroxyde de sodium | lampe de poche, radio et lecteur de disques compacts portatifs | dure plus longtemps qu'une pile zinc-carbone ; coûte cher |
| oxyde d'argent | primaire | sèche | oxyde d'argent | zinc | hydroxyde de potassium ou hydroxyde de sodium | calculatrice, prothèse auditive, montre | petite ; durable ; fiable |
| zinc-air | primaire | sèche | oxygène de l'air | zinc | hydroxyde de potassium | calculatrice, prothèse auditive, montre | maximum d'énergie par unité de masse ; se décharge rapidement |
| plomb-acide | secondaire | à élément humide | oxyde de plomb | plomb | acide sulfurique | automobile, motocyclette, motoneige, voiturette pour le golf | fiable ; lourde ; contient un liquide corrosif |
| nickel-cadmium | secondaire | sèche | hydroxyde de nickel, graphite | oxyde de cadmium et oxyde de fer | hydroxyde de potassium | rasoir électrique, ordinateur portatif, outil électrique, téléviseur portable | peut être rechargée des centaines de fois |

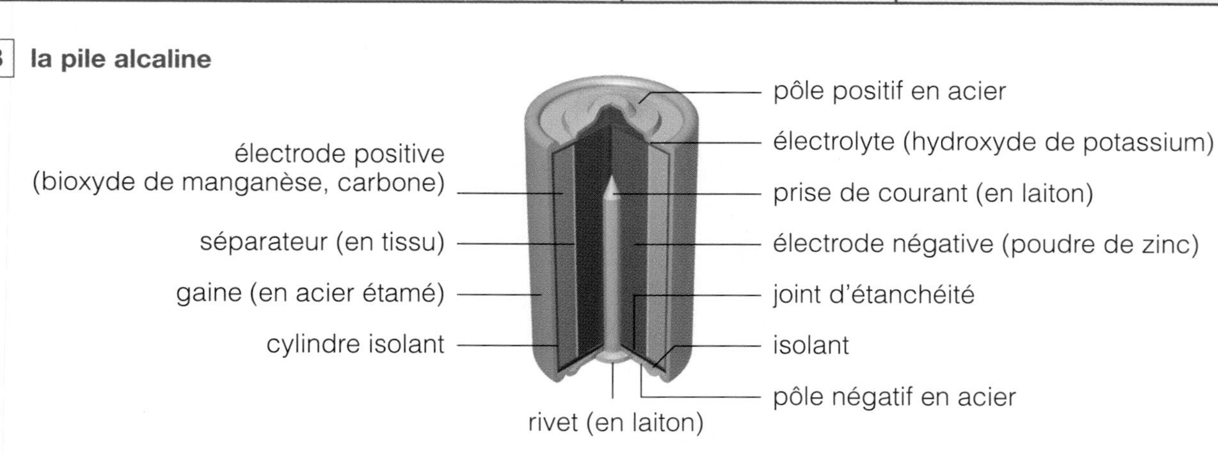

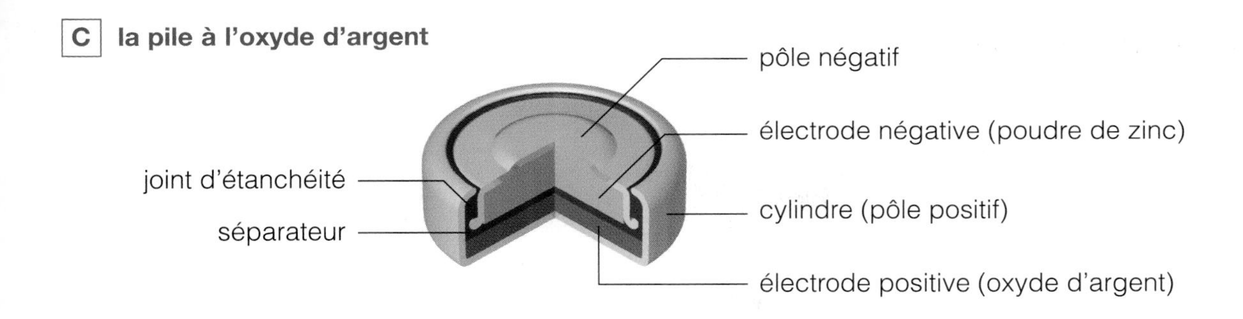


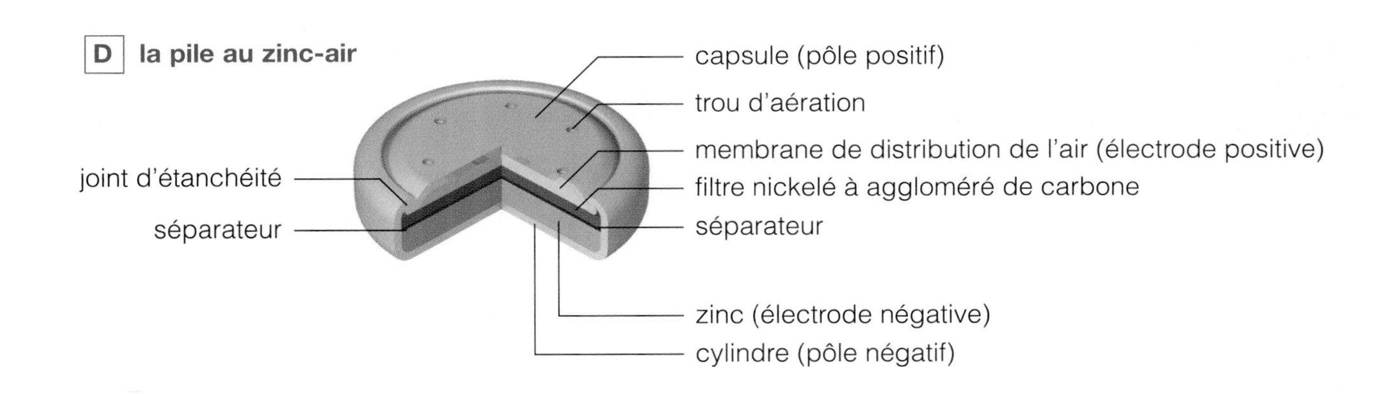


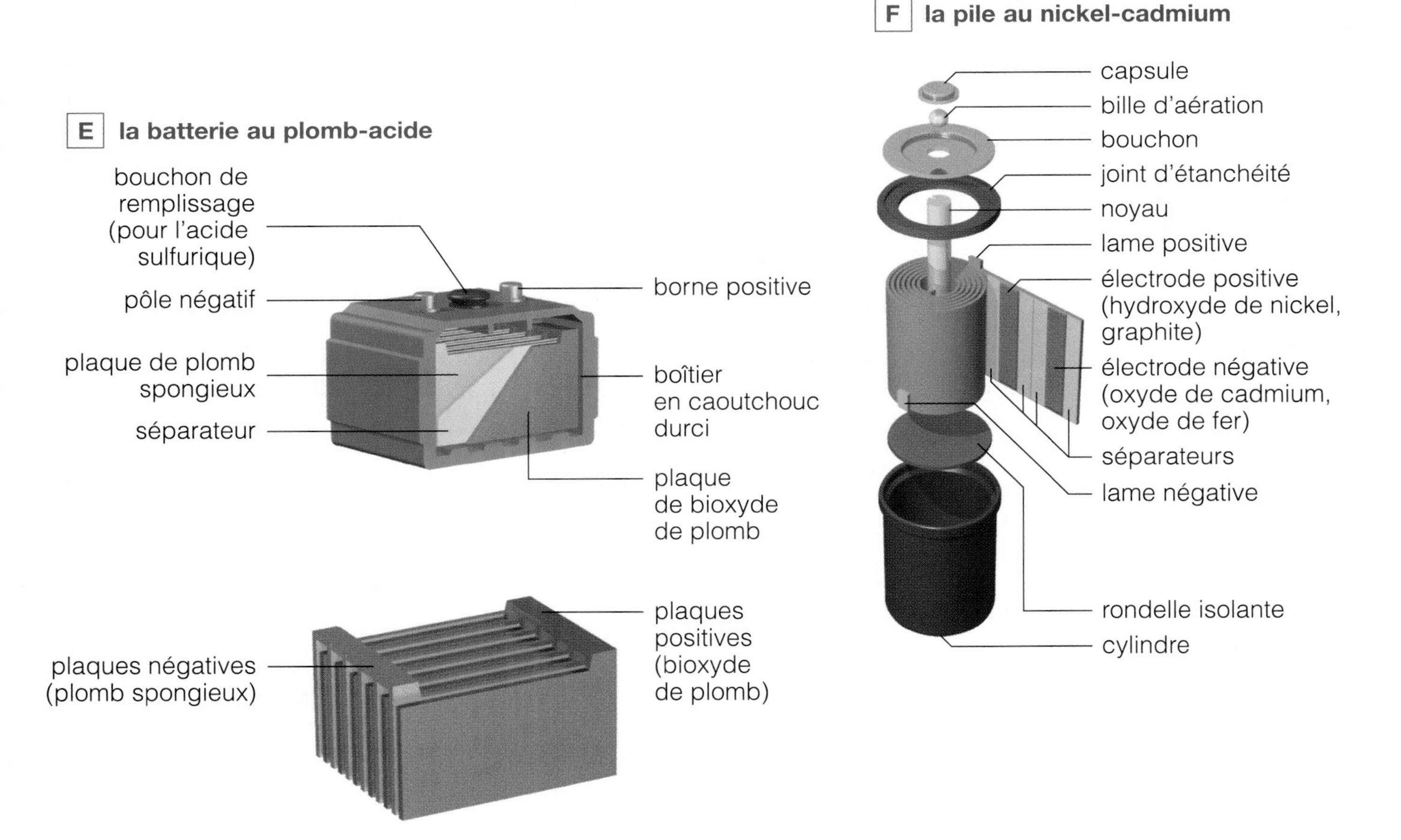


**Figure 12.4** Piles et batterie modernes : A) pile au zinc-carbone ; B) pile alcaline ; C) pile à l'oxyde d'argent ; D) pile au zinc-air ; E) batterie au plomb-acide ; F) pile au nickel-cadmium.

RÉALISE UNE EXPÉRIENCE 12-B

# Le montage d'une batterie

Tu sais qu'une batterie est un ensemble formé de plusieurs piles reliées les unes aux autres. T'es-tu déjà demandé pourquoi on assemble des piles et de quelle façon on le fait? Dans la présente expérience, tu vas relier trois piles de différentes façons. Tu vas mesurer, dans chaque cas, la différence de potentiel aux bornes de la «batterie» et tu vas noter l'intensité d'une ampoule alimentée par la «batterie».

### Consigne de sécurité

Assure-toi de bien brancher le voltmètre.

### Matériel

trois piles D
une ampoule de lampe de poche (6 V)
six fils conducteurs
un voltmètre

## Marche à suivre

1. Copie le tableau et les titres de colonnes ci-contre.
2. Relie une pile à l'ampoule de la lampe de poche de la façon indiquée dans le schéma A.
3. Branche le voltmètre aux pôles de la pile.
4. Observe l'intensité de l'ampoule et essaie de bien t'en souvenir. Tu vas avoir à comparer l'intensité de l'ampoule dans les autres montages à l'intensité que tu viens d'observer.
5. Mesure et note la différence de potentiel aux pôles de la pile.
6. Branche deux piles en série, puis relie les piles à l'ampoule, comme l'indique le schéma B. Assure-toi que le pôle positif d'une pile est en contact avec le pôle négatif de l'autre pile.

| Des piles branchées en série ou en parallèle | Différence de potentiel ($V$) | Intensité de l'ampoule (identique; plus grande; faible) |
|---|---|---|
| Une pile | | intensité étalon |
| Deux piles en série | | |
| Trois piles en série | | |
| Deux piles en parallèle | | |
| Trois piles en parallèle | | |

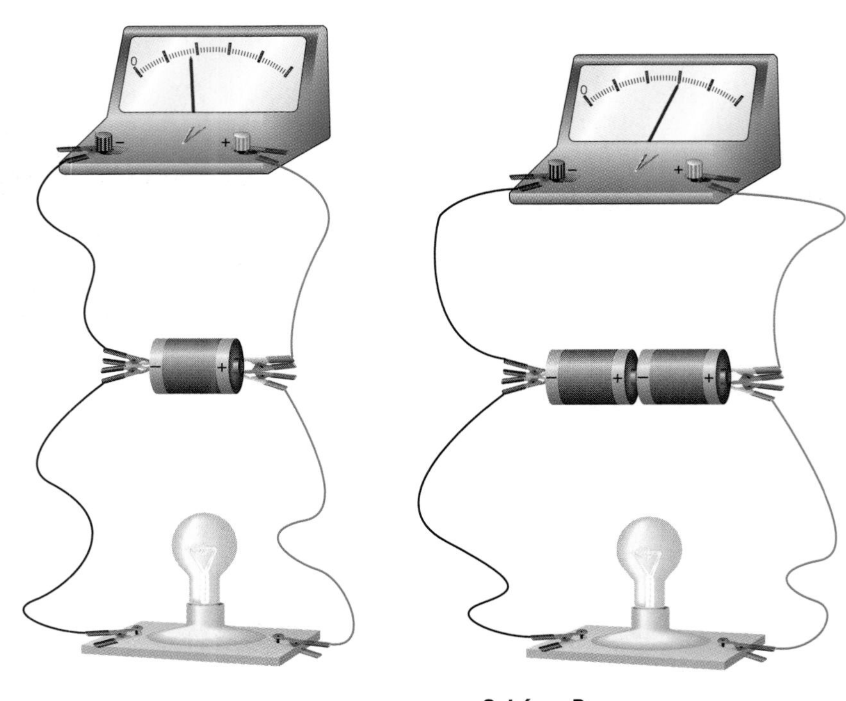

Schéma A

Schéma B

7. Branche le voltmètre aux bornes de la série de piles, comme l'indique le schéma B.
8. Observe l'intensité de l'ampoule et compare-la avec l'intensité que tu as observée à l'étape 4. Note l'intensité sur ta copie du tableau.
9. Mesure et note la différence de potentiel aux bornes de la série de piles.
10. Relie trois piles en série, puis relie les piles à l'ampoule, comme l'indique le schéma C. Assure-toi que le pôle positif de deux des piles est en contact avec le pôle négatif de la pile suivante.
11. Branche le voltmètre aux bornes de la série de piles, comme l'indique le schéma C.
12. Refais les étapes 8 et 9.
13. Retourne la troisième pile de manière à mettre en contact les pôles positifs des deuxième et troisième piles, et le pôle négatif de la troisième pile au fil conducteur, comme l'indique le schéma D.
14. Refais les étapes 8 et 9.

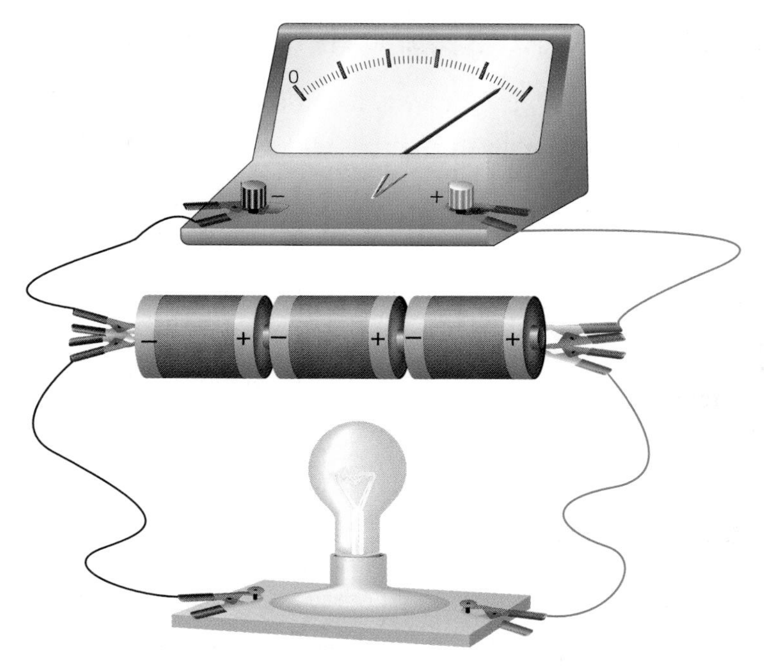

**Schéma C**

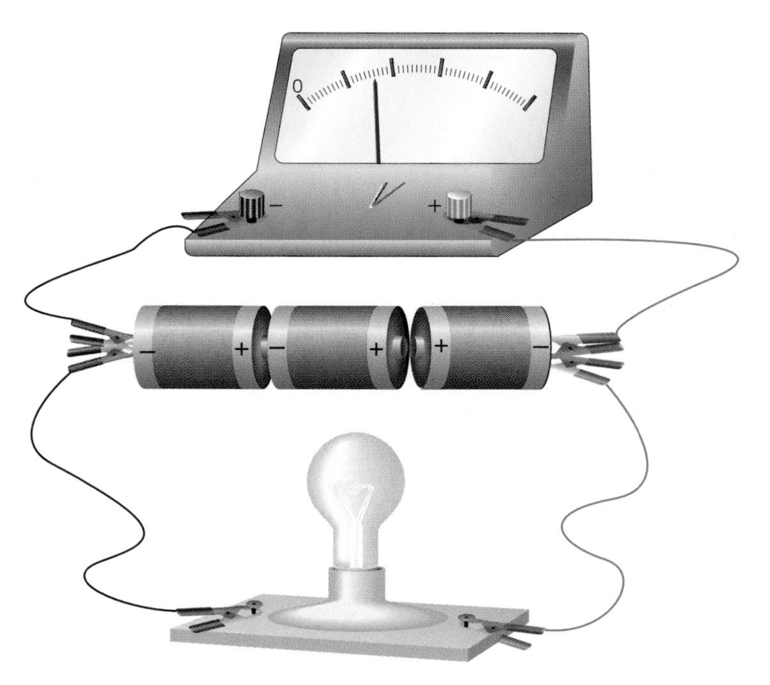

**Schéma D**

15. Branche deux piles et une ampoule en parallèle, comme l'indique le schéma E. Assure-toi de relier les deux pôles négatifs avec un fil conducteur et les deux pôles positifs avec un autre fil conducteur.
16. Branche le voltmètre aux bornes de l'ensemble de piles, comme l'indique le schéma E.
17. Refais les étapes 8 et 9.
18. Branche les trois piles et l'ampoule en parallèle, de la façon indiquée dans le schéma F. Assure-toi de relier tous les pôles négatifs avec un fil conducteur et tous les pôles positifs avec un autre fil conducteur.
19. Branche le voltmètre aux bornes de l'ensemble de piles de la façon indiquée dans le schéma F.
20. Refais les étapes 8 et 9.

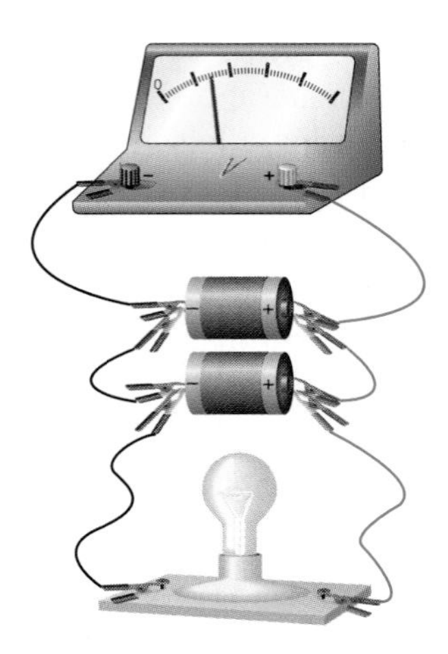

**Schéma E**

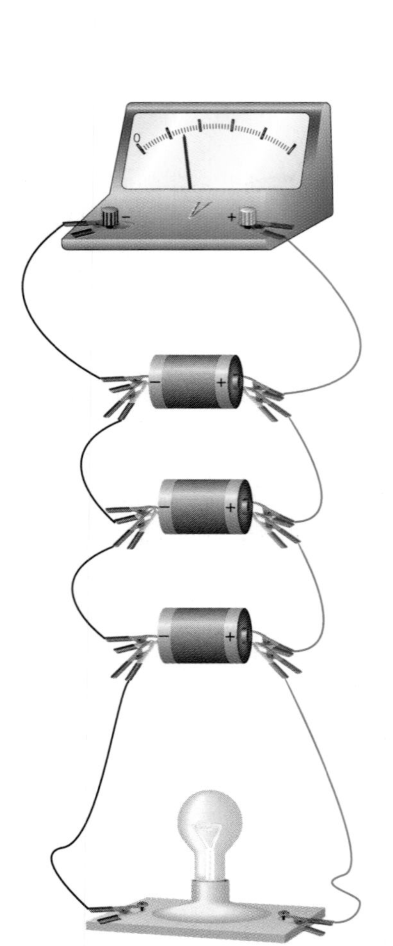

**Schéma F**

## Analyse

1. Compare l'intensité de l'ampoule et la valeur de la différence de potentiel dans les trois cas suivants : une seule pile, deux piles branchées en série, et trois piles branchées en série.
2. Compare l'intensité de l'ampoule et la valeur de la différence de potentiel dans les deux cas suivants : une seule pile et trois piles dont la dernière est placée en sens opposé par rapport aux deux premières.
3. Compare l'intensité de l'ampoule et la valeur de la différence de potentiel dans les trois cas suivants : une seule pile, deux piles branchées en parallèle, et trois piles branchées en parallèle.

## Conclusion et mise en pratique

4. Décris brièvement l'effet du montage en série de deux ou de trois piles sur la différence de potentiel et le courant.
5. Explique comment tu as pu faire des observations à propos du courant sans l'aide d'un ampèremètre.
6. Décris brièvement ce qui s'est passé lorsque tu as branché trois piles en série en plaçant la dernière pile en sens opposé par rapport aux deux premières.
7. Décris brièvement l'effet du montage en parallèle de deux ou trois piles sur la différence de potentiel et le courant.

## La plus grosse batterie est-elle la plus efficace ?

Tu as dû constater, au cours de l'expérience que tu viens de faire, que la différence de potentiel aux bornes d'un ensemble de piles branchées en série est égale à la somme des valeurs de la différence de potentiel aux pôles de chaque pile. Par exemple, la batterie de 9 V de la figure 12.5 est formée de six piles de 1,5 V branchées en série. Tu te demandes peut-être, après avoir examiné la figure, pourquoi les piles n'ont pas toutes les mêmes dimensions. Si les deux piles fournissent le même courant, la grosse pile D durera beaucoup plus longtemps que les petites piles qui composent la batterie de 9 V. La différence de potentiel fournie par une pile dépend du type de réaction chimique qui a lieu dans la pile. De plus, la quantité totale de substances chimiques détermine le nombre de réactions qui peuvent se produire et, par le fait même, la durée de la pile ou de la batterie.

**Figure 12.5** Chacune des six petites piles qui forment la batterie de 9 V fournit 1,5 V, tout comme la grosse pile D. Pourquoi les piles de 1,5 V ont-elles des dimensions tellement différentes ?

## Des piles spéciales

Les **piles à combustible** utilisent, comme les autres piles électriques, l'énergie dégagée par des réactions chimiques pour séparer des charges positives et des charges négatives. La caractéristique principale d'une pile à combustible est que les combustibles, soit l'hydrogène et l'oxygène gazeux, sont emmagasinés dans un réservoir situé à l'extérieur de la pile. Les gaz sont introduits dans la pile, où les réactions chimiques ont lieu. Le sous-produit de ces réactions est de l'eau, qui s'écoule à l'extérieur de la pile.

Jusqu'à maintenant, les piles à combustible coûtaient trop cher pour qu'on les utilise couramment. On ne s'en servait que pour des applications spéciales, comme l'alimentation en électricité des sous-marins et des vaisseaux spatiaux. Cependant, grâce aux progrès de la technologie, le coût des piles à combustible devrait bientôt diminuer et ces piles pourraient avoir des applications plus courantes. Ballard Generation Systems, dont le siège social est à Burnaby, en Colombie-Britannique, est l'un des chefs de file mondiaux dans la mise au point de piles à combustible. Ballard travaille depuis plus de dix ans avec Daimler-Benz à créer une automobile électrique, baptisée *New Electric Car*, ou *NECAR*. Les deux sociétés ont démontré que l'automobile électrique alimentée par une pile à combustible est réalisable. Des fabricants d'automobiles du monde entier ont acheté des piles à combustible de Ballard pour en vérifier l'efficacité dans des

**Le savais-tu ?**

Les piles à combustible ne servent pas seulement à alimenter les navettes spatiales en énergie électrique. Tu sais que l'eau est un sous-produit des réactions chimiques ayant lieu dans ces piles. Les astronautes subviennent presque entièrement à leur besoin en eau en recueillant l'eau qui s'écoule des piles !

**Figure 12.6** Une automobile Mercedes-Benz alimentée par une pile à combustible mise au point par la firme Ballard.

**Figure 12.7** Peux-tu dire où se trouvent les panneaux de piles solaires sur ce satellite de télécommunications ?

automobiles et des autobus. Ballard fabrique aussi des piles à combustible destinées aux centrales énergétiques.

Les **piles solaires** utilisent l'énergie du Soleil, ou la lumière, pour séparer les charges positives et les charges négatives. Plusieurs calculatrices de poche et de gros satellites sont alimentés par des piles solaires. De plus, la nouvelle station spatiale comprendra de grands panneaux couverts de piles solaires qui fourniront de l'énergie électrique.

### Le savais-tu ?

Plusieurs poissons possèdent un organe électrique qui fournit une différence de potentiel élevée. Ils se servent de l'énergie électrique ainsi produite pour détecter leurs ennemis, s'orienter, et peut-être même pour communiquer entre eux. Le gymnote, ou anguille électrique ou *Electrophorous electricus,* est un poisson d'eau douce que l'on trouve en Amérique du Sud. C'est ce poisson qui produit la plus grande différence de potentiel. Son organe électrique consiste en des milliers de cellules musculaires plates, spécialisées, appelées électroplaques. Ces colonnes de cellules représentent environ 40 % de la masse du gymnote. Chaque cellule fournit une différence de potentiel d'environ 0,15 V. Comme les cellules sont reliées en série, l'organe électrique peut fournir une différence de potentiel totale de 600 V. Le gymnote décharge de l'énergie électrique pendant environ 0,003 s, ce qui suffit à paralyser sa proie : la « décharge électrique » provoque un arrêt respiratoire et la proie se noie. Le gymnote peut alors prendre son repas.

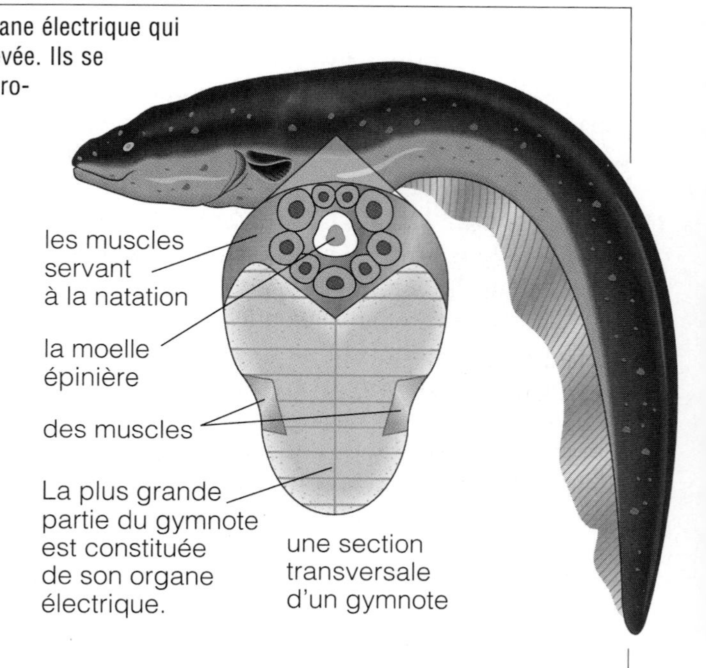


## Vérifie ce que tu as compris

1. Quelle est la différence entre une pile sèche et une pile humide ? Décris les avantages de la pile sèche par rapport à la pile humide.
2. Quelle est la différence entre une pile primaire et une pile secondaire ?
3. De quelle façon fabriquerais-tu une batterie durable de 6,0 V à partir de huit piles de 1,5 V ? Explique comment tu relierais les piles et dessine un schéma de la batterie.
4. Qu'est-ce qui distingue une pile à combustible des autres piles électriques ?
5. Quelle source d'énergie les piles solaires emploient-elles ?

# 12.3 Les centrales énergétiques

Les Canadiens consomment chaque année environ 2 000 000 000 000 000 000 J (ou $2 \times 10^{18}$ J) d'énergie électrique. Mais d'où vient donc toute cette énergie ? Au Canada, l'énergie électrique provient en très grande partie du harnachement de rivières à fort courant, de la combustion de combustibles fossiles et de la fission atomique, qui dégage de l'énergie nucléaire.

## L'énergie tirée des rivières à fort courant

Les centrales **hydroélectriques**, comme celle qui est illustrée sur la photo de la page 380, fournissent la plus grande partie de l'énergie électrique consommée au Canada. Ces centrales utilisent la pression de l'eau (*hydro* vient d'un mot grec qui signifie « eau ») pour produire de l'énergie électrique. De grands barrages retiennent l'eau, dont le niveau atteint une élévation bien supérieure à celle du lieu où se trouve l'usine. Tu as appris dans tes cours de sciences que plus le niveau de l'eau est élevé, plus la pression au fond de l'eau est grande. La pression au fond d'un barrage est donc énorme. La figure 12.8 indique comment cette pression est utilisée pour produire de l'électricité.

Un canal d'amenée d'eau relie le fond du réservoir à des turbines énormes. La forte pression de l'eau, qui circule à grande vitesse, fait tourner les turbines, qui actionnent à leur tour des génératrices. Les génératrices convertissent l'énergie cinétique, ou l'énergie liée au mouvement de rotation, en énergie électrique. Des lignes à haute tension transportent l'énergie électrique sur des kilomètres, de la centrale hydroélectrique jusque dans les villes, les villages et les campagnes.

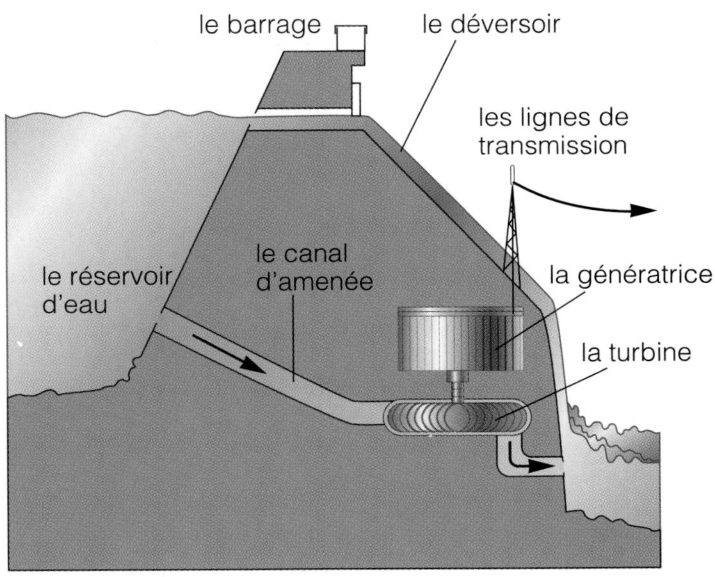


**Figure 12.8** De l'énergie est emmagasinée dans l'énorme masse d'eau contenue dans le réservoir, dont le niveau s'élève à une hauteur considérable par rapport à la base du barrage. La turbine et la génératrice convertissent l'énergie emmagasinée, appelée énergie potentielle gravitationnelle, en énergie électrique.

**Le savais-tu ?**

La source première de l'énergie produite par une centrale hydroélectrique est le Soleil. Pour que l'eau puisse descendre les pentes et remplir les réservoirs, elle doit d'abord s'élever au-dessus des montagnes et des collines. C'est le Soleil qui fournit l'énergie qui sert à l'évaporation de l'eau des océans, des fleuves, des rivières et des lacs. La vapeur d'eau s'élève dans l'atmosphère où elle forme des nuages en se condensant. L'eau retombe ensuite sur le sol sous forme de pluie ou de neige. Puis elle va de nouveau remplir le réservoir et faire tourner les turbines.

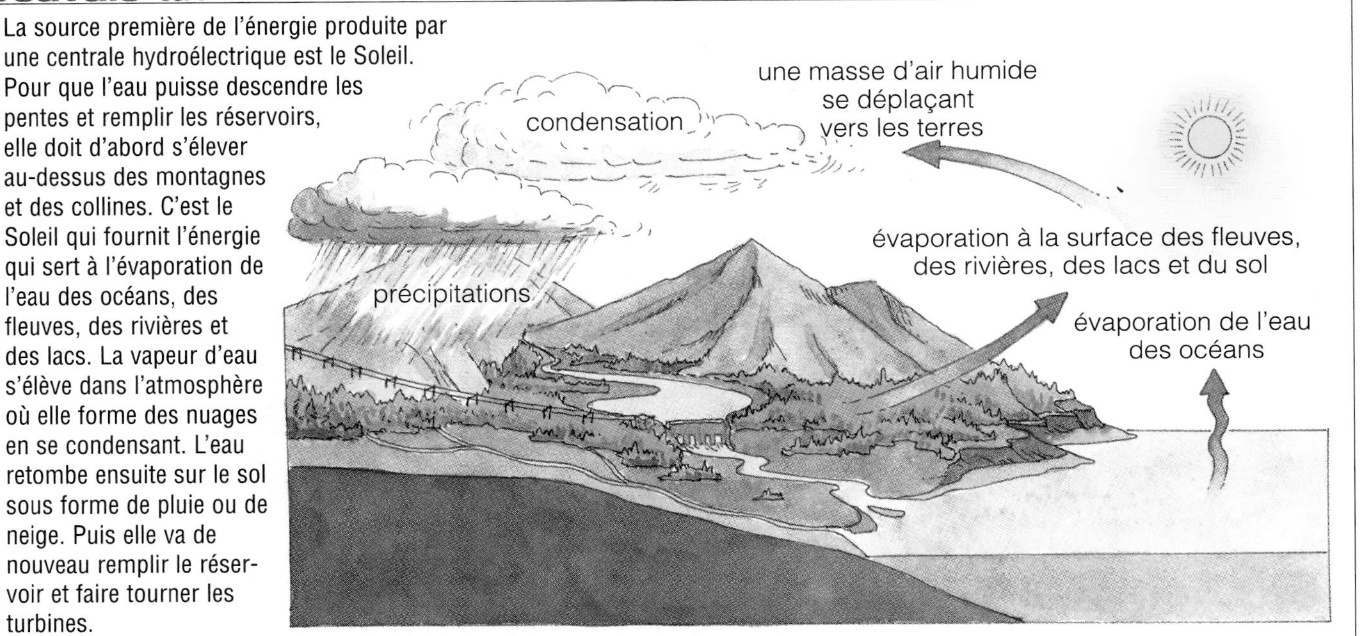

## L'énergie fossile

Quand tu entends le mot «fossile», tu penses probablement à un squelette de poisson enfoui dans une roche, ou encore à l'image d'une feuille ou d'un coquillage imprimée dans une roche, comme à la figure 12.9. Sais-tu ce qu'est un **combustible fossile** et quelle est la relation entre les combustibles de ce type et les fossiles comme ceux que tu vois sur la photo? Le charbon, le pétrole brut et le gaz naturel proviennent d'anciens organismes vivants, tout comme les fossiles enfouis ou imprimés dans les roches. Au lieu d'être comprimés dans le roc, certains organismes en décomposition se sont entassés, peut-être au fond d'un lac ou d'un océan. Avec le temps, ils ont été recouverts de couches de sable et de terre pouvant atteindre plusieurs kilomètres. Sous l'effet d'une pression et d'une chaleur énormes, les organismes en décomposition se sont transformés en charbon, en pétrole ou en gaz naturel. C'est pourquoi on appelle ces substances combustibles fossiles. Des millions d'années après la disparition de ces organismes vivants, on creuse ou on installe des pompes pour tirer les combustibles fossiles de la terre dans le but de les brûler pour produire de l'énergie.

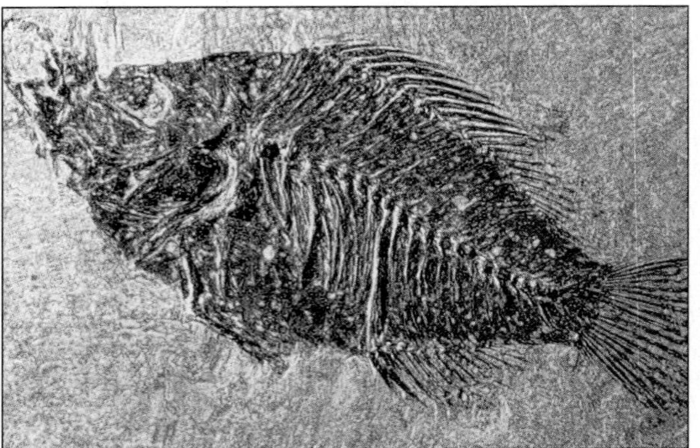

**Figure 12.9** Le nom scientifique du poisson fossilisé que tu vois sur la photo est *Priscacara peali.*

La figure 12.10 illustre le fonctionnement d'une centrale **thermoélectrique**, qui utilise la chaleur (*thermo* vient d'un mot grec qui veut dire «chaleur») pour produire de l'énergie électrique. Examine chaque étape représentée sur la figure pour comprendre de quelle façon l'énergie emmagasinée dans le charbon est convertie en énergie électrique. Premièrement, le charbon est broyé, puis projeté dans la chaudière, où la combustion est rapide et efficace. La chaleur dégagée par la combustion du charbon transforme l'eau en vapeur. La vapeur sous pression emprunte une canalisation pour se rendre à une turbine. Le reste du processus est très semblable à celui qui est employé dans une centrale hydroélectrique. La

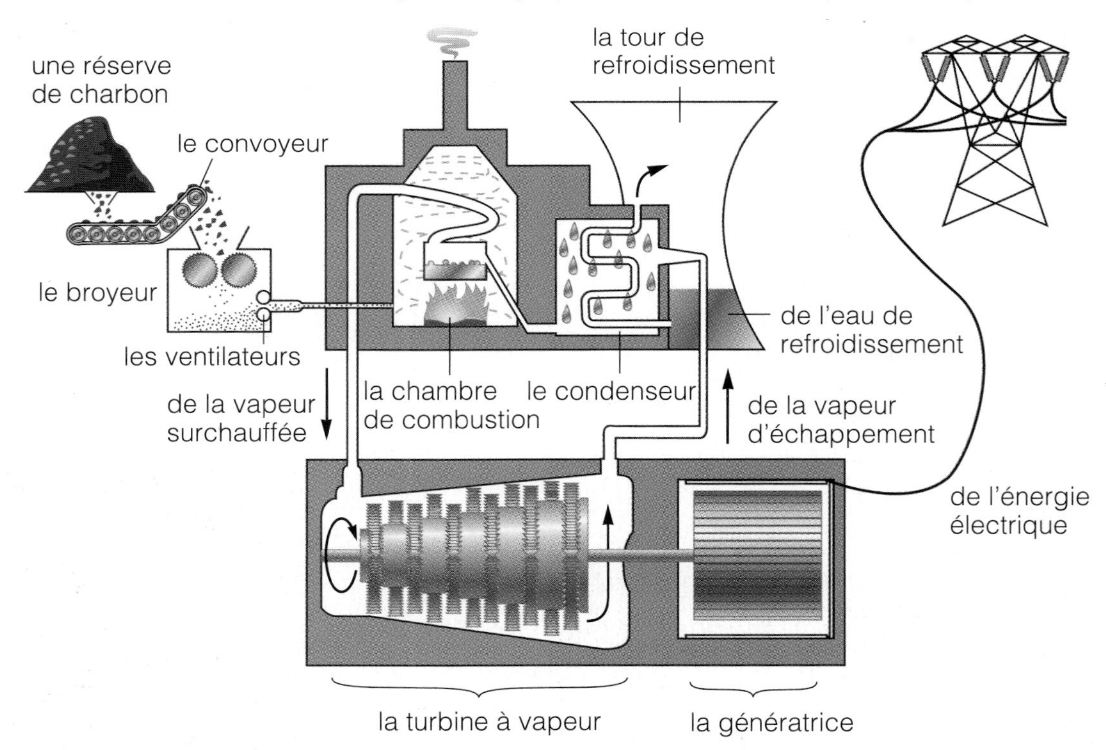


**Figure 12.10** On emploie plus fréquemment le charbon que le pétrole ou le gaz naturel pour produire de l'énergie électrique. Cependant, toutes les centrales thermiques classiques fonctionnent à peu près comme l'indique le schéma de la centrale au charbon ci-dessus.

turbine, en rotation, fait tourner une génératrice qui produit de l'énergie électrique. Après avoir fait tourner la turbine, la vapeur pénètre dans une chambre dotée de canalisations où circule de l'eau froide, ce qui accélère le processus de transformation de la vapeur en eau liquide. Cette eau retourne à la chaudière, où elle est de nouveau convertie en vapeur, et le processus recommence.

> **Le savais-tu ?**
>
> La source première de l'énergie emmagasinée dans les combustibles fossiles est le Soleil. Lorsque les plantes et les animaux fossilisés étaient vivants, les plantes captaient l'énergie du Soleil et l'emmagasinaient dans des substances chimiques à haut potentiel énergétique. Les animaux mangeaient les plantes et emmagasinaient dans leur organisme une partie de l'énergie contenue dans cette nourriture. Des millions d'années plus tard, après que les plantes se sont transformées en charbon et que les animaux se sont transformés en pétrole et en gaz naturel, une partie de l'énergie est restée emprisonnée dans les substances chimiques dont ils étaient composés. C'est cette énergie qui est libérée lorsqu'on brûle des combustibles fossiles.

## L'énergie libérée par la fission nucléaire

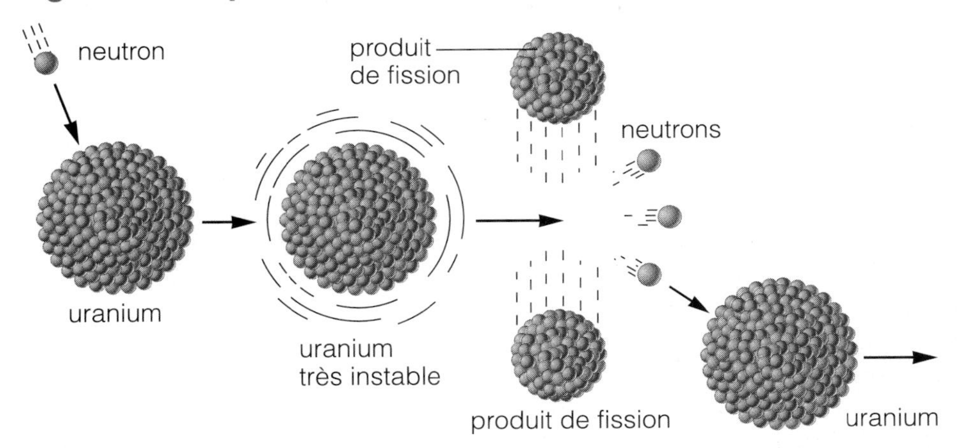


**Figure 12.11** Lorsqu'un atome d'uranium absorbe un neutron et qu'il se divise, il émet des neutrons et deux atomes plus petits, appelés produits de fission. Si l'un des neutrons émis entre en collision avec un autre atome d'uranium et provoque la fission de cet atome, il peut se produire une réaction en chaîne.

De tous les éléments chimiques présents sur Terre à l'état naturel, ce sont les atomes d'uranium qui sont les plus gros. Durant les années 1930, le physicien Enrico Fermi (1901-1954) a découvert qu'un atome d'uranium se divise en deux atomes plus petits appelés **produits de fission** lorsqu'on le bombarde avec de minuscules particules appelées neutrons. Au cours de ce processus, appelé **fission nucléaire,** une quantité considérable d'énergie de même que deux ou trois neutrons supplémentaires sont libérés. Si ces neutrons pénètrent dans des atomes d'uranium et provoquent leur division, le processus se poursuit. La figure 12.12 indique comment l'énergie libérée par la fission est convertie en énergie électrique. On appelle centrale **thermonucléaire** une usine qui emploie ce processus pour produire de l'électricité, parce que la chaleur utilisée provient de réactions nucléaires.

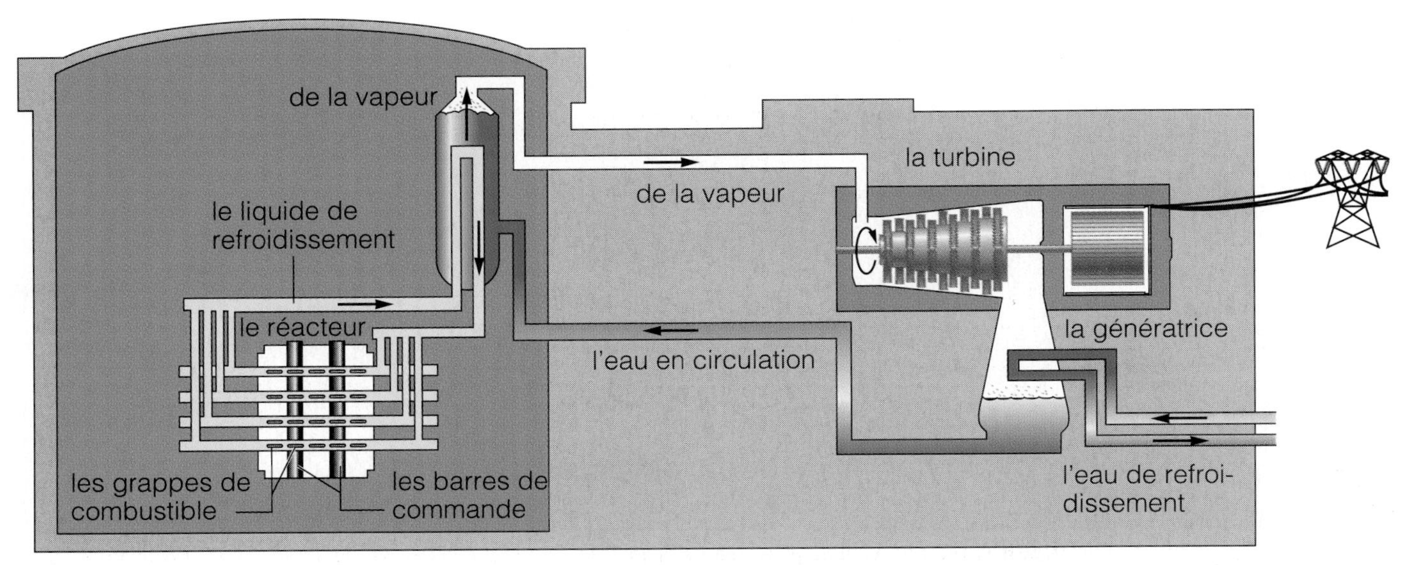


**Figure 12.12** Ce schéma illustre, de façon très simplifiée, la façon dont un réacteur CANDU transforme l'énergie nucléaire en énergie électrique. Le réacteur CANDU a été conçu et fabriqué au Canada, et il est utilisé dans plusieurs pays.

On utilise des pastilles d'uranium pour former des **barres de combustible**. Les barres sont placées dans le cœur du réacteur où les réactions de fission sont amorcées. On contrôle les réactions en levant ou en abaissant les barres de commande. Ces barres absorbent une partie des neutrons de manière à éviter que la réaction en chaîne échappe à tout contrôle. La fission libère une quantité considérable de chaleur, qui est évacuée du cœur du réacteur par un liquide de refroidissement qui passe autour des barres de combustible. Ce liquide circule dans des tuyaux depuis le cœur du réacteur jusqu'à un réservoir d'eau, où la chaleur transforme l'eau en vapeur. À partir de cette étape, le processus ressemble beaucoup à celui qui est utilisé dans une centrale thermoélectrique. La vapeur fait tourner une turbine, qui actionne à son tour une génératrice; la génératrice convertit l'énergie mécanique en énergie électrique. Après avoir fait tourner la turbine, la vapeur est refroidie et elle se condense dans un autre ensemble de canalisations qui contiennent de l'eau de refroidissement.

## Les ressources énergétiques du Canada

Plus de 98 % de l'énergie consommée au Canada provient de centrales hydroélectriques, thermoélectriques ou thermonucléaires. Dans quelques régions isolées, on emploie des génératrices à gaz pour produire de l'énergie électrique et, dans quelques cas, des turbines à gaz. Dans une turbine à gaz, ce sont les gaz d'échappement dégagés par la combustion d'un combustible fossile qui font tourner la turbine à gaz; dans la turbine à vapeur, c'est la vapeur obtenue en chauffant de l'eau. La figure 12.13 indique quelle quantité de l'énergie consommée dans chaque province est produite par chacune des méthodes.

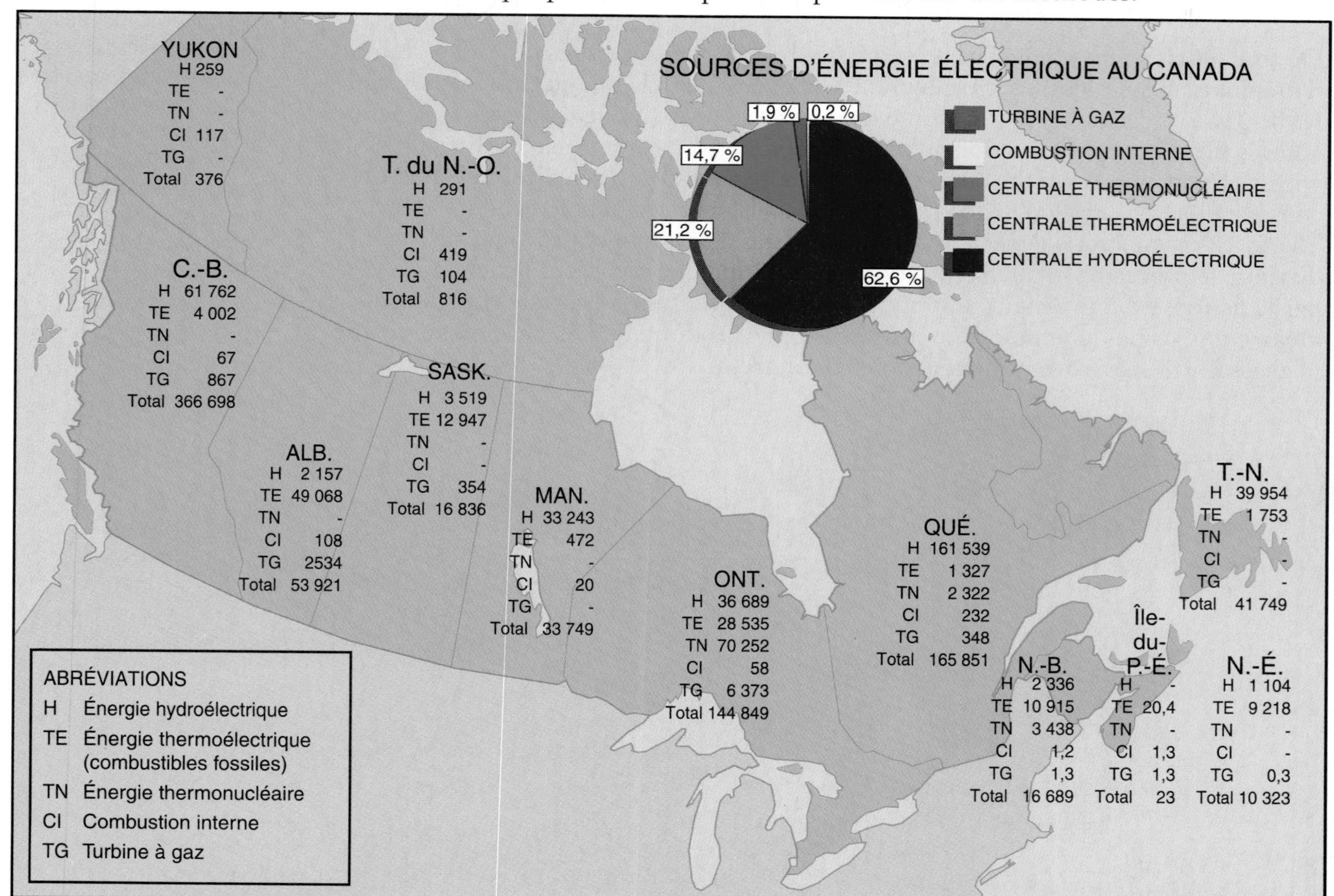


**Figure 12.13** Les quantités d'énergie électrique produites dans chaque province sont exprimées en gigawatts-heures (GWh). Un gigawatt est égal à un milliard de watts ou à $10^9$ W. Un gigawatt-heure est la quantité d'énergie fournie par un dispositif d'une puissance de 1 GW pendant une heure (1,0 GWh = 3,6 x $10^{12}$ J).

## La distribution de l'énergie aux consommateurs

Les centrales hydroélectriques, thermonucléaires et thermoélectriques sont généralement situées très loin des villes et des communautés qu'elles desservent. L'énergie électrique doit donc être transportée sur des centaines de kilomètres au moyen de lignes de transmission.

As-tu déjà visité une station secondaire comme celle que tu vois dans la figure 12.14 ? T'es-tu demandé pourquoi on utilise des tensions aussi élevées pour la transmission de l'énergie électrique même si les hautes tensions représentent un grand danger ? Tu trouveras la réponse à cette question en faisant l'activité qui suit.

**Figure 12.14** L'exposition à une tension élevée peut provoquer un arrêt cardiaque. Un courant très fort peut aussi provoquer l'échauffement rapide des tissus des organismes vivants et causer des brûlures graves.

**ACTIVITÉ de recherche**

### Les risques et les avantages de la transmission à haute tension

Une compagnie d'électricité désire transporter 1,0 MW (un mégawatt ou un million de watts) d'énergie sur 100 km au moyen de lignes de transmission. Quel serait l'avantage d'employer une ligne de 500 000 V au lieu d'une ligne de 20 000 V?

La compagnie d'électricité cherche évidemment à réduire au minimum la perte d'énergie durant le transport depuis la centrale jusqu'au client. Tu as appris que la circulation de courant dans un câble entraîne la production de chaleur. La perte d'énergie au cours du transport est donc due principalement à l'échauffement des lignes de transmission.

Tu peux calculer la quantité d'énergie perdue sous forme de chaleur en employant la formule $P = I^2R$.

Si tu veux savoir pourquoi, lis la rubrique Nouveaux horizons à la page suivante. Pour appliquer la formule, tu as besoin de connaître la valeur de la résistance des lignes de transmission. Dans le cas des conducteurs en cuivre généralement utilisés pour les lignes à haute tension, la résistance d'un câble de 100 km est d'environ 100 Ω.

#### Ce que tu dois faire

1. Applique la formule $P = IV$ pour calculer le courant qui circule dans les lignes de transmission lorsque 1,0 MW d'énergie est transporté au moyen de lignes de 500 000 V. Rappelle-toi que 1,0 MV = 1 000 000 W = $1{,}0 \times 10^6$ W. On peut donc écrire 500 000 V sous la forme $5{,}0 \times 10^5$ V.
2. Utilise le résultat que tu as obtenu à l'étape 1 et la formule $P = I^2R$ pour calculer l'énergie perdue sous forme de chaleur dans une ligne de transmission de 100 km dans le cas où 1,0 MW d'énergie est transmis au moyen d'une ligne de 500 000 V.
3. Calcule le pourcentage d'énergie perdue sous forme de chaleur dans le cas où 1,0 MW d'énergie est transmis au moyen d'une ligne de 500 000 V. Indice : Utilise la formule

$$\text{pourcentage de l'énergie perdue} = \frac{\text{énergie perdue sous forme de chaleur} \times 100\,\%}{\text{total de la puissance transmise}}$$

4. Calcule l'intensité du courant dans la ligne de transmission lorsque 1,0 MW d'énergie est transmis au moyen d'une ligne de 20 000 V.
5. Utilise le résultat que tu as obtenu à l'étape 4 et la formule $P = I^2R$ pour calculer la quantité d'énergie perdue sous forme de chaleur dans une ligne de transmission de 100 km dans le cas où 1,0 MW d'énergie est transmis au moyen d'une ligne de transmission de 20 000 V.
6. Calcule le pourcentage d'énergie convertie en chaleur dans le cas où 1,0 MW d'énergie est transmis au moyen d'une ligne de transmission de 20 000 V.

#### Qu'as-tu découvert ?

Explique en un paragraphe pourquoi les compagnies d'électricité utilisent des lignes à haute tension pour transporter l'énergie sur de grandes distances.

**Nouveaux horizons**

Dans une rubrique Nouveaux horizons du chapitre 10, tu as appris à calculer la puissance électrique à l'aide de la formule $P = IV$. Tu as aussi appris à calculer la différence de potentiel aux bornes d'une résistance au moyen de la loi d'Ohm : $V = IR$. En combinant ces deux formules, on obtient une nouvelle relation pour la puissance : $P = I^2R$.

On écrit la formule de la puissance en fonction du courant et de la différence de potentiel :

$P = IV$

On trouve une autre formule pour la différence de potentiel en utilisant la loi d'Ohm :

$V = IR$

On peut remplacer $V$ par $IR$ dans la formule de la puissance, puisque ces deux quantités sont égales :

$P = I(IR)$

Il reste à simplifier cette dernière expression en écrivant $I \times I$ sous la forme $I^2$.

$P = I^2R$

**Le savais-tu ?**

Comme la demande d'électricité ne cesse d'augmenter, il est de plus en plus important pour les compagnies d'électricité de réduire les pertes causées par l'échauffement des lignes. C'est pourquoi elles veulent augmenter la différence de potentiel utilisée présentement : les hautes tensions de 345 kV et de 765 kV seront remplacées par de très hautes tensions de 2000 kV et de 2 MV.

## Modification de la tension

Dans l'Activité de recherche, tu as découvert que le transport de l'énergie à haute tension et à faible courant réduit grandement la perte d'énergie due à l'échauffement des lignes de transmission. Cependant, tu sais aussi que chez toi ou à l'école les prises de courant installées fournissent une tension de 120 V. Comment et à quel endroit la différence de potentiel est-elle modifiée ?

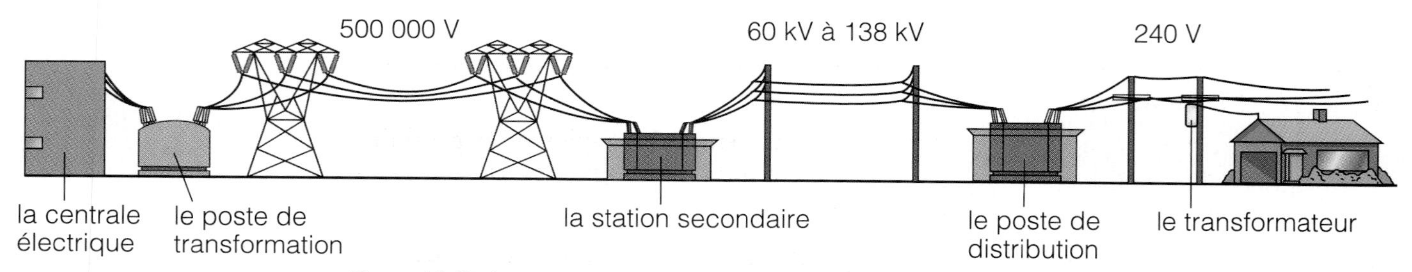


**Figure 12.15** Le poste de transformation de la centrale élève la différence de potentiel à 500 000 V. Les transformateurs des stations secondaires et des postes de distribution, installés à proximité des consommateurs, abaissent considérablement la différence de potentiel. Enfin, les transformateurs installés au haut des poteaux électriques des zones résidentielles abaissent de nouveau la différence de potentiel, à 240 V cette fois.

Les grosses boîtes en métal illustrées dans la figure 12.14, à la page précédente, contiennent des **transformateurs.** Un transformateur électrique est un appareil qui sert à élever ou à abaisser la différence de potentiel dans les lignes de transmission. La figure 12.15 indique les modifications de la tension produites par les transformateurs, depuis la centrale électrique jusque chez toi ou à l'école.

Parce qu'elles doivent employer des transformateurs, les compagnies d'électricité ne peuvent pas utiliser n'importe quel courant électrique. Il existe deux types de courant qui transmettent l'énergie aussi bien l'un que l'autre : le **courant continu** (c.c.) et le **courant alternatif** (c.a.). Le courant continu est un déplacement d'électrons dans un sens seulement. Les piles et les batteries produisent un courant continu. Cependant, les transformateurs ne peuvent pas agir sur le courant continu, car il n'existe pas de moyen pratique d'élever ou d'abaisser la tension lorsqu'on emploie ce genre de courant. C'est pourquoi les compagnies d'électricité fournissent du courant alternatif, sur lequel les transformateurs peuvent agir. Le courant alternatif est un déplacement d'électrons dont le sens change continuellement, à un rythme très rapide. En Amérique du Nord et dans bien d'autres régions du monde, les compagnies d'électricité fournissent du courant alternatif qui subit 60 oscillations par seconde.

**Le savais-tu ?**

Une personne qui a reçu la formation nécessaire et qui porte des vêtements appropriés peut travailler sur des câbles aériens à très haute tension sans couper le courant. L'ouvrier que tu vois sur la photo porte un habit, appelé cage de Faraday. Quand le capuchon est relevé sur la tête du travailleur, l'habit le recouvre entièrement, à l'exception des yeux. Cet habit est fait d'un tissu lourd contenant environ 25 % de fibres métalliques conductrices, suffisamment fines pour être souples. L'habit joue le même rôle qu'une cage : il conduit presque tout le courant autour du corps de l'ouvrier. Au plus 0,20 mA de courant atteint l'ouvrier, ce qui ne cause qu'un léger fourmillement.

## Vérifie ce que tu as compris

1. Quelle source d'énergie les centrales suivantes emploient-elles pour produire de l'électricité : **a)** une centrale hydroélectrique ? **b)** une centrale thermoélectrique ? **c)** une centrale thermonucléaire ?
2. Quel est le rôle d'une turbine dans la production d'électricité par une centrale, quelle que soit la méthode employée ?
3. Quelle est l'origine du terme « combustible fossile » ?
4. Décris le processus de fission nucléaire.
5. Quel type de centrale fournit la plus grande partie de l'énergie électrique consommée dans la province où tu habites ?
6. Quel est le rôle : **a)** d'un poste de transformation ? **b)** d'un transformateur ?

# 12.4 L'énergie électrique et l'environnement

**Le savais-tu ?**

Les petites centrales hydroélectriques, qui produisent moins de 20 MW (ou 20 millions de watts) d'énergie électrique, ne sont généralement pas rentables. Cependant, les manufacturiers canadiens font actuellement l'essai d'un nouveau modèle de génératrice capable de produire jusqu'à 300 kW d'énergie électrique en utilisant l'énergie d'une chute d'eau haute de 3 m à 5 m. Si l'expérience réussit, il sera peut-être possible d'exploiter les petits cours d'eau. On pense que la construction de petits réservoirs serait moins dommageable pour l'environnement.

Plus la population du globe et plus le niveau de vie augmentent, plus la demande d'énergie électrique augmente. Les compagnies d'électricité doivent rénover de vieilles centrales et en construire de nouvelles pour répondre aux besoins. Mais quels effets la production d'une grande quantité d'énergie électrique a-t-elle sur l'environnement ?

## Les inondations causées par la construction de barrages

Les centrales hydroélectriques semblent représenter la plus propre des trois principales méthodes de production d'électricité. Ces centrales ne comportent pas de cheminée crachant un nuage de suie et de fumée noire, et elles n'utilisent pas de substances radioactives. Cependant, elles nécessitent la construction de réservoirs, ce qui a comme conséquence l'inondation de grandes superficies de terres. Des fermes, des forêts et des maisons sont ensevelies sous l'eau. Il arrive même qu'on doive déplacer de petits villages. Lorsque les terres sont inondées, les végétaux sont décomposés par des décomposeurs qui, en respirant l'oxygène dissous dans l'eau, en font diminuer la concentration. Dans ces conditions, une autre sorte de décomposeurs, les décomposeurs anaérobiques, se multiplient alors très rapidement, poursuivant la décomposition et formant ainsi du méthane. Certaines espèces de poissons sont incapables de survivre dans les conditions qui en résultent. D'autres organismes vivants, par exemple des algues, se développent et changent l'écosystème. La construction d'un barrage, où que ce soit, met toujours en danger la vie de plantes et d'animaux.

## L'emploi de combustibles fossiles pollue la terre et l'air

La première étape de la production d'électricité au moyen de la combustion de charbon est l'exploitation d'une mine. Si le dépôt de charbon est situé près de la surface du sol, on choisit la **mine à ciel ouvert**. On enlève la couche de terre qui recouvre le charbon et on extrait directement le minerai. Si l'on ne remet pas le terrain à l'état initial, la mine forme une cicatrice dans le paysage et le terrain reste inutilisable. Cependant, la remise à l'état initial entraîne des coûts importants.

L'exploitation d'une mine de charbon souterraine peut causer des dommages d'une autre nature au terrain. Les résidus, inutilisables, s'entassent à proximité du puits de la mine ; l'eau employée au cours du processus d'extraction, qui est contaminée et acidifiée, risque de s'infiltrer dans les sources d'approvisionnement en eau des communautés voisines.

**Figure 12.16** Les mines à ciel ouvert défigurent le paysage.

Lorsqu'on brûle un combustible fossile pour produire de l'énergie électrique, des polluants s'échappent des cheminées, sous la forme de particules visibles et de gaz invisibles. Tu as appris au chapitre 9 qu'on peut employer un précipitateur électrostatique pour éliminer en grande partie les particules solides. Cependant, cet appareil n'élimine pas les gaz polluants comme l'anhydride sulfureux ($SO_2$). Ce gaz est l'un des facteurs responsables des **pluies acides**, qui causent des dommages aux plantes et aux animaux. On peut employer des systèmes antipollution appelés **épurateurs** pour éliminer l'anhydride sulfureux. L'épurateur pulvérise une solution aqueuse dans les cheminées ; les substances chimiques contenues dans la solution réagissent avec l'anhydride et l'élimine ainsi en grande partie. Néanmoins, une certaine quantité de polluant est toujours rejetée dans l'air.

Même si le charbon ne contenait pas de polluant, la combustion complète de charbon pur produit toujours du gaz carbonique ($CO_2$). Ce gaz fait partie de l'atmosphère à l'état naturel. Chaque fois que tu expires, tu rejettes dans l'air une certaine quantité de gaz carbonique. Le $CO_2$ est un **gaz à effet de serre**, c'est-à-dire qu'il emprisonne la chaleur dans l'atmosphère en l'empêchant de s'échapper dans l'espace. Si une trop grande quantité de gaz carbonique et d'autres gaz à effet de serre, comme le méthane, s'accumule dans l'atmosphère, la température moyenne à la surface de la Terre risque d'augmenter. On appelle ce phénomène **réchauffement de la planète**. Même si l'opération est faite dans les meilleures conditions possible, la combustion d'un combustible fossile, à n'importe quelle fin, a toujours des effets nocifs pour l'environnement.

**Figure 12.17** La fumée qui s'échappe d'une centrale thermoélectrique dépare le paysage et pollue l'environnement.

## Les centrales nucléaires produisent des déchets radioactifs

Les réacteurs nucléaires ne rejettent pas de suie ni de gaz responsables des pluies acides. Ils ne produisent pas non plus de gaz à effet de serre. L'uranium utilisé comme combustible est un peu radioactif, mais il ne présente pas un grand danger si on le manipule correctement. Cependant, les produits de fission, c'est-à-dire les atomes qui résultent de la fission nucléaire, sont hautement radioactifs et certains demeurent radioactifs pendant des milliers d'années. Les substances radioactives émettent des particules alpha et bêta à haute énergie et des rayons gamma qui constituent un danger pour les organismes vivants. La manipulation et l'entreposage des déchets radioactifs constituent le plus grand risque associé à l'exploitation d'une centrale thermonucléaire. Le gouvernement et les dirigeants des industries ont du mal à s'entendre sur la localisation de dépôts permanents de déchets nucléaires. La plupart des « combustibles usés » sont donc entreposés temporairement dans des bassins, comme le montre la figure 12.19.

**Figure 12.18** Dans des conditions normales d'exploitation, la quantité d'eau et de gaz radioactifs libérés par un réacteur CANDU est tellement infime qu'on ne peut détecter aucun effet sur les organismes vivants.

**Figure 12.19** Des bassins d'eau profonds conviennent bien à l'entreposage temporaire des combustibles nucléaires usés, jusqu'à ce qu'on choisisse un site d'entreposage permanent. Les ouvriers peuvent voir et manipuler les barres de combustible alors que l'eau les protège des radiations en absorbant la plus grande partie de l'énergie libérée sous forme de particules ou de rayonnements.

# L'efficacité de la transformation de l'énergie du charbon en énergie lumineuse

## Réfléchis

À chaque étape du processus allant de l'exploitation d'une mine de charbon à l'alimentation d'une lampe, en passant par la production d'électricité et le transport de cette énergie jusque chez toi, une partie de l'énergie produite est utilisée ou perdue sous forme de chaleur. Quel pourcentage de l'énergie emmagasinée dans le charbon est effectivement converti en lumière par une ampoule électrique ?

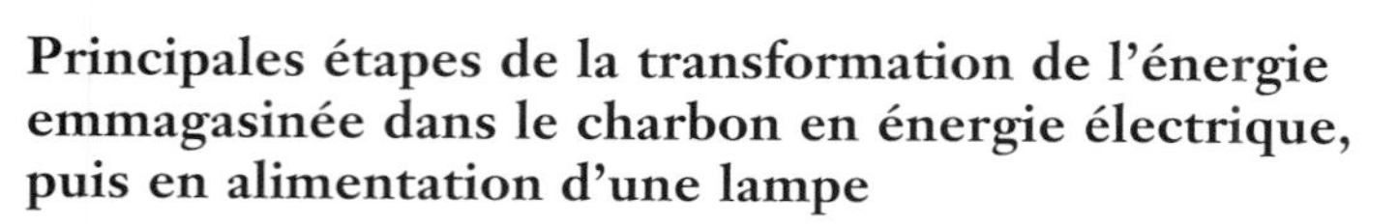

**Principales étapes de la transformation de l'énergie emmagasinée dans le charbon en énergie électrique, puis en alimentation d'une lampe**

1. *L'exploitation d'une mine de charbon* L'efficacité du processus d'extraction du charbon est d'environ 99 %. Les machines employées pour extraire le charbon utilisent elles-mêmes de l'énergie.
2. *Le transport du charbon* Le transport du charbon de la mine à la centrale thermique est aussi un processus passablement efficace. Cependant, le transport nécessite la consommation d'énergie ; ce processus a une efficacité d'environ 97 %.
3. *La production d'électricité* Les centrales thermoélectriques ne sont pas très efficaces. La plus grande partie de l'énergie emmagasinée dans le charbon s'échappe sous forme de chaleur, dans les cheminées ou l'eau de refroidissement. En fait, seulement 33 % de l'énergie emmagasinée dans le charbon consommé est convertie en électricité.
4. *Transport de l'électricité* Lorsque l'énergie électrique est transportée au moyen de lignes de transmission, une partie de l'énergie est perdue sous forme de chaleur. Le transport de l'énergie électrique a une efficacité d'environ 85 %.
5. *Transformation en énergie lumineuse* Les ampoules à incandescence sont très peu efficaces : la plus grande partie de l'énergie électrique est convertie en chaleur. Dans les meilleures conditions, l'efficacité d'une ampoule à incandescence est seulement d'environ 15 %.

Dans la présente enquête, tu considères au départ une quantité de charbon dans laquelle une énergie de un million de joules (1 000 000 J ou $1,0 \times 10^6$ J) est emmagasinée. Tu vas déterminer la quantité restante d'énergie utile à la fin de chaque étape du processus. Enfin, tu vas déterminer l'efficacité globale du processus.

## Ce que tu dois faire

1. Copie le tableau suivant. Prévois autant de lignes qu'il y a d'étapes dans le résumé du processus étudié. Inscris un titre dans le haut du tableau.

| Étape | Efficacité partielle (en %) | Énergie emmagasinée restante (quantité initiale $1,0 \times 10^6$ J) | Efficacité globale (en %) |
|---|---|---|---|
| | | | |
| | | | |

2. Dans la première colonne, inscris le nom de chaque étape du processus de conversion de l'énergie emmagasinée dans le charbon en énergie électrique.
3. Dans la deuxième colonne, inscris l'efficacité, en pourcentage, de chaque étape.
4. Détermine la quantité restante de l'énergie emmagasinée dans le charbon à la fin de chaque étape, à l'aide de la formule suivante :

$$\text{Énergie emmagasinée restante} = \frac{\text{énergie restante à l'étape précédente} \times \text{pourcentage d'efficacité}}{100\,\%}$$

Par exemple, l'énergie restante à la fin de la première étape est donnée par l'équation

$$\text{Énergie emmagasinée restante} = \frac{1\,000\,000\ \text{J} \times 99\,\%}{100\,\%} = 990\,000\ \text{J}$$

Inscris le résultat dans la troisième colonne. Lorsque tu fais le calcul pour la deuxième étape, la valeur de l'« énergie restante à la fin de l'étape précédente » est donc de 990 000 J. Effectue le calcul de l'énergie restante pour toutes les étapes du processus.

5. Détermine l'efficacité globale à la fin de chaque étape à l'aide de la formule suivante :

efficacité globale (en pourcentage) =

$$\frac{\text{énergie emmagasinée restante} \times 100\,\%}{1\,000\,000\ \text{J}}$$

Inscris le résultat dans la dernière colonne.

## Analyse

Résume en un paragraphe ce que tu as découvert à propos de l'efficacité du processus de transformation de l'énergie emmagasinée dans le charbon en énergie lumineuse émise par une ampoule.

## La chaleur dégagée dans l'environnement

Toutes les centrales thermonucléaires et thermoélectriques dégagent de la chaleur dans l'environnement. L'eau de refroidissement transporte à l'extérieur de la centrale 70 % de la chaleur dégagée par le combustible nucléaire et 43 % de la chaleur dégagée par le charbon, le pétrole ou le gaz. Si l'on rejette directement l'eau réchauffée dans le lac ou la rivière d'où elle provient, cela provoque une élévation de la température de l'eau. C'est un cas de **pollution thermique**. Une variation d'à peine quelques degrés de la température de l'eau peut avoir des effets nocifs sur les plantes et les animaux qui y vivent. Des organismes bien adaptés à une température donnée n'arriveront pas à survivre à une température légèrement supérieure ou inférieure. Des organismes qu'on ne trouve pas habituellement dans un lac ou une rivière peuvent alors remplacer petit à petit les espèces qui souffrent de la pollution.

**Figure 12.20** La chaleur perdue au cours du processus de transformation de l'énergie dans une centrale thermonucléaire sert à chauffer la serre. Cette utilisation de la chaleur réduit la pollution thermique du milieu et représente une économie d'énergie.

Des chercheurs examinent de quelle façon on pourrait utiliser la chaleur dégagée au cours du processus de transformation. Il serait par exemple rentable de s'en servir pour chauffer des immeubles voisins de la centrale et peut-être la centrale elle-même. La figure 12.20 donne un exemple d'utilisation efficace de la chaleur perdue au cours du processus de transformation.

## Vérifie ce que tu as compris

1. Explique l'un des effets nocifs pour l'environnement de l'exploitation d'une centrale hydroélectrique.
2. Les centrales thermoélectriques rejettent de grandes quantités de gaz carbonique ($CO_2$) dans l'atmosphère. Pourquoi ces rejets d'un gaz qu'on trouve fréquemment dans la nature représentent-ils une menace pour l'environnement ?
3. Quelle est l'étape la moins efficace du processus de transformation de l'énergie, depuis l'exploitation d'une mine jusqu'à l'alimentation d'une ampoule ?
4. Quel est l'effet nocif potentiel le plus grave de l'exploitation d'une centrale thermonucléaire ?
5. Définis le terme « pollution thermique » et explique ce phénomène.
6. D'où vient l'anhydride sulfureux ($SO_2$) qui pollue l'atmosphère ? Quel type de problèmes le rejet d'anhydride sulfureux cause-t-il ? Comment peut-on éliminer l'anhydride sulfureux ?

# 12.5 Les sources d'énergie de substitution

Les Canadiens jouissent d'un niveau de vie élevé, ce qui implique la consommation d'énormes quantités d'énergie. Le Canada possède de riches réserves de charbon, de pétrole, de gaz naturel et d'uranium, mais ce sont des **sources d'énergie non renouvelables**. On qualifie de non renouvelable une source d'énergie qu'on ne peut remplacer ou dont le taux de formation est plus lent que le taux d'utilisation. Ainsi, on utilise à un rythme extrêmement rapide les dépôts de combustibles fossiles qui ont mis des millions d'années à se former; quant à l'uranium, il est irremplaçable. Il faut donc apprendre à utiliser des **sources d'énergie renouvelables** avant que les sources d'énergie non renouvelables ne soient épuisées. On qualifie de renouvelables les sources d'énergie qui se forment aussi rapidement, ou plus rapidement, qu'on ne les utilise. Par exemple, le Soleil, le vent et les marées sont des sources d'énergie renouvelables.

## L'énergie du Soleil

Tu sais déjà qu'une pile solaire convertit directement l'énergie du Soleil en énergie électrique. Une pile solaire est faite en grande partie de silicium, auquel on ajoute de très petites quantités de quelques autres éléments. Le processus consistant à ajouter des éléments au silicium est appelé dopage. On fabrique une pile solaire en réunissant deux types de silicium: du silicium dopé p et du silicium dopé n *(voir la figure 12.21).* Les électrons ne franchissent généralement pas la jonction entre les deux types de silicium. Cependant, l'énergie lumineuse émise par le Soleil peut donner à des électrons suffisamment d'énergie pour «sauter» par-dessus la jonction. Pour revenir dans la partie en silicium dopé p, les électrons qui ont franchi cette barrière doivent emprunter un circuit externe. Durant ce déplacement, les électrons peuvent transmettre leur énergie à une charge.

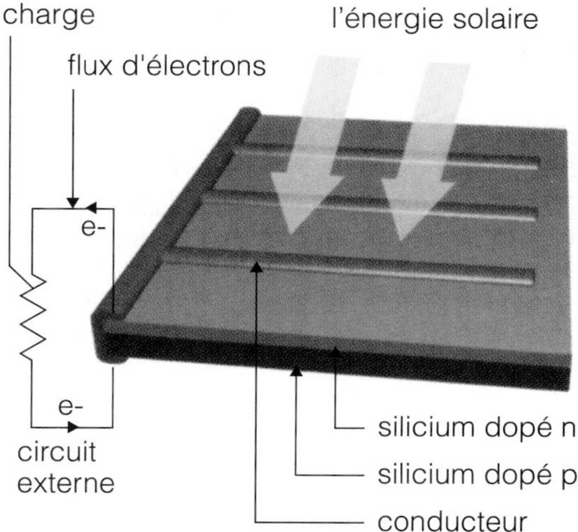


**Figure 12.21** Les électrons du silicium dopé p absorbent l'énergie lumineuse et «sautent» dans la couche de silicium dopé n. Ils reviennent ensuite à la couche de silicium dopé p en empruntant le circuit externe. Au cours de ce déplacement, ils transmettent une partie de leur énergie à la charge.

Actuellement, on n'utilise pas beaucoup les piles solaires parce que leur coût de fabrication est très élevé. De plus, il faut nettoyer fréquemment ces piles pour s'assurer que toute leur surface capte la lumière. Même si elle est tout à fait propre, une pile solaire convertit environ seulement 15 % de l'énergie lumineuse qu'elle reçoit en énergie électrique. Si les chercheurs réussissent à améliorer le rendement ou à réduire le coût de fabrication des piles solaires, ces piles pourraient remplacer des sources d'énergie non renouvelables.

**Le savais-tu?**

Des piles solaires utiliseront peut-être un jour l'énergie du Soleil pour produire l'énergie électrique nécessaire au fonctionnement d'une automobile, comme celle que tu vois sur la photo.

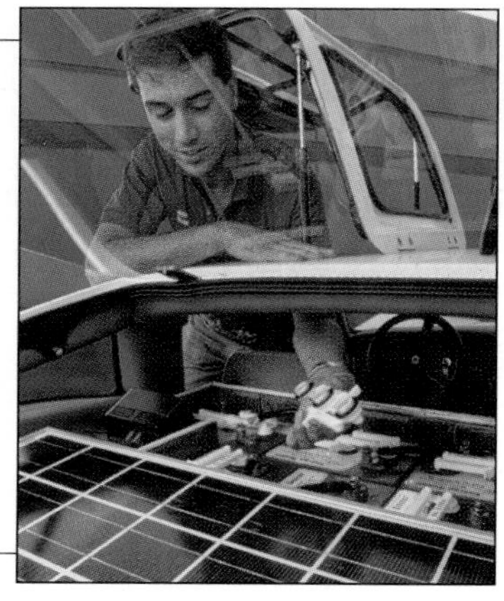

**LIENS terminologique**

On appelle parfois les piles solaires des cellules photovoltaïques. Explique pourquoi le qualificatif «photovoltaïque» est approprié en te servant de la signification des mots «photo» et «voltaïque».

RÉALISE UNE EXPÉRIENCE 12-D

# Le fonctionnement d'une pile solaire

Au cours de la présente expérience, tu vas examiner différents facteurs qui ont un effet sur le fonctionnement d'une pile solaire. Selon toi, quels facteurs déterminent la quantité d'énergie produite par une pile solaire ? Énonce une hypothèse et discutes-en avec une ou un de tes camarades. Fais ensuite l'expérience pour vérifier ton hypothèse.

## Problème à résoudre

Quels facteurs déterminent le rendement d'une pile solaire ?

### Matériel

- une douille
- une ampoule de 60 W
- une ampoule de 100 W
- une pile solaire
- des fils électriques
- un écran opaque
- un petit moteur électrique muni d'un ventilateur
- une lentille convergente
- un voltmètre

### Matériel non réutilisable

- du papier de soie

## Marche à suivre

1. Reproduis le tableau ci-dessous.

Les facteurs qui ont un effet sur le fonctionnement d'une pile solaire

| Puissance nominale de l'ampoule (W) | Conditions | | | Vitesse du moteur (élevée ; moyenne ; basse) ou différence de potentiel |
|---|---|---|---|---|
| | Aire exposée de la pile solaire | Angle d'incidence de la lumière | Concentration de la lumière | |
| 60 | toute la pile | 90° | diffuse | étalon |
| 100 | toute la pile | 90° | diffuse | |
| 100 | la moitié de la pile | 90° | diffuse | |
| 100 | présence d'un écran | 90° | diffuse | |
| 100 | toute la pile | 90° | concentrée | |
| 100 | toute la pile | 45° | diffuse | |

2. Relie la pile solaire au moteur (ou à un voltmètre, si tu n'as pas de moteur muni d'un ventilateur).

3. Visse l'ampoule de 60 W dans la douille. Place l'ampoule directement au-dessus de la pile solaire, à une distance de 20 cm, comme le montre la figure.

4. Allume l'ampoule et note la vitesse du ventilateur : élevée, moyenne ou basse. Retiens bien cette vitesse (ou cette différence de potentiel) parce que tu devras comparer tes observations dans les étapes suivantes aux observations que tu fais dans la présente étape.

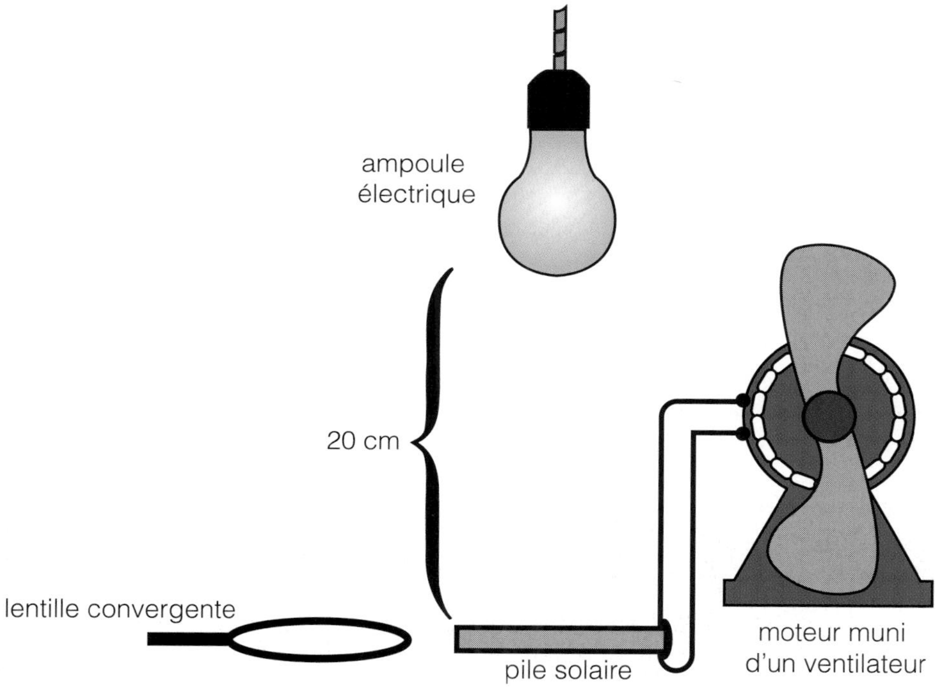

5. Fais les changements suivants un à un. Compare ensuite la vitesse du ventilateur (ou la différence de potentiel) avec la vitesse (ou la différence de potentiel) que tu as notée à l'étape 4. Note tes observations sur ta copie du tableau.
   **a)** Remplace l'ampoule de 60 W par l'ampoule de 100 W.
   **b)** Recouvre la moitié de la pile avec l'écran.
   **c)** Recouvre la pile avec une seule épaisseur de papier de soie pour rendre la lumière diffuse.
   **d)** Concentre la lumière qui tombe sur la pile à l'aide de la lentille convergente.
   **e)** Déplace l'ampoule de manière que l'angle d'incidence de la lumière sur la pile soit de 45°, tout en conservant une distance de 20 cm entre l'ampoule et la pile.

ampoule électrique
20 cm
lentille convergente
pile solaire
moteur muni d'un ventilateur

## Conclusion et mise en pratique

**1.** Quel effet les facteurs suivants ont-ils sur le fonctionnement de la pile solaire ?
   **a)** l'intensité de la lumière
   **b)** l'aire exposée de la pile
   **c)** la présence d'un écran
   **d)** la concentration de la lumière
   **e)** l'angle d'incidence de la lumière sur la pile

**2.** Décris en un paragraphe les conditions dans lesquelles une pile solaire fournit une quantité maximale d'énergie électrique.

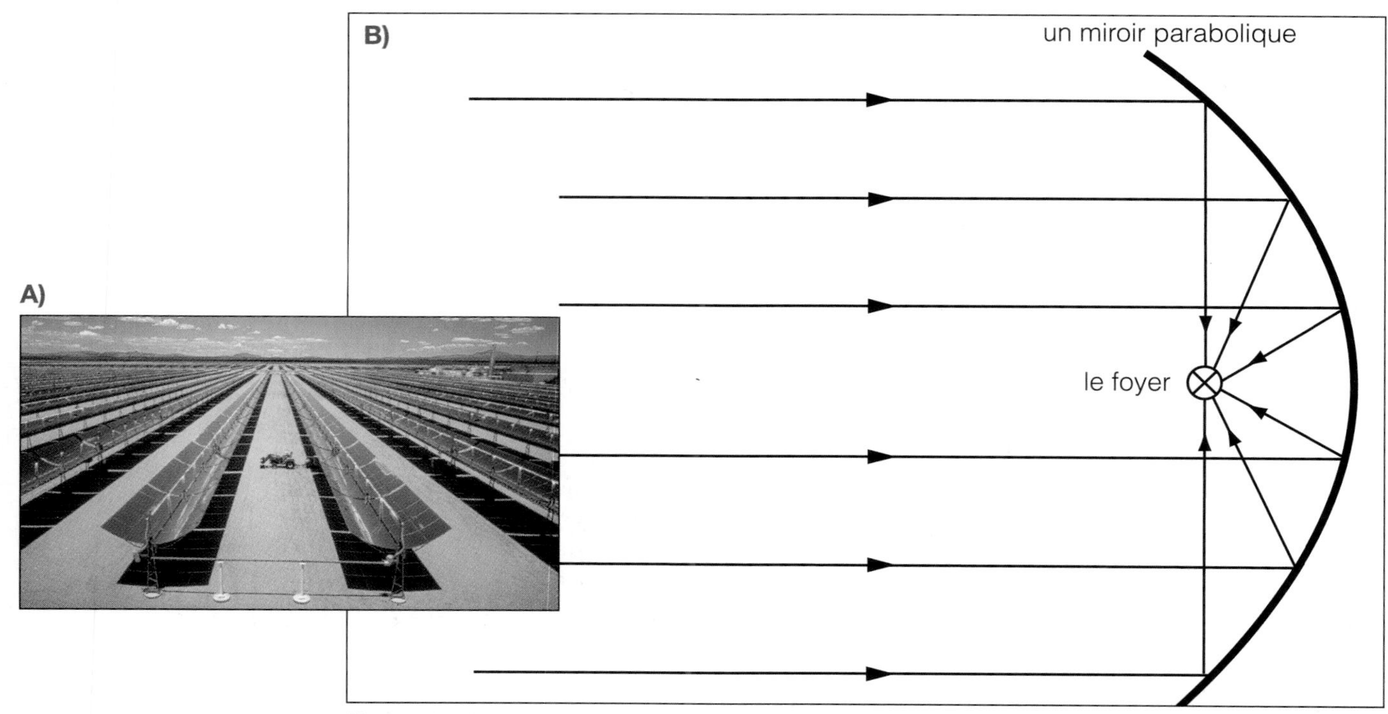


**Figure 12.22** Dans la photo A), les surfaces réfléchissantes ont une forme dite parabolique. Le schéma B) est une section transversale d'un réflecteur parabolique ; il montre pourquoi la forme parabolique concentre la lumière en un point.

Les piles solaires au silicium ne sont pas les seuls dispositifs qui servent à capter l'énergie du Soleil et à la convertir en énergie électrique. La photo de la figure 12.22 montre un parc de capteurs solaires situé dans le désert Mojave, en Californie. À cause de leur courbure, calculée de façon très précise, les réflecteurs renvoient la lumière qu'ils reçoivent vers des canalisations contenant du pétrole. Une fois réchauffé, le pétrole retourne à la centrale. La chaleur emmagasinée dans le pétrole sert à convertir de l'eau en vapeur ; la vapeur actionne une turbine, qui actionne une génératrice électrique.

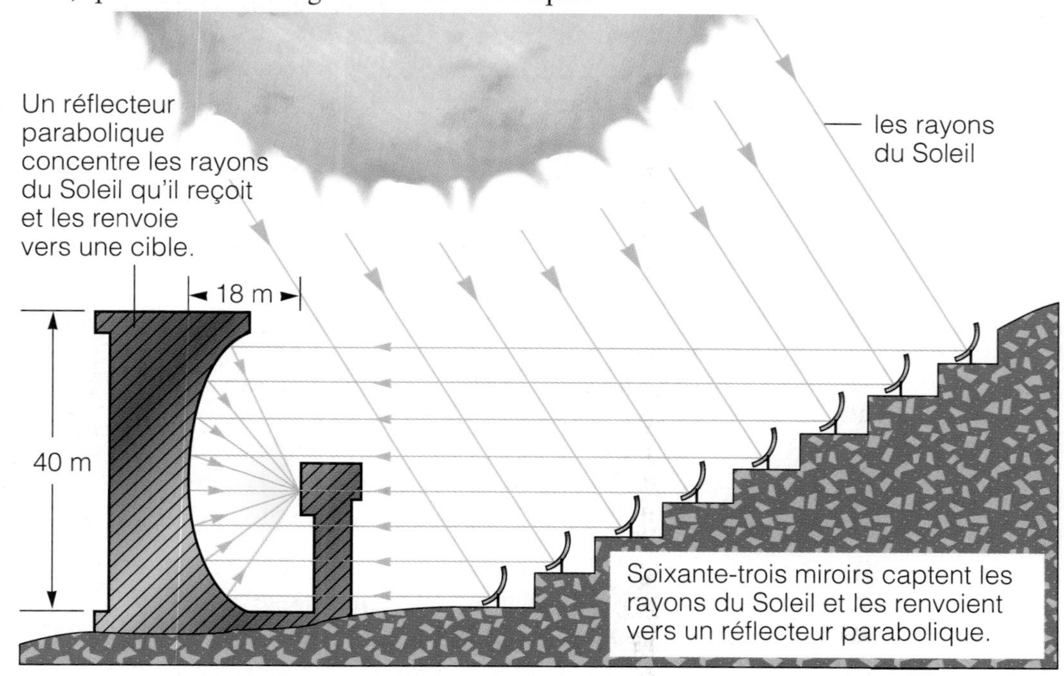


**Figure 12.23** Le réflecteur parabolique concentre l'énergie solaire sur le réservoir d'une chaudière

La figure 12.23 illustre une autre utilisation de miroirs pour la concentration des rayons du Soleil. Soixante-trois miroirs s'orientent automatiquement, en fonction de la position du Soleil, de manière à réfléchir, à toute heure du jour, les rayons solaires vers un réflecteur parabolique géant. Le réflecteur concentre les rayons solaires et les renvoie vers le réservoir d'une chaudière qui convertit de l'eau en vapeur. La vapeur fait tourner une turbine, qui actionne à son tour une génératrice électrique.

Quelle que soit la méthode employée, la conversion d'énergie solaire en énergie électrique peut se faire seulement lorsque les rayons du Soleil se rendent aux capteurs. C'est pourquoi on emploie souvent d'autres formes de production d'énergie électrique avec les dispositifs solaires. Par exemple, une centrale thermique traditionnelle peut produire de l'énergie supplémentaire durant la nuit ou lorsque des nuages empêchent les rayons du Soleil d'atteindre les capteurs.

## L'énergie éolienne

**Figure 12.24** Le rotor Darrieus de la photo de gauche ressemble à un gigantesque batteur à œufs. Ce dispositif, très efficace, sert à capter l'énergie du vent. La turbine de la photo de droite est située au Cowley Ridge Wind Electric Project près de Lundbreck, en Alberta.

Les moulins à vent font partie du paysage depuis des siècles. Cependant, jusqu'à tout récemment on s'en servait uniquement pour pomper l'eau des puits. Depuis peu, on utilise les éoliennes pour convertir l'énergie du vent en énergie électrique. Des chercheurs font l'essai de deux types d'éoliennes, illustrés dans la figure 12.24, pour déterminer lequel est le plus efficace, compte tenu de la nature des vents.

On peut tenter de convertir l'énergie éolienne en énergie électrique dans n'importe quelle région où la vitesse moyenne des vents est supérieure à 11 km/h. On met ce processus de transformation de l'énergie à l'essai dans les provinces de l'Atlantique et les provinces des Prairies. On prévoit qu'en 2010 une partie importante de l'énergie électrique consommée au Canada proviendra de l'énergie éolienne.

**Figure 12.25** Les éoliennes de ce parc produisent chacune 65 kW d'énergie électrique. Il est facile de deviner la quantité d'énergie que pourrait produire un parc d'éoliennes beaucoup plus grand, situé dans les Prairies. Essaie d'imaginer le bruit que feraient des milliers d'éoliennes disséminées dans la campagne.

**le savais-tu ?**

On peut considérer l'énergie éolienne comme une forme particulière d'énergie solaire, puisque le vent est dû au réchauffement inégal de la Terre, de l'air et de l'eau par le Soleil.

Comme le Soleil, le vent n'est pas une source constante d'énergie. Il faut donc emmagasiner l'énergie électrique produite par des éoliennes ou utiliser des sources supplémentaires d'énergie électrique. Par exemple, l'énergie éolienne peut servir à charger des accumulateurs. On peut également utiliser cette énergie pour pomper de l'eau dans un réservoir surélevé et employer plus tard cette eau pour produire de l'énergie hydroélectrique. On peut aussi employer l'énergie éolienne ou l'énergie solaire pour diviser des molécules d'eau en hydrogène et en oxygène gazeux, et employer plus tard ces gaz comme combustibles dans des piles à combustible. Le vent est une source prometteuse d'énergie électrique pour plusieurs régions du Canada.

## L'énergie des marées

La centrale de la figure 12.26 ressemble un peu à une centrale hydroélectrique. Même si ces deux types de centrales fonctionnent à peu près de la même façon, la centrale marémotrice n'est pas située à proximité d'un barrage ou d'une rivière. La centrale que tu vois sur la photo utilise les marées dans la baie de Fundy pour produire de l'énergie électrique.

**Figure 12.26** La centrale marémotrice d'Annapolis, en Nouvelle-Écosse, est située dans la baie de Fundy. C'est la première centrale de ce type à avoir été construite en Amérique du Nord.

Sur presque toutes les rives des océans du globe, la marée monte et descend environ deux fois par jour. Le **coefficient de marée**, c'est-à-dire la différence entre le niveau de l'océan à marée haute et à marée basse, varie de moins de 1,0 m à près de 17 m. Une quantité considérable d'énergie est emmagasinée dans les eaux en mouvement, mais il est très difficile d'exploiter cette énergie. Il n'existe que quelques endroits dans le monde où le coefficient de marée est assez élevé et où les rives ont une forme appropriée pour retenir l'eau affluant à marée montante. Tu peux voir sur la figure 12.27 B) que la baie de Fundy présente en plusieurs points les conditions idéales pour la construction d'un bassin de marée. La figure 12.27 A) montre un bassin de marée, c'est-à-dire un lieu où, à marée montante, l'eau est retenue par une vanne semblable à un barrage. La figure 12.27 C) illustre le

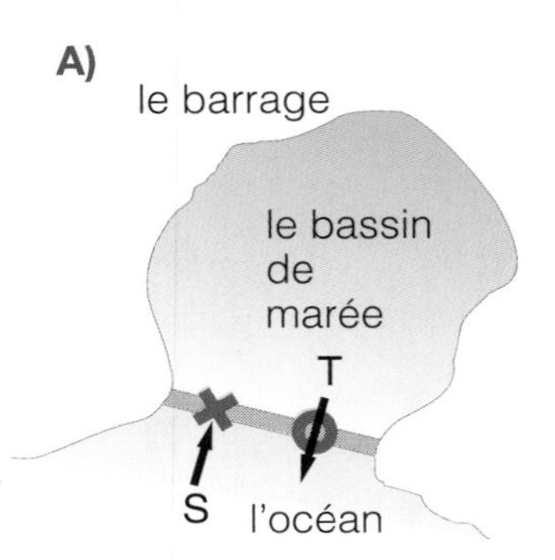


**Figure 12.27 A)** Un bassin de marée à ouverture étroite se prête bien à la construction d'un barrage qui retient les eaux affluant à marée montante.

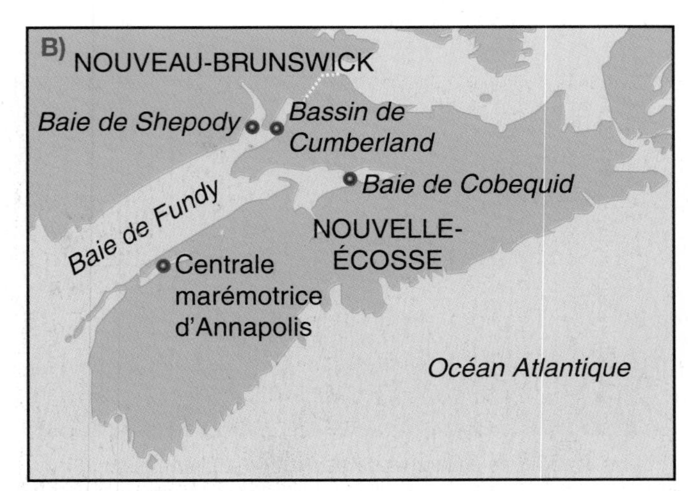


**Figure 12.27 B)** Les points indiquent la localisation de la centrale d'Annapolis et de trois autres bassins qui possèdent les caractéristiques requises pour la construction d'une centrale marémotrice.

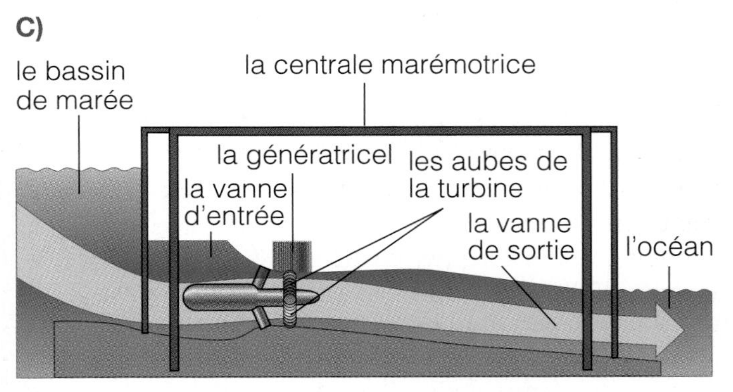


**Figure 12.27 C)** Une centrale marémotrice ressemble beaucoup à une centrale hydroélectrique construite à proximité d'un barrage. Lorsque l'eau accumulée dans le bassin s'écoule, la pression de l'eau fait tourner les aubes de la turbine, qui actionnent à leur tour la génératrice.

fonctionnement d'une centrale marémotrice. La centrale de la baie de Fundy retient l'eau qui avance vers les terres à marée montante et utilise l'énergie emmagasinée dans l'eau au moment où celle-ci se retire. On a fait l'essai de plusieurs autres types de centrale marémotrices. Par exemple, une centrale utilise l'énergie emmagasinée dans l'eau au moment où l'eau entre dans le bassin et au moment où elle en sort. Cette caractéristique permet à la centrale de produire de l'électricité pendant un plus grand nombre d'heures chaque jour.

## La fusion : une source d'énergie nucléaire

Tu as découvert certaines des techniques utilisées pour capter l'énergie du Soleil dans le but de produire de l'énergie électrique. Tu as également appris que le Soleil est la source première de l'énergie employée par les centrales hydroélectriques et thermoélectriques ainsi que par les éoliennes. Mais t'es-tu demandé de quelle source le Soleil tire son énergie ? Peut-on reproduire le processus de production d'énergie qui a lieu dans le Soleil et utiliser ce processus pour produire de l'énergie électrique ? Les chercheurs tentent de le faire depuis plus de 40 ans.

L'énergie produite par le Soleil provient de réactions nucléaires appelées **fusions**. Le mot « fusion » signifie « combinaison, regroupement ». Dans la fusion nucléaire, deux atomes très petits s'unissent pour former un atome plus gros et, généralement, une petite particule. Lorsque les petits noyaux s'unissent, ou fusionnent, une quantité considérable d'énergie est libérée.

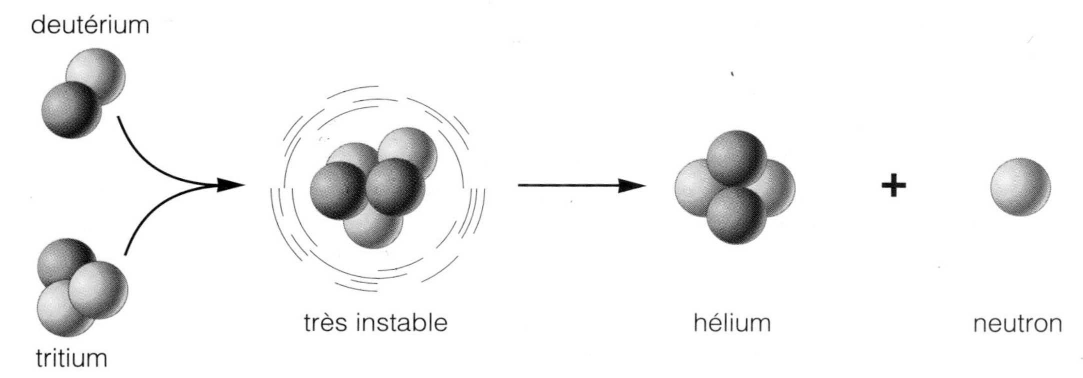


**Figure 12.28** La fusion du deutérium (de l'hydrogène lourd) et du tritium (de l'hydrogène radioactif) a lieu à des températures légèrement plus basses que celles auxquelles se produisent les autres réactions de fusion. Les réacteurs nucléaires de l'avenir utiliseront donc de préférence la fusion de ces deux éléments.

La réaction de fusion qu'on utilisera probablement pour produire de l'énergie électrique est illustrée à la figure 12.28. Le deutérium et le tritium sont deux formes différentes de l'hydrogène relativement rares. Le noyau d'un atome d'hydrogène commun n'est formé que d'un proton. Le noyau du deutérium contient un proton et un neutron, tandis que le noyau du tritium renferme un proton et deux neutrons. Lorsque le deutérium et le tritium s'unissent, ils forment un noyau très instable qui se divise immédiatement en deux parties : un noyau d'hélium et un neutron libre. Pour que la réaction de fusion ait lieu, le deutérium et le tritium doivent entrer en collision à très haute vitesse. La seule façon de produire une force assez grande est d'élever la

**Figure 12.29** Des ouvriers inspectent l'intérieur d'un réacteur à fusion Tokamak expérimental, à l'Université de Princeton.

température de ces gaz à près de 100 millions de degrés Celsius ($1 \times 10^8$ °C). Il est, bien sûr, impossible d'emmagasiner des substances à de telles températures dans des réservoirs ordinaires. La méthode d'emmagasinage la plus prometteuse consiste à maintenir les substances en suspension par un procédé magnétique. La figure 12.29, à la page précédente, montre l'intérieur d'un réacteur à fusion Tokamak expérimental. Les bobines transportant le courant sont disposées autour de la chambre. Ce courant électrique agit alors comme un très gros aimant qui met en suspension le combustible au centre de la chambre. C'est dans cette chambre que les réactions de fusion ont lieu.

Les chercheurs ont réussi à provoquer des réactions de fusion dans des réacteurs expérimentaux. Cependant, ces réactions ne peuvent être soutenues que pour une durée d'environ une demi-seconde. Les réactions de fusion contrôlées peuvent servir à produire de l'énergie électrique seulement si elles sont continues. Même si les spécialistes savent qu'il faudra faire encore beaucoup de recherche pour arriver à concevoir un réacteur à fusion pratique et rentable, ils croient qu'on y parviendra d'ici cinquante ans.

La recherche sur la fusion entraîne des coûts énormes, mais bien des gens pensent qu'il est indispensable de la poursuivre. Les combustibles fossiles et l'uranium seront éventuellement épuisés. On aura donc besoin d'une autre source d'énergie capable de fournir de grandes quantités d'énergie. Dans les réactions de fusion, on emploie du deutérium, difficile à remplacer. Cependant, 1 g de deutérium fournit autant d'énergie que 8 t de charbon, c'est-à-dire la quantité contenue dans un petit camion. Environ une molécule d'eau sur 7000 contient un atome de deutérium. L'océan peut donc fournir assez de deutérium pour répondre aux besoins pendant au moins des centaines d'années. De plus, la production d'énergie thermonucléaire n'est aucunement dommageable pour l'environnement : aucun gaz à effet de serre et aucun gaz responsable des pluies acides n'est libéré dans l'atmosphère ; il n'y a pas d'accumulation de grandes quantités de déchets radioactifs. La fusion nucléaire est donc une méthode de production d'énergie électrique propre et relativement sans risques. Ce pourrait être la principale source d'énergie de l'avenir.

## Vérifie ce que tu as compris

1. Quelle est la différence entre une source d'énergie renouvelable et une source d'énergie non renouvelable ?
2. Décris deux méthodes de transformation de l'énergie solaire en énergie électrique.
3. Quel problème la production d'électricité au moyen de l'énergie solaire ou de l'énergie éolienne cause-t-elle ?
4. Décris les conditions requises pour transformer l'énergie des marées en énergie électrique.
5. Qu'est-ce que la fusion nucléaire ? Quelle est la différence entre la fusion nucléaire et la fission nucléaire ?
6. Les réactions de fission nucléaire ont lieu dans de grandes enceintes très robustes. Pourquoi est-il impossible d'utiliser le même type d'enceintes pour les réactions de fusion nucléaire ?

# RÉSUMÉ du chapitre 12

Tu arrives à la fin du chapitre 12. Essaie de faire ce qui est demandé ; si tu n'es pas capable, retourne à la section indiquée entre parenthèses.

Nomme les trois composants de base d'une pile voltaïque et décris la fonction de chaque composant. (12.1)

Décris deux caractéristiques des piles voltaïques qui en limitent l'utilisation. (12.1)

Explique la différence entre une pile sèche et une pile humide. (12.1)

Explique la différence entre une pile primaire et une pile secondaire. (12.1)

Explique la différence entre une pile et une batterie. (12.2)

Explique pourquoi certaines piles sont beaucoup plus grosses que d'autres, même si elles fournissent la même différence de potentiel. (12.2)

Explique ce qui distingue la pile à combustible des autres types de piles. (12.2)

Décris la nature de l'énergie emmagasinée dans l'eau retenue par un barrage, avant qu'on ne la convertisse en énergie électrique. (12.3)

Explique le rôle d'une turbine et d'une génératrice. (12.3)

Décris la formation des combustibles fossiles. (12.3)

Décris la source d'énergie employée dans un réacteur nucléaire. (12.3)

Décris le rôle des barres de commande d'un réacteur nucléaire. (12.3)

Explique pourquoi les compagnies d'électricité transportent l'énergie électrique au moyen de lignes à haute tension. (12.3)

Décris la fonction d'un transformateur. (12.3)

Nomme au moins six effets potentiellement nocifs pour l'environnement des principales méthodes de production d'énergie employées au Canada. (12.4)

Explique la différence entre une source d'énergie renouvelable et une source d'énergie non renouvelable. (12.5)

Décris les facteurs qui limitent l'utilisation de l'énergie solaire pour la production d'énergie électrique. (12.5)

Nomme les conditions requises pour que la transformation de l'énergie des marées en énergie électrique soit réalisable. (12.5)

Décris de quelle façon on transforme l'énergie marémotrice en énergie électrique. (12.5)

Explique la différence entre la fission nucléaire et la fusion nucléaire. (12.5)

Nomme les difficultés qu'il faut surmonter pour transformer l'énergie libérée par la fusion nucléaire en énergie électrique. (12.5)

## Prépare ton propre résumé

Fais un résumé du présent chapitre sous l'une ou l'autre des trois formes suivantes. Trace une représentation graphique (par exemple, un réseau conceptuel), dessine une affiche ou rédige un résumé du chapitre de manière à mettre en évidence les concepts principaux. Les idées suivantes pourront te servir de guide :

- Quelles observations ont mené à l'invention de la pile voltaïque ?
- Quelle amélioration a-t-on apportée à la pile de Volta pour en faire une pile pratique, utilisable dans la vie de tous les jours ?
- Quelle méthode utilise-t-on pour transformer l'énergie emmagasinée dans les combustibles fossiles en énergie électrique ?
- Quel usage fait-on de la vapeur dans la production d'énergie électrique ?
- Qu'est-ce qui cause la pollution thermique et quels sont les effets de cette forme de pollution sur l'environnement ?
- Pourquoi est-il nécessaire de chercher des sources d'énergie de substitution ?
- Quels sont les limites et les effets nocifs de l'utilisation de l'énergie éolienne et de l'énergie marémotrice pour la production d'énergie électrique ?

# CHAPITRE 12 Révision

## Des termes à connaître

Si tu as besoin de revoir la signification de certains termes, retourne à la section indiquée entre parenthèses.

**1.** Explique pourquoi le terme en italique est mal employé dans les phrases suivantes :

**a)** Cette pile *secondaire* est morte. Je dois donc la jeter et en acheter une nouvelle. (12.2)

**b)** Regarde, on dirait l'entrée d'une ancienne *mine de charbon à ciel ouvert* ! (12.4)

**c)** Nous allons au barrage pour visiter la centrale *thermoélectrique*. (12.3)

**2.** Écris une phrase dans laquelle le terme donné est employé correctement.

**a)** électrolyte (12.2)

**b)** transformateur (12.3)

**c)** pollution thermique (12.4)

**3.** Explique la relation entre les gaz à effet de serre et le réchauffement de la planète. (12.4)

**4.** Explique la relation entre les pluies acides et les épurateurs. (12.4)

## Des concepts à comprendre

Si tu as besoin de réviser certains concepts, retourne à la section indiquée entre parenthèses.

**5.** Pourquoi est-il nécessaire d'employer deux métaux ou deux alliages différents dans la fabrication d'une pile ou d'une batterie ? (12.1)

**6.** Trace un schéma représentant trois piles branchées en série. Si la différence de potentiel de chaque pile est de 1,5 V, quelle est la différence de potentiel aux bornes de la série de piles ? (12.2)

**7.** Trace un schéma représentant trois piles branchées en parallèle. Si la différence de potentiel de chaque pile est de 1,5 V, quelle est la différence de potentiel aux bornes de l'ensemble de piles ? (12.2)

**8.** Nomme, selon l'ordre chronologique, cinq étapes de la transformation de l'énergie emmagasinée dans le charbon en énergie électrique. (12.3)

**9.** Nomme les étapes de la production d'électricité dans une centrale thermonucléaire et dans une centrale thermoélectrique qui se ressemblent. (12.3)

**10.** Pourquoi le réservoir situé derrière le barrage d'une centrale hydroélectrique doit-il être à la fois très profond et très large ? (12.3)

**11.** Quelle méthode de production d'énergie électrique entraîne la formation de pluies acides ? Explique ta réponse. (12.4)

**12.** Quels sont les principaux effets nocifs pour l'environnement de la production d'énergie par une centrale thermonucléaire ? (12.4)

**13.** Nomme trois sources d'énergie électrique renouvelables et trois sources non renouvelables utilisées actuellement ou susceptibles d'être utilisées dans l'avenir. (12.5)

**14.** Qu'est-ce que le deutérium et le tritium ? De quelle façon pourrait-on utiliser ces deux substances pour produire de l'énergie électrique ? (12.5)

## Des habiletés à acquérir

**15.** Tu disposes du matériel suivant : une orange fraîche, une orange pourrie, une plaque de cuivre, une plaque de zinc, des fils conducteurs et un voltmètre. Décris une expérience que tu pourrais faire pour déterminer laquelle des deux oranges contient le meilleur électrolyte.

**16.** Les piles alcalines coûtent plus cher que les piles en zinc-carbone. Un de tes camarades affirme qu'il vaut mieux acheter des piles alcalines parce qu'elles durent plus longtemps.

**a)** Conçois une expérience qui permettrait de vérifier l'hypothèse de ton camarade à l'aide d'une lampe de poche. Assure-toi de tenir compte de tous les facteurs qui entrent en jeu.

**b)** Si tu as le temps, réalise l'expérience que tu as conçue et fais part de tes résultats aux membres de ta famille.

**17.** Reporte-toi aux données de la figure 12.13, à la page 398. À l'aide d'un tableur, calcule la quantité annuelle moyenne d'énergie électrique produite, par habitant, dans chaque province ou territoire du Canada. Représente les résultats au moyen d'un diagramme à bandes et discute de ces résultats avec tes camarades. Essaie d'expliquer l'écart entre différentes provinces ou territoires.

18. Dessine un réseau conceptuel comme celui qui suit. Énumère le plus grand nombre possible de sources d'énergie renouvelables ou de sources d'énergie non renouvelables, de même que les effets sur l'environnement de l'utilisation de chaque source d'énergie.

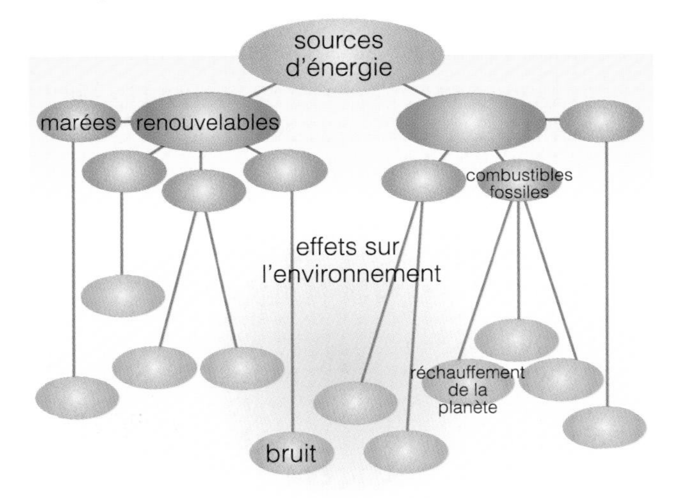


19. Revoie les résultats que tu as obtenus dans l'activité 12-C. Représente à l'aide d'un schéma, d'un diagramme à barres ou d'un autre graphique le pourcentage de l'énergie restante à la fin de chaque étape de la production d'énergie électrique au moyen de la combustion de charbon et de l'alimentation d'une ampoule incandescente par cette énergie.

## Des problèmes à résoudre

20. Une ligne de transmission de 1 km a une résistance de 1,00 Ω. Un poste de distribution situé à 25 km de chez toi transmet 10 kW (ou 10 000 W) d'énergie à une différence de potentiel de 25 kV (25 000 V) sur des lignes de ce type. Quelle est la quantité d'énergie perdue sous forme de chaleur entre le poste et chez toi?

21. Tu veux laisser un magnétophone dans un bois pour enregistrer le chant des oiseaux pendant plusieurs heures. Le magnétophone est alimenté par des piles de 1,5 V. Les piles que tu utilises d'habitude ne durent que la moitié du temps durant lequel tu veux enregistrer le chant des oiseaux, et tu ne peux pas aller changer les piles. De quelle façon dois-tu relier des piles pour que le magnétophone fonctionne le temps voulu?

22. Ta famille possède une petite ferme et elle désire, dans la mesure du possible, produire elle-même l'énergie qu'elle consomme. Décris au moins trois systèmes qu'elle peut utiliser pour produire de l'énergie électrique sur la ferme.

## Réflexion critique

23. Énumère les effets potentiellement nocifs de la production d'énergie par une centrale thermoélectrique au charbon et une centrale thermonucléaire. Laquelle des deux centrales cause les problèmes les plus graves? Explique ta réponse.

24. L'énergie électrique que ta famille consomme provient d'une centrale thermoélectrique au charbon. La compagnie d'électricité a envoyé une lettre à chacun de ses clients pour expliquer qu'elle aimerait moderniser l'épurateur qui élimine l'anhydride sulfureux ($SO_2$) des gaz qui s'échappent par les cheminées de la centrale. L'épurateur utilisé actuellement élimine 90 % de l'anhydride sulfureux, mais la compagnie d'électricité aimerait augmenter ce pourcentage à 99 %. Cependant, les clients devront payer 10 % de plus pour l'énergie électrique qu'ils consomment pour couvrir le coût des travaux. Te prononceras-tu en faveur ou contre la modernisation de l'épurateur? Pour quelles raisons?

25. La recherche sur l'exploitation de l'énergie libérée par la fusion nucléaire coûte extrêmement cher. Rédige un texte d'un paragraphe pour appuyer ou dénoncer le fait que le gouvernement subventionne des recherches dans ce domaine, en te fondant sur ce que tu as appris dans le présent chapitre à propos de la production d'énergie au moyen de la fusion nucléaire.

## Pause réflexion

1. Relis tes réponses aux questions de la rubrique Pour commencer... que tu as notées dans ton journal scientifique. Ces réponses te paraissent-elles toujours exactes? Sinon, explique ce que tu as appris dans ce chapitre qui peut t'aider à les corriger.
2. Dresse une liste des concepts que tu as appris dans ce chapitre et qui sont assez importants pour que tu les approfondisses. Explique pourquoi tu as besoin d'en savoir davantage à propos de ces concepts.

MODULE 3

# Consulte une experte

Silvia Wessel, physicochimiste

**Comment peut-on faire entrer une pile ronde dans un espace étroit? Ce n'est que l'un des problèmes que Silvia Wessel et son équipe s'affairent à résoudre chez Bluestar Advanced Technologies Corporation. Silvia est vice-présidente de l'entreprise et directrice de projet pour la mise au point de piles au lithium de type primaire (non rechargeable).**

**Q Sur quel type de piles travaillez-vous chez Bluestar?**

**R** Notre projet porte sur des piles primaires au lithium et au bioxyde de manganèse. Ces piles sont plutôt lourdes et servent à alimenter du matériel spécialisé. Nous en fournissons beaucoup aux forces armées, qui les utilisent dans des équipements comme les lunettes de vision nocturne.

**Q Les piles renferment-elles toutes du lithium?**

**R** Non. Les piles au lithium sont très puissantes. Elles produisent beaucoup de courant et peuvent durer jusqu'à dix ans. Toutefois, le lithium n'est pas ce que l'on pourrait appeler une substance chimique inoffensive. Il réagit violemment au contact de l'eau, de sorte qu'on ne l'utilise pas pour fabriquer des piles à usage domestique. Il existe cependant des piles pour appareil photo qui renferment du lithium.

Nous avons aussi mis au point des piles au lithium et à l'oxyde de carbone, mais elles ne sont pas actuellement en production. Ces piles ont une grande capacité comparativement aux piles ordinaires que les gens achètent pour des objets courants comme une lampe de poche. En d'autres termes, elles durent longtemps. Ainsi, une pile au lithium et à l'oxyde de carbone de la taille d'une pile D typique présente une capacité d'environ 15 ampères-heures par rapport à 3 ou 4 ampères-heures dans le cas d'une pile à usage domestique de mêmes dimensions. Un ampère-heure indique qu'une pile peut produire un courant de un ampère pendant une période d'une heure.

**Q Les piles au lithium et à l'oxyde de carbone ressemblent-elles aux piles ordinaires?**

**R** Oh, oui! C'est le cas également des piles au lithium et au bioxyde de manganèse. Seules les substances chimiques à l'intérieur diffèrent. Cela dit, les piles au lithium et au bioxyde de manganèse que nous fournissons aux forces armées auront bientôt un aspect très différent des autres. Nous étudions, en effet, une nouvelle façon de les présenter. Les piles sont ordinairement enveloppées de métal, mais nous effectuons actuellement des essais sur une pochette de plastique souple. Une telle enveloppe rendrait nos piles moins coûteuses à produire et plus polyvalentes.

**Q Comment?**

**R** Une pile cylindrique enveloppée de métal exige beaucoup d'espace, ce qui augmente d'autant les dimensions de tout appareil dans lequel elle doit entrer. Une pile malléable peut être conçue pour s'adapter à tout espace ou interstice à l'intérieur de l'appareil. En outre, une pile plus légère réduit le poids de l'appareil. Il est donc plus facile pour les soldats de le porter.

**Q** **Passez-vous tout votre temps à concevoir de nouveaux types de piles?**

**R** Cela dépend de l'étape du processus de développement à laquelle nous sommes rendus. Ici, au laboratoire, nous passons tous beaucoup de temps à fabriquer des piles. Lorsque nous voulons en concevoir un type nouveau, nous fabriquons pile après pile à partir de zéro. Nous analysons les matériaux ou « ingrédients » que l'on nous envoie, pour déterminer leur qualité et leur capacité d'accomplir le travail. Nous les combinons ensuite à la technologie de nombreuses manières différentes, en essayant d'obtenir le plus d'ampères-heures possible. Il en résulte beaucoup d'essais et d'erreurs.

J'ai aussi pour tâche d'établir combien il en coûtera pour produire en grande quantité les piles que nous venons de concevoir. Une fois cette information obtenue, nous pouvons indiquer aux clients le prix à l'unité et les laisser décider s'ils veulent ou non acheter nos piles. Lorsque nous recevons une commande, j'aide à lancer le processus de fabrication des piles dans une unité de production différente de Bluestar spécialement formée à cet effet.

**Q** **Bluestar conçoit-elle également d'autres types de piles?**

**R** Oui, il y a d'autres services semblables au nôtre, dont un qui met au point des piles rechargeables à usage spécialisé. On travaille actuellement sur des piles de type ion-lithium, entre autres. Il se pourrait très bien que la NASA choisisse d'utiliser ces piles lors de la mission Mars Lander and Rover.

**Q** **Votre travail vous plaît-il?**

**R** Oui, il me plaît. J'ai à cœur de fabriquer de bonnes piles et je ressens une grande satisfaction lorsqu'un client nous dit qu'il est très heureux du rendement de nos piles.

**POUR EN SAVOIR Plus**

## Trouve la solution

Pourquoi avons-nous besoin d'un si grand nombre de types de piles différents? Les caractéristiques exigées d'une pile varient selon la situation. Songe aux piles au lithium et à l'oxyde de carbone de Silvia Wessel. Bluestar espère vendre un jour ces piles à grande capacité aux entreprises d'électricité pour qu'elles les utilisent à l'intérieur du compteur installé chez les abonnés. Ces piles fourniraient l'énergie nécessaire pour transmettre un signal de chez toi à l'entreprise d'électricité, lui faisant la lecture de ton compteur, c'est-à-dire lui indiquant ta consommation d'électricité.

Repasse la description faite par Silvia des piles au lithium et à l'oxyde de carbone, puis explique pourquoi ces piles conviendraient mieux à cet usage qu'une pile ordinaire de même taille. En supposant que l'une des piles mises au point par Silvia dure 10 ans, combien de piles ordinaires faudrait-il pour remplir la même fonction aussi longtemps?

UNE SIMULATION

# Les lignes de transport à haute tension : une menace pour la santé ?

## Réfléchis

Tu habites une localité rurale. L'un de tes voisins est convaincu que les lignes de transport à haute tension qui traversent ses terres mettent en danger la santé de son troupeau laitier. Il affirme que ces lignes de transport d'énergie émettent une quantité nocive de radiations. Selon lui, de plus en plus de veaux présentent des malformations congénitales. Véhiculés par les médias, ses dires ont fait naître des craintes chez la population locale. En particulier, les parents qui habitent à proximité des lignes de transport avec de jeunes enfants s'inquiètent des allégations voulant qu'il existe un lien entre les lignes de transport et la leucémie infantile.

En réaction à cette controverse, une station de radio locale a invité un scientifique à une tribune téléphonique. Selon cet expert, la plupart des études réalisées sur les effets de l'exposition à des champs électromagnétiques (CEM) ne sont pas concluantes. Toutefois, une nouvelle étude vient de démontrer qu'un niveau élevé de radiations électromagnétiques pourrait activer une certaine substance chimique présente dans les cellules vivantes. Cette étude a été publiée dans le *Journal of Biological Chemistry*. On y indique que la substance chimique en cause pourrait jouer le rôle d'un interrupteur et déclencher des séries d'événements qui influencent la division cellulaire. Le cancer étant une prolifération anarchique des cellules, on y suggère l'existence d'un lien entre le déclenchement de l'activité chimique citée et l'apparition de cellules malignes. Le scientifique invité a pris soin de souligner qu'un autre chercheur a tenté de reproduire les résultats de cette étude, mais n'a jusqu'à présent « noté aucun effet [attribuable aux CEM] ».

La tribune téléphonique a suscité énormément de réactions. On a donc décidé d'organiser un forum pour apaiser les craintes de la population et favoriser un examen systématique de la question. Prépare-toi à cette réunion en te documentant sur le sujet (Internet constitue un bon point de départ).

## Plan et réalisation

1. Lors du forum auquel tu vas assister, les personnes suivantes feront un exposé :
   - le producteur laitier affirmant que l'exposition à des CEM menace la santé de son troupeau ;
   - un père de trois enfants qui habite à proximité des lignes de transport ;
   - une représentante de la société d'électricité ;
   - un scientifique.
2. Selon toi, quel pourrait être le point de vue de chacune de ces personnes avant le forum ? Quelles préoccupations et quelles questions ces personnes pourraient-elles souhaiter aborder ? S'il existe des faits ou des arguments qui pourraient les amener à réviser leur position, quels sont-ils, à ton avis ?
3. Ton enseignante ou ton enseignant assignera à ton groupe le rôle de l'une de ces personnes et vous fournira des renseignements additionnels pour vous aider à planifier votre exposé. Ton groupe et toi devez vous documenter sur votre rôle, puis faire valoir votre position avec des arguments solides lors du forum.
4. Toute la classe ensemble, examinez les observations scientifiques et non scientifiques présentées lors du forum. Évaluez-les pour essayer de déterminer l'ampleur du risque qui pourrait, selon vous, être associé aux lignes de transport à haute tension. Élaborez ensuite un plan d'action fondé sur vos conclusions.

## Analyse

1. Les points de vue présentés étaient-ils tous bien documentés et clairement exprimés ? Dans le cas contraire, comment pourrait-on les améliorer, selon vous ?
2. Les intervenants ont-ils tous eu la même occasion d'exprimer leur opinion et leurs inquiétudes ? Dans le cas contraire, comment pourrait-on améliorer cette situation ?
3. Quel plan d'action avez-vous adopté à l'échelle de la classe ? Comment votre compréhension de la science et de la technologie a-t-elle influencé ce plan ?

# L'autosuffisance en matière d'électricité

Imagine que tes partenaires et toi avez formé une entreprise pouvant aider les agriculteurs à réduire leurs coûts en matière d'électricité. Vous proposez à tout client de réaliser une étude poussée des sources d'énergie renouvelables présentes sur sa ferme. Vous lui offrez d'élaborer ensuite des plans qui décrivent des moyens concrets d'utiliser ces ressources pour produire de l'électricité, ainsi que des moyens d'économiser l'énergie. Si le client accepte ces plans, votre entreprise se chargera d'embaucher des ouvriers et de surveiller la construction des systèmes de production d'électricité.

Pour commercialiser vos services, il vous faut élaborer une présentation. Un fermier de la région vous a donné la permission d'utiliser sa propriété à titre de modèle. Il s'agit d'une ferme laitière de 100 ha située sur un versant sud dans une région où la vitesse annuelle moyenne des vents est de 12 km/h et où environ 65 % des jours sont ensoleillés. Un cours d'eau à débit rapide traverse la propriété. Cette ferme appartient à une famille de quatre personnes, et on y trouve une maison, une grande étable avec salle de traite et deux silos verticaux.

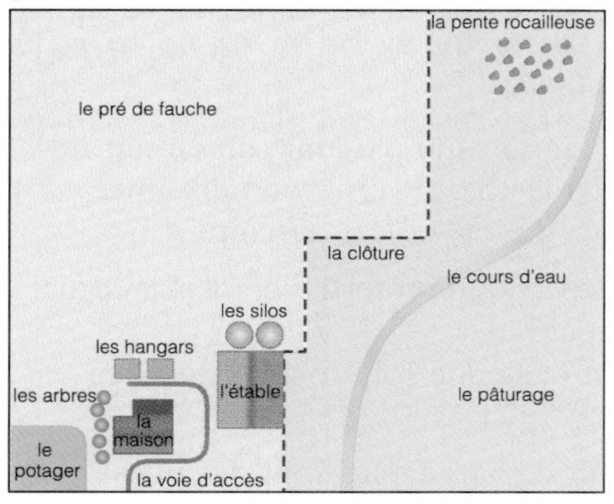


Cette ferme modèle a des pâturages et des terres arables.

## Projet

Préparez pour cette ferme un plan qui permettra d'y produire le plus d'électricité possible à l'aide de sources d'énergie renouvelables. De même, élaborez des mesures visant à y économiser l'énergie. Concevez et préparez un visuel complet et attrayant, ainsi qu'une présentation commerciale novatrice et stimulante.

## Matériel

du matériel d'art et de construction au choix, comme des baguettes de bois, de la pâte à modeler, du carton bristol et de la peinture pour affiche

## Critères de conception

**A.** Concevez des systèmes pour produire de l'électricité à partir de chacune des trois sources d'énergie présentes sur la ferme.

**B.** Dessinez et construisez un modèle de l'un de ces trois systèmes. Faites un dessin technique de ce modèle.

**C.** Créez un visuel à l'aide de votre modèle ainsi que d'illustrations et d'explications se rapportant à vos trois systèmes de production d'électricité.

**D.** Préparez un exposé oral inspiré de votre visuel. Parlez-y également des méthodes visant à économiser l'énergie à la ferme.

## Plan et construction

1. Trouvez par remue-méninges des moyens appropriés de convertir les sources d'énergie renouvelables en électricité à la ferme. Votre enseignante ou votre enseignant vous fournira une facture d'électricité type de votre ferme modèle. Mettez en évidence trois sujets sur lesquels vous devrez faire des recherches. Partagez-vous ce travail de recherche de façon égale au sein du groupe.
2. Choisissez la forme de conversion énergétique pour laquelle vous allez construire un modèle. Décidez comment présenter les trois formes de conversion énergétique sur une affiche. Dressez la liste du matériel dont vous aurez besoin et déterminez où vous le procurer.
3. Élaborez un plan d'ensemble de votre présentation et joignez-y votre liste de matériel. Soumettez ce plan à l'approbation de votre enseignante ou de votre enseignant.
4. Exécutez votre plan. Assurez-vous que chaque membre de votre groupe a des responsabilités et comprend ce qu'il doit faire.
5. Préparez un exposé oral pour accompagner votre visuel et votre modèle. Présentez-le à la classe. (Vous pouvez enregistrer votre exposé sur vidéocassette si vous le désirez.)

## Évaluation

Faites une évaluation de votre plan à la suite de votre exposé. En quoi le modifieriez-vous peut-être si c'était à refaire? Rédigez quelques notes au sujet de toute modification que vous pourriez vouloir y apporter. Donnez les raisons de cette décision.

MODULE

# 3 Révision

Maintenant que tu as terminé les chapitres 9, 10, 11 et 12, tu peux évaluer ce que tu as retenu au sujet de l'électricité en répondant aux questions ci-après. Il pourrait t'être utile de revoir tout d'abord les sections Résumé et Révision de chaque chapitre.

## Vrai ou faux

Indique dans ton cahier de notes si chacun des énoncés suivants est vrai ou faux. Corrige les énoncés qui sont erronés.

1. Les charges de même type s'attirent l'une l'autre et les charges de type différent se repoussent l'une l'autre.
2. Mettre un conducteur à la terre consiste à le relier au sol par un isolant.
3. La charge à l'intérieur d'un circuit convertit l'énergie électrique en d'autres formes d'énergie.
4. La pile à l'intérieur d'un circuit y est la source du courant électrique.
5. Le coefficient de rendement d'un dispositif électrique correspond au quotient de l'énergie électrique totale à l'entrée par l'énergie utile à la sortie multiplié par 100 %.
6. Dans un circuit en série, la différence de potentiel à la source est égale à la différence de potentiel aux extrémités de chaque charge.
7. Dans un circuit en parallèle, le courant fourni par la source se partage entre les embranchements.
8. Un court-circuit survient lorsque le courant dans un circuit peut contourner toutes les charges.
9. Un thermocouple présente deux soudures constituées chacune d'un métal différent.
10. Lorsque deux piles sèches sont montées en parallèle, la différence de potentiel correspond à la somme de la différence de potentiel aux bornes de chaque pile.
11. Les centrales hydroélectriques convertissent l'énergie cinétique de l'eau motrice en énergie électrique.
12. À l'heure actuelle, la plus grande partie de l'électricité produite au Canada provient de l'énergie nucléaire.
13. Parmi les trois principaux types d'installations de production d'électricité, les centrales hydroélectriques causent le moins de dommages à l'environnement.
14. Le plus gros problème associé à l'énergie nucléaire est l'entreposage à long terme des déchets radioactifs.
15. On peut recourir à l'énergie éolienne dans toutes les régions du Canada pour produire économiquement de l'électricité.

## Phrases à compléter

Dans ton cahier de notes, complète chacun des énoncés suivants à l'aide du terme ou de l'expression qui convient.

16. L'électrostatique étudie les charges ________, tandis que l'électrodynamique étudie les charges ________.
17. Pour donner une charge négative par induction à un électroscope, il faut approcher une tige chargée ________ de la sphère avant qu'elle ________.
18. Dans un circuit en parallèle, la ________ est la même aux extrémités de chaque embranchement et à la ________.
19. Dans un circuit en parallèle, la résistance équivalente est ________ à toute résistance individuelle.
20. Lorsque le courant qui parcourt un circuit ne traverse pas une charge, on est en présence d'un ________-circuit.
21. Toute pile électrique renferme deux morceaux de métal appelés des ________, qui baignent dans une solution conductrice appelée un ________.
22. Les piles non rechargeables sont des piles ________, tandis que les piles rechargeables sont des piles ________.
23. Les sources d'énergie qui s'épuisent plus vite qu'elles ne peuvent se renouveler naturellement portent le nom de ________.
24. Le processus visant à unir deux atomes pour obtenir un plus gros ________ et libérer de l'énergie nucléaire s'appelle la ________.

## Associations

**25.** Transcris dans ton cahier de notes les descriptions de la colonne A. Indique à côté de chacune le terme de la colonne B qui correspond à cette description. Tout terme peut servir une ou plusieurs fois ou pas du tout.

**A**

- permet aux électrons de circuler librement
- limite les déplacements d'une charge
- possède une charge négative
- possède une charge positive
- ne possède aucune charge
- demeure stationnaire à l'intérieur des atomes
- se déplace aisément au cours de l'électrisation
- se compose de deux électrodes et d'un électrolyte liquide
- se compose de deux électrodes et d'un électrolyte pâteux
- une pile que l'on ne peut pas recharger
- une pile que l'on peut recharger
- un accumulateur au plomb-acide

**B**

- atome
- conducteur
- cuivre
- électron
- isolant
- neutron
- noyau
- pile sèche
- pile voltaïque
- pile secondaire
- pile primaire
- pile au nickel et cadmium
- pile humide

## Questions à choix multiple

Écris dans ton cahier de notes la lettre qui correspond à la meilleure réponse à chacune des questions suivantes.

**26.** La loi de l'attraction et de la répulsion se résume ainsi :

**a)** tant les charges de même type que les charges de type différent s'attirent l'une l'autre ;
**b)** tant les charges de même type que les charges de type différent se repoussent l'une l'autre ;
**c)** les charges de même type s'attirent l'une l'autre et les charges de type différent se repoussent l'une l'autre ;
**d)** les charges de type différent s'attirent l'une l'autre et les charges de même type se repoussent l'une l'autre.

**27.** Le schéma ci-contre montre les connexions aux bornes d'un ampèremètre. Quelle est la valeur indiquée par cet appareil ?

**a)** 0,70 A **b)** 1,70 A
**c)** 1,75 A **d)** 3,50 A

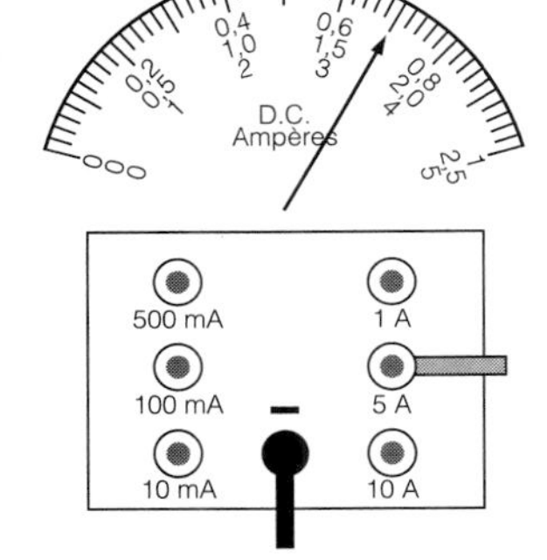


**28.** On calcule la résistance électrique :

**a)** en divisant la différence de potentiel entre les extrémités d'une charge par le courant qui la parcourt
**b)** en divisant le courant qui parcourt une charge par la différence de potentiel entre ses extrémités
**c)** en divisant le courant aux extrémités d'une charge par la différence de potentiel qui la parcourt
**d)** en multipliant la différence de potentiel entre les extrémités d'une charge par le courant qui la parcourt

**29.** Lequel des énoncés suivants s'applique à un circuit en série ? Le courant y est :

**a)** partout le même
**b)** à son maximum à travers la charge
**c)** à son maximum à la borne positive de la source
**d)** à son maximum à la borne négative de la source

**30.** Deux ampoules, *x* et *y*, sont montées en parallèle à une pile sèche neuve. L'interrupteur est fermé. Si l'on dévisse l'ampoule *x*, la luminosité de l'ampoule *y* :

**a)** doublera **b)** diminuera de moitié
**c)** demeurera la même **d)** deviendra nulle

31. Trois piles sèches, $x$, $y$ et $z$, sont raccordées en série à une ampoule. L'interrupteur est fermé. Si l'on inverse l'une de ces piles, le courant :
**a)** augmentera **b)** diminuera
**c)** demeurera le même **d)** deviendra nul

32. Le Soleil donne de l'énergie selon ce processus :
**a)** la fission nucléaire
**b)** la fusion nucléaire
**c)** la combustion du carbone
**d)** la combustion de l'hydrogène

## Questions à réponse courte

Réponds à chaque question dans ton cahier de notes par une phrase ou un court paragraphe.

33. Une sphère de liège et une sphère d'aluminium sont suspendues chacune à un fil isolant. Une tige chargée positivement attire la sphère de liège et repousse la sphère d'aluminium. Que peux-tu en déduire au sujet des charges sur ces sphères ?

34. **a)** Pose une équation pour calculer l'énergie consommée ($E$) en fonction de la puissance ($P$) et du temps écoulé ($t$).
**b)** Quelles sont les deux unités qui pourraient servir à exprimer l'énergie calculée à partir de cette équation ?

35. Qu'est-ce que le rendement et comment le mesure-t-on dans le cas d'une bouilloire électrique ?

36. Deux ampoules identiques sont montées en série à l'intérieur d'un circuit électrique. Décris ce qui arrivera à la luminosité de ces ampoules si l'on en dévisse une.

37. À l'aide de symboles, dessine le schéma d'un circuit où deux piles sèches sont montées en parallèle l'une à l'autre et à deux ampoules. Ajoute à ton schéma un voltmètre branché de façon à mesurer le potentiel électrique des deux piles sèches et un ampèremètre branché de façon à mesurer le courant électrique qui traverse l'une des ampoules. Indique par des plus (+) et des moins (-) où sont les bornes positive et négative des appareils de mesure et de la pile.

## Problèmes à résoudre

Fournis une solution complète dans le cas des problèmes faisant intervenir des équations et des nombres. Utilise soit la méthode de résolution de problèmes SMARP, soit une autre méthode suggérée par ton enseignante ou ton enseignant.

38. Suppose que ton enseignante ou ton enseignant te fournisse trois substances inconnues, $A$, $B$ et $C$, de même qu'un électroscope chargé négativement. On peut apparier ces substances de toutes les manières possibles pour les frotter l'une contre l'autre. Explique comment tu pourrais établir une série indiquant quelle substance retient le plus fortement ses électrons et quelle substance les retient le plus faiblement.

39. Calcule la résistance d'un conducteur si la différence de potentiel entre ses extrémités est de 12 V et le courant qui le parcourt, de 0,54 A.

40. Une ampoule a une résistance de 96,8 Ω. Quel est le courant qui la traverse lorsqu'elle est reliée à une source de 120 V ?

41. Quelle est la différence de potentiel nécessaire pour produire un courant de 0,50 A dans un conducteur ayant une résistance de 30 Ω ?

## Réflexion critique

42. Les grains de blé ou de riz soufflés sont très légers et électriquement neutres. Lorsqu'on y plonge une tige d'ébonite portant une charge négative, des particules collent à la tige. Au bout d'un bref moment, toutefois, ces particules s'envolent en tous sens. Explique pourquoi cela se produit.

43. On utilise une batterie de 12 V pour faire démarrer un tracteur de pelouse. Cette batterie a une masse environ 50 % inférieure à celle d'une batterie d'automobile. Crois-tu que la batterie d'un tracteur de pelouse pourrait faire démarrer une automobile ? Explique ta réponse.

44. Un élève veut utiliser un voltmètre, un ampèremètre et une pile pour mesurer la résistance équivalente de deux résistances montées en série. Dessine un schéma du montage nécessaire. Indique où sont les bornes positive et négative des appareils de mesure et de la source.

45. Quelle conversion énergétique se produit à l'intérieur :
**a)** d'une centrale hydroélectrique ?
**b)** d'une centrale à combustible fossile ?
**c)** d'une centrale nucléaire ?

**46.** Le schéma ci-dessous présente le montage d'un voltmètre, d'un ampèremètre, d'une source d'énergie variable, d'un interrupteur et de trois résistances.

**a)** Dessine un schéma du circuit.

**b)** Si l'interrupteur est fermé, explique comment les données obtenues à l'aide des appareils de mesure pourraient servir à déterminer la résistance équivalente des trois résistances.

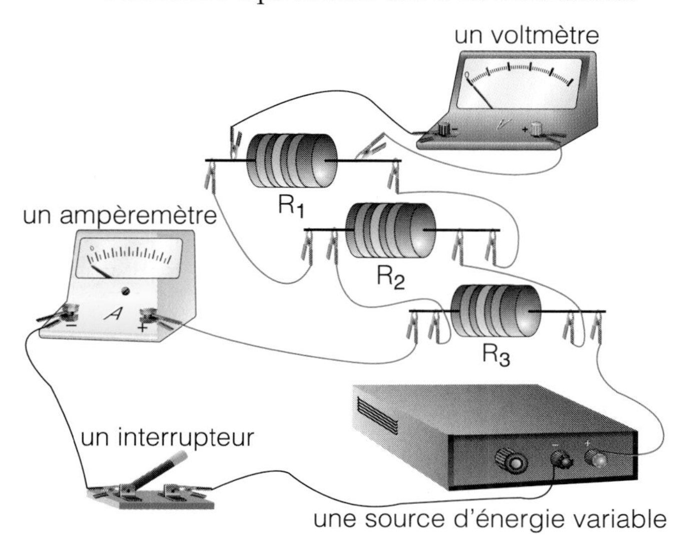


**47.** Explique pourquoi la quantité d'énergie perdue le long des lignes de transport est plus grande lorsque l'énergie électrique y circule à une très haute tension (T.H.T.) de 765 kV plutôt qu'à une ultra-haute tension (U.H.T.) de 2000 kV.

**48.** Une pile sèche neuve fait s'allumer une ampoule pendant cinq heures. On monte en parallèle trois piles sèches neuves identiques pour fabriquer une batterie. Cette batterie est maintenant raccordée à l'ampoule.

**a)** La luminosité de l'ampoule va-t-elle changer ? Explique ta réponse.

**b)** Qu'arrivera-t-il à la période de temps pendant laquelle la batterie peut faire s'allumer l'ampoule ?

**49.** On effectue actuellement des recherches en vue d'utiliser davantage les éoliennes pour produire de l'électricité. Quels sont deux des avantages et deux des inconvénients de l'utilisation de cette source d'énergie pour produire de l'électricité ?

## Applications

**50.** Explique pourquoi, lorsqu'on étudie une charge inconnue, on ne peut en déterminer le type avec certitude qu'en observant une répulsion entre celle-ci et une charge connue.

**51.** Le ventilateur d'un séchoir à cheveux se met à tourner dès que l'on ferme l'interrupteur. Ce séchoir à cheveux a un cordon électrique long de 100 cm. Or, une amie t'a dit que les électrons se déplacent à une vitesse d'environ 3 cm à la minute. Nomme la contradiction qu'il semble y avoir et explique-la.

**52.** Une élève effectue une expérience afin de déterminer si une ampoule incandescente obéit à la loi d'Ohm. Le tableau ci-dessous indique la différence de potentiel en fonction du courant.

La différence de potentiel en fonction du courant

| Différence de potentiel $V$ (V) | Courant électrique (mA) (1 mA = $1 \times 10^{-3}$ A) |
|---|---|
| 0,0 | 0,00 |
| 0,50 | 0,720 |
| 1,0 | 1,25 |
| 1,5 | 1,67 |
| 3,0 | 2,50 |
| 4,5 | 3,00 |
| 6,0 | 3,33 |

**a)** Trace une courbe de la différence de potentiel en fonction du courant, où le courant figurera sur l'axe des $x$.

**b)** Décris la forme de cette courbe.

**c)** Le filament d'une ampoule est-il un exemple d'une résistance ohmique ou non ohmique ? Explique ta réponse.

**53.** À l'aide de symboles, dessine le schéma d'un circuit qui comprend deux piles sèches montées en série, deux ampoules montées en parallèle et un interrupteur permettant d'éteindre les deux ampoules. Ajoute à ton schéma un voltmètre branché de façon à mesurer le potentiel électrique de l'une des piles et un ampèremètre branché de façon à mesurer le courant électrique total qui parcourt le circuit.

**54.** L'élève A affirme que les piles rechargeables coûtent moins cher que les piles non rechargeables. L'élève B soutient le contraire. Qui a raison, et pourquoi ?

MODULE

4

# À la découverte de l'Univers

Les scientifiques sont des explorateurs. Certains d'entre eux ont voyagé dans des régions auparavant inconnues. Charles Darwin est allé aux îles Galapagos, Robert Ballard a visité le fond de l'océan Atlantique et Jane Goodall s'est rendue dans la forêt tropicale humide d'Afrique. D'autres scientifiques restent à la maison et utilisent des instruments pour faire des découvertes. Pense au biologiste, par exemple : il observe une multitude de créatures minuscules dans une goutte d'eau.

Pour étudier l'Univers, les scientifiques ont recours à ces deux méthodes d'exploration. Pendant des siècles, bien sûr, ils n'avaient pas d'autre choix que de rester à la surface de notre planète, la Terre. Voyager dans l'espace et marcher sur un corps céleste étaient de la pure science-fiction. Grâce aux télescopes, en réfléchissant et en se servant de leur imagination, les astronomes cloués au sol ont observé et appris quantité de choses sur notre système solaire et sur ce qu'il y a au-delà.

Avec le temps, la technologie a permis d'élargir le champ de ces explorations. Ainsi, l'homme a marché sur la Lune et des sondes spatiales sans équipage ont fait le tour de la plupart des planètes de notre système solaire. Certains de ces vaisseaux se dirigent déjà vers l'étoile la plus proche du Soleil. Il faudra 50 000 ans pour l'atteindre. Ces aventuriers commandés à distance ne nous envoient pas de cartes postales mais plutôt des images radio des endroits où ils sont allés. Nous avons suivi leur découverte de nouvelles lunes, de volcans, d'océans d'ammoniac liquide et d'orages dans d'autres mondes.

Dans ce module, tu verras comment les conceptions du système solaire ont changé avec le temps. Tu examineras aussi les découvertes qui ont conduit à nos connaissances actuelles.

## Contenu du module

CHAPITRE

# 13 Les yeux tournés

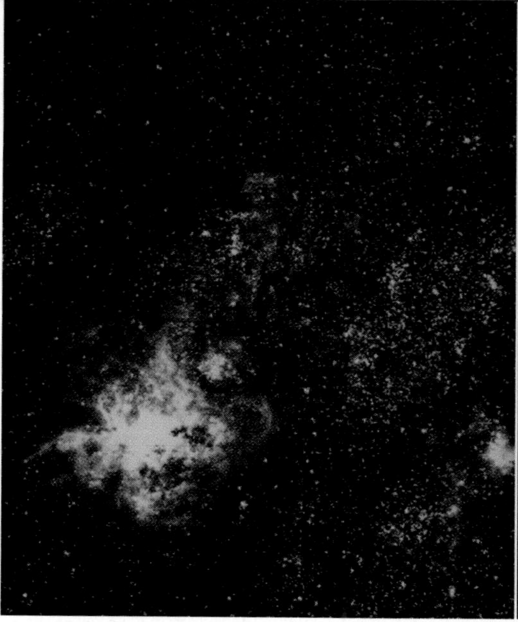

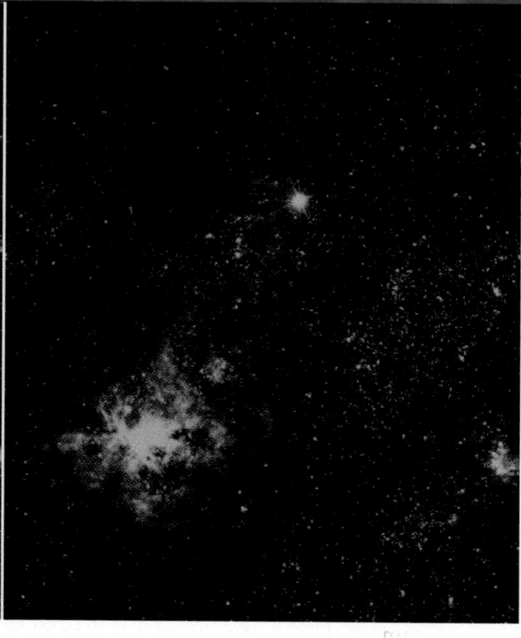

## Pour commencer...

- Comment les premiers humains utilisaient-ils ce qu'ils savaient sur le mouvement du Soleil, de la Lune et des étoiles dans leur vie quotidienne ?
- Pourquoi ne peux-tu voir que certaines étoiles et pas d'autres à certaines périodes de l'année ?
- Nomme les neuf planètes du système solaire dans l'ordre de leur distance par rapport au Soleil.
- Est-ce que nous pourrions vivre sur d'autres planètes ? Pourquoi ou pourquoi pas ?

## Journal scientifique

Réfléchis aux questions ci-dessus et réponds-y du mieux que tu peux dans ton journal scientifique. Explique ce qui te permet de trouver les réponses. Quelles recherches devras-tu faire pour trouver ou démontrer les réponses ? Cherche les réponses à ces questions dans ce chapitre.

Examine soigneusement ces deux photos d'un ciel nocturne. Quels sont les points communs ? Quelles sont les différences ? Ces questions te semblent peut-être simples, mais, pour un astronome comme Ian Shelton, des questions de ce genre peuvent mener à des découvertes. Le 24 février 1987, dans un observatoire de l'Université de Toronto au Chili, Shelton a fait une découverte capitale. En examinant les photos d'un ciel nocturne, il a remarqué quelque chose d'inhabituel sur l'une des photos. Il a voulu vérifier. Il est sorti et a regardé le ciel. Parmi des milliers d'étoiles, il a vu une étoile très brillante qui auparavant était à peine visible. Ian Shelton venait de découvrir une supernova, c'est-à-dire une étoile explosive. C'était la première supernova si proche de la Terre depuis 1604.

Shelton a immédiatement averti les principaux observatoires de sa découverte. D'autres gros télescopes de l'hémisphère Sud se sont alors tournés vers la « nouvelle étoile » si brillante. L'Université de Toronto a reçu des tonnes de confirmations de l'observation de Ian Shelton et, le lendemain matin, tous les quotidiens du monde parlaient de la découverte de ce qu'on appelle maintenant la Supernova 1987A.

Dans ce chapitre, tu exploreras notre système solaire : le Soleil et toute sa famille de planètes et de lunes. D'abord, tu étudieras comment les époques précédentes voyaient les étoiles et comment d'autres cultures perçoivent ces étoiles. Tu étudieras notre système solaire comme nous le connaissons actuellement et tu compareras ce que nous voyons à l'œil nu et ce que différentes technologies, comme le télescope et le vaisseau spatial, nous permettent d'observer.

# vers l'espace

de départ

## Concepts clés

Dans ce chapitre, tu découvriras :

- comment notre vision du système solaire a évolué au cours de l'histoire ;
- les caractéristiques des principaux composants du système solaire ;
- les mouvements du Soleil, de la Lune, des planètes et des étoiles vus de la Terre ;
- les différents modèles qui ont été utilisés pour décrire le système solaire ;
- comment la technologie nous a aidés à mieux comprendre le système solaire.

## Habiletés clés

Dans ce chapitre :

- tu compileras une base de données et tu analyseras l'information qu'elle contient ;
- tu calculeras et tu compareras les distances dans le système solaire à l'aide d'unités astronomiques ;
- tu apprendras à fabriquer un modèle réduit du système solaire ;
- tu prépareras et tu communiqueras les résultats de tes recherches scientifiques.

## Mots clés

- corps célestes
- astérisme
- constellation
- planètes
- mouvement rétrograde
- géocentrique
- héliocentrique
- sphère céleste
- épicycles
- plan solaire
- système solaire
- protubérances solaires
- taches solaires
- éruptions solaires
- vent solaire
- photosphère
- couronne
- planètes proches
- planètes éloignées
- unité astronomique (UA)
- astéroïdes
- comètes
- météores
- météorites

## Que vois-tu à l'œil nu ?

### Réfléchis

La position du Soleil, de la Lune et des étoiles change tous les jours. Bien avant l'invention du télescope, des observateurs attentifs ont constaté des tendances dans ces mouvements. Ces tendances sont devenues suffisamment connues pour pouvoir prévoir où et quand chaque corps céleste se déplacerait au cours de la journée, du mois et de l'année. Encore aujourd'hui, nous pouvons observer le ciel à l'œil nu pour recueillir des renseignements sur les planètes, les étoiles et les autres corps célestes.

### Ce que tu dois faire 

1. Forme un groupe avec trois ou quatre élèves et nommez une ou un secrétaire parmi les membres de votre groupe.
2. Ton enseignante ou ton enseignant distribuera un petit questionnaire à choix multiples (tu trouveras ce questionnaire à la page 434). Lis chaque question et choisis, avec ton groupe, la réponse qui, d'après toi, est la bonne. Explique ta réponse et présente les observations que tu as déjà faites. Si ton groupe n'est pas sûr de la réponse, décris brièvement une méthode que vous pourriez utiliser pour faire les observations nécessaires et vous entendre sur une réponse.
3. Quand tous les groupes auront terminé, ton enseignante ou ton enseignant organisera une discussion avec toute la classe pour chaque question.

**Omni TRUC**

Tu trouveras des trucs sur le travail d'équipe à la page 573.

# 13.1 Ce que nos ancêtres voyaient

**Pause réflexion**

As-tu déjà vu une éclipse ? Les éclipses sont des phénomènes célestes remarquables. Il en existe deux sortes : les éclipses solaires (pendant lesquelles la Lune passe entre le Soleil et la Terre, nous empêchant de voir momentanément le Soleil) et les éclipses lunaires (pendant lesquelles l'ombre de la Terre est projetée sur la Lune alors que la Terre passe entre la Lune et le Soleil). Décris dans ton journal scientifique comment se produisent ces deux sortes d'éclipse. Trace un schéma pour accompagner les explications. Tu peux utiliser ta bibliothèque ou Internet si tu as besoin de revoir certaines notions.

Pendant des milliers d'années, le ciel a été pour les gens ce que les horloges, les calendriers, les compas et les tables des marées sont pour nous aujourd'hui : une source d'information constante et fiable. Les gens regardaient le ciel pour connaître l'heure, la date, le temps ainsi que leur position sur la Terre, et pour savoir quand les marées seraient plus ou moins hautes.

Les paysans organisaient leurs activités en fonction des changements qui se produisaient dans le ciel. Ils plantaient et récoltaient en suivant les mouvements des **corps célestes** (mot collectif qui désigne le Soleil, la Lune et les étoiles). Les premiers marins s'orientaient d'après les étoiles et certains, comme les Polynésiens, traversaient même de vastes océans. Les chefs politiques et religieux prenaient souvent des décisions d'après l'information que les spécialistes des étoiles leur donnaient.

**Figure 13.1** Cet ancien cercle de pierres mégalithiques s'appelle Stonehenge. Ce monument nous rappelle l'importance de l'observation du ciel pour les anciennes civilisations. On peut encore l'utiliser pour calculer et prédire certains mouvements célestes.

**LIEN terminologique**

Au début, l'astronomie était influencée par l'astrologie. Cherche et consigne toutes les définitions des termes « astronomie » et « astrologie » que tu peux trouver. Quelle différence y a-t-il entre ces termes ?

**Figure 13.2** Cet observatoire astronomique chinois a été construit en 1090 après J.-C. Une horloge hydraulique faisait tourner les instruments à la vitesse à laquelle les étoiles se déplaçaient pendant la journée.

Pendant l'Empire romain, les services des astrologues étaient très en demande : les gens croyaient en effet que leur destinée était écrite dans les étoiles. Comme le commerce avec des pays éloignés se développait, la navigation d'après les étoiles est aussi devenue une habileté à laquelle on accordait une grande valeur. Les peuples du monde entier construisaient des observatoires et créaient des calendriers astronomiques. Ces peuples faisaient aussi des calculs mathématiques complexes pour prévoir le mouvement des planètes, les éclipses, les marées et les saisons. Dès 2000 ans avant J.-C., les observations astronomiques étaient très avancées en Chine. Vers l'an

1000 avant J.-C., les Babyloniens prédisaient assez précisément les éclipses lunaires.

Les peuples de différentes cultures ont leurs propres mythes et leurs propres fables sur la formation des corps célestes. Par exemple, un mythe hindou raconte l'aventure de sept sages mariés à sept sœurs. Ils ont vécu tous ensemble pendant un certain temps dans le ciel du Nord. Six des femmes ont toutefois quitté leur mari et sont allées vivre dans une autre partie du ciel. Elles sont devenues les Pléiades, exemple d'un **astérisme** (un groupe d'étoiles formant un motif distinctif) Les sept maris sont devenus les sept étoiles de la Grande Ourse. La femme restée avec son mari est devenue l'étoile que nous appelons aujourd'hui Alcor. Elle demeure près de Mizar, dans la queue de la Grande Ourse.

Les Algonquins, les Iroquois et les Narragansett, représentent la **constellation** Ursa Major comme un ours qui fuit continuellement devant des chasseurs. Selon certains mythes, l'ours est assez bas pour se frotter aux érables pendant les soirées du début de l'automne, et c'est le sang de ses blessures qui colore les feuilles en rouge. Selon une légende des Snohomish, trois chasseurs et les quatre orignaux qu'ils poursuivaient sont devenus les sept étoiles de la Grande Ourse. L'un des chasseurs est accompagné d'un chien, que tu peux voir si tu regardes attentivement l'étoile au milieu de la queue de la Grande Ours.

## ACTIVITÉ de liaison

### Les structures astronomiques

La connaissance de l'astronomie était souvent liée à la religion. L'astronomie et la religion étaient des aspects très importants de la vie de nos ancêtres. D'ailleurs, les structures religieuses reposaient souvent sur des aspects de l'astronomie.

#### Ce que tu dois faire

Fais des recherches sur les anciennes connaissances en astronomie dans l'un ou plusieurs des pays suivants : Mexique et Guatemala, Chine, Égypte, Turquie, Perse (maintenant l'Iran), Angleterre et Grèce. Explique comment ces connaissances sont devenues une caractéristique de certaines structures importantes.

#### Qu'as-tu découvert ?

Résume tes résultats par écrit et fais un croquis ou ajoute une photo de chaque structure que tu as étudiée. Présente le résultat de tes recherches à la classe.

### LIEN *terminologique*

Le ciel se divise en 88 régions. Chaque région correspond à une constellation. Par conséquent, il y a 88 constellations officielles, reconnues par l'Union astronomique internationale. « Astérisme » est un mot moins utilisé qui fait référence aux nombreux groupes d'étoiles qui ne sont pas reconnus officiellement. L'astérisme le plus connu se trouve dans l'hémisphère Nord. Il s'agit de la Grande Ourse, qui se trouve dans la région de la constellation Ursa Major. Trouve l'origine des mots « constellation » et « astérisme ».

**Ursa Major**

## Vérifie ce que tu as compris

1. Comment la connaissance de l'astronomie aidait-elle nos ancêtres à planifier les activités de leur vie quotidienne ?
2. Que signifie l'expression « corps céleste » ?
3. **Réflexion critique** Quel pouvait être l'effet d'une éclipse totale du Soleil sur nos ancêtres ?
4. **Réflexion critique** Pourquoi différentes cultures ont-elles différents mythes pour expliquer ce que les gens voyaient dans le ciel ?

# 13.2 Le film céleste

**LIEN informatique**

Un bon moyen de se familiariser avec le ciel nocturne consiste à utiliser un programme comme le partagiciel SkyGlobe. Avec ce programme, tu peux voir le ciel tel qu'il sera cette nuit ou n'importe quelle nuit, dans le futur ou dans le passé, n'importe où sur la Terre. Tu peux accélérer le temps et observer la sphère céleste tourner, trouver les planètes et imprimer les cartes des étoiles. Tu peux aussi télécharger plusieurs programmes d'un planétarium à partir d'Internet.

**Figure 13.3** Que ce soit la parade régulière du Soleil, de la Lune, des planètes et des étoiles ou le spectacle coloré des aurores boréales, il y a toujours quelque chose à voir sur ce « grand écran » qu'est le ciel nocturne.

Imagine une caméra spéciale pointée vers le ciel là où tu vis. Pendant une année complète, cette caméra enregistrerait sans interruption sur une bande vidéo le mouvement des objets dans le ciel. Si tu visionnais ensuite cette vidéo en accéléré sur ton téléviseur, que verrais-tu ?

Tu verrais des nuages de différentes formes et de différentes couleurs. Dans la plupart des régions du Canada, les nuages se déplacent vers l'est, dans la même direction que le vent, pendant la journée. Tu supposerais probablement que les nuages sont poussés par le vent et qu'ils ne se déplacent pas tout seuls. Tu verrais les nuages se former et se défaire, et tu te rendrais compte qu'ils ne sont pas très loin de la Terre. Tu pourrais même considérer les nuages comme des corps terrestres, et non pas comme des corps célestes.

**Figure 13.4** Dans quelle partie du ciel verrais-tu la Lune dans cette phase ? Pourquoi ne voit-on qu'une seule partie de la Lune ?

La Lune est beaucoup plus loin, son mouvement est beaucoup plus régulier et elle se déplace vers l'ouest. Toutes les nuits, la Lune se lève à l'est une heure plus tard que la nuit précédente. Il nous semble que sa forme change et suit plusieurs phases. La Lune croît à partir d'un croissant très fin. Elle forme ensuite un demi-cercle et devient pleine avant de pâlir et de redevenir un mince ruban. Tu remarquerais aussi que la Lune, quand elle est pleine, se lève exactement au moment où le Soleil se couche et que les régions claires et sombres à sa surface semblent toujours identiques. Nous ne voyons jamais la face cachée de la Lune.

Cette vidéo te montrerait que le Soleil est le plus régulier des objets en orbite dans le ciel. Le Soleil a toujours la même forme. Il semble se lever à peu près à la même heure et au même endroit que la veille. Mais si tu suivais attentivement le mouvement du Soleil, tu verrais qu'il se lève plus tôt et plus au nord tous les jours, de la fin du mois de décembre jusqu'à la fin du mois de juin environ, et qu'il se couche plus tard chaque jour. Pendant l'été et l'automne, le Soleil se lève plus tard et se couche plus tôt, un peu plus au sud chaque jour, diminuant ainsi le nombre d'heures de lumière naturelle.

La plupart des étoiles, des constellations et des astérismes suivent les mouvements du Soleil et de la Lune. Ces étoiles et ces constellations se lèvent à l'est et se couchent à l'ouest. Mais ce n'est pas toujours le cas. Certaines étoiles et certaines constellations sont visibles toute la nuit, pendant toute l'année. Elles ne se lèvent jamais et ne se couchent jamais.

**Le savais-tu ?**

Si tu vivais dans l'hémisphère Sud, le motif apparent du mouvement du Soleil serait différent. Quelles seraient les différences ? Explique le mouvement saisonnier du Soleil dans l'hémisphère Sud.

Une observation attentive te permettrait aussi de constater que les étoiles se lèvent quatre minutes plus tôt chaque nuit. En prenant environ six heures de retard par trois mois par rapport au Soleil, les étoiles du ciel nocturne révèlent un mouvement saisonnier.

Le mouvement des étoiles est très régulier. Mais tu observeras peut-être cinq autres objets qui semblent vagabonder parmi les constellations. Pour les Grecs, il s'agissait d'étoiles spéciales, les **planètes**. Le mot « planète » vient du mot grec qui signifie « vagabond ». Ces cinq planètes visibles à l'œil nu, Mercure, Vénus, Mars, Jupiter et Saturne, changent lentement de position dans le ciel d'une nuit à l'autre. Deux d'entre elles, Vénus et Mercure, semblent rester près du Soleil. Quand ces deux planètes sont visibles, on ne les voit qu'en début de soirée ou le matin. La plupart du temps, Mars, Jupiter et Saturne semblent participer au mouvement général des étoiles vers l'ouest. Cependant, de temps à autre ces trois planètes « errent » vers l'est, à l'encontre des étoiles qui les entourent. Une fois par année, environ, elles semblent faire une boucle pendant une courte période suivant un **mouvement rétrograde** avant de reprendre leur course vers l'est (*voir la figure 13.6*)

**Figure 13.5** Polaris est une étoile qui ne se lève ni ne se couche jamais. On appelle souvent Polaris l'Étoile polaire. Toutes les autres étoiles semblent tourner autour de Polaris. Nos ancêtres ont reconnu cette étoile parce qu'elle semblait ne pas bouger et qu'elle permettait aux gens de s'orienter pendant la nuit.

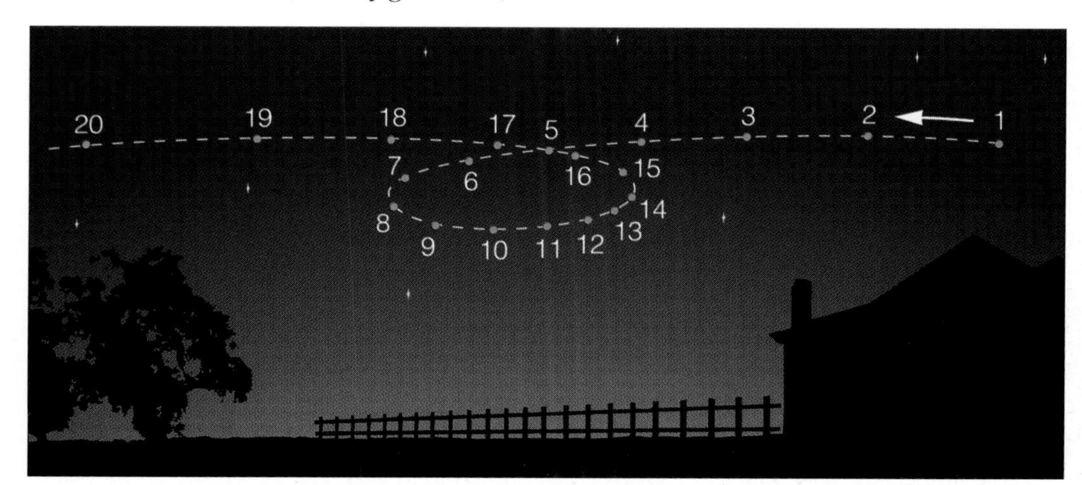


**Figure 13.6** La position de Mars par rapport aux autres étoiles pendant un mouvement rétrograde. Chaque point représente la nouvelle position de la planète, tous les dix jours, pendant le mouvement rétrograde.

**Pause réflexion**

Les mots d'origine latine que nous utilisons encore aujourd'hui pour nommer les jours de la semaine montrent l'importance que le Soleil, la Lune et les planètes avaient pour les Romains. Dans ton journal scientifique, écris les jours de la semaine en français. Dans une deuxième colonne, écris les mots anglais correspondants. Avec ces renseignements, peux-tu nommer les corps célestes correspondant aux sept jours de la semaine ?

## ACTIVITÉ de liaison

### Compare les effets de la pollution lumineuse

Observer ou filmer le ciel dans un lieu éloigné présente un avantage: il n'y a pas de pollution lumineuse. La pollution lumineuse est le reflet, dans le ciel, la nuit, des fortes concentrations de lumière artificielle dans et autour des villes. Cette grande quantité de lumière empêche les observateurs de voir les étoiles les moins brillantes.

#### Ce que tu dois faire

1. Trouve un tube en carton (rouleau vide d'essuie-tout).
2. Choisis une nuit où l'on prévoit un ciel dégagé. Sors environ deux heures après le coucher du soleil et observe la constellation de ton choix dans le tube de carton.
3. Compte le nombre d'étoiles que tu vois sans déplacer le tube. Recommence cet exercice au cours de deux autres nuits claires, au même endroit. Observe la même constellation.
4. Calcule la moyenne du nombre d'étoiles que tu peux observer dans le tube de l'endroit où tu te trouves.

#### Qu'as-tu découvert?

1. En classe, compare le nombre d'étoiles que tu as vues avec les étoiles que les autres élèves ont vues à d'autres endroits.
2. Avec toute la classe, explique pourquoi les observations sont différentes et écris les raisons de ces différences au tableau.

## Vérifie ce que tu as compris

1. Décris le mouvement des étoiles dans un ciel nocturne comme le verrait un observateur qui se trouverait au Canada.
2. Décris comment les planètes semblent se déplacer dans un environnement d'étoiles.
3. **Mise en pratique** Examine la figure 13.6. À quel(s) point(s) un observateur verrait-il Mars ralentir? arrêter? faire une boucle? ralentir encore? Explique en quelques mots son mouvement en direction de l'est.
4. **Réflexion critique**
   - **a)** Quelle serait l'apparence de la Lune si on l'observait en Occident, juste après un coucher de soleil?
   - **b)** Pourquoi la Lune, quand elle est pleine, se lève-t-elle toujours au moment où le Soleil se couche?
5. **Réflexion critique** À quelle hauteur dans le ciel peut-on voir Polaris, l'Étoile polaire, si l'on se trouve:
   - **a)** au pôle Nord;
   - **b)** à l'équateur;
   - **c)** à la frontière entre le Canada et les États-Unis, en Alberta?

## Questionnaire

### Que vois-tu à l'œil nu?

1. À laquelle des dates suivantes le Soleil se trouverait-il au-dessus de l'horizon la plus grande partie du temps?
   a) le 21 mars; b) le 22 juin; c) le 22 septembre; d) le 23 décembre.
2. Dans quelle direction le Soleil se déplace-t-il à midi, en hiver?
   a) vers l'est; b) vers le sud-est; c) vers le sud; d) vers le sud-ouest; e) vers l'ouest.
3. Suppose que le Soleil se lève plein est. Quand se lèvera-t-il de nouveau plein est?
   a) demain; b) dans six mois; c) dans un an; d) jamais.
4. Si la Lune se lève ce soir à 21 h, à environ quelle heure se lèvera-t-elle demain soir?
   a) 20 h; b) 21 h; c) 22 h; d) 23 h.
5. Environ combien d'heures de lumière naturelle y a-t-il par jour en été?
   a) moins de 12; b) 12 exactement; c) de 12 à 16; d) plus de 16.
6. En quelle saison peux-tu voir la Grande Ourse?
   a) en hiver; b) au printemps; c) en été; d) en automne; e) toute l'année.
7. Combien de temps y a-t-il entre deux pleines lunes?
   a) une journée; b) un mois; c) trois mois; d) un an.
8. Imagine que le Soleil se trouve au sud par rapport à toi. Le Soleil se couche et se lève le lendemain. Combien de temps va-t-il s'écouler avant que le Soleil se trouve encore exactement au sud par rapport à toi?
   a) 12 h; b) 23 h 56 min; c) 24 h; d) un an.

Les réponses se trouvent à la fin de ce manuel, page 561.

# 13.3 La reproduction des mouvements célestes

L'être humain a toujours voulu comprendre le monde qui l'entoure et nos ancêtres cherchaient déjà à expliquer le mouvement des planètes. Quand nous faisons attention à ce qui se passe autour de nous, nous commençons à percevoir des caractéristiques, comme le mouvement général vers l'ouest du Soleil et des étoiles. Pour passer à l'étape suivante, c'est-à-dire comprendre ces caractéristiques, nous devons élaborer des idées et des théories de base. Nous vérifions ensuite ces théories à l'aide de modèles. Les modèles sont des outils scientifiques très utiles. On utilise des modèles depuis les débuts de l'histoire des sciences afin de faciliter la recherche et de vérifier les idées.

**LIEN *terminologique***

Trouve la définition du terme « concentrique ». Fais le croquis d'une série de cercles concentriques.

Dans cette section, tu découvriras deux modèles que les premiers scientifiques ont mis au point pour expliquer le mouvement du Soleil, de la Lune, des planètes et des étoiles. Le modèle **géocentrique**, dans lequel la Terre est le centre de l'Univers, a été conçu d'après les idées du philosophe grec Aristote et a dominé la vision des mouvements célestes pendant presque 2000 ans. Le modèle **héliocentrique**, dont le centre est le Soleil, est le modèle accepté aujourd'hui. Ce modèle est plus récent. Il a vu le jour pendant la Renaissance.

## Le modèle géocentrique

Comme tu l'as vu, tous les corps célestes semblent se déplacer d'est en ouest pendant le jour et la nuit, et tourner autour de la Terre. Il n'était pas difficile pour les premiers observateurs d'imaginer que la Terre était au centre d'une sphère gigantesque à laquelle étaient attachés le Soleil, la Lune et les planètes. D'après les mathématiques et la géométrie de Pythagore et d'Euclide, Aristote a utilisé l'idée que les cercles et les sphères étaient des formes parfaites pour créer le modèle géocentrique. Il a placé les étoiles, dont les déplacements sont uniformes, à la surface d'une sphère extérieure. Il a appelé cette sphère des étoiles fixes le « firmament » ou la **sphère céleste**. Dans cette sphère céleste, Aristote a placé d'autres sphères concentriques sur lesquelles il a fixé le Soleil, la Lune et les cinq planètes connues.

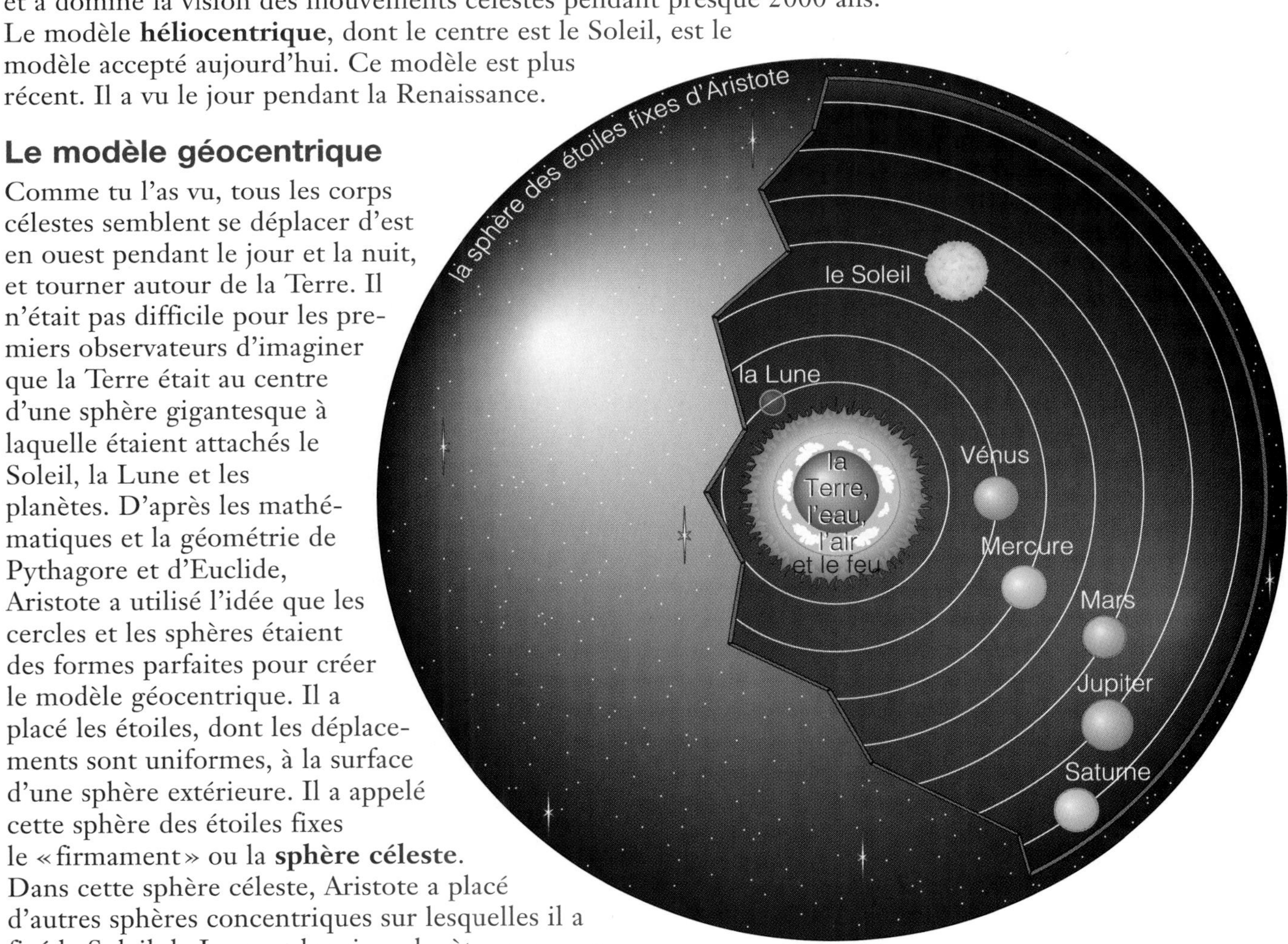


**Figure 13.7** Le modèle géocentrique d'Aristote avec une sphère céleste extérieure et plusieurs sphères intérieures. Puisque les étoiles de la sphère céleste étaient visibles de la Terre, on a supposé que les sphères intérieures devaient donc être « cristallines » ou transparentes.

Le modèle géocentrique permettait de prévoir la date et l'heure où les corps célestes se levaient et se couchaient. Il fallait jusqu'à 55 sphères intérieures pour rendre compte des mouvements observés. Il était particulièrement difficile d'expliquer pourquoi trois des planètes, Mars, Jupiter et Saturne, allaient parfois en sens inverse. Pour répondre à cette question, d'autres scientifiques, comme Ptolémée, ont ajouté au modèle existant d'autres trajectoires circulaires aux planètes, les **épicycles**. Le modèle était encore plus complexe.

Ce modèle était donc très compliqué, mais il semblait réaliste à l'époque. Pour prouver la théorie, tu pourrais construire un modèle avec des roues, des courroies et des engrenages. Tu pourrais ensuite placer chaque corps céleste dans sa position exacte et lancer la roue motrice. Les sphères individuelles tourneraient et les corps se déplaceraient. Si ton modèle était suffisamment précis, tu pourrais prévoir des événements astronomiques, comme les phases de la Lune, le moment où le Soleil surplomberait l'équateur, le moment où Mars dépasserait Jupiter ainsi que les éclipses. Le modèle géocentrique n'a pas survécu, mais son influence se fait sentir dans des termes comme « corps célestes » et « sphère céleste ». On utilise encore ces termes aujourd'hui.

## Le modèle héliocentrique

Pendant la Renaissance (période s'échelonnant du XIVe au XVIIe siècle en Europe), l'exploration s'est beaucoup développée en Occident. La navigation et le calcul du temps se sont améliorés grâce à des observations astronomiques plus précises. C'est pourquoi les marins partaient avec une plus grande assurance vers des régions inconnues.

Au début des années 1500, l'astronome polonais Nicolas Copernic propose un modèle différent pour expliquer ce qu'on voit de la Terre. Le mouvement rétrograde des planètes et la structure des épicycles du modèle géocentrique le troublaient. Il a donc commencé à élaborer un modèle de l'Univers plus simple que celui d'Aristote et de Ptolémée. Copernic a rejeté l'idée que la Terre est fixe et que le Soleil se déplace vers l'est à travers les étoiles. Selon lui, c'était le Soleil

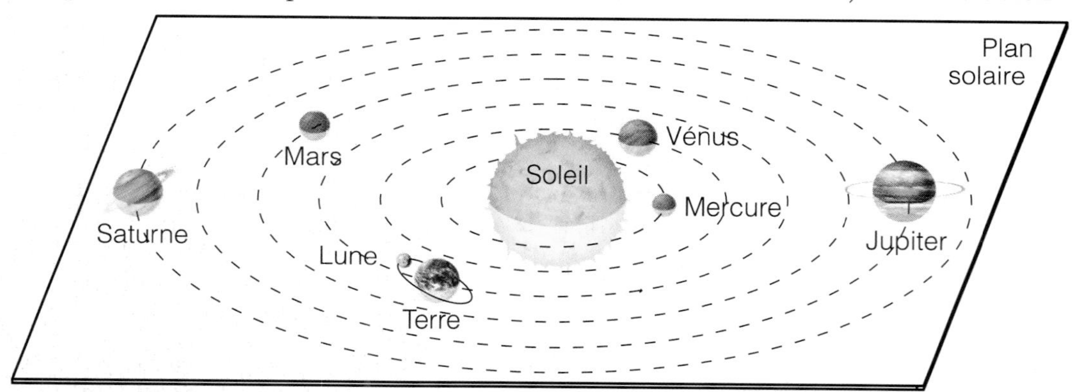


**Figure 13.8** Le plan solaire. Imagine que tu coupes une orange en deux et que tu remets les deux moitiés ensemble en plaçant une grande feuille de papier entre les deux. Toutes les planètes se trouveraient sur le papier ou près du papier.

### Pause réflexion

Connais-tu le sens des termes « axe », « rotation » et « révolution » ? Un axe est une ligne imaginaire autour de laquelle un objet tourne. Pour la Terre, imagine l'axe entre le pôle Nord et le pôle Sud. On peut dire qu'un objet effectue une *rotation* lorsqu'il tourne autour de son axe. La toupie est un exemple d'un objet qui tourne autour de son axe. Un objet effectue une *révolution* lorsqu'il tourne autour d'un autre objet ou d'un point central. On dit alors qu'il est en orbite. Imagine le mouvement du ballon autour du poteau auquel il est attaché dans le jeu du ballon captif. Chaque planète tourne autour de son axe et autour du Soleil. Dans ton journal scientifique, réponds brièvement aux questions suivantes :

1. Quel mouvement cause le jour et la nuit sur la Terre : la révolution ou la rotation ?
2. Pendant que la Terre tourne autour du Soleil, comment son axe de rotation change-t-il par rapport au Soleil ? Quelles sont les conséquences de ce changement sur les saisons ?

### Le savais-tu ?

Ce que nous savons de l'univers géocentrique des anciens Grecs provient en grande partie du dernier grand philosophe et astronome de cette époque, Ptolémée. Quand la culture grecque s'est effondrée, des astronomes arabes ont conservé tous les travaux de Ptolémée. Ptolémée avait compilé toutes les conceptions de l'univers géocentrique d'Aristote dans l'*Almageste*, terme arabe qui veut dire « le plus grand ».

de recherche

## Explication du mouvement rétrograde des planètes dans le modèle géocentrique

Un spirographe va t'aider à comprendre comment les épicycles du modèle géocentrique ont servi à expliquer le mouvement rétrograde de Mars, de Jupiter et de Saturne.

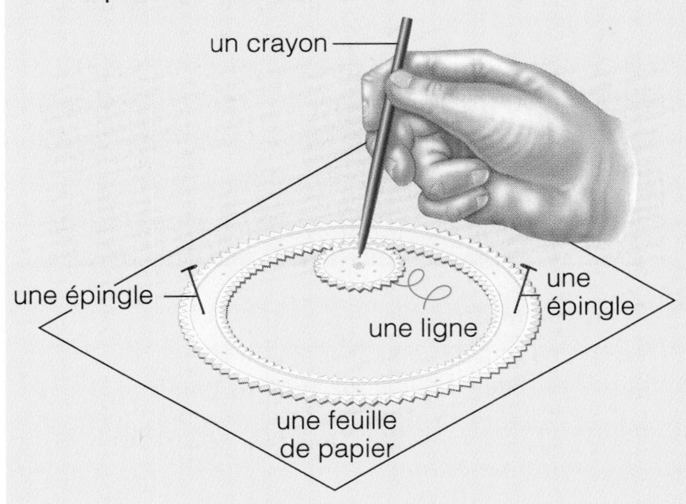


### Ce que tu dois faire

1. Ton enseignante ou ton enseignant va donner un spirographe à chaque groupe. Avec des épingles ou du papier adhésif, fixe le grand anneau avec des dents sur le bord intérieur à ton papier à dessin. C'est la sphère céleste. La Terre est au centre.
2. Glisse un crayon ou un stylo dans une petite roue, fais tourner la roue à l'intérieur de l'anneau pour dessiner une boucle sur le papier.

### Qu'as-tu observé ?

Compare ton motif à celui de la figure 13.6. Dans ton cahier, compare brièvement la figure et ton dessin.

qui était fixe et la Terre qui tournait autour du Soleil vers l'ouest. Les orbites se trouvaient sur le même **plan solaire**. Le plan solaire est un disque plat imaginaire qui dépasse du Soleil, dans toutes les directions, au niveau de l'équateur. Les planètes sont en orbite autour du Soleil sur ce disque (*voir la figure 13.8*).

Galilée, astronome italien, a trouvé des preuves convaincantes qui confirmaient le modèle héliocentrique. Une fois encore, la technologie a joué un rôle important. Grâce à un télescope très primitif (qui, en fait, n'était pas plus complexe qu'une paire de jumelles bon marché d'aujourd'hui), Galilée a fait plusieurs découvertes passionnantes. Il a remarqué que Vénus avait des phases, comme la Lune. (Il a vu aussi des taches sur la surface du Soleil, des montagnes sur la surface de la Lune, des anneaux autour de Saturne et quatre lunes en orbite autour de Jupiter).

**Figure 13.9** Avec son télescope, Galilée a vu quatre lunes en orbite autour de Jupiter. Apparemment, tout *ne* tournait *pas* autour de la Terre. (Les télescopes modernes nous permettent de savoir que Jupiter possède en fait 16 lunes.)

## Les lunes de Jupiter

Avec une bonne paire de jumelles, tu peux voir les quatre lunes de Jupiter que Galilée a découvertes avec un télescope primitif. Si tu as des jumelles, ou si tu peux en emprunter, essaie de voir ces lunes.

### Ce que tu dois faire

1. Premièrement, essaie de savoir quand Jupiter va traverser le ciel. Les journaux de fin de semaine ont souvent une rubrique sur le ciel nocturne. Tu trouveras aussi des tableaux des positions des planètes sur Internet. Si Jupiter est visible, elle sera l'un des deux objets les plus brillants dans le ciel.

2. Au cours de la prochaine nuit où le ciel sera dégagé, va dehors avec tes jumelles.

3. Quand tu auras trouvé Jupiter à l'œil nu, appuie les jumelles sur une surface stable (un bureau, la balustrade d'un balcon ou une pile de livres sur une table de pique-nique) et mets au point les jumelles pour voir Jupiter. Elle apparaîtra sous la forme d'une étincelle dans les jumelles.

4. Essaie de voir quatre points minuscules près de la planète. Ces points minuscules sont les lunes de Jupiter. (Note : Il se peut que tu ne puisses voir que deux ou trois lunes.)

### Qu'as-tu découvert ?

Dessine ce que tu vois. D'après ce que tu as appris dans ce chapitre sur le mouvement des corps célestes, comment peux-tu déterminer dans quelle direction les lunes tournent ?

## La révolution héliocentrique se poursuit

Le modèle de Copernic devait être amélioré. Il ne permettait pas de faire des prévisions plus précises que le modèle géocentrique. C'est Johannes Kepler, mathématicien allemand, qui résolut le problème. Selon ses calculs, les prédictions s'avéraient plus justes si on considérait l'orbite des planètes comme une ellipse allongée plutôt qu'un cercle.

**Figure 13.10** Le modèle héliocentrique de Copernic tiré de son livre *De revolutionibus*. Ce livre a changé l'histoire.

La révolution héliocentrique de Copernic est alors presque terminée. Il restait à expliquer les lois du mouvement des planètes découvertes par Kepler. C'est sir Isaac Newton qui les expliqua. Selon les lois de la gravitation publiées par Newton en 1687, une force gravitationnelle existe entre tous les objets. Cette force s'accentue au fur et à mesure que les objets se rapprochent. Plus les objets sont proches, plus la force est grande. Edmund Halley a utilisé ces connaissances pour prévoir avec exactitude la réapparition de la comète qui porte encore son nom.

On a découvert Uranus en 1781. Cette découverte provoqua un grand enthousiasme. Plus tard, grâce au modèle héliocentrique et aux lois de Newton, les astronomes ont prédit la position et l'orbite d'une autre planète. Quand ils braquèrent leurs télescopes à l'endroit prévu, ils découvrirent Neptune. On connaissait désormais huit planètes. La structure du **système solaire** – la famille du Soleil, les planètes et leurs lunes – était bien établie.

# Fabrique un comparateur clignotant

## Réfléchis

Comme pour Neptune, on supposait l'existence de la planète Pluton avant qu'on la découvre. Toutefois, on a découvert Pluton non pas avec un télescope, mais avec du matériel très simple : un comparateur clignotant. Les programmes informatiques nous permettent maintenant d'examiner des images plus attentivement. Mais un simple comparateur clignotant est un bon moyen de vérifier la technique en elle-même et ton sens de l'observation. Fais cette activité avec une ou un partenaire. À tour de rôle, fabriquez un ou plusieurs comparateurs clignotants. Échangez les comparateurs pour les vérifier.

## Ce dont tu as besoin

des feuillets autocollants

un stylo ou un marqueur à pointe fine

## Ce que tu dois faire

Pour fabriquer un comparateur clignotant :

1. Détache deux feuillets autocollants, mais laisse les feuillets collés ensemble.
2. Soulève le premier feuillet sans le décoller. Sur la moitié inférieure du deuxième feuillet, trace de 15 à 20 points, au hasard. Ces points doivent être assez foncés pour que tu puisses les voir à travers le premier feuillet. Ils représentent les étoiles dans ton « champ d'étoiles ».
3. Rabats le premier feuillet et trace des points exactement dessus les points du deuxième feuillet. Tu dois avoir deux motifs identiques, l'un sur l'autre.
4. **a)** Ajoute un point sur l'un des deux feuillets. Ce point représente une nouvelle étoile qui vient d'apparaître.

   **b)** Trace une autre étoile sur le deuxième feuillet. Sur le premier feuillet, trace un point près du point que tu viens de dessiner sur l'autre feuillet, mais pas directement sur ce point. Ce deuxième point représente une étoile qui s'est déplacée.

**Pour essayer la technique :**

5. Donne ton comparateur clignotant à ta ou ton partenaire. Demande-lui de regarder fixement les motifs et de soulever et de rabattre rapidement le premier feuillet sur le deuxième. Est-ce que ta ou ton partenaire trouve la nouvelle étoile et l'étoile qui s'est déplacée ? Vois-tu l'étoile supplémentaire sur le comparateur clignotant de ta ou ton partenaire ?

## Analyse

1. Quelle serait la meilleure méthode pour détecter une différence entre deux champs d'étoiles : examiner les photos côte à côte ou placer les photos l'une au-dessus de l'autre, puis les soulever et les rabattre rapidement ? Pourquoi ?
2. Pourquoi y a-t-il des lumières clignotantes au sommet des grandes tours radio ?

### Pause réflexion

Les gens n'ont pas accepté le modèle héliocentrique facilement. Dans l'ancien système, la Terre était le centre de l'Univers et donc un endroit très important. Le nouveau système remettait cette théorie en question. Il suggérait que la Terre, comme toutes les autres planètes, se déplace. La Terre n'avait alors plus rien de spécial. Pense à d'autres idées ou croyances du passé (pas seulement dans le domaine de l'astronomie) que les gens ont trouvé difficile d'accepter. Écris le plus d'idées possible dans ton journal scientifique et indique brièvement pourquoi, d'après toi, les gens ont résisté à ces idées.

# Explication du mouvement rétrograde des planètes dans le modèle héliocentrique

Dans le modèle géocentrique, ce sont les épicycles qui expliquaient le mouvement rétrograde de Mars, de Jupiter et de Saturne (comme tu l'as vu avec le spirographe). Dans le modèle héliocentrique, il fallait une nouvelle théorie pour expliquer le mouvement rétrograde. Au cours de cette activité, tu vas représenter le mouvement d'une planète en orbite autour de la Terre pendant une période de six mois sur un modèle et sur un graphique. Tu analyseras ensuite ce mouvement.

## Problème à résoudre

Pourquoi les planètes Mars, Jupiter et Saturne semblent-elles changer brièvement de direction dans leur course vers l'ouest ?

### Consigne de sécurité

Quand tu utilises du matériel électrique, vérifie d'abord si les fils électriques sont en bon état.

### Matériel

des lumières décoratives (ou champ d'étoiles dessiné au tableau)
une petite ampoule pour lampe de poche
une douille
une pile
des fils électriques
deux mètres en bois

### Matériel non réutilisable

de la pâte à modeler ou deux blocs en bois munis d'une fente pour maintenir les mètres en bois en position verticale
du ruban-cache

## Marche à suivre 

1. Fabrique ta planète (appelle-la Mars) : assemble l'ampoule électrique (Mars), la douille, la pile et les fils électriques. Avec le ruban-cache, fixe l'ampoule électrique à l'extrémité supérieure d'un des deux mètres en bois. Place l'autre extrémité dans de la pâte à modeler ou dans un bloc en bois pour que le mètre reste en position verticale, comme dans la figure A.

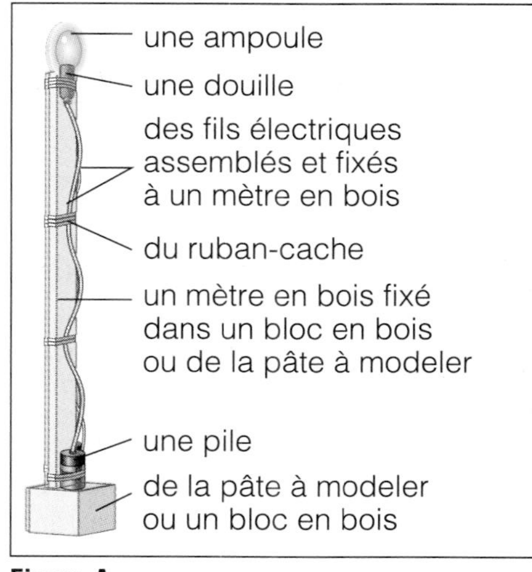


**Figure A**

2. Fabrique la Terre : place le deuxième mètre en bois dans de la pâte à modeler ou dans un bloc en bois. Ne fixe pas d'ampoule électrique au mètre.
3. Sur le sol, indique les positions qui correspondent aux positions de la figure B. Le cercle le plus grand représente l'orbite de Mars. Le cercle plus petit représente l'orbite de la Terre. Les positions sur le cercle le plus grand (orbite de Mars) sont plus rapprochées que les positions du cercle plus petit (orbite de la Terre). La position de chaque planète est indiquée à un mois d'intervalle.

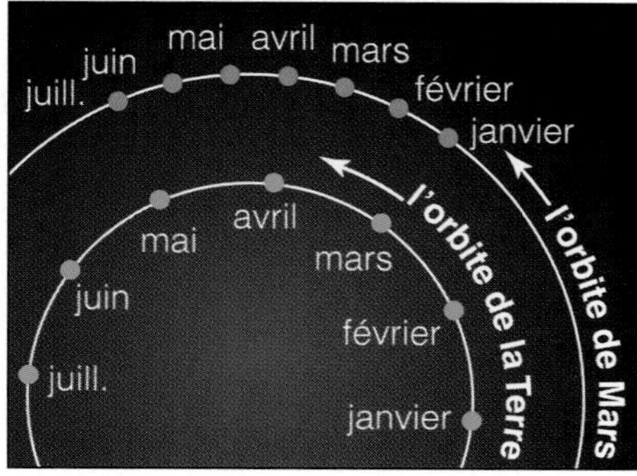


**Figure B**

4. Fabrique les étoiles. Avec le ruban-cache, fixe les lumières décoratives sur un mur éloigné, comme dans la figure C. Dessine le champ d'étoiles dans ton cahier. (Si tu n'as pas de lumières, dessine les étoiles au tableau.)
5. Travaille avec une ou un partenaire. Ta ou ton partenaire va maintenir Mars à sa position du mois de janvier et tu vas maintenir la Terre à sa position du mois de janvier, comme dans la figure C. Imagine une ligne droite reliant la Terre à Mars. Indique où Mars se trouve par rapport aux étoiles qui forment le fond du ciel. Place un point et écris «Janvier» à cet endroit dans le champ d'étoiles.
6. Recommence l'étape 5, mais place Mars et la Terre à leur position au mois de février, au mois de mars, etc. Chaque fois, examine Mars à partir de la Terre. Dans ton cahier, indique le mois et la position de Mars par rapport au fond du ciel.
7. Quand tu auras déplacé les deux planètes le long de toutes les positions indiquées et que tu auras noté tes observations, relie tous les points pour Mars, dans l'ordre des mois. Ce trait représente le mouvement de Mars dans le ciel au cours d'une période de six mois.

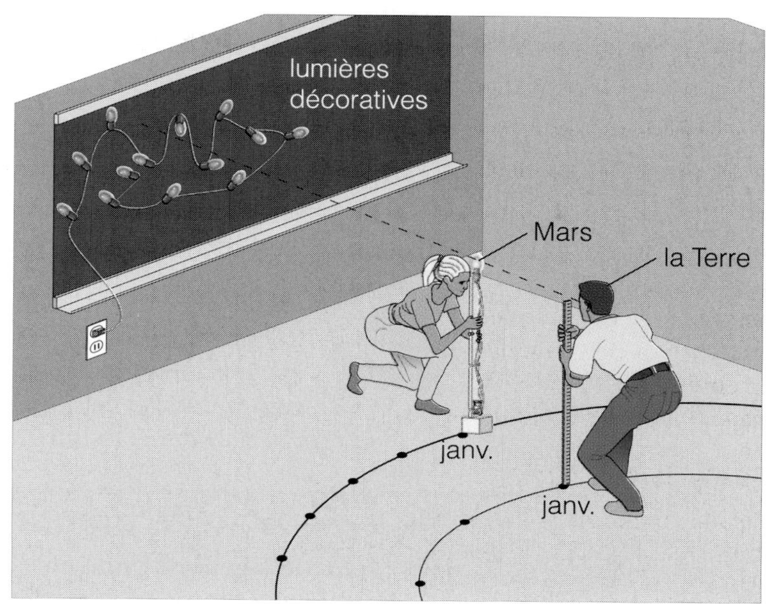

**Figure C**

## Analyse

1. Quelle planète est la plus rapide dans son orbite, la Terre ou Mars ?
2. Étudie ton schéma. Explique les caractéristiques du mouvement de Mars au cours d'une période de six mois.
3. Où sont les positions relatives de la Terre et de Mars quand Mars semble suivre un mouvement rétrograde ?

## Conclusion et mise en pratique

4. Dans un paragraphe, explique pourquoi Mars semble parfois reculer dans le ciel.

## Enrichis tes connaissances

5. Pourquoi Mars, Jupiter et Saturne ont-elles un mouvement rétrograde, mais pas Vénus ni Mercure ?
6. D'après toi, Mars est-elle rétrograde à des intervalles de 12 mois, de plus de 12 mois ou de moins de 12 mois ?

## Le système solaire aujourd'hui

Les premiers scientifiques ont élaboré une théorie sur le fonctionnement de l'Univers, le modèle géocentrique, d'après des observations à l'œil nu. Quand de nouvelles observations ont remis en question des pans entiers de cette théorie, les scientifiques ont modifié les concepts et ont cherché d'autres explications. Le modèle héliocentrique est né.

Cette méthode de recherche scientifique fonctionne encore. De nos jours, l'exploration du système solaire se poursuit. Ce que nous voyons de la Terre est plus précis et plus vaste. Grâce aux percées technologiques, comme les sondes spatiales et les télescopes radio et optiques, nous savons que le système solaire se compose du Soleil, de ses neuf planètes et de leurs lunes ainsi que d'autres objets plus petits, comme des astéroïdes, des comètes et des météores. Toutes ces planètes et tous ces objets tournent autour du Soleil sur leur propre orbite. Nous savons aussi que le système solaire est un immense territoire, qui s'étend sur des milliards de kilomètres dans toutes les directions à partir du Soleil.

**LIENS INTERNET**

**www.dlcmcgrawhill.ca**

Tu peux voir une animation expliquant le mouvement rétrograde de la planète Mars en consultant le site ci-dessus. Va dans **Matériel complémentaire/Primaire et secondaire** et ensuite dans **OMNISCIENCES 9**.

## Vérifie ce que tu as compris

1. Selon le modèle géocentrique de l'Univers, qu'est-ce qui provoque les traces des étoiles sur la figure 13.5 ?
2. Quelles sont les différences entre le modèle héliocentrique et le modèle géocentrique ?
3. Comment explique-t-on le mouvement rétrograde de certaines planètes dans le modèle géocentrique ? dans le modèle héliocentrique ?
4. Décris comment Kepler a amélioré le modèle de Copernic.
5. Comment la découverte de la planète Neptune appuie-t-elle le modèle héliocentrique ?
6. **Mise en pratique** Imagine que ton enseignante ou ton enseignant te donne un paquet d'étoiles dorées et un parapluie noir. Avec ce matériel, tu dois représenter le sphère céleste. Sur quelle partie du parapluie placeras-tu les étoiles ? Explique ton raisonnement.
7. **Réflexion critique** Dans tes études, auparavant, tu as probablement fait un modèle à l'échelle de la classe du système solaire. Ce modèle a peut-être été suspendu au plafond de la classe.
   a) Quels aspects du système solaire ce modèle a-t-il représentés avec une certaine précision ?
   b) Quels aspects du système solaire manquaient ?
   c) Pourquoi les modèles scientifiques diffèrent-ils toujours de l'objet réel ? Explique pourquoi les modèles sont valables.

# 13.4 Examine le système solaire

Maintenant que tu connais la structure héliocentrique du système solaire, examine en détail chacun des principaux composants du système solaire. Que sont ces corps célestes ? À quelle distance sont-ils ? Qu'est-ce que la Terre a en commun avec eux ? Quelles sont les différences avec la Terre ?

Ces questions intriguent les astronomes depuis que le télescope révèle les secrets du ciel nocturne. L'invention du télescope nous a permis de découvrir beaucoup de choses sur l'Univers. Mais c'est surtout quand les scientifiques ont appliqué leurs connaissances de la gravité et les lois de Newton à la technologie de l'espace que nous avons beaucoup mieux compris le système solaire. De nouveaux types de télescopes ont été conçus pour voir mieux et voir plus loin. On a même placé certains télescopes en orbite, comme le télescope spatial *Hubble*, très haut au-dessus de l'atmosphère de la Terre. Des sondes spatiales comme *Verena*, *Solar Observer*, *Pioneer*, *Viking*, *Voyager* et *Pathfinder* ont été lancées pour en savoir plus sur le Soleil et les planètes. Elles ont envoyé à la Terre des photographies et des mesures de l'orbite, de la surface, de l'atmosphère et des lunes des planètes. Les humains ont marché sur la Lune, le corps céleste le plus proche de la Terre, et ont rapporté des pierres à étudier.

Dans cette section, tu approfondiras tes connaissances sur l'étoile de notre système solaire, le Soleil, et tu analyseras certaines données de base sur les planètes.

**Le savais-tu ?**

En 1997, un petit véhicule tout-terrain robotisé descend la rampe d'atterrissage de la sonde spatiale *Pathfinder* pour partir à la découverte de la surface de Mars. Dans le monde entier, on pouvait voir en direct, sur Internet, ce petit véhicule se déplacer et examiner les roches. La NASA (l'Administration nationale de l'aérospatiale, aux États-Unis) espère envoyer des humains sur Mars d'ici 2020. La NASA enverra deux sondes sur Mars tous les 16 mois, pendant les 10 prochaines années.

## Le Soleil

Le Soleil est un immense globe composé surtout d'hydrogène, le plus léger des gaz. Il mesure environ 1,4 million de kilomètres de diamètre, c'est-à-dire presque 110 fois le diamètre de la Terre. Le Soleil est tellement chaud que les gaz brillent. C'est cette lumière qui traverse l'espace pour atteindre et chauffer la Terre.

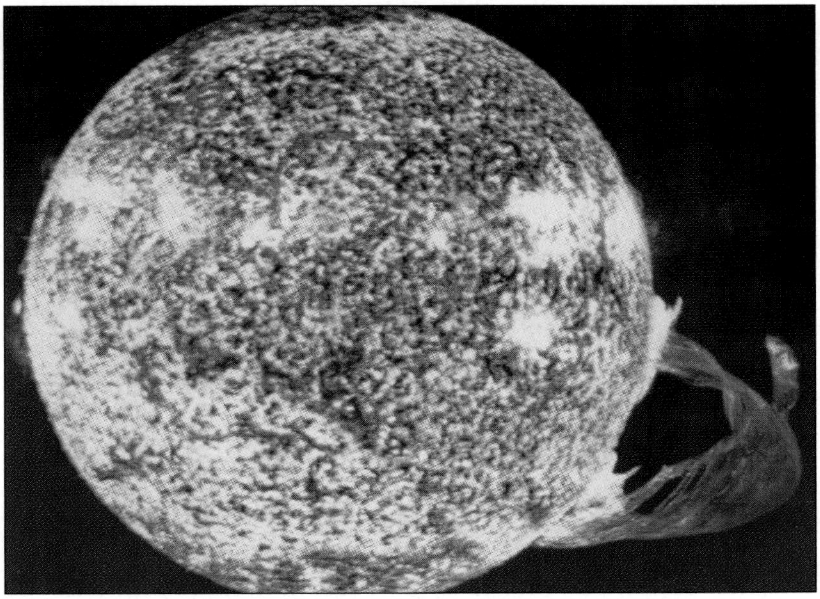

La surface du Soleil bouillonne constamment. Des **protubérances solaires** spectaculaires, comme celles de la figure 13.11, sont des jets de gaz lumineux qui forment des arches dans l'espace. Certaines régions du Soleil sont moins chaudes. C'est pourquoi ces régions semblent plus sombres. Ces régions plus sombres s'appellent des **taches solaires**. Près de ces taches solaires, il se produit de violentes **éruptions solaires**. Ces éruptions envoient des jets de particules subatomiques à haute énergie dans l'espace. Tu verras, dans le chapitre 16, comment ces jets de particules, qu'on appelle **vents solaires**, se répercutent sur la Terre et sur certaines de nos activités.

**Figure 13.11** Le Soleil est tout « atmosphère » parce qu'il ne contient que du gaz. Quand on parle de la surface du Soleil, il s'agit de l'extérieur de la zone rayonnante appelée « photosphère ».

**LIEN terminologique**

Tu as appris que les réactions chimiques mettent en jeu la couche d'électrons externe des atomes. Les réactions nucléaires, comme leur nom l'indique, mettent en jeu les protons et les neutrons des noyaux des atomes. Il existe deux sortes de réactions nucléaires : les réactions de fusion (combinaison) et de fission (séparation). Fais une recherche à ta bibliothèque ou sur Internet pour en savoir plus sur ces deux sortes de réactions nucléaires.

Le Soleil est 330 000 fois plus massif que la Terre. Mais ses principaux constituants, l'hydrogène (73 %) et l'hélium (25 %), occupent un énorme volume. C'est pourquoi la masse volumique moyenne du Soleil est bien inférieure à la masse volumique de la Terre. Dans la région dense du noyau, la propre gravité du Soleil a tellement comprimé l'hydrogène que la température (15 000 000 °C) est suffisamment élevée pour produire des réactions de fusion thermonucléaire. Chaque seconde, environ 600 tonnes d'hydrogène sont converties en hélium. C'est la source d'énergie du Soleil.

L'énergie dégagée par le processus de fusion traverse plusieurs couches d'hydrogène, jusqu'à la **photosphère**, la région d'où vient la lumière du Soleil. La température de la photosphère est d'environ 6000 °C. La température de l'atmosphère solaire ténue, la **couronne**, est d'environ 1 000 000 °C. Quand il y a une éclipse solaire totale, la couronne devient visible, comme sur la figure 13.12.

**Figure 13.12** Quand il y a une éclipse solaire totale, l'atmosphère extérieure du Soleil, la couronne, devient visible.

Le Soleil est l'étoile la plus proche de la Terre. Les scientifiques pensent que la plupart des étoiles, surtout les étoiles qui ont la même taille et la même couleur, sont similaires au Soleil. Il y a des planètes en orbite autour du Soleil. C'est pourquoi les scientifiques pensent qu'il y a aussi des planètes en orbite autour de plusieurs autres étoiles.

## Les planètes

Toutes les planètes sont différentes. Leur taille, leur mouvement, leur composition, leur densité et leur température diffèrent. Il n'y a pas deux planètes identiques, même si certaines ont quelques points communs. Par exemple, Mercure, Vénus, la Terre et Mars sont des **planètes proches**. Ce sont des planètes telluriques parce qu'elles se composent de roches, comme la Terre. Jupiter, Saturne, Uranus et Neptune sont des **planètes éloignées** et se ressemblent par leur composition gazeuse. Pluton forme une catégorie à part. Les astronomes se demandent encore s'il s'agit vraiment d'une planète, à cause de sa petite taille et de son orbite très excentrique.

## Une échelle pour comparer les planètes

Pour étudier les planètes de façon efficace, il faut d'abord une échelle utile pour faire des comparaisons. En astronomie, on compare toujours les planètes à celle que nous connaissons le mieux, la Terre. C'est donc à partir de la Terre que cette échelle est établie. Ainsi, le diamètre de la Terre est de 12 750 km. Quand on parle de cette distance, on dit qu'il s'agit d'un diamètre-Terre. Le diamètre de Vénus est de 12 100 km. Sur la même échelle, on peut dire que le diamètre de Vénus correspond à 0,95 diamètre-Terre (12 100 km/12 750 km = 0,95). Le diamètre de Jupiter est de 143 200 km, soit 11,2 diamètres-Terre (143 200 km/12 750 km = 11,2).

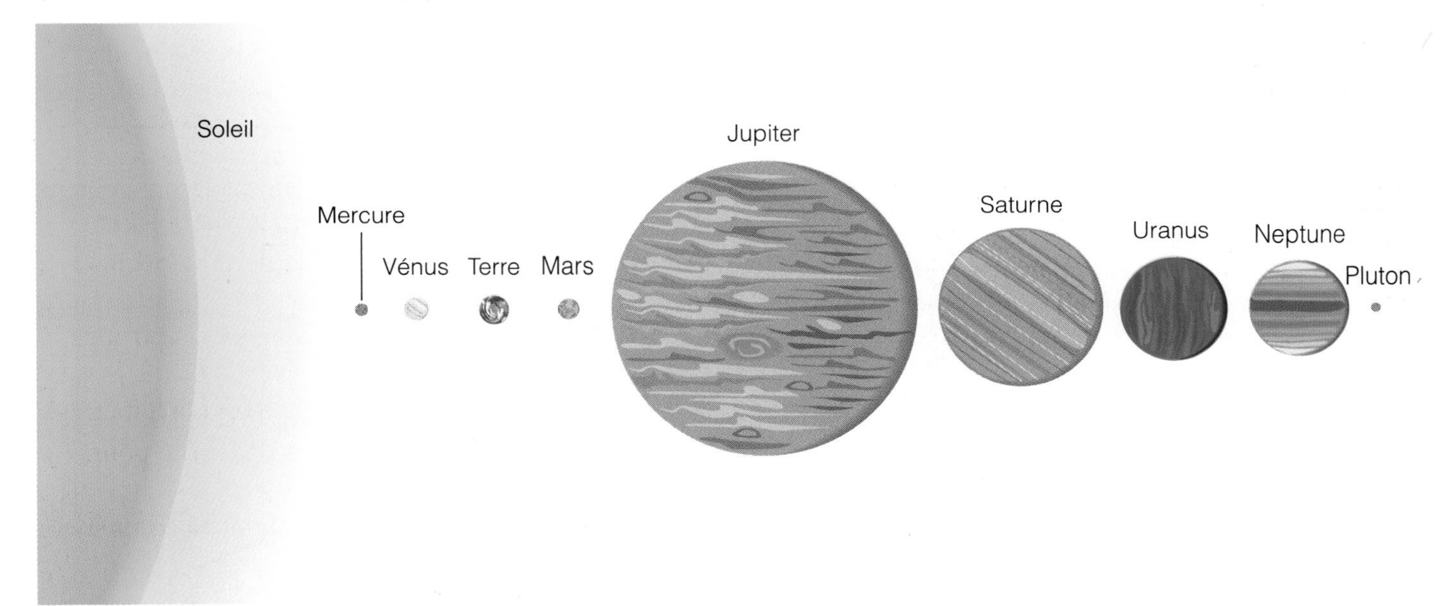


**Figure 13.13** Ce schéma compare la taille des planètes par rapport au Soleil. Les distances entre les planètes sont trop grandes pour être représentées à l'échelle sur cette figure. De même, les anneaux de Jupiter, Saturne, Uranus et Neptune n'ont pas été représentés afin que toutes les planètes puissent tenir sur la même image.

De même, la masse d'une planète (c'est-à-dire la quantité de matière qu'elle contient) s'exprime en masse-Terre et sa masse volumique (la quantité de matière qui occupe un espace donné, c'est-à-dire la masse divisée par le volume) s'exprime en masse volumique-Terre. Par conséquent, si la masse volumique d'une planète est supérieure à 1, sa composition est plus dense que la composition de la Terre.

Les jours, pour les périodes de rotation des planètes, et les années, pour leurs périodes orbitales (temps nécessaire pour faire le tour du Soleil) sont des échelles de temps utiles. Pour les températures en surface, le degré Celsius (°C) est la norme.

Mais il reste une échelle importante : l'échelle de la distance. En astronomie, les distances sont tellement grandes (on dit que ces distances sont « astronomiques ») que les astronomes ont dû trouver une nouvelle façon de mesurer des territoires aussi vastes. Pour étudier le système solaire, on utilise l'**unité astronomique (UA)** comme échelle. L'unité astronomique correspond à la distance moyenne entre la Terre et le Soleil (149 599 000 km). Sur cette échelle, la Terre se trouve à 1 UA du Soleil. Mars se trouve en moyenne à 228 000 000 km du Soleil, soit 1,5 UA (228 000 000 km/149 599 000 km). Les années-lumières, comme tu le verras au chapitre 15, servent à calculer des distances encore plus grandes, soit au-delà de notre système solaire. Sais-tu pourquoi les distances sont exprimées en moyennes ? (Indice : rappelle-toi que les orbites sont elliptiques.)

PASSE À L'ACTION

RÉFLÉCHIS ET FAIS DES LIENS 13-C

# C'est toi la ou le spécialiste en planètes

## Réfléchis

Dans cette section, tu trouveras beaucoup d'information sur les planètes. L'un des meilleurs moyens de classer de très nombreux renseignements consiste à faire comme les scientifiques, c'est-à-dire à bâtir une base de données. Une base de données est un ensemble de données présentées dans un tableau avec des catégories très utiles. Ce tableau permet aux chercheurs de détecter les similitudes, les différences et toute autre caractéristique. Souvent, ces caractéristiques soulèvent de nouvelles questions. Et ces questions permettent de rassembler de nouvelles informations qui sont ajoutées à la base de données.

Dans cette activité, tu pourras créer ta propre base de données sur les planètes. Cette base de données te permettra ensuite d'interpréter tes résultats. Tu auras besoin de cette information dans le chapitre 14 pour analyser une théorie de la formation du système solaire.

### Partie 1

## Créer une base de données sur les planètes

### Ce que tu dois faire

1. Ton enseignante ou ton enseignant te donnera un tableau vierge, comme le tableau ci-dessous, ou te demandera de faire ton propre tableur à l'ordinateur.

2. Lis les cartes de données sur les planètes (pages 448 à 452 de cette section). Entre les données dont tu as besoin dans les colonnes correspondantes de ta base de données.

3. Quand tu auras réuni tous les renseignements dont tu as besoin pour ta base de données, réponds aux questions suivantes. Consulte de nouveau l'information sur les échelles, à la page précédente. Ces questions t'aideront à mieux comprendre les échelles et le système solaire.

   a) Combien de mois dure la période orbitale de Mercure ?

   b) À quelle distance, en kilomètres, se trouve chaque planète gazeuse du Soleil ?

   c) Quel est le diamètre de Jupiter en kilomètres ?

   d) Combien faut-il d'heures à Saturne pour faire une rotation complète ?

   e) Quel corps céleste dans le tableau a la masse la plus petite ?

**Omni TRUC**

Consulte les pages 560 et 587. Tu trouveras des trucs pour faire des recherches en sciences et communiquer tes résultats.

**Base de données sur les planètes**

| | Mercure | Vénus | Terre | Mars | Jupiter | Saturne | Uranus | Neptune | Pluton |
|---|---|---|---|---|---|---|---|---|---|
| la taille (Terre = 1) | | | | | | | | | |
| la distance (UA) | | | | | | | | | |
| la masse (Terre = 1) | | | | | | | | | |
| la masse volumique (Terre = 1) | | | | | | | | | |
| la température moyenne en surface (°C) | | | | | | | | | |
| la période de rotation (en jours) | | | | | | | | | |
| la période orbitale (en années) | | | | | | | | | |
| le nombre de lunes | | | | | | | | | |
| autres caractéristiques importantes | | | | | | | | | |

### Partie 2

# Élaborer les profils des planètes et les présenter à la classe

## Ce que tu dois faire

1. La classe doit se diviser en neuf groupes. Ton enseignante ou ton enseignant attribuera une planète à chaque groupe. Les membres de ton groupe deviendront les « spécialistes » de cette planète. Ensemble, vous devrez élaborer le profil de votre planète, c'est-à-dire décrire ses caractéristiques générales, ainsi que ses points communs et ses différences par rapport aux autres planètes. Trouve le plus de renseignements peu connus possible. Donne également de l'information sur la façon dont ta planète a été découverte. Par exemple, est-ce qu'une sonde planétaire a été envoyée sur ta planète ?
2. Avec ton groupe, passe en revue les ressources que tu peux utiliser pour faire les recherches nécessaires. Ainsi, tu peux te servir des ressources de la bibliothèque, d'Internet ou consulter des experts dans des établissements postsecondaires ou à l'école.
3. Ton groupe devra classer tous les renseignements recueillis et les présenter à la classe. Pour présenter ces renseignements, sers-toi de différents moyens de communication et supports, comme du matériel audiovisuel, des simulations sur ordinateur, des exposés, des tableaux sur une feuille de papier conférence, des bases de données ou des tableurs informatisés et des modèles réduits. Résume le profil de ta planète sur une page. Tu remettras ce résumé au reste de la classe à la fin de ton exposé. N'oublie pas d'indiquer où tu as obtenu l'information.

## Analyse

À l'aide de ta base de données et des renseignements provenant des exposés de tous les autres spécialistes en planètes, réponds aux questions ci-dessous dans ton cahier. Quand tu auras terminé, discute de tes réponses avec le reste de la classe.

1. Quelles sont les planètes les plus différentes de la Terre ? Pourquoi ?
2. Quelles sont les planètes les plus semblables à la Terre ? Quels sont leurs points communs avec la Terre ?
3. Quelles tendances as-tu observées pour les températures en surface des planètes ?
4. On dit que Vénus est la jumelle de la Terre. Mais nous ne pourrions probablement pas survivre sur Vénus. Pourquoi ?
5. Quelle est la principale différence entre les planètes proches et les planètes éloignées ? Utilise les données rassemblées pour expliquer ta réponse.
6. Pourquoi la température en surface de Vénus est-elle supérieure à la température en surface de Mercure ?
7. **a)** Quelles tendances dans les caractéristiques des planètes les données montrent-elles ?

   **b)** Si l'on découvrait une planète au-delà de Pluton, quelles seraient ses caractéristiques, d'après toi ?

## Cartes de données sur les planètes proches

**Pause réflexion**

Les images de Mercure transmises par la sonde spatiale montrent que Mercure a été frappée des milliers de fois par des débris spatiaux. Trouve deux raisons pour lesquelles l'absence d'atmosphère permet aux cratères de durer des millions d'années. Écris tes réponses dans ton journal scientifique.

### Mercure

Mercure a une croûte mince et une couche intérieure solide. La croûte et la couche intérieure se composent de roche silicatée. En dessous, il y a un immense noyau riche en fer. Ce noyau représente jusqu'à 80 % de la masse de la planète. L'atmosphère très mince de Mercure contient d'infimes quantités de sodium et de phosphore. Les températures extrêmement élevées en surface pendant la journée (ces températures peuvent atteindre 430 °C) font en quelque sorte « bouillir » la croûte de la planète. La nuit, la température tombe à -180 °C. Environ 60 % de la surface de Mercure se compose de cratères. Le reste est relativement plat et semble porter les traces d'anciennes coulées de lave volcanique.

**Mercure**

Taille (diamètre-Terre) : 0,38
Distance du Soleil (UA) : 0,39
Masse (masse-Terre) : 0,06
Masse volumique (masse volumique-Terre) : 1,0
Température moyenne en surface (°C) : 350
Période de rotation (en jours) : 58,7
Période orbitale (en années) : 0,24
Nombre de lunes : 0

### Vénus

Vénus est enveloppée d'une atmosphère très épaisse. Cette atmosphère se compose de 96 % de gaz carbonique et de 3,5 % d'azote. Le reste contient d'autres produits chimiques en petites quantités, dont des pluies contenant de l'acide sulfurique. C'est à cause de cette atmosphère que Vénus enregistre la température moyenne en surface la plus élevée de toutes les planètes. Le gaz carbonique retient très bien les radiations solaires qui frappent Vénus. C'est pourquoi Vénus est un exemple extrême de l'effet de serre. Le noyau semi-solide de Vénus se compose de fer et de nickel. Ce noyau est entouré d'un manteau rocheux et d'une fine croûte. Les cartes produites au radar à partir de la Terre et les sondes spatiales laissent voir de grands cratères de météorites et des volcans éteints. Vénus tourne d'est en ouest, et non pas d'ouest en est comme la plupart des autres planètes et le Soleil. C'est une des caractéristiques de cette planète.

**Vénus**

Taille (diamètre-Terre) : 0,95
Distance du Soleil (UA) : 0,72
Masse (masse-Terre) : 0,86
Masse volumique (masse volumique-Terre) : 0,96
Température moyenne en surface (°C) : 480
Période de rotation (en jours) : 243
Période orbitale (en années) : 0,62
Nombre de lunes : 0

## La Terre

La principale caractéristique qui distingue la Terre des autres planètes est la présence de plusieurs formes de vie et de grandes quantités d'eau à l'état liquide. La distance qui sépare la Terre du Soleil et la composition de l'atmosphère terrestre produisent toute une gamme de températures en surface qui rendent la vie possible. L'atmosphère se compose de 78 % d'azote. L'oxygène, indispensable à la vie, représente 21 % de l'atmosphère. L'oxygène est présent dans l'atmosphère depuis deux milliards d'années seulement. L'oxygène provient de l'activité bactérienne qui apparaît au cours des premiers stades de la vie. De la vapeur d'eau (les nuages), du gaz carbonique ainsi que d'autres gaz en infimes quantités composent le 1 % restant. La croûte fine se compose de roches. Certaines de ces roches ont 3,9 milliards d'années. Un manteau rocheux enveloppe une couche extérieure en fusion et un noyau solide composé de fer et de nickel.

La Lune fait le tour de la Terre en un mois environ. En même temps, la Lune fait une rotation complète sur son axe. La surface de la Lune est pleine de cratères. La Lune a aussi de grandes surfaces planes qui indiquent d'anciennes coulées de lave. Des indices récents indiquent la présence de glace dans les régions polaires. Les pierres rapportées de la Lune sur la Terre par les astronautes d'*Apollo* sont vieilles de 4,5 milliards d'années. Par rapport à la Terre, la Lune est beaucoup moins dense et son atmosphère est négligeable.

**La Terre**

Taille (diamètre-Terre) : 1
Distance du Soleil (UA) : 1
Masse (masse-Terre) : 1
Masse volumique (masse volumique-Terre) : 1
Température moyenne en surface (°C) : 22
Période de rotation (en jours) : 1
Période orbitale (en années) : 1
Nombre de lunes : 1

## Mars

Les oxydes de fer qui composent la surface de Mars donnent à la planète sa couleur rouge orangé. La Terre observe Mars de très près. Mars a des calottes polaires, des vallées, des canyons, des volcans et des cratères. Comme sur Vénus, l'atmosphère se compose surtout de gaz carbonique (95 %), mais elle est beaucoup plus mince. La distance entre Mars et le Soleil réduit la quantité d'énergie solaire qui frappe Mars. C'est pourquoi il fait froid sur Mars, surtout pendant la nuit martienne.

L'atmosphère se compose aussi d'azote (2,7 %) ainsi que d'argon, d'oxygène et de vapeur d'eau en infimes quantités. Des robots comme *Pathfinder* ont exploré la surface de Mars et ont enregistré des images détaillées de tempêtes de poussière que l'on voit parfois de la Terre. La croûte fine est soumise à un gel permanent. Sous cette croûte, un manteau rocheux enveloppe un noyau solide.

**Mars**

Taille (diamètre-Terre) : 0,53
Distance du Soleil (UA) : 1,52
Masse (masse-Terre) : 0,11
Masse volumique (masse volumique-Terre) : 0,71
Température moyenne en surface (°C) : -23
Période de rotation (en jours) : 1,02
Période orbitale (en années) : 1,88
Nombre de lunes : 2

## Cartes de données sur les planètes éloignées

Ce que nous savons sur les planètes éloignées provient surtout des informations transmises par quatre engins spatiaux américains, *Pionner 10* et *Pionner 11*, et *Voyager 1* et *Voyager 2*. Les sondes *Voyager*, en particulier, ont fait plusieurs découvertes passionnantes en se déplaçant d'une planète à l'autre. Le 20 août 1977, *Voyager 2* a été lancée à haute vitesse. Douze heures plus tard, elle avait dépassé la Lune. Il avait fallu plusieurs jours à la mission lunaire *Apollo* pour couvrir cette distance. En l'espace de quelques mois, *Voyager 2* avait traversé l'orbite de Mars. Toutefois, le voyage vers Jupiter allait durer deux ans. Tu vois ainsi que la distance est immense entre la Terre et Jupiter. En juillet 1979, la sonde *Voyager 2* est arrivée à Jupiter.

### Jupiter

Jupiter est une planète géante dont la masse est 2,5 fois plus importante que la masse de toutes les autres planètes réunies. Le centre de Jupiter se compose d'un noyau rocheux qui mesure environ deux fois la taille de la Terre. Le reste de la planète se compose surtout d'hydrogène à différents états. L'hydrogène métallique constitue un manteau intérieur entouré d'hydrogène et d'hélium liquides. Jupiter n'a pas de croûte solide. Les configurations de surface que l'on voit de la Terre sont des formes dans l'atmosphère, comme la Grande Tache Rouge. L'hydrogène est le principal composant de l'atmosphère (90 %). Vient ensuite l'hélium (presque 10 %). D'infimes quantités de méthane, d'ammoniac et de vapeur d'eau colorent les bandes nuageuses produites par la rotation rapide de Jupiter. Une étroite bande de poussière encercle la planète. Cet anneau de poussière se compose de particules provenant d'un volcan en activité qui se trouve sur Io, l'une des 16 lunes de Jupiter. Les scientifiques croient qu'il y a peut-être des océans d'eau liquide sous la calotte de glace de la lune Europe.

| Jupiter |
|---|
| Taille (diamètre-Terre) : 11,25 |
| Distance du Soleil (UA) : 5,27 |
| Masse (masse-Terre) : 318 |
| Masse volumique (masse volumique-Terre) : 0,24 |
| Température moyenne en surface (°C) : -150 |
| Période de rotation (en jours) : 0,41 |
| Période orbitale (en années) : 11,86 |
| Nombre de lunes : 16 |

### Saturne

Saturne est une grande planète jaune entourée de ses célèbres anneaux. Ces anneaux se composent de poussière et de fragments de roches recouverts de glace. Saturne est plus froide que Jupiter, mais sa structure est similaire à la structure de Jupiter : son noyau est composé de roche et de glace ; son manteau intérieur, d'hydrogène métallique ; son manteau extérieur, d'hydrogène liquide ; et son atmosphère, de 94 % d'hydrogène, de 6 % d'hélium et d'infimes quantités de méthane, d'ammoniac et de vapeur d'eau. La rotation rapide de Saturne produit des bandes nuageuses visibles de la Terre. Titan, la plus grande des 18 lunes de Saturne, a aussi une atmosphère.

| Saturne |
|---|
| Taille (diamètre-Terre) : 9,45 |
| Distance du Soleil (UA) : 9,54 |
| Masse (masse-Terre) : 95 |
| Masse volumique (masse volumique-Terre) : 0,13 |
| Température moyenne en surface (°C) : –180 |
| Période de rotation (en jours) : 0,44 |
| Période orbitale (en années) : 29,46 |
| Nombre de lunes : 18 |

## Uranus

Une atmosphère sans caractéristiques spéciales entoure le noyau rocheux et le manteau de glace, d'ammoniac et de méthane d'Uranus. Cette atmosphère se compose de 85 % d'hydrogène et de 12 % d'hélium. Ce sont les 3 % de méthane qui absorbent la lumière rouge et donnent à la planète sa couleur bleu-vert. Uranus a des anneaux qui ressemblent aux anneaux de Saturne. Toutefois, le fait le plus intéressant est le suivant : Uranus tourne autour d'un axe incliné à 90° par rapport au plan du système solaire. Les sondes spatiales continuent de découvrir des lunes impossibles à observer de la Terre.

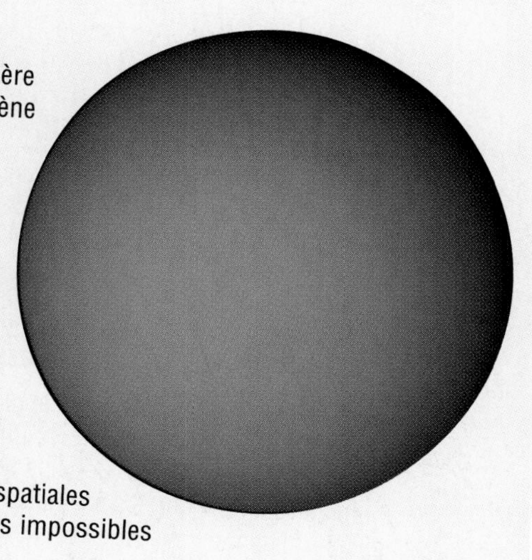

**Uranus**

Taille (diamètre-Terre) : 4,01
Distance du Soleil (UA) : 19,19
Masse (masse-Terre) : 15
Masse volumique (masse volumique-Terre) : 0,24
Température moyenne en surface (°C) : -214
Période de rotation (en jours) : 0,72
Période orbitale (en années) : 84,01
Nombre de lunes : 17

## Neptune

Neptune est presque la jumelle d'Uranus. Neptune a la même structure interne qu'Uranus, qui est un peu plus grosse, et une atmosphère très semblable : 85 % d'hydrogène, 13 % d'hélium et 2 % de méthane. La sonde spatiale *Voyager* a découvert des anneaux et une grande tache sombre. Triton, l'une des huit lunes de Neptune, a la température la plus froide jamais enregistrée dans le système solaire, soit -235 °C.

**Neptune**

Taille (diamètre-Terre) : 3,96
Distance du Soleil (UA) : 30,06
Masse (masse-Terre) : 17
Masse volumique (masse volumique-Terre) : 0,27
Température moyenne en surface (°C) : -220
Période de rotation (en jours) : 0,67
Période orbitale (en années) : 164,8
Nombre de lunes : 8

## Pluton

Pluton est très loin et nous savons très peu de choses sur cette planète. L'orbite de Pluton est inclinée de 17° par rapport au plan du système solaire. L'orbite de Pluton est parfois assez allongée pour que la planète soit parfois plus près du Soleil que Neptune. Comme Vénus, Pluton a une rotation rétrograde. Elle tourne sur elle-même en sens inverse du sens de sa révolution. On peut, au mieux, essayer de deviner la structure de Pluton : grand noyau rocheux, manteau de glace et croûte glacée faite d'eau et de méthane. La lune de Pluton, Charon, est presque aussi grande que la planète elle-même. Certains scientifiques supposent que Pluton et Charon sont des exemples de grands débris provenant de la formation du système solaire.

| Pluton |
| --- |
| Taille (diamètre-Terre) : 0,19 |
| Distance du Soleil (UA) : 39,5 |
| Masse (masse-Terre) : 0,002 |
| Masse volumique (masse volumique-Terre) : 0,36 |
| Température moyenne en surface (°C) : -230 |
| Période de rotation (en jours) : 6,4 |
| Période orbitale (en années) : 247,7 |
| Nombre de lunes : 1 |

Au cours de l'été 1997, une conférence de presse étonnante a eu lieu. Des scientifiques de la NASA ont annoncé qu'ils avaient trouvé des structures minuscules semblables à des bactéries dans une pierre provenant de l'Antarctique. Cette découverte est passionnante parce que, d'après les scientifiques, cette pierre provenait de Mars et faisait partie des débris rejetés dans l'espace quand un gros objet s'est écrasé sur cette planète, il y a très longtemps.

Si la pierre vient vraiment de Mars, et si les formes observées au microscope électronique sont vraiment d'anciennes bactéries, nous aurions la première preuve que la Terre n'est pas la seule source de vie dans l'Univers. Malgré l'attention que cette nouvelle a reçue, la validité de la découverte reste très controversée. Essaie d'en savoir plus sur cette découverte sur Internet ou à partir d'autres sources.

**ACTIVITÉ de recherche**

## Les yeux tournés vers la Lune

Nous avons l'habitude de voir la Lune dans le ciel. Mais comment notre perception de la Lune a-t-elle changé ? Le meilleur moyen de le savoir est d'établir un calendrier des principaux événements historiques dans l'ordre où ils se sont produits. On représente souvent ces événements sur une ligne.

### Ce que tu dois faire

1. Choisis une échelle pour ton calendrier linéaire ; ce peut être, par exemple, des années, des décennies ou des siècles.
2. À l'aide de ce manuel et d'autres ressources, détermine les principaux événements et découvertes qui ont contribué à mieux nous faire connaître la Lune. Indique ces événements sur la ligne. Remonte aussi loin que tu peux dans l'histoire, jusqu'à maintenant.
3. Compare ton calendrier linéaire au calendrier d'autres élèves. Ajoute à ton calendrier les informations qui te paraissent importantes.

### Qu'as-tu découvert ?

1. À ton avis, quelle est la découverte la plus importante à propos de la Lune ? Pourquoi ?
2. Quel rôle a joué la technologie dans notre compréhension de la Lune ? Qu'est-ce que la technologie nous a permis de voir que les Anciens ne pouvaient pas voir ?

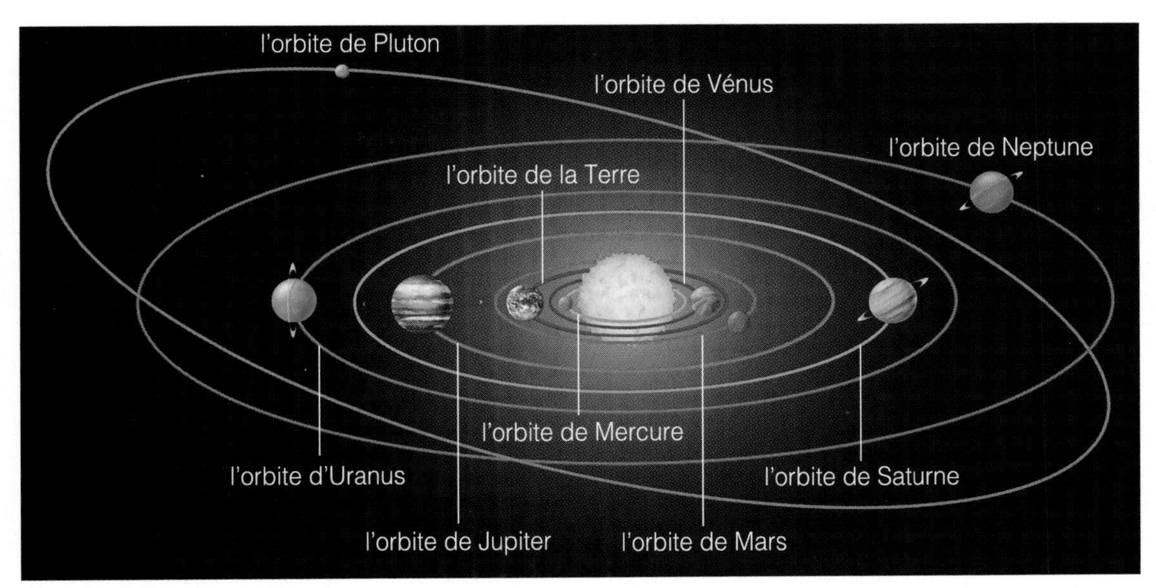


**Figure 13.14** Orbite de Pluton comparée à l'orbite des autres planètes. (Les dimensions des planètes sont exagérées.)

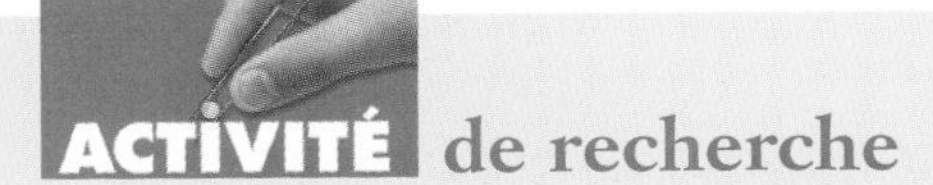


## Reproduction du système solaire

Le système solaire est tellement grand et vide qu'il est impossible de reproduire la taille du Soleil et des planètes ni les distances qui séparent le Soleil et les planètes à la même échelle, sur une feuille de papier standard. Par exemple, si le Soleil avait la taille d'un ballon de basket, les planètes et l'étoile la plus proche (Proxima du Centaure) auraient la taille et seraient séparées par les distances présentées ci-dessous :

| Corps céleste | Taille | Distance du Soleil à l'échelle |
|---|---|---|
| Soleil | Ballon de basket | |
| Mercure | 1 mm | 10,9 m |
| Vénus | 2,4 mm | 18,8 m |
| Terre | 2,4 mm | 28,1 m |
| Mars | 1,3 mm | 43,1 m |
| Jupiter | 27 mm | 146 m |
| Saturne | 23 mm | 262 m |
| Uranus | 10 mm | 544 m |
| Neptune | 9,1 mm | 844 m |
| Pluton | 0,5 mm | 1106 m |
| Étoile la plus proche | Ballon de basket | 2700 km |

Le défi, pour toi et ta classe, consiste à créer ton propre modèle réduit du système solaire. Utilise les données ci-dessus à titre indicatif.

### Ce que tu dois faire 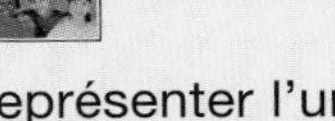

1. Chaque élève doit représenter l'une des planètes, sur un modèle réduit ou avec une photo, à une distance exacte du « Soleil ».

2. Choisis une taille ou une distance pour ton échelle de base. Tu devras choisir une échelle pratique. Si tu choisis une balle de base-ball pour représenter Pluton, l'objet que tu choisiras pour représenter Neptune devra être dix fois plus gros. Et l'objet qui représentera Jupiter devra être presque 30 fois plus gros. Il n'est pas toujours facile de reproduire des distances proportionnelles. Par conséquent, tu devrais diviser ou multiplier les chiffres ci-contre par un facteur qui te permettra de fabriquer un modèle réduit et de placer tes « planètes ».

3. Tu devras peut-être monter ton modèle réduit dehors. Une carte de la région te sera aussi utile pour indiquer la position des planètes éloignées et des planètes qui sont encore plus loin.

### Qu'as-tu découvert ?

Même si le Soleil est représenté par un ballon de basket, l'étoile la plus proche est à plusieurs kilomètres. Selon l'échelle que tu as choisie pour ton modèle, où, au Canada, par rapport à ton école, se trouverait l'étoile la plus proche ?

## Les autres corps du système solaire

### Les astéroïdes

*Voyager 2* s'est promenée autour des planètes éloignées. Les observations et les mesures que la sonde a recueillies ont radicalement transformé notre façon de voir le système solaire. Le voyage comportait des risques. En effet, la sonde spatiale devait passer par une région où se trouvent des millions d'**astéroïdes**, entre Mars et Jupiter. Les astéroïdes ont des dimensions très diverses, allant d'un mètre à des centaines de kilomètres. Cérès, avec un diamètre de 1000 km, est le plus grand astéroïde connu. Ces corps aux formes irrégulières se composent surtout de roche carbonée ou silicatée. Certains contiennent des matériaux riches en métaux. Sur les millions d'astéroïdes qui existent, on en a identifié 5000 seulement et l'on a calculé leur orbite. L'orbite de certains astéroïdes croise le chemin de la Terre, ce qui présente des risques de collision éventuelle.

### Les comètes

Périodiquement, on peut voir des **comètes** à l'œil nu. Mais, pour voir la plupart des comètes, il faut un télescope. Ces objets se composent surtout de poussière et de glace. C'est pourquoi les scientifiques ont élaboré un modèle de « boule de neige sale » pour représenter les comètes. On suppose que des milliards de comètes sont en orbite autour du Soleil. À l'occasion, une comète est éjectée de son orbite par la force gravitationnelle de plusieurs objets et tombe vers le Soleil selon une orbite très allongée. À mesure que la comète se rapproche du Soleil, les matériaux qui composent sa surface s'évaporent. Ces matériaux forment des traces qui peuvent avoir des milliers de kilomètres de long. La trace s'éloigne toujours du Soleil parce qu'elle est poussée par le vent solaire.

Cinq sondes spatiales ont observé la très célèbre comète de Halley, quand la comète est passée près des planètes proches du système solaire, en 1986. L'engin spatial européen *Giotto* a envoyé les premiers gros plans jamais pris d'une comète. Les photos montraient que la comète de Halley avait un noyau irrégulier de 16 km sur 8 km.

**Figure 13.15** En 1994, le monde a regardé la collision de la comète Shoemaker-Levy et de Jupiter. De gros morceaux de comète ont heurté Jupiter à plusieurs heures d'intervalle. Chaque impact a laissé des marques de la taille de la Terre dans l'atmosphère de Jupiter.

### Les météores et les météorites

Tous les jours, la Terre est bombardée de milliers de poussières et de fragments rocheux provenant de l'espace. Quand ces poussières et ces fragments rocheux entrent dans l'atmosphère, la friction qui en résulte les réchauffe. Sous l'effet de la chaleur, ces poussières et ces fragments rocheux se vaporisent. Si le fragment est assez gros, il peut brûler, ce qui produit assez de lumière pour le rendre visible. Ces fragments visibles s'appellent des **météores** (on les appelle couramment des étoiles filantes, même si ce ne sont pas des étoiles). Certains fragments sont assez gros ou assez durs pour qu'un débris ne s'évapore pas et heurte la surface de la Terre. On parle alors de **météorites**. Les météorites qui atteignent le sol donnent aux scientifiques la possibilité d'étudier des matériaux extraterrestres.

# Pourquoi les saisons reviennent-elles indéfiniment ?

Dans le passé, les gens avaient des idées bien arrêtées sur l'espace et l'astronomie. Nous savons maintenant que nombre de ces idées étaient fausses. Dans les années 1400, par exemple, on croyait que la Terre était plate. Connais-tu une idée étrange ou fausse sur notre système solaire ou sur un autre endroit de l'Univers ? Aujourd'hui encore, les gens ont des idées fausses sur l'origine des saisons. Pendant cette enquête, tu découvriras pourquoi.

## Projet

Élabore un questionnaire et organise des entrevues pour savoir comment les gens expliquent les changements de saison.

### Matériel

du papier et un crayon ou un ordinateur (pour le questionnaire)

du papier et un crayon (pour les personnes que tu vas interroger)

un ballon (pour représenter la Terre)

une lampe de poche (pour représenter le Soleil)

## Critères de conception

**A.** Ton questionnaire doit tenir sur une page, y compris les espaces prévus pour les réponses.

**B.** Ton questionnaire doit contenir plusieurs types de questions : questions à choix multiples, questions fermées et questions ouvertes. Les questions fermées sont celles auxquelles on répond par un mot. Par exemple, à la question « Pensez-vous que la Lune influe sur les saisons de la Terre ? », on répondra oui ou non. Les questions ouvertes invitent les gens à donner une explication complète. Voici un exemple : « Décrivez ce qui arrive à la Terre quand on passe de l'hiver à l'été. »

**C.** Tu dois poser tes questions à des adultes en dehors de l'école et à des enfants plus jeunes. Tu devrais interroger de cinq à dix personnes.

## Plan et déroulement

1. Prépare ton questionnaire. Pose toutes les questions nécessaires pour que les gens te donnent l'information dont tu as besoin. Tu pourras aussi demander aux personnes que tu interroges de tracer un schéma ou d'utiliser le ballon et la lampe de poche pour expliquer ce qu'elles te disent.
2. Choisis le nombre de personnes que tu veux interroger et prends rendez-vous pour leur poser tes questions.
3. Certaines personnes se sentent embarrassées par des questions dont elles ne connaissent pas la réponse. Tu dois en tenir compte dans la formulation de tes questions et dans ton approche. Tout le monde a des connaissances restreintes et il est important que tu sois sensible à cela. (Par exemple, tu pourrais partager l'information recueillie avec la personne que tu interroges pour lui montrer que beaucoup de gens ont des idées fausses.)
4. Pendant l'entrevue, écris toutes les réponses données pour en garder une trace exacte.
5. Quand tu auras terminé toutes les entrevues, analyse l'information et cherche les tendances. Classe l'information dans des catégories et trace un diagramme indiquant le nombre de réponses dans chaque catégorie.

## Évaluation

1. Comment classerais-tu les explications que tu as reçues sur l'origine des saisons ? Combien d'explications as-tu reçues dans chaque catégorie ?
2. Quelles sont les idées fausses les plus courantes que tu as entendues sur l'origine des saisons ?
3. Quel serait le meilleur moyen d'apprendre aux gens l'origine exacte des changements de saison ?

## En dehors du système solaire

Comme *Voyager 1* et les deux sondes spatiales *Pioneer*, *Voyager 2* a quitté le système solaire et voyage dans l'espace. La sonde fonctionne encore et continuera à envoyer des photos et d'autres mesures jusqu'en 2030 environ. Les sondes *Voyager* sont les vaisseaux les plus rapides que les humains aient jamais fabriqués. *Voyager* a passé 20 ans à se rendre aux frontières de notre système solaire. Elle sera près de l'étoile la plus proche dans environ 50 000 ans.

*Pioneer 10* et *Pioneer 11*, les premiers engins spatiaux à quitter notre système solaire, portent des plaques. Ces plaques représentent un homme et une femme. Un engin spatial se trouve en toile de fond pour montrer l'échelle. D'autres parties du message indiquent que notre principal constituant est le carbone et que nous venons de la troisième planète à partir d'une étoile. En plus de ces plaques, *Voyager 1* et *Voyager 2* ont des enregistrements sur disque des bruits de la Terre. Il est possible que, dans un avenir lointain, un autre être intelligent voyageant dans l'espace découvre ces anciens artefacts de notre civilisation.

**LIENS INTERNET**

**www.dlcmcgrawhill.ca**

Pour en savoir plus sur les sondes des missions *Voyager* et *Viking*, va dans le site Web ci-dessus. Choisis les options **Matériel complémentaire/Primaire et secondaire** et **OMNISCIENCES 9**. Prépare un court rapport écrit sur la mise en orbite d'une sonde.

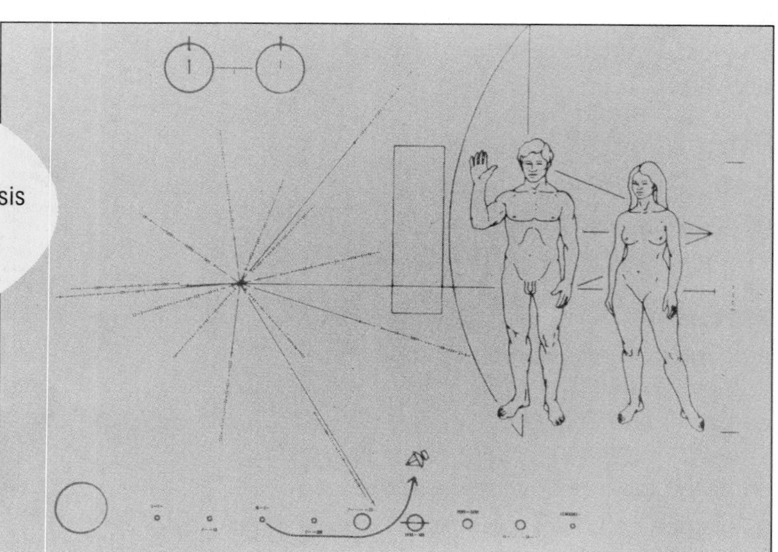

**Figure 13.16** Voici l'une des plaques fixées sur l'engin spatial *Pioneer*, qui a quitté la Terre en 1973. Si tu devais créer une plaque pour une nouvelle navette spatiale, quelles informations importantes y ferais-tu figurer ?

## Vérifie ce que tu as compris

1. Qu'est-ce qu'une unité astronomique ? Que permet-elle de mesurer ?
2. Le diamètre du Soleil est environ combien de fois plus grand que le diamètre de la Terre ?
3. Quelles planètes sont plus proches du Soleil que ne l'est la Terre ? Quelles planètes sont plus loin ?
4. Quelle est la différence entre Uranus et les huit autres planètes ?
5. Qu'est-ce qu'une comète ? Quelle est la différence entre une comète, un astéroïde et un météore ?
6. **Réflexion critique** Explique pourquoi Neptune est parfois plus loin du Soleil que Pluton.
7. **Réflexion critique** Quelles sont les preuves qu'il y a ou qu'il y avait de l'eau sur Mars ?

## RÉSUMÉ du chapitre 13

Maintenant que tu as terminé ce chapitre, essaie de faire les activités proposées ci-dessous. Si tu n'y arrives pas, consulte de nouveau la section indiquée.

Indique cinq raisons pour lesquelles la connaissance du mouvement des astres était importante pour nos ancêtres. (13.1)

Décris les tendances apparentes du mouvement du Soleil, de la Lune et des étoiles pour un observateur sur la Terre. (13.2)

Nomme les cinq planètes qui, pour les anciens Grecs, vagabondaient dans le ciel nocturne. (13.2)

Décris les principales différences entre le modèle géocentrique de l'Univers et le modèle héliocentrique. (13.3)

Explique la signification du mouvement rétrograde. (13.3)

Décris comment la technologie a aidé Galilée à donner la preuve de la justesse du modèle héliocentrique de Copernic. (13.3)

Trace un schéma annoté indiquant les neuf planètes du système solaire, dans l'ordre de leur position par rapport au Soleil. (13.4)

Décris les principales caractéristiques du Soleil. (13.4)

Calcule la distance, en kilomètres, entre le Soleil et chacune des planètes. (13.4)

Nomme les planètes proches (ou telluriques) et donne deux caractéristiques de chacune de ces planètes. (13.4)

Explique pourquoi Neptune semble bleue et Mars semble rouge orangé. (13.4)

Explique pourquoi il y autant de formes de vie sur Terre. (13.4)

Explique la différence entre un astéroïde, une comète et un météore. (13.4)

### Prépare ton propre résumé

Résume le contenu de ce chapitre en faisant une représentation graphique (comme un réseau conceptuel), en réalisant une affiche ou en résumant par écrit les concepts clés du chapitre. Voici quelques idées dont tu peux t'inspirer :

- Quels mouvements célestes les Anciens ont-ils consignés ? Comment les Anciens utilisaient-ils cette information ?
- Comment le modèle géocentrique expliquait-il le mouvement des astres ?
- Nomme certains des principaux scientifiques qui ont élaboré le modèle héliocentrique du système solaire. Quelle a été leur contribution ?
- Pourquoi Mars, Jupiter et Saturne semblent-elles parfois changer de direction pendant de courtes périodes par rapport au mouvement vers l'ouest des étoiles ?
- Quels sont les deux principaux groupes de planètes du système solaire ? Pourquoi se caractérisent-ils de cette façon ?
- Trace un croquis des neuf planètes du système solaire, dans l'ordre de leur position par rapport au Soleil.

CHAPITRE

# 13 Révision

## Des termes à connaître

Si tu as besoin de réviser les termes ci-dessous, les numéros de section t'indiquent où ils ont été mentionnés pour la première fois.

**1.** Dans ton cahier, associe chaque expression de la colonne A au terme de la colonne B.

| A | B |
|---|---|
| • étoile de notre système solaire | • plan solaire (13.3) |
| • jets de gaz qui s'échappent du Soleil et forment des arches | • météores (13.4) |
| • zone traversée par l'orbite des planètes | • photosphère (13.4) |
| • tout tourne autour de la Terre | • modèle géocentrique (13.3) |
| • « boules de neige sales » | • astéroïdes (13.4) |
| • corps de roches ou de gaz en orbite autour du Soleil | • le Soleil (13.4) |
| • les planètes tournent autour du Soleil | • protubérances solaires (13.4) |
| • vaporisation de poussières ou de fragments rocheux | • comètes (13.4) |
| • roches en orbite autour du Soleil, entre les orbites de Mars et de Jupiter | • modèle héliocentrique (13.3) |
| | • planètes (13.2) |
| | • couronne (13.4) |

**2.** Pourquoi Ptolémée a-t-il introduit les épicycles dans le modèle géocentrique ? (13.3)

**3.** Est-ce qu'Uranus est une planète proche ou éloignée ? Explique ta réponse. (13.4)

## Des concepts à comprendre

**4.** Le schéma ci-dessous montre les planètes et le Soleil à environ la même échelle pour ce qui est de la taille. La distance entre les planètes et le Soleil n'est pas à l'échelle. La distance réelle est beaucoup plus grande. Copie le schéma dans ton cahier et, sans consulter la base de données sur les planètes, marque le nom des planètes, dans l'ordre. (13.4)

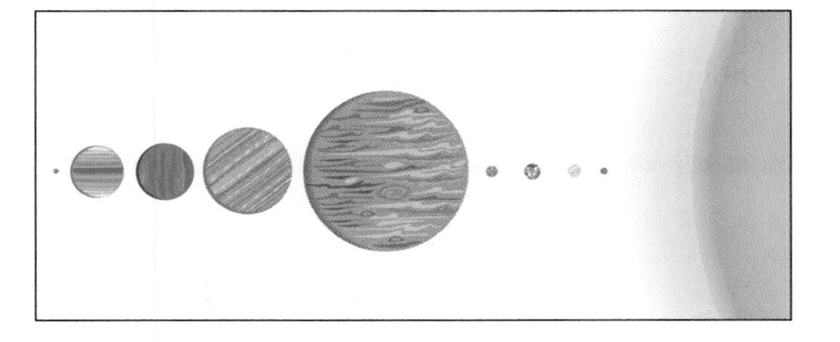

**5.** Nomme les planètes.

**a)** Quelle planète a-t-on découvert grâce aux lois de la gravitation de Newton ? (13.4)

**b)** Quelle planète a une lune avec une atmosphère ? (13.4)

**c)** De la surface de quelle planète une sonde spatiale a-t-elle envoyé à la Terre les photos de tempêtes de poussière ? (13.4)

**d)** L'orbite d'une planète croise l'orbite d'une autre planète. Nomme les deux planètes. (13.4)

**e)** Cette planète rocheuse est très très chaude pendant la journée et très très froide pendant la nuit. Quelle est cette planète ? (13.4)

**f)** Le Soleil est presque directement au-dessus de l'équateur de toutes les planètes, sauf une. Laquelle ? (13.4)

**g)** Quelle planète a une lune où il y a peut-être un océan d'eau sous une couche de glace ? (13.4)

**h)** Quelle planète a un grand pourcentage d'oxygène dans son atmosphère ? (13.4)

**6.** Pourquoi la force gravitationnelle du Soleil est-elle beaucoup plus forte que la force gravitationnelle de toutes les autres planètes ? (13.4)

7. Si un gros météorite atteignait la surface de la Terre, que pourrait-il créer ? (13.4)
8. La comète de Halley a une période orbitale de 76 ans. On a observé cette comète de la Terre en 1986 pour la dernière fois. En quelle année pourra-t-on la revoir ? (13.4)

## Des habiletés à acquérir

9. À la bibliothèque ou dans Internet, cherche les réponses aux questions suivantes :
   a) Galilée a découvert les quatre plus grosses lunes de Jupiter. Quelles sont les autres découvertes astronomiques de Galilée ?
   b) Qui a découvert qu'on pouvait revoir les comètes plusieurs fois à partir de la Terre ?
   c) Quand pourra-t-on voir les prochaines éclipses solaire et lunaire totales au Canada ?
10. La Grande Tache Rouge de Jupiter mesure environ 40 000 km de long et 12 000 km de large. Combien cette tache mesure-t-elle en kilomètres carrés ?
11. Comment les distances entre les planètes proches se comparent-elles ? Comment les distances entre les planètes éloignées se comparent-elles ? Explique comment les distances dans chaque groupe se comparent à la distance qui sépare le groupe du Soleil.

## Des problèmes à résoudre

12. Les six photos ci-dessous montrent Jupiter et ses lunes à une heure d'intervalle. Ces photos ne sont pas dans l'ordre.
    a) Quel est le bon ordre ?
    b) Quelles lunes se déplacent le plus vite : les lunes les plus proches de Jupiter ou les lunes les plus loin de Jupiter ?
13. Si tu voyageais dans un engin spatial à 10 000 km/h, combien de temps te faudrait-il pour aller de la Terre à Mars au moment où les deux planètes sont le plus près l'une de l'autre, du même côté du Soleil ? Indice : Utilise ta base de données sur les planètes pour calculer la réponse.
14. Pourquoi une journée sur Terre (24 h) est-elle plus longue de quatre minutes que le temps de rotation de la Terre (23 h 56 min) ? Un schéma de la Terre et du Soleil t'aidera à résoudre cette énigme.
15. La Lune a des phases : phase croissante, demi-lune, pleine lune. Quelles sont les deux planètes qui ont aussi des phases ? Pourquoi ? Illustre ta réponse par un schéma.

## Réflexion critique

16. Pourquoi serait-il très improbable qu'un engin spatial se pose sur Jupiter ou sur Saturne ?
17. Pourquoi voit-on le Soleil seulement pendant la journée et les autres étoiles seulement pendant la nuit ?
18. On a vu les anneaux d'Uranus pour la première fois à partir de la Terre pendant une éclipse d'une étoile par Uranus. Pourquoi ?

### Pause réflexion

1. Compte tenu de ta réponse à la question 13 ci-dessus, pense aux facteurs qui pourraient limiter la possibilité d'un voyage entre la Terre et Mars (par exemple, carburant, coûts, temps et besoins humains). Que devrais-tu prévoir avant de tenter ce voyage ?
2. Si la Terre tourne sur elle-même et se déplace dans l'espace, pourquoi ne sommes-nous pas étourdis et pourquoi ne sentons-nous pas que nous bougeons ? As-tu une preuve que la Terre bouge ?

A

B

C

D

E

F

CHAPITRE

# 14 Le cycle de vie des

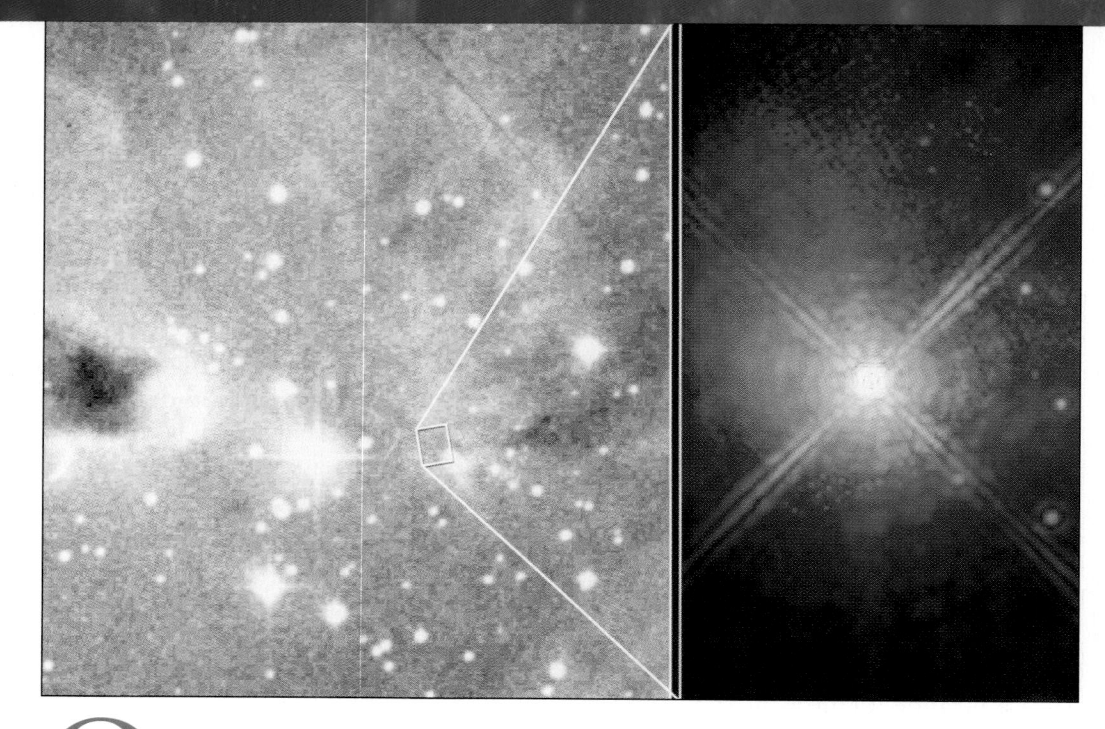

## Pour commencer...

- Comment connaissons-nous la composition des étoiles ?
- Pourquoi les cartes d'étoiles indiquent-elles l'endroit où se trouvent les constellations dans le ciel, la nuit, mais pas les distances entre les étoiles ?
- Les autres étoiles ont-elles des planètes ?
- Comment pourrais-tu savoir si certaines étoiles sont plus jeunes que d'autres ?

## Journal scientifique

Utilise tes connaissances sur le Soleil et sur notre système solaire. Écris tes réponses aux questions ci-dessus dans ton journal scientifique. Tu trouveras les réponses à ces questions dans ce chapitre.

On croirait facilement que les étoiles sont de minuscules têtes d'épingle fixées pour toujours dans le ciel. Le motif, le mouvement et la forme des quelque 6000 étoiles visibles à l'œil nu semblent immuables. On pourrait penser que cette sphère céleste scintillante est la limite extérieure de notre Univers. Lorsque de nouveaux outils, comme le télescope et les lois de la gravitation de Newton, ont permis aux astronomes de voir encore plus loin, ils ont commencé à élaborer de nouvelles théories pour expliquer leurs observations.

La découverte des planètes éloignées de notre système solaire n'était que le début de cette vision plus vaste de l'Univers. En associant le télescope et la photographie, les astronomes ont réussi à enregistrer la lumière provenant d'objets trop pâles pour être vus à l'œil nu. Ces percées technologiques ont révélé l'existence non pas de quelques milliers d'étoiles, mais de milliards d'étoiles. Désormais, nous pouvons observer des spectacles fantastiques, comme la nébuleuse du Cône, sur la photo ci-dessus, qui a été prise par le télescope spatial *Hubble*. Nous assistons aussi à la naissance de nouvelles étoiles.

Dans ce chapitre, tu examineras les étoiles, ces sphères brillantes et très chaudes qui se composent de gaz, comme le Soleil. Est-ce que toutes les étoiles ressemblent au Soleil ? Les étoiles ont-elles, elles aussi, des planètes ? Comment les étoiles se forment-elles et de quoi se composent-elles ? Les étoiles sont-elles immortelles ? Comment notre système solaire s'est-il formé ? À la fin de ce chapitre, tu pourras répondre à ces questions et à plusieurs autres se rapportant à l'évolution des étoiles.

# étoiles

## Concepts clés

Dans ce chapitre, tu découvriras :

- comment les astronomes analysent la lumière des étoiles pour déterminer la température d'une étoile, sa composition et sa taille ;
- ce que le diagramme de Hertzsprung-Russell a révélé sur les propriétés des étoiles ;
- ce qui détermine le cycle de vie des étoiles ;
- comment de nouvelles étoiles et de nouvelles planètes naissent et évoluent ;
- la théorie la plus récente pour expliquer comment le système solaire s'est formé.

## Habiletés clés

Dans ce chapitre :

- tu étudieras les facteurs qui influent sur l'éclat observable des étoiles ;
- tu analyseras la relation entre la couleur des étoiles et leur température en surface ;
- tu analyseras la configuration du spectre des étoiles afin de déterminer leur composition ;
- tu interpréteras des données sur les sept principaux types d'étoiles ;
- tu élaboreras et évalueras une théorie sur la formation des étoiles et des planètes.

## Mots clés

- spectre électromagnétique
- luminosité
- étoiles doubles
- masse solaire
- séquence principale
- géantes rouges
- supergéantes
- nébuleuse
- fusion
- naine blanche
- naine rouge
- nébuleuse planétaire
- naine noire
- supernova
- étoile à neutrons
- trous noirs
- milieu interstellaire
- théorie de la nébuleuse solaire
- planètes extrasolaires

## ACTIVITÉ de départ

### Pourquoi certaines étoiles semblent-elles plus lumineuses que d'autres ?

#### Réfléchis

Est-ce que toutes les étoiles sont aussi lumineuses les unes que les autres ? Dans cette activité, tu vas découvrir les facteurs qui influent sur la luminosité apparente des étoiles. Ton groupe aura besoin de trois lampes de poche : une petite (de la taille d'un crayon) et deux plus grandes (comme des lampes de poche tout usage).

#### Ce que tu dois faire 

1. Un membre du groupe doit se placer au fond de la classe, la petite lampe de poche dans une main et une grosse lampe de poche dans l'autre main. Place-toi à l'avant de la classe. Fais l'obscurité dans la pièce et demande à l'élève qui se trouve au fond de la classe d'allumer les deux lampes de poche. Que constates-tu, si tu compares la luminosité des deux lampes ? Note tes observations par écrit.

2. Deux membres du groupe doivent se trouver côte à côte, au fond de la classe. Chacun d'entre eux doit tenir l'une des deux grosses lampes de poche. Place-toi de nouveau à l'avant de la classe. Fais l'obscurité et demande aux élèves d'allumer les lampes de poche. Note de nouveau tes observations.

3. Demande à l'une de ces personnes d'avancer vers toi pendant que l'autre reste à sa place. Compare la luminosité des deux lampes. Maintenant, demande à l'élève qui a marché vers toi de remplacer sa grosse lampe de poche par la petite lampe de poche. Cette fois-ci, que constates-tu, si tu compares la luminosité des deux lampes ? Note tes observations par écrit.

#### Qu'as-tu découvert ?

1. Quels sont les deux facteurs qui influent sur la luminosité des lampes ? Que peux-tu déduire sur la luminosité observable des étoiles ?

2. Imagine que deux étoiles, X et Y, émettent la même quantité de lumière. Toutefois, de la Terre, X semble 50 fois plus lumineuse que Y. Que peux-tu conclure sur la distance qui sépare X et Y de la Terre ?

# 14.1 Les propriétés des étoiles

Figure 14.1 Situés au sommet des montagnes, les observatoires du monde entier rassemblent et classent des données sur les étoiles et les autres objets de l'Univers. L'observatoire que l'on voit sur cette photo appartient à l'Université de Toronto. Il est situé à Las Campanas, au Chili. C'est à cet endroit que Ian Shelton a découvert la Supernova 1987.

Regarde le ciel par une nuit dégagée, quand la Lune n'est pas encore visible. Tu constateras immédiatement que toutes les étoiles ne sont pas aussi brillantes les unes que les autres. Certaines, même à l'œil nu, sont des points lumineux éblouissants, tandis que d'autres sont très pâles. Braque une paire de jumelles ou un télescope sur une petite partie du ciel. Tu verras que, tout à coup, plusieurs étoiles deviennent visibles. Tant que les scientifiques n'ont pas eu de meilleurs outils pour percevoir et enregistrer cette lumière pâle, il leur était impossible de savoir qu'il y avait autant d'étoiles.

Un télescope est un détecteur de lumière. Son miroir ou sa lentille agit comme un œil géant. Il amplifie la lumière provenant des étoiles et la concentre dans l'oculaire. Pour enregistrer plus de lumière, et rendre visible des étoiles plus pâles, on peut placer une plaque photographique à l'oculaire et utiliser des temps d'exposition très longs. (On utilise fréquemment aujourd'hui des appareils photo numériques contrôlés par ordinateur). Les astronomes en ont appris énormément sur les propriétés des étoiles grâce à leur lumière : leur luminosité, leur couleur, leur température, leur composition, leur masse et leur taille.

## « Voir » la lumière

La lumière visible, c'est-à-dire la lumière que l'œil humain perçoit, est une forme de rayonnement. Ce rayonnement est de l'énergie transmise d'un endroit à un autre par des ondes électromagnétiques. Il y a plusieurs autres types de rayonnement électromagnétique, même si nous ne pouvons pas les voir ; il y a, entre autres, les ondes radioélectriques, les micro-ondes, les rayons infrarouges, les rayons ultraviolets et les rayons X.

### Les outils de la science

La technologie moderne (comme les radiotélescopes) nous permet d'enregistrer les longueurs d'ondes de rayonnement électromagnétique invisibles. Nous pouvons ainsi détecter des objets qui étaient indétectables auparavant.

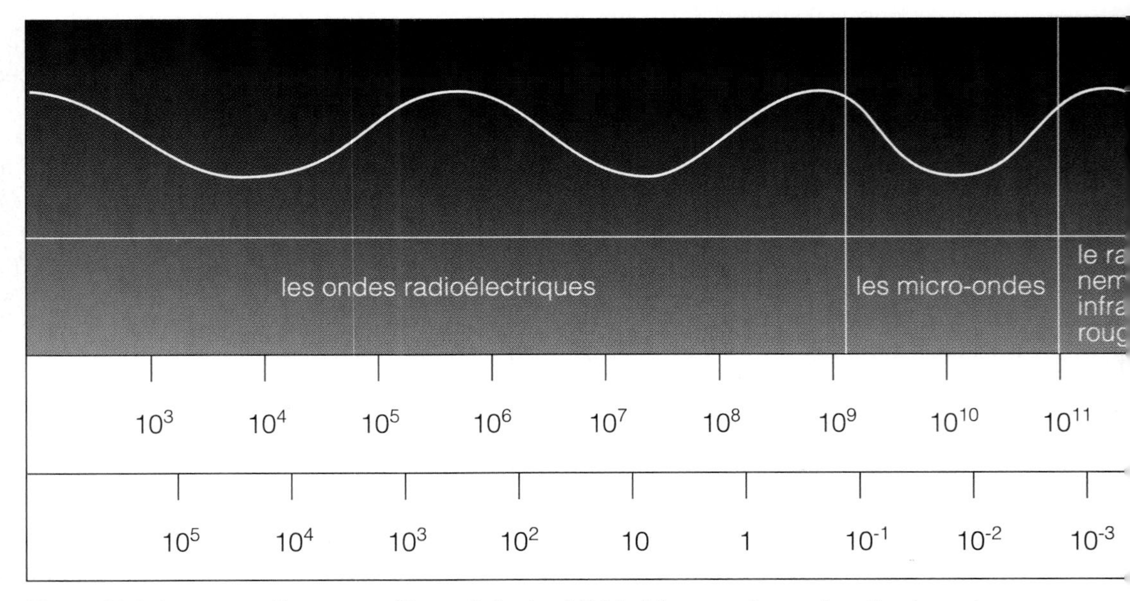


Figure 14.2 Le spectre électromagnétique. Qu'arrive-t-il à la fréquence (le nombre d'ondes qui passent en un point donné chaque seconde) à mesure que la longueur d'onde raccourcit ?

Comme le montre la figure 14.2, chaque forme de rayonnement électromagnétique a une longueur d'onde différente. Cette configuration d'ondes s'appelle le **spectre électromagnétique**.

## La luminosité des étoiles

Dans l'Activité de départ, tu as vu comment la taille et la distance influaient sur la luminosité d'un objet qui émet de la lumière. Ce principe s'applique aussi aux étoiles. Une étoile peut sembler plus lumineuse qu'une autre, soit parce qu'elle est plus grosse que l'autre étoile, soit parce qu'elle est plus proche de la Terre. Les étoiles les plus proches de la Terre ne sont pas nécessairement les plus lumineuses.

Quand les astronomes ont compris le phénomène de la distance entre les étoiles, ils se sont rendu compte que les étoiles se distinguaient aussi par leur **luminosité**. La luminosité mesure la quantité totale d'énergie qu'émet une étoile toutes les secondes. Tout comme il est utile de comparer les planètes de notre système solaire à la Terre (la planète que nous connaissons le mieux), il est aussi utile de comparer d'autres étoiles au Soleil (l'étoile que nous connaissons le mieux). Les astronomes ont découvert des étoiles qui sont au moins 30 000 fois plus lumineuses que le Soleil, alors que d'autres étoiles sont 10 000 fois moins lumineuses que le Soleil.

## La température et la composition des étoiles

La nuit, les étoiles ressemblent généralement à de petits points de lumière blanche. Mais, en réalité, leur couleur varie beaucoup. Si tu observais les étoiles avec un télescope très puissant, tu verrais que le blanc tire parfois sur le bleu ou sur le vert pâle. D'autres étoiles ont une couleur jaune ou rouge orangé.

La couleur d'une ampoule électrique ou des éléments chauffants d'un grille-pain donne des indications sur leur température en surface. C'est la même chose pour les étoiles. Une étoile jaune, comme le Soleil, est relativement chaude. Sa température en surface est d'environ 6000 °C. Une étoile rouge est relativement froide, avec une température d'environ 3000 °C. Une étoile bleue est extrêmement chaude. Sa température varie de 20 000 °C à 35 000 °C.

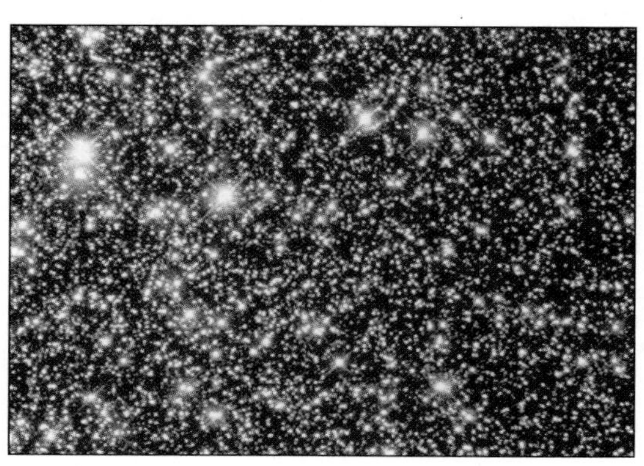

**Figure 14.3** À nos yeux, l'éclat des étoiles varie beaucoup en raison de leur luminosité et de leur distance relative par rapport à la Terre.

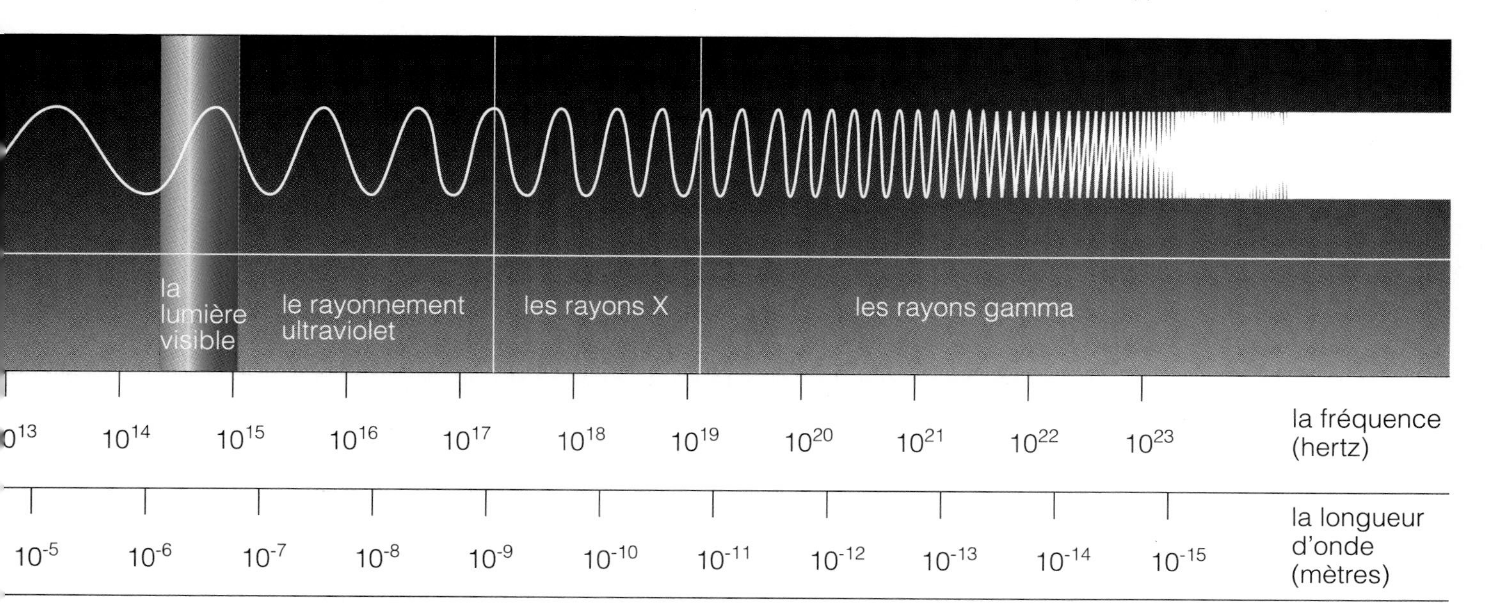

## ACTIVITÉ de liaison

### Que t'indique la couleur d'une étoile sur sa température ?

#### Réfléchis

As-tu déjà observé les éléments chauffants de ton grille-pain quand tu fais griller du pain ? Que se passe-t-il ? Le changement de couleur indique un changement de température. L'élément chaud n'a pas la même couleur que l'élément froid. Dans cette activité, une lampe électrique munie d'un gradateur de lumière (par exemple, un lampadaire ou un plafonnier) t'aidera à analyser de plus près la relation entre la température et la couleur. Tu pourras ainsi tirer des conclusions sur la relation entre la température et la couleur des étoiles.

#### Consignes de sécurité

- Quand tu utilises du matériel électrique, vérifie d'abord si les fils électriques sont en bon état et si les interrupteurs fonctionnent correctement.
- Ne touche pas aux ampoules électriques chaudes.

#### Ce que tu dois faire

1. Allume la lampe. (L'ampoule représente une étoile qui émet de la lumière.)
2. Règle le gradateur à la position maximale, mais ne regarde pas directement l'ampoule. De quelle couleur est la lumière émise ?
3. Maintenant, tourne lentement le gradateur en sens inverse. Prends note des changements de couleur que tu observes. Note surtout la couleur de l'ampoule quand le gradateur est à la position la plus basse.

#### Qu'as-tu découvert ?

1. Quand le gradateur était à la position la plus basse, pourquoi la lumière était-elle d'une couleur différente de celle qu'elle avait lorsque le gradateur était à la position maximale ?
2. Formule un énoncé sur la relation entre la température d'une source lumineuse et la couleur de la lumière émise.

Mais la couleur ne nous renseigne pas uniquement sur la température d'une étoile. L'analyse de la lumière d'une étoile nous donne aussi des indications sur la composition de l'étoile. Pour analyser la lumière de cette façon, les astronomes utilisent un spectroscope, c'est-à-dire un mécanisme optique qui décompose la lumière en un spectre (des raies de couleur), comme un prisme décompose la lumière blanche en révélant les couleurs de l'arc-en-ciel. Toutefois, des raies noires se glissent dans le spectre d'une étoile. Ces bandes indiquent que certaines longueurs d'ondes de lumière ont disparu et qu'elles ont été absorbées par les gaz qui composent l'atmosphère de l'étoile. Chaque élément (hydrogène, hélium, mercure, calcium et bien d'autres encore) laisse sa trace unique de raies noires, comme un code à barres, sur un spectre. Le résultat ? La configuration du spectre indique les éléments qui composent l'atmosphère d'une étoile. Les astronomes ont utilisé cette information ainsi que la couleur de base des étoiles et leur température pour classer les étoiles.

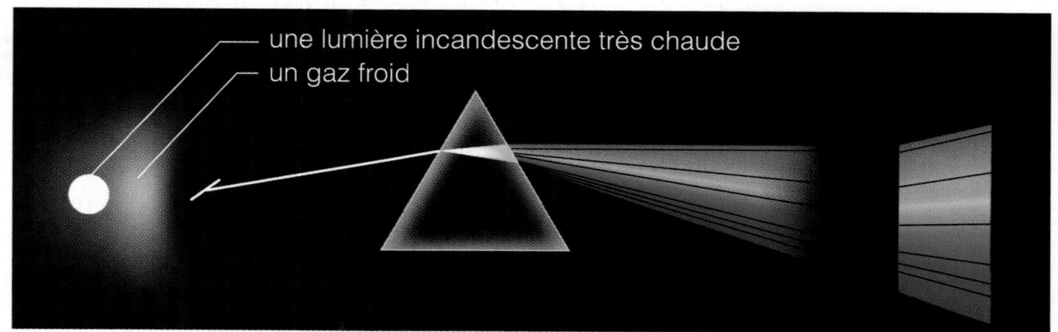


**Figure 14.4** Vue simplifiée de la façon dont un spectroscope produit la configuration du spectre de l'hydrogène.

RÉFLÉCHIS ET FAIS DES LIENS 14-A

# Chimie à distance : analyse la configuration du spectre pour connaître la composition d'une étoile

## Réfléchis

Dans cette activité, tu vas appliquer la méthode que les astronomes utilisent pour détecter la composition chimique d'une étoile. Tu examineras le spectre simplifié de cinq éléments chimiques connus et tu utiliseras cette information pour interpréter la composition du Soleil et de trois étoiles mystères.

## Ce que tu dois faire

1. La figure ci-dessous présente la configuration du spectre de cinq éléments. Étudie ces spectres afin de te familiariser avec leur configuration.
2. Examine le spectre du Soleil et de trois étoiles mystères. Aligne les raies spectrales avec une règle, compare la configuration du spectre des éléments connus à celle du Soleil et des trois étoiles mystères. Réponds ensuite aux questions ci-contre.

## Analyse

1. Quels sont les éléments qui composent le spectre du Soleil ?
2. Deux étoiles mystères contiennent du calcium. Lesquelles ?
3. Quelle étoile mystère contient du Na ?
4. Une seule étoile mystère contient du Hg. Laquelle ?
5. Quelle est l'étoile mystère dont la composition ressemble le moins à celle du Soleil ?
6. En un paragraphe, décris brièvement comment on peut « lire » la composition d'une étoile en analysant la configuration de son spectre.

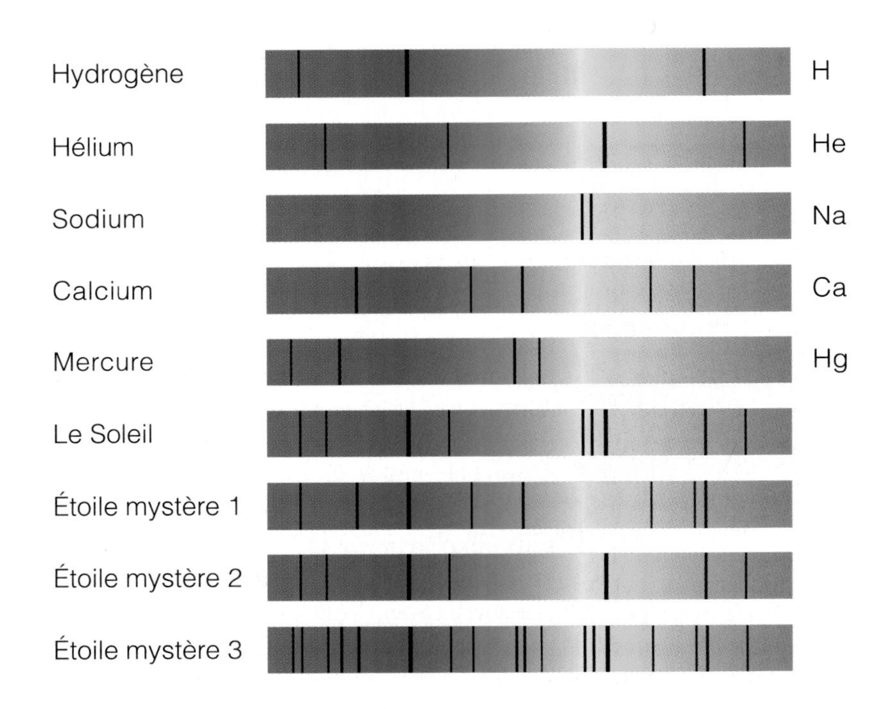

**Figure 14.5** Les étoiles doubles donnent aux astronomes l'information dont ils ont besoin pour calculer la masse des étoiles. Cette planète imaginaire a deux soleils.

## La taille et la masse des étoiles

Les astronomes ont découvert qu'ils pouvaient calculer la taille ou le rayon d'une étoile quand ils connaissaient sa luminosité et sa température. (La luminosité peut être mesurée grâce à un instrument qui rappelle le posemètre utilisé par les photographes.) Il semble donc que les étoiles n'ont pas toutes la même taille. Il y a des étoiles naines qui mesurent 0,10 fois le rayon du Soleil et des étoiles géantes qui mesurent plus de 1000 fois le rayon du Soleil.

Il était impossible de déterminer la masse des étoiles jusqu'à ce qu'on découvre que plus de la moitié des étoiles que nous voyons de la Terre sont des **étoiles doubles**, c'est-à-dire deux étoiles en orbite l'une autour de l'autre. En connaissant la grandeur de l'orbite des étoiles doubles et le temps que les deux étoiles prennent pour compléter une orbite, les astronomes ont finalement pu calculer la masse des étoiles.

La masse des étoiles s'exprime généralement en **masse solaire.** Le Soleil correspond à une masse solaire de 1. La masse des autres étoiles va de 0,08 à plus de 100 masses solaires.

## Le diagramme de Hertzsprung-Russell

À mesure que les astronomes approfondissaient leurs connaissances sur les propriétés des étoiles, ils essayaient de découvrir certaines tendances. Comme tu le sais, placer des données sur un diagramme peut être une façon de découvrir des tendances. Dans les années 1920, deux astronomes, Ejnar Hertzsprung et Henry Norris Russell ont enregistré la luminosité et la température de plusieurs milliers d'étoiles. Leur diagramme indiquait la couleur des étoiles (classée du bleu au rouge) sur l'abscisse et la luminosité des étoiles sur l'ordonnée. À l'aide de ce diagramme, appelé diagramme de Hetzsprung-Russell (H-R), les astronomes ont découvert qu'il existait plusieurs types d'étoiles.

La figure 14.7 montre un diagramme H-R. Tu as déjà appris que la couleur d'une étoile permet de connaître sa température. C'est pour cela que l'abscisse va de la plus basse à la plus haute température. Le diagramme original ne montrait que des points, alors que cette version te permet de voir les différents types d'étoiles. Partant du haut, à gauche, jusqu'en bas, à droite, se trouve la **séquence principale**, qui contient 90 % de toutes les étoiles connues. Quelques étoiles sont illustrées, pour montrer que les étoiles de ce groupe vont des étoiles bleues, très grandes, très brillantes et très chaudes, jusqu'aux étoiles rouges, petites et pâles. Notre Soleil se trouve près du milieu. Avant de comprendre le diagramme H-R, les astronomes ont dû en apprendre davantage sur les étoiles. L'étape suivante fut de découvrir que la luminosité et la température des étoiles de la séquence principale dépend de leur masse.

**Figure 14.6** Cette exposition de 20 minutes montre le lever d'Orion. Remarque les différentes couleurs. Sur la gauche, on trouve Bételgeuse, une géante froide. En bas, à droite, se trouve Rigel, étoile blanc bleuté, très brillante et très chaude. Alors que les étoiles les plus brillantes forment la constellation, Orion contient de nombreuses étoiles plus pâles.

Qu'en est-il des 10 % d'étoiles qui ne font pas partie de la séquence principale ? Hetzsprung et Russell ont trouvé des étoiles qui étaient à la fois moins chaudes que les autres et très brillantes. Ils les ont placées au-dessus de la séquence principale. Repère ces **géantes rouges** et ces **supergéantes** sur le diagramme et note leur taille. Ils ont aussi remarqué quelques étoiles très chaudes, bien que peu brillantes. Où se trouvent-elles sur le diagramme ? Comment les appelle-t-on ?

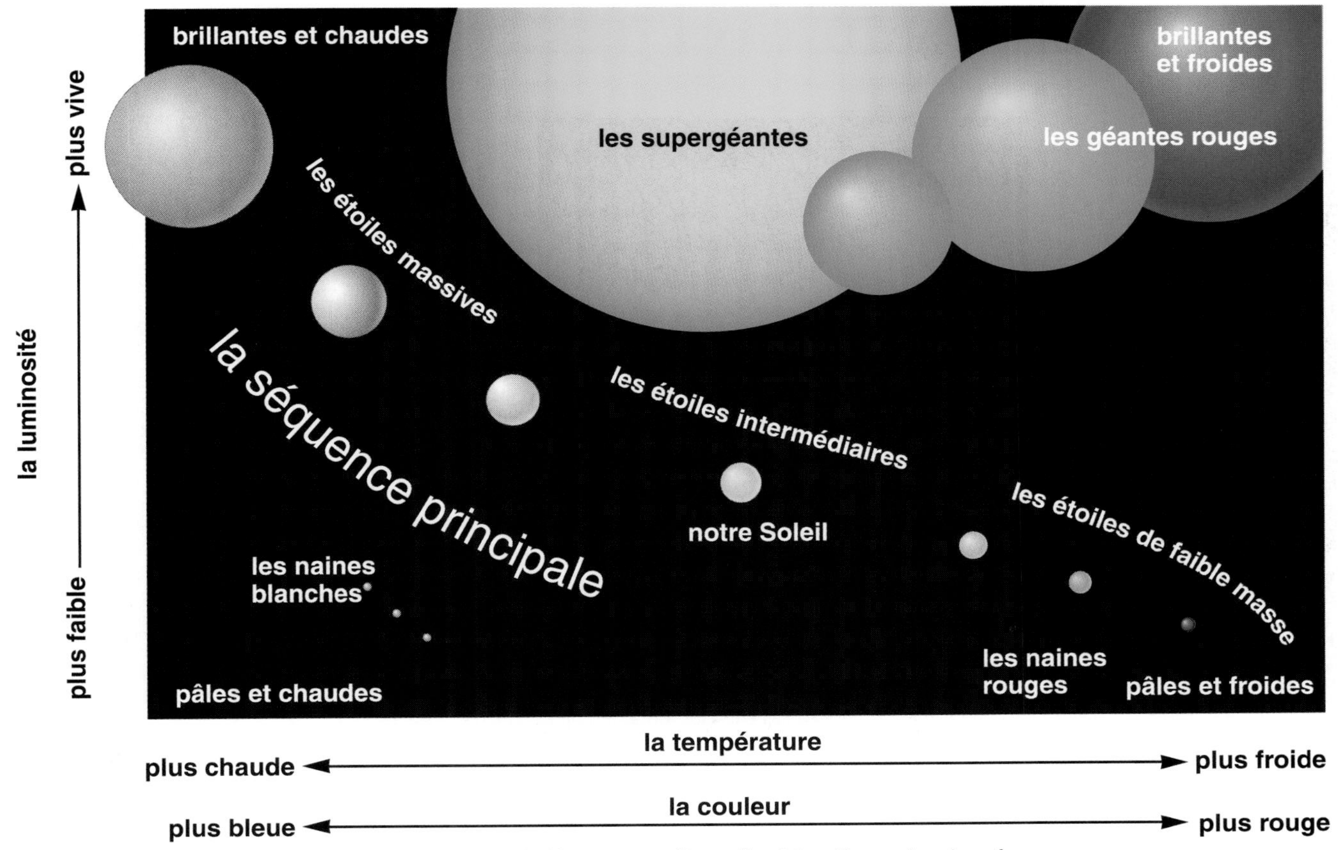


**Figure 14.7** Cette version simplifiée du diagramme de Hertzsprung-Russell est fondée sur les données recueillies sur des milliers d'étoiles. Le diagramme montre qu'il y a un lien évident entre la couleur d'une étoile, sa température, sa luminosité et sa masse. Une fois que les astronomes ont reconnu ce modèle, ils se sont rendu compte que les étoiles n'étaient ni immuables ni éternelles. Comme tu le découvriras dans la section 14.2, les étoiles ont un cycle de vie défini et prévisible.

Les astronomes se sont interrogés sur la nature des étoiles n'appartenant pas à la séquence principale. S'agit-il d'étoiles spéciales, plus rares et qui se seraient formées de façon différente ? Pourrait-il s'agir d'étapes par lesquelles les étoiles de la séquence principale doivent passer au cours de leur existence ? Tu découvriras à la section 14.2 les théories des astronomes sur la formation et l'évolution des étoiles.

## Vérifie ce que tu as compris

1. Rédige une définition de la luminosité. Pourquoi la luminosité est-elle si importante ?
2. Quels sont les deux facteurs expliquant pourquoi une étoile peut sembler plus brillante qu'une autre étoile ?
3. Une photo en couleurs du ciel montrerait que les étoiles ne sont pas toutes de la même couleur. Comment la couleur d'une étoile peut-elle te renseigner sur sa température ?
4. Quel instrument un astronome utilise-t-il pour analyser le spectre d'une étoile ? Qu'est-ce que t'indique le spectre d'une étoile ?
5. Qu'est-ce que le diagramme de Hertzsprung-Russell ? Pourquoi ce diagramme est-il si important pour la recherche en astronomie ?
6. **Réflexion critique** Pourquoi une étoile froide pourrait-elle sembler plus brillante qu'une étoile chaude ?

## 14.2 L'évolution des étoiles

**Figure 14.8** La nébuleuse de l'Aigle.

Selon les lois de la gravitation de Newton, il existe une force d'attraction gravitationnelle entre toutes les masses. Plus les objets sont proches, plus cette force est grande. Par exemple, si deux pommes tombent loin l'une de l'autre dans l'espace, elles vont s'attirer et, finalement, s'agglutiner. Deux atomes d'hydrogène se comporteraient de la même façon parce que ces atomes ont aussi une masse (même si cette masse est minuscule par rapport à la masse d'une pomme qui, elle, se compose de milliards et de milliards d'atomes).

La gravité agit sur tout, toujours. La gravité est la force qui non seulement participe à la création des étoiles, mais qui, en fin de compte, provoque leur mort. La figure 14.9 illustre l'évolution de différents types d'étoiles. Consulte cette figure en lisant cette section.

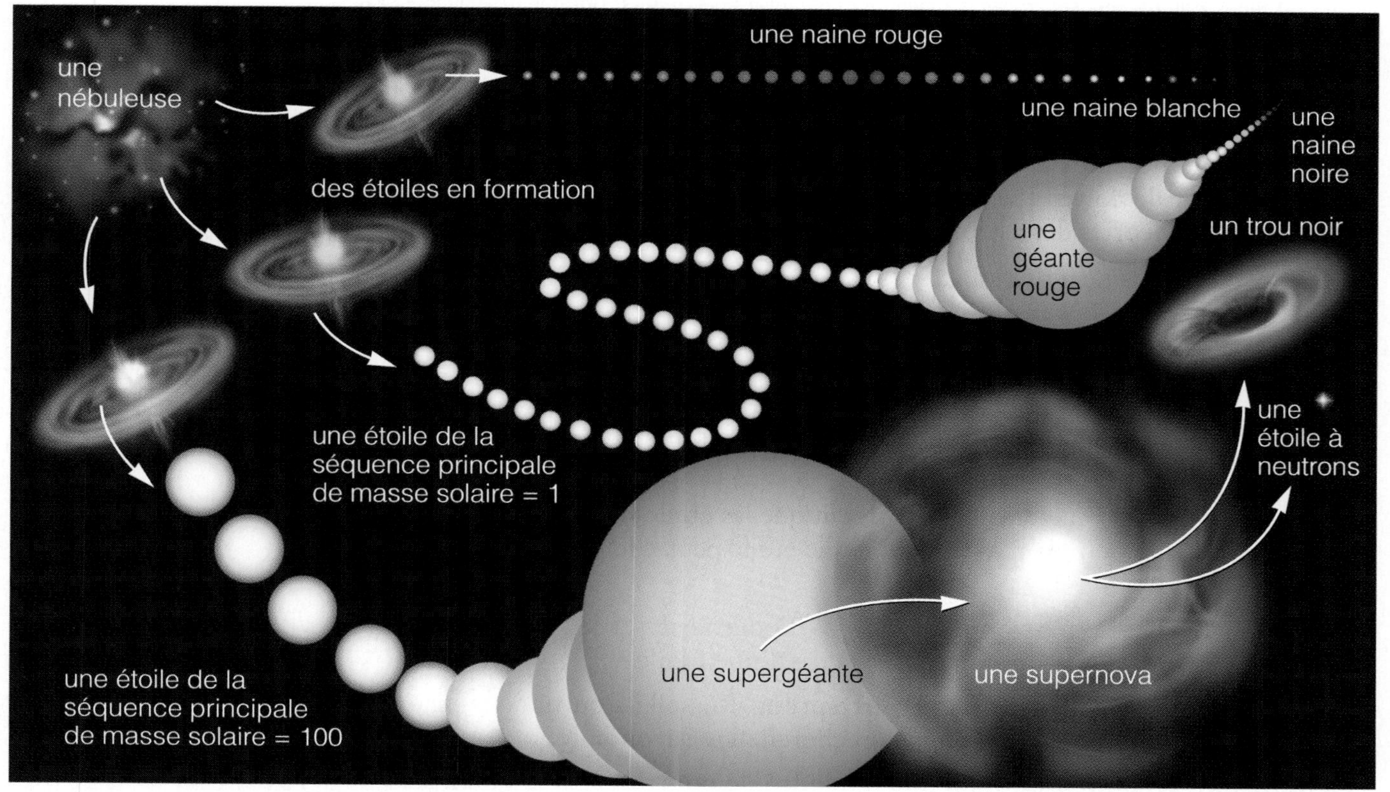


**Figure 14.9** Les étapes du cycle de vie des étoiles.

## Les nébuleuses

Les astronomes supposent que les vastes nuages de gaz et de poussière qu'on appelle **nébuleuses** sont le lieu de naissance des étoiles. C'est dans ces nuages que la force de gravité commence à amalgamer les matières interstellaires. L'accumulation de gaz provoque une augmentation de la température au centre du nuage. Quand la température atteint environ 10 000 000 °C, cette chaleur provoque la **fusion** de l'hydrogène (les noyaux de l'hydrogène fusionnent pour former de l'hélium) et une étoile naît.

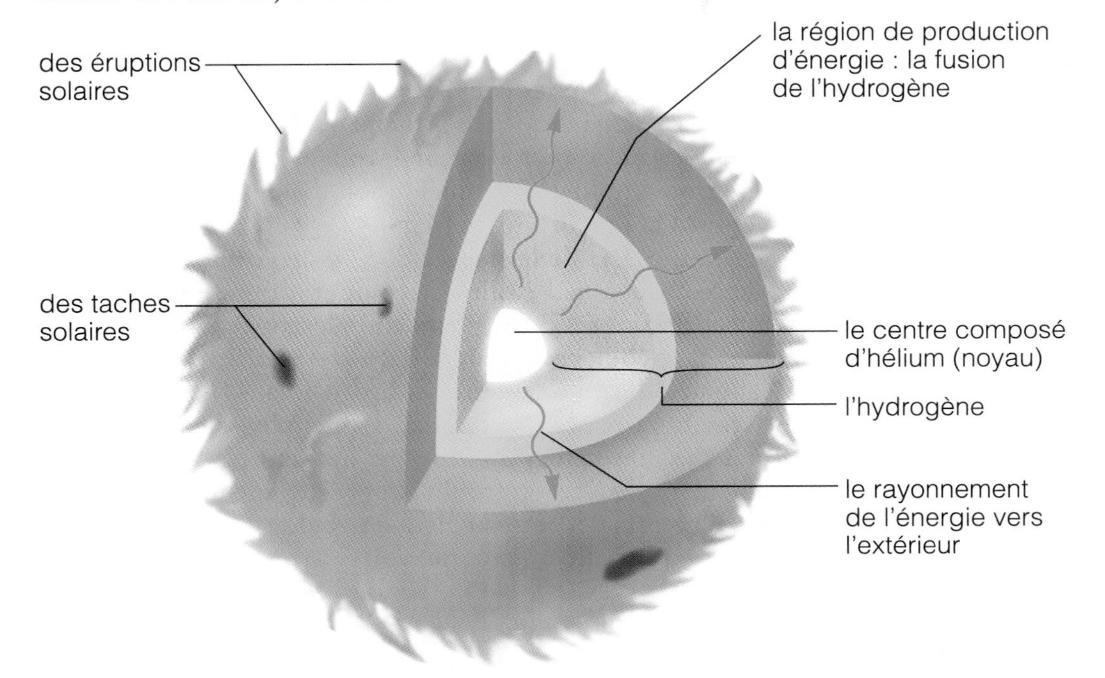


**Figure 14.10** La fusion a lieu dans le noyau des étoiles. Dans ce noyau, la température et la pression sont suffisamment élevées pour que les atomes d'hydrogène fusionnent pour former de l'hélium. En raison de la température élevée, les atomes d'hydrogène ont tellement d'énergie qu'ils s'entrechoquent. Leur fusion dégage de l'énergie qui fait briller les étoiles.

**Le savais-tu ?**

La fusion provoque la création de nouveaux éléments à partir du carburant initial. Quand deux atomes fusionnent, leur masse n'est pas conservée (comme lors d'une réaction chimique). La masse manquante est convertie en énergie. La quantité d'énergie que peut produire une masse donnée se calcule grâce à la célèbre équation $E = mc^2$. C'est l'énergie que l'étoile dégage sous forme de chaleur et de rayonnement.

## Les étoiles de la séquence principale

Au cours du processus de fusion, l'hydrogène brûle. L'hélium s'accumule au milieu de l'étoile, comme les cendres d'un feu. L'intérieur de l'étoile continue de se réchauffer, augmentant ainsi la pression et la température. L'attraction gravitationnelle vers le centre contrebalance ces forces. C'est pourquoi l'étoile est stable. Ce processus s'applique à toutes les étoiles de la séquence principale, y compris notre Soleil. La durée de la phase stable de la séquence principale, c'est-à-dire le temps qui s'écoule avant que l'étoile passe à une autre phase, dépend de la masse de l'étoile.

## Les étoiles de faible masse (naines rouges)

Les étoiles de faible masse (les **naines rouges**) brûlent lentement l'hydrogène qu'elles contiennent. Cette combustion peut durer jusqu'à 100 milliards d'années. Durant cette période, elles perdent une masse substantielle. À la fin, il ne reste plus que des étoiles **naines blanches**, très pâles.

## Les étoiles de masse intermédiaire

La première naine blanche qu'on a découverte était une compagne de Sirius, l'étoile la plus brillante dans le ciel nocturne. Sirius B est 10 000 fois plus pâle que Sirius. Sa température en surface est de 32 500 °C et elle mesure les trois quarts de la taille de la Terre. Une cuillère à café de matériaux prélevés sur cette naine blanche pèserait plus de 15 t.

Les étoiles de masse intermédiaire (comme le Soleil) brûlent leur hydrogène un peu plus vite que leurs voisines de faible masse, sur une période d'environ 10 milliards d'années. Quand il n'y a plus d'hydrogène dans le noyau d'une de ces étoiles, la production d'énergie cesse et le noyau reprend son effondrement gravitationnel. À mesure que le noyau se contracte, la température augmente et les couches extérieures de l'étoile prennent de l'expansion. À la fin de cette phase, l'étoile peut atteindre de 10 à 100 fois son diamètre initial. Quand la température du noyau atteint 100 000 000 °C, le processus de fusion de l'hélium débute, pour former du carbone.

Parce que l'étoile a tellement grossi, les couches extérieures sont beaucoup plus froides que pendant la phase de la séquence principale. C'est pourquoi l'étoile semble rouge, ce qui lui vaut le nom de géante rouge. Notre Soleil traversera cette phase dans environ 5 milliards d'années. Son diamètre dépassera alors ce qui correspond aujourd'hui à l'orbite de Mars.

Les vents stellaires éjectent les gaz de la surface de l'étoile et finissent par découvrir la région intérieure chaude de l'étoile. Le résultat est une **nébuleuse planétaire**, objet nébuleux et flou ressemblant (dans un télescope) à une planète comme Neptune. Toutefois, les nébuleuses planétaires n'ont rien à voir avec les planètes. Avec le temps, une nébuleuse planétaire se disperse dans l'espace. Ses restes se refroidissent lentement et perdent leur éclat. La nébuleuse planétaire devient alors une naine blanche. Les naines blanches ne peuvent pas devenir plus petites. Leur noyau extrêmement dense se refroidit progressivement, pendant des milliards d'années. Dans la phase finale, cette ancienne nébuleuse planétaire n'est plus qu'une masse sombre qu'on appelle une **naine noire.**

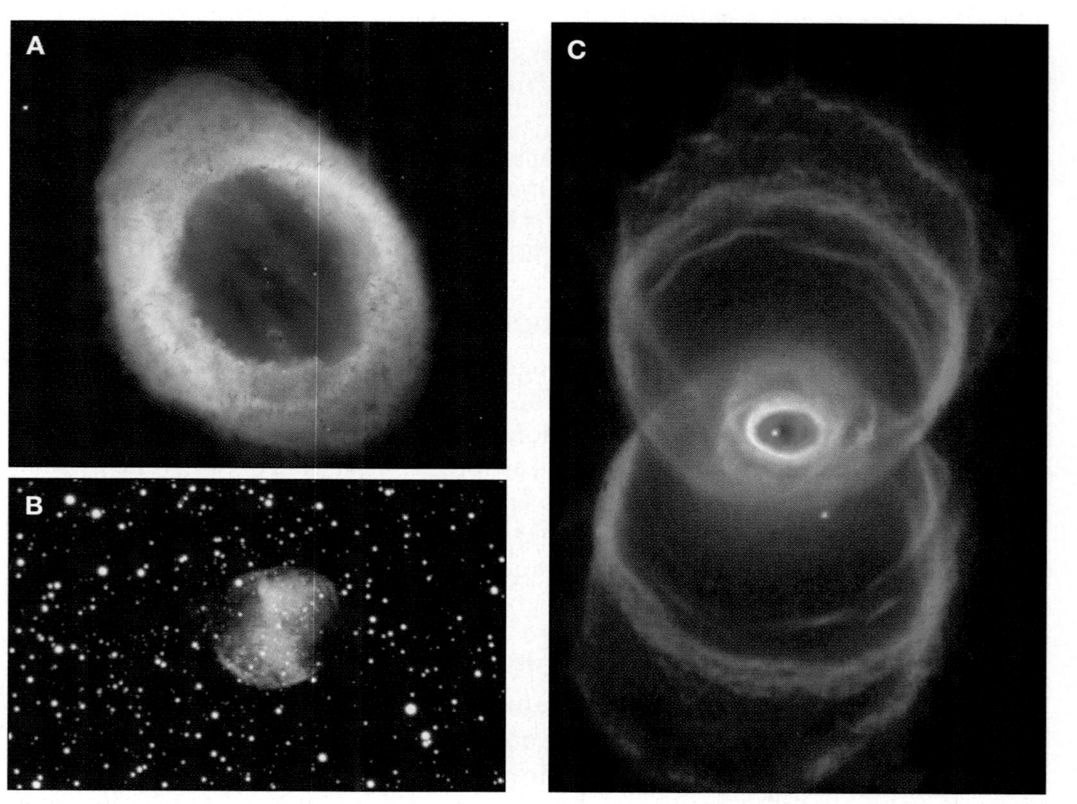


**Figure 14.11** A) La nébuleuse annulaire de la Lyre est un bon exemple de nébuleuse planétaire. B) La nébuleuse Dumb-bell et C) la nébuleuse du Sablier en sont aussi de bons exemples. On a découvert plus de 1500 nébuleuses planétaires. Chacune d'elles est énorme et mesure plusieurs fois la taille du système solaire.

## Les étoiles massives

Les étoiles massives brûlent leur hydrogène très rapidement. Leur noyau devient si chaud que les atomes d'hélium fusionnent et se transforme en éléments plus lourds. La quantité d'énergie ainsi libérée est si grande que l'étoile devient une supergéante.

À l'échelle stellaire, l'évolution des étoiles massives est extrêmement rapide. Par exemple, une étoile de la séquence principale de 25 masses solaires brûlera l'hydrogène de son noyau pendant 7 millions d'années seulement (contre 10 milliards d'années pour le Soleil). La phase de combustion de l'hélium de cette étoile durera 500 000 ans uniquement. Mais l'étape de l'évolution du noyau la plus impressionnante est le moment où le silicium se transforme en fer. Ce processus ne dure qu'une seule journée.

### Les supernovas

Les étoiles massives ont des vies courtes, éclatantes et riches en énergie. Mais leur fin est encore plus spectaculaire. Quand le noyau ferreux est formé, il n'y a plus de fusion pour contrebalancer la force de gravité et le noyau s'effondre. Quelques heures plus tard, une immense onde de choc se répercute sur la surface de l'étoile, ce qui provoque une grosse explosion, ou une **supernova**, comme celle que l'astronome canadien Ian Shelton a vue en 1987.

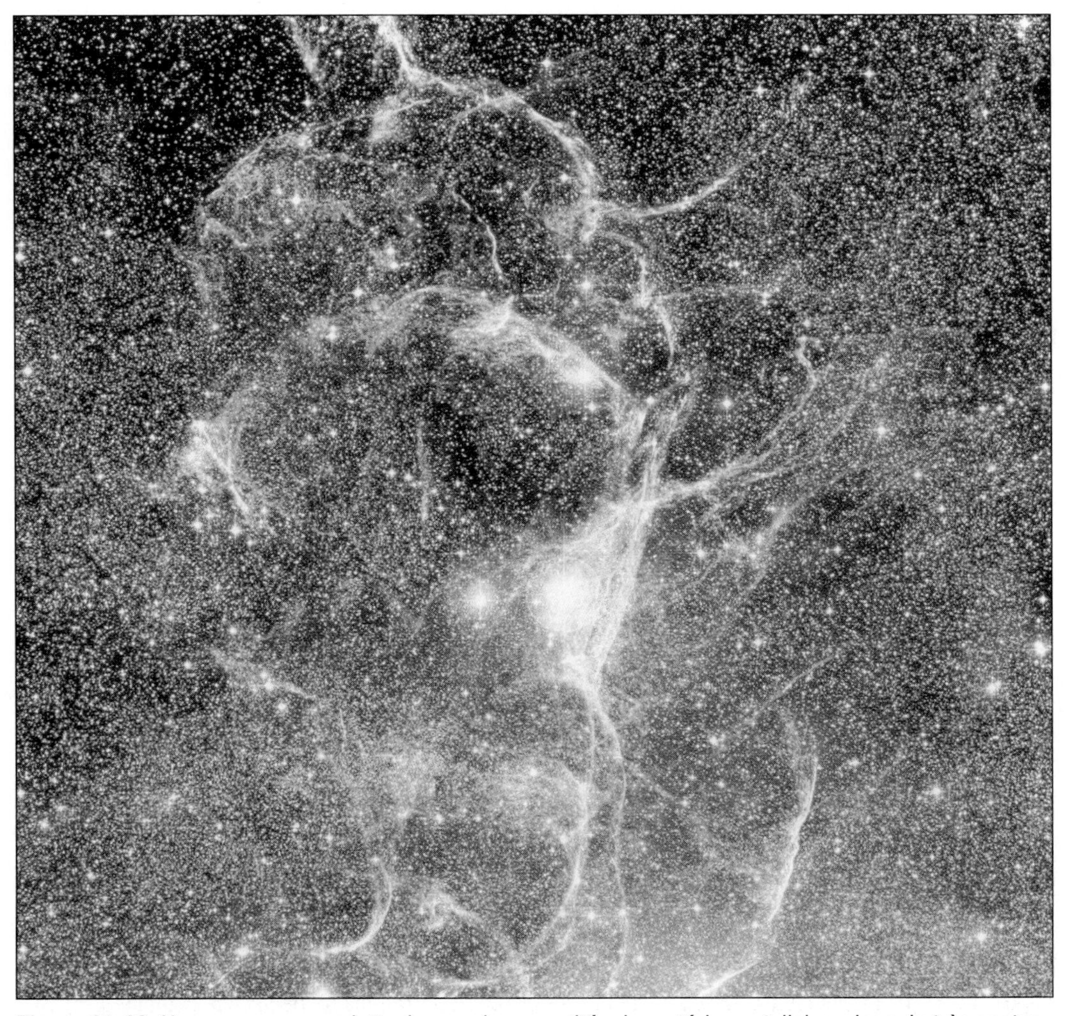

**Figure 14.12** Une supernova projette de grandes quantités de matériaux stellaires dans de très vastes régions de l'espace. Comme le montre cette image de la nébuleuse de la constellation des Voiles, l'effet est éblouissant.

**LIEN** *terminologique*

De quel terme latin le mot « nébuleuse » dérive-t-il ? Qu'est-ce que signifie ce terme latin ? D'après cette définition, pourquoi le mot « nébuleuse » est-il bien choisi pour décrire un type particulier de phénomènes astronomiques ? Dans quel sens le terme « nébuleux» s'emploie-t-il en français ? Utilise-le dans une phrase.

**Pause réflexion**

Au départ, les restes d'étoiles à partir desquels les nébuleuses planétaires se forment sont très lumineux et ont des températures élevées en surface. D'après toi, dans quelle région du diagramme de H-R ces étoiles se trouvent-elles ? Trace un schéma du diagramme dans ton journal scientifique et indique, approximativement, l'endroit où tu placerais les restes d'étoiles.

RÉFLÉCHIS ET FAIS DES LIENS 14-B

# Interprète les données sur les étoiles de la séquence principale

## Réfléchis

Le classement des étoiles en fonction des températures en surface et de la configuration du spectre est un processus fastidieux auquel doivent participer plusieurs scientifiques œuvrant dans des centaines d'observatoires à travers le monde. Afin de classer plus facilement les différents types d'étoiles de la séquence principale, on a dressé une série de grandes catégories. On a appelé ces types d'étoiles O, B, A, F, G, K et M.

## Ce que tu dois faire

Tu trouveras, dans le tableau ci-dessous, sept types d'étoiles de la séquence principale. Utilise cette information, ainsi que ce que tu sais déjà sur l'évolution des étoiles, pour répondre aux questions.

## Analyse

1. Dans le tableau, quel type d'étoile est une naine rouge ? Explique ta réponse.
2. Quel type d'étoile ressemble le plus au Soleil ? Explique ta réponse.
3. Quels types d'étoiles sont susceptibles de devenir des supernovas ? Pourquoi ? Combien de temps faudra-t-il attendre pour que ces étoiles deviennent des supernovas ?
4. S'il y avait des planètes en orbite autour des étoiles de type A, la vie telle que nous la connaissons pourrait-elle se développer sur ces planètes ?
5. Notre Soleil est à mi-chemin de sa vie sur la séquence principale. Si les étoiles des sept types d'étoiles s'étaient formées en même temps que le Soleil, lesquelles pourrions-nous observer aujourd'hui ?

| Type d'étoile | Couleur | Température en surface (°C) | Masse (Soleil = 1) | Luminosité (Soleil = 1) | Durée de vie sur la séquence principale (années) |
|---|---|---|---|---|---|
| O | bleu | 35 000 | 40 | 405 000 | 1 million |
| B | blanc bleuté | 21 000 | 15 | 13 000 | 11 millions |
| A | blanc | 10 000 | 3,5 | 80 | 440 millions |
| F | blanc jaunâtre | 7 500 | 1,7 | 6,4 | 3 milliards |
| G | jaune | 6 000 | 1,1 | 1,4 | 8 milliards |
| K | orange | 4 700 | 0,8 | 0,46 | 17 milliards |
| M | rouge | 3 300 | 0,5 | 0,08 | 56 milliards |

### Les étoiles à neutrons

Après l'étape de la supernova, l'étoile peut suivre deux chemins différents, selon sa masse. Si le noyau restant de la supernova a une masse correspondant à environ 1,4 à 3 masses solaires, la gravité du noyau est encore capable d'écraser les restes et de former un petit objet extrêmement dense de 10 ou 20 km de diamètre qu'on appelle **étoile à neutrons**. L'existence de cet état extrême de la matière est resté une hypothèse pendant longtemps. Mais en 1967, grâce aux radiotélescopes, les astronomes ont détecté des impulsions radio émises par des objets qui tournaient rapidement qu'on a appelé « pulsars ». Ces objets étaient des étoiles à neutrons dont on supposait déjà l'existence.

### Les trous noirs

Les noyaux d'une supernova de trois masses solaires ou plus ont une fin encore plus étonnante. On pense que ces noyaux forment des **trous noirs**, c'est-à-dire des objets si compacts et si denses que même la lumière ne peut s'en échapper. Les trous noirs sont la conclusion la plus extrême du travail de la force de gravité dans l'évolution stellaire.

**Le savais-tu ?**

À seulement quelques exceptions près, les étoiles massives produisent tous les éléments chimiques que tu connais dans le tableau périodique. Ces « usines à éléments » utilisent l'hydrogène comme matière première et transforment l'hydrogène en hélium, en carbone, en néon, en oxygène, en silicium, en fer et ainsi de suite. Les vents stellaires et les supernovas sont les distributeurs de ces produits, qu'ils dispersent dans l'espace.

## Vérifie ce que tu as compris

1. À quelle température la fusion s'effectue-t-elle ? Dans quelle partie de l'étoile la fusion a-t-elle lieu ? Pourquoi ?
2. À partir de quels matériaux les étoiles se forment-elles ?
3. Quelle force est active en tout temps, de la création d'une étoile jusqu'à sa fin ?
4. Qu'est-ce qui fait qu'une étoile devient une géante rouge ?
5. Quelle propriété des étoiles a le plus d'effet sur l'état de ces étoiles à la fin de leur vie ? Pourquoi ?
6. Qu'est-ce qu'une naine blanche et comment se forme-t-elle ?
7. **Réflexion critique** La répulsion électrique entre les électrons éloigne les atomes, même si la force de gravité des atomes essaie de les rapprocher. C'est ce qui donne à la matière (les roches, l'eau, un bureau) sa taille et sa densité. Mais si une masse suffisante s'accumule, la force combinée de la gravité peut excéder les forces de répulsion électriques et la force nucléaire. L'objet peut alors se contracter et devenir beaucoup plus petit. Quelles sont les deux étapes finales du cycle de vie des étoiles massives qui peuvent résulter de ce processus ? Lequel de ces états exige la masse la plus grande ?

## D'un océan à l'autre

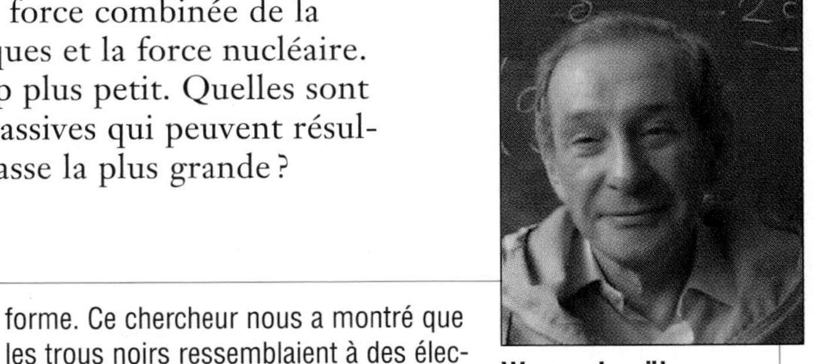

Werner Israël

Werner Israël étudie les trous noirs, ces gigantesques zones de masse où la gravité est inimaginable et qui absorbent tout ce qui passe à leur portée. Un objet qui est absorbé par un trou noir n'en ressort jamais, même la lumière.

Werner Israël est physicien et cosmologiste. Il étudie les orbites et l'intérieur des trous noirs pour savoir ce qui s'y passe et de quoi se compose le noyau des trous noirs. Professeur à la retraite, il poursuit ses recherches à l'Université de Victoria, en Colombie-Britannique. En 1994, il a remporté le prestigieux prix Killam décerné aux professeurs émérites.

Grâce à sa solide formation en mathématiques le professeur Israël nous a fait découvrir que les trous noirs étaient les gros objets les plus simples de l'Univers : leur composition est uniforme. Ce chercheur nous a montré que les trous noirs ressemblaient à des électrons (qui sont aussi très simples) et sont donc loin d'être aussi complexes que les étoiles. Une formule mathématique permet de calculer la masse d'un trou noir.

Le père de Werner Israël s'est aperçu très tôt que son fils était fasciné par l'astronomie. Il a donc encouragé son fils à en savoir plus. Un jour, il est arrivé à la maison avec une encyclopédie. Dans ces volumes, le jeune Werner a trouvé les réponses à nombre de ses questions. Aujourd'hui, il attribue aussi sa carrière scientifique à un ancien professeur de mathématiques, Samuel Kewes, dont la perspicacité était source d'inspiration pour ses élèves.

# 14.3 La formation des étoiles

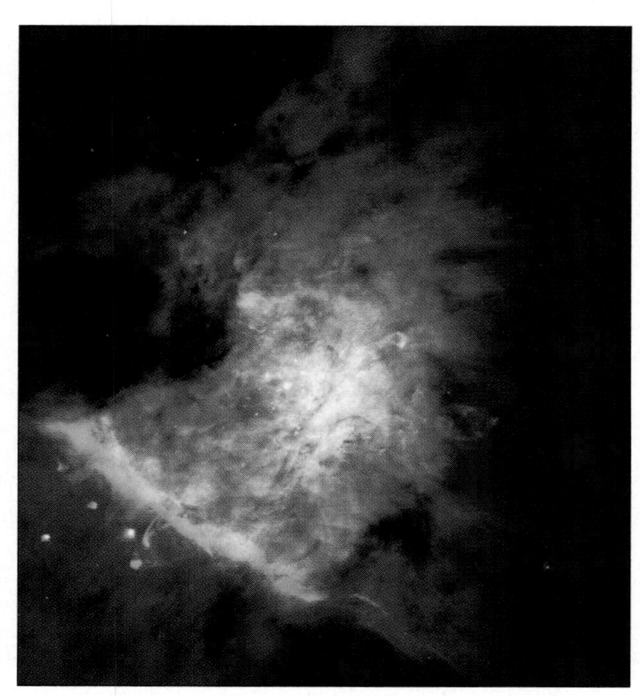

**Figure 14.13** Dans la nébuleuse d'Orion, le milieu interstellaire contient une zone de gaz alimentée par des étoiles bleues très brillantes. C'est pourquoi la nébuleuse irradie des couleurs spectrales qui la distinguent.

Pendant longtemps, on a cru que l'espace entre les étoiles, le **milieu interstellaire**, était vide. En fait, comme tu l'as appris dans la section précédente, les vents stellaires, les nébuleuses planétaires et les supernovas remplissent l'espace d'énormes quantités de gaz et de poussière. Ces matériaux enrichissent le milieu interstellaire et sont des ingrédients essentiels pour produire de nouvelles étoiles. Mais que se passe-t-il exactement pour que ces matériaux deviennent une étoile ? Tu vas explorer cette question dans cette section.

Dans le chapitre 13, tu as appris qu'il a fallu des siècles d'observations et d'élaborations de théories pour que les astronomes arrivent au modèle actuel du système solaire. Les théories et les modèles sur la formation des étoiles sont beaucoup plus récents. Ils s'appuient sur les nouvelles technologies qui permettent de faire les observations nécessaires. En l'espace de 50 ans seulement, nous avons fait des pas de géant : la formation des étoiles n'est plus aussi mystérieuse. Mais le processus essentiel qui consiste à élaborer des théories, à vérifier les prévisions et à adapter le modèle se poursuit. Dans cette section, tu suivras le même processus. Tu feras des recherches pour élaborer et vérifier une théorie sur la formation des étoiles.

**Figure 14.14** Dans la nébuleuse de la Tête-de-cheval, le milieu interstellaire ressemble à des nuages sombres qui obscurcissent notre vision.

**Figure 14.15** Le milieu interstellaire se compose surtout d'hydrogène (75 %) et d'hélium (24 %). On trouve aussi d'autres éléments en infimes quantités, comme du carbone, de l'azote, de l'oxygène ainsi que de la poussière riche en carbone et en silicate. De nouvelles technologies, comme le satellite astronomique à infrarouge (IRAS), permettent aux astronomes de voir à travers ce milieu nuageux, directement dans les régions où les étoiles se forment, tel qu'on le voit sur l'image ci-dessus.

de liaison

## SOFIA : l'observatoire stratosphérique pour l'astronomie à infrarouge

La NASA et l'agence spatiale allemande, la DLR, travaillent en étroite collaboration pour créer SOFIA, un Boeing 747-SP modifié qui transportera un télescope réflecteur de 2,5 m. SOFIA sera le plus grand télescope aéroporté du monde et fera des observations que même les plus grands et les plus hauts télescopes terrestres ne peuvent réaliser. L'appareil sera basé près de Mountain View, en Californie.

### Ce que tu dois faire

1. Fais des recherches sur la technologie infrarouge et sur le programme SOFIA (va à la bibliothèque et consulte Internet).
2. Présente tes résultats dans un rapport écrit d'une page.

### Qu'as-tu découvert ?

1. Qu'est-ce que la technologie infrarouge ?
2. Explique comment la technologie infrarouge nous permet de voir ce qui n'est pas visible, même avec un télescope. Fais des croquis ou joins des photographies pour appuyer ton explication.

# Mets-toi dans la peau d'un scientifique : élabore une théorie sur la formation des étoiles

Les scientifiques aiment résoudre des problèmes. Ils essaient de savoir comment ce qui nous entoure fonctionne et pourquoi les choses sont ce qu'elles sont. Les réponses soulèvent souvent de nouvelles questions.

## Problème à résoudre

Tu sais que l'espace entre les étoiles n'est pas vide mais plein de nuages de gaz et de poussière. Tu sais aussi que la force de gravité est constamment en action. De plus, tu connais le rôle essentiel de la fusion dans l'évolution des étoiles. À l'aide de tous ces renseignements, trouve le secret de la formation des étoiles.

Cette énigme a deux parties. Premièrement, tu devras élaborer un modèle pour la théorie de la formation des étoiles. Deuxièmement, tu utiliseras cette théorie pour étudier la relation éventuelle entre la formation des étoiles et la formation d'autres objets célestes.

### Matériel

un cahier

un crayon

## Marche à suivre

Divise une page de ton cahier en six carrés. Numérote chaque carré comme sur la figure ci-contre. Ensuite, dans chaque carré, trace rapidement un croquis en suivant les instructions des étapes 1 à 6. Réponds à toutes les questions. Les six croquis constitueront ton modèle de la formation des étoiles. Sous chaque croquis, écris une phrase décrivant chaque étape de l'élaboration du modèle.

## Partie 1

# Fabrique un modèle de la formation des étoiles

1. Commence par dessiner un gros nuage de gaz et de poussière (une nébuleuse), comme les nuages qui existent dans le milieu interstellaire.

**Croquis 1 :** Avec le côté de la mine de ton crayon, ombre le nuage. Chaque petit point qui en résulte représente des atomes de gaz ou des particules de poussière. Ajoute la légende suivante : nébuleuse, particules de gaz, particules de poussière.

2. Quelle est la force qui existe entre tous les atomes ? En fin de compte, qu'est-ce qui devrait arriver au nuage ?

**Croquis 2 :** Trace à nouveau le croquis 1, mais ajoute des flèches pour indiquer la direction dans laquelle les régions extérieures du nuage devraient se déplacer. Ajoute la légende suivante : nébuleuse, particules de gaz, particules de poussière, attraction gravitationnelle.

3. Tous les atomes ont des mouvements aléatoires. C'est pourquoi le nuage fait une petite rotation.

**Croquis 3 :** Trace à nouveau le croquis 2, mais ajoute des flèches indiquant que le nuage tourne autour d'un axe. Ajoute la légende suivante : nébuleuse, attraction gravitationnelle, axe, rotation.

4. L'image d'un nuage de gaz et de poussière qui se contracte et qui tourne sur lui-même devrait apparaître dans ton esprit. Maintenant pense à la pirouette d'une patineuse artistique qui tourne sur elle-même de plus en plus vite en ramenant ses bras vers elle. Que se passe-t-il ? D'après toi, à cette étape, que va-t-il arriver au nuage qui se contracte ?

**Croquis 4 :** Dessine un nuage plus petit que celui du croquis 3. Ajoute des flèches pour indiquer que le nuage tourne très vite autour de son axe. Ajoute d'autres flèches montrant que d'autres matériaux tombent vers le centre du nuage. Qu'arrive-t-il à la température du noyau à mesure que les matériaux s'accumulent au centre ? Ajoute la légende suivante : nébuleuse qui se rétracte, axe, rotation, attraction gravitationnelle.

5. La plus grande partie des matériaux qui se trouvent le long de l'axe s'effondrent au centre de l'objet, créant ainsi une sphère centrale très bien définie. Résultat : des anneaux extérieurs composés de matériaux sont en orbite sur un plan qui ressemble à un grand disque. Si une masse suffisante s'est accumulée dans la sphère centrale pour que la température du noyau atteigne 10 000 000 °C, quel est le processus qui va s'engager ? Peux-tu prévoir le résultat de ce processus ?

**Croquis 5 :** Dessine une petite sphère. Autour de cette sphère, ombre une zone large en forme de disque correspondant à des poussières et à du gaz. Félicitations ! Tu viens de créer une étoile.

## Partie 2

# Développe ton modèle

Maintenant, développe ton modèle pour élargir le champ de ta théorie. Le gaz et la poussière qui composent le disque en orbite ne se répartiront probablement pas également. Il y aura des amas. Parce que la force de gravité est toujours en action, les matériaux du disque vont venir grossir plusieurs amas de gaz et de poussière. La masse de ces amas va augmenter. Certains de ces amas survivront et se retrouveront en orbite, de façon permanente, autour de la nouvelle étoile. Peux-tu prévoir ce que seront ces amas ?

**Croquis 6 :** Ombre une grande région sphérique au centre du schéma. Cette région représente la nouvelle étoile. Ajoute six sphères plus petites en orbite autour de l'étoile, à des distances variées. Félicitations, encore une fois ! Tu viens de créer des planètes !

### Conclusion et mise en pratique

1. À l'aide des croquis 1 à 5, décris en un paragraphe une théorie de la formation des étoiles.
2. À l'aide du croquis 6, décris comment la théorie de la formation des étoiles peut servir à expliquer la formation des planètes.

## La formation du système solaire

La théorie que tu as élaborée sur la formation des étoiles et des planètes s'appelle la **théorie de la nébuleuse solaire**. Cette théorie explique l'idée de base des astronomes sur la formation du système solaire. Selon les calculs scientifiques, le Soleil aurait 5 milliards d'années et ses neuf planètes en orbite auraient 4,6 milliards d'années chacune. Ces données correspondent aux observations géologiques selon lesquelles certaines roches terrestres auraient plus de 3,5 milliards d'années.

Avec les années, d'autres théories ont été élaborées et vérifiées. Par exemple, selon un scénario catastrophe, une autre étoile serait entrée en collision avec le Soleil. Les débris de cette collision auraient formé les planètes. Toutefois, la théorie la plus reconnue aujourd'hui s'appuie sur le modèle que tu as élaboré, le modèle de la nébuleuse solaire.

Pendant la formation de notre système solaire, les radiations ont fait exploser la plus petite des planètes ainsi que les planètes qui se trouvaient le plus près de la nouvelle étoile (le Soleil). La force de gravité de ces planètes n'était pas suffisante pour maintenir une atmosphère chaude. C'est pourquoi ces planètes sont devenues des planètes proches et rocheuses (Mercure, Vénus, la Terre et Mars). Loin de la chaleur intense du Soleil, les planètes éloignées ont conservé leur gaz. Elles sont devenues des planètes gazeuses géantes (Jupiter, Saturne, Uranus et Neptune).

Pendant la plus grande partie du début du système solaire, des roches et des poussières à la dérive qui n'étaient pas tombées dans le Soleil ont bombardé les planètes et leurs lunes. Les cratères de Mercure et de la Lune témoignent de ce bombardement. Aujourd'hui, environ 4,5 milliards d'années après la formation du système solaire, l'espace autour du Soleil ne contient presque plus de poussière, ni de gaz. Il ne reste plus que les petites accumulations que sont les planètes et leurs lunes, les astéroïdes, les comètes et quelques débris. Certains de ces débris entrent encore en collision avec la Terre. Te rappelles-tu comment on les appelle ?

Tu te souviens que Jupiter, comme le Soleil, est une immense boule composée surtout d'hydrogène à l'état gazeux. Comme pour le Soleil, l'hydrogène de Jupiter, sous l'effet de la gravité, s'est comprimé de plus en plus dans son noyau, entraînant une hausse de la température. Malgré sa masse énorme, il aurait fallu que Jupiter accumule 70 fois plus d'hydrogène dans son noyau pour que la température permette aux réactions de fusion nucléaire de démarrer. Si cela s'était produit, nous aurions aujourd'hui deux soleils dans le ciel. D'après toi, à quoi ressembleraient les couchers de soleil sur une planète ayant deux soleils ? Comment aurions-nous dû changer notre calendrier ?

## La chasse aux planètes extrasolaires

Selon la théorie de la nébuleuse solaire, les planètes devraient constituer un phénomène assez courant parce que les planètes sont des sous-produits du processus de formation des étoiles. Deux types d'observations permettent aux astronomes de croire que cette idée est juste.

Premièrement, les télescopes infrarouges, les radiotélescopes et les télescopes optiques ont enregistré plus de 100 exemples de jeunes étoiles entourées d'un disque de poussière et de gaz (comme sur le croquis 5, dans l'activité Passe à l'action 14-C). Ces observations confirment la théorie de la nébuleuse solaire sur la formation des étoiles. La figure 14.17 montre un exemple d'une jeune étoile, Beta Pictoris.

Deuxièmement, des instruments mis au point récemment nous ont permis de détecter environ une douzaine de **planètes extrasolaires**, c'est-à-dire des planètes qui sont en

**Figure 14.16** Le Bouclier canadien se compose de certaines des roches les plus vieilles de la Terre. Dans la région de Red Lake, en Ontario, les roches datent de plus de 3,5 milliards d'années.

orbite autour d'étoiles autres que le Soleil. Par exemple, on a trouvé une planète d'environ 2,5 fois la masse de Jupiter en orbite autour d'une étoile près de la Grande Ourse. On s'attend à ce que la liste des planètes extrasolaires s'allonge.

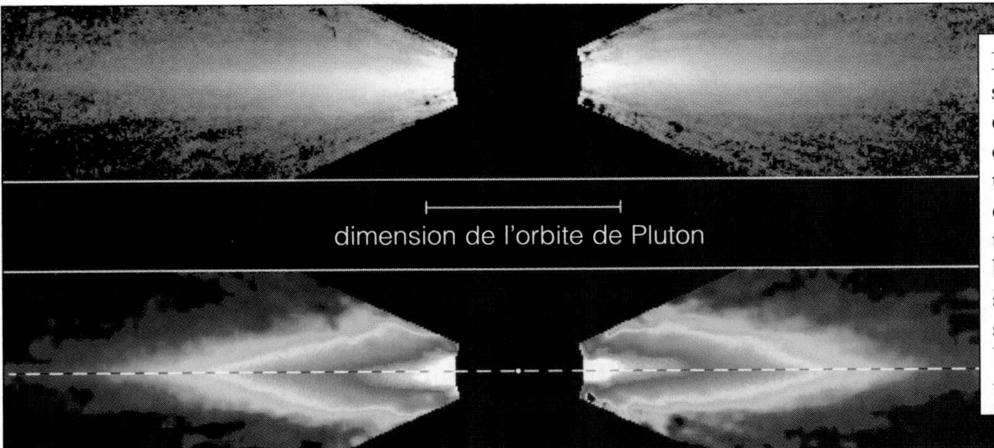


La découverte de nuages de poussière aplatis autour de jeunes étoiles permet aux astronomes de croire que la théorie sur la formation des étoiles est juste. Cette découverte confirme aussi la théorie selon laquelle, fort probablement, les planètes se forment à partir de ce gaz et de cette poussière. Les couleurs de la photo du bas ont été modifiées à l'ordinateur pour souligner la structure.

**Figure 14.17** Une photographie du disque de poussière et de gaz autour de l'étoile Beta Pictoris prise par le télescope *Hubble*. On a masqué l'étoile elle-même, au centre, pour diminuer son éclat.

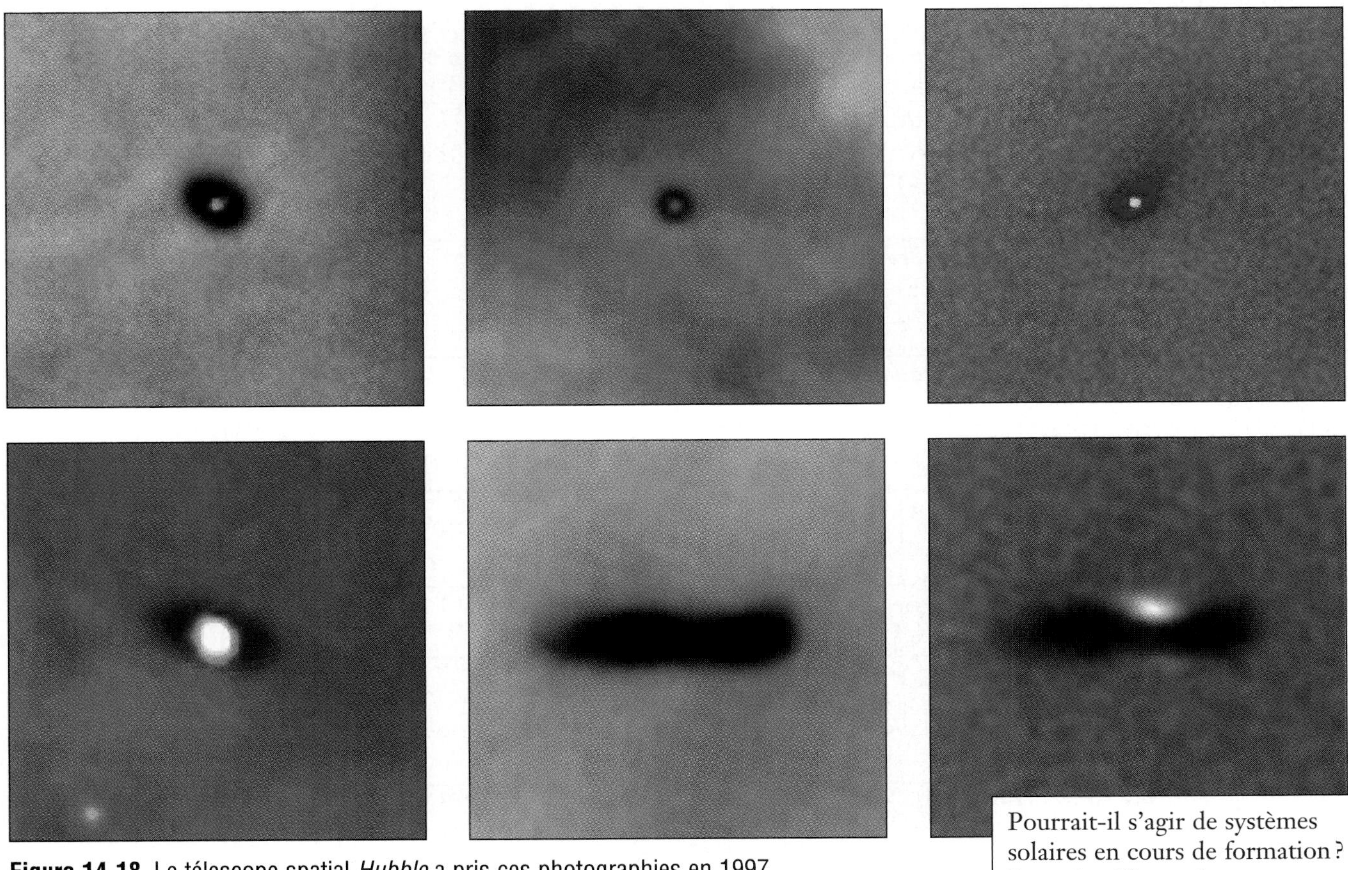

**Figure 14.18** Le télescope spatial *Hubble* a pris ces photographies en 1997. Les photos montrent des nuages de gaz aplatis autour d'une étoile centrale. Les étoiles semblent plus grosses qu'en réalité. Mais un disque de débris apparaît très clairement autour des étoiles.

Pourrait-il s'agir de systèmes solaires en cours de formation ? Les scientifiques devront poursuivre leurs observations pendant les 100 000 prochaines années pour le savoir.

PASSE À L'ACTION

RÉFLÉCHIS ET FAIS DES LIENS 14-D

# Évalue la théorie de la formation du système solaire

## Réfléchis

Pour qu'une théorie soit acceptée comme une explication raisonnable, les événements, les actions et les faits observés doivent être prévisibles. Dans cette activité, tu joueras de nouveau au scientifique, mais cette fois en groupe. Avec ton groupe, tu évalueras la théorie de la nébuleuse solaire et tu en discuteras. Tu pourras ainsi vérifier si cette théorie permet de faire neuf prévisions et si, par conséquent, elle fournit une explication raisonnable de la formation de notre système solaire.

## Ce que tu dois faire

1. La classe doit se répartir en groupes de trois ou de quatre élèves. Ton enseignante ou ton enseignant te donnera un tableau comme celui qui figure ci-dessous. Utilise la base de données sur les planètes que tu as créée au chapitre 13. Tu auras besoin de cette base de données comme référence pour ton analyse.

| Ce qu'on prévoit | Ce que nous savons | La théorie de la nébuleuse solaire permet-elle de faire cette prévision ? |
|---|---|---|
| 1. Le même nuage gazeux en rotation est à l'origine de la formation de toutes les planètes. C'est pourquoi toutes les planètes devraient tourner dans la même direction. | | |
| 2. L'orbite de toutes les planètes devrait aller dans la même direction (la direction de la rotation de la nébuleuse initiale). | | |
| 3. L'orbite de toutes les planètes devrait se trouver sur le même plan. | | |
| 4. Les planètes proches devraient avoir une fine couche atmosphérique. | | |
| 5. Les planètes éloignées devraient avoir une épaisse couche atmosphérique. | | |
| 6. Les planètes plus grosses devraient tourner plus vite. | | |
| 7. Au cours des premières étapes de la formation du système solaire, il aurait dû y avoir beaucoup de débris (roches et poussières). | | |
| 8. L'intérieur de l'étoile centrale devrait être chaud. | | |
| 9. Les autres étoiles devraient avoir des systèmes planétaires. | | |

**2** Dans ton groupe, mettez en commun ce que vous savez sur le système solaire pour réaliser l'activité. Lis chaque prévision, une à la fois. Dans la deuxième colonne (Ce que nous savons), indique ce qui est arrivé, d'après ce que tu sais. Utilise tes notes et la base de données sur les planètes du chapitre 13 comme référence. Si tu as besoin d'un plus grand nombre d'observations pour vérifier une prévision, écris les questions que tu devras poser à ton enseignante ou à ton enseignant, ou les recherches que tu devras faire.

*Exemple : Le groupe d'Éric discute de la première prévision – « Le même nuage gazeux en rotation est à l'origine de la formation de toutes les planètes. C'est pourquoi toutes les planètes devraient tourner dans la même direction. » Les membres du groupe consultent la base de données sur les planètes et s'entendent sur le fait que toutes les planètes tournent dans le même sens, sauf Vénus et Pluton, qui tournent très lentement dans l'autre direction. Dans la deuxième colonne du tableau, ils écrivent ce qui suit : « Faux. Vénus et Pluton tournent dans le sens contraire de toutes les autres planètes. »*

**3** Toujours en groupe, décide si la théorie de la nébuleuse solaire te permet de faire cette prévision. Prépare-toi à discuter des preuves que tu auras trouvées avec les membres de ton groupe afin de prendre une décision. Indique les principaux points de ton évaluation dans la troisième colonne.

*Exemple : Le groupe d'Éric discute du fait que la théorie de la nébuleuse solaire permet vraiment de faire la première prévision. Un membre du groupe pense que la théorie est fausse parce que Vénus et Pluton tournent en sens contraire. Les autres pensent que la théorie est quand même valable parce qu'elle explique la rotation de la plupart des autres planètes. Le groupe écrit ce qui suit dans la troisième colonne du tableau : La rotation de deux planètes, Vénus et Pluton, ne peut s'expliquer par la théorie. La théorie explique la rotation des sept autres planètes, ce qui est une bonne moyenne. »*

**4** Toujours en groupe, tire des conclusions sur la validité de la théorie de la nébuleuse solaire, d'après la troisième colonne du tableau. Indique par écrit les principaux points à l'appui de ta conclusion.

## Analyse

1. Quels sont les points forts de la théorie de la nébuleuse solaire pour expliquer la formation de notre système solaire ? Quelles sont les prévisions que la théorie permet le mieux de vérifier ?
2. Quels sont les points faibles de la théorie ? Quelles sont les prévisions que la théorie ne permet pas de vérifier du tout ou qu'elle ne permet pas de vérifier complètement ?
3. D'après tes réponses aux questions ci-dessus, comment évaluerais-tu la théorie de la nébuleuse solaire ? Est-ce une bonne théorie ? Pourquoi ?
4. Quelles sont les questions sans réponse sur la formation de notre système solaire ?

## Les outils de la science

La NASA (l'Administration nationale de l'aérospatiale, aux États-Unis) est en train de mettre au point le télescope *Planet Finder*, l'un des plus gros télescopes jamais conçu. Ce télescope aérospatial sera aussi grand qu'un terrain de football. Il aura quatre immenses miroirs. Ses instruments très sensibles devraient pouvoir détecter une planète de la taille de la Terre. *Planet Finder* pourra aussi déterminer la composition chimique de l'atmosphère d'une planète extrasolaire. C'est pourquoi ce télescope sera peut-être le premier à détecter toute trace de vie dans un système solaire éloigné. Le lancement de *Planet Finder* devrait avoir lieu en 2010.

**LIENS INTERNET**

**www.dlcmcgrawhill.ca**

Les nouveaux télescopes et les améliorations apportées au traitement des images nous permettent de poursuivre la découverte de planètes extrasolaires. Pour connaître les dernières découvertes et pour observer la planète TMR-1C, va sur le site mentionné ci-dessus. Clique sur **Matériel complémentaire/Primaire et secondaire**, puis sur **OMNISCIENCES 9**. Quand tu auras trouvé des informations, partage-les avec un petit groupe.

### Au-delà de notre système solaire

Nos ancêtres pensaient que la Terre était le centre de l'Univers. Ils se sont ensuite rendu compte que la Terre n'était qu'une des neuf planètes en orbite autour d'une étoile, le Soleil. Nous savons maintenant qu'il y a plusieurs systèmes solaires et que le nôtre n'en est qu'un parmi d'autres. Combien pourrait-il y avoir de systèmes solaires ? Tout dépend du nombre d'étoiles. Dans le prochain chapitre, tu verras qu'il y a beaucoup plus d'étoiles dans le ciel que tu ne l'imagines.

## Vérifie ce que tu as compris

1. Qu'est-ce que le milieu interstellaire ? Quel rôle le milieu interstellaire joue-t-il dans la formation des étoiles ?
2. **a)** Qu'est-ce qui provoque l'accumulation toujours plus grande de poussière et de gaz dans une nébuleuse ?
   **b)** Qu'est-ce qui arrive à la nébuleuse au cours de ce processus ?
3. Qu'est-ce qui provoque l'aplatissement d'une nébuleuse en rotation qui est en train de se contracter ?
4. À partir de quel moment une étoile commence-t-elle à briller ?
5. Explique pourquoi de petites accumulations de gaz et de poussière en orbite autour d'une nouvelle étoile ne tombent pas dans l'étoile ?
6. Quelles preuves avons-nous que l'espace autour du Soleil était jadis rempli de poussière, de gaz et de débris rocheux ?
7. **Réflexion critique** En quoi la découverte de planètes extrasolaires confirme-t-elle la théorie de la nébuleuse solaire sur la formation des étoiles.
8. **Réflexion critique** Explique pourquoi il est important de vérifier une théorie en faisant des prévisions.

## RÉSUMÉ du chapitre 14

Maintenant que tu as terminé ce chapitre, essaie de faire les activités proposées ci-dessous. Si tu n'y arrives pas, consulte de nouveau la section indiquée.

Explique pourquoi une étoile semble plus lumineuse qu'une autre. (14.1)

Décris la différence de température entre une étoile d'un blanc bleuté et une étoile rouge. (14.1)

Explique ce que fait un spectroscope et décris les propriétés des étoiles qu'il analyse. (14.1)

Nomme les deux propriétés des étoiles qui ont servi de base pour tracer des milliers d'étoiles sur le diagramme de Hertzsprung-Russell. (14.1)

Décris l'évolution d'une étoile de la séquence principale, de sa naissance à sa mort. (14.2)

Décris comment les radiotélescopes ont découvert les étoiles à neutrons, des années après qu'on eut prédit leur existence. (14.2)

Présente la théorie de la nébuleuse solaire portant sur la formation des étoiles. (14.3)

### Prépare ton propre résumé

Résume le contenu de ce chapitre en faisant une représentation graphique (comme un réseau conceptuel), en réalisant une affiche ou en résumant par écrit les concepts clés du chapitre. Voici quelques idées qui peuvent te guider :

- Quelles sont les principales propriétés des étoiles que les astronomes étudient ?
- Qu'est-ce qu'on veut dire par « masse solaire » ?
- Qu'est-ce qu'on considère comme le lieu de naissance des étoiles ?
- Pourquoi la gravité est-elle une force si importante dans tout le cycle de vie des étoiles ?
- Quel est l'âge approximatif du Soleil ?

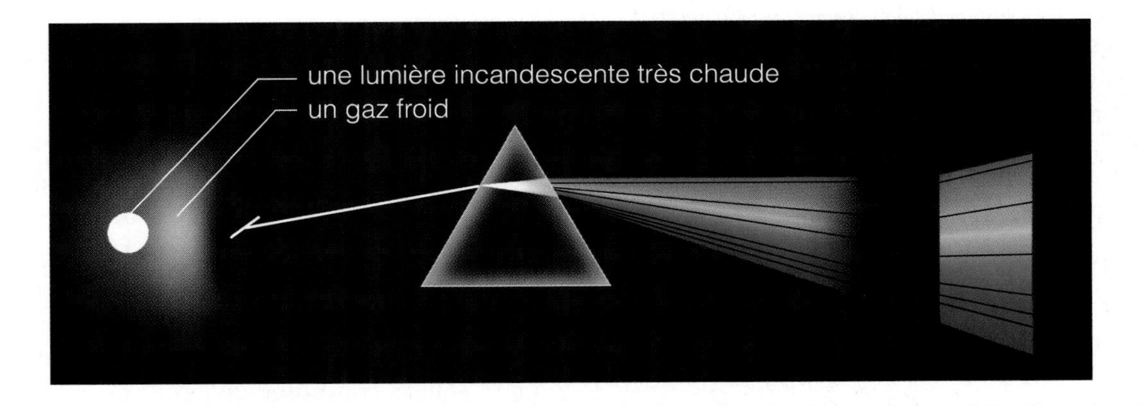

CHAPITRE

# 14 Révision

## Des termes à connaître

Si tu as besoin de réviser les termes ci-dessous, les numéros de section t'indiquent où ils ont été mentionnés pour la première fois.

**1.** Dans ton cahier, indique si chacun des énoncés ci-dessous sur la gravité est vrai ou faux. Si l'énoncé est faux, explique pourquoi.
   **a)** Seule la Terre a une force de gravité. Vrai ou faux ? (14.2)
   **b)** Seules les planètes ont une force de gravité. Vrai ou faux ? (14.2)
   **c)** Tous les objets ont une force de gravité. Vrai ou faux ? (14.2)
   **d)** La gravité est une force très puissante. Vrai ou faux ? (14.2)
   **e)** La force de gravité attire mais ne repousse pas. Vrai ou faux ? (14.2)
   **f)** L'attraction gravitationnelle diminue avec la distance. Vrai ou faux ? (14.2)
   **g)** La force de gravité d'une planète est due à sa rotation. Vrai ou faux ? (14.3)

**2.** Dans ton cahier, associe chaque expression de la colonne A au terme exact de la colonne B.

**A**

- le processus qui donne son énergie au Soleil et aux autres planètes
- nuage de gaz ou de poussière
- raies de couleur qui résultent de la décomposition de la lumière blanche
- dernière phase d'une étoile très massive
- dernière étape brillante d'une petite étoile
- surface extérieure d'une étoile qui s'agrandit dans l'espace
- une étoile après la fin de la combustion initiale d'hydrogène

**B**

- nébuleuse (14.2)
- géante rouge (14.1)
- nébuleuse planétaire (14.2)
- supergéante (14.1)
- fusion (14.2)
- spectre électromagnétique (14.1)
- naine blanche (14.1)
- trou noir (14.2)
- milieu interstellaire (14.3)

## Des concepts à comprendre

Les numéros de section t'aideront à réviser ces concepts, si tu en as besoin.

**3.** Réponds brièvement aux questions suivantes :
   **a)** Qu'est-ce qui provoque la contraction d'une étoile ? (14.2)
   **b)** Qu'est-ce qui provoque l'augmentation de la température d'une étoile ? (14.2)
   **c)** Qu'est-ce qui arrête la contraction d'une étoile ? (14.2)

**4.** Explique en quoi le Soleil est différent d'une naine blanche. (14.2)

**5.** De quelles façons peut se terminer la vie d'une étoile ? Quel est le principal facteur qui détermine le destin d'une étoile ? (14.2)

**6.** Les étapes suivantes de la formation du système solaire ne sont pas dans le bon ordre. Dans ton cahier, replace-les dans le bon ordre, de 1 à 7. (Certaines étapes ont lieu en même temps. Il peut donc y avoir plusieurs bonnes réponses.)

- ■ La vitesse de rotation du nuage augmente (14.3)
- ■ La masse de petites accumulations de gaz et de poussière, en orbite autour du centre de la sphère composée de gaz et de poussière, augmente. (14.3)
- ■ L'étoile commence à briller. (14.3)
- ■ La nébuleuse s'aplatit à mesure que les matériaux qui se trouvent le long de l'axe s'effondrent dans le centre de l'objet. (14.3)
- ■ La température augmente au centre du nuage, qui se contracte et qui est en rotation. (14.3)
- ■ Un nuage de gaz et de poussière en rotation commence à se contracter. (14.3)
- ■ La température au centre de la sphère de gaz et de poussière atteint 10 000 000 °C. (14.3)

## Des habiletés à acquérir

7. Consulte l'activité Passe à l'action 14-A, à la page 465. Trace le spectre de raies d'un mélange d'hydrogène et de sodium.

8. Fais des recherches sur les sujets suivants, à la bibliothèque ou dans Internet:
   a) Les astronomes qui observent la Supernova 1987A d'Ian Shelton constatent des comportements inexplicables. Trouve la dernière photo de la supernova et trace le contour de l'enveloppe de gaz brillant.
   b) Où, sur la Terre, se trouvent les plus gros télescopes optiques? De quelle taille sont-ils?
   c) Trouve les dernières images d'étoiles qui font peut-être partie d'un système solaire en formation. Essaie de résumer certaines des preuves que les astronomes avancent.
   d) Les chercheurs de comètes prennent souvent une nébuleuse pour une nouvelle comète. Nomme le catalogue qui dresse la liste de tous les objets en forme de nébuleuse dans le ciel.

9. Plusieurs étoiles sont des étoiles doubles. La photographie sur cette page montre un champ d'étoiles. On constate parfois que deux étoiles sont proches l'une de l'autre. Mais s'agit-il d'étoiles doubles? Dans certains cas, les deux étoiles peuvent être loin l'une de l'autre mais alignées l'une derrière l'autre. Toutefois, si tu relevais plusieurs exemples de deux étoiles proches l'une de l'autre, tu en conclurais qu'il ne s'agit pas uniquement d'une coïncidence.

   Étudie la photographie. Les étoiles sont-elles espacées au hasard ou par paire? Essaie de trouver la proportion d'étoiles doubles (une sur deux? une sur dix?). Quels sont les facteurs qui pourraient te faire sous-estimer ton évaluation? Quels sont les facteurs qui pourraient te faire surestimer ton évaluation?

## Des problèmes à résoudre

10. La force de gravité de la Terre permet à la Lune de rester en orbite. Autrement, la Lune s'éloignerait de la Terre en suivant une ligne droite. Toutefois, les astronautes en orbite autour de la Terre flottent dans leur engin spatial, même s'ils sont plus près de la Terre que ne l'est la Lune. Pourquoi n'ont-ils pas de pesanteur? (Indice: Tous les objets qui se trouvent dans un champ gravitationnel ont la même vitesse d'accélération quand ils tombent vers la Terre.)

## Réflexion critique

11. De toutes les grosses lunes du système solaire, Triton, la lune de Neptune, est la seule dont l'orbite est inversée par rapport à la rotation de sa planète. Ce fait confirme-t-il ou infirme-t-il la théorie de la nébuleuse solaire sur la formation des planètes? Explique ta réponse.

12. Qu'est-ce qui a fait croire aux astronomes qu'il y avait des planètes extrasolaires autour d'autres étoiles, même avant d'avoir observé ces planètes?

### Pause réflexion

Reviens au début du chapitre, à la page 460, et revois tes réponses aux questions de la rubrique Pour commencer... En quoi tes réponses changeraient-elles maintenant?

CHAPITRE

# 15 L'exploration du

Vincent Van Gogh, *La nuit étoilée*, 1889

## Pour commencer...

- Où te trouves-tu dans l'Univers ? Dessine une carte et indique ton « adresse cosmique ».
- De quelles substances l'Univers se compose-t-il ?
- Si les étoiles vieillissent, cela signifie-t-il que l'Univers a aussi un cycle de vie ?

## Journal scientifique

Si tu connais les réponses aux questions ci-dessus, écris-les dans ton journal scientifique. Donne les faits qui te permettent de répondre. Si tu ne connais pas les réponses, note les recherches que tu devras faire ou l'information dont tu auras besoin pour tirer une conclusion.

Il y a des milliards et des milliards d'étoiles, et des milliards d'entre elles sont bien plus grosses que l'étoile de notre système solaire. Quelle est, alors, la taille de l'espace qui contient toutes ces étoiles ? L'Univers est-il infini ou se termine-t-il quelque part ? Comment a-t-il commencé ? Évolue-t-il encore ?

Vincent Van Gogh (1853-1890) ne connaissait pas les réponses à ces questions. Mais son tableau d'un ciel nocturne et la façon dont il suggère le mouvement et la luminosité des étoiles laisse entrevoir ce que nous comprenons aujourd'hui de l'Univers. La cosmologie est la branche de l'astronomie qui met l'accent sur la nature, l'origine et l'évolution du cosmos (il s'agit d'un terme grec qui signifie « univers »). Les cosmologistes essaient de répondre à quelques-unes des questions les plus passionnantes du domaine scientifique : l'Univers est-il en expansion ? Quand le premier moment a-t-il eu lieu ? L'Univers est-il si grand que la lumière d'étoiles très lointaines n'a pas encore atteint la Terre ?

Dans les chapitres 13 et 14, tu t'es familiarisé avec le système solaire et les étoiles qui existent bien au-delà de notre système solaire. Dans le présent chapitre, ton exploration va se poursuivre encore plus loin et tu vas dresser une carte de l'Univers. Tu apprendras à mesurer les immenses distances qui séparent les étoiles des autres objets de l'Univers. Tu découvriras aussi les méthodes qui nous permettent de savoir à quoi l'Univers ressemblait dans le passé. Les preuves scientifiques nous montrent même quand et comment l'Univers a peut-être commencé.

# cosmos

## Pourquoi le ciel est-il noir durant la nuit?

de départ

### Réfléchis

Selon l'un des premiers modèles, l'Univers était infini, immuable et rempli d'étoiles uniformément réparties. Cette activité va te permettre de confronter ce modèle à une observation courante : la nuit, le ciel est noir.

### Ce que tu dois faire

1. Sur une feuille de papier millimétrée, trace un point à l'intersection de deux lignes, vers le milieu de la feuille. Indique que ce point représente le Soleil.
2. Sur la même feuille de papier, crée un Univers composé d'étoiles également réparties. Trace environ 60 ou 70 autres points (les étoiles) – partout où des lignes se croisent – répartis également autour du Soleil. (À cette échelle et dans cette activité, on représente la Terre et le Soleil par un seul et même point.)

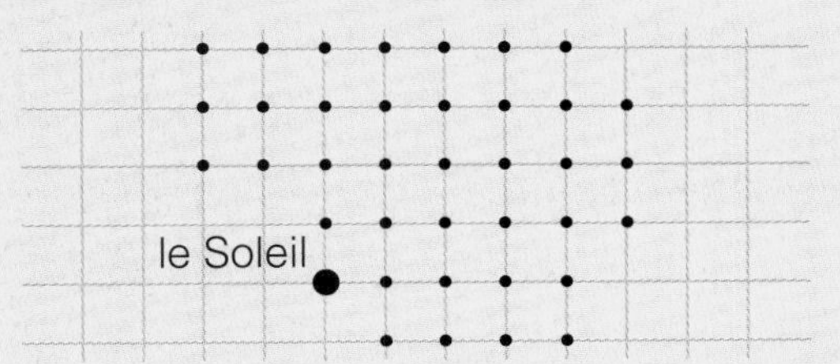


3. Place une règle sur le Soleil, dans n'importe quelle direction, et trace une ligne partant du Soleil et allant jusqu'au bord de la feuille de papier. Note le nombre d'étoiles que ta ligne croise. (Si ta ligne ne croise pas d'autres étoiles, ajoute plus de points sur la feuille.) Place la règle dans une autre direction, toujours sur le Soleil, et trace une autre ligne. Recommence au moins cinq fois, jusqu'à ce que chaque ligne qui part du Soleil croise une autre étoile.

### Qu'as-tu découvert?

1. Dans ce modèle d'un univers infini et uniforme, que constaterais-tu si tu regardais le ciel, durant la nuit, dans n'importe quelle direction?
2. Dans ce modèle, le ciel, lorsqu'il fait nuit, serait-il sombre ou illuminé d'étoiles?
3. Maintenant, compare ce que tu observes en réalité à ce que le modèle suggère. Tes observations correspondent-elles à la prévision du modèle?
4. Quelles sont les hypothèses qui sont peut-être fausses à propos du modèle? Autrement dit, qu'est-ce qui pourrait expliquer tes observations sur l'apparence du ciel nocturne?

### Concepts clés

Dans ce chapitre, tu découvriras :

- comment les astronomes mesurent les distances dans l'Univers ;
- ce que sont les galaxies et les trois principaux types de galaxies ;
- les preuves que l'Univers est en expansion ;
- quand et comment on pense que l'Univers a commencé.

### Habiletés clés

Dans ce chapitre :

- tu utiliseras la triangulation pour évaluer les distances indirectement ;
- tu évalueras le nombre de galaxies dans l'Univers ;
- tu représenteras l'expansion de l'Univers sur un modèle réduit ;
- tu déduiras, d'après tes connaissances et tes observations, les raisons pour lesquelles le ciel est noir la nuit.

### Mots clés

- triangulation
- parallaxe
- année-lumière
- étoiles variables
- Voie lactée
- galaxie
- amas galactiques ouverts
- amas globulaires
- effet Doppler
- décalage vers le rouge
- loi de Hubble
- théorie du big bang
- quasars
- sursauts de rayons gamma
- neutrinos

# 15.1 Mesurer les distances dans le cosmos

**Figure 15.1** Pendant des siècles, les observateurs du ciel nocturne n'ont pas vu grand-chose d'autre que ce que révélaient les télescopes terrestres. Au cours des 40 dernières années, toutefois, les instruments spatiaux ont permis aux astronomes de voir beaucoup plus de choses et ainsi de comprendre que l'Univers est immense et très complexe. Compare cette photo de la nébuleuse de l'Aigle, prise à partir de la Terre, avec celle plus détaillée de la figure 14.8, prise par le télescope spatial *Hubble* et dans laquelle on peut distinguer la formation de nouvelles étoiles.

**LIEN *terminologique***

Trouve le sens des mots « cosmos » et « univers ». Écris la définition de chacun de ces mots dans ton cahier. Quelle est l'origine de ces mots ? Quel est le lien entre le sens de ces deux mots ?

Mesurer les distances est l'un des principaux défis que les astronomes doivent relever quand ils veulent représenter l'Univers sur des modèles ou des cartes. Comment est-il possible de déterminer la distance qui nous sépare d'une étoile si l'on ne peut pas atteindre cette étoile, même avec une sonde spatiale ?

L'élaboration de méthodes pour mesurer la distance qui sépare les étoiles de la Terre et les étoiles entre elles est l'un des principaux progrès de l'astronomie. Non seulement ce progrès nous a permis d'évaluer la taille de l'Univers, mais il nous a donné des indices d'une valeur inestimable sur son âge. Dans cette section, tu découvriras comment on mesure les distances stellaires. Tu apprendras aussi comment ces connaissances ont modifié nos idées sur la composition, la structure et l'échelle de l'Univers.

**Figure 15.2** Sir Isaac Newton a été le premier scientifique à essayer d'évaluer des distances stellaires.

Au XVII$^e$ siècle, Newton a calculé que Sirius (l'une des étoiles les plus brillantes du ciel) était environ un million de fois plus loin de la Terre que le Soleil (un million d'UA, dans la terminologie moderne). Il a comparé la luminosité de Sirius à la luminosité de Saturne. Newton a donc pu calculer la distance entre la Terre et Sirius. Aujourd'hui, on évalue cette distance à 550 000 UA, soit environ la moitié du calcul de Newton. Il s'agissait de la première tentative moderne visant à mesurer une distance à l'extérieur du système solaire.

**Le savais-tu ?**

Les Égyptiens divisaient l'année en trois saisons. La première apparition de Sirius à l'aube, à l'est, marquait le début de l'année. Cette apparition signalait aussi l'approche des crues annuelles du Nil.

## Mesurer les distances avec la triangulation et la parallaxe

### La triangulation

Imagine-toi au bord d'un lac avec un ami ou une amie en train de regarder une île. Vous voulez vous rendre à l'île en barque, mais vous ne connaissez pas la distance qui vous sépare de l'île. Vous n'avez pas de carte du lac et il n'y a pas de pont pour aller à l'île. Vous n'avez donc aucun moyen de mesurer la distance directement. Y a-t-il un moyen d'estimer cette distance ?

Oui. En utilisant une distance que tu connais, tu peux calculer indirectement une distance que tu ne connais pas. L'une des façons les plus courantes d'y parvenir consiste à utiliser la **triangulation**. La triangulation est une méthode qui permet de mesurer une distance indirectement en créant un triangle imaginaire entre un observateur et l'objet dont il faut estimer la distance (*voir la figure 15.3*). Les astronomes utilisent cette méthode pour mesurer la distance qui les sépare des objets célestes.

La figure 15.4, à la page suivante, décrit, étape par étape, la technique servant à évaluer la distance entre la rive et une île. Quand tu mesures des distances avec la triangulation, n'oublie pas que plus la base de triangulation est longue, plus les résultats sont exacts.

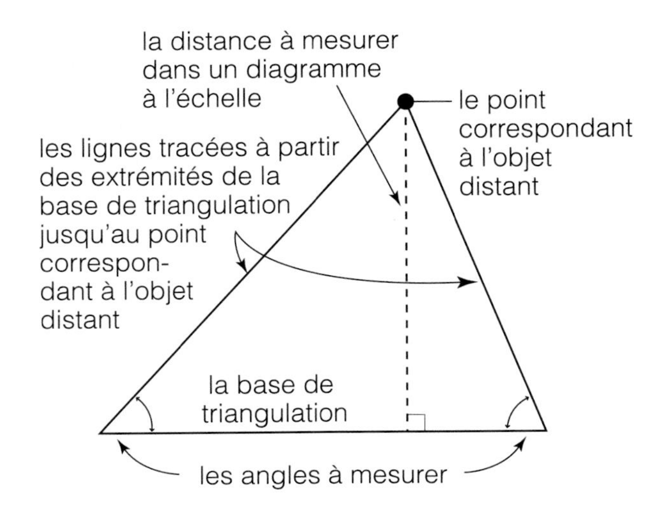


**Figure 15.3** Pour utiliser la triangulation, tu dois connaître la longueur d'un des côtés du triangle (la base de triangulation) et le degré des deux angles créés quand on trace deux lignes imaginaires qui partent de chaque extrémité de la base de triangulation. Ces deux lignes doivent atteindre le même point représentant l'objet distant.

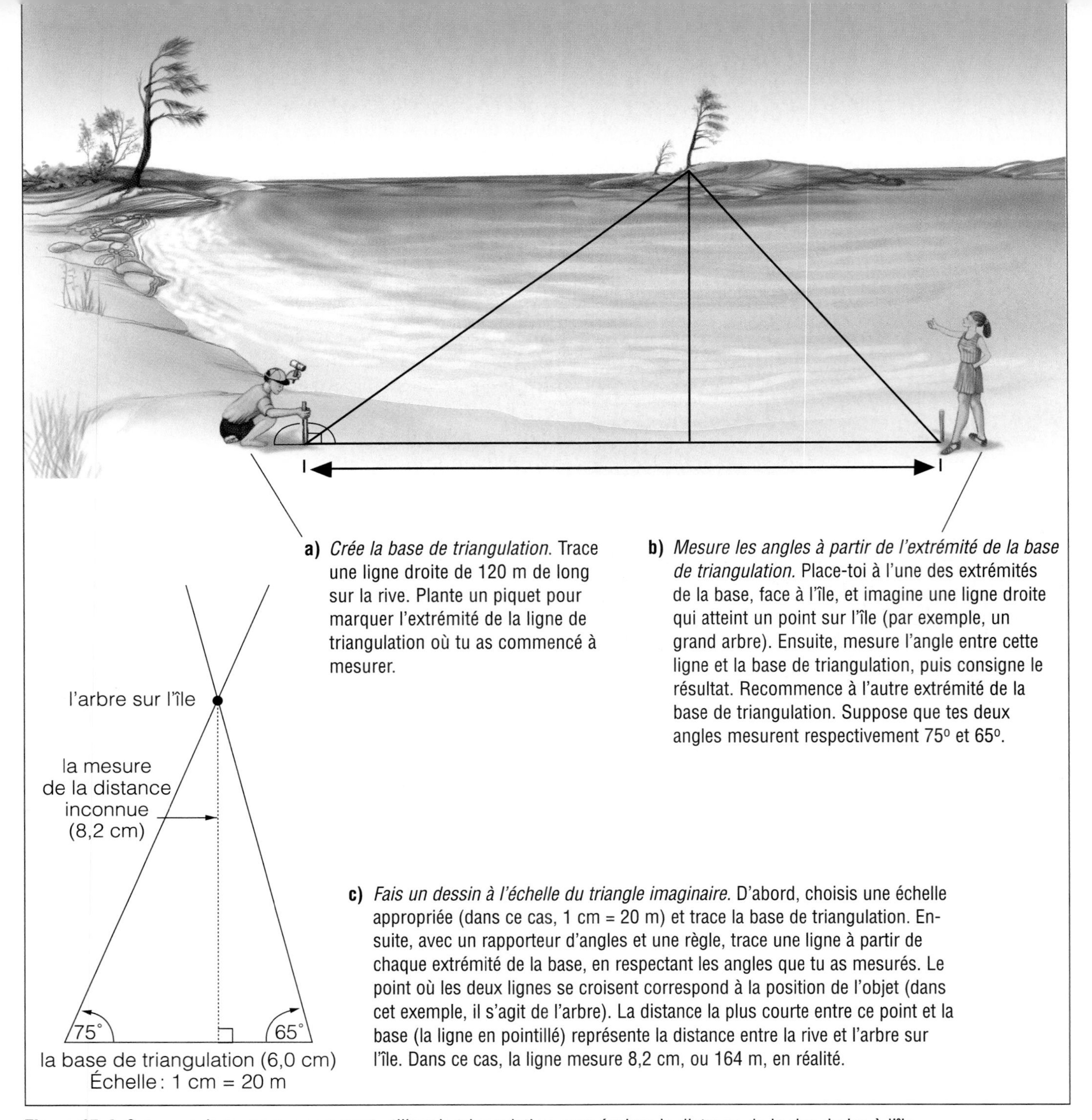


**Figure 15.4** Cet exemple te montre comment utiliser la triangulation pour évaluer la distance de la rive du lac à l'île.

### Le savais-tu ?

Il y a presque 2000 ans, les Grecs utilisaient la triangulation pour calculer la distance entre la Terre et la Lune. Ils se sont rendu compte que deux personnes se trouvant dans deux villes différentes qui pointeraient la Lune simultanément placeraient leur bras à des angles différents par rapport au sol. Ils ont utilisé cette information pour créer un triangle. La base mesurait 300 km de long. Ensuite, ils ont tracé un dessin à l'échelle pour représenter la distance qui les séparait de la Lune. Ces calculs ont permis aux Grecs de comprendre qu'ils devaient aussi tenir compte de la courbure de la Terre. Peux-tu expliquer pourquoi ce facteur était si important ? Comment ce facteur allait-il affecter l'exactitude des résultats ?

### La parallaxe

Lorsque les astronomes utilisent la triangulation pour déterminer la distance qui les sépare d'une étoile proche, ils utilisent la **parallaxe** de l'étoile pour obtenir les angles indispensables aux calculs. La parallaxe est le changement apparent de position d'un objet proche quand on l'observe de deux endroits différents. Si tu veux faire l'expérience de la parallaxe, pointe un objet distant du doigt. Regarde ton doigt, cligne d'un œil et ensuite de l'autre. Le bout de ton doigt semble bouger par rapport à l'arrière-fond parce que tu le regardes à partir de deux endroits différents. Dans ce cas, la base de triangulation est la distance entre tes yeux.

Pour mesurer les distances entre la Terre et les corps célestes, la base la plus longue que nous puissions utiliser sans quitter la Terre est le diamètre de l'orbite de la Terre. Les pointages doivent se faire à six mois d'intervalle. C'est le temps qu'il faut à la Terre pour passer d'une extrémité de la base de triangulation orbitale à l'autre. Si une étoile est assez proche, elle semblera bouger par rapport aux étoiles plus éloignées. La figure 15.5 illustre ce phénomène.

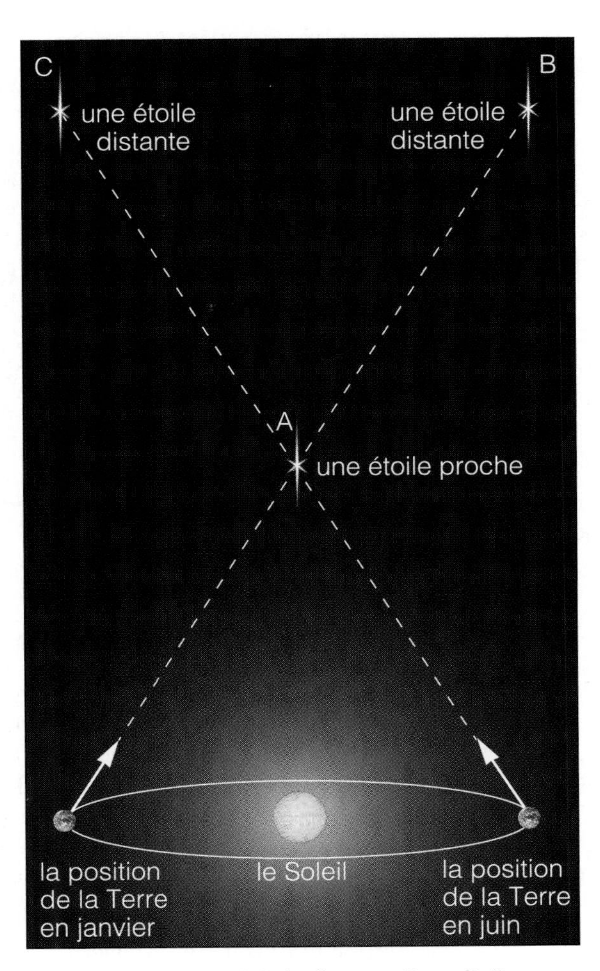


**Figure 15.5** Le calcul de la distance d'une étoile par rapport à la Terre à l'aide de la parallaxe et de la triangulation. Au mois de janvier, l'étoile proche (l'étoile A) semble alignée sur l'étoile B. Au mois de juin, elle semble alignée sur l'étoile C. La distance que l'étoile A semble parcourir dans le ciel (la distance apparente entre les étoiles B et C) correspond à sa parallaxe. Cette mesure nous donne les angles nécessaires pour utiliser la triangulation. (Les étoiles B et C sont si distantes l'une de l'autre qu'elles ne semblent pas changer de position.)

### Les années-lumière

Tu as probablement remarqué que la figure 15.5 n'est pas à l'échelle. Ainsi, l'étoile la plus proche de la Terre est Proxima du Centaure. Cette étoile est distante du Soleil de plus de 272 000 UA. L'angle de sa parallaxe est inférieur à 1/3600 de degré. Les distances interstellaires sont beaucoup plus grandes que les distances du système solaire. C'est pourquoi les unités astronomiques deviennent très vite peu pratiques à utiliser. (C'est comme si tu voulais mesurer la distance entre la côte est et la côte ouest du Canada en millimètres.) C'est pourquoi les astronomes ont créé l'**année-lumière**. Une année-lumière représente la distance que la lumière parcourt en un an, soit une distance égale à environ 63 240 UA. À cette échelle, Proxima Centauri est distante de 4,28 années-lumière de la Terre.

#### Les outils de la science

Jusqu'à récemment, les astronomes qui utilisaient la parallaxe et la triangulation pouvaient mesurer la distance qui les séparait d'environ 10 000 des étoiles les plus proches. Toutes ces étoiles n'étaient distantes que d'environ 126 années-lumière de la Terre. Le satellite *Hipparcos* a récemment modifié cette situation. Du fait que la base de triangulation qui sert de base à l'observation du satellite est plus longue, le satellite augmente la portée de la triangulation à 1600 années-lumière. Par conséquent, on a réussi à obtenir des mesures exactes de la parallaxe pour plus de 100 000 étoiles.

RÉALISE UNE EXPÉRIENCE 15-A

# Utilise la triangulation pour mesurer une distance inconnue

Quelle est la distance entre ici et là ? Dans l'exemple de la figure 15.4, page 490, tu as appris que la triangulation pouvait servir à mesurer indirectement des distances. Maintenant, essaie, toi aussi.

## Problème à résoudre

Comment peux-tu évaluer la distance qui te sépare d'un point que tu vois sans mesurer la distance directement ?

### Matériel

un grand rapporteur d'angles
un long ruban gradué
deux mètres en bois
un piquet ou autre objet marqueur
une règle
un petit rapporteur d'angles

## Marche à suivre

*Dehors*

1. Travaillez deux par deux. Ton enseignante ou ton enseignant vous donnera un grand rapporteur d'angles, un ruban gradué, deux mètres en bois et un piquet ou autre objet marqueur pour indiquer le début de la base de triangulation.
2. Ton enseignante ou ton enseignant choisira un édifice, un pylône radio, un arbre ou un autre objet distant qui est visible de l'école. Tu devras mesurer la distance qui te sépare de cet objet.

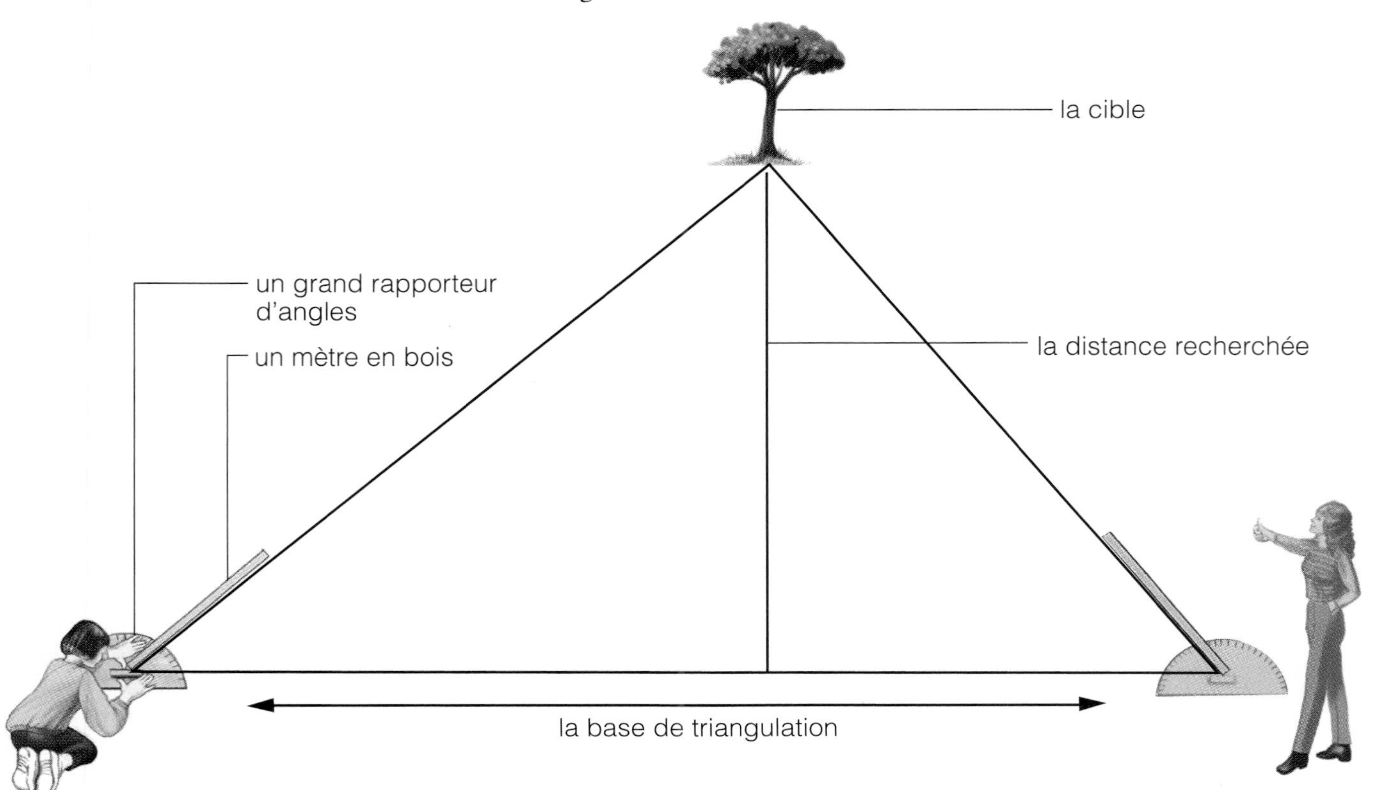

3. Avec ton ou ta partenaire, trace la base de triangulation en plaçant un objet à l'extrémité pour marquer l'endroit où tu as commencé. Consigne cette distance. N'oublie pas : plus la base est longue, plus tes résultats seront exacts.

4. À une extrémité de la base, place l'un des mètres en bois sur le sol, le long de la base. Place l'autre mètre dans la direction de l'objet (regarde le schéma de la page précédente). Avec le grand rapporteur d'angles, mesure l'angle intérieur que forment les deux mètres. Recommence à l'autre extrémité. Consigne les deux angles.

*En classe*

5. Dans ton cahier, trace un schéma à l'échelle de ton montage.
   - **a)** Avec ton ou ta partenaire, choisis une échelle appropriée. Par exemple, 1 cm peut représenter 1 m.
   - **b)** Avec une règle, trace la base à l'échelle. Ensuite, avec le petit rapporteur d'angles, ajoute les lignes en fonction des angles que tu as mesurés et prolonge les lignes jusqu'à ce qu'elles se croisent. Le point où les lignes se croisent représente l'objet dont tu mesures la distance. (Consulte de nouveau la figure 15.3, page 489, si tu as besoin d'aide.)
   - **c)** Dans le triangle que tu as créé, trace une ligne droite qui part de l'objet jusqu'à la base. Il doit s'agir de la distance la plus courte entre l'objet et la base. Mesure la longueur de cette ligne et, avec ton échelle, détermine la distance véritable qui te sépare de l'objet.

**Pause réflexion**

Pourquoi est-il important d'utiliser une base de triangulation relativement longue plutôt qu'une base courte ? Pourquoi la triangulation est-elle efficace pour mesurer la distance qui nous sépare des étoiles proches, mais pas des étoiles plus distantes ? Réponds à ces questions dans ton journal scientifique et fais des croquis pour appuyer tes explications.

## Analyse

1. Compare tes résultats aux résultats des autres élèves. Quelle est la longueur de la base de triangulation des autres élèves ? Les distances que tu as trouvées sont-elles similaires ? Si la réponse est non, pourquoi ne le sont-elles pas, d'après toi ?

## Conclusion et mise en pratique

2. Résume, en un paragraphe, comment la longueur de la base de triangulation semble déterminer l'exactitude des distances que tu as calculées à l'aide de la méthode de la triangulation. Quelle est la base la plus longue dont les astronomes disposent pour mesurer les distances entre les étoiles et la Terre à l'aide de la triangulation ? Explique ta réponse.

## Développe tes habiletés

3. Choisis un ou deux autres objets. Mets en pratique la triangulation pour mesurer la distance qui sépare ces objets de ton école ou de ta maison. Quand tu auras fait tes calculs, compare tes résultats à l'échelle qui se trouve sur une carte.

### Les étoiles variables

L'utilisation de la parallaxe pour prendre des mesures à partir de la Terre a des limites. En effet, il est impossible de tracer une base de triangulation assez grande pour mesurer les immenses distances dans l'Univers. C'est pourquoi les astronomes avaient besoin d'un autre outil. Ils en ont trouvé un quand, en 1912, l'astronome Henrietta Leavitt a découvert les **étoiles variables**. Les étoiles variables sont des étoiles dont les dimensions et la luminosité changent (autrement dit, ces étoiles sont sujettes à des pulsations).

Ces changements surviennent à des périodes de l'année très précises et très prévisibles. C'est un fait remarquable et c'est pourquoi les étoiles variables sont l'une des grandes découvertes du XXe siècle en astronomie. Par conséquent, si tu observais deux étoiles variables et si tu constatais qu'il faut à ces étoiles une journée pour passer d'une grande luminosité à une luminosité moindre et pour briller de nouveau, tu t'attendrais à ce qu'elles brillent autant l'une que l'autre quand elles sont à leur intensité maximale. Si ces étoiles ne sont pas identiques, l'une étant moins lumineuse que l'autre au maximum du cycle, tu saurais que la différence est due à la distance. L'étoile variable moins brillante doit se trouver plus loin que l'étoile plus brillante. (Rappelle-toi ce que tu as appris au chapitre 14 sur l'effet de la distance sur la luminosité des étoiles.)

En classant les étoiles variables selon leur luminosité maximale et les périodes de changement, les astronomes ont réussi à utiliser ces étoiles comme points de repère pour analyser d'autres étoiles variables et la distance relative qui les sépare. Grâce aux étoiles variables, les astronomes ont réussi à mesurer la Voie lactée et la distance qui nous sépare d'autres galaxies.

## Vérifie ce que tu as compris

1. Explique ce qu'on veut dire par « cosmos ».
2. a) Pourquoi utilise-t-on la triangulation ?
   b) Quand tu appliques cette méthode, tu as besoin de trois mesures. Lesquelles ?
3. a) Définis l'expression « année-lumière ».
   b) Les années-lumière servent-elles à mesurer les distances interplanétaires ou les distances interstellaires ? Explique ta réponse.
4. Comment utilise-t-on les étoiles variables pour évaluer de très grandes distances dans l'Univers ?
5. **Mise en pratique**
   a) Une étoile se trouve à 570 000 UA du Soleil. Comment exprimerais-tu cette distance en années-lumière ?
   b) Une autre étoile se trouve à 8,6 millions d'années-lumière de la Terre. Quelle est cette distance en kilomètres ?

# 15.2 La découverte des galaxies

Au début du XX$^{e}$ siècle, des découvertes remarquables nous ont permis de mieux connaître notre place dans l'Univers. Grâce à la découverte de galaxies lointaines, nous avons constaté que l'Univers était beaucoup plus vaste et contenait beaucoup plus d'étoiles que nous le pensions. Brusquement, nous nous sommes rendu compte que la totalité de notre système solaire n'était qu'une infime partie de l'Univers.

## La Voie lactée

**Figure 15.6** La Voie lactée, vue de la Terre, par une nuit claire

Si tu as déjà regardé le ciel, durant la nuit, alors que tu étais à la campagne ou dans un camp d'été, tu as vu la **Voie lactée**. Pendant l'été, la Voie lactée est plus lumineuse. Elle apparaît comme une bande blanche brumeuse traversant le ciel à partir du sud. Pendant les nuits très dégagées, la brume semble causée par de très fins nuages très haut placés.

En fait, cette bande est une vaste accumulation d'environ 400 milliards d'étoiles (y compris notre Soleil) qui encercle complètement la Terre et constitue notre **galaxie**, la Voie lactée. Une galaxie est un immense regroupement d'étoiles, de gaz et de poussière dont la gravité assure la cohésion. Les étoiles semblent si proches les unes des autres que leur lumière se mélange. En fait, elles sont très éloignées. Te rappelles-tu, par exemple, quelle est la distance entre le Soleil et l'étoile la plus proche ?

Le fait de découvrir que notre système solaire faisait partie d'une structure beaucoup plus grande a encore une fois changé notre perception de l'Univers. Est-ce que la très vaste Voie lactée remplit l'Univers ? Ou, au contraire, notre galaxie n'est-elle qu'une galaxie parmi d'autres galaxies lointaines que nous n'avons pas encore découvertes ?

Pause réflexion

Imagine une chaude soirée de juillet. Tu observes la Voie lactée qui s'étend dans le ciel. Tu veux avoir la preuve que la Voie lactée enveloppe complètement la Terre. Ce soir-là, tu téléphones à quelqu'un à l'autre bout du monde pour savoir si la Voie lactée est visible là où se trouve cette personne. Qu'est-ce que ton interlocuteur verrait? Pourquoi ne pouvais-tu attendre 12 heures, jusqu'à ce que la Terre s'oriente dans l'autre direction, pour vérifier par toi-même? Indice: Il faut plus d'une nuit pour vérifier si la Voie lactée enveloppe la Terre. Réponds à la question dans ton journal scientifique.

## Des amas d'étoiles

C'est en étudiant la bande d'étoiles qui entoure la Terre que les astronomes ont constaté que certaines étoiles formaient des amas. Ils ont observé deux types d'amas. Les **amas galactiques ouverts** regroupent de 50 à 1000 étoiles qui semblent dispersées le long de la bande principale de la Voie lactée. Les Pléiades en sont un exemple (*voir la figure 15.7*). Les **amas globulaires** sont des regroupements de 100 000 à 1 million d'étoiles organisées selon des formes sphériques distinctives. L'amas globulaire qui se trouve dans Hercule en est un exemple (*voir la figure 15.8*). Les amas globulaires ne se trouvent pas le long de la bande de la Voie lactée, mais dans les régions méridionales du ciel. Les astronomes se sont demandé ce que ces différents amas d'étoiles pouvaient nous apprendre sur la structure de la galaxie et quelle était la place de notre propre étoile, le Soleil, dans cet ensemble.

**Figure 15.7** Les Pléiades sont un exemple d'un amas d'étoiles ouvert.

**Figure 15.8** La photo en médaillon représente la constellation d'Hercule. Ce groupe d'étoiles est le plus visible à la fin du printemps et au début de l'été. La photo la plus grande montre l'amas globulaire d'Hercule, qui se trouve à 23 000 années-lumière du Soleil et qui contient plus de 300 000 étoiles.

## Représentation de la taille et de la forme de la Voie lactée sur une carte

À l'aide des étoiles variables pour évaluer les distances, l'astronome Harlow Shapley a essayé de représenter sur une carte la totalité de la Voie lactée. En 1918, ces mesures avaient donné lieu à une nouvelle représentation de la galaxie. Il s'agissait d'un immense ensemble d'étoiles en forme de disque, avec un halo d'amas globulaires autour du centre. Le Soleil ne se trouvait nulle part près du centre de ce disque, mais plutôt sur le bord extérieur de la galaxie. Aujourd'hui, nous savons que la Voie lactée mesure environ 75 000 années-lumière de diamètre et que le Soleil se trouve à environ 25 000 années-lumière de la région centrale.

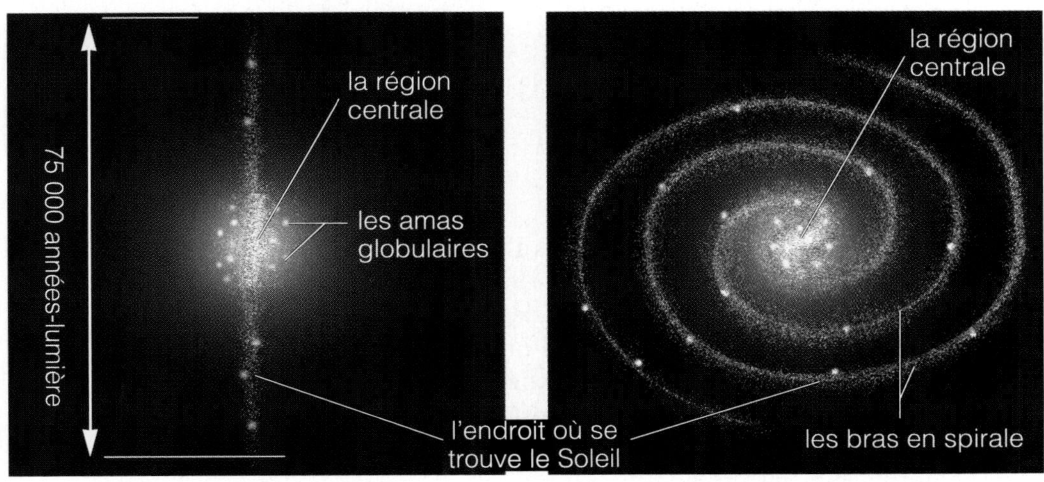


**Figure 15.9** Les amas globulaires entourent la région centrale de la Voie lactée. Le Soleil et notre système solaire se trouvent près de l'extérieur.

## D'un océan à l'autre

À l'âge de 15 ans, Helen Sawyer a vu sa première éclipse solaire totale. Cet événement, qu'elle décrit comme « magnifique », l'a inspirée. Elle a alors décidé de vouer sa vie à l'astronomie.

Moins de 20 ans plus tard, Helen Sawyer Hogg s'était taillé une solide réputation d'écrivaine et d'astronome au Canada. Elle est entrée à l'Université de Toronto en 1935, où elle a enseigné pendant 40 ans. Elle se rendait souvent à l'observatoire David-Dunlap, à Richmond Hill, où elle utilisait le télescope de 185 cm. Son mari, Frank S. Hogg, a été nommé directeur de l'observatoire en 1946. Cinq ans plus tard, il mourait, laissant Helen et trois adolescents.

Helen Sawyer Hogg a représenté des amas d'étoiles de la Voie lactée sur une carte. C'était une experte des amas globulaires. Elle a mesuré les variations de luminosité des étoiles variables dans les amas globulaires. Ces mesures lui ont permis de prévoir la distance entre les étoiles et la Terre. La plupart de ces étoiles sont distantes de 15 à 70 millions d'années-lumière.

Cette astronome de renommée internationale a aussi rédigé une chronique dans le *Toronto Star* de 1951 à 1980. En outre, elle est l'auteure d'un livre intitulé *The Stars Belong to Everyone: How to Enjoy Astronomy* (1976). Dans cet ouvrage, elle explique les merveilles du ciel nocturne dans des termes simples que le grand public peut comprendre. Au cours de sa vie, Helen Sawyer Hogg a vu la comète de Halley deux fois. La première fois, elle n'avait que cinq ans. La deuxième, elle en avait 80. La même année, en 1985, elle a épousé son second mari, Frances Priestly. Elle a reçu de nombreuses distinctions, dont celle de voir un astéroïde porter son nom. Cet astéroïde est en orbite entre Jupiter et Mars.

**Helen Sawyer Hogg**

**Le savais-tu ?**

De la Terre, il est impossible de voir le centre de la Voie lactée à cause de grandes quantités de matériaux interstellaires. Toutefois, grâce aux télescopes à infrarouge, les astronomes ont réussi à percer ce nuage de poussière et de gaz. Ils ont découvert que la galaxie ressemblait à un immense moulinet avec des bras en spirale. Ces bras en spirale se composent d'étoiles qui rayonnent à partir d'un centre contenant des étoiles regroupées de façon très dense. En 1990, le satellite *COBE* (*Cosmic Background Explorer*), équipé d'une caméra à infrarouge, nous a offert les premiers gros plans de la région centrale de la Voie lactée. Compare l'image à infrarouge de la Voie lactée, ci-contre, au schéma de la figure 15.9, à la page précédente.

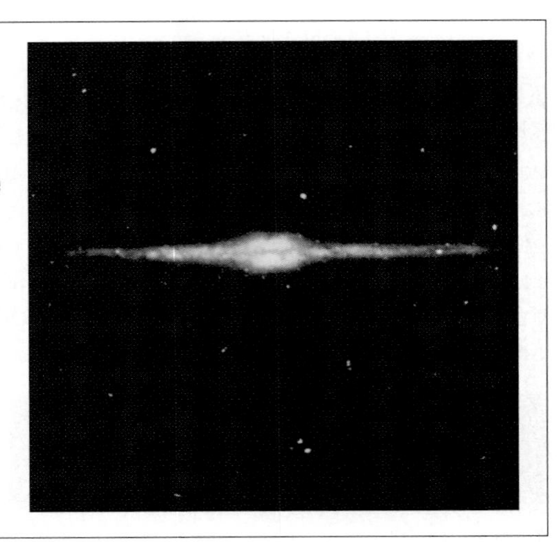

## Andromède et au-delà

L'objet le plus distant que tu peux voir à l'œil nu est une nébuleuse qui se trouve dans la constellation d'Andromède. En 1925, l'astronome Edwin Hubble a eu la surprise de découvrir qu'il pouvait voir des étoiles distinctes dans cette nébuleuse. Il s'est rendu compte que ce qu'il observait n'était pas du tout un nuage de gaz et de poussière, mais une autre galaxie entière, complètement distincte de la nôtre. Cette découverte a permis de constater que l'Univers était bien plus grand que ce que nous imaginions. Les astronomes allaient bientôt découvrir des centaines d'autres galaxies ou, comme Hubble les appelait, des « univers-îles ». Aujourd'hui, nous savons qu'il y autant de galaxies dans l'Univers que d'étoiles dans la Voie lactée.

**Figure 15.10** La galaxie d'Andromède est la grande galaxie la plus proche de la Terre. Elle se compose de quelque 300 milliards d'étoiles et se trouve à environ 2,5 millions d'années-lumière de la Terre.

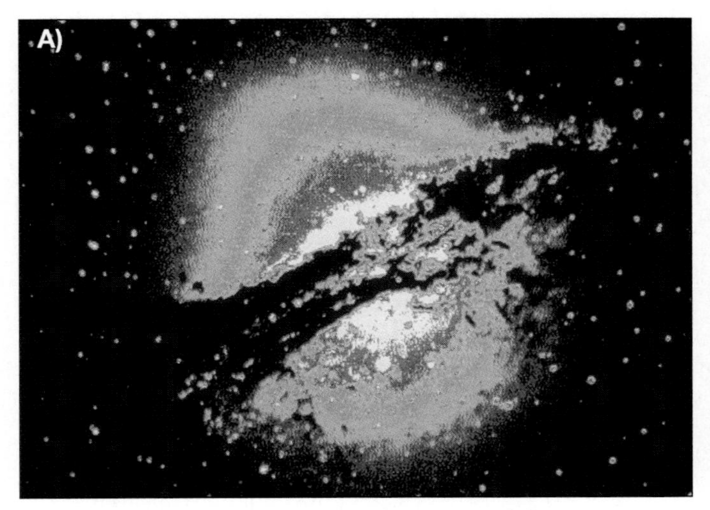


**Figure 15.11 A)** Une galaxie elliptique (vue de côté)

**Figure 15.11 B)** Une galaxie irrégulière (le Grand Nuage de Magellan)

**Figure 15.11 C)** Une galaxie spirale (vue de côté)

**Figure 15.11 D)** Une galaxie spirale (vue d'en haut)

## Les types de galaxies

À mesure que les astronomes approfondissaient leurs observations de nouvelles galaxies, ils ont classé ces galaxies en trois catégories : les galaxies elliptiques, les galaxies spirales et les galaxies irrégulières. La figure 15.11 montre un exemple de chacune de ces trois galaxies.

Les galaxies elliptiques, qui semblent être les plus courantes, ont une forme qui ressemble à un ballon de football. Elles se composent avant tout de vieilles étoiles et ont très peu de gaz ou de poussière interstellaire.

Les galaxies spirales, comme la Voie lactée et Andromède, ressemblent à des moulinets plats, avec des bras en spirale émanant de la région centrale. Ces bras se composent de poussière et de gaz ainsi que de jeunes étoiles bleues lumineuses, ce qui nous prouve que la formation des étoiles se poursuit.

Les galaxies irrégulières se composent d'un mélange de jeunes étoiles et d'étoiles plus âgées, enveloppées de gaz et de poussière. Les galaxies de ce type n'ont pas de forme particulière et tendent à être plus petites et moins courantes que les deux autres types de galaxies. Le Grand Nuage de Magellan et le Petit Nuage de Magellan en sont deux exemples (que l'on voit de l'hémisphère Sud).

# Combien de galaxies y a-t-il ?

## Réfléchis

Cette image grossie plusieurs fois montre la portion de ciel que masque la tête d'une épingle tenue à bout de bras. Le champ de vision est si restreint qu'il n'y a qu'une ou deux étoiles de notre galaxie sur la photo. (Il s'agit des objets qui portent une marque brillante entrecroisée.) Le reste des objets sont des galaxies.

## Ce que tu dois faire

1. Examine attentivement la photo ci-dessus, prise par le télescope spatial *Hubble*. Compte le nombre de galaxies que tu vois. Vois-tu des galaxies spirales comme la nôtre ?
2. Suppose que la photo prise par le télescope *Hubble* montre une répartition typique des galaxies de l'Univers. Évalue le nombre de galaxies qui se trouvent dans l'Univers. Tu peux faire une approximation. Travaille avec un ou une partenaire afin de trouver les réponses aux questions suivantes.
   - D'après toi, combien faudrait-il de têtes d'épingle pour recouvrir un timbre-poste ? Fais un croquis d'un petit timbre-poste et trace des points avec un feutre à pointe fine pour représenter les têtes d'épingle. Écris ton évaluation dans ton cahier. Indice : Voici un moyen rapide de procéder sans recouvrir la totalité du timbre-poste de points : $A = L \times l$.
   - Combien faudrait-il de timbres-poste pour couvrir une feuille de papier de 21,6 sur 27,9 cm ($8\frac{1}{2}$ po × 11 po) ? Fais un autre croquis pour expliquer ton raisonnement. Inscris le résultat dans ton cahier. Combien faudrait-il de têtes d'épingle pour recouvrir la feuille de papier ? Donne ta réponse en notation scientifique (sous forme de puissance 10).
   - Combien de feuilles de papier de 21,6 sur 27,9 cm devrais-tu tenir à bout de bras pour masquer le ciel ? Combien faudrait-il de têtes d'épingle pour couvrir cette zone ? Donne ta réponse en notation scientifique.
3. D'après tes estimations de l'étape 2, combien de photos prises par le télescope *Hubble* faudrait-il pour couvrir le ciel ? (Rappelle-toi que la photo prise par le télescope *Hubble* montre la portion de ciel masquée par la tête d'une épingle tenue à bout de bras.) Donne ta réponse en notation scientifique.
4. Pour évaluer le nombre de galaxies dans l'Univers, multiplie le total obtenu à l'étape 1 par la réponse obtenue à l'étape 3.

## Analyse

1. En supposant que le nombre d'étoiles de la Voie lactée (400 milliards) représente une moyenne pour tous les types de galaxies, combien d'étoiles, d'après toi, y a-t-il dans l'Univers ? Donne ta réponse en notation scientifique.
2. Quelles sont tes hypothèses quand tu fais l'évaluation qui va te permettre de répondre à la question 1 ? Quels sont les facteurs qui peuvent te faire sous-estimer ta réponse ? Quels sont les facteurs qui peuvent te faire surestimer ta réponse ?

## Les amas galactiques

Les étoiles se regroupent en amas au sein des galaxies et les galaxies se regroupent en amas dans l'Univers. Par exemple, la Voie lactée et Andromède sont deux des 30 galaxies qui constituent un amas qu'on appelle le « groupe local ». Comme le montre la figure 15.12, même ces petits amas semblent organisés en superamas.

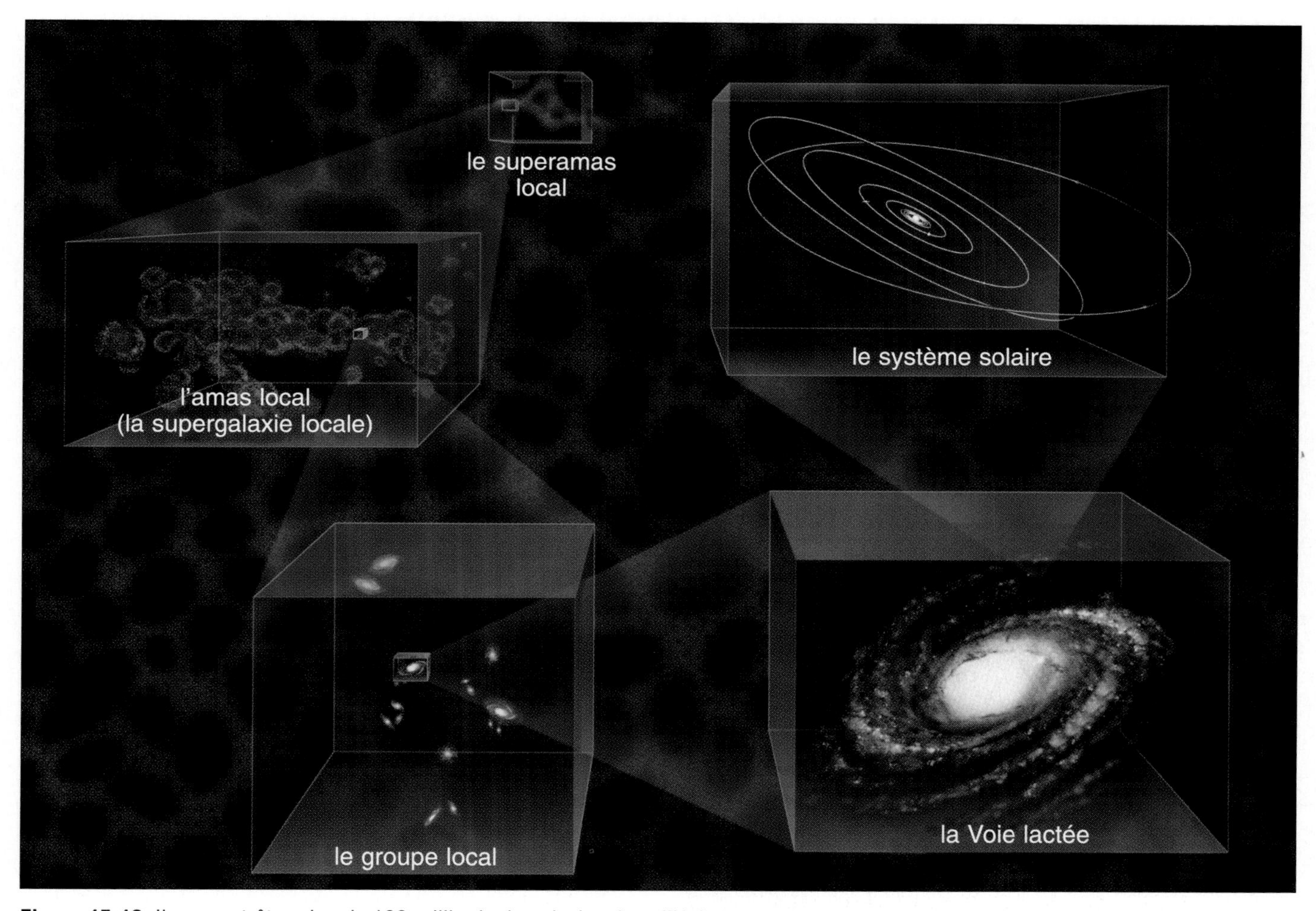


**Figure 15.12** Il y a peut-être plus de 100 milliards de galaxies dans l'Univers et presque toutes semblent regroupées en amas.

**Le savais-tu ?**

Avec des jumelles, tu peux voir Andromède. À l'automne, regarde le ciel dans la direction du sud-est ; tu y trouveras un diamant géant. En hiver, le diamant se trouvera au sud ; l'étoile supérieure sera haut dans le ciel. Le schéma ci-contre t'aidera à trouver Andromède à l'automne.

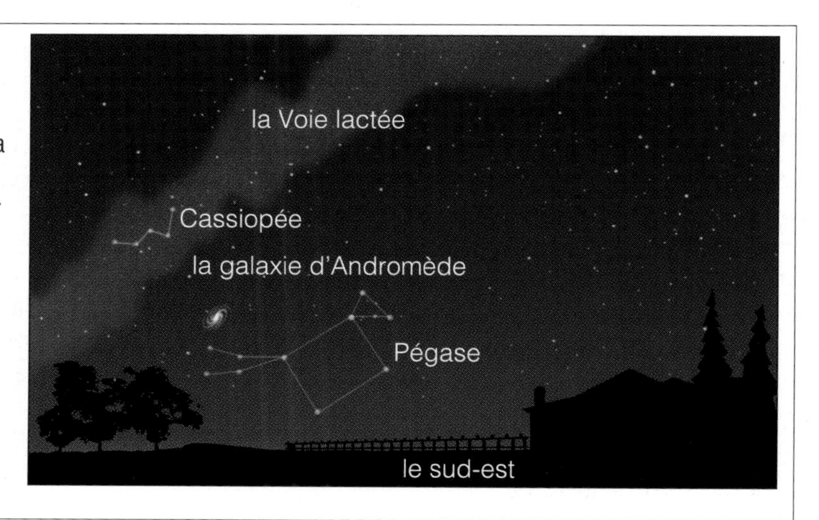

**Le savais-tu ?**

Les galaxies tournent lentement sur elles-mêmes et leurs étoiles se déplacent autour du centre. Ainsi, il faut environ 200 millions d'années au Soleil pour faire un tour complet autour de notre galaxie. Pendant ce voyage, le Soleil rencontre périodiquement de grandes quantités de débris. Certains scientifiques se demandent si ces collisions ont un lien avec les changements climatiques à long terme que la Terre a subis par le passé.

Comme tu l'as appris dans cette section, l'exploration spatiale du XXe siècle nous a révélé un Univers bien plus fantastique que celui que nos ancêtres imaginaient. Les étoiles que tu vois briller la nuit ne composent pas un motif égal et immuable dans l'Univers. Nombre de ces étoiles font partie de la Voie lactée. D'autres étoiles, qu'on ne voit qu'au télescope, forment d'autres galaxies. On les compte par milliards et elles se répartissent sur de vastes distances. Alors, quelle est la taille de l'Univers ? Dans la section suivante, tu découvriras comment les astronomes ont essayé de répondre à cette question.

La galaxie A est quatre fois moins lumineuse qu'Andromède. On estime qu'elle est deux fois plus loin de nous.

La galaxie B est neuf fois moins lumineuse qu'Andromède. On estime qu'elle est trois fois plus loin de nous que cette galaxie.

1. Mathématiquement, comment indiquerais-tu la relation entre la luminosité et la distance ?
2. Examine maintenant la galaxie C. Elle est cent fois moins lumineuse qu'Andromède. Alors, à quelle distance se trouve-t-elle d'Andromède, d'après toi ? À combien d'années-lumière ? (Rappelle-toi que la distance entre Andromède et la Terre est d'environ 2,5 millions d'années-lumière.)

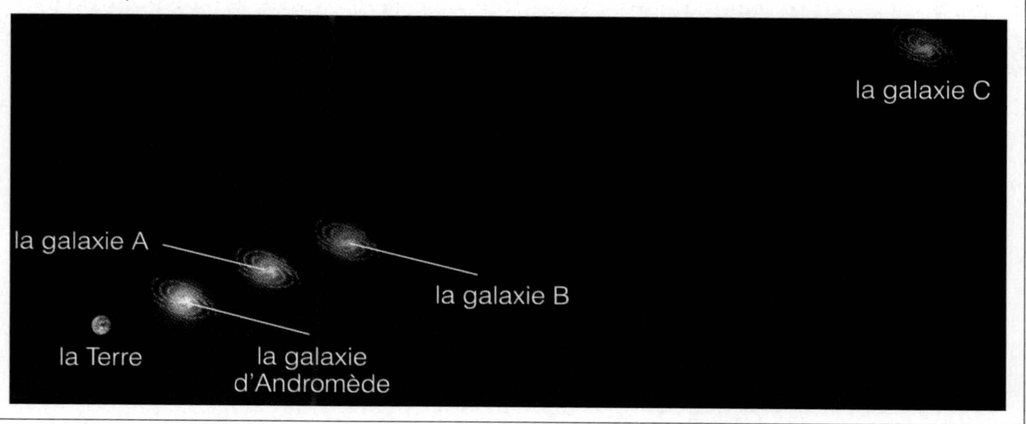


## Vérifie ce que tu as compris

1. a) Qu'est-ce qu'une galaxie ?
   b) Qu'est-ce que l'existence des galaxies nous a appris sur la taille de l'Univers ?
2. Nomme deux types d'amas d'étoiles et explique en quoi ils sont différents.
3. Quelle preuve avons-nous que la Terre n'est pas le centre de la Voie lactée ?
4. Explique pourquoi il nous est impossible de voir les étoiles au centre de notre galaxie.
5. a) Quel est le nom de la galaxie spirale la plus proche de la Voie lactée ?
   b) Combien d'étoiles contient-elle ? À quelle distance se trouve-t-elle de la Terre ?
6. Nomme les caractéristiques des trois principaux types de galaxies.

# 15.3 L'Univers en expansion

## Le compteur de vitesse cosmique

Dans le chapitre 14, tu as appris comment on utilisait les spectroscopes pour déterminer la composition chimique de l'atmosphère des objets célestes. Les spectroscopes ont aussi un autre usage très important en astronomie. Ils nous indiquent à quelle vitesse un objet céleste s'approche ou s'éloigne de nous. Cette information est importante parce qu'elle nous indique si l'Univers se rétracte ou si, au contraire, il est en expansion.

Tu as probablement remarqué que la sirène d'une ambulance ou d'un camion d'incendie est différente selon que le véhicule approche de toi, passe devant toi ou s'éloigne de toi. Le changement de hauteur du son de la sirène s'appelle l'**effet Doppler**. Ce phénomène est dû au changement de longueur des ondes sonores. Comme l'indiquent les figures 15.13 A) et B), les ondes sonores sont comprimées à l'avant du véhicule quand il roule à grande vitesse. Les ondes sont plus courtes et le son est plus aigu. Derrière le véhicule, les ondes sonores s'étirent, créant ainsi des ondes plus longues et un son plus grave.

**Le savais-tu ?**

Les policiers et les policières se servent de l'effet Doppler lorsqu'ils vérifient la vitesse des automobilistes à l'aide d'un radar. En effet, le radar émet un signal de longueur d'onde connue qui est réfléchi lorsqu'il frappe un objet, par exemple une automobile. La longueur d'onde du signal de retour change si l'objet est en mouvement. Plus l'objet se déplace rapidement, plus la différence est grande entre la longueur d'onde émise et celle mesurée en retour.

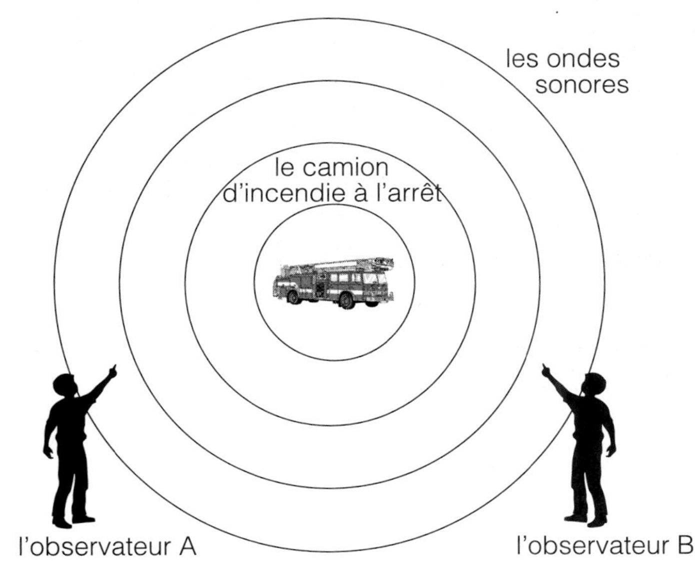


**Figure 15.13 A)** Quand le camion d'incendie est à l'arrêt, le son de la sirène a la même hauteur dans toutes les directions parce que les ondes sonores sont uniformes.

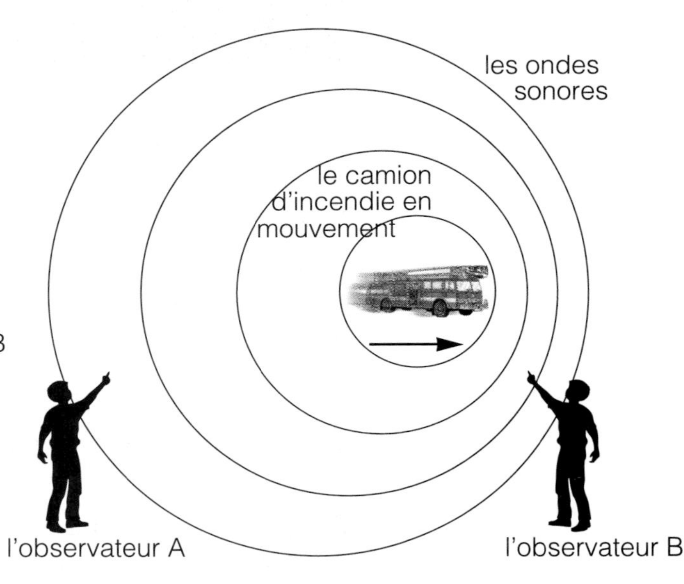


**Figure 15.13 B)** Quand le camion d'incendie se déplace à grande vitesse, la hauteur du son de la sirène semble changer. Le son est plus aigu quand le camion s'approche de l'observateur et plus grave quand il s'en éloigne.

La lumière, comme les sons, se déplace sous forme d'ondes. Par conséquent, on utilise l'effet Doppler pour mesurer la vitesse et la direction des objets qui émettent de la lumière, comme les étoiles. Alors que la hauteur des ondes sonores d'un objet en mouvement varie, les ondes lumineuses d'un objet en mouvement changent de couleur. Si une étoile s'approche de toi, la longueur d'onde de la lumière se comprime. Résultat : les lignes sombres du spectre de l'étoile (les raies spectrales) se déplacent vers l'extrémité du spectre où les ondes sont plus courtes, c'est-à-dire l'extrémité bleue. (Examine le spectre électromagnétique à la figure 14.2, page 462.) Si l'étoile s'éloigne de toi, les raies spectrales vont faire un **décalage vers le rouge**, c'est-à-dire vers la partie du spectre où les ondes sont plus longues. La figure 15.14 illustre la façon dont les raies spectrales d'une étoile révèlent si l'étoile s'approche de la Terre ou s'éloigne de la Terre.

**Figure 15.14** Ces lignes noires apparaissent dans le spectre d'une étoile fixe (le spectre A). Si l'étoile s'approche de la Terre, les raies vont se déplacer vers l'extrémité bleue du spectre (le spectre B). Si l'étoile s'éloigne de la Terre, les raies vont se déplacer vers l'extrémité rouge (le spectre C). L'amplitude du mouvement des raies correspond à la vitesse à laquelle l'étoile s'approche ou s'éloigne.

## Observe l'effet Doppler

Puisqu'il nous est impossible de voir directement les ondes sonores ou lumineuses, nous pouvons démontrer l'effet Doppler en utilisant un type d'onde énergétique que nous pouvons voir. Essaie cette activité toute simple à la maison.

### Ce que tu dois faire

1. Remplis à moitié un évier d'eau.
2. Plonge dans l'eau et exerce à plusieurs reprises un mouvement d'avant en arrière sur l'extrémité d'une brosse à dent ou d'une brosse à cheveux.
3. Que constates-tu à propos des ondes qui apparaissent à la surface de l'eau, autour de la brosse ? À quoi ressemblent les ondes devant la brosse ? À quoi ressemblent les ondes derrière la brosse ? Dans ton cahier, décris les caractéristiques de ce que tu as observé et trace un croquis pour illustrer ces caractéristiques.

### Qu'as-tu découvert ?

Imagine que la brosse est une étoile et que la Terre se trouve sur un point, à gauche de l'évier. Dessine l'apparence qu'auraient les ondes pour un observateur sur la Terre lorsque l'étoile s'éloigne de la Terre. Dessine ensuite l'apparence qu'auraient ces ondes pour un observateur sur la Terre lorsque l'étoile s'approche de la Terre. Résume brièvement la façon dont on peut utiliser cette information pour déduire le mouvement d'une galaxie par rapport à la Voie lactée.

RÉALISE UNE EXPÉRIENCE 15-C

# Fais un modèle de l'Univers en expansion

Ce n'est pas facile de faire un modèle réduit de l'Univers en expansion dans toutes les directions. Dans cette activité, tu auras la possibilité d'étudier, de façon pratique, le concept de l'expansion de l'Univers.

## Problème à résoudre

Si toutes les galaxies autour de nous s'éloignent de nous, cela signifie-t-il que notre galaxie, la Voie lactée, se trouve au centre ?

## Matériel

du papier
un stylo
un marqueur
un ballon (de couleur claire)
une pince à linge
un ruban à mesurer

## Marche à suivre

1. Fais un tableau comme le tableau ci-dessous.

| | Mesures 1 | Mesures 2 | Mesures 3 |
|---|---|---|---|
| distance de A à B | | | |
| distance de A à C | | | |
| distance de A à D | | | |
| distance de A à E | | | |
| distance de A à F | | | |

2. Trace six points avec le marqueur sur le ballon qui n'est pas gonflé, trois points sur chaque côté du ballon. Chaque point doit avoir la taille de la gomme à effacer qui se trouve à l'extrémité d'un crayon. Écris sous chacun des points une lettre de A à F. Les points représentent des amas individuels de galaxies.

3. Gonfle un peu le ballon et ferme l'ouverture avec la pince à linge. (Ne ferme pas l'ouverture définitivement.) Avec le ruban à mesurer, mesure la distance entre le point A et chacun des cinq autres points. Inscris les mesures dans le tableau, sous Mesures 1.

4. Retire la pince à linge et gonfle le ballon un peu plus. Referme l'ouverture. Mesure les nouvelles distances entre le point A et les autres points. Inscris tes résultats dans le tableau, sous Mesures 2.

5. Gonfle le ballon une dernière fois, jusqu'à ce qu'il soit gonflé presque totalement. Mesure les distances et inscris ces distances dans le tableau, sous Mesures 3.

## Analyse

1. Quelles tendances observes-tu dans les trois séries de mesures que tu as prises sur le ballon ?
2. Y a-t-il un point central sur le ballon autour duquel tous les autres points tournent ?

## Conclusion et mise en pratique

3. D'après tes observations, que peux-tu conclure sur le mouvement des amas de galaxies les uns par rapport aux autres, à mesure que l'Univers prend de l'expansion ?

## Enrichis tes connaissances

4. Explique certaines des faiblesses de ce modèle de l'Univers.

**Figure 15.15** La découverte de Hubble selon laquelle la plupart des galaxies se décalent vers l'extrémité rouge constituait la première preuve que l'Univers est en constante expansion.

## La découverte de l'Univers en expansion

Dès 1929, Edwin Hubble avait évalué la distance qui séparait la Terre de 46 galaxies. Avec le télescope très puissant qu'il utilisait (à l'époque, il s'agissait du télescope le plus puissant du monde), il a également réussi à déterminer le spectre de faibles sources lumineuses en provenance de ces galaxies. Il a utilisé cette information pour faire l'une des découvertes les plus incroyables de l'histoire récente de l'astronomie. Le spectre de ces 46 galaxies se décalait vers l'extrémité rouge. En d'autres termes, toutes les galaxies s'éloignaient de la Terre. De plus, la vitesse à laquelle elles s'éloignaient était proportionnelle à leur distance de la Terre. Les galaxies les plus lointaines s'éloignaient le plus rapidement. Les galaxies les plus proches s'éloignaient moins rapidement. Cette relation s'appelle la **loi de Hubble.**

Un moyen utile de comprendre ce qui se passe vraiment parmi les galaxies de l'Univers consiste à examiner un pain aux raisins en train de cuire. Imagine que la pâte est l'Univers et que les raisins sont les galaxies. À mesure que la pâte gonfle (l'Univers qui prend de l'expansion), la distance entre chaque raisin (les galaxies) augmente. Un observateur qui se trouve dans un seul raisin ou une seule galaxie pourrait croire que tous les autres raisins ou toutes les autres galaxies s'éloignent de lui.

Le modèle du pain aux raisins démontre un autre point important: les galaxies ne se déplacent pas librement dans l'espace (tout comme les raisins ne se déplacent pas librement dans la pâte). C'est plutôt l'espace qui prend de l'expansion, entraînant les galaxies avec lui.

## Vérifie ce que tu as compris

1. Décris brièvement comment on utilise le spectroscope pour mesurer la vitesse à laquelle une étoile s'éloigne ou s'approche de la Terre.
2. Les raies noires du spectre d'une étoile qui vient d'être découverte se sont déplacées vers l'extrémité rouge du spectre. Que peux-tu en déduire sur le mouvement de l'étoile ?
3. Qu'est-ce que la loi de Hubble ?
4. Si toutes les galaxies autour de la Voie lactée semblent s'éloigner, pourquoi est-il impossible de supposer que la Voie lactée est le centre de l'Univers ?
5. **Réflexion critique** Le spectre des galaxies en dehors de l'amas du « groupe local » se décale vers l'extrémité rouge. Au sein du « groupe local », toutefois, certaines galaxies se décalent vers le rouge et d'autres, vers le bleu. Que peux-tu en conclure sur la nature des galaxies au sein du « groupe local » et en dehors du « groupe local » ?

# 15.4 La formation de l'Univers

Imagine une course à pied dans laquelle tous les coureurs atteignent rapidement leur vitesse maximale et courent infatigablement, toujours à la même vitesse. À quoi ressemblerait la course quelques minutes plus tard ? Les coureurs seraient dispersés le long de la piste, le coureur le plus rapide en tête. Graduellement, la distance entre les coureurs augmenterait. C'est exactement ce que l'on peut observer dans l'Univers. Comme les coureurs, les galaxies ont dû commencer à bouger en même temps et à partir du même endroit.

## Déterminer le début des temps

Tu viens de découvrir comment les astronomes mesurent la vitesse à laquelle les galaxies s'éloignent et comment ils calculent les distances qui nous séparent de galaxies lointaines. À partir de ces valeurs, il est possible de revenir en arrière pour découvrir à quel moment toutes les galaxies étaient à la même place, au même moment. Cette estimation détermine le début de l'Univers.

**LIEN** *mathématique*

Imagine que tu participes à une course et que tu te déplaces à 5 m/s. Le coureur A te précède ; il se déplace à 9 m/s. Le coureur B est derrière toi ; il se déplace à 3 m/s. Suppose que la vitesse des trois coureurs est constante depuis le début de la course.

1. À quelle vitesse le coureur A s'éloigne-t-il de toi ?
2. À quelle vitesse le coureur B s'éloigne-t-il de toi ?
3. Si, à un moment donné, le coureur A est à 60 m devant toi et le coureur B est à 30 m derrière toi, combien de secondes se sont écoulées depuis le début de la course ?

**Le savais-tu ?**

La vitesse à laquelle les galaxies s'éloignent de la Terre est directement liée à la distance qu'elles ont déjà parcourue. Les astronomes appellent la valeur de ce ratio la « constante de Hubble ». Ce ratio est important non seulement pour calculer l'âge de l'Univers, mais aussi pour prévoir l'avenir de l'Univers. Au milieu des années 1990, on a calculé plusieurs nouvelles valeurs pour la constante de Hubble, à partir de nouvelles données. En fonction de ces nouvelles valeurs, les astronomes ont abaissé leur estimation de l'âge de l'Univers. Malheureusement, selon les nouveaux calculs, l'Univers est plus jeune que certains des objets qu'il contient, ce qui est impossible ! Ces contradictions mettent du piquant dans l'étude des sciences. Elles montrent qu'il y a encore plusieurs découvertes à faire et nombre de casse-tête à résoudre.

**Le savais-tu ?**

Georges Lemaître n'a pas appelé ses idées sur l'origine de l'Univers la théorie du big bang. Cette expression a été utilisée pour la première fois, de façon sarcastique, par le physicien britannique Fred Hoyle. Fred Hoyle tenait en piètre estime la proposition de Lemaître selon laquelle l'Univers avait vu le jour en un instant. Pour Hoyle et sa « théorie statique », l'Univers n'avait ni début ni fin et il ne changeait pas avec le temps. Aujourd'hui, les preuves qui confirment la théorie du big bang sont convaincantes et le nom de cette théorie est resté.

## L'origine de la matière

La **théorie du big bang** est l'explication scientifique la plus largement acceptée sur l'origine de l'Univers. Selon cette théorie, l'Univers et tout ce qui le constitue a vu le jour en un instant, il y a entre 15 et 20 milliards d'années. C'est à ce moment-là qu'on a commencé à calculer le temps. Il n'y avait pas de galaxies au moment zéro. Il n'y avait même pas d'atomes.

On doit la naissance de la théorie du big bang au prêtre et astrophysicien belge, Georges Lemaître, au début des années 1930. Grâce à l'idée de Hubble selon laquelle l'Univers est en expansion, Lemaître a conclu que l'Univers, au début, devait être très petit et très dense. À la fin des années 1940, l'astrophysicien George Gamow a commencé à formuler les détails de cette théorie. Examine la figure 15.16 et dresse un calendrier cosmique pour t'aider à comprendre l'idée du big bang.

## Des échos du big bang

Dans les années 1960, les astronomes Arno Penzias et Robert Wilson travaillaient aux laboratoires Bell, aux États-Unis. Ils tentaient d'adapter une antenne hyperfréquence qui devait servir d'outil de radioastronomie. Quelle qu'était la direction dans laquelle le télescope était braqué, les deux astronomes entendaient constamment des bruits atmosphériques dans les signaux qu'ils recevaient. Tous leurs efforts pour faire cesser ces bruits d'arrière-fond (ils ont même retiré un nid d'oiseau qui se trouvait dans l'antenne) sont restés vains. Penzias et Wilson ont finalement conclu que le télescope captait les restes fort affaiblis du rayonnement du big bang initial.

Cette découverte était essentielle. Tu te rappelles que, lorsqu'un gaz se dilate, il se refroidit. Au début, l'Univers était compact et très chaud. Mais, depuis le big bang qui a marqué l'expansion de l'Univers, celui-ci se refroidit. Avant la découverte de Penzias et de Wilson, plusieurs scientifiques avaient prédit qu'un univers en expansion se serait refroidi et aurait atteint une température variant entre -271 °C et -263 °C. Les températures détectées par Penzias et Wilson s'inscrivaient dans cet éventail, confirmant ainsi la théorie du big bang sur la formation de l'Univers.

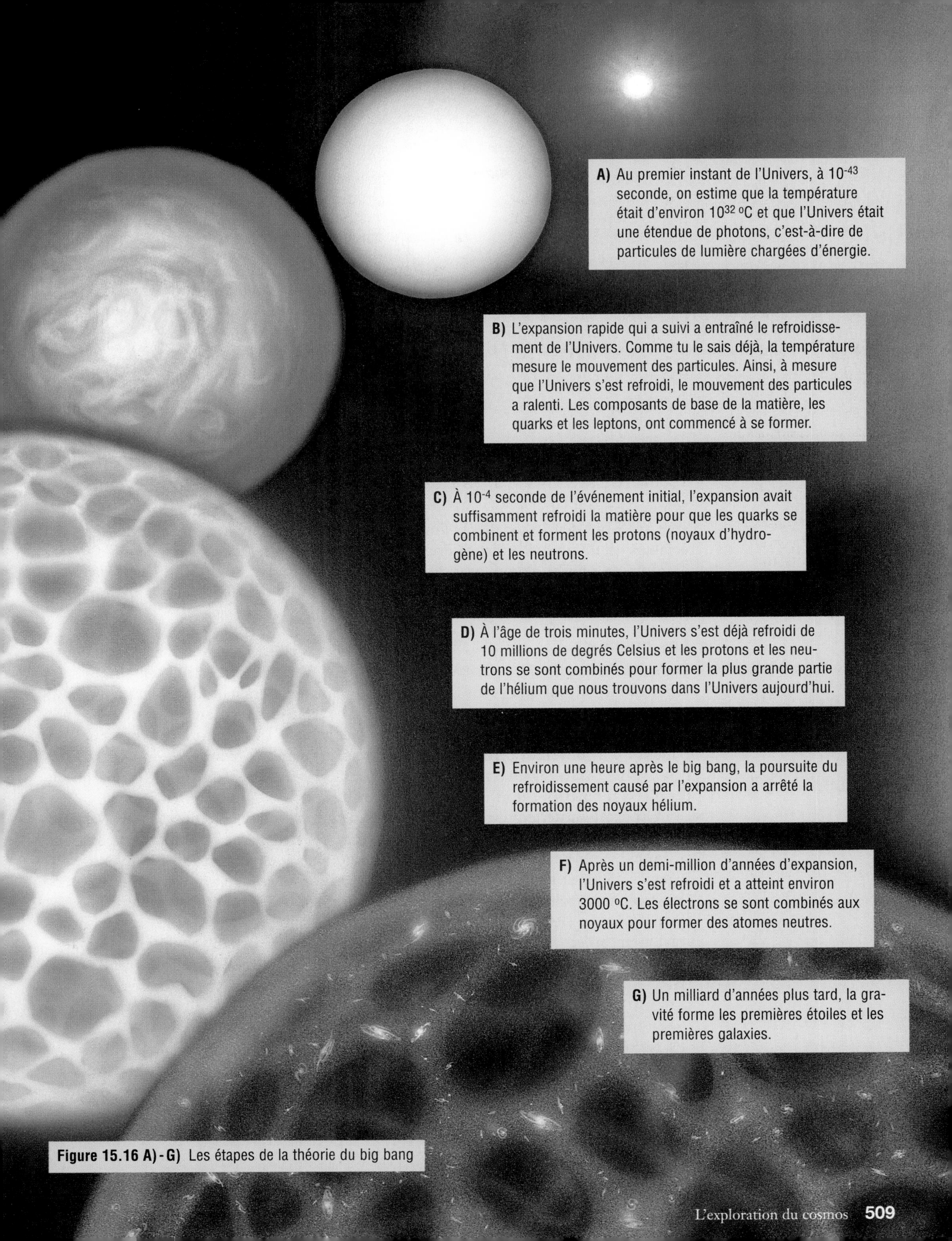

**A)** Au premier instant de l'Univers, à $10^{-43}$ seconde, on estime que la température était d'environ $10^{32}$ °C et que l'Univers était une étendue de photons, c'est-à-dire de particules de lumière chargées d'énergie.

**B)** L'expansion rapide qui a suivi a entraîné le refroidissement de l'Univers. Comme tu le sais déjà, la température mesure le mouvement des particules. Ainsi, à mesure que l'Univers s'est refroidi, le mouvement des particules a ralenti. Les composants de base de la matière, les quarks et les leptons, ont commencé à se former.

**C)** À $10^{-4}$ seconde de l'événement initial, l'expansion avait suffisamment refroidi la matière pour que les quarks se combinent et forment les protons (noyaux d'hydrogène) et les neutrons.

**D)** À l'âge de trois minutes, l'Univers s'est déjà refroidi de 10 millions de degrés Celsius et les protons et les neutrons se sont combinés pour former la plus grande partie de l'hélium que nous trouvons dans l'Univers aujourd'hui.

**E)** Environ une heure après le big bang, la poursuite du refroidissement causé par l'expansion a arrêté la formation des noyaux hélium.

**F)** Après un demi-million d'années d'expansion, l'Univers s'est refroidi et a atteint environ 3000 °C. Les électrons se sont combinés aux noyaux pour former des atomes neutres.

**G)** Un milliard d'années plus tard, la gravité forme les premières étoiles et les premières galaxies.

**Figure 15.16 A) - G)** Les étapes de la théorie du big bang

## Les croyances sur la cosmologie dans le monde

de liaison

### Réfléchis

Les cultures et les sociétés du monde entier ont leurs propres histoires et leurs propres croyances sur la formation de l'Univers.

### Ce que tu dois faire 

Va à la bibliothèque, promène-toi dans Internet ou utilise d'autres sources et fais des recherches sur la façon dont cinq ou six autres cultures expliquent l'origine et la formation du cosmos. Travaille en petit groupe.

### Qu'as-tu découvert ?

1. Quels points les croyances que tu as découvertes ont-elles en commun ? Quelles différences ont-elles ? Comment peux-tu expliquer ces points communs et ces différences ?
2. Pour aller plus loin, cherche des exemples d'art que différentes cultures et différentes sociétés produisent pour décrire leur vision de la création de l'Univers. Présente tes découvertes à la classe.

## Explorer les frontières de l'Univers

Nous avons découvert une quantité astronomique de renseignements sur l'Univers au cours des 50 dernières années. Mais de nombreux mystères restent à éclaircir et de nouvelles frontières, à explorer. Les quasars, les sursauts de rayons gamma et la masse manquante font partie de ces mystères. Chacun de ces mystères contient des indices supplémentaires sur la taille et l'âge du cosmos, sur son passé et son avenir.

### Les quasars

Dans les années 1960, les astronomes ont découvert des objets qui ressemblaient à des étoiles et qui émettaient de grandes quantités d'ondes radio. On a appelé ces objets des **quasars**, ou radiosource quasi stellaire. L'analyse du spectre indique que les quasars sont très décalés vers le rouge. Les scientifiques en ont conclu qu'ils devaient être très distants et se trouver aux frontières de l'Univers observable. Mais les quasars sont aussi très lumineux. La quantité d'énergie que les quasars émettent doit donc être énorme.

On croit actuellement que les quasars sont le résultat d'explosions produites par des galaxies qui sont entrées en collision. On pense que la plupart des quasars se sont formés il y a environ 12 milliards d'années, quand de toutes nouvelles galaxies étaient plus proches les unes des autres et entraient souvent en collision. Ces fusions soudaines de galaxies poussaient d'énormes quantités de matériaux formant les étoiles dans un trou noir central. Certains de ces matériaux se transformaient en énergie – qui produisait une lumière très brillante – et certains matériaux étaient éjectés sous forme de jets de particules à haute énergie. Ces particules, qui se déplaçaient dans des champs magnétiques très intenses, ont produit les puissantes ondes radio qui nous ont donné les premiers signes de l'existence des quasars.

Le télescope spatial *Hubble* examinera bientôt le noyau de certaines galaxies qui ont des quasars. Les résultats nous diront si nos théories sur ces objets mystérieux sont réalistes. Dans ce domaine, la recherche est si empirique que de nouveaux indices pourraient bien modifier toutes nos idées, ou presque, sur les quasars.

### Les sursauts de rayons gamma

Chaque jour, les instruments des astronomes détectent de puissantes impulsions de rayons gamma provenant du ciel. On parle de **sursauts de rayons gamma**. (Rappelle-toi que les rayons gamma ont la longueur d'onde la plus courte de toutes les formes de rayonnement électromagnétique du spectre.) Les objets qui émettent ces rayons libèrent plus d'énergie en l'espace de quelques secondes ou de quelques minutes que le Soleil dans toute sa vie (10 milliards d'années).

Les astronomes ne connaissent pas avec certitude la source de ces sursauts de rayons gamma. Selon une hypothèse, lorsque deux étoiles géantes entrent en collision ou quand une étoile s'effondre, il se forme un trou noir. Au cours de ce processus, il se libère une énorme quantité de rayons gamma.

En 1997 et en 1998, les données combinées du télescope spatial *Hubble*, de télescopes qui se trouvaient à Hawaii et aux îles Canaries, et de détecteurs qui se trouvaient à bord d'un satellite italo-hollandais ont permis aux astronomes de déterminer le décalage vers le rouge de plusieurs sursauts de rayons gamma. On en a conclu que la source de ces jets était distante de plus de 10 milliards d'années-lumière et se trouvait presque aux frontières de l'Univers connu.

**Figure 15.17** Que des objets aussi petits que des quasars émettent un rayonnement si intense tient du mystère. Certains ont expliqué ce phénomène ainsi : quand deux galaxies entrent en collision, la matière tombe dans un immense trou noir à une vitesse proche de la vitesse de la lumière, ce qui produit un rayon d'énergie que nous pouvons détecter sur la Terre, à des milliards d'années-lumière de distance.

**Pause réflexion**

Une carte des sursauts de rayons gamma montre que ces rayons proviennent de partout dans le ciel, et non pas uniquement de la bande de la Voie lactée. D'après toi, ces données suggèrent-elles que la source de ces jets se trouve à l'intérieur ou à l'extérieur de notre galaxie ? Explique ta réponse dans ton journal scientifique.

**Le savais-tu ?**

On pense que les quasars sont environ de la même taille que les systèmes solaires.

**Le savais-tu ?**

En astronomie, la collaboration internationale n'a jamais été aussi intense. Lorsque le détecteur d'un satellite, un professionnel dans un observatoire ou un amateur dans sa cour, remarque quelque chose d'intéressant dans le ciel, son observation est immédiatement transmise à un observatoire qui communique les données. La nouvelle est alors acheminée dans le monde entier par téléphone, par télécopieur et par Internet. En quelques minutes seulement, les satellites, les antennes paraboliques radio et les grands télescopes du monde entier changent de direction pour observer le phénomène. Malgré une concurrence amicale pour être le premier à faire une découverte ou à formuler une théorie, les astronomes partagent leurs données. Pour les astronomes, les frontières nationales n'existent pas.

## Les outils de la science

Au tréfonds de la mine Creighton d'INCO, près de Sudbury, en Ontario, se trouve 1000 tonnes d'eau lourde dans un immense réservoir. Ce réservoir fait partie d'un télescope à neutrinos très sophistiqué. L'observatoire de neutrinos de Sudbury a 10 000 détecteurs de lumière braqués sur le réservoir afin de déceler les éclairs de lumière libérés quand un neutrino interagit avec l'eau lourde. Ces observations visent à déterminer la masse d'un neutrino insaisissable, s'il en a une. Les réponses nous permettront peut-être de résoudre le mystère de la masse manquante de l'Univers.

### Le mystère de la masse manquante

Partout où nous regardons dans l'Univers, il y a des galaxies. Les galaxies, comme tu l'as appris précédemment dans ce chapitre, forment des amas dont la gravité assure la cohésion. Toutefois, lorsque les astronomes additionnent la masse de toute la matière qui compose les galaxies, la masse totale est bien trop faible pour expliquer pourquoi les galaxies restent groupées en amas. Entre 60 % et 70 % de la masse que les astronomes s'attendent à trouver dans l'Univers manque.

Comment est-ce possible ? Certains astronomes supposent qu'il y a peut-être un nombre incalculable d'étoiles noires consumées, produisant ainsi une masse invisible. Selon une autre hypothèse, l'espace intergalactique (c'est-à-dire l'espace entre les galaxies) n'est pas aussi vide qu'on ne le pense. Les **neutrinos**, des particules élémentaires qui n'ont aucune charge, pourraient remplir cet espace. Les neutrinos ont été créés au tout début de la formation de l'Univers. Il s'en produit encore au cours de la fusion à l'intérieur du Soleil. Plusieurs scientifiques pensent aujourd'hui que les neutrinos détiennent peut-être le secret de la masse manquante de l'Univers.

## Liens Internet

**www.dlcmcgrawhill.ca**

Pour voir les dernières photos prises par le télescope spatial *Hubble*, va dans **Matériel complémentaire/Primaire et secondaire** et ensuite dans **OMNISCIENCES 9** pour savoir ce que tu devras faire par la suite. Quelles sont les dernières découvertes sur les quasars, les trous noirs et autres mystérieux objets de l'Univers ? Rédige un petit résumé sur ce que tu auras trouvé.

## Nouveaux horizons

L'eau lourde, qu'est-ce que c'est ? Fais des recherches pour trouver comment l'eau lourde diffère de l'eau que tu connais. Utilise les nouvelles connaissances que tu as acquises dans le module 2 pour te guider. Fais un exposé sur la façon dont un isotope d'hydrogène rend l'eau lourde utile à des fins bien précises.

## Vérifie ce que tu as compris

1. Explique pourquoi les astronomes pensent que toutes les galaxies de l'Univers doivent avoir commencé leur mouvement vers l'extérieur en même temps.
2. Selon la théorie du big bang, quand l'Univers a-t-il commencé ?
3. a) Définis le terme « quasar ».
   b) Où pense-t-on que les quasars se trouvent dans l'Univers ?
4. Explique l'une des hypothèses de la création des sursauts de rayons gamma.
5. **Réflexion critique** Quelle force pourrait arrêter l'expansion de l'Univers ? D'après toi que se passerait-il après ?

# RÉSUMÉ du chapitre 15

Maintenant que tu as terminé ce chapitre, essaie de faire les activités proposées ci-dessous. Si tu n'y arrives pas, consulte de nouveau la section indiquée.

Utilise la triangulation pour mesurer indirectement la distance qui te sépare d'un objet. (15.1)

Définis la parallaxe et explique comment les astronomes l'utilisent pour déterminer la distance qui les sépare d'objets célestes très lointains. (15.1)

Explique ce qu'est une année-lumière. (15.1)

Nomme les deux propriétés des étoiles variables qui nous ont permis de mesurer les distances intergalactiques. (15.1)

Fais un croquis de la Voie lactée, vue de côté et de dessus, et marque où se trouve le Soleil, la région centrale, les amas globulaires et les bras en spirale. (15.2)

Discute de l'importance de la découverte d'Edwin Hubble (la galaxie d'Andromède) sur notre compréhension de l'Univers. (15.2)

Nomme les trois principaux types de galaxies et décris chacun. (15.2)

Explique l'effet Doppler et illustre cet effet d'un exemple. (15.3)

Décris la preuve qu'ont les astronomes de l'expansion de l'Univers. (15.3)

Explique ce que signifie le fait que toutes les galaxies de l'Univers ont probablement commencé leur mouvement vers l'extérieur au même moment. (15.4)

Décris la théorie du big bang sur la formation de l'Univers. (15.4)

Définis ce qu'est un neutrino et explique pourquoi les astronomes s'intéressent autant à l'étude de ses propriétés. (15.4)

## Prépare ton propre résumé

Résume le contenu de ce chapitre en faisant une représentation graphique (comme un réseau conceptuel), en réalisant une affiche ou en résumant par écrit les concepts clés du chapitre. Voici quelques idées dont tu peux t'inspirer :

- Quels moyens utilisent les astronomes pour mesurer les distances interstellaires ?
- Pourquoi est-il plus pratique d'utiliser des années-lumière que des unités astronomiques (UA) pour décrire les distances dans l'Univers ?
- Qu'est-ce qu'une galaxie ? Quels sont les trois principaux types de galaxies ?
- Quelle preuve les astronomes ont-ils que l'Univers est en expansion ?
- Comment pourrais-tu représenter l'expansion de l'Univers sur un modèle ?
- Quand et comment pense-t-on que l'Univers s'est formé ?

# CHAPITRE 15 Révision

## Des termes à connaître

Si tu as besoin de réviser les termes ci-dessous, les numéros de section t'indiquent où ils ont été mentionnés pour la première fois.

1. Dans ton cahier, associe chaque expression de la colonne A au terme exact de la colonne B.

| A | B |
|---|---|
| • s'utilise pour trouver la vitesse d'objets qui s'approchent ou qui s'éloignent de nous | • parallaxe (15.1) |
| • « Univers-îles » d'étoiles | • neutrino (15.4) |
| • objets qui ressemblent à des étoiles avec un grand décalage vers le rouge | • galaxie (15.2) |
| • étoiles dont la luminosité change | • étoiles variables (15.1) |
| • s'utilise pour trouver la distance qui nous sépare d'étoiles proches | • effet Doppler (15.3) |
| | • quasar (15.4) |
| | • amas globulaire (15.2) |

2. Place les termes suivants dans l'ordre, en fonction de la taille de l'objet qu'ils nomment. Va de l'objet le plus petit à l'objet le plus grand : planète, étoile, galaxie, nébuleuse, « groupe local », système solaire, Lune.

## Des concepts à comprendre

Les numéros de section te permettront de faire des révisions, si tu en as besoin.

3. Quelles sont les contributions de Henrietta Leavitt, de Harlow Shapley, d'Edwin Hubble, de Georges Lemaître et de George Gamow à l'astronomie ? (15.1 à 15.4)

4. Comment la luminosité d'un corps céleste peut-elle permettre de déterminer son éloignement ? (15.1)

5. Nomme trois types de galaxies. Notre galaxie, la Voie lactée, est de quel type ? (15.2)

6. Pourquoi, à l'aide des télescopes optiques, pouvons-nous voir des galaxies éloignées mais pas le centre de notre propre galaxie ? (15.2)

7. Imagine trois étoiles identiques. Une étoile s'approche de nous, une autre étoile s'éloigne de nous et la troisième étoile est immobile. Quelles différences y aura-t-il dans les raies spectrales ? (15.3)

8. Quelles preuves avons-nous que toute la matière de l'Univers a été créée au même moment et au même endroit ? (15.4)

9. Quelle est la signification de la découverte d'un rayonnement d'arrière-fond provenant de toutes les parties du ciel et correspondant au rayonnement qu'émettrait un objet dont la température se situerait entre -271 °C et -263 °C ? (15.4)

10. Quelles preuves avons-nous qu'un quasar est très éloigné ? (15.4)

## Des habiletés à acquérir

11. Une arpenteuse délimite une base de triangulation de 160 m sur le bord d'un champ. Elle mesure ensuite les angles à partir des deux extrémités de la base, jusqu'à un château d'eau situé au loin. Elle consigne les deux angles, soit 40° et 70°. Indique comment l'arpenteuse va appliquer la technique de la triangulation pour calculer la distance entre le bord du champ et le château d'eau.

12. Fais un croquis pour illustrer ce qui suit. (Ajoute une flèche pour indiquer la direction de la Terre.)

    **a)** L'apparence de la Voie lactée pour un observateur se trouvant sur la Terre.

    **b)** L'apparence de la Voie lactée pour un observateur dans une galaxie proche.

## Des problèmes à résoudre ou à mettre en pratique

**13.** Te rappelles-tu l'activité du chapitre 13 (page 453) où tu devais faire un modèle réduit du système solaire afin de conceptualiser l'étendue de l'espace ? Reprends ce modèle. Si tu devais ajouter la galaxie d'Andromède à ce modèle, à quelle distance de la Terre devrais-tu placer la galaxie ? Indice : Tu devras peut-être changer l'échelle de ton modèle pour que cet exercice soit plus facile. Ainsi, un grain de poivre pourrait représenter la totalité du système solaire.

**14.** Peux-tu proposer une méthode pour trouver la parallaxe d'étoiles éloignées, à l'aide d'une sonde spatiale comme *Voyager* ? Présente tes idées sur un schéma.

**15.** La vitesse de la lumière est de 300 000 km/s.

**a)** Quelle est la vitesse de la lumière en kilomètres/heure ?

**b)** Le Soleil se trouve à une distance de $1,5 \times 10^8$ km. Combien de temps faut-il à la lumière du Soleil pour atteindre la Terre ?

**c)** Imagine que nous assistons à une éruption solaire gigantesque et que nous en déduisons qu'un nombre très élevé de particules minuscules émises pendant cette explosion se précipitent vers la Terre. Nous communiquons rapidement par radio avec les occupants de la station spatiale en orbite autour de la Terre pour les avertir et leur dire de s'enfermer dans l'espace de protection. Si les particules se déplacent à 20 % de la vitesse de la lumière, combien de temps les occupants de la station spatiale ont-ils pour se mettre à l'abri ?

**16.** Explique pourquoi les objets qui sont plus loin nous paraissent plus jeunes que s'ils étaient plus près.

## Réflexion critique

**17.** On pense qu'il y a plus de 10 milliards de galaxies. Explique comment nous pouvons évaluer ce nombre sans photographier la totalité du ciel et sans compter toutes les galaxies sur toutes les photos.

### Pause réflexion

Rappelle-toi l'Activité de départ (à la page 487), dans ce chapitre. On te demandait de tester un modèle selon lequel l'Univers ne change pas et est rempli d'étoiles réparties uniformément. Mais la question reste entière : pourquoi, durant la nuit, le ciel est-il noir ? En 1826, un astronome viennois, Heinrich Olbers, prétendait que tous les points du ciel devaient être aussi lumineux qu'une étoile dans un Univers infini composé d'étoiles réparties uniformément. L'observation nous permet de constater que durant la nuit le ciel est noir. On parle ici du paradoxe d'Olbers. Utilise tes connaissances en cosmologie pour résoudre ce paradoxe.

Indices : Les étoiles se concentrent dans les galaxies, mais il semble bien y avoir des galaxies partout. Toutefois, l'Univers est en expansion et a eu un début. Si l'Univers est né il y a environ 15 milliards d'années, la lumière émergeant des galaxies qui sont *distantes* de plus de 15 milliards d'années-lumière de la Terre a-t-elle atteint nos télescopes ? Utilise cette information pour expliquer pourquoi il devrait y avoir une limite au nombre de galaxies que nous voyons.

CHAPITRE

# 16 La Terre et l'espace

## Pour commencer...

- Qu'est-ce que l'effet de serre ? Quel lien y a-t-il entre l'effet de serre et le réchauffement de la planète ?
- Comment les humains utilisent-ils l'espace comme une ressource ?
- D'après toi, est-ce que d'autres formes de vie existent ailleurs dans l'Univers ? Explique ta réponse.
- Nomme toutes les carrières que tu connais qui sont liées à l'étude, à l'utilisation ou à l'exploration de l'espace.

## Journal scientifique

Réponds aux questions ci-dessus dans ton journal scientifique. Pour répondre à ces questions, utilise les connaissances que tu as acquises dans les trois premiers chapitres de ce module et dans tes autres domaines d'études. Si une réponse te manque, décris ce que tu dois faire pour obtenir l'information dont tu as besoin afin de tirer une conclusion.

Les astronautes d'*Apollo 8* en orbite autour de la Lune en 1968 ont été les premières personnes à voir la Terre de loin. Depuis cette mission historique, on a pris plusieurs photos de la Terre. Ces photos montrent à quel point la Terre semble petite et fragile dans cet immense univers. Grâce aux découvertes de l'exploration spatiale de la fin du XXe siècle, nous comprenons désormais que l'existence de la Terre est liée au cosmos, à son passé, à son présent et à son avenir.

Dans le dernier chapitre de ce module, tu exploreras comment la Terre subit l'influence de ses voisins de l'espace, notamment le Soleil et la Lune. Tu apprendras plus particulièrement comment le climat de la Terre — et la vie telle que nous la connaissons — dépend de l'atmosphère très mince de la Terre. Tu découvriras aussi l'importance de la technologie des satellites dans nos vies ainsi que les autres avantages de la recherche spatiale et des voyages dans l'espace pour notre bien-être.

Dans ce chapitre, nous te présenterons aussi certaines questions controversées, liées à l'exploration spatiale. Est-il probable qu'une vie intelligente existe ailleurs dans l'Univers ? Devrions-nous dépenser de l'argent et des efforts pour aller à la recherche de cette vie éventuelle ? Vaut-il la peine d'envoyer des astronautes dans l'espace alors que nous pourrions envoyer des sondes robotisées moyennant des coûts et des risques moindres ?

Enfin, tu exploreras l'éventail des carrières liées à l'étude et à l'utilisation de l'espace. Les découvertes qu'il reste à faire sur l'Univers sont infinies.

## Conçois une station spatiale habitée

Plusieurs scientifiques pensent que la création de stations spatiales habitées en permanence devrait être la prochaine étape significative de l'exploration spatiale et des voyages dans l'espace. Des vaisseaux de ravitaillement en provenance de la Terre approvisionneraient ces stations en nourriture, en matériel et en nouveaux arrivants. Pour les vols vers des stations spatiales plus éloignées, les vaisseaux de ravitaillement devraient être autonomes pendant très longtemps. Dans cette activité, tu devras concevoir un vaisseau capable d'emporter une colonie de voyageurs de l'espace vers une destination qui se trouve à plusieurs années de distance.

### Ce que tu dois faire 

1. En petit groupe, analyse ce dont un vaisseau de ravitaillement aurait besoin. Suppose que le voyage que fera ton vaisseau spatial durera au moins 10 ans. Les questions suivantes t'aideront à déterminer les critères de conception de ton vaisseau et à en planifier l'élaboration.
   **a)** Combien de membres d'équipage et de passagers y aura-t-il dans le vaisseau ?
   **b)** De quels modules ou sections ton vaisseau aura-t-il besoin pour fonctionner et pour répondre aux besoins de l'équipage et des passagers (par exemple, la propulsion, les réserves d'oxygène, les loisirs et les soins médicaux) ?
   **c)** Quels processus, qui ont normalement lieu sur la Terre, devront être reproduits sur le vaisseau ? Par exemple, devras-tu faire pousser des légumes ? Quelle serait ta source d'eau douce ?
   **d)** Quelle forme devra avoir ton vaisseau spatial ? Comment devra-t-il être agencé ?
   **e)** Quel âge devront avoir les membres de l'équipage et les passagers ? Y aura-t-il des familles à bord ?
2. Fais des croquis préliminaires du vaisseau et, avec ton groupe, discute des idées et des solutions qui donnent les meilleurs résultats. Regroupe tous les croquis en un grand dessin. Décris l'agencement du vaisseau et indique ses caractéristiques.

### Qu'as-tu découvert ?

1. Avec toute la classe, discute des problèmes technologiques à résoudre avant de construire n'importe quel type de vaisseau destiné à transporter une colonie de voyageurs.
2. **Réflexion critique** D'après toi, quel serait le nombre optimal de passagers pour un voyage de cette durée dans le vaisseau que tu as conçu ? Pourquoi ?

### Concepts clés

Dans ce chapitre, tu découvriras :
- les effets du Soleil et de la Lune sur la Terre ;
- pourquoi les satellites sont essentiels à plusieurs champs d'activité sur Terre ;
- comment se poursuit la recherche d'une vie et d'une intelligence extraterrestres ;
- les effets de la microgravité sur les organismes et les autres objets ;
- comment le Canada participe à la recherche spatiale et contribue à l'exploration de l'espace.

### Habiletés clés

Dans ce chapitre :
- tu interpréteras l'information des photos satellites ;
- tu élaboreras un vaisseau capable de transporter des gens vers une station spatiale au cours d'un voyage qui durera au moins 10 ans ;
- tu analyseras les effets des activités quotidiennes en microgravité et tu proposeras des idées pour que la vie dans l'espace soit sans danger, confortable et efficace ;
- tu découvriras les carrières scientifiques et techniques liées à l'exploration spatiale.

### Mots clés

- effet de serre
- réchauffement de la planète
- ozone
- magnétosphère
- aurore boréale
- aurore australe
- orage électromagnétique
- satellite
- satellite géosynchrone
- positionnement global (GPS)
- vie extraterrestre
- SETI
- microgravité

# 16.1 L'effet des corps célestes sur la Terre

## Le rayonnement solaire

Parmi tous les corps célestes, c'est le Soleil qui a la plus grande influence sur la Terre. Toute la vie sur la Terre dépend de l'énergie dégagée sous forme de lumière ou de chaleur par le Soleil.

La lumière visible et la plus grande partie des rayons infrarouges du Soleil traversent notre atmosphère et sont absorbés par les océans et les terres émergées. C'est la façon dont la Terre se réchauffe. La distance qui sépare la Terre du Soleil produit une gamme de températures qui permet à l'eau d'exister sous différentes formes, à savoir l'eau à l'état solide (glace), l'eau à l'état liquide et l'eau à l'état gazeux. Les planètes les plus proches du Soleil sont trop chaudes et les planètes les plus éloignées du Soleil sont trop froides pour que l'eau soit présente sous ces trois formes. Par conséquent, la Terre se trouve dans une zone étroite où la vie axée sur l'eau telle que nous la connaissons peut s'épanouir.

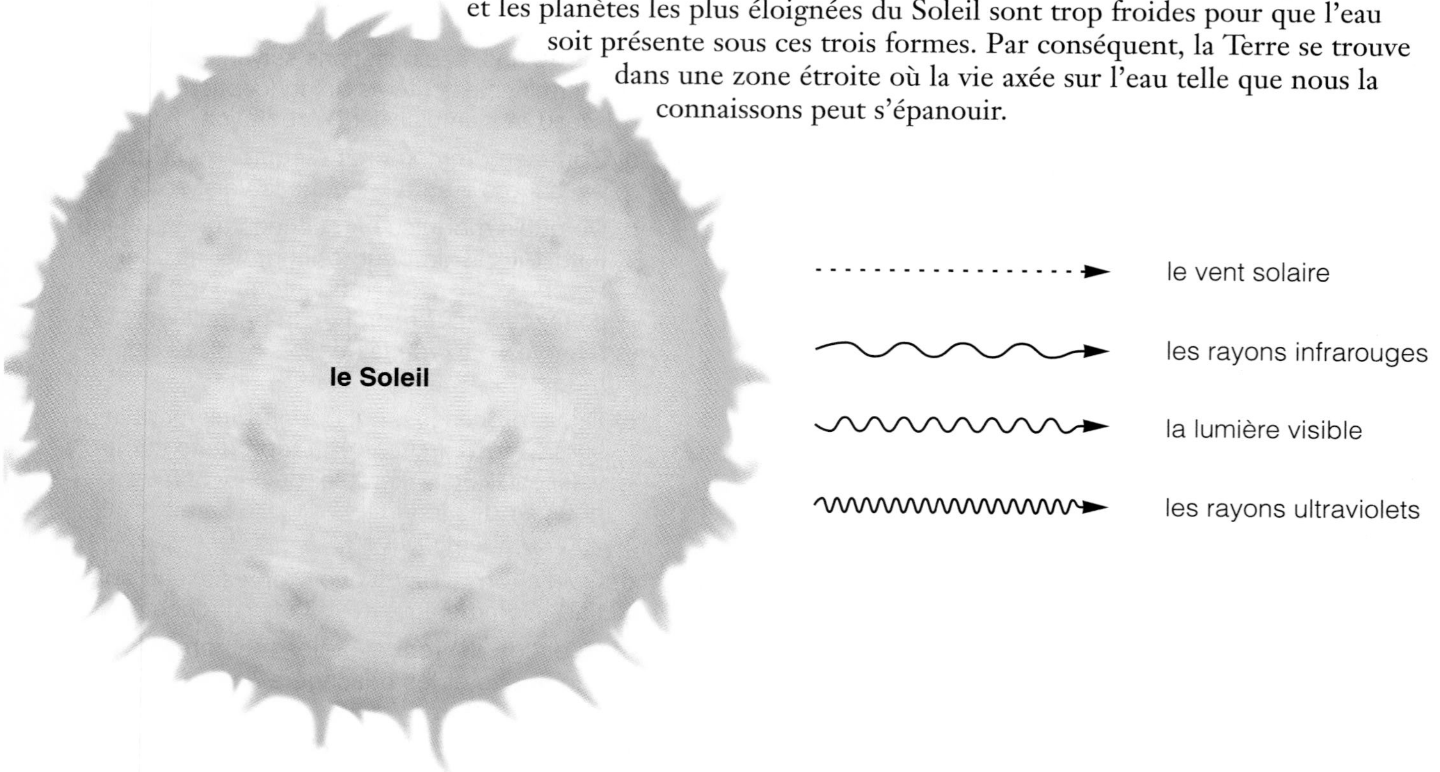

**Figure 16.1** Outre la lumière visible, le Soleil émet différents types de rayonnements électromagnétiques. Des jets d'électrons, de protons et d'autres particules subatomiques qui constituent le vent solaire s'échappent du Soleil.

La photosynthèse est l'un des processus sur lesquels repose la vie sur la Terre. Pendant la photosynthèse, les plantes vertes utilisent la lumière du Soleil, le gaz carbonique et l'eau pour produire du glucose. L'oxygène est un produit dérivé de ce processus. Ce gaz est essentiel à la respiration de la plupart des organismes. On pense que la photosynthèse a modifié l'équilibre des gaz atmosphériques au début de l'histoire de la planète, ce qui a créé une atmosphère propice à l'évolution des formes modernes de vie.

Le Soleil est essentiel à la vie sur la Terre, mais c'est un voisin dangereux. L'atmosphère de la Terre nous aide à nous protéger des dangers du Soleil, comme les exemples suivants l'expliquent.

## L'effet de serre

La chaleur et la lumière sont essentielles à la vie sur la Terre. L'éventail des températures terrestres dépend, en partie, de la distance qui sépare la Terre du Soleil et, en partie, de l'atmosphère de la Terre. Puisque la Terre est réchauffée par le Soleil, elle émet de la chaleur sous forme de rayons infrarouges. Toutefois, seule une petite partie de la chaleur émise par la surface de la Terre retourne dans l'espace. Le reste est absorbé par la vapeur d'eau et les gaz (surtout du gaz carbonique et du méthane) de l'atmosphère (*voir la figure 16.2*). Ce processus s'appelle l'**effet de serre**. L'effet de serre entraîne une augmentation de la température de la planète. La température de la planète est plus élevée qu'elle ne le serait si ces gaz (qu'on appelle souvent gaz à effet de serre) ne se trouvaient pas dans notre atmosphère.

L'effet de serre est devenu un sujet de préoccupation majeur parce que les activités humaines ont commencé à modifier le niveau des gaz à effet de serre dans l'atmosphère. Le gaz carbonique provenant des gaz d'échappement des voitures, du déboisement, de l'alimentation au charbon et d'autres procédés industriels emprisonnent une plus grande quantité de chaleur qui émane de la Terre. Résultat: la température moyenne augmente dans le monde entier. On parle du **réchauffement de la planète**. Ce phénomène est déjà en train de transformer certains des aspects de la vie sur la Terre tels que nous les connaissons. D'après toi, quels pourraient être ces changements? Nommes-en quelques-uns.

### Pause réflexion

Tu te rappelles certainement que Vénus est plus chaude que Mercure, même si elle est plus loin du Soleil. L'atmosphère de Vénus est très riche en gaz carbonique, ce qui en fait un exemple extrême d'effet de serre. Dans ton journal scientifique, décris les changements qui pourraient se produire sur la Terre si la température augmentait de quelques degrés.

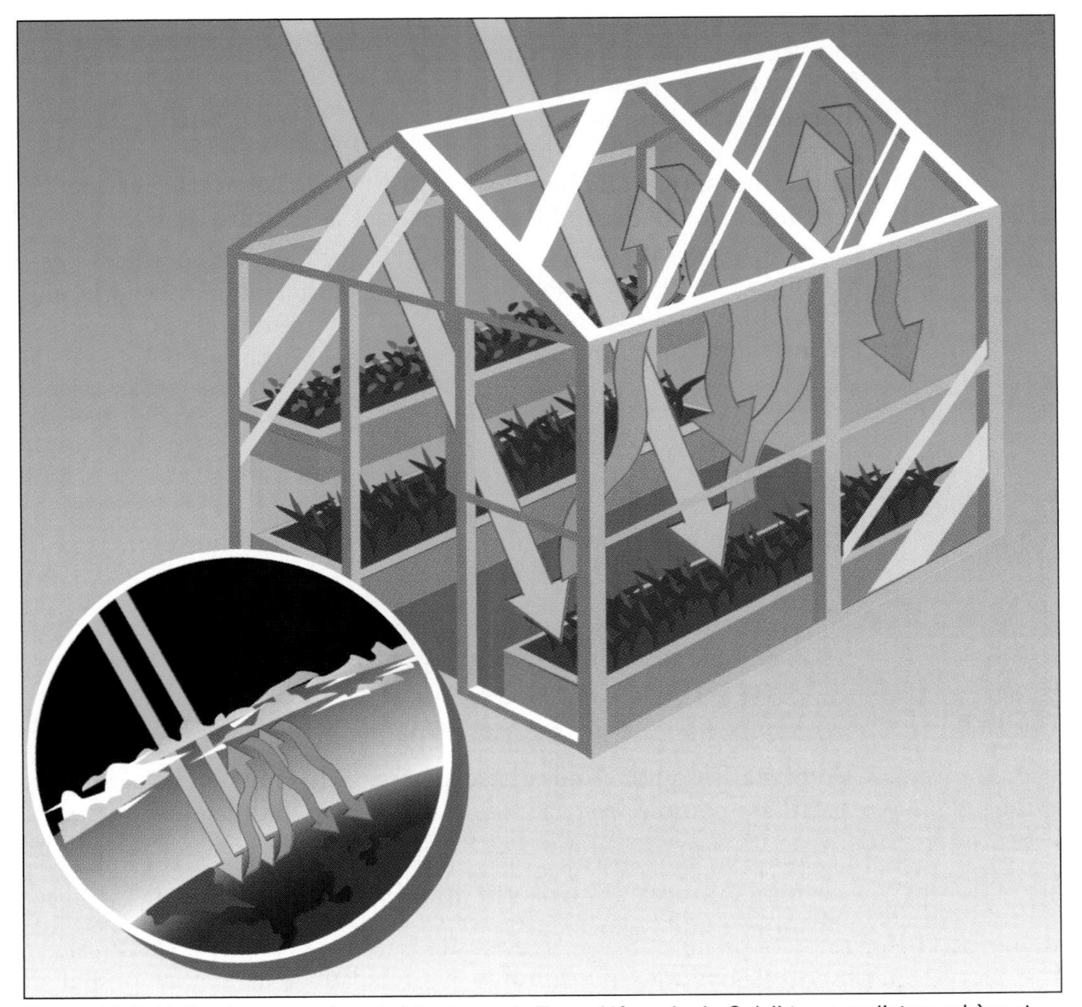

**Figure 16.2** L'effet de serre a favorisé la vie sur la Terre. L'énergie du Soleil traverse l'atmosphère et vient frapper la surface de la Terre. Les gaz à effet de serre empêchent la chaleur que la Terre dégage de retourner dans l'atmosphère.

RÉALISE UNE EXPÉRIENCE 16-A

# Simule l'effet de serre

Est-ce que tu t'es déjà demandé pourquoi l'intérieur d'une voiture en stationnement, toutes fenêtres fermées, devenait si chaud par une journée ensoleillée ? Dans cette expérience, tu vas modéliser cette situation et déduire une réponse d'après tes connaissances de l'effet de serre.

## Problème à résoudre

Comment peut-on simuler l'effet de serre ?

### Consignes de sécurité

- Fais toujours attention quand tu manipules des thermomètres en verre, surtout s'ils contiennent du mercure.
- Si un thermomètre se casse, ne touche à rien. Demande à ton enseignante ou à ton enseignant de jeter le verre et de récupérer le mercure en toute sécurité.

### Matériel

deux aquariums vides de la même taille
un couvercle en verre pour un aquarium
trois supports à éprouvettes
trois thermomètres
trois grandes fiches ou autre carton

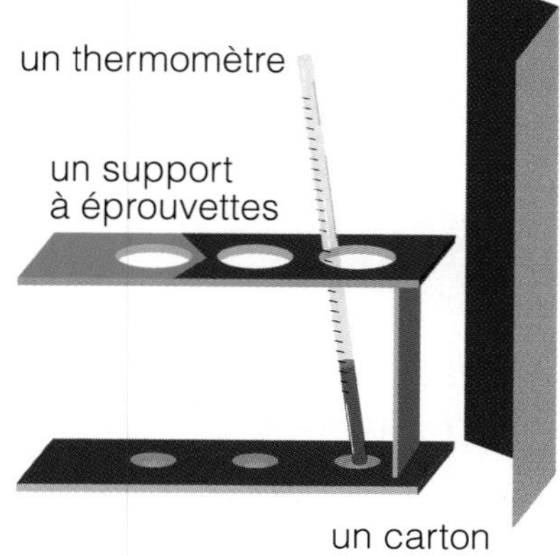


## Marche à suivre

1. Place les aquariums côte à côte, sur une table, face à une fenêtre ensoleillée. Laisse environ 30 cm entre eux.
2. Place un support à éprouvettes dans chaque aquarium. Dépose délicatement un thermomètre dans les supports. Fais de l'ombre autour du thermomètre en créant un petit mur avec le carton plié, comme sur le schéma. Place le troisième support à éprouvettes entre les aquariums. Dépose le dernier thermomètre dans le support et mets le thermomètre à l'ombre avec le dernier morceau de carton plié.
3. Consigne immédiatement la température des trois thermomètres dans ton cahier. (Les trois thermomètres devraient indiquer la même température.)
4. Place le couvercle sur l'un des aquariums.
5. Relève les températures des trois thermomètres au bout de 5 minutes, de 10 minutes et de 15 minutes.

## Analyse

1. Dans cette expérience, pourquoi as-tu placé un thermomètre entre les deux aquariums ?
2. Quel thermomètre a indiqué le plus grand changement de température ? Explique pourquoi et fais un croquis.

## Conclusion et mise en pratique

3. **Analyse** En quoi, dans cette expérience, le couvercle en verre a-t-il agi comme les gaz à effet de serre de l'atmosphère ?
4. **Trace un diagramme** Trace un diagramme linéaire indiquant les températures des trois thermomètres pendant les 15 minutes de l'expérience.
5. **Déduis** Explique pourquoi tu ne dois jamais laisser un animal domestique dans une voiture dont toutes les vitres sont fermées quand il fait chaud.

## La couche d'ozone de la Terre

Les rayons ultraviolets du Soleil ont aussi un effet sur la Terre. Les rayons ultraviolets dispersent les molécules organiques qui sont la base de la vie. Comment, dès lors, la vie peut-elle se poursuivre sur la Terre, si près d'une étoile qui émet de grandes quantités de rayons ultraviolets ? L'explication se trouve dans une autre composante de l'atmosphère de la Terre.

L'atmosphère de la Terre contient des molécules d'**ozone** ($O_3$). L'ozone (un gaz) absorbe la plus grande partie des rayons ultraviolets du Soleil. Mais il y a une mauvaise nouvelle : les activités humaines ont commencé à affaiblir l'efficacité de la couche d'ozone. Plusieurs produits chimiques industriels sont connus pour abîmer la couche d'ozone dans la haute atmosphère de la Terre. Par conséquent, une plus grande quantité de rayons ultraviolets atteignent la surface de la Terre et le nombre de cas de cancer de la peau augmente. Les rayons ultraviolets endommagent aussi certains végétaux. Le plancton (des plantes et des animaux microscopiques), qui vit près de la surface de l'océan et qui est un générateur d'oxygène, est particulièrement sensible à l'accroissement des rayons ultraviolets.

**Le savais-tu ?**

En 1987, 24 pays industrialisés du monde se sont réunis à Montréal et ont signé le Protocole de Montréal relatif aux substances qui appauvrissent la couche d'ozone. Cette entente historique vise à protéger la couche d'ozone. Elle limite la production de produits chimiques qui détruisent l'ozone et exige la suppression progressive de plusieurs de ces produits. Jusqu'à présent, les progrès sont variables. Des ententes ont été signées par la suite pour éliminer plus rapidement que prévu les produits chimiques dangereux. Malgré tout, certains pays, y compris le Canada, ont admis qu'ils n'avaient pas réussi à réduire l'usage de produits chimiques dangereux pour la couche d'ozone autant qu'ils s'étaient engagés à le faire.

**Figure 16.3** Les chlorofluorocarbures, ou hydrocarbures chlorofluorés (il s'agit de molécules contenant du carbone, du fluor et du chlore), sont un groupe de produits chimiques qui pose un sérieux problème dans la réduction de la couche d'ozone de la Terre. Ces composés chimiques ont été très largement utilisés comme propulseurs dans les aérosols et comme réfrigérants dans les réfrigérateurs, les congélateurs et les climatiseurs. (Jusqu'à récemment, on utilisait couramment du fréon.)

Dans le monde entier ou presque, on a réduit la production de produits chimiques qui endommagent la couche d'ozone. Toutefois, on craint que la couche d'ozone ne continue de s'amincir et que les rayons ultraviolets augmentent au début du XXI$^e$ siècle parce que les produits chimiques qui ont été libérés dans l'atmosphère il y a plusieurs années y sont encore et qu'ils continuent de désagréger la couche d'ozone.

**LIENS INTERNET**

**www.dlcmcgrawhill.ca**

Des satellites spéciaux assurent une surveillance quotidienne des niveaux d'ozone dans l'atmosphère. Les résultats sont compilés dans le cadre du projet du spectromètre TOMS et sont affichés sur Internet. Sur ton écran d'ordinateur, tu peux voir des cartes indiquant chaque jour la répartition de l'ozone au Canada. Va dans **Matériel complémentaire/Primaire et secondaire**, puis dans **OMNISCIENCES 9** pour trouver des sites qui te permettront de voir les cartes TOMS. Examine les cartes produites par les différents satellites. Peux-tu trouver les quantités d'ozone pour ta région ? Quelles comparaisons peux-tu faire avec les quantités d'ozone des autres régions d'Amérique du Nord ?

## Le champ magnétique de la Terre

Comme tu l'as vu au chapitre 13, le Soleil projette des jets de particules subatomiques à haute énergie. Ces jets se déplacent dans tout le système solaire et forment le vent solaire. Ces particules pourraient menacer la vie sur la Terre si elles entraient dans l'atmosphère. Le champ magnétique de la Terre en détourne la plus grande partie.

**Figure 16.4** La magnétosphère est une région magnétique qui se trouve de 200 à 5000 km au-dessus de la surface de la Terre. Les particules à haute énergie qui forment le vent solaire se répandent dans l'espace, déformant ce champ magnétique. S'il n'y avait pas de vent solaire, le champ magnétique de la Terre aurait une forme semblable au champ magnétique d'une barre aimantée.

**Figure 16.5** A) Une aurore boréale vue de la Terre. B) Une aurore australe au-dessus de l'Australie, vue d'une navette spatiale.

Le champ magnétique de la Terre est comparable au champ magnétique d'une barre aimantée (*voir la figure 16.4*). Ce champ magnétique est produit par le mouvement des matériaux au centre de la Terre. Contrairement au champ assez régulier d'une barre magnétique, le champ magnétique de la Terre est déformé par le vent solaire. On appelle cette région la **magnétosphère**.

Certaines des particules à haute énergie provenant du Soleil sont emprisonnées dans la magnétosphère. Ces particules se précipitent le long des lignes du champ magnétique et se concentrent près des pôles Nord et Sud. Lorsque ces particules entrent en collision avec des molécules d'air dans la haute atmosphère, autour des pôles, elles produisent des **aurores boréales** dans les régions septentrionales et des **aurores australes** dans les régions méridionales. Les aurores ressemblent à des arches ou à des rideaux de lumière colorée en mouvement dans le ciel nocturne. Le Canada est un pionnier en matière de recherche sur les aurores.

Quand il y a de grandes éruptions solaires, le vent solaire transporte un plus grand nombre de particules chargées à haute vitesse. Environ deux jours plus tard, quand ces particules arrivent près de la Terre, elles perturbent les transmissions radio dans l'atmosphère ainsi que nos télécommunications. Au milieu des années 1990, après une éruption particulièrement forte, un **orage électromagnétique**, deux des satellites canadiens *Anik* ont été endommagés par une cascade de particules. En 1989, un orage électromagnétique particulièrement puissant a provoqué une panne de tout le système électrique d'Hydro-Québec.

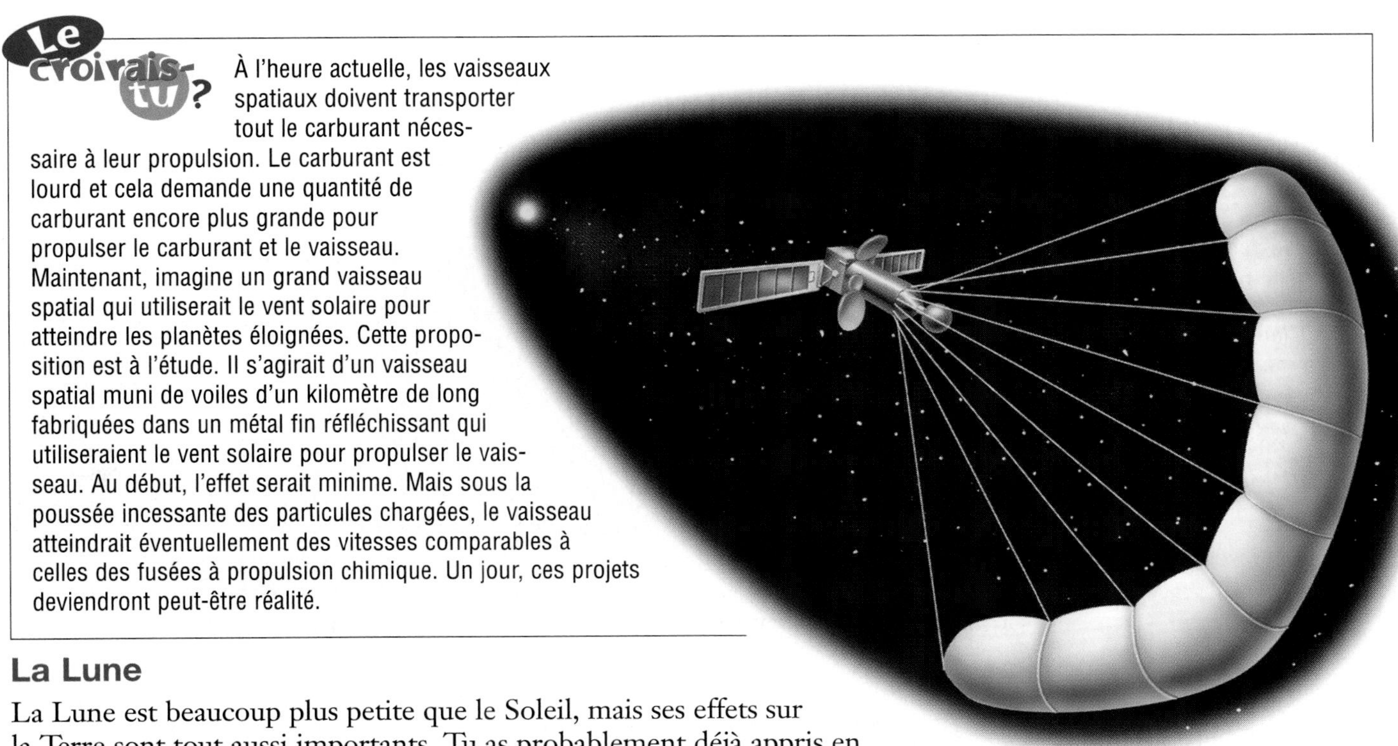

**Le croirais-tu?** À l'heure actuelle, les vaisseaux spatiaux doivent transporter tout le carburant nécessaire à leur propulsion. Le carburant est lourd et cela demande une quantité de carburant encore plus grande pour propulser le carburant et le vaisseau. Maintenant, imagine un grand vaisseau spatial qui utiliserait le vent solaire pour atteindre les planètes éloignées. Cette proposition est à l'étude. Il s'agirait d'un vaisseau spatial muni de voiles d'un kilomètre de long fabriquées dans un métal fin réfléchissant qui utiliseraient le vent solaire pour propulser le vaisseau. Au début, l'effet serait minime. Mais sous la poussée incessante des particules chargées, le vaisseau atteindrait éventuellement des vitesses comparables à celles des fusées à propulsion chimique. Un jour, ces projets deviendront peut-être réalité.

## La Lune

La Lune est beaucoup plus petite que le Soleil, mais ses effets sur la Terre sont tout aussi importants. Tu as probablement déjà appris en sciences que l'un de ces effets les plus connus est l'attraction que sa gravité exerce sur les océans. Ce phénomène produit les marées. [*voir les figures 16.6 A) et 16.6 B)*]. On peut prévoir les marées hautes et les marées basses pour tous les jours de l'année, et l'indicateur des marées est imprimé dans plusieurs journaux.

**Figure 16.6 A)** La marée haute.

**Figure 16.6 B)** La marée basse.

**Le savais-tu ?**

Les marées allongent lentement la durée du jour sur la Terre. Il y a une friction entre le plancher océanique et le mouvement quotidien des océans du monde entier. Ce phénomène crée un frottement qui fait perdre à la Terre une très petite quantité d'énergie de rotation. La vitesse de rotation de la Terre diminue lentement et la durée du jour s'allonge lentement, de 0,0023 secondes tous les siècles. Selon ce calcul, il y a environ 900 millions d'années, une journée ne durait qu'à peu près 18 heures.

À mesure que la Terre tourne autour de son axe, différentes régions de la Terre sont exposées à la Lune. Les océans qui se trouvent du côté de la Terre exposé à la Lune gonflent (*voir A, dans la figure 16.7*) parce que l'eau est plus affectée par la gravitation de la Lune que le centre de la Terre, qui est plus loin et plus massif (B). Parallèlement, le centre de la Terre ressent cette force avec plus de puissance que l'eau du côté de la Terre qui se trouve à l'opposé de la Lune (C). En conséquence de ces forces, les océans se gonflent sur le côté A et sur le côté C. Ces deux mouvements de marée sont liés à la position de la Lune. Par conséquent, la rotation quotidienne de la Terre provoque, sur toutes les côtes du monde, deux marées hautes et deux marées basses par période de 24 heures.

Si l'on veut expliquer le phénomène des marées plus en détail, il faut également parler de la gravitation du Soleil et des autres planètes du système solaire, ainsi que de l'effet du système Terre-Lune en orbite autour d'un centre de gravité commun. Les scientifiques essaient encore de comprendre en détail le rôle de tous ces facteurs sur les marées.

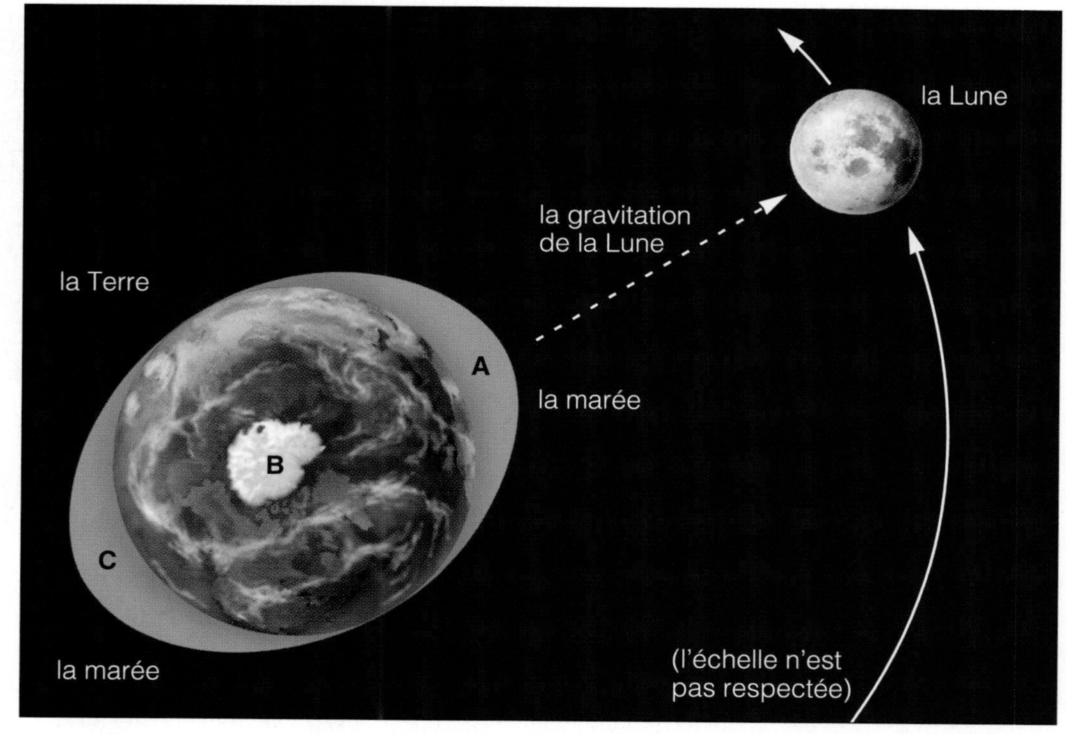


**Figure 16.7** La force de gravité de la Lune est la principale cause des marées terrestres. La gravitation de la Lune est la plus forte sur le côté de la Terre qui fait face à la Lune (A), moins forte au centre de la Terre (B) et la plus faible sur le côté de la Terre le plus éloigné de la Lune (C). C'est pourquoi les eaux des océans se gonflent sur les côtés opposés de la Terre.

Le temps qui s'écoule entre deux marées hautes n'est pas exactement de 12 heures (une demi-journée) parce que la Lune parcourt son orbite à mesure que la Terre tourne. Essaie de prévoir le temps qui s'écoule réellement entre deux marées. Voici quelques indices. Combien de temps faut-il à la Lune pour faire le tour de la Terre ? Par conséquent, quelle fraction de son orbite la Lune parcourt-elle en une journée ? Si la Lune est haut dans le ciel, au sud par rapport à toi, combien de fois l'endroit où tu te trouves sur la Terre doit-il tourner pour que la Lune soit de nouveau au sud par rapport à toi ? Si la marée est haute à 13 h aujourd'hui, à quelle heure aura lieu la prochaine marée haute ?

## Les planètes et les étoiles éloignées

Les gens sont nombreux à croire que les étoiles éloignées et les planètes influent peut-être sur la Terre. Toutefois, les distances qui nous séparent de ces corps célestes sont si grandes que les champs magnétique et gravitationnel de ces corps sont presque indétectables. Ces corps émettent peu de lumière et un faible rayonnement. C'est pourquoi leur effet sur la Terre est négligeable.

Pendant des siècles pourtant, on a pensé, dans de nombreuses cultures, à un type différent d'effets. Les planètes et les étoiles éloignées sont vraiment impressionnantes. C'est pourquoi on croit que la configuration et le mouvement des planètes et des étoiles doivent se répercuter sur les activités humaines. On dit que les horoscopes et l'astrologie expriment ces liens. Auparavant, l'astrologie et l'astronomie étaient très liées. Mais aujourd'hui, ce sont deux domaines très différents.

**Figure 16.8** Quel est ton signe astrologique ? Plusieurs personnes croient qu'il est possible de prédire la personnalité et le destin de quelqu'un en se fondant sur le mouvement des corps célestes et consultent leur horoscope régulièrement. L'horoscope est basé sur les 12 signes du zodiaque, que l'on voit ici.

**Le savais-tu ?**

Les dates et les signes du zodiaque ont été créés par les premiers astrologues, il y a environ 3000 ans. Les astrologues croyaient que la constellation dans laquelle le Soleil apparaissait le jour de la naissance d'une personne déterminait l'avenir de cette personne. Toutefois, depuis la création des tables astrologiques, l'axe de la Terre a modifié son orientation dans l'espace. Les dates du zodiaque ne correspondent plus aux positions initiales du Soleil et des constellations. Aujourd'hui, les tables astrologiques d'origine ne sont plus à jour (elles ont une constellation de retard). Il y a 3000 ans, le Soleil faisait peut-être partie de la constellation du Lion le 1er août, mais actuellement le Soleil est dans la constellation du Cancer à cette date.

## Les débris spatiaux

Comme tu l'as appris dans le chapitre 13, le système solaire comprend des milliards d'astéroïdes, de comètes et de météores en orbite autour du Soleil. En l'espace d'une nuit, la Terre entre en collision avec plusieurs milliers de petites particules et de petites roches qui se déplacent dans l'espace. La collision entre ces débris et l'atmosphère terrestre provoque une friction. C'est pourquoi ces débris brûlent et deviennent des météores, qu'on appelle couramment des étoiles filantes. Les roches plus grosses traversent parfois l'atmosphère et viennent frapper la surface de la Terre. On parle alors de météorites.

Les petits météorites provoquent peu de dommages. Mais les grands météorites peuvent être catastrophiques. Les figures 16.9 A) et 16.9 B), à la page suivante, montrent ce qui s'est produit lors de collisions entre la Terre et certaines de ces grosses roches. Selon les calculs, si une roche d'un kilomètre de large frappait la Terre, il se libérerait plus d'énergie que si toutes les armes nucléaires de la planète explosaient en même temps. Il pourrait s'ensuivre des incendies de forêt à l'échelle des continents, des raz-de-marée sans précédent et suffisamment de poussière dans la haute atmosphère de la Terre pour bloquer les rayons du Soleil pendant un an ou plus.

On pense maintenant que la disparition des dinosaures est peut-être liée à l'impact d'un météorite. Une année sans lumière solaire aurait probablement tué la plupart des plantes vertes. Ces énormes animaux herbivores seraient morts, suivis des carnivores. Plus tard, les graines allaient germer et les plantes allaient pousser dans un monde métamorphosé. Avec la disparition de la plupart des gros reptiles, les petits mammifères qui ont survécu ont dû s'adapter à un nouvel environnement et ont de nouveau peuplé la planète.

## Pause réflexion

D'après toi, est-ce qu'une collision entre la Terre et un astéroïde ou une comète représenterait une menace importante ? La race humaine pourrait-elle disparaître ? Que pourrions-nous faire si nous détections qu'une collision allait arriver bientôt ? Réfléchis à ces questions et réponds-y, en fonction de tes connaissances, dans ton journal scientifique.

On a trouvé un site d'impact correspondant à la taille et à l'âge du météorite qui aurait pu causer la disparition des dinosaures sur la péninsule du Yucatán, au Mexique. Le cratère de 200 à 300 km de large a plus d'un kilomètre de profondeur.

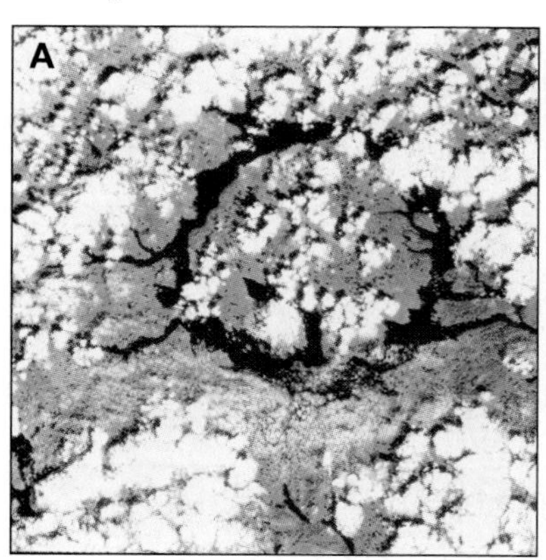

**Figure 16.9** A) Le cratère de Manicouagan, au Québec, est maintenant un lac de 150 km de large. B) Le cratère de Barringer, en Arizona, qui mesure 1,5 km de large seulement, a été creusé par un météorite de la taille d'une maison. On a retrouvé des débris jusqu'à 15 km de l'endroit.

## Vérifie ce que tu as compris

1. Définis l'effet de serre dans tes propres termes.
2. Pourquoi l'ozone est-elle une partie importante de l'atmosphère terrestre ?
3. Quelle est l'influence du vent solaire sur la Terre ?
4. Décris le principal effet de la Lune sur la Terre.
5. Explique la cause supposée de la disparition des dinosaures.
6. **Réflexion critique** Pourquoi, contrairement au Soleil et à la Lune, les planètes du système solaire n'ont-elles pas d'effet apparent sur la Terre ?

# 16.2 L'utilisation de l'espace

Depuis 1957, année où l'ex-Union soviétique a envoyé *Spoutnik I* dans l'espace, les scientifiques utilisent des **satellites** fabriqués par l'homme. Ces satellites en orbite autour de la Terre sont des outils importants dans l'exploration de l'espace. De nombreux pays du monde entier utilisent ces satellites pour les communications, l'observation et la surveillance, la navigation et la cartographie. Ces satellites transportent des instruments et leur propre source d'énergie, habituellement sous forme de panneaux solaires ou de petites génératrices nucléaires.

## Les satellites de communication

En 1953, un nouveau record a été établi en matière de communications. Le film du couronnement de la reine Élisabeth II a été expédié immédiatement après l'événement par avion de Londres à l'autre côté de l'océan Atlantique. La Société Radio-Canada a été la première entreprise de radiodiffusion en Amérique du Nord à montrer la cérémonie intégrale à la télévision, quatre heures seulement après la fin du couronnement.

Maintenant, nous pouvons bien sûr regarder la coupe du monde de soccer au moment même où elle a lieu en Europe, écouter un correspondant de presse faire un reportage en direct sur une conférence en Asie et parler au téléphone à quelqu'un qui se trouve n'importe où sur la Terre. Grâce aux satellites en orbite, le monde est devenu un « village global » de communications instantanées.

Il faut une heure et demie aux satellites en orbite près de la Terre pour faire le tour de la planète. On doit se servir de l'antenne d'une station mobile pour suivre ces satellites. Les **satellites géosynchrones**, par contre, suivent une orbite synchronisée avec la rotation de la Terre. Ces satellites effectuent donc une orbite complète chaque fois que la Terre effectue elle-même une rotation autour de son axe. C'est pourquoi ces satellites semblent immobiles au-dessus d'un point situé à la surface de la Terre. On peut utiliser une antenne fixe pour suivre ces satellites. Les satellites géostationnaires sont des satellites géosynchrones en orbite à environ 42 000 km du centre de la Terre, directement au-dessus de l'Équateur.

Les satellites géosynchrones sont loin. C'est pourquoi les signaux radioélectriques et de télévision prennent du temps pour se rendre aux satellites et en revenir. Afin de contourner ce problème et de mettre en place un réseau de téléphones mobiles dans le monde entier, Iridium, société de télécommunications, a placé une flotte de plus de 80 satellites en orbite basse (780 km de hauteur) autour de la Terre. Il y en a donc toujours quelques-uns au-dessus de l'horizon qui sont prêts à échanger des signaux de communication à longue distance avec des stations terrestres.

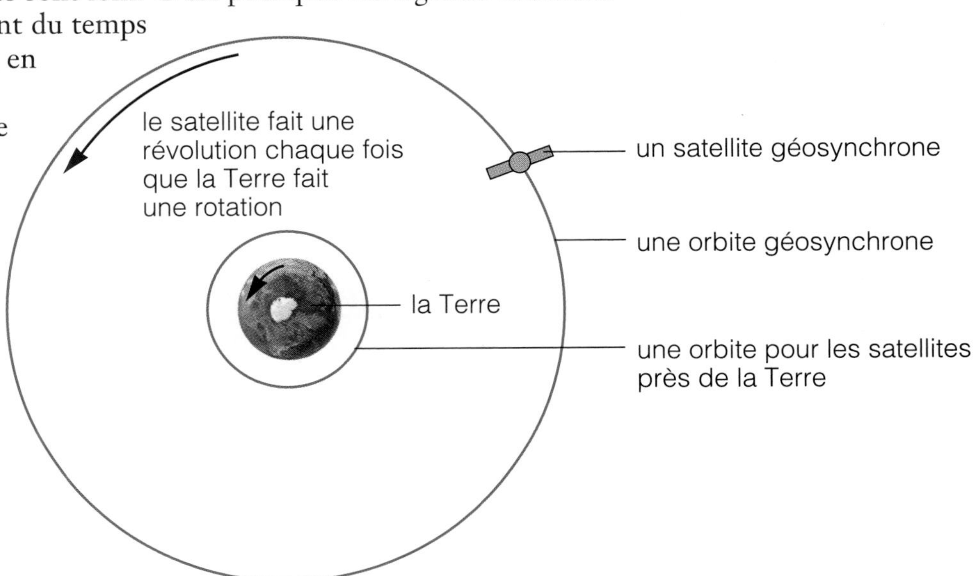


**Figure 16.10** Deux différentes orbites utilisées par les satellites de communication.

**Le croirais-tu ?** Pour l'ouverture des Jeux olympiques de Nagano qui ont eu lieu au Japon en 1996, des chœurs se trouvant dans cinq parties différentes du monde ont chanté simultanément sous la direction du chef d'orchestre Seiji Ozawa. Ozawa se trouvait à l'intérieur d'un studio de télévision à Nagano et les chanteurs, qui se trouvaient à Beijing, Berlin, Cape Town, New York et Sydney, regardaient Ozawa diriger sur des écrans de télévision. Les images étaient reproduites sur un écran de télévision géant au stade olympique. C'est grâce aux satellites qu'a pu se dérouler cette prouesse technique.

Comment est-ce possible ? Les signaux allaient et venaient entre les satellites de communication en orbite. Toutefois, puisque quelques chœurs et quelques satellites étaient plus éloignés de Nagano que d'autres, les signaux de retour n'étaient pas synchronisés. Les techniciens, au Japon, ont dû retarder l'image d'Ozawa jusqu'à ce que les images de tous les chœurs reviennent à la station de télévision. Les signaux ont ensuite été assemblés et envoyés au stade. Le public du stade entendait les chœurs et regardait le chef d'orchestre bouger les bras avec environ deux secondes de décalage par rapport à ce qui se passait en studio.

**LIEN terminologique**

« Anik » signifie « frère » dans la langue des Inuits. Cherche le sens de « spoutnik » et écris-le dans ton cahier.

Le Canada est un chef de file mondial en matière d'élaboration et d'utilisation des satellites de communication. Le 10 novembre 1972, on lançait le satellite canadien de télécommunication intérieure *Anik 1*, à Cap Canaveral, en Floride. Le 5 février 1973, Radio-Canada entreprenait la diffusion d'émissions de télévision nationale dans le Nord canadien, devenant ainsi la première station au monde à utiliser des satellites pour transmettre des émissions de télévision. Le Canada a aussi été le premier pays à placer un satellite en orbite géosynchrone pour des usages civils.

Depuis lors, le Canada a lancé d'autres satellites *Anik* plus perfectionnés (*voir la figure 16.11*).

**Figure 16.11** *Anik E2* permet aux élèves du Nord canadien, demeurant souvent très loin d'une école, d'assister aux cours et d'envoyer leurs devoirs par Internet.

## Les satellites d'observation

Les satellites d'observation permettent de prévoir le temps, de faire des recherches et d'aider les bateaux, les avions et autres véhicules à déterminer leur position exacte sur la Terre. La plupart des gens ont vu des photos satellites du système météorologique dans les bulletins météo télévisés. Ces photos de systèmes nuageux et de zones de précipitation sont utiles pour prévoir le temps et les orages. On peut ainsi avertir les bateaux en mer, pour qu'ils évitent les grands cyclones qui apparaissent sur les photos satellites comme des moulinets géants.

Les satellites servent aussi à mesurer la quantité de neige tombée et l'épaisseur de la glace dans l'Arctique de même qu'à localiser les feux de forêt. Sur les images satellites de la figure 16.12, tu peux voir la fumée des feux de forêt de l'été 1998, au nord du Canada.

Les satellites d'observation ne se contentent pas de prendre des photos avec le spectre visible. Certains d'entre eux observent les rayons ultraviolets et infrarouges de la Terre. Sur les photos à infrarouge du sol, les zones de différentes températures sont représentées par différentes couleurs. On peut, par exemple, utiliser ces photos pour voir où se rencontrent les courants froids et les courants chauds dans l'océan. Les analystes des images satellites à infrarouge peuvent même déterminer les différentes cultures dans un même champ et distinguer les érablières saines des érablières malades.

Certains satellites utilisent la spectroscopie pour mesurer la pollution de l'air. Du fait que les gaz chauds émettent une lumière de longueur d'onde spécifique et que les gaz froids absorbent ces couleurs, un satellite peut analyser les configurations de lumière de l'atmosphère pour ensuite déterminer l'abondance d'un gaz en particulier. On produit ensuite une photo, avec de fausses couleurs, afin de montrer la quantité du gaz étudié. La figure 16.13, à la page suivante, montre un exemple de cette technique.

**Figure 16.12** D'après cette photo, peux-tu dire dans quelle direction le feu va probablement se déplacer?

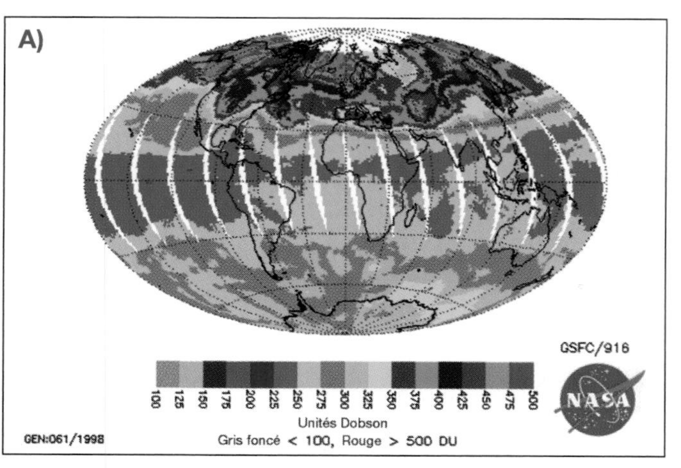


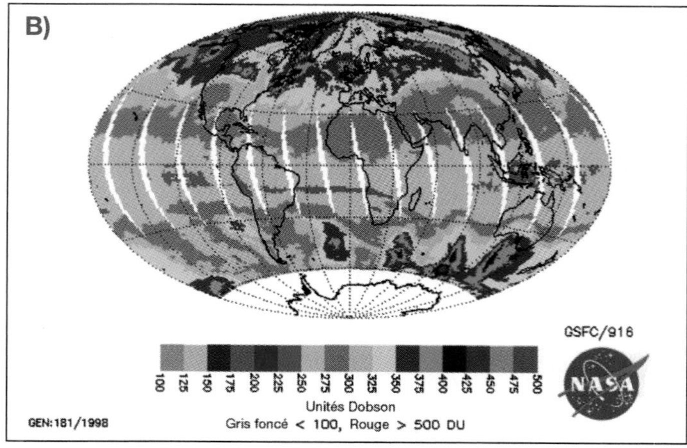


**Figure 16.13** Photos satellites montrant la répartition de l'ozone dans l'hémisphère Nord à trois mois d'écart : A) le 30 mars et B) le 30 juin. Es-tu mieux protégé des rayons ultraviolets au printemps ou en été ? (Une unité Dobson permet d'évaluer l'épaisseur de la couche d'ozone.)

**ACTIVITÉ de recherche**

## Interprète des photos satellites

Différents satellites fournissent toutes sortes d'informations correspondant toutes à des fins particulières. Dans cette activité, tu vas explorer ces différences.

### Ce que tu dois faire

Ces deux photos ont été prises par deux satellites différents. La photo A montre une série de trois orages qui vont frapper la côte est des États-Unis. La photo B a été prise une semaine plus tard. Elle montre le deuxième orage, l'ouragan Fran, qui s'approche de la terre. Étudie ces photos et analyse les informations qu'elles fournissent.

### Qu'as-tu découvert ?

1. Quelle photo a été prise par un satellite en orbite géosynchrone ? Donne deux éléments pour appuyer ta déduction.
2. Quels sont les avantages de chaque photo pour ce qui est de l'information fournie ?
3. Comment peut-on utiliser l'information que fournissent ces deux photos ?

Les satellites canadiens d'observation s'appellent LANDSAT et RADARSAT. Le centre de télédétection d'Ottawa gère deux stations réceptrices pour ces satellites, une à Prince Albert, en Saskatchewan, et l'autre à Gatineau, au Québec. La figure 16.14 montre comment LANDSAT peut servir à interpréter et à planifier l'utilisation des terrains.

RADARSAT a été lancé en novembre 1995. Ce satellite transmet et reçoit des signaux à travers l'obscurité et les nuages grâce à un radar à ouverture synthétique (SAR) très puissant. À partir de son orbite, à 800 km au-dessus de la Terre, qui s'étend d'un pôle à l'autre, RADARSAT produit des images qui permettent d'étudier le mouvement des glaces, de surveiller la pollution et d'effectuer des relevés des ressources naturelles.

**Figure 16.14** Cette image de LANDSAT de l'île du Cap-Breton couvre une zone de 27 km par 15 km. La forêt de conifères dominante apparaît en jaune-brun sombre. Les coupes à blanc les plus récentes sont indiquées en bleu clair. Les zones violettes dans le coin supérieur gauche et dans le coin inférieur droit sont des marais boisés. Peux-tu repérer Margaree Harbour, la célèbre piste de Cabot qui longe l'océan, une grande vallée où se trouve la rivière Northeast Margaree ainsi que quelques petits villages ?

## Les outils de la science

Quel genre d'information un satellite utilisant des appareils photo à infrarouge pourrait-il détecter ? Sur cette photo des Amériques la nuit, les points blancs sont produits par la lumière des villes, ce qui fait apparaître les zones de densité urbaine. Les points rouges en Amérique du Sud montrent les endroits où l'on a incendié à grande échelle la forêt tropicale pour faire place à l'agriculture. Le point jaune en Amérique centrale indique l'emplacement d'une exploitation pétrolière d'où s'échappent des gaz brûlants.

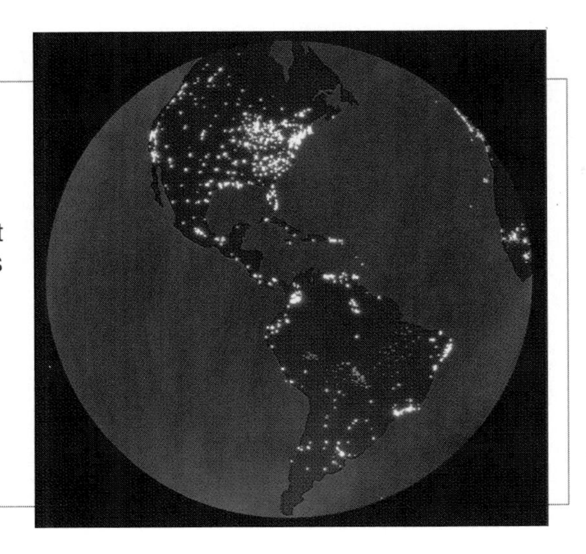

## Pause réflexion

Outre l'endroit, bon nombre d'appareils GPS perfectionnés peuvent calculer la vitesse et la direction d'une personne ainsi que l'altitude où se trouve cette personne. Nomme certaines tâches pratiques pour lesquelles on peut utiliser un appareil GPS. Quels sont les emplois qui vont changer en raison de cette technologie révolutionnaire ? Écris tes réponses à ces questions dans ton journal scientifique.

## Les satellites dotés d'un système de positionnement global (GPS)

Tu ne te perdras plus jamais ! Si tu as un petit appareil de poche de **positionnement global (GPS)**, tu pourras utiliser la technologie des satellites pour savoir où tu es sur la planète. Plus de deux douzaines de satellites dotés d'un GPS (qu'on appelle NAVSTAR, pour *Navigation Satellite Tracking and Ranging* — système de navigation par repérage du temps et mesurage de distances) se trouvent désormais en orbite haute autour de la Terre. Par conséquent, il y a toujours au moins trois de ces satellites au-dessus de l'horizon, où que tu te trouves dans le monde, quelle que soit l'heure de la journée.

Les satellites envoient des signaux radioélectriques annonçant leur position et l'heure exacte. Chaque appareil GPS de poche contient un récepteur et un ordinateur qui détectent les signaux et mesurent la distance qui sépare l'appareil de chaque satellite en comparant le temps nécessaire pour recevoir des signaux. L'appareil calcule ensuite l'endroit où tu te trouves sur la Terre à l'aide de la méthode de la triangulation qui est programmée dans le système. (Nous avons parlé de la triangulation au chapitre 15.) La plupart des appareils peuvent indiquer l'endroit où tu te trouves avec une marge d'erreur de 30 m. Les appareils plus chers ont une marge d'erreur de 10 m.

**Figure 16.15** Un appareil GPS te permet de savoir où tu te trouves.

## Photographier l'espace

Les satellites peuvent braquer leurs instruments vers l'espace et transmettre des images. En orbite au-dessus de l'atmosphère de la Terre, qui déforme la transmission d'ondes lumineuses, les satellites peuvent prendre des photos beaucoup plus claires que les télescopes sur la Terre. Le télescope spatial *Hubble*, par exemple, a fait plusieurs découvertes. Il a vu des étoiles naître dans des nébuleuses et des matériaux provenant du système extrasolaire en orbite autour d'étoiles proches. D'autres satellites photographient le Soleil, et d'autres encore dressent des cartes des sources d'ondes radioélectriques et de rayons infrarouges et ultraviolets du cosmos.

## Les voyages dans l'espace

Depuis des générations, les gens rêvent de voyager dans les espaces lointains de l'Univers. En 1969, l'astronaute américain Neil Armstrong a marché sur la Lune après avoir quitté le vaisseau spatial *Apollo 11*. Cet événement représente une étape marquante dans la réalisation de ce rêve. Depuis ce temps, cinq autres vaisseaux se sont posés sur la Lune. Le dernier a aluni en 1972. Depuis lors, aucun vaisseau habité n'a quitté l'orbite de la Terre. Toutefois, des sondes spatiales robotisées se sont posées sur Vénus et sur Mars et nous ont transmis de gros plans du sol de ces mondes étrangers. En 1994, par exemple, la sonde spatiale américaine *Magellan* a utilisé un radar pour dresser des cartes détaillées de la surface de Vénus. Ces cartes indiquaient des cratères, des anomalies et des coulées de lave volcanique.

**Figure 16.16** Des pas de géant sont faits dans le domaine du voyage spatial. En 1969, Neil Armstrong et Edwin (« Buzz ») Aldrin ont été les premiers humains à marcher sur la Lune. Maintenant, avec la création de la station spatiale internationale, c'est une nouvelle ère qui commence pour les voyages et la recherche dans l'espace. La station deviendra peut-être un jour un site de construction de vaisseaux spatiaux destinés à la Lune et aux planètes encore plus éloignées.

## Le voyage spatial de l'imagination

Les voyages spatiaux fascinent l'humanité depuis longtemps. De nombreux auteurs de fiction bâtissent leur œuvres sur le thème de l'espace. Les romans qui ont l'espace pour toile de fond appartiennent, en règle générale, à la catégorie de la science-fiction ou de l'aventure scientifique. Souvent, les auteurs de ces ouvrages possèdent de bonnes connaissances scientifiques qu'ils utilisent pour élaborer l'intrigue. Dans d'autres cas, il est clair que les auteurs font plus appel à leur imagination qu'à leurs connaissances scientifiques.

### Ce que tu dois faire

1. En petit groupe, dresse une liste de romans et de nouvelles qui parlent de voyages dans l'espace. Pour t'aider, va à la bibliothèque ou sur Internet. Essaie de trouver au moins 10 titres.
2. Pour chaque livre, écris le titre au complet, le nom de l'auteur, la collection (pour les nouvelles) ainsi que la date de publication et la ville où le livre a été publié. Résume l'histoire en une seule phrase. Si aucun membre de ton groupe n'a lu l'histoire, utilise le résumé qui se trouve sur la jaquette.
3. Apporte ta liste détaillée en classe et compare tes résultats avec ceux des autres élèves.

### Qu'as-tu découvert ?

Analyse les renseignements que tu as trouvés sur les romans et essaie de déterminer s'il y a des tendances qui se répètent. Par exemple:

1. Quels sont les mots, les expressions ou les concepts qui apparaissent le plus souvent dans le titre ?
2. Les intrigues se ressemblent-elles ?
3. Y a-t-il un lien entre le moment où les histoires ont été écrites et l'étendue des connaissances scientifiques sur l'espace à ce moment ?

### Enrichis tes connaissances

1. Individuellement, choisis deux récits de voyage dans l'espace qui t'intéressent, dans ta liste ou dans la liste d'un autre groupe. (Si tu ne trouves pas ces livres à l'école ou à la bibliothèque municipale, ton enseignante ou ton enseignant t'aidera à en trouver un exemplaire.) Lis les récits et fais-en un résumé. Compare les recherches scientifiques sur l'astronomie et l'espace qu'a faites chaque auteur.
2. En petit groupe, dresse une liste de chansons ou de films qui font référence aux voyages dans l'espace ou à l'astronomie. Écoute les chansons et visionne les films. Décris ensuite l'exactitude des faits scientifiques sur l'astronomie et l'espace abordés dans ces chansons et dans ces films.

Pendant plusieurs années, dans les années 1970, les États-Unis ont envoyé des astronautes à *Sky Lab*, petite station spatiale en orbite autour de la Terre. Les stations spatiales ont un espace d'habitation, de travail et d'exercice ainsi que tout le matériel et les systèmes de soutien dont les humains ont besoin pour vivre et travailler dans l'espace. *Sky Lab* est finalement retombée sur Terre et a brûlé au-dessus de l'Australie et de l'océan Indien. Dans les années 1980 et 1990, des astronautes russes (les « cosmonautes ») ont vécu dans la station spatiale russe *Mir* pendant de longues périodes. Certains d'entre eux sont restés dans l'espace pendant plus d'un an.

Au cours de la dernière décennie, la navette spatiale américaine a aussi transporté des astronautes et des scientifiques en orbite. Le bras canadien, bras robotique que l'on manipule à distance pour travailler à l'extérieur de la navette, est l'un des principaux éléments de la navette spatiale. Ce bras a été conçu par une entreprise canadienne, Spar Aérospatiale. L'équipage de la navette a utilisé le bras canadien pour lancer des satellites à partir de la soute de la navette et pour récupérer des satellites dans la soute de la navette. Le bras a été d'une grande utilité quand on s'est rendu compte que le télescope spatial *Hubble* était défectueux, après son lancement. Grâce au bras canadien, la navette est allée chercher le télescope. L'équipage a réparé le télescope et l'a remis en orbite pour qu'il puisse continuer à envoyer des images sur la Terre.

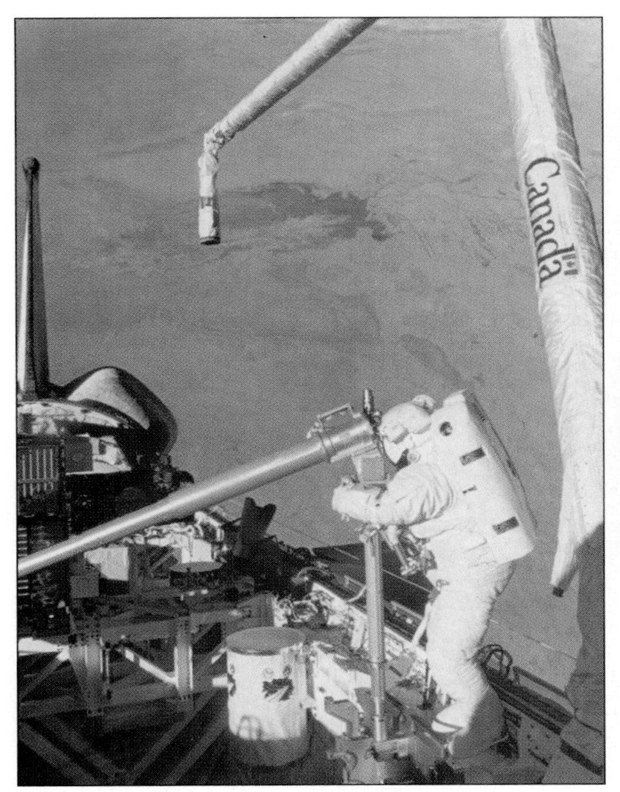


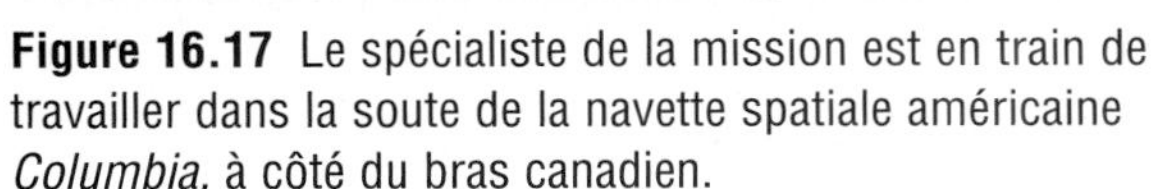

**Figure 16.17** Le spécialiste de la mission est en train de travailler dans la soute de la navette spatiale américaine *Columbia,* à côté du bras canadien.

**Figure 16.18** L'astronaute canadien Chris Hadfield « flotte » dans le sas du dispositif d'arrimage pendant que les équipages des vaisseaux *Atlantis* et *Mir-20* se rencontrent en orbite spatiale, en 1995.

La Station spatiale internationale est le prochain projet spatial d'envergure. Il s'agit d'un projet conjoint entre les États-Unis, l'Europe, le Canada, la Russie et le Japon. La station spatiale sera un laboratoire permanent où les scientifiques pourront effectuer des recherches et des expériences à long terme dans l'espace. Cette station deviendra peut-être aussi un site de construction et de lancement de vaisseaux spatiaux. La première phase du projet concernait des missions d'arrimage entre la navette spatiale et *Mir*. Au cours de la deuxième phase, la principale station, *Alpha*, sera construite en orbite avec des modules venant de la Terre. Pendant la troisième phase, un équipage commencera à exploiter la station internationale.

## Vérifie ce que tu as compris

1. On utilise les satellites de plusieurs façons. Nomme six de ces façons.
2. Qu'est-ce qu'un satellite géosynchrone ?
3. Explique comment on utilise les satellites canadiens LANDSAT et RADARSAT.
4. Comment fonctionne le système de positionnement global ?
5. Qu'est-ce que la Station spatiale internationale et quel est son objectif ?
6. **Mise en pratique** Un ami te téléphone de l'autre bout du monde. Tu constates que, lorsque tu dis quelque chose, il y a un léger retard avant que ton ami réponde. Ton ami constate la même chose. Après qu'il a parlé, il se produit une brève pause avant que tu répondes. Explique les raisons de ce phénomène.

### Le savais-tu ?

Afin que le séjour des humains dans l'espace soit confortable, les scientifiques et les techniciens ont mis au point toutes sortes d'inventions. Plusieurs de ces inventions sont devenues des objets ou des produits que nous utilisons tous les jours. La microélectronique, le Téflon, les tissus qui résistent à la chaleur et aux taches, les aliments déshydratés à froid et les médicaments à résorption lente pour le mal des transports sont autant d'exemples des retombées des programmes spatiaux.

Les retombées se traduisent par des technologies conçues dans un but bien précis et qui sont ensuite adaptées pour être utilisées par le grand public. Il y a beaucoup d'autres répercussions liées à l'exploration spatiale. Les pompiers utilisent aujourd'hui les mêmes systèmes respiratoires légers et compacts que la NASA a mis au point pour les astronautes qui s'aventurent en dehors de leur vaisseau spatial. Les tissus résistant au feu dans lesquels sont fabriquées les combinaisons des pompiers ont été mis au point, à l'origine, pour les uniformes des pilotes de la NASA. D'autres matériaux « de l'ère spatiale » se sont transformés en couvertures thermiques, en lunettes de ski et en chaussures de course.

# 16.3 Les questions que soulève l'exploration spatiale

Plusieurs scientifiques croient qu'il y a une **vie extraterrestre**, c'est-à-dire une vie autre que la vie sur la Terre, dans l'Univers. L'une des découvertes les plus passionnantes serait, bien entendu, une preuve solide qu'il y a de la vie ailleurs que sur la Terre. Mais, pour le moment, il ne s'agit que d'une possibilité.

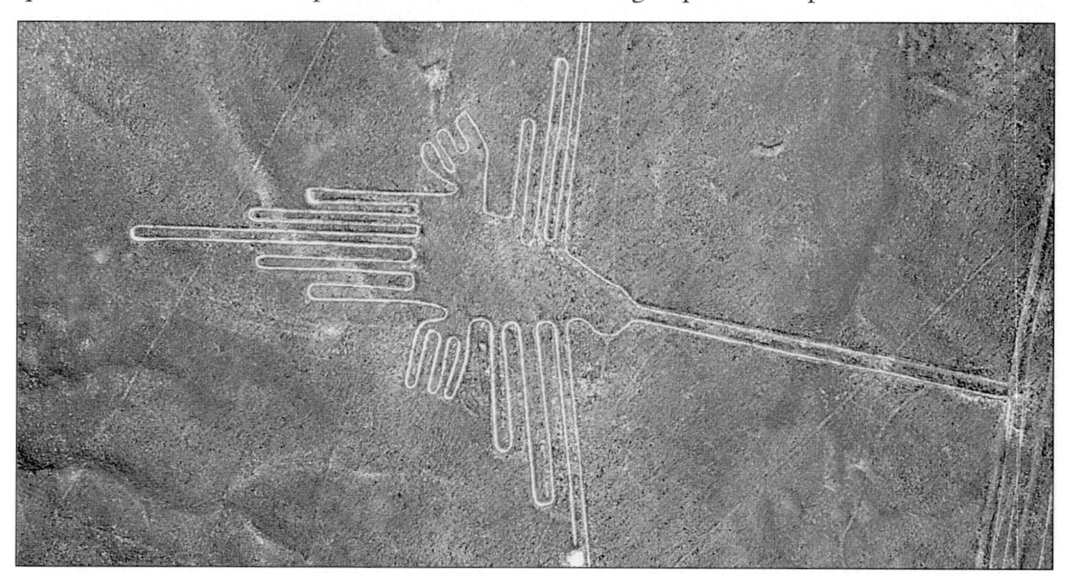

**Figure 16.19** Cette photo aérienne montre une silhouette ressemblant à un oiseau-mouche tracée dans la plaine péruvienne il y a environ 2000 ans. L'image fait plusieurs kilomètres de long. Elle est donc trop grande pour être vue en entier à partir du sol. Certaines personnes croient qu'elle est l'œuvre d'êtres pouvant se déplacer à bord d'un engin spatial. Comment les gens de l'époque ont-ils pu tracer cette image sans la voir du haut des airs ?

Dans les années 1970, alors que les scientifiques modifiaient, avec un ordinateur, les photos de Mars prises par *Viking* afin de leur donner plus de contraste, une photo semblait montrer un visage humain (*voir la figure A*). Ce visage a convaincu plusieurs personnes que des extraterrestres s'étaient rendus sur Mars et y avaient laissé ces traces. Un autre vaisseau spatial qui aurait pu donner une meilleure vue du « visage » s'est perdu au moment où il entrait dans l'orbite de Mars. Les partisans de l'histoire du « visage sur Mars » en ont conclu que les extraterrestres qui avaient façonné ce visage avaient aussi détruit le vaisseau spatial. Quand, 25 ans plus tard, la sonde spatiale *Global Surveyor* a dépassé Mars, elle a braqué ses caméras plus perfectionnées au même endroit. Cette fois, il n'y avait que des collines balayées par le vent (*voir la figure B*). Est-ce que tu retrouves les caractéristiques de la figure A sur la figure B ?

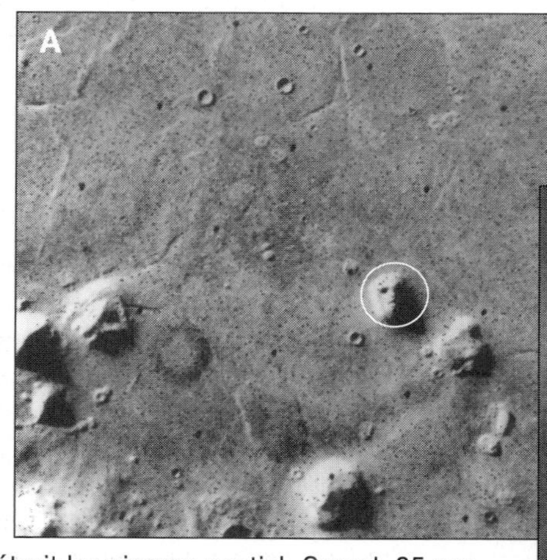


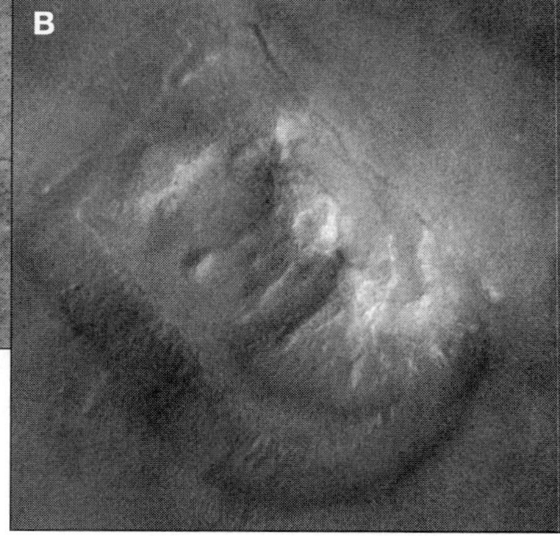

Les deux sondes spatiales *Viking* qui se sont posées sur Mars en 1975 ont procédé aux recherches les plus poussées d'une vie extraterrestre. À chaque arrêt, les petits robots analysaient trois fois le sol de la planète. Les résultats ont indiqué que la composition du sol de Mars était différente de la composition du sol de la Terre. Les expériences ont également montré que le sol ne contenait aucun organisme à métabolisme, ni aucune trace de matériaux organiques provenant d'une vie passée.

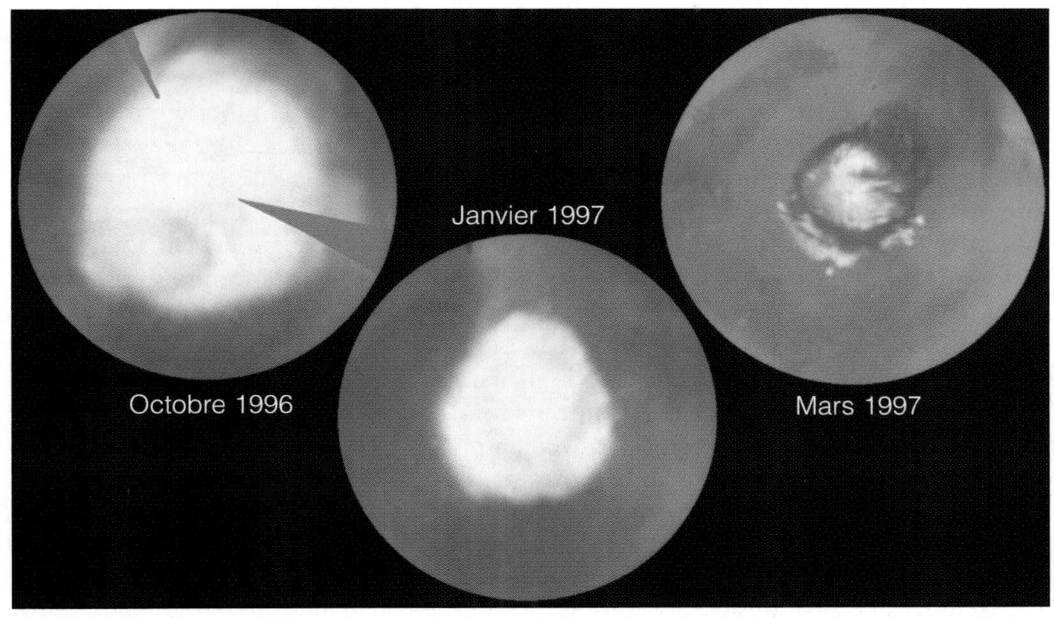


**Figure 16.20** On a détecté de l'eau, à l'état liquide, près des calottes polaires de Mars. Si les sondes spatiales s'étaient posées à ces endroits, elles auraient peut-être eu plus de chances de trouver des preuves de vie actuelle ou passée.

Les observations d'Europe, une lune de Jupiter, indiquent qu'il y a peut-être un océan d'eau liquide sous la surface de glace. Certains scientifiques pensent qu'il faudrait mener des recherches à cet endroit pour trouver des traces de vie. Même si Callisto, une autre lune de Jupiter, semble morte, la sonde spatiale *Galilée* qui a frôlé Jupiter en 1996 et en 1997 y a découvert un champ magnétique. La présence d'un océan salé de 10 km de profondeur, qui est resté chaud en raison de la décomposition de matériaux radioactifs à l'intérieur de Callisto, explique peut-être ce phénomène. En raison de l'existence de cet océan, les scientifiques se sont demandé s'il n'y avait pas aussi une forme de vie sur Callisto.

**Le savais-tu ?**

Comment les scientifiques vérifient-ils s'il y a de la vie, sous une forme ou sous une autre, sur une autre planète ? Ils cherchent des signes de respiration et de photosynthèse. La photosynthèse repose sur l'échange de gaz entre les organismes et l'environnement. Au cours d'une des expériences de *Viking*, on a ajouté de l'eau et du sucre au sol de Mars pour voir si ce mélange produisait un changement dans la composition de l'atmosphère, près du sol.

Sur Mars, *Viking* a constaté qu'il se libérait de l'oxygène à l'état gazeux lorsqu'on ajoutait de l'eau et du sucre au sol. Au début, les scientifiques ont pensé qu'il pouvait s'agir d'une preuve de photosynthèse. Malheureusement, deux autres expériences ont donné des résultats négatifs. Les scientifiques ont conclu que le sol contenait des oxydes qui s'étaient dissociés et qui avaient été libérés quand on avait ajouté de l'eau à l'état liquide.

**Le croirais-tu ?**

Malgré ce que présentent les programmes télévisés et les films préférés du public, les expéditions qui partiraient à la recherche d'une forme de vie extraterrestre ne sont pas possibles dans un avenir prévisible. Il faudrait environ 50 000 ans au vaisseau spatial le plus rapide du moment (*Voyager*) pour atteindre l'étoile la plus proche. Il y aura peut-être des vaisseaux plus rapides dans l'avenir mais, selon les normes actuelles, les coûts en carburant seraient prohibitifs. Imagine, par exemple, que des explorateurs planifient un voyage vers une étoile qui se trouve à 15 années-lumière. Ces explorateurs espèrent terminer leur voyage aller dans 30 ans. Certains scientifiques ont estimé que, pour un voyage de cette durée, il faudrait une quantité d'énergie égale à celle que consommerait toute l'Amérique du Nord en plus de 750 000 ans.

## La recherche de l'intelligence extraterrestre (SETI)

Quand on parle de vie et de vie intelligente dans l'Univers, on ne parle pas de la même chose. De plus, il y a peut-être des formes de vie intelligente qui n'ont pas de technologie de télécommunication ou de technologie pour voyager dans l'espace. S'il y a des formes de vie intelligente, nous avons deux options pour essayer de les détecter : 1) envoyer des explorateurs pour les trouver ou 2) envoyer des messages aller-retour. Comme tu l'as appris plus tôt dans ce module, les immenses distances entre les étoiles éliminent la possibilité du voyage spatial comme option réaliste. C'est pourquoi les chercheurs ont mis l'accent sur la communication.

Dans plusieurs sites où se trouvent des télescopes, dans le monde entier, les astronomes écoutent les bruits radioélectriques que les étoiles éloignées, les nébuleuses, les pulsars et les quasars émettent. Ils essaient de détecter des signaux que ne pourrait émettre un objet naturel. Ce travail fait partie de plusieurs programmes en cours destinés à chercher des signaux radioélectriques émis par des formes de vie intelligente dans l'Univers. On parle de ces programmes collectivement, sous l'appellation Search for Extra-terrestrial Intelligence — recherche de l'intelligence extraterrestre —, ou **SETI**.

**Figure 16.21** À l'écoute des étoiles. S'il y a d'autres civilisations avancées sur le plan technologique de notre côté de la galaxie et si ces civilisations utilisent des ondes radioélectriques puissantes, nous serons peut-être un jour en mesure de détecter la présence de nos voisins.

En 1992, la NASA a lancé le projet SETI le plus perfectionné. Même si le Congrès américain a réduit les fonds alloués au projet en 1994, l'Institut SETI poursuit ses travaux à plus petite échelle, avec des fonds privés. Il y a aussi deux autres projets. Le projet BETA, financé par la U.S. Planetary Society, et le projet argentin META II.

Le matériel moderne de recherche peut désormais surveiller des millions de canaux simultanément. Mais cette recherche reste très ambitieuse et très empirique. Il ne s'agit pas de chercher une aiguille uniquement dans une botte de foin, mais dans un million de bottes de foin. Jusqu'à présent, aucun signal intelligent n'a été détecté. Les quelques pistes éventuelles qui ont été enregistrées ont toutes une source terrestre, notamment la réflexion d'une onde radioélectrique sur un grand ballon-sonde météorologique.

Les astronomes qui participent à la recherche d'une vie extraterrestre ne passent pas leur temps à attendre des signaux radioélectriques. Ils envoient aussi des signaux en direction des étoiles proches où des civilisations éventuelles pourraient les entendre et y répondre.

### « Bonjour ! », et puis après ?

Les messages radioélectriques que les astronomes envoient dans l'espace sont destinés à attirer l'attention d'éventuels extraterrestres. Ces messages se composent d'une formule de salutation et d'informations sur la Terre et ses habitants. Pourtant, comment est-il possible de communiquer avec une intelligence extraterrestre qui ne « parle » aucune des langues terrestres ?

#### Ce que tu dois faire

1. Va à la bibliothèque ou consulte Internet pour trouver des renseignements sur les formes de communication que les scientifiques utilisent pour créer les messages qu'ils envoient dans l'espace. Résume tes résultats dans un rapport d'une page. Ajoute des illustrations, au besoin.
2. Crée ton propre message en utilisant le même procédé. Demande à une ou à un camarade de décoder ton message.

#### Qu'as-tu découvert ?

Présente certaines des difficultés qui peuvent survenir quand des humains essaient d'établir une communication compréhensible avec une civilisation extraterrestre.

RÉFLÉCHIS ET FAIS DES LIENS 16-B

# Qui pourrait bien capter les messages de la Terre ?

## Réfléchis

Ce n'est que depuis les années 1930 que les humains utilisent des transmissions radio et de télévision suffisamment puissantes pour pouvoir être détectées loin de la Terre. S'il y a vraiment des civilisations extraterrestres et qu'elles aient des antennes radio pointées vers nous, elles captent peut-être nos programmes.

N'oublie pas que les ondes de télévision, les ondes radio et les ondes lumineuses sont toutes des formes de rayonnement électromagnétique. Toutes ces ondes se déplacent à la vitesse de la lumière et couvrent une distance d'une année-lumière en un an. Une antenne parabolique qui se trouverait à une année-lumière de nous commencerait tout juste à recevoir les programmes de télévision que tu regardais il y a un an.

## Ce que tu dois faire

1. Copie le schéma ci-dessous dans ton cahier. Le schéma, qui n'est pas à l'échelle, représente la Terre et une série d'arcs montrant les distances par rapport à la Terre à des intervalles de 10 années-lumière.
2. À chaque intervalle, nomme un programme de télévision ou de radio qu'une antenne qui se trouverait à cet endroit pourrait capter maintenant. Par exemple, le signal de télévision montrant le premier pas de l'homme sur la Lune en 1969 aurait parcouru une distance d'environ 30 années-lumière. Une civilisation qui se trouverait au-delà de cette limite ne connaîtrait pas encore les capacités de la Terre en matière de voyage spatial.

## Analyse

1. Suppose qu'une civilisation qui aurait capté l'une de nos premières émissions radio suffisamment puissante, en 1935, ait immédiatement renvoyé un message. Si cette civilisation se trouvait à 50 années-lumière de la Terre, en quelle année recevrions-nous sa réponse ?
2. Imagine qu'un radiotélescope sur Terre vienne tout juste de détecter un message provenant d'une civilisation répondant à la première émission de radio puissante de la Terre. Trace un arc en couleur sur ton schéma représentant la distance la plus éloignée à laquelle cette civilisation pourrait se trouver.
3. *Voyager*, la sonde spatiale la plus rapide que nous ayons créée, n'atteindra pas l'étoile la plus proche avant 50 000 ans. Pour n'importe quelle civilisation extraterrestre, la Terre ne serait qu'un point à peine visible près d'une étoile éloignée. Quelle est la probabilité qu'une civilisation extraterrestre ait déjà perçu la présence de la vie sur la Terre et nous ait rendu visite ? Explique ta réponse.

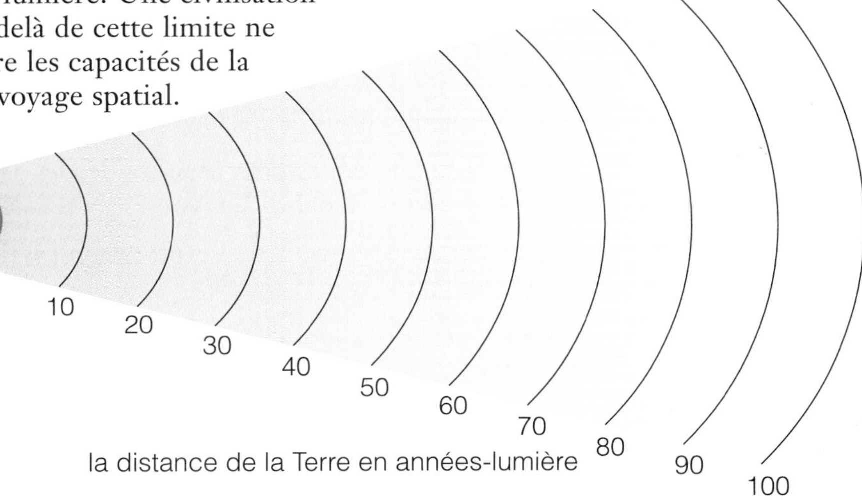

## Exploration : astronautes ou robots ?

Au cours des années, nous avons utilisé plusieurs méthodes d'exploration spatiale. Depuis que Galilée a pointé son télescope sur le ciel nocturne, il y a 400 ans, nous avons utilisé des télescopes encore plus grands et plus complexes pour examiner l'Univers. Nous avons lancé des sondes spatiales pour découvrir les planètes de notre propre système solaire. Ces sondes nous renvoient ce qu'elles voient sous forme d'ondes radioélectriques. Nos astronautes sont aussi allés sur la Lune. Et nous prévoyons envoyer des astronautes sur Mars.

Devrions-nous continuer à faire appel à des astronautes pour explorer le système solaire ? Les astronomes sont divisés sur cette question. Ils sont aussi nombreux à répondre oui que non.

Certains avancent que le coût de ces vols (comme le coût des travaux de SETI) ne se justifie pas. Il serait préférable d'envoyer de petits robots dans l'espace, comme *Viking* ou *Pathfinder*, pour une fraction du coût des vols habités. D'autres soutiennent que les humains peuvent voir et faire ce que des machines ne peuvent voir ni faire. Les critiques des grands projets croient que ces projets détournent fonds, expertise et attention de plusieurs projets plus petits mais néanmoins intéressants. Les partisans des grands projets pensent que le public soutient de plus en plus ces projets. D'après eux, ces projets créent plus d'emplois et entraînent des retombées scientifiques et technologiques plus importantes.

**Figure 16.22** Est-il rentable d'envoyer des humains dans l'espace ? Les robots peuvent-ils être tout aussi efficaces ?

## Vérifie ce que tu as compris

1. Quelles preuves avons-nous de l'existence d'une vie extraterrestre ?
2. Comment les radiotélescopes peuvent-ils aider les astronomes à détecter une intelligence extraterrestre dans l'Univers ?
3. Nomme trois raisons en faveur de l'exploration spatiale avec des astronautes et trois raisons contre.
4. **Réflexion critique** Pourquoi les gens pourraient-ils croire que des extraterrestres se rendent sur la Terre régulièrement, même s'il n'y a aucune preuve scientifique de ces visites ?

## 16.4 Les carrières de l'exploration spatiale

L'exploration spatiale est un domaine passionnant, et ce, pour plusieurs raisons. Premièrement, la découverte et l'apprentissage dans ce champ d'action reposent sur l'application de presque tous les domaines scientifiques et technologiques. Deuxièmement, l'exploration spatiale fait appel à un esprit d'aventure, à une grande ingéniosité et à beaucoup d'imagination. C'est également un domaine où la collaboration internationale et les échanges d'idées sont essentiels aux progrès.

**Figure 16.23 A)** En 1962, l'astronaute américain John Glenn a été le premier Américain en orbite autour de la Terre. Trente-six ans plus tard, comme membre de la mission *Discovery* de 1998, il est devenu la personne la plus âgée (à 77 ans) à partir dans l'espace.

**Figure 16.23 B)** Le technologue est l'un des nombreux spécialistes à examiner chaque pièce de la navette en détail avant son décolage vers l'espace.

Il y a plusieurs possibilités de carrière dans le domaine de l'espace. Selon tes intérêts et tes aptitudes, tu découvriras peut-être que ton avenir professionnel réside dans l'un des domaines suivants.

- **Astronaute :** Pour certaines personnes, voyager au-delà de l'atmosphère de la Terre est le couronnement de toutes les carrières dans le domaine de l'espace. Les astronautes sont des scientifiques. Mais ils doivent aussi être en excellente condition physique pour pouvoir s'acquitter des tâches exigeantes à accomplir dans l'espace restreint d'un vaisseau spatial. Périodiquement, l'Agence spatiale canadienne recherche des candidats pour devenir astronautes et travailler pour des missions de la NASA. Très peu de candidats sont sélectionnés sur les milliers de personnes qui font une demande. Mais tous ceux et celles qui ont la motivation, les compétences et la formation exigées ont une chance.
- **Technologue en satellites :** Il y a plusieurs liens entre la technologie informatique et la communication par satellite, aussi bien dans la construction de satellites que dans l'élaboration de logiciels destinés à gérer les satellites et à interpréter les données. Les ingénieurs, les physiciens, les mathématiciens, les chimistes, les mécaniciens, les programmeurs informatiques et les techniciens sont tous membres des équipes qui construisent et entretiennent les satellites. Les entreprises qui achètent et interprètent les images de LANDSAT et de RADARSAT emploient aussi des géographes, des géologues et des biologistes.

RÉFLÉCHIS ET FAIS DES LIENS 16-C

# Si je veux devenir astronaute, de quelle formation et de quelles habiletés ai-je besoin ?

## Réfléchis

De quelle préparation une personne qui veut devenir astronaute aurait-elle besoin pour qu'on considère qu'elle a la formation et les habiletés nécessaires ? Tu trouveras les réponses au cours de cette recherche.

## Ce que tu dois faire

1. Ton enseignante ou ton enseignant te remettra de brèves biographies de plusieurs astronautes canadiens.
2. Fais un tableau à quatre colonnes. Intitule chaque colonne comme suit : Nom, Formation, Habiletés, Centres d'intérêt/passe-temps
3. Lis chaque biographie et résume l'information dans ton tableau. Dans la première colonne, indique le nom de l'astronaute. Dans les trois colonnes suivantes, consigne la formation, les habiletés et les intérêts importants de chaque astronaute.
4. Quand tu auras lu toutes les biographies et que tu auras rempli le tableau, lis ces renseignements en faisant preuve d'esprit critique.

## Analyse

1. Quelles sont les caractéristiques qui se dégagent des biographies de ces astronautes ?
2. Quels passe-temps ou centres d'intérêt, formation et habiletés recommanderais-tu à quelqu'un qui souhaiterait devenir astronaute pour l'Agence spatiale canadienne ?

## Enrichis tes connaissances

Va à la bibliothèque ou consulte Internet afin de trouver des renseignements sur la formation et les habiletés nécessaires aux autres carrières liées à l'exploration spatiale. S'il y a un ou deux domaines qui t'intéressent particulièrement, vérifie s'ils correspondent aux besoins actuels de la recherche spatiale et de l'industrie aérospatiale. Voici quelques exemples : robotique, architecture, cartographie, nutrition, condition physique et sport.

**Figure 16.24** L'Agence spatiale canadienne est l'organisme responsable, au Canada, de la participation du pays à l'exploration spatiale internationale. Nous voyons ici Chris Hadfield dans le NBL (« Neutral Buoyancy Laboratory »), immense piscine permettant de simuler l'état d'apesanteur.

- **Carrières dans l'industrie aérospatiale :** Outre la construction et le lancement de satellites, les travailleurs de l'industrie aérospatiale conçoivent et construisent les vaisseaux spatiaux qui explorent le système solaire et les fusées qui font décoller ces vaisseaux. Des architectes et des spécialistes de plusieurs pays travaillent à l'élaboration de plans de modules de la station spatiale internationale. Il y a tout à faire, de la conception des couchettes à la création de recettes pour les occupants.
- **Astronome :** On étudie l'astronomie dans plusieurs grandes universités. Les universités recrutent des astronomes pour enseigner et pour faire de la recherche. Les diplômés universitaires en sciences qui préparent une maîtrise ou un doctorat étudient sous la direction de professeurs et essaient de faire avancer nos connaissances du cosmos. Plusieurs universités canadiennes ont d'excellents télescopes et les astronomes canadiens partagent le temps d'observation sur les grands télescopes optiques et radiotélescopes du monde entier.
- **Carrières dans la recherche en microgravité :** Les astronautes qui vivent et qui travaillent dans l'espace doivent faire face aux effets de la **microgravité**. La microgravité est l'état dans lequel les objets en orbite (par exemple, un vaisseau spatial et son contenu) semblent ne pas avoir de pesanteur. En réalité, la force de gravité est présente (c'est elle qui maintient le vaisseau spatial en orbite), mais ses effets sont réduits. Les humains qui vivent longtemps dans un environnement de microgravité ont plusieurs problèmes de santé. Par exemple, même après quelques jours seulement dans l'espace, les muscles et les os des astronautes commencent à s'affaiblir. Certains astronautes éprouvent des problèmes de dos. Si nous voulons lancer des missions spatiales à très long terme (pense à un voyage de trois ans pour atteindre Mars), nous devons d'abord en savoir beaucoup plus sur les effets à long terme de la microgravité sur le corps humain.

**Le savais-tu ?**

La recherche et le développement en microgravité, au Canada, portent sur la physique des fluides, la croissance des cristaux, la fabrication du verre, la céramique et la biotechnologie. Les découvertes et les techniques inventées par les scientifiques canadiens ont des retombées pratiques importantes. Par exemple, les cristaux fabriqués en microgravité serviront à créer des lasers très puissants de haute précision, des dispositifs de diffusion en hyperfréquence, des détecteurs de chaleur plus sensibles et des caméras vidéo à plus haute résolution.

La fabrication de fibres de verre en microgravité permettra au Canada d'être plus efficace en matière de communication par fibres optiques. Le Canada est déjà un chef de file mondial dans ce type de technologie.

Les scientifiques canadiens ont joué un rôle important dans les expériences en microgravité qui ont eu lieu dans des avions, dans des tours d'apesanteur et dans la navette spatiale. Le Canada a réalisé plusieurs premières en matière de recherche en microgravité et conserve une position d'excellence technique et scientifique.

**Figure 16.25** Dans l'environnement apparemment sans pesanteur de l'espace, les astronautes se sont livrés à des expériences sur les effets de la microgravité sur les plantes, les animaux, les gens et les réactions chimiques. Si tu as déjà pris un ascenseur qui descend très rapidement, tu as peut-être senti que tu décollais du plancher de l'ascenseur. Cette sensation est similaire à celle de la microgravité.

de recherche

## Modélisation de la gravité artificielle

Normalement, les astronautes qui travaillent dans l'espace doivent apprendre à s'adapter à la microgravité. Que se passerait-il si les conditions de gravité de la Terre pouvaient être recréées dans l'espace ? Dans cette activité, tu vas pouvoir simuler une gravité artificielle et analyser les conséquences de cette gravité sur l'avenir de l'exploration spatiale et des voyages dans l'espace. Tu auras besoin de trois billes, d'un tourne-disque et d'un microsillon 33 tours.

### Ce que tu dois faire

1. Fabrique un « mur » de 4 cm de hauteur en fixant une bande de papier de bricolage, avec du ruban adhésif, autour du bord extérieur du disque.
2. Place le disque sur le tourne-disque et mets les billes au centre.
3. Mets le tourne-disque en marche.

### Qu'as-tu découvert ?

1. Qu'observes-tu sur le mouvement des billes ?
2. Comment ce que tu as observé pourrait-il servir à simuler les effets de la gravité sur une station spatiale ?

# Conçois des objets pour une maison en microgravité

## Réfléchis

La plupart de nos activités s'accomplissent différemment en microgravité et sur la Terre. Par exemple, le simple fait de tourner un tournevis peut s'avérer très délicat dans un environnement de microgravité. Ainsi, sur la Terre, tu te penches vers la vis, puis tu tournes en poussant. Dans l'espace, si tu fais la même chose, c'est toi qui est repoussé. Il est très difficile de garder le tournevis en contact avec la vis.

Sans force de gravité, l'eau ne coule pas très bien dans les tuyaux. C'est une autre difficulté. Plutôt que de remplir les tuyaux, l'eau a tendance à se plaquer sur les parois intérieures, laissant des « tubes » d'air au centre. Tu vas donc pomper de l'air, à moins que tu ne commences par l'enlever. Et, même si tu peux soulever un objet très lourd sans grande difficulté, l'inertie des objets (dans ce cas, leur tendance à continuer à avancer) ne change pas. Par conséquent, un objet qui se déplace vers toi est tout aussi difficile à arrêter dans l'espace que sur la Terre.

Le défi de cette activité consiste à concevoir des meubles et des appareils électroménagers qui permettraient aux occupants d'une « maison spatiale » d'effectuer certaines activités quotidiennes.

## Ce que tu dois faire

1. Pour trouver des idées, travaille en petit groupe. Désigne un ou une élève pour faire le compte rendu.
2. Avec ton groupe, analyse comment la gravité influe sur les activités suivantes quand on les exécute sur Terre : faire des œufs à la coque et des rôties pour le déjeuner ; verser du thé ou du café chaud ; déjeuner ; laver et ranger la vaisselle.
3. Imagine ensuite que tu fais chacune de ces activités dans une maison où règne la microgravité. Décris les problèmes qui peuvent survenir en raison du manque de gravité et la façon dont tu vas surmonter ces difficultés.
4. Organise une séance de remue-méninges et conçois les meubles et les appareils électroménagers qui permettraient aux occupants d'une maison en microgravité d'accomplir chacune des activités ci-dessus sans danger, confortablement et efficacement. Tu devras peut-être modifier la façon dont on fait ces activités habituellement. Tu devras peut-être aussi inventer une nouvelle technologie.

   *Exemple : Est-ce que les tables doivent être horizontales ? Si la force de gravité est faible, les objets qui se trouvent sur une table tendent à flotter. Une table serait-elle plus efficace si elle était inclinée vers l'utilisateur ?*
5. Prépare un exposé pour la classe comme si les autres élèves étaient des fabricants à la recherche de nouveaux produits pour meubler des maisons dans un nouvel immeuble céleste. Présente des croquis des nouveaux articles que ton groupe a conçus et prépare-toi à expliquer pourquoi vous les avez conçus ainsi.

## Analyse

1. Quelles activités les humains effectuent-ils plus facilement dans l'espace que sur la Terre ? Pourquoi ?
2. Quelles activités sont plus difficiles à concevoir pour un environnement en microgravité ?

## LIENS carrière

Réponds vite ! Quelle est la contribution canadienne la plus importante à l'exploration spatiale ? Si tu es comme la plupart des gens sur la Terre, tu as tout de suite pensé au bras télémanipulateur de la navette spatiale. SPAR Aérospatiale, la société canadienne qui a conçu et fabriqué ce bras robotique, fabrique aussi son successeur, le TSS (télémanipulateur de station spatiale) ainsi que les autres composants du Système d'entretien mobile. Ce nouveau bras est un autre progrès technologique impressionnant. Il est si perfectionné que, lorsque les astronautes de la navette qui livre le bras le sortent de son emballage de voyage, le bras se lève et quitte la soute tout seul.

Imagine qu'une société canadienne similaire a affiché l'offre de stage ci-dessous dans Internet. Rédige ta demande de stage et échange-la avec la demande de stage d'une ou d'un autre élève. Discutez des points forts et des points faibles de vos demandes.

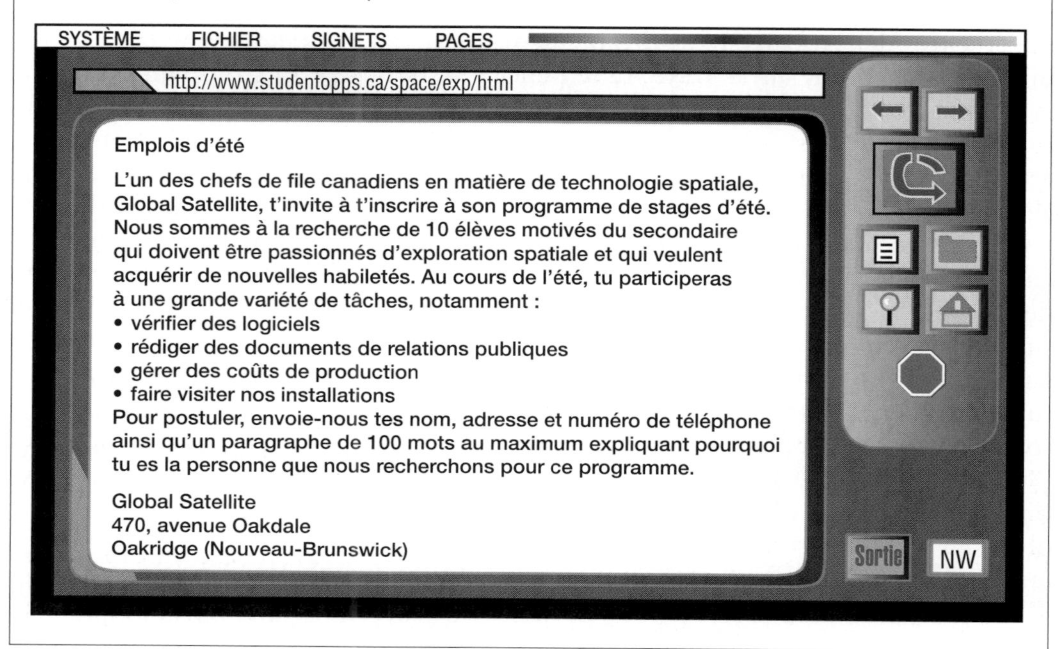


Emplois d'été

L'un des chefs de file canadiens en matière de technologie spatiale, Global Satellite, t'invite à t'inscrire à son programme de stages d'été. Nous sommes à la recherche de 10 élèves motivés du secondaire qui doivent être passionnés d'exploration spatiale et qui veulent acquérir de nouvelles habiletés. Au cours de l'été, tu participeras à une grande variété de tâches, notamment :

- vérifier des logiciels
- rédiger des documents de relations publiques
- gérer des coûts de production
- faire visiter nos installations

Pour postuler, envoie-nous tes nom, adresse et numéro de téléphone ainsi qu'un paragraphe de 100 mots au maximum expliquant pourquoi tu es la personne que nous recherchons pour ce programme.

Global Satellite
470, avenue Oakdale
Oakridge (Nouveau-Brunswick)

## Vérifie ce que tu as compris

1. Nomme au moins cinq carrières dans le domaine de la technologie des satellites.
2. Qu'est-ce que la microgravité ?
3. Explique pourquoi les effets de la microgravité sont une préoccupation pour les éventuels voyages spatiaux à long terme ?
4. **Réflexion critique** En quoi le travail quotidien d'un astronome diffère-t-il du travail d'un astronaute ? En quoi le travail d'un astronome et d'un astronaute diffère-t-il du travail d'un technologue en satellites ?
5. **Réflexion critique** Pourquoi, d'après toi, les os perdent-ils du calcium quand les humains restent dans un environnement en microgravité ? Quelles suggestions peux-tu apporter pour prévenir ce phénomène ?

## RÉSUMÉ du chapitre 16

Maintenant que tu as terminé ce chapitre, essaie de faire les activités proposées ci-dessous. Si tu n'y arrives pas, consulte de nouveau la section indiquée.

Dresse la liste des principaux effets du Soleil sur la Terre. (16.1)

Explique pourquoi l'effet de serre augmente. (16.1)

Définis la « magnétosphère » et fais-en un croquis. (16.1)

Explique pourquoi il y a deux marées hautes et deux marées basses par jour dans les régions côtières, sur la Terre. (16.1)

Décris certains des usages des satellites canadiens *Anik*. (16.2)

Explique comment on peut utiliser les satellites pour déterminer la position d'une personne sur la Terre. (16.2)

Discute des raisons pour lesquelles les scientifiques considèrent l'existence d'une forme de vie ailleurs dans l'Univers comme une probabilité. (16.3)

Explique ce que signifie SETI et décris certains des efforts scientifiques entrepris dans ce cadre. (16.3)

Compare les avantages et les inconvénients de l'exploration spatiale avec des humains et avec des robots. (16.3)

Explique l'importance de la recherche en microgravité. (16.4)

Décris les types de carrière concernant l'exploration et la recherche spatiales. (16.4)

### Prépare ton propre résumé

Résume le contenu de ce chapitre en faisant une représentation graphique (comme un réseau conceptuel), en réalisant une affiche ou en résumant par écrit les concepts clés du chapitre. Voici quelques idées dont tu peux t'inspirer :

- Quels types de rayonnements et de particules le Soleil émet-il et comment ces rayonnements et ces particules affectent-ils la Terre ?
- Comment les activités humaines ont-elles stimulé l'effet de serre ?
- De quelles façons utilise-t-on les satellites d'observation ?
- Qu'est-ce que la Station spatiale internationale et à quoi servira-t-elle ?
- Les expériences et les observations qui ont eu lieu dans le cadre de la recherche d'une vie extraterrestre ont-elles donné des résultats concluants ? Explique ta réponse.
- Quelles sont les cinq principales carrières liées à l'exploration et à la recherche spatiales ?
- En quoi la recherche sur la microgravité est-elle importante ?

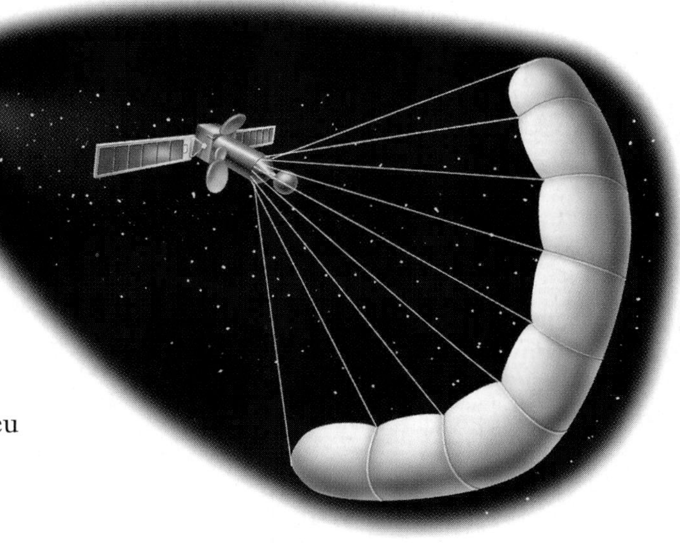

CHAPITRE

# 16 Révision

## Des termes à connaître

Si tu as besoin de réviser les termes ci-dessous, les numéros de section t'indiquent où ils ont été mentionnés pour la première fois.

**1.** Dans ton cahier, associe chaque expression de la colonne A au terme exact de la colonne B.

**A**

- réchauffement naturel de l'atmosphère de la Terre
- modifié par le vent solaire
- produit chimique dans la haute atmosphère de la Terre qui absorbe les rayons ultraviolets
- augmentation de la température moyenne dans le monde entier
- synchronisé à l'orbite de 24 h de la Terre
- créée quand des particules chargées à haute vitesse provenant du Soleil entrent en contact avec l'atmosphère de la Terre

**B**

- GPS (16.2)
- réchauffement de la planète (16.1)
- ozone (16.1)
- aurore (16.1)
- effet de serre (16.1)
- magnétosphère (16.1)
- géosynchrone (16.2)
- microgravité (16.4)

## Des concepts à comprendre

Les numéros de section te permettront de faire des révisions, si tu en as besoin.

**2.** Sur un schéma, explique la cause des marées. (16.1)

**3.** Quels dangers les astéroïdes et les comètes représentent-ils pour la Terre ? (16.1)

**4.** Comment la collision d'un grand météorite avec la Terre a-t-elle pu entraîner la disparition des dinosaures ? (16.1)

**5.** Il faut environ une heure aux satellites qui se trouvent juste au-dessus de l'atmosphère de la Terre pour faire le tour de la Terre. Ces satellites se déplacent rapidement. Où un satellite doit-il se trouver pour donner l'impression de ne pas bouger dans le ciel ? À quoi pourrait servir un satellite de ce genre ? (16.2)

**6.** Comment pourrions-nous converser avec des civilisations extraterrestres qui se trouvent à plusieurs années-lumière de distance ? Quel type de message pourraient-elles comprendre, même si elles ne connaissent pas notre langue ? (16.3)

**7.** Quelles sont les contributions des Canadiens à l'exploration et à la recherche spatiales ? (16.4)

## Des problèmes à résoudre ou à mettre en pratique

**8.** Si nous découvrions une grosse roche située à la même distance que la Lune, sur une trajectoire entraînant une collision avec la Terre, combien de temps aurions-nous pour nous préparer ? quelques minutes ? quelques jours ? quelques mois ? Suis les étapes suivantes pour trouver une réponse :

**a)** Il faut 30 000 000 s à la Terre pour faire le tour du Soleil. La trajectoire de l'orbite terrestre est presque circulaire, avec un rayon de 150 000 000 km. Évalue la vitesse orbitale de la Terre.

**b)** Suppose que la Terre entre en collision avec un astéroïde en orbite à la même vitesse, dans la direction opposée. À quelle vitesse cet objet semblerait-il s'approcher de la Terre ?

**c)** Combien de temps faudrait-il à cet objet pour couvrir la distance de 400 000 km entre la Lune et la Terre ?

**9.** Quelles expériences pourrais-tu faire pour vérifier s'il y a des organismes vivants dans le sol d'une planète ? Quelles expériences permettraient de vérifier s'il y a des organismes morts (qui étaient auparavant vivants) ?

**10.** Explique pourquoi, si nous devions recevoir un message radio d'une civilisation éloignée, cela indiquerait que cette civilisation est probablement plus avancée que la nôtre.

**11.** Trace un réseau conceptuel indiquant comment la technologie et la compréhension de l'espace contribuent à faire de la Terre un « village global ».

## Réflexion critique

**12.** Décris les effets de chacun des types de rayons solaires suivants sur le corps humain : rayons infrarouges, rayons ultraviolets et lumière visible.

**13.** Quand nous marchons, nous utilisons l'énergie qui provient originalement de l'intérieur du Soleil, au moment où les atomes d'hydrogène fusionnent pour former de l'hélium. Décris les étapes selon lesquelles l'énergie du Soleil se transforme en énergie que nos corps utilisent.

**14.** La construction de la Station spatiale internationale donne lieu à une grande controverse. Une station spatiale serait-elle utile ? Quelle est la valeur de ce produit très cher ?

**15.** Si tu avais la responsabilité du processus de sélection des astronautes, quelle formation et quelles habiletés rechercherais-tu chez les candidats ? Explique pourquoi.

**16.** En janvier 1992, Roberta Bondar devenait la première femme astronaute canadienne dans l'espace. À bord de la navette spatiale *Discovery*, elle a dirigé des expériences pour aider les personnes atteintes de maladies de l'oreille interne, du mal des transports et de certains types de cancer. Elle s'est aussi intéressée à l'allongement de la colonne vertébrale dans l'espace et a elle-même grandit de 4 cm pendant son séjour dans l'espace. Explique pourquoi, selon toi, il se produit un étirement de la colonne dans l'espace. Comment crois-tu que le fait de mener des expériences dans l'espace peut aider à comprendre des maladies comme le mal des transports ?

### Pause réflexion

La sonde spatiale *Galilée* a été le premier vaisseau spatial interplanétaire à revenir sur Terre. (Un vaisseau spatial russe est allé sur la Lune, a ramassé des échantillons de sol et est revenu sur la Terre.) *Galilée* était en route vers Jupiter, mais la sonde a fait un détour par Vénus et a donc dépassé la Terre deux fois. Chaque fois que la sonde est passée à proximité d'une planète, sa vitesse a augmenté. Il s'agissait d'un moyen d'augmenter la vitesse du vaisseau spatial pour qu'il atteigne Jupiter sans consommer trop de carburant.

Comme *Galilée* s'approchait de la Terre, les scientifiques ont décidé de vérifier si le vaisseau pouvait trouver des preuves de vie sur cette planète. La sonde était dotée de caméras optiques, de spectroscopes et de détecteurs à infrarouge. À la distance à laquelle *Galilée* se trouvait, aucune photo n'indiquait de trace d'activité humaine. Les photos montraient uniquement des taches brunes, vertes, bleues et blanches à la surface du sol.

a) Quels tests d'autres capteurs pourraient-ils faire pour détecter des traces de vie humaine ou d'autres formes de vie ?

b) Prédis ce que les capteurs pourraient détecter et décris en quoi les résultats seraient différents s'il n'y avait pas de vie.

MODULE 4

# Consulte un expert

**Qu'est-ce que la carte du continent antarctique, la lutte aux inondations de la rivière Rouge et la recherche d'un avion abattu ont en commun? Les trois font appel à Radarsat-1, satellite canadien qui fixe de nouvelles normes dans le domaine de la détection à distance. Qu'est-ce que ce satellite a de particulier? Pose la question à Eric Choi, ingénieur en dynamique du vol. Le travail d'Eric consiste à maintenir Radarsat-1 dans l'espace et à savoir exactement où, au-dessus de la Terre, le satellite se trouvera à un moment donné.**

**Q Pourquoi a-t-on utilisé un satellite canadien pour dresser la carte de l'Antarctique?**

**R** Radarsat-1 est le premier satellite imageur radar civil spécialisé au monde. Il prend des images de la surface de la Terre au moyen d'un radar plutôt que de lumière. Cela signifie qu'on peut «voir» à travers les nuages et la brume, même dans l'obscurité. Comme l'Antarctique est presque toujours recouvert de nuages, la première carte complète à haute résolution de ce continent n'a été dressée qu'à l'automne 1997 à partir des images captées par Radarsat-1.

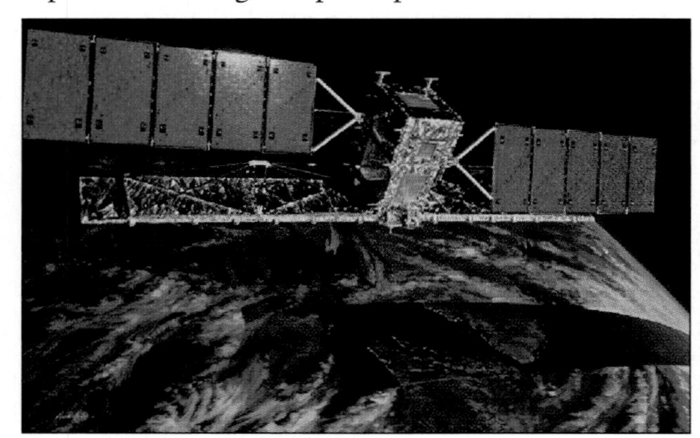

**Q À quoi peut bien servir une carte du pôle Sud?**

**R** Les images de Radarsat-1 nous permettent d'observer les transformations de la nappe glaciaire de l'Antarctique dans le temps. Cette capacité revêt une importance énorme pour les régions côtières du Canada, de même que pour le reste du monde. Nous surveillons aussi les glaces de l'Arctique. En plus, Radarsat-1 nous aide à localiser et à suivre les glaces sur le fleuve Saint-Laurent et l'océan Atlantique qui pourraient menacer les navires.

**Q Quelles sont les autres fonctions utiles de ce satellite?**

**R** En périodes d'inondation, comme durant la crue de la rivière Rouge, au Manitoba, nous fournissons aux ingénieurs des images qui montrent où il faut mettre des sacs de sable pour protéger les vies et les propriétés. Radarsat-1 a aussi servi à la localisation d'épaves d'avions, parce que la concentration du faisceau radar peut atteindre une résolution de 8 m. Une autre fonction importante du satellite est qu'il permet de mesurer la croissance des cultures et des forêts. Le nombre de possibilités est étonnant.

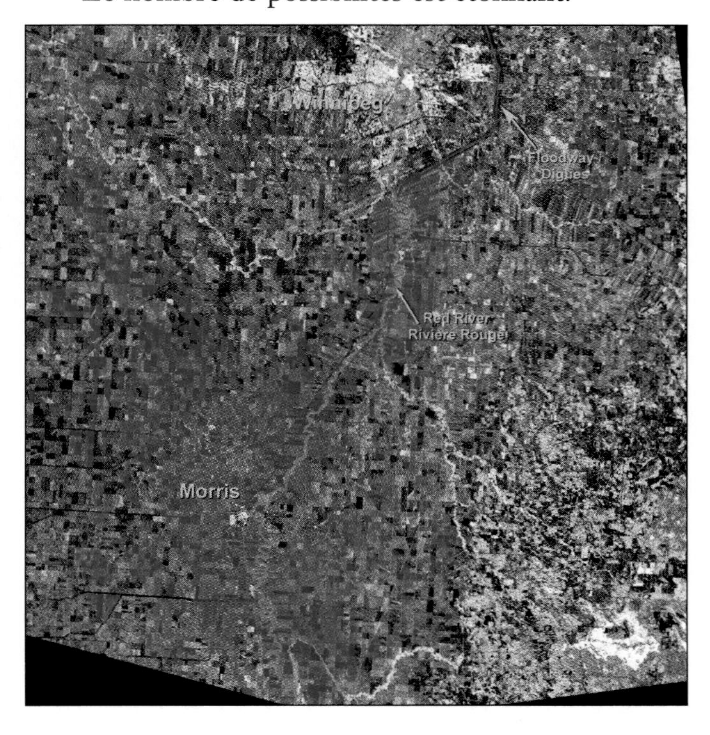

**Q Comment dirigez-vous le satellite au-dessus du lieu à photographier ?**

**R** En parcourant son orbite d'un pôle à l'autre, Radarsat-1 passe environ dix fois par jour au-dessus de certaines parties du Canada. En tenant compte de la rotation de la Terre en dessous du satellite, nous savons que Radarsat-1 survolera exactement le même lieu une fois toutes les 24 heures. Pour obtenir des images d'un lieu en particulier, il suffit donc de calculer le moment où le satellite repassera au-dessus de ce lieu et de lui commander de prendre des images à ce moment-là.

**Q Contrôlez-vous l'orbite du satellite à partir du sol ?**

**R** Oh oui ! L'orbite du satellite se situe à 790 km au-dessus de la Terre. À cette altitude, il y a encore une atmosphère très mince mais suffisante pour ralentir le satellite par friction et lui faire perdre de l'altitude. De temps en temps, nous devons commander au satellite de lancer ses propulseurs pour regagner l'altitude perdue.

**Q Comment communiquez-vous avec Radarsat-1 ?**

**R** Il y a deux stations terrestres canadiennes, une à Saint-Hubert, au Québec, l'autre à Saskatoon, en Saskatchewan. Elles peuvent communiquer avec le satellite huit fois par jour, pendant 15 minutes chaque fois. Pour télécharger des instructions au satellite ou pour qu'il nous télécharge de l'information d'état, nous braquons le réflecteur parabolique sur lui. Les images de la Terre prises par Radarsat-1 sont rassemblées par un autre réseau de stations terrestres situées dans différentes régions du monde.

**Q Qu'est-ce que l'avenir réserve aux satellites du Canada ?**

**R** Grâce à Radarsat-1, le Canada est un chef de file mondial dans le domaine de la détection à distance sur Terre. Nous travaillons déjà à Radarsat-2, version plus puissante et plus efficace, dont le lancement doit avoir lieu en 2001. Que réserve l'avenir ? Une nouvelle industrie canadienne établie dans l'espace.

**POUR EN SAVOIR Plus**

## Espace et cyberespace

Tu peux enrichir par toi-même tes connaissances sur les satellites. Voici deux façons de lancer une recherche sur le sujet.

**1. Lève les yeux au ciel**

Si le ciel nocturne au-dessus de chez toi est assez dégagé et sombre pour te permettre de voir la Voie lactée, tu devrais réussir à voir des satellites. Les satellites ressemblent aux étoiles par leur taille et leur brillance, mais leur course dans le ciel est régulière. Les soirs où le temps est sec et calme sont excellents pour l'observation du ciel et encore meilleurs s'il fait froid. Tu peux voir les satellites à l'œil nu, mais tu les verras mieux avec une paire de jumelles. (Indice : Si tu veux consulter une carte du ciel pendant l'observation, recouvre la lumière d'une lampe de poche d'un papier de soie rouge; cela te permettra de lire sans que ta vision nocturne soit affectée.)

**2. Navigue dans le cyberespace**

Tu peux aussi suivre la course des satellites en consultant des cartes et des images sur Internet. Commence par te rendre à **www.dlcmcgrawhill.ca**, choisis **Matériel complémentaire/Primaire et secondaire** puis **OMNISCIENCES 9**. Renseigne-toi sur les travaux de volcanologie et de surveillance des glaces. Ce site te permettra aussi de trouver et de suivre des objets en orbite, que ce soit des satellites ou des navettes. Choisis un sujet sur lequel tu pourrais faire une brève présentation à tes camarades de classe.

UN DÉBAT

# Faut-il envoyer des astronautes dans l'espace ?

## Réfléchis

Durant les années 1960, les États-Unis ont dépensé des milliards de dollars pour envoyer des astronautes sur la Lune. Cinq équipes d'astronautes ont marché sur la Lune et rapporté des échantillons. Au milieu des années 1970, l'intérêt du public s'est atténué et l'on a comprimé le budget des programmes spatiaux. Durant l'élaboration de la navette spatiale, la NASA a cessé d'envoyer des humains en orbite. Elle a préféré envoyer des robots tels que *Voyager 1* et *2*, *Venus Orbiter, Viking, Galileo* et *Cassini,* pour photographier et mesurer les planètes. En 1996, le budget ayant encore diminué, une équipe de scientifiques a réussi à envoyer un petit véhicule se promener sur Mars.

Mais les êtres humains n'ont jamais abandonné le rêve d'explorer le système solaire. Les projets d'un voyage jusqu'à Mars ravivent aujourd'hui l'intérêt du public. Toutefois, le projet le moins coûteux est évalué à plus de 30 milliards de dollars canadiens.

À ton avis, devons-nous envoyer des humains explorer le système solaire ? Quels sont les avantages et les inconvénients d'employer des astronautes pour explorer l'espace ? Y a-t-il de meilleures façons de procéder ? Comme tant d'autres dossiers d'intérêt public, cette question présente plusieurs aspects. Cette activité te donne l'occasion d'en débattre.

## Résolution

« Il a été résolu que, pour être efficace, un programme aérospatial moderne doit comporter l'envoi d'êtres humains dans l'espace. »

## Ce que tu dois faire 

1. Lis les « Arguments à l'appui de la résolution » et les « Arguments à l'encontre de la résolution » présentés sur cette page et pense à d'autres arguments pour et contre la résolution.
2. Deux équipes de deux élèves chacune débattront du sujet. Une équipe appuiera la résolution et l'autre s'y opposera. Remarque : Si tu fais partie d'une des équipes, tu dois faire de ton mieux pour convaincre le jury, ou l'assistance, des arguments que tu défends, peu importe ce que tu crois personnellement.
3. Deux autres élèves seront affectés à chaque équipe ; ces élèves trouveront la documentation nécessaire pour que les arguments de l'équipe soient solides.
4. Les autres élèves de la classe formeront le jury assistant au débat. Pour se préparer à ce rôle, ils doivent faire leurs propres recherches afin de comprendre les aspects scientifiques et technologiques des questions soulevées.
5. Ton enseignante ou ton enseignant te donnera les *Règlements concernant le débat*.

**Arguments à l'appui de la résolution**

- Cela permet aux humains d'être témoins directement des expériences menées lors de la mission ; autrement, on se limite à l'information que les ordinateurs peuvent nous transmettre.
- C'est le seul moyen d'étudier les effets des voyages dans l'espace sur le corps humain et sur d'autres organismes vivants.

**Arguments à l'encontre de la résolution**

- Cela coûte plus cher que d'envoyer des robots, et cela prive d'autres programmes de sommes importantes.
- Cela peut mettre des vies humaines en danger.

## Analyse

1. a) D'après l'ensemble de la présentation, quelle équipe a remporté le débat ?
   b) Était-ce la recherche de l'équipe ou sa façon de s'exprimer qui a rendu son argumentation plus convaincante ? Explique ta réponse.
2. Avant le débat, quelle était ta position face à l'emploi d'astronautes par rapport à l'utilisation de robots pour l'exploration spatiale. Les arguments présentés par les deux équipes t'ont-ils fait changer d'idée ? Si oui, explique pourquoi. Sinon, dis si l'équipe qui défendait la position contraire à la tienne a soulevé de bons arguments auxquels tu n'avais pas pensé. Quels étaient ces arguments ?

# D'autres mondes

L'étude de ce module a enrichi tes connaissances sur les lunes, les planètes et les étoiles. Tu as découvert que l'Univers est vaste et varié. S'il existe d'autres mondes, ils sont probablement assez différents du nôtre pour ce qui est de leur apparence et de leur environnement.

Essaie d'imaginer le ciel nocturne vu par un habitant d'une planète en orbite autour d'une étoile au cœur de l'amas globulaire du Centaure reproduit dans la figure ci-contre. Comment paraîtrait la Voie lactée si le Soleil était un peu au-dessus du plan galactique, en dehors de la poussière ? À quoi ressemblerait le paysage sur une planète éclairée par deux soleils ?

## Projet

Fais le dessin ou construis la maquette d'un autre monde ou d'une vue du ciel tel qu'il apparaît à ce monde. Pour rendre ta représentation réaliste, sers-toi des connaissances que tu as acquises dans ce module. Ton travail doit donner un aperçu d'un autre monde ou d'une autre vue possible dans l'Univers.

## Matériel

Choisis les matériaux nécessaires à la réalisation de ton travail. Pour créer un dessin, tu auras besoin de crayons de cire, de marqueurs ou de peinture. Pour construire une maquette, tu pourrais utiliser de la pâte à modeler ou du papier mâché. De petites ampoules blanches décoratives pourraient servir à représenter un champ stellaire. Si tu aimes les moteurs et les engrenages, tu peux construire la simulation animée d'une lune tournant autour d'une planète qui tourne autour d'un soleil.

## Critères de conception

**A. L'œuvre présentée :** Ce projet te laisse une grande liberté de choix. Utilise toute ta créativité. Voici quelques critères de conception.
*Peinture ou dessin :* grande peinture ou ensemble de petits dessins
*Maquette :* taille maximale de 30 cm sur 30 cm sur 30 cm
*Travail assisté par ordinateur :* jusqu'à 10 pages bien conçues

**B. Paragraphe descriptif :** Écris un texte d'accompagnement d'un paragraphe expliquant ce que ton œuvre représente ou démontre.

## Plan et construction 

1. En équipe de deux, décrivez votre monde et sa situation dans l'Univers. Est-ce une lune tournant autour d'une planète entourée d'anneaux ? Une planète dont le soleil est une géante rouge ? Une comète proche d'une naine blanche à reflets bleutés ? Un astéroïde qui fonce sur une planète ?
2. Déterminez ce que vous allez représenter. Des traînées d'étoiles ? Un coucher de soleil vu d'un monde éloigné ? Deux lunes en orbite autour d'une planète ?
3. Choisissez votre moyen de réalisation. Peinture ? Pâte à modeler ? Bois ? Ordinateur ?
4. Partagez-vous les tâches à exécuter.
5. Dressez le plan de réalisation de votre œuvre et soumettez une brève description écrite à votre enseignante ou à votre enseignant. Sur la feuille, inscrivez vos noms et indiquez le partage des tâches.
6. Une fois que votre enseignante ou votre enseignant aura approuvé votre plan, mettez-vous au travail.
7. Écrivez votre paragraphe descriptif. Préparez-vous à présenter votre œuvre au reste de la classe ou à en faire la démonstration.

## Évaluation

1. Dressez la liste des caractéristiques que vous avez pu incorporer dans votre œuvre grâce aux connaissances scientifiques que vous avez acquises dans ce module.
2. Dressez la liste des caractéristiques de votre œuvre qui sont tout à fait imaginaires.
3. Examinez les œuvres de vos camarades de classe et évaluez la diversité des « autres mondes » présentés. Quelles sont les ressemblances entre ces mondes imaginaires et le vôtre ? Quelles sont les différences ?
4. En quoi le monde que vous avez créé ressemble-t-il au nôtre, la Terre ?

MODULE

# 4 Révision

Maintenant que tu as étudié les chapitres 13, 14, 15 et 16, réponds aux questions ci-dessous pour évaluer tes nouvelles connaissances sur l'espace. Avant de commencer, il serait bon que tu relises le Résumé et la Révision à la fin de chaque chapitre.

## Vrai ou faux

Dans ton cahier de notes, réponds à chacun des énoncés suivants par vrai ou faux. Corrige les énoncés qui sont faux.

1. Vu de l'endroit où tu habites au Canada, le Soleil est directement au-dessus de ta tête à midi.
2. Toutes les planètes tournent autour du Soleil dans le même sens.
3. Neptune est parfois la planète la plus éloignée du Soleil.
4. C'est l'atmosphère terrestre qui rend les météorites visibles.

## Phrases à compléter

Ajoute les mots ou les termes qui manquent dans les phrases suivantes.

5. Après avoir consommé l'hydrogène contenu dans son noyau, le Soleil entrera dans la phase de fusion d'hélium et se gonflera jusqu'à ce qu'il devienne une étoile ____________ ____________.
6. Kepler a découvert que, au lieu de tracer des cercles parfaits autour du Soleil, les planètes parcourent des orbites ____________.
7. Le décalage vers le rouge de la lumière émise par les galaxies lointaines suggère que les galaxies sont ____________.
8. Le rayonnement cosmique à 3° au-dessus du zéro absolu est une preuve à l'appui de la théorie du ____________.

## Associations

9. Dans ton cahier de notes, recopie les descriptions de la colonne A. À côté de chaque numéro, écris le terme de la colonne B qui correspond à la description. Chaque terme peut correspondre à une, à plusieurs ou à aucune des descriptions.

**A**

- un fragment de corps céleste qui tombe sur la Terre
- la plus grosse planète de notre système solaire
- un nuage de poussière ou de gaz
- le processus de production d'énergie dans une étoile
- la dernière phase de luminosité d'une étoile de faible activité massique
- le groupe formé de milliards d'étoiles
- l'élément le plus abondant dans les étoiles
- le gaz à effet de serre
- la tache Rouge

**B**

- nébuleuse
- galaxie
- astéroïde
- météorite
- naine blanche
- étoile à neutrons
- fusion
- fission
- hydrogène
- oxygène
- bioxyde de carbone
- Saturne
- Jupiter

## Questions à choix multiple

Pour chacune des questions suivantes, indique dans ton cahier de notes la lettre qui correspond à la meilleure réponse.

**10.** Quelle planète présente des calottes polaires et d'anciennes vallées fluviales asséchées ?

**a)** Mars
**b)** Jupiter
**c)** Saturne
**d)** Mercure
**e)** Vénus

**11.** La diminution de l'ozone dans la haute atmosphère terrestre entraîne :

**a)** le réchauffement de la planète
**b)** la diminution des aurores boréales et australes
**c)** une plus forte luminescence en ultraviolet
**d)** des pluies de météores plus nombreuses
**e)** des pannes de satellites

**12.** Les marées sont causées par :

**a)** la rotation de la Terre
**b)** la gravité de la Lune
**c)** l'atmosphère terrestre
**d)** la rotation de la Lune sur son axe
**e)** le champ magnétique de la Terre

**13.** Parmi ces corps célestes, lequel n'a pas d'atmosphère ?

**a)** Mercure
**b)** Vénus
**c)** Mars
**d)** Jupiter
**e)** Titan, satellite de Saturne

**14.** Les grands télescopes permettent de voir plus d'étoiles que les petits télescopes parce que :

**a)** ils captent plus de lumière
**b)** leur pouvoir de grossissement est supérieur
**c)** ils englobent une plus grande région du ciel
**d)** ils permettent de voir à travers les nuages
**e)** les lentilles de leur oculaire sont plus claires

**15.** Quelle serait une bonne raison pour construire un poste d'observation optique sur la Lune ?

**a)** La Lune est plus près des étoiles.
**b)** La Lune a une face obscure permanente qui permet une observation continue.
**c)** Dans le ciel, il n'y aurait pas de lune pour cacher la vue.
**d)** Les montagnes de la Lune sont plus hautes que celles de la Terre.
**e)** Il n'y a pas d'atmosphère.

**16.** L'unité astronomique (UA), c'est :

**a)** la distance entre la Terre et le Soleil
**b)** la vitesse de la lumière entre le Soleil et la Terre
**c)** la distance entre la Terre et la Lune
**d)** la distance entre le Soleil et Pluton
**e)** la température du Soleil

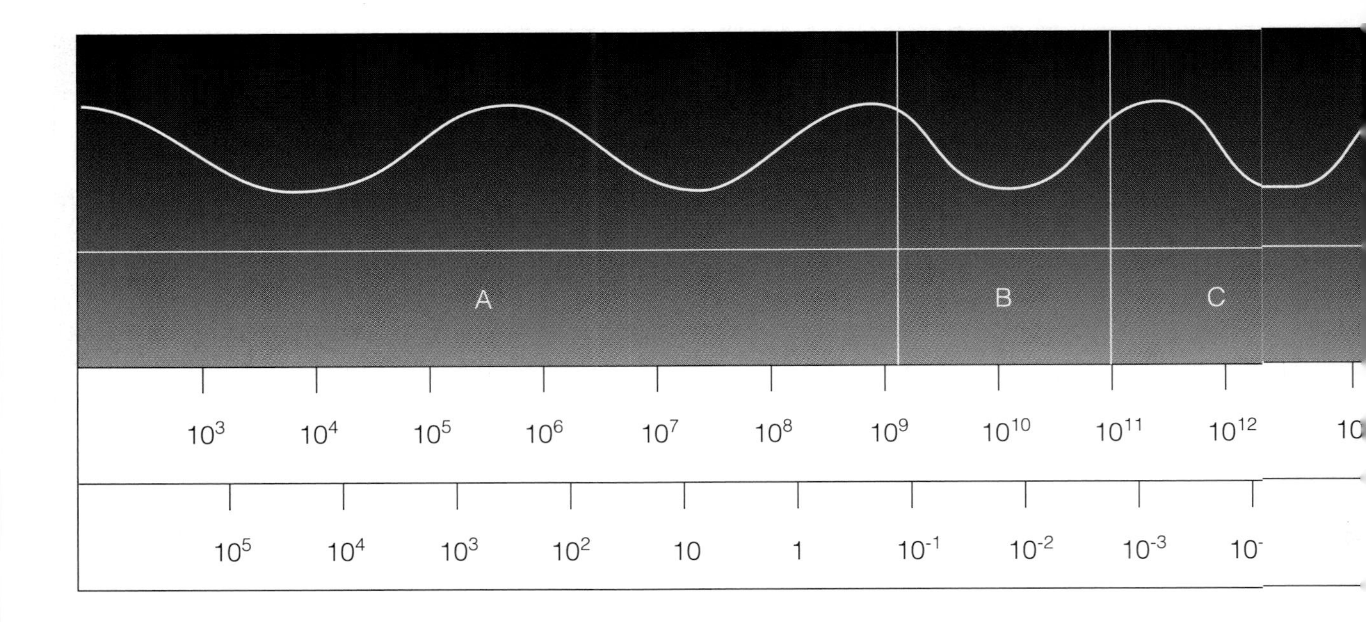


## Questions à réponse courte

Réponds à chacune des questions suivantes dans ton cahier de notes par une phrase ou un court paragraphe.

**17.** Nomme plusieurs facteurs qui agissent sur la luminosité d'une étoile vue de la Terre.

**18.** Pourquoi ne pouvons-nous pas voir le centre de notre galaxie ?

**19.** Comment peut-on déterminer les éléments chimiques d'une étoile en regardant sa lumière.

**20.** Comment peut-on déterminer la distance entre la Terre et les étoiles proches ?

**21.** Quelles sont les utilités des satellites ? Quelle information fournissent-ils ?

**22. a)** Quels types de rayons du Soleil parviennent à la Terre ?

**b)** Quels sont les effets de ces rayons sur la Terre ?

**23.** Place les termes suivants sur le diagramme de Hertzsprung-Russell ci-contre : séquence principale, géantes rouges, supergéantes rouges, naines blanches. Écris le nom des axes et place le Soleil au bon endroit.

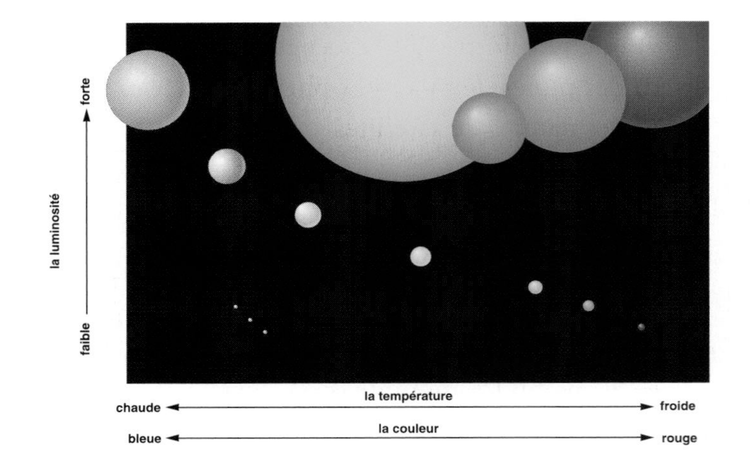


**24.** La figure du haut des pages 556 et 557 représente le spectre électromagnétique, allant de faible énergie, basse fréquence et grande longueur d'onde, à gauche, à forte énergie, haute fréquence, petite longueur d'onde, à droite. La lumière visible est au milieu. Indique les régions où tu trouverais les ondes suivantes sur le spectre : rayons X, rayons infrarouges, rayons ultraviolets, ondes radioélectriques, micro-ondes, rayons gamma (désignés par les lettres A à F).

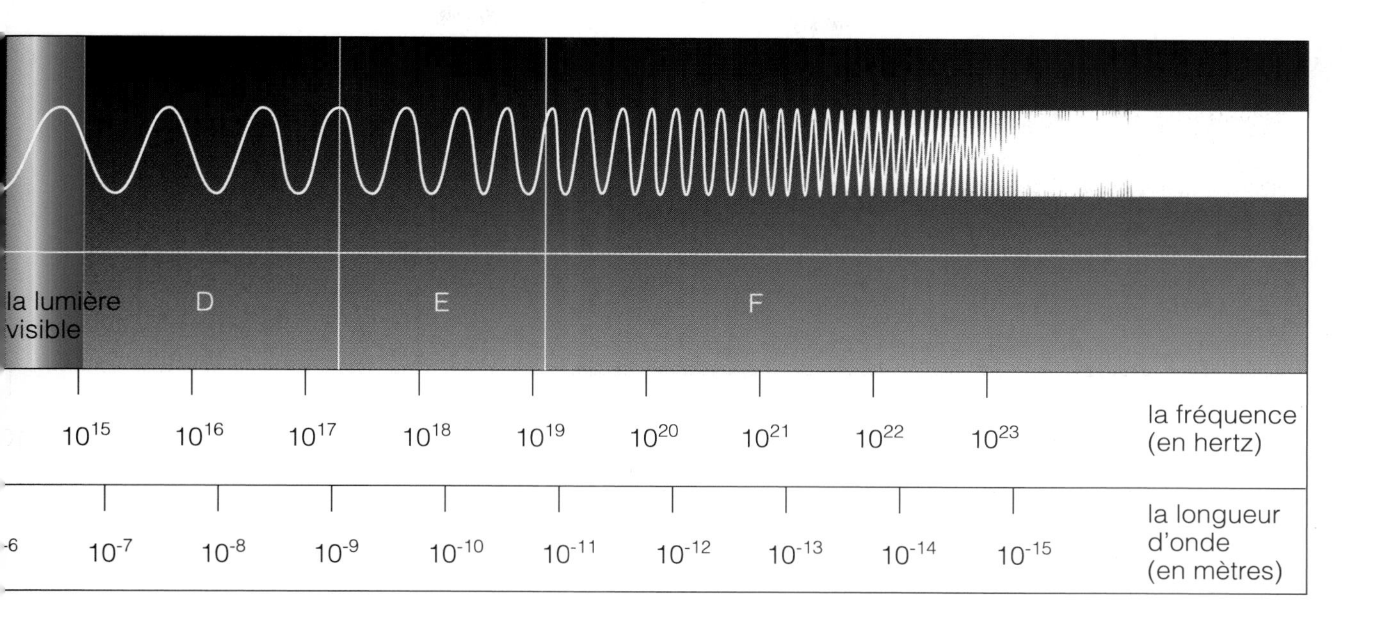


## Problèmes à résoudre

Pour tous les problèmes comportant des équations et des nombres, présente la solution complète et sers-toi de la méthode SMARP de résolution de problèmes ou de la méthode recommandée par ton enseignante ou ton enseignant.

**25.** La distance entre le Soleil et Mars est de 1,4 UA. La distance entre le Soleil et Jupiter est de 4,48 UA. La distance entre Jupiter et le Soleil est combien de fois supérieure à la distance entre Mars et le Soleil ?

**26.** La Terre est à $1,49 \times 10^8$ km de distance du Soleil.

**a)** Quelle distance (en kilomètres) sépare le Soleil de Mars ?

**b)** Quand Mars se rapproche de la Terre, quelle est la plus courte distance (en kilomètres) qui sépare ces deux planètes ?

## Réflexion critique

**27.** La rotation de la Lune sur elle-même prend environ 27,5 jours, mais il s'écoule environ 29 jours complets entre une pleine lune et la suivante. Explique pourquoi la période entre deux pleines lunes est plus longue que le temps de rotation de la Lune. Indice : Sers-toi du modèle axé sur le Soleil.

**28.** Quelle est l'importance des observations suivantes ?

**a)** La plupart des étoiles que nous voyons sont situées dans une bande qui traverse le ciel du nord au sud.

**b)** Les amas globulaires sont tous situés dans une zone du ciel, et non pas tout autour de la Terre.

## Applications

**29.** Un télescope réfracteur est fait d'une grande lentille ; celle-ci concentre la lumière, qui la traverse. Un télescope à réflecteur est constitué d'un grand miroir ; celui-ci concentre la lumière, qui rebondit sur lui. Pourquoi les plus gros télescopes sont-ils des télescopes à réflecteur plutôt que des réfracteurs?

**30.** Le domaine de l'exploration spatiale connaît sans cesse des développements et des percées. Pour te tenir à jour, dresse un tableau dans ton cahier de notes et consignes-y les noms des plus récentes sondes spatiales, leurs destinations, les dates de lancement, les dates d'arrivée et les découvertes qu'elles ont faites. Tu trouveras des renseignements détaillés dans Internet.

ANNEXE

# La classification des êtres vivants

Il y a plus de 2000 ans, le philosophe grec Aristote a créé une classification divisant les organismes en deux catégories, les animaux et les végétaux. Les savants ont utilisé cette classification pendant des siècles. Toutefois, à mesure que l'on découvrait de nouveaux êtres vivants, on s'est rendu compte que ce système laissait à désirer, car il ne montrait pas les relations probables entre des organismes semblables.

En 1735, Carl von Linné a proposé une classification nouvelle, qui répartissait elle aussi tous les organismes entre animaux et végétaux, mais qui différait considérablement de la classification d'Aristote à d'autres égards.

Dans la classification de Linné, chaque type d'organisme recevait un nom constitué de deux mots. On nomme encore aujourd'hui les organismes de cette façon. Le nom ainsi attribué à un organisme s'appelle son nom scientifique et se présente en latin, langue qui n'est plus parlée de nos jours. Le premier des deux mots formant le nom d'un organisme indique son genre, tandis que le second constitue son nom spécifique ou nom d'espèce. Un **genre** est un groupe d'organismes très semblables. Une **espèce** consiste en une catégorie plus petite et plus restreinte au sein de la classification. Ainsi, le lynx du Canada et le lynx roux appartiennent tous deux au genre *Lynx*, mais on considère qu'il s'agit d'espèces distinctes. Le lynx du Canada constitue, en effet, l'espèce *Lynx canadensis* et le lynx roux, l'espèce *Lynx rufus*.

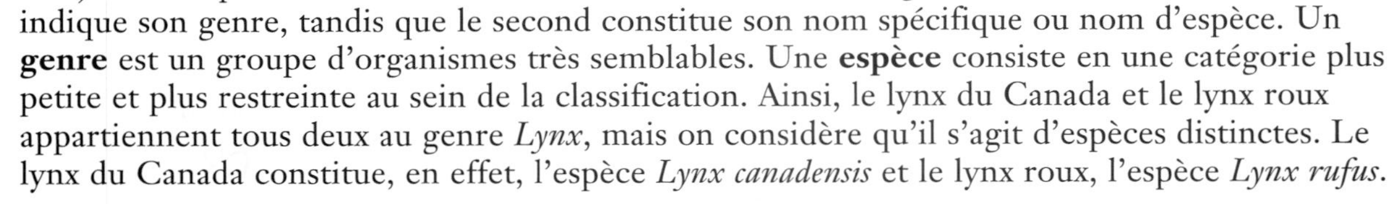

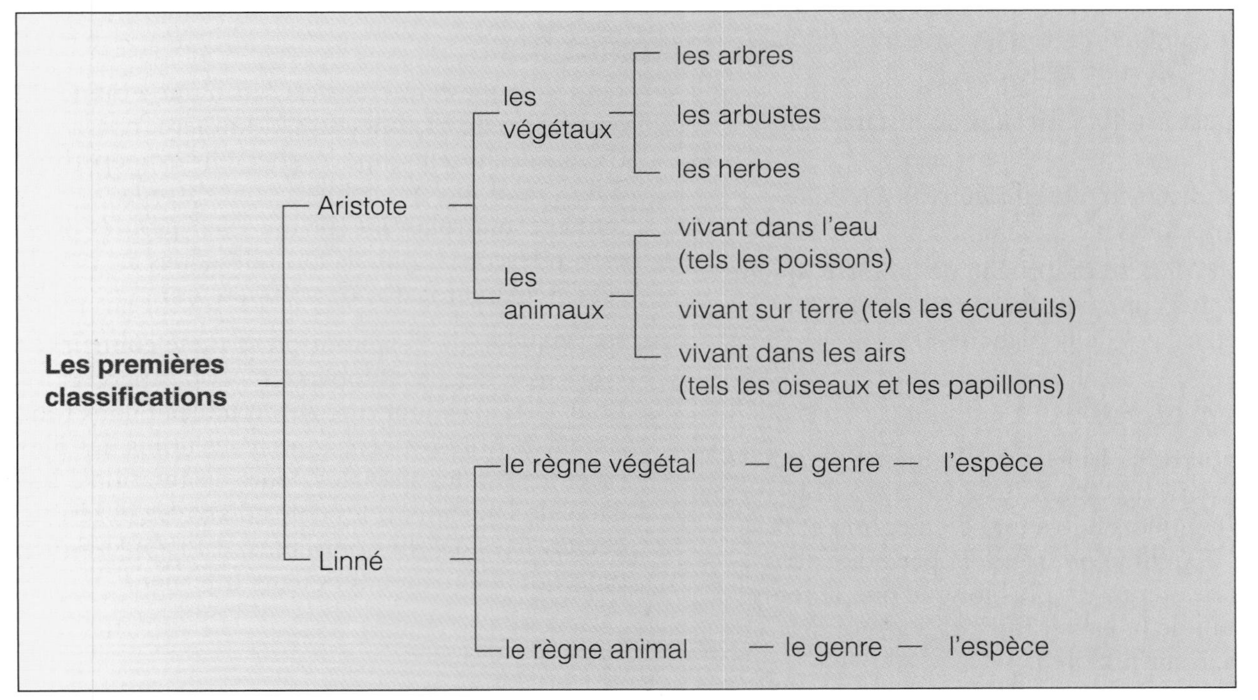

Au cours des années 1900, avec la prolifération des connaissances relatives à la très grande diversité des organismes sur Terre, il est devenu manifeste qu'une classification ne comprenant que deux règnes — végétal et animal — était inadéquate. Les bactéries, par exemple, diffèrent trop des végétaux et des animaux pour que l'on puisse les regrouper avec les uns ou les autres. De même, les multiples variétés de champignons, y compris les moisissures et la levure, sont très différentes des végétaux et des animaux. Des scientifiques influents, dont Robert Whittaker et Lynn Margulis, ont soutenu qu'il fallait adopter de nouveaux critères pour classifier les organismes. C'est pourquoi un système qui repose pour l'essentiel sur la classification de Linné, mais divise les êtres vivants en cinq règnes distincts est largement accepté et utilisé depuis les années 1960. Les organismes et leur règne sont présentés dans le tableau qui suit. (Contrairement aux cellules en caryotes, les cellules procaryotes possèdent un véritable noyau.)

**Les cinq règnes de la nature**

| | Les monères | Les protistes | Les champignons | Les végétaux | Les animaux |
|---|---|---|---|---|---|
| Type de cellules | Procaryote | Eucaryote | Eucaryote | Eucaryote | Eucaryote |
| Nombre de cellules | Unicellulaires | Unicellulaires et pluricellulaires | Unicellulaires et pluricellulaires | Pluricellulaires | Pluricellulaires |
| Locomotion | Certaines monères se déplacent. | Ne se déplacent pas. | Ne se déplacent pas. | Ne se déplacent pas. | Se déplacent. |
| Nutrition | Certaines monères produisent leur propre nourriture ; d'autres la tirent d'autres organismes. | Certains protistes produisent leur propre nourriture ; d'autres la tirent d'autres organismes. | Tous les champignons tirent leur nourriture d'autres organismes. | Les végétaux produisent leur propre nourriture. | Les animaux se nourrissent de végétaux ou d'autres organismes. |

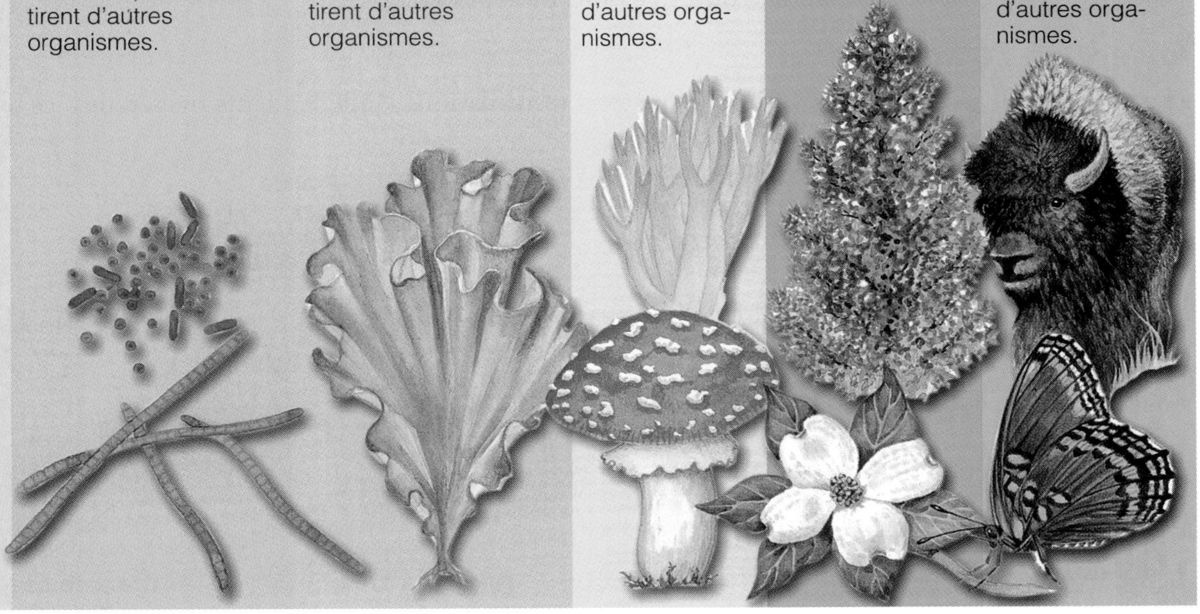

ANNEXE

# B

# Utiliser efficacement les ressources documentaires et Internet

## Utiliser efficacement les ressources documentaires

Il y a probablement des livres et des périodiques dans ta classe que tu peux consulter pour en apprendre davantage sur certains sujets; mais, dans la plupart des cas, tu souhaiteras chercher de l'information à la bibliothèque de ton école ou à la bibliothèque publique la plus près.

Une bibliothèque peut être intimidante. Toutefois, si tu procèdes d'une façon méthodique, tu y trouveras rapidement et efficacement ce dont tu as besoin.

Prends tout d'abord conscience de l'énorme quantité de sources que tu peux y consulter: encyclopédies générales et spécialisées, répertoires (numéros de téléphone, villes, codes postaux, etc.), almanachs et annuaires, atlas, manuels, périodiques, journaux, publications gouvernementales, brochures, cassettes audio, cassettes vidéo, cédéroms, bases de données, sans oublier toute l'information en constante évolution contenue dans Internet.

Pour faire le meilleur usage possible de ton temps et des ressources à ta disposition, pose-toi les questions suivantes avant d'entreprendre toute recherche:

- *De quelle* information ai-je besoin? Jusqu'à quel point doit-elle être détaillée?
- *Quand* dois-je remettre le travail? (Cela peut t'aider à déterminer jusqu'à quel point l'information obtenue doit être détaillée.)
- *Pourquoi* ai-je besoin de cette information? Est-ce que je prépare quelque chose à l'intention d'un auditoire (mon enseignante ou mon enseignant, un autre groupe ou une autre classe)?
- *Comment* vais-je présenter l'information recueillie (sous forme d'un compte rendu écrit, d'une affiche, d'un exposé oral, d'une présentation mutimédia)?

Détermine ensuite quels types de ressources te fourniront ce dont tu as besoin. Les bibliothécaires ont des connaissances très étendues et offrent une aide précieuse. Envisage-les, par conséquent, comme l'une des premières ressources à consulter et interroge-les sur la manière de procéder lorsque tu ne sais pas où trouver ce dont tu as besoin.

## Qu'est-ce qu'Internet?

Internet est un vaste réseau constitué de réseaux informatiques indépendants mais reliés les uns aux autres. En moins de deux décennies, ce réseau de communication hautement spécialisé utilisé surtout à des fins militaires et universitaires s'est transformé pour devenir un immense bazar électronique. De nos jours, on peut accéder à Internet à partir:

- des ordinateurs en milieu scolaire et gouvernemental;
- des ordinateurs au sein d'établissements de recherche;
- des catalogues de bibliothèque informatisés;
- des ordinateurs au sein d'entreprises;
- des ordinateurs à la maison;
- des services informatiques communautaires (appelés libertels);
- d'un large éventail de babillards électroniques locaux.

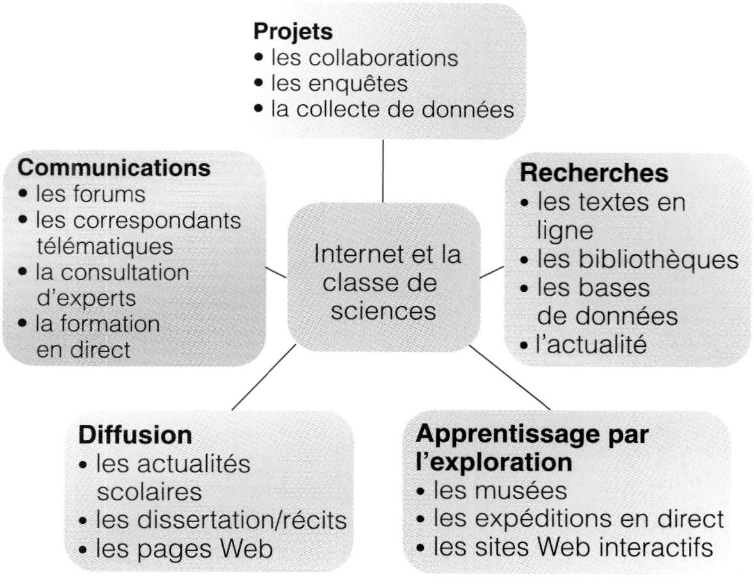

Tout utilisateur autorisé de l'un de ces ordinateurs peut envoyer des messages à travers le réseau par courriel et se servir des ressources de centaines d'autres ordinateurs branchés au réseau. Le schéma de la page précédente montre quelques-unes des applications d'Internet en tant qu'outil d'apprentissage qui te paraîtront des plus utiles.

## Utiliser efficacement Internet

Tu trouveras le site Web de l'éditeur du présent manuel à l'adresse http://www.dlcmcgrawhill.ca. Cette adresse Web (ou adresse URL) te mènera au siège social des Éditions de la Chenelière à Montréal (Québec). Tu peux utiliser ce site pour obtenir de l'information sur des sujets particuliers traités dans le manuel. Lorsque tu navigues sur Internet, rappelle-toi que n'importe qui à tout endroit peut créer une page Web ou diffuser de l'information sur Internet. Une personne peut utiliser ce moyen pour véhiculer ses propres opinions. Il est parfois difficile de distinguer de ces opinions les renseignements scientifiques exacts. Vérifie toujours la source des renseignements trouvés. Méfie-toi des particuliers qui diffusent de l'information dans Internet. Les sites gouvernementaux et les sites d'organismes pédagogiques tendent à contenir des renseignements beaucoup plus fiables. Conforme-toi aux directives de ton école lorsque tu effectues des recherches sur Internet et fais un bon usage du site Web de Chenelière/McGraw-Hill pour rationaliser tes démarches.

**LIENS INTERNET**

**www.dlcmcgrawhill.ca**

Pour voir les dernières photos prises par le télescope spatial *Hubble*, va dans **Matériel complémentaire/Primaire et secondaire**, et ensuite dans **OMNISCIENCES 9** pour savoir ce que tu devras faire par la suite. Quelles sont les dernières découvertes sur les quasars, les trous noirs et autres mystérieux objets de l'Univers ? Rédige un petit résumé sur ce que tu auras trouvé.

Réponses au questionnaire de la page 434

1. b) le 22 juin
2. c) sud
3. b) six mois
4. c) 22 h
5. c) 12 à 16
6. e) toute l'année
7. b) un mois
8. c) 24 heures

# Le tableau périodique des éléments

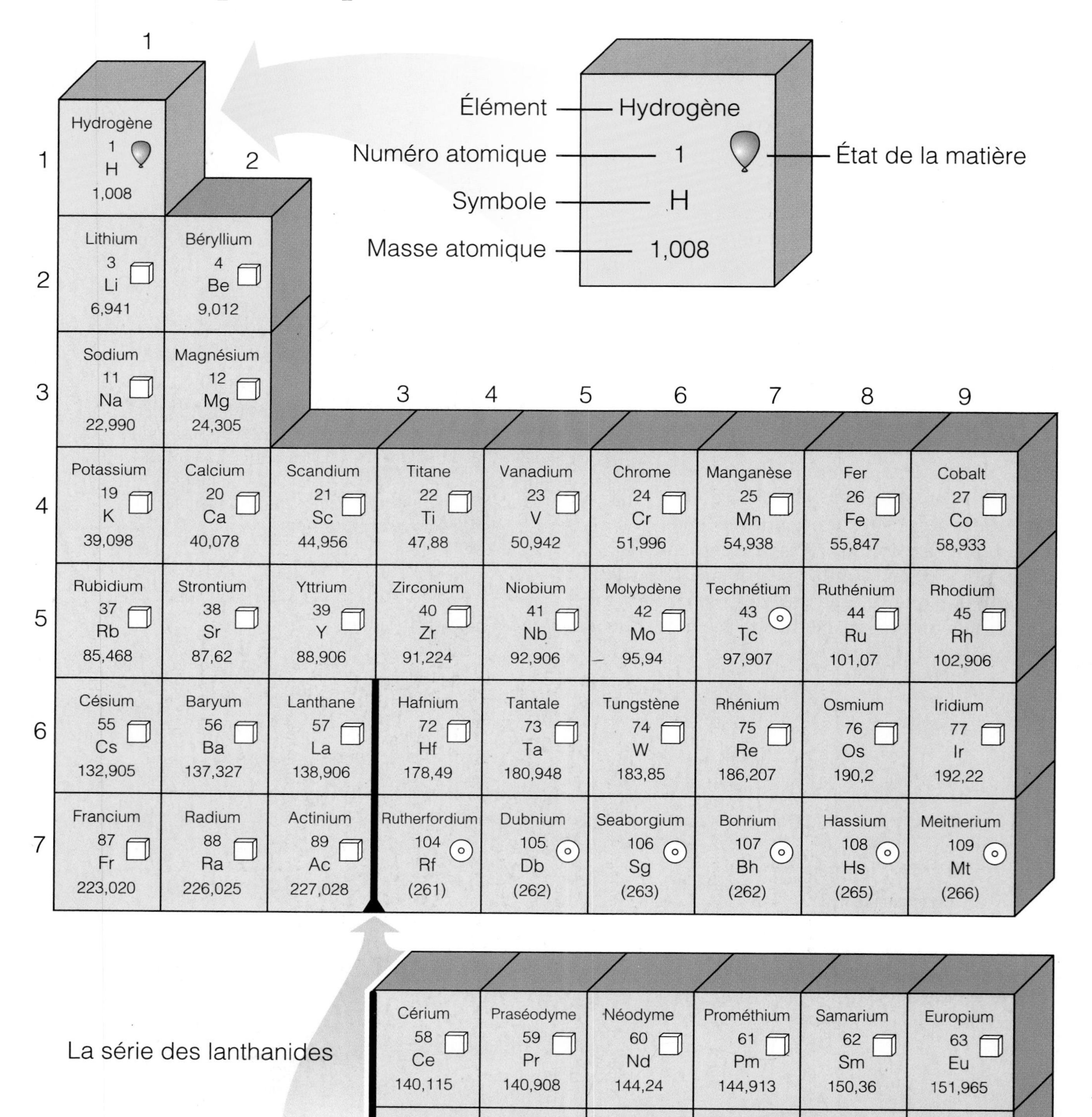


| | 1 | 2 | 3 | 4 | 5 | 6 | 7 | 8 | 9 |
|---|---|---|---|---|---|---|---|---|---|
| 1 | Hydrogène 1 H 1,008 | | | | | | | | |
| 2 | Lithium 3 Li 6,941 | Béryllium 4 Be 9,012 | | | | | | | |
| 3 | Sodium 11 Na 22,990 | Magnésium 12 Mg 24,305 | | | | | | | |
| 4 | Potassium 19 K 39,098 | Calcium 20 Ca 40,078 | Scandium 21 Sc 44,956 | Titane 22 Ti 47,88 | Vanadium 23 V 50,942 | Chrome 24 Cr 51,996 | Manganèse 25 Mn 54,938 | Fer 26 Fe 55,847 | Cobalt 27 Co 58,933 |
| 5 | Rubidium 37 Rb 85,468 | Strontium 38 Sr 87,62 | Yttrium 39 Y 88,906 | Zirconium 40 Zr 91,224 | Niobium 41 Nb 92,906 | Molybdène 42 Mo 95,94 | Technétium 43 Tc 97,907 | Ruthénium 44 Ru 101,07 | Rhodium 45 Rh 102,906 |
| 6 | Césium 55 Cs 132,905 | Baryum 56 Ba 137,327 | Lanthane 57 La 138,906 | Hafnium 72 Hf 178,49 | Tantale 73 Ta 180,948 | Tungstène 74 W 183,85 | Rhénium 75 Re 186,207 | Osmium 76 Os 190,2 | Iridium 77 Ir 192,22 |
| 7 | Francium 87 Fr 223,020 | Radium 88 Ra 226,025 | Actinium 89 Ac 227,028 | Rutherfordium 104 Rf (261) | Dubnium 105 Db (262) | Seaborgium 106 Sg (263) | Bohrium 107 Bh (262) | Hassium 108 Hs (265) | Meitnerium 109 Mt (266) |

| | | | | | | |
|---|---|---|---|---|---|---|
| La série des lanthanides | Cérium 58 Ce 140,115 | Praséodyme 59 Pr 140,908 | Néodyme 60 Nd 144,24 | Prométhium 61 Pm 144,913 | Samarium 62 Sm 150,36 | Europium 63 Eu 151,965 |
| La série des actinides | Thorium 90 Th 232,038 | Protactinium 91 Pa 231,036 | Uranium 92 U 238,029 | Neptunium 93 Np 237,048 | Plutonium 94 Pu 244,064 | Américium 95 Am 243,061 |

Métal
Métalloïde
Non-métal

Gaz
Liquide
Solide
(à la température et à la pression ambiantes)
Éléments artificiels

| 10 | 11 | 12 | 13 | 14 | 15 | 16 | 17 | 18 |
|---|---|---|---|---|---|---|---|---|
| | | | | | | | | Hélium<br>2<br>He<br>4,003 |
| | | | Bore<br>5<br>B<br>10,811 | Carbone<br>6<br>C<br>12,011 | Azote<br>7<br>N<br>14,007 | Oxygène<br>8<br>O<br>15,999 | Fluor<br>9<br>F<br>18,998 | Néon<br>10<br>Ne<br>20,180 |
| | | | Aluminum<br>13<br>Al<br>26,982 | Silicium<br>14<br>Si<br>28,086 | Phosphore<br>15<br>P<br>30,974 | Soufre<br>16<br>S<br>32,066 | Chlore<br>17<br>Cl<br>35,453 | Argon<br>18<br>Ar<br>39,948 |
| Nickel<br>28<br>Ni<br>58,693 | Cuivre<br>29<br>Cu<br>63,546 | Zinc<br>30<br>Zn<br>65,39 | Gallium<br>31<br>Ga<br>69,723 | Germanium<br>32<br>Ge<br>72,61 | Arsenic<br>33<br>As<br>74,922 | Sélénium<br>34<br>Se<br>78,96 | Brome<br>35<br>Br<br>79,904 | Krypton<br>36<br>Kr<br>83,80 |
| Palladium<br>46<br>Pd<br>106,42 | Argent<br>47<br>Ag<br>107,868 | Cadmium<br>48<br>Cd<br>112,411 | Indium<br>49<br>In<br>114,82 | Étain<br>50<br>Sn<br>118,710 | Antimoine<br>51<br>Sb<br>121,757 | Tellure<br>52<br>Te<br>127,60 | Iode<br>53<br>I<br>126,904 | Xénon<br>54<br>Xe<br>131,290 |
| Platine<br>78<br>Pt<br>195,08 | Or<br>79<br>Au<br>196,967 | Mercure<br>80<br>Hg<br>200,59 | Thallium<br>81<br>Tl<br>204,383 | Plomb<br>82<br>Pb<br>207,2 | Bismuth<br>83<br>Bi<br>208,980 | Polonium<br>84<br>Po<br>208,982 | Astate<br>85<br>At<br>209,987 | Radon<br>86<br>Rn<br>222,018 |
| (sans nom)<br>110<br>Uun | (sans nom)<br>111<br>Uuu | (sans nom)<br>112<br>Uub | | (sans nom)<br>114<br>Uuq | | | | |

| | | | | | | | |
|---|---|---|---|---|---|---|---|
| Gadolinium<br>64<br>Gd<br>157,25 | Terbium<br>65<br>Tb<br>158,925 | Dysprosium<br>66<br>Dy<br>162,50 | Holmium<br>67<br>Ho<br>164,930 | Erbium<br>68<br>Er<br>167,26 | Thulium<br>69<br>Tm<br>168,934 | Ytterbium<br>70<br>Yb<br>173,04 | Lutétium<br>71<br>Lu<br>174,967 |
| Curium<br>96<br>Cm<br>247,070 | Berkélium<br>97<br>Bk<br>247,070 | Californium<br>98<br>Cf<br>251,080 | Einsteinium<br>99<br>Es<br>252,083 | Fermium<br>100<br>Fm<br>257,095 | Mendélévium<br>101<br>Md<br>258,099 | Nobélium<br>102<br>No<br>259,101 | Lawrencium<br>103<br>Lr<br>260,105 |

ANNEXE

# D

## Les propriétés de substances communes

**LÉGENDE**

Le nom usuel des substances apparaît entre parenthèses.

(*) Solution aqueuse d'une substance pure (é) Élément (c) Composé (n) Substance non pure

| Nom | Formule | Point de fusion (°C) | Point d'ébullition (°C) | Masse volumique (g/cm³ ou g/mL) |
|---|---|---|---|---|
| acide acétique (vinaigre) (c) | $CH_3COOH$ | 16,6 | 118,1 | — |
| acide chlorhydrique (*) | HCl | varie | varie | varie |
| acier (n) | varie | varie | varie | varie |
| alcool (voir éthanol) (c) | | | | |
| aluminium (é) | Al | 659,7 | 2519 | 2,7 |
| ammoniac (c) | $NH_3$ | –77,8 | –33,4 | moins dense que l'air |
| antimoine (é) | Sb | 631 | 1587 | 6,70 |
| argent (é) | Ag | 961 | 2162 | 10,5 |
| argon (é) | Ar | –189 | –185 | plus dense que l'air |
| arsenic (é) | As | — | — | 5,727 (gris) 4,25 (noir) 2,0 (jaune) |
| azote (é) | $N_2$ | –209,9 | –195,8 | un peu moins dense que l'air |
| baryum (é) | Ba | 727 | 1897 | 3,62 |
| berkélium (é) | Bk | 1050 | — | 14,78 |
| béryllium (é) | Be | 1280 | 2471 | 1,85 |
| bioxyde d'azote (c) | $NO_2$ | — | — | — |
| bioxyde de carbone (c) | $CO_2$ | — | — | — |
| bioxyde de silicium (silice) (c) | $SiO_2$ | 1600 | — | — |
| bismuth (é) | Bi | 271 | 1560 | 9,7 |
| bore (é) | B | 2075 | 4000 | 2,37 (brun) 2,34 (jaune) |
| brome (é) | Br | –7,2 | 58,8 | 3,12 |
| calcaire (voir carbonate de calcium) | | | | |
| calcium (é) | Ca | 845 | 1484 | 1,55 |
| carbonate de calcium (calcaire) (c) | $CaCO_3$ | se décompose à 900 °C | — | 2,93 |
| carbone (diamant) (é) | C | 3500 | 3930 | 3,51 |
| carbone (graphite) (é) | C | 4492 | 4492 | 2,25 |
| chlore (é) | $Cl_2$ | –101,6 | –34,6 | plus dense que l'air |
| chlorure de magnésium (c) | $MgCl_2$ | 708 | 1412 | 2,3 |
| chlorure de sodium (sel blanc) (c) | NaCl | 801 | 1465 | 2,16 |
| chrome (é) | Cr | 1907 | 2671 | 7,2 |
| cobalt (é) | Co | 1480 | 2927 | 8,9 |
| cuivre (é) | Cu | 1084 | 2562 | 8,95 |
| diamant (voir carbone) (é) | | | | |
| eau (c) | $H_2O$ | 0 | 100 | 1,00 |
| étain (é) | Sn | 231,9 | 2602 | 7,31 |
| éthanol (alcool éthylique) (c) | $C_2H_5OH$ | –114,5 | 78,4 | 0,789 |
| éthylène (éthène) (c) | $C_2H_4$ | –169 | –103,9 | — |
| fer (é) | Fe | 1535 | 2861 | 7,86 |
| fluor (é) | $F_2$ | –270 | –188 | — |
| fluorure de sodium (c) | NaF | 988 | 1695 | 2,56 |
| glucose (c) | $C_6H_{12}O_6$ | 146 | se décompose avant de bouillir | 1,54 |

**DÉFINITIONS**
déliquescent : capable d'absorber l'humidité de l'air pour former une solution concentrée
sublimer : passer directement de l'état solide à l'état gazeux

| Aspect (à la température ambiante : 20 °C) | Remarques |
|---|---|
| liquide incolore à odeur piquante | sert à la fabrication de l'éthanoate de cellulose; le vinaigre est une solution de 5 à 7 % d'acide acétique dans de l'eau |
| liquide incolore | acide corrosif ; ses propriétés varient selon la concentration |
| solide métallique gris | fer allié avec du carbone et d'autres éléments; très utilisé comme matériau de gros œuvre |
| | |
| métal blanc argenté | sert à la fabrication d'avions, d'ustensiles de cuisine et d'appareils électriques |
| gaz très soluble à odeur piquante | utilisé comme frigorigène et dans la fabrication de résines, d'explosifs et d'engrais |
| solide gris argenté | utilisé dans les détecteurs infrarouges |
| solide blanc et brillant | métal mou ; meilleur conducteur connu d'électricité |
| gaz inerte | utilisé dans des appareils d'éclairage électriques |
| solide gris, noir ou jaune | utilisé dans des semi-conducteurs et des alliages; source de composés très toxiques utilisés en médecine ainsi que comme pesticides |
| gaz incolore | ne brûle pas et n'entretient pas la combustion ; forme 80 % de l'air |
| solide blanc argenté | sert au radiodiagnostic |
| — | — |
| métal blanc et dur | utilisé dans des alliages qui résistent à la corrosion |
| gaz brun | confère au smog une teinte brun rougeâtre |
| gaz incolore ayant une faible odeur et un faible goût piquants | n'entretient pas la combustion et est plus dense que l'air; utilisé dans des extincteurs et comme frigorigène à −78,5 °C |
| poudre granulée dure ; insoluble dans l'eau | principal constituant du sable ; utilisé sous forme de quartz dans la fabrication d'horloges et de montres |
| métal cristallin cassant d'un blanc rougeâtre | utilisé dans des alliages, des catalyseurs et des réacteurs nucléaires ; source de composés utilisés en médecine |
| poudre brune amphotère ou cristaux jaunes | sert à durcir l'acier et à fabriquer des émaux et du verre |
| liquide rouge-brun | ce liquide cause de graves brûlures chimiques ; ses vapeurs sont nocives pour les poumons; sert à la fabrication de certains analgésiques |
| | |
| métal blanc et mou qui ternit aisément | très abondant; indispensable à la vie |
| solide blanc | principal constituant de la craie et du marbre |
| cristaux solides incolores | très dur; utilisé pour forer à travers le roc |
| solide gris-noir | très mou ; sert à la fabrication de lubrifiants, de mines de crayon et d'appareils électriques |
| gaz vert | toxique ; sert à détruire les organismes nuisibles dans l'eau |
| substance blanche déliquescente | |
| substance cristalline incolore | sert à l'assaisonnement ou à la conservation des aliments |
| solide argenté et brillant | métal très dur; sert à la fabrication de l'acier inoxydable |
| métal magnétique dur d'un blanc argenté | utilisé dans des alliages ; source de composés servant à donner une teinte bleue au verre et à la céramique |
| solide rougeâtre et brillant | métal mou ; bon conducteur de la chaleur |
| | |
| liquide incolore | bon solvant pour dissoudre les matières non grasses |
| solide brillant et légèrement jaune | métal mou ; résiste à la rouille |
| liquide incolore | dérivé de la fermentation du sucre; utilisé comme solvant ou combustible ; présent dans le vin |
| gaz incolore et inflammable à odeur douceâtre | dérivé du pétrole ; sert à la fabrication de l'éthanol et d'autres substances chimiques organiques |
| solide argenté et brillant | rouille aisément ; mou à l'état pur |
| gaz jaune verdâtre | ressemble au chlore |
| substance cristalline incolore | utilisé pour fluorer l'eau et comme insecticide |
| solide blanc | sucre simple ; le corps humain convertit la plupart des sucres et des amidons en glucose |

| Nom | Formule | Point de fusion (°C) | Point d'ébullision (°C) | Densité (g/cm³ ou g/mL) |
|---|---|---|---|---|
| graphite (voir carbone) (é) | | | | |
| hélium (é) | $He$ | –272,2 | –268,93 | — |
| hématite (c) | $Fe_2O_3$ | 1565 | — | 5,24 |
| hydrogène (é) | $H_2$ | –259 | –253 | beaucoup moins dense que l'air |
| hydroxyde de calcium (chaux éteinte) (c) | $Ca(OH)_2$ | se décompose à 522 °C | — | 2,24 |
| iode (é) | $I$ | 114 | 184 | 4,95 |
| lithium (é) | $Li$ | 179 | 1340 | 0,534 |
| magnésium (é) | $Mg$ | 651 | 1107 | 1,74 |
| magnétite (c) | $Fe_3O_4$ | — | — | 5,18 |
| manganèse (é) | $Mn$ | 1246 | 2061 | 7,43 |
| mercure (é) | $Hg$ | –38,9 | 356,6 | 13,6 |
| méthane (c) | $CH_4$ | –182,5 | –161,5 | — |
| molybdène (é) | $Mo$ | 2623 | 4679 | 10,28 |
| néon (é) | $Ne$ | –248 | –246 | — |
| nickel (é) | $Ni$ | 1455 | 2913 | 8,90 |
| nitrate d'ammonium (c) | $NH_4NO_3$ | 169,6 | 210 | — |
| nitrate de cuivre (II) (c) | $Cu(NO_3)_2$ | — | — | — |
| nitrate de plomb (II) (c) | $Pb(NO_3)_2$ | — | — | — |
| or (é) | $Au$ | 1063 | 2856 | 19,3 |
| oxyde d'aluminium (alumine) (c) | $Al_2O_3$ | 2015 | — | — |
| oxyde de calcium (chaux vive) (c) | $CaO$ | 2580 | 2850 | 3,3 |
| oxygène (é) | $O_2$ | –218 | –183 | un peu moins dense que l'air |
| ozone (é) | $O_3$ | –192,5 | –112 | plus dense que l'air |
| peroxyde d'hydrogène (c) | $H_2O_2$ | –0,4 | 150,2 | 1,45 |
| phosphore (é) | $P$ | 44<br>— | 280<br>— | 1,82 (blanc)<br>2,20 (rouge) |
| platine (é) | $Pt$ | 1769 | 3824 | 21,41 |
| plomb (é) | $Pb$ | 327,4 | 1750 | 11,34 |
| polyéthylène (polythène) (c) | $(C_2H_4)_n$ | — | — | — |
| potassium (é) | $K$ | 63,5 | 759 | 0,86 |
| propane (c) | $C_3H_8$ | — | –42,17 | — |
| saccharose (sucre) (c) | $C_{12}H_{22}O_{11}$ | 170 | se décompose à 186 °C | 1,59 |
| sélénium (é) | $Se$ | 217 | 684,9 | 4,81 |
| silicium (é) | $Si$ | 1410 | 3265 | 2,33 |
| sodium (é) | $Na$ | 97,5 | 892 | 0,971 |
| soufre (é) | $S$ | 112,8 | 444,6 | 2,07 |
| strontium (é) | $Sr$ | 777 | 1412 | 2,6 |
| sulfate de cuivre (II) (couperose bleue) (c) | $CuSO_4.5H_2O$ | se décompose à 150 °C | — | 2,28 |
| technétium (é) | $Tc$ | 2157 | 4265 | 11,5 |
| tellure (é) | $Te$ | 450 | 990 | 6,25 |
| titane (é) | $Ti$ | 1666 | 3287 | 4,5 |
| tungstène (é) | $W$ | 3422 | 5555 | 19,25 |
| uranium (é) | $U$ | 1130 | 4131 | 19,05 |
| xénon (é) | $Xe$ | –111,9 | –107,1 | — |
| zinc (é) | $Zn$ | 419 | 907 | 7,14 |
| zirconium (é) | $Zr$ | 1852 | 4400 | 6,51 |

| Aspect<br>(à la température ambiante : 20 °C) | Remarques |
|---|---|
| | |
| gaz inerte et ininflammable | utilisé comme frigorigène; fournit une atmosphère inerte pour le soudage; sert à gonfler les dirigeables et les montgolfières |
| de teinte rouille | présente dans le minerai de fer; fer oxydé |
| gaz incolore | très inflammable; utilisé sous forme liquide comme combustible pour les fusées |
| solide blanc | utilisé en solution aqueuse pour détecter le $CO_2$ |
| cristaux solides noir-violet | les cristaux subliment aisément pour former des vapeurs violettes toxiques |
| métal blanc argenté (solide connu ayant la plus faible densité) | utilisé dans des alliages; ses sels ont divers usages médicaux |
| métal léger d'un blanc argenté qui ternit aisément au contact de l'air | sert à la fabrication d'alliages et en photographie; source de composés utilisés en médecine; indispensable à la vie |
| solide cristallin noir et brillant | très magnétique |
| solide gris-blanc | utilisé dans des alliages ayant des propriétés magnétiques particulières |
| liquide argenté et brillant | seul métal liquide; entre dans des composés toxiques |
| gaz inodore et inflammable produit par la matière organique en décomposition | principal constituant du gaz naturel |
| solide blanc argenté | utilisé dans des alliages d'acier à haute résistance |
| gaz incolore et inodore | une décharge électrique traversant du néon sous basse pression produit une intense lueur rouge orangé |
| métal magnétique blanc argenté qui résiste à la corrosion | sert au nickelage et à la frappe de la monnaie; utilisé dans des alliages et comme catalyseur |
| sel cristallin blanc et soluble | utilisé dans la fabrication d'explosifs et comme engrais |
| | |
| cristaux blancs ou incolores | se décompose aisément sous l'effet de la chaleur; soluble dans l'eau |
| solide jaune et brillant | métal très mou; peu sujet au ternissement |
| substance cristalline blanche | sert à l'affinage de l'aluminium et à la fabrication du ciment |
| solide blanc | utilisé dans le ciment et pour tracer des lignes sur les terrains de sport |
| | nécessaire à la combustion; forme 20 % de l'air |
| gaz incolore | sert à purifier l'air et l'eau ainsi qu'à blanchir; la couche atmosphérique d'ozone absorbe la plus grande partie des rayons ultraviolets du Soleil |
| liquide incolore | épais et sirupeux à l'état pur; un antiseptique |
| poudre rouge foncé<br>blanc, cireux et lumineux dans l'obscurité | très toxique et très inflammable<br>non toxique et moins inflammable; source de composés entrant dans des engrais et des détersifs; n'existe qu'à l'état combiné, le plus souvent sous forme de phosphate de calcium [$Ca_3(PO_4)_2$]; indispensable à la vie |
| solide blanc argenté | utilisé dans des bijoux; allié avec le cobalt, il sert à la fabrication de stimulateurs cardiaques |
| solide blanc-bleu et brillant | métal mou; entre dans des composés toxiques |
| matière thermoplastique résistante et cireuse | polymère de l'éthylène; sert de matériau isolant; souple et chimiquement résistant |
| métal alcalin blanc argenté, mou et très réactif | indispensable à toute vie; présent dans toute matière vivante; sels utilisés dans la fabrication d'engrais |
| gaz incolore | inflammable; utilisé comme combustible |
| solide blanc | fabriqué à partir de la canne à sucre ou de la betterave à sucre |
| non-métal ressemblant au soufre; solide cristallin gris argenté | sert à la fabrication du caoutchouc et du verre imitant le rubis; utilisé dans les cellules photoélectriques et les semi-conducteurs |
| métalloïde gris acier ressemblant au carbone par ses propriétés chimiques | utilisé à l'état pur dans la fabrication de semi-conducteurs et d'alliages et sous forme de silicates dans la fabrication du verre |
| métal mou d'un blanc argenté; très réactif | utilisé dans la préparation de composés organiques, comme fluide de refroidissement et dans certains types de réacteurs nucléaires |
| solide jaune | sert à la fabrication de teintures, de pesticides et d'autres produits chimiques |
| solide blanc argenté | sert à la fabrication de tubes cathodiques pour téléviseur couleur |
| cristaux solides bleus | sert à la fabrication de pesticides |
| solide gris argenté | sert au gamma-diagnostic des anomalies osseuses |
| solide blanc argenté | utilisé dans les semi-conducteurs |
| solide blanc et lustré | ses alliages sont très utilisés dans l'industrie de l'aérospatiale |
| solide gris-blanc | sert à la fabrication des filaments de lampe incandescente |
| solide métallique gris | utilisé comme combustible nucléaire (généralement converti en plutonium) |
| gaz inerte | utilisé dans les ampoules et les tubes fluorescents |
| métal dur d'un blanc bleuâtre | entre dans des alliages comme le laiton et le fer galvanisé |
| solide blanc argenté | utilisé dans le secteur chimique comme substance anticorrosion |

# LE GUIDE DES OMNITRUCS

# SE SERVIR DE REPRÉSENTATIONS GRAPHIQUES POUR MIEUX APPRENDRE

Un bon moyen de structurer la matière à l'étude consiste à en faire une **représentation graphique**. Le **réseau conceptuel** est un type de représentation graphique qui te sera utile. Pareil diagramme indique visuellement comment divers concepts scientifiques sont reliés les uns aux autres. Comme il fait voir les liens entre des idées scientifiques, il peut rendre la signification d'idées et de termes plus claire et t'aider à comprendre ce que tu étudies.

Examine la structure du réseau conceptuel ci-dessous que l'on appelle un **arbre conceptuel**. Certains mots y figurent dans des bulles, tandis que d'autres y apparaissent sur des lignes fléchées. Les bulles renferment des idées ou des termes appelés concepts. Les lignes fléchées, pour leur part, dénotent les liens entre ces concepts, les mots qui leur sont superposés indiquant la nature de ces liens. L'arbre conceptuel ci-dessous montre comment on peut classer les machines simples.

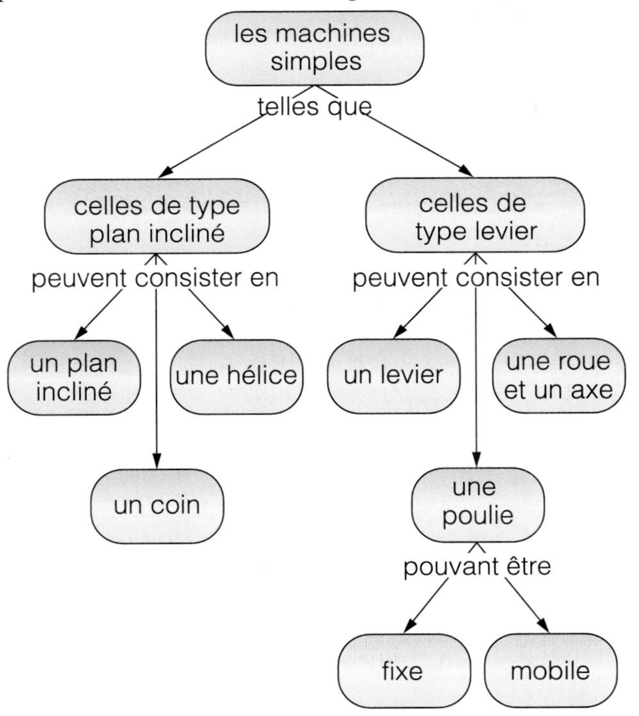


Ton réseau conceptuel s'étendra et évoluera à mesure que tu en apprendras davantage sur le sujet traité. Le réseau conceptuel n'est, en fait, qu'un outil de plus à ta disposition. On ne peut pas dire du réseau conceptuel qu'il est le seul outil valable; il représente tout simplement les liens qui ont du sens à tes yeux. Assure-toi que ton réseau est propre et clair et que les liens que tu établis entre les éléments reposent sur de bonnes raisons.

Après avoir terminé un réseau conceptuel, tu auras peut-être des douzaines d'idées intéressantes. Ton réseau sera le reflet concret de ta réflexion. Il se peut qu'il renferme plusieurs concepts qui figurent dans le réseau d'autres élèves, ou même que tu y aies inscrit et relié tes idées de manière différente. Tout réseau conceptuel peut t'aider à étudier et à réviser. Tu peux t'y reporter pour mieux te remettre en mémoire les concepts et les relations en cause. Plus tard, il pourra te servir à déterminer ce que tu as appris et comment tes idées ont évolué.

Voici quelques autres types de réseaux conceptuels qui te seront utiles.

Une **chaîne d'événements** sert à décrire des idées dans l'ordre. En sciences, on peut l'utiliser pour présenter une suite d'événements comme les étapes d'une marche à suivre ou les phases d'un processus. Au moment d'élaborer une chaîne d'événements, détermine tout d'abord quel événement survient en premier. Il s'agit là du point de départ de la chaîne. Cela fait, trouve l'événement suivant et continue de la sorte jusqu'à ce que tu arrives à un résultat. Voici une chaîne d'événements révélant ce qui se passe lorsqu'on fait éclater du maïs dans un four à micro-ondes.

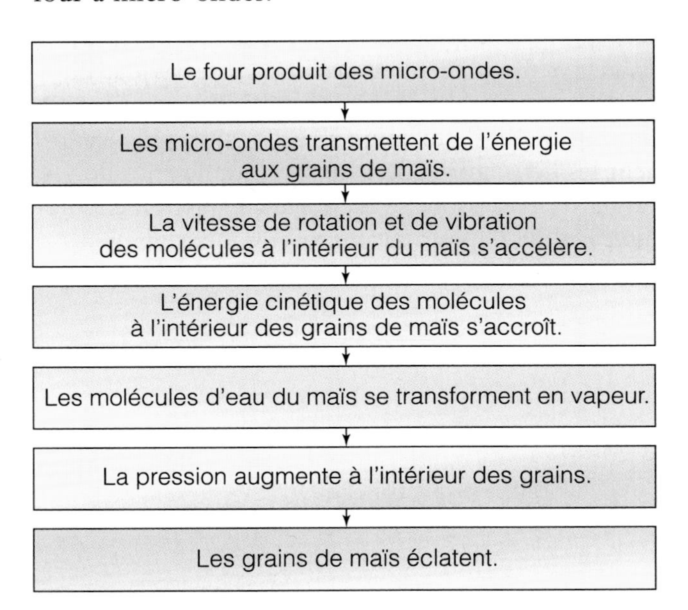

Le **réseau conceptuel cyclique** constitue un type particulier de chaîne d'événements. On l'utilise pour représenter une suite d'événements qui n'engendre pas un résultat final. Ce type de réseaux n'a ni début ni fin.

Pour élaborer un réseau conceptuel cyclique, il faut choisir un point de départ, puis énumérer dans l'ordre tous les événements d'importance. Comme il n'y a pas de résultat final et que le dernier événement est relié au premier, le cycle se répète. Examine l'exemple ci-dessous, qui présente le processus de la photosynthèse.

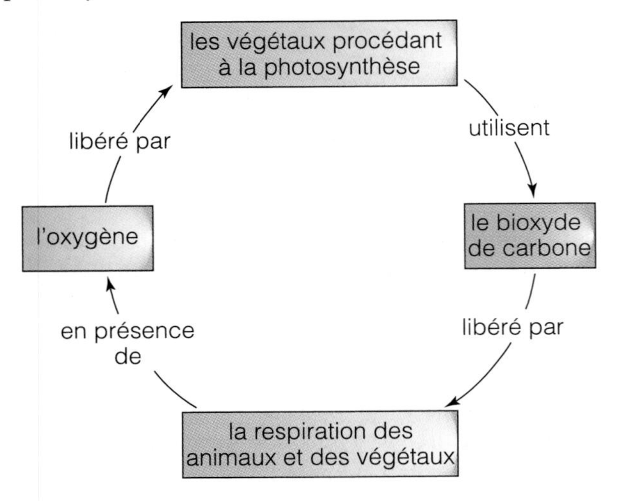


Le **diagramme en toile d'araignée** est un type de réseau conceptuel que tu jugeras peut-être utile pour le remue-méninges. Il se peut, par exemple, que tu aies une idée centrale et un fouillis d'idées associées qui ne sont pas nécessairement reliées les unes aux autres. En présentant ces idées à l'extérieur du concept principal, tu pourras sans doute commencer à les regrouper de manière à reconnaître plus facilement les liens entre elles. Le diagramme en toile d'araignée ci-dessous se rapporte à l'appareil circulatoire. Étudie-le pour découvrir comment on peut

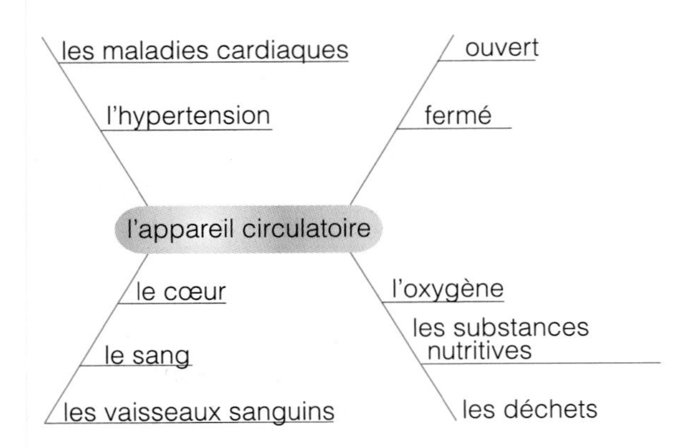


regrouper les divers concepts liés à l'appareil circulatoire pour en arriver à une meilleure compréhension.

Une autre méthode favorisant l'apprentissage est celle de la comparaison et du contraste. Lorsqu'on compare deux choses, on cherche en quoi elles se ressemblent. Lorsqu'on les met en contraste, on cherche en quoi elles diffèrent l'une de l'autre. On peut appliquer cette méthode en dressant une liste des ressemblances et des différences entre deux choses. Une autre possibilité consiste à les représenter graphiquement au moyen d'un **diagramme de Venn**, en se servant de deux cercles. Le diagramme de Venn ci-dessous peut aider à reconnaître les ressemblances et les différences entre la vache et le chat.

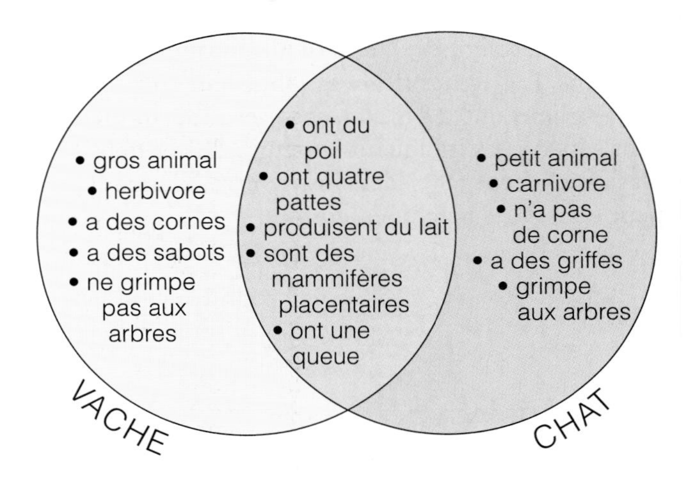


### Pour t'exercer...

1. Élabore un arbre conceptuel à l'aide des termes suivants: moyens de transport, avion, moteur à combustion interne, bicyclette, automobile, volant, moteur à réaction, pneus, gouvernail, pédales et dérailleur.
2. Élabore une chaîne d'événements qui débute à la fin d'une journée d'école et se termine lorsque tu te mets au lit.
3. Dessine un diagramme de Venn pour comparer et mettre en contraste le soccer et le ballon-panier.

Omni
TRUC 2

# COMMENT UTILISER UN JOURNAL SCIENTIFIQUE

Les scientifiques tiennent un journal, ou des dossiers détaillés, où ils consignent leurs observations, les données recueillies et les nouvelles idées qu'ils ont. Cela les aide à structurer leur réflexion et à suivre les progrès de leurs recherches. Tu peux toi aussi tenir un *journal scientifique* pour mieux structurer ta réflexion.

Choisis pour ce faire un support où tu pourras indiquer ce que tu connais déjà d'un sujet et ajouter d'autres éléments à cette information à mesure que tu poursuis ton étude. Il peut s'agir d'un calepin ou d'un carnet spécial, ou encore d'une section délimitée de ton cahier de notes. Ton enseignante ou ton enseignant peut te conseiller sur la façon de procéder.

Tu découvriras que consigner par écrit une chose apprise la renforcera dans ton esprit et t'aidera souvent à clarifier les idées et les concepts en cause. Il est aussi très utile de noter ce que tu connais déjà d'un sujet. Tu remarqueras peut-être que tu en sais plus que tu ne le crois. À l'inverse, tu découvriras peut-être qu'il te faut accorder une attention particulière à un sujet parce que tu le connais peu. L'avantage d'un *journal scientifique* est qu'il te permet de déterminer toi-même jusqu'à quel point tu comprends bien et de suivre les progrès de ton apprentissage, à l'exemple des scientifiques. Ainsi, tu n'as pas besoin d'attendre que ton enseignante ou ton enseignant évalue tes connaissances au moyen d'une épreuve ou d'un examen.

Voici quelques moyens utilisés dans OMNISCIENCES 9 pour que tu puisses ajouter des notions à ton *journal scientifique* d'une manière efficace. Chaque chapitre débute par une série de questions à la rubrique *Pour commencer…*

Peux-tu répondre à certaines de ces questions en faisant appel à tes études antérieures ? Tu peux écrire, faire un schéma ou utiliser tout autre moyen qui te convient pour expliquer ce que tu sais. Comme c'est *ton* journal, sens-toi bien à l'aise d'y indiquer en début de chapitre que tu ne sais pas grand-chose sur le sujet abordé. Ton *journal scientifique* constitue un important outil d'étude, car il est plus facile d'apprendre et de comprendre en ayant un aperçu de ce que l'on sait et de ce que l'on ignore.

**Pour commencer…**

- Comment les organismes se développent-ils ?
- Comment les os cassés se ressoudent-ils ?
- Comment les gens vieillissent-ils ?
- Qu'est-ce que le cancer ?
- Comment les organismes se reproduisent-ils ?

**Pause réflexion**

Les bactéries comme la *Clostridium botulinum* peuvent provoquer de sérieux empoisonnements alimentaires. D'autres bactéries, comme la *Lactobacillus acidophilus,* aident à digérer les aliments et à détruire d'autres bactéries nocives dans le tractus intestinal. Dans ton journal scientifique, écris un essai d'une page expliquant pourquoi les bactéries peuvent aussi bien être nocives que bénéfiques pour les humains. Fais des recherches dans Internet pour trouver de l'information sur les bactéries utiles, comme les bactéries qui permettent de décomposer les toxines dans l'environnement.

À l'intérieur des chapitres, des rubriques *Pause réflexion* t'aideront à continuer de réfléchir à ce que tu sais désormais. Elles sont conçues pour t'aider à établir des liens et à ordonner tes idées. Ton enseignante ou ton enseignant t'expliquera l'usage à faire des questions posées.

Chaque section *Révision du chapitre* se termine par une *Pause réflexion* qui t'amènera à revenir sur les nouveaux concepts étudiés. On t'y demandera peut-être de revoir ta réponse aux questions de la rubrique *Pour commencer…* Il peut aussi y avoir des questions qui orienteront ta réflexion sur les *Concepts clés* du chapitre. Tes idées initiales auront peut-être tellement évolué sous l'influence des connaissances acquises pendant l'étude du chapitre que cela t'étonnera.

Voici d'autres éléments que tu souhaiteras peut-être inclure dans ton *journal scientifique* :

- des questions qui te viennent à l'esprit et auxquelles tu aimerais pouvoir répondre ;
- des schémas et des notes se rapportant aux modèles et aux procédés dans le domaine des sciences ;
- des représentations graphiques (quelques exemples apparaissent à la section **Omnitruc 1**) ;
- des réflexions sur ce que tu juges difficile et des moyens possibles de surmonter ces obstacles à l'apprentissage d'un sujet nouveau ;
- des notes sur les faits d'actualité intéressants qui ont un lien avec le sujet du chapitre et qui soulèvent de nouvelles questions ou fournissent d'autres réponses à des questions existantes ;
- des notes biographiques sur des scientifiques ou des technologues canadiens dont il est question dans les médias et le profil de carrières qui retiennent ton intérêt et qui sont associées à la science et à la technologie ;
- les liens que tu remarques au cours de ton étude entre la science et d'autres sujets.

Ton *journal scientifique* t'aidera à mieux apprendre. Prends donc le temps d'y ajouter régulièrement de nouveaux éléments.

### Pour t'exercer...

1. Comment définirais-tu la science ? Comment définirais-tu la technologie ? Comment la science et la technologie peuvent-elles aider à répondre à des questions liées aux enjeux sociaux ? Pourquoi est-il utile d'obtenir le point de vue de scientifiques sur les enjeux sociaux ? Élabore une rubrique *Pour commencer...* en énonçant tes propres questions au sujet de la science, de la technologie et des enjeux sociaux. Échange ensuite tes questions contre celles d'une ou d'un autre élève afin que vous puissiez chacune ou chacun entreprendre de tenir votre propre *journal scientifique* en vous inspirant des questions reçues.
2. Songe à ce que tu considères comme un exemple d'une technologie simple. Il peut s'agir d'un outil ou d'un dispositif que tu as peut-être déjà utilisé. Est-il nécessaire d'être scientifique pour concevoir un tel outil ou dispositif ? Peux-tu fournir un exemple d'une technologie sophistiquée ? Selon toi, comment des connaissances scientifiques peuvent-elles aider à concevoir un tel moyen technologique ? Réponds à ces questions dans ton journal scientifique.
3. Après avoir lu les pages XXII – PP-14, rédige une rubrique *Pause réflexion* dont les questions visent à comparer et à mettre en contraste la science et la technologie. (En quoi sont-elles semblables et en quoi sont-elles différentes ?) Échange encore une fois tes questions contre celles d'une ou d'un autre élève afin de poursuivre la rédaction de ton *journal scientifique*.

# TRAVAILLER EN GROUPE

À l'intérieur de ce programme, on te demandera souvent de travailler avec d'autres élèves pour mener une tâche à bien. Des études ont révélé que l'utilisation de groupes coopératifs fait progresser les élèves en matière de résolution de problèmes et de réflexion critique. De même, les élèves retiennent plus longtemps la matière apprise lorsqu'ils travaillent en groupe que lorsqu'ils travaillent de façon autonome ou en concurrence. Il faut cependant respecter certaines règles importantes pour bien apprendre en groupe.

Chaque membre d'un groupe coopératif assume la responsabilité d'une ou de plusieurs tâches. Un groupe peut ainsi utiliser au mieux les compétences particulières de chacun de ses membres et aider chacun à en acquérir de nouvelles. Les membres d'une équipe acquièrent souvent une habileté particulière à travailler ensemble, de sorte que chaque exposé ou projet réalisé collectivement dénote une amélioration par rapport au précédent.

Il n'est pas toujours facile de bien travailler en groupe. Le meilleur moyen d'améliorer tes compétences à cet égard est de réfléchir attentivement à ce qui permet à un groupe de réaliser une tâche avec succès.

## Évaluer le rendement du groupe

Il existe des comportements que tu devrais t'efforcer d'adopter lorsque tu travailleras en groupe dans le cadre de ce cours et d'autres cours :

- faire connaître tes idées aux autres membres du groupe ;
- traiter les autres avec respect même si tu ne partages pas leur opinion;
- écouter tout autre membre du groupe lorsqu'il a la parole ;
- encourager les autres à s'exprimer ;
- te concentrer sur la tâche assignée à ton groupe ;
- aider le groupe à se concentrer sur la tâche à accomplir ;
- ne pas te laisser distraire ;
- parler d'une voix suffisamment basse pour ne pas déranger les autres groupes ;
- permettre aux autres d'exposer leurs idées même lorsque tu crois connaître les réponses.

## Pour t'exercer...

1. La première fois que l'on te demandera de travailler en groupe dans le présent cours, évalue ton degré de réussite. Ton enseignante ou ton enseignant te fournira à cette fin un *formulaire d'autoévaluation du rendement individuel*. Avant de procéder, lis ce formulaire pour connaître la manière d'effectuer l'évaluation.

2. À l'aide du *formulaire d'évaluation du rendement collectif* que te fournira ton enseignante ou ton enseignant, évalue le travail de l'ensemble de ton groupe.

# LES UNITÉS DE MESURE ET LA NOTATION SCIENTIFIQUE

Lorsque tu travailles avec des nombres, tu n'as parfois besoin que d'un aperçu approximatif d'une quantité. Dans d'autres cas, cependant, il te faut une valeur très précise. À titre d'exemple, quelle pointure chausses-tu ? Sans doute répondras-tu à cette question par une valeur précise. Imagine à quel point il serait inconfortable de porter des chaussures qui ne sont qu'approximativement de la bonne pointure. Tu as manifestement besoin de chaussures mesurées avec précision pour qu'elles s'adaptent bien à tes pieds.

## Le système métrique

En science, les mesures s'effectuent à l'aide du **système métrique**, qui est un système de mesure décimal.

Toutes les unités du système métrique sont des multiples de 10. Pour exprimer une quantité en une unité plus grande, on la multiplie donc par un multiple de 10. Inversement, pour exprimer une quantité en une unité plus petite, on la divise par un multiple de 10. Le préfixe *kilo-*, par exemple, signifie « multiplié par 1000 », de sorte qu'un kilogramme est égal à 1000 grammes.

$$1 \text{ kg} = 1000 \text{ g}$$

Le préfixe *milli-* signifie, pour sa part, « divisé par 1000 », de sorte qu'un milligramme correspond à un millième de gramme.

$$1 \text{ mg} = \frac{1}{1000} \text{ g}$$

Le tableau ci-contre présente quelques-unes des unités de mesure les plus fréquemment utilisées du système métrique.

Les grandeurs, les unités et les symboles fréquemment utilisés du système métrique

| Grandeur | Unité | Symbole |
|---|---|---|
| la longueur | le nanomètre | nm |
| | le micromètre | $\mu$m |
| | le millimètre | mm |
| | le centimètre | cm |
| | le mètre | m |
| | le kilomètre | km |
| la masse | le gramme | g |
| | le kilogramme | kg |
| | la tonne | t |
| l'aire (la superficie) | le mètre carré | $m^2$ |
| | le centimètre carré | $cm^2$ |
| | l'hectare | ha (10 000 $m^2$) |
| le volume | le centimètre cube | $cm^3$ |
| | le mètre cube | $m^3$ |
| | le millilitre | mL |
| | le litre | L |
| le temps | la seconde | s |
| la température | le degré Celsius | °C |
| la force | le newton | N |
| l'énergie | le joule | J |
| | le kilojoule | kJ |
| la pression | le pascal | Pa |
| | le kilopascal | kPa |
| le courant électrique | l'ampère | A |
| la quantité de charges électriques | le coulomb | C |
| la fréquence | le hertz | Hz |
| la puissance | le watt | W |

Le tableau suivant donne les préfixes du système les plus couramment utilisés. (Ajouter un préfixe du système métrique à une unité de base est une façon d'exprimer les puissances de 10.)

Les préfixes du système métrique

| Préfixe | Symbole | Lien avec l'unité de base |
|---|---|---|
| giga- | G | $10^9$ = 1 000 000 000 |
| méga- | M | $10^6$ = 1 000 000 |
| kilo- | k | $10^3$ = 1 000 |
| hecto- | h | $10^2$ = 100 |
| déca- | da | $10^1$ = 10 |
| – | – | $10^0$ = 1 |
| déci- | d | $10^{-1}$ = 0,1 |
| centi- | c | $10^{-2}$ = 0,01 |
| milli- | m | $10^{-3}$ = 0,001 |
| micro- | µ | $10^{-6}$ = 0,000 001 |
| nano- | n | $10^{-9}$ = 0,000 000 001 |

### Exemple 1

La distance d'une extrémité à l'autre du Canada est de 5514 km. Comment exprimerais-tu cette distance en mètres ?

***Solution***

5514 km = ? m

$$5514 \cancel{\text{km}} \times \frac{1000 \text{ m}}{1 \cancel{\text{km}}} = 5\ 514\ 000 \text{ m}$$

### Exemple 2

Tu as 10,5 g de sel. Exprime cette quantité en kilogrammes, en te rappelant que 1000 g = 1 kg.

***Solution***

10,5 g = ? kg

$$10{,}5 \cancel{\text{g}} \times \frac{1 \text{ kg}}{1000 \cancel{\text{g}}} = 0{,}0105 \text{ kg}$$

**Pour t'exercer...**

1. 35 cm = ? m
2. 20 m = ? mm
3. 55 g = ? mg
4. 0,5 kg = ? g
5. 6,5 L = ? mL
6. 1750 $\text{cm}^3$ = ? $\text{m}^3$
7. 750 mL = ? L
8. 1250 kg = ? t

## Les unités SI

Dans tes cours de sciences, on te demandera fréquemment de présenter tes mesures et tes réponses en unités **SI**. Ce sigle désigne le *Système international d'unités*. Le SI utilise le mètre comme unité fondamentale de longueur, le kilogramme comme unité fondamentale de masse et la seconde comme unité fondamentale de temps. La plupart des autres unités du système sont reliées à ces unités de base.

### Exemple

Convertis 42,5 $\frac{\text{cm}}{\text{s}}$ en unités SI.

***Solution***

$$42{,}5 \frac{\cancel{\text{cm}}}{\text{s}} \times \frac{\text{m}}{100 \cancel{\text{cm}}} = 0{,}425 \frac{\text{m}}{\text{s}}$$

**Pour t'exercer...**

Convertis les données suivantes en unités SI.

1. 275 cm
2. 22 min
3. 21 $\frac{\text{km}}{\text{h}}$
4. 6937 g

## Les exposants de la notation scientifique

Un **exposant** est un nombre ou un symbole dénotant la puissance à laquelle il faut élever un autre nombre ou symbole. Il indique le nombre des multiplications successives de la base par elle-même. Dans l'expression $10^2$, 2 constitue l'exposant et 10, la base. Le tableau ci-dessous présente les puissances de 10 sous leur forme numérique courante et à l'aide d'exposants.

| | Notation courante | Notation avec exposant |
|---|---|---|
| dix mille | 10 000 | $10^4$ |
| mille | 1000 | $10^3$ |
| cent | 100 | $10^2$ |
| dix | 10 | $10^1$ |
| un | 1 | $10^0$ |
| un dixième | 0,1 | $\frac{1}{10^1}$ |
| un centième | 0,01 | $\frac{1}{10^2}$ |
| un millième | 0,001 | $\frac{1}{10^3}$ |
| un dix-millième | 0,0001 | $\frac{1}{10^4}$ |

Pourquoi utilise-t-on des exposants ? Prenons le cas de Mercure. Cette planète se trouve à environ 58 000 000 km du Soleil. Si l'on ajoutait accidentellement un zéro à ce nombre, la distance semblerait dix fois plus grande qu'elle ne l'est en réalité. Pour éviter de telles erreurs, les scientifiques recourent à la notation scientifique lorsqu'un nombre comporte de nombreux zéros.

**Exemple 1**

Mercure se trouve à environ 58 000 000 km du Soleil. Écris 58 000 000 en notation scientifique.

***Solution***

En notation scientifique, tout nombre se présente sous la forme $x \times 10^n$, où $x$ est supérieur ou égal à 1 mais inférieur à 10 et où $10^n$ constitue une puissance de 10.

Dans le nombre 58 000 000, ←— la virgule décimale se trouve à la fin. Déplace-la de sept chiffres vers la gauche.

$= 5{,}8 \times 10\,000\,000$

$= 5{,}8 \times 10^7$

**Exemple 2**

L'électron d'une molécule d'hydrogène se trouve en moyenne à 0,000 000 000 053 m du noyau. Écris 0,000 000 000 053 m en notation scientifique.

***Solution***

Pour écrire ce nombre sous la forme $x \times 10^n$, déplace la virgule vers la droite jusqu'à ce qu'il y ait un nombre différent de zéro à sa gauche.

La virgule suit initialement le premier zéro : 0,000 000 000 053

Déplace-la de onze chiffres vers la droite.

$= 5{,}3 \times 0{,}000\,000\,000\,01$

$= 5{,}3 \times 10^{-11}$

Lorsque tu déplaces la virgule décimale vers la gauche, l'exposant de 10 est positif. Lorsque tu la déplaces vers la droite, l'exposant de 10 est négatif. Le nombre de chiffres dont tu déplaces la virgule est le nombre de l'exposant.

### Pour t'exercer...

1. Exprime chacune des grandeurs ci-après en notation scientifique.
   - **a)** Notre galaxie, la Voie lactée, renferme plus de 400 000 000 000 étoiles.
   - **b)** La galaxie d'Andromède se trouve à environ 23 000 000 000 000 000 000 km de la Terre.
   - **c)** On a évalué la distance d'une extrémité à l'autre de l'Univers à 800 000 000 000 000 000 000 000 km.
   - **d)** La masse d'un proton est d'environ 0,000 000 000 000 000 000 000 017 g.
2. Présente les nombres suivants en notation courante.
   - **a)** $9{,}8 \times 10^5$ m
   - **b)** $2{,}3 \times 10^9$ kg
   - **c)** $5{,}5 \times 10^{-5}$ L
   - **d)** $6{,}5 \times 10^{-10}$ s

# SAVOIR UTILISER UN MICROSCOPE

## Partie 1 : Les parties d'un microscope

Un **microscope optique** est un instrument d'optique qui accroît considérablement nos facultés d'observation en grossissant des objets ordinairement trop petits pour être visibles à l'œil nu. Tu vas utiliser ici un microscope optique, qui recourt à un ensemble de lentilles (plutôt qu'à une seule, au contraire d'une loupe) et à la lumière pour permettre l'examen d'objets. Les microscopes étant des instruments délicats, il faut les manipuler de la manière appropriée et avec précaution. Nous allons ici revoir les habiletés dont tu auras besoin pour bien utiliser un microscope. Avant d'utiliser ton microscope, tu dois connaître ses différentes parties et leurs fonctions. Effectue donc les exercices ci-dessous pour te familiariser avec ton microscope.

### Pour t'exercer...

1. Étudie la représentation ci-dessous d'un microscope optique. Apprends le nom et la fonction des différentes parties du microscope.
2. Avant d'aller plus loin, ferme ton manuel, puis dessine le plus grand nombre possible de parties d'un microscope et indique leur nom.
3. Explique à une ou à un camarade la fonction de chaque partie.

**A. L'oculaire**
C'est par ici que tu vas regarder. L'oculaire comporte une lentille qui grossit l'objet, le plus souvent 10 fois (10×). Le grossissement ou pouvoir grossissant de l'oculaire est gravé sur son côté.

**B. Le corps**
Il porte l'oculaire et l'objectif, les maintenant l'un l'autre à la distance de travail appropriée.

**C. Le révolver**
Ce disque pivotant porte deux objectifs ou plus. Fais-le tourner pour changer d'objectif. Chaque objectif se met en place avec un petit bruit sec.

**D. Les objectifs**
Ils grossissent l'objet examiné. Chaque objectif offre un grossissement différent, tel que 4×, 10× ou 40×. (Il se peut que les objectifs de ton microscope grossissent plutôt respectivement 10×, 40× et 100×). Pour faciliter les choses, on dira d'un objectif qu'il est à faible, à moyen ou à fort grossissement. Le grossissement de chaque objectif est gravé sur le côté de celui-ci. Assure-toi de pouvoir reconnaître chaque objectif.

**E. La potence**
Elle relie le pied au corps. Transporte toujours ton microscope en le tenant par la potence.

**F. La vis macrométrique**
Cette vis fait déplacer le corps verticalement pour assurer la mise au point sur l'objet. Elle ne s'utilise qu'avec l'objectif à faible grossissement.

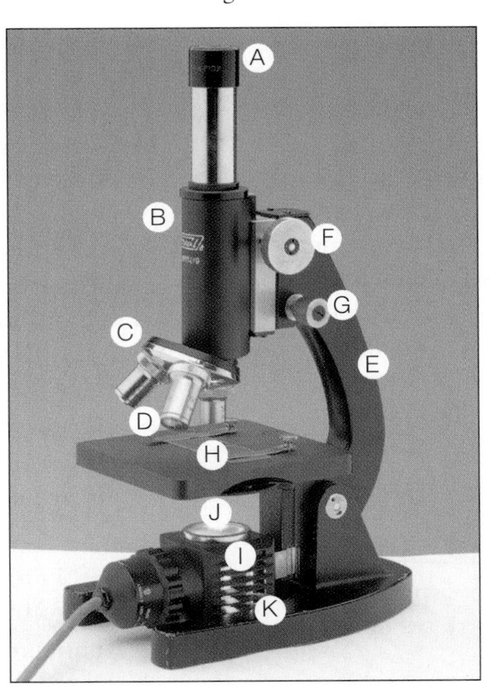


**G. La vis micrométrique**
On l'utilise avec les objectifs à moyen et à fort grossissement pour faire une mise au point plus précise sur l'objet.

**H. La platine**
On y dépose la lame porte-objet. Les valets de la platine maintiennent la lame en place. Une ouverture au centre de la platine permet à la lumière de la source lumineuse de traverser la lame porte-objet.

**I. Le condensateur**
Cette lentille dirige la lumière vers l'objet examiné.

**J. Le diaphragme**
Il détermine la quantité de lumière qui atteint l'objet examiné.

**K. La source lumineuse**
En faisant passer de la lumière à travers l'objet examiné, on peut plus facilement en distinguer les détails. Il se peut que ton microscope comporte un miroir plutôt qu'une lampe. Si tel est le cas, règle ce miroir pour qu'il dirige la lumière à travers les lentilles. **ATTENTION :** Utilise une lampe électrique, et non le Soleil, comme source lumineuse pour effectuer le réglage du miroir.

## Partie 2: C'est le moment de t'exercer!

Tu peux maintenant t'exercer à bien utiliser un microscope pour examiner un objet. Au cours de la présente activité, tu vas aussi t'exercer à calculer le grossissement et l'étendue du **champ**, soit l'espace visible, à l'aide de ton microscope. En effectuant ces calculs, tu pourras évaluer la taille réelle des objets grossis par le microscope.

Lorsque tu fais pivoter le révolver d'un microscope, observe par le côté pour t'assurer qu'aucun objectif ne frappe la lame porte-objet. Les objectifs à moyen et à fort grossissement sont suffisamment longs pour toucher cette lame si on les descend trop. C'est pourquoi on utilise seulement la vis micrométrique au moment d'observer un spécimen à travers ces objectifs.

### Ce dont tu as besoin

un microscope, du papier pour surfaces optiques, une lame porte-objet préparée, une règle en plastique

### Consignes de sécurité

- Assure-toi d'avoir les mains sèches au moment de brancher ou de débrancher le cordon d'alimentation du microscope.
- Manipule les lames porte-objet avec précaution pour ne pas les briser ni te couper ou t'égratigner.

### Ce que tu dois faire

**1.** Procure-toi un microscope. Transporte-le jusqu'à ton aire de travail en utilisant tes deux mains pour le maintenir droit et bien le soutenir. L'une de tes mains devrait tenir fermement la potence du microscope tandis que l'autre en soutenir le pied.

**a)** Ne tourne aucune vis avant d'avoir lu le reste de cette marche à suivre.

**b)** Si le microscope présente un cordon d'alimentation pour sa source lumineuse, vérifie que ce cordon est bien relié au microscope et bien branché.

**c)** Nettoie les lentilles et la source lumineuse (ou le miroir) à l'aide de papier pour surfaces optiques. Évite de mettre tes doigts sur les lentilles.

**2.** Un microscope devrait toujours être rangé prêt à être utilisé avec son objectif à faible grossissement. Si tel n'est pas le cas, fais pivoter le révolver jusqu'à ce que l'objectif à faible grossissement se mette en place avec un bruit sec (voir la photo).

**a)** Tourne la vis macrométrique pour faire descendre l'objectif jusqu'à ce qu'il se trouve environ 1 cm au-dessus de la platine.

**b)** Regarde à travers l'oculaire et règle le diaphragme jusqu'à ce que la surface visible soit la plus brillante possible.

**3.** Pose une lame porte-objet préparée sur la platine. Assure-toi que l'objet à examiner est bien centré au-dessus de l'ouverture.

**a)** Regarde à travers l'oculaire et tourne lentement la vis macrométrique jusqu'à ce que l'image soit au point.

**b)** Utilise la vis micrométrique pour rendre l'image encore plus nette.

**4.** Examine l'objet à un plus fort grossissement. **ATTENTION:** N'utilise pas la vis macrométrique avec l'objectif à moyen ou à fort grossissement.

**a)** Tout en observant par le côté, fais pivoter le révolver pour amener l'objectif à moyen grossissement au-dessus de l'objet. Ne commence pas par modifier la mise au point.

**b)** Une fois que tu as mis en place l'objectif à moyen grossissement, règle la mise au point en n'utilisant que la vis micrométrique.

**c)** Tu peux ensuite examiner l'objet sous l'objectif à fort grossissement. Fais pivoter le révolver (tout en observant par le côté) jusqu'à ce que cet objectif se mette en place avec un bruit sec. Effectue la mise au point en n'utilisant que la vis micrométrique.

d) Une fois que tu as fini d'examiner l'objet, enlève la lame porte-objet et remets-la dans le contenant approprié avant de passer à l'étape 5.

e) Si tu ne vas pas plus loin, débranche le microscope avec précaution, mets en place l'objectif à faible grossissement, puis rapporte le microscope à l'endroit prévu pour son rangement.

5. Pour calculer le grossissement total de l'objet posé sur la lame, multiplie le nombre indiqué sur l'oculaire par le nombre indiqué sur l'objectif. Ainsi, un oculaire qui grossit 10 fois et un objectif qui grossit 4 fois se traduisent par un grossissement total de 40 fois.

6. Tu peux maintenant calculer l'étendue du champ. Mets en place l'objectif à faible grossissement et pose une règle en plastique transparent sur la platine du microscope.

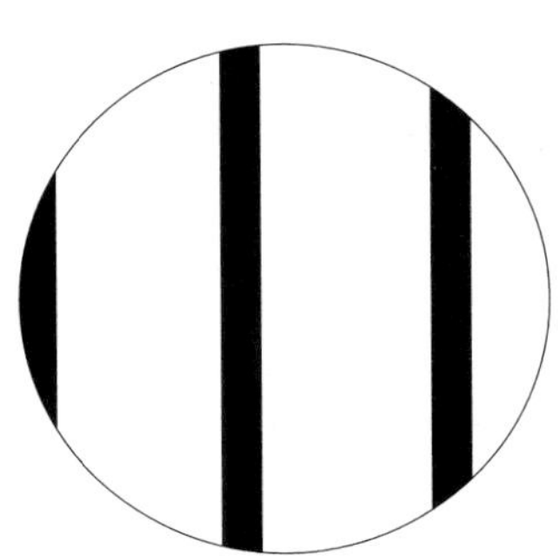

Le diamètre de ce champ associé au faible grossissement est de 2,5 mm.

7. Effectue la mise au point sur la règle et place-la de manière que l'une de ses divisions représentant un centimètre se trouve à l'extrémité gauche du champ.

8. Mesure et note le diamètre du champ en millimètres (mm). Si le champ a 2,5 mm de diamètre, tout objet qui occupe environ la moitié du champ présente un diamètre d'environ 1,25 mm.

9. Les divisions d'une graduation millimétrique sont trop éloignées les unes des autres pour permettre la mesure directe du champ d'un objectif ayant un grossissement supérieur à 10. Toutefois, lorsqu'on connaît le diamètre du champ dans le cas de l'objectif à faible grossissement, on peut le calculer pour les autres objectifs. Avant de procéder, débranche le microscope en tirant la fiche de son cordon d'alimentation. **ATTENTION:** Ne tire jamais sur le cordon pour le débrancher. Utilise la formule suivante pour calculer le champ dans le cas de l'objectif à moyen grossissement:

$$\text{champ associé au moyen grossissement} = \text{champ associé au faible grossissement} \times \frac{\text{grossissement de l'objectif à faible grossissement}}{\text{grossissement de l'objectif à moyen grossissement}}$$

## Dépannage

Il se peut que tu éprouves des difficultés lorsque tu utilises un microscope. Voici une liste des problèmes les plus courants et la manière d'y remédier.

- *Tu ne vois rien.* Vérifie si le microscope est branché et si la lampe est allumée. Si le microscope n'a pas de lampe, règle la position du miroir.
- *Tu as de la difficulté à trouver quelque chose sur la lame.* Patience. Reprends une à une toutes les étapes de la marche à suivre présentée ici et assure-toi que l'objet à examiner est bien centré au-dessus de l'ouverture de la platine. Tout en observant par le côté, fais descendre le plus possible l'objectif à faible grossissement. Regarde ensuite à travers l'oculaire et fais lentement remonter l'objectif en tournant la vis macrométrique.
- *Tu éprouves de la difficulté à faire la mise au point ou l'image est très pâle.* Essaie de fermer un peu le diaphragme. Certains des objets que tu vas examiner sont presque transparents. S'il y a trop de lumière, un spécimen peut être difficile à voir ou paraître délavé.
- *Tu vois des lignes et des taches flotter à travers l'image.* Il s'agit probablement de structures qui baignent dans le liquide de ton globe oculaire et que tu vois lorsque tu bouges les yeux. Ne t'inquiète pas; ce phénomène est normal.
- *Tu vois une image double.* Assure-toi que l'objectif est bien à sa place.
- *Tu fermes un œil pendant que tu regardes à travers l'oculaire avec l'autre.* Essaie de garder les deux yeux ouverts. Cela t'aidera à éviter la fatigue oculaire. Tu pourras de plus faire un croquis de l'objet pendant que tu l'examines.
- Place toujours la partie de la lame qui t'intéresse au milieu du champ avant de passer à un objectif grossissant davantage. Sinon, après avoir mis en place l'objectif à moyen ou à fort grossissement, tu seras peut-être incapable de voir l'objet observé au faible grossissement. Pourquoi est-ce ainsi?

Suppose, par exemple, que ton objectif le plus faible grossit 4 fois et présente un champ de 4 mm tandis que ton objectif moyen grossit 10 fois. Le champ de ton objectif à moyen grossissement sera alors de :

$$\begin{aligned}\text{Champ associé au moyen grossissement} &= 4 \text{ mm} \times \frac{4}{10} \\ &= 4 \text{ mm} \times 0{,}4 \\ &= 1{,}6 \text{ mm}\end{aligned}$$

Effectue un calcul semblable pour déterminer le champ de ton objectif à fort grossissement. Note la valeur obtenue.

### Pour t'exercer...

Un **dessin à l'échelle** est une représentation que tu dessines en respectant partout les proportions de ce que tu observes au microscope. Il revêt de l'importance parce qu'il te permet de comparer la taille de différents objets et t'aide à obtenir un aperçu de la taille réelle d'un objet. Avec un dessin à l'échelle, tu pourras aussi plus facilement expliquer à quelqu'un d'autre ce que tu vois. Procède comme suit pour réaliser un dessin à l'échelle.

1. Trace un cercle dans ton cahier (sa taille n'a pas d'importance). Ce cercle représente le champ du microscope.
2. Imagine que ce cercle se divise en quatre sections égales (voir le schéma ci-dessous). À l'aide d'une règle et d'un crayon, délimite ces quatre sections de la manière représentée ci-dessous.

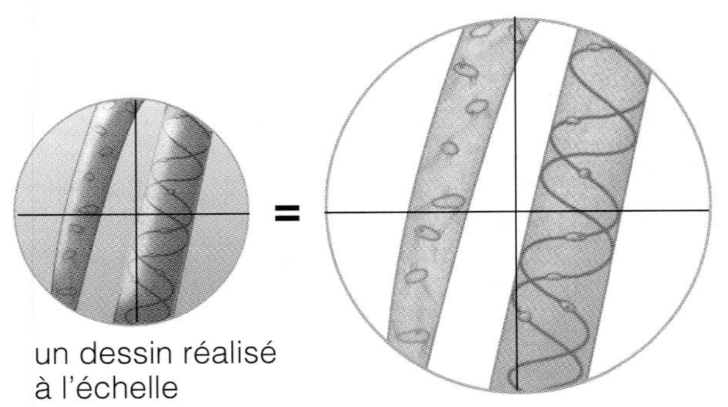


3. À l'aide du moyen ou du fort grossissement, trouve un échantillon sur la lame préparée qui t'intéresse. Imagine que le champ du microscope est lui aussi divisé en quatre sections égales.
4. Note dans quelle partie du champ l'objet se trouve et combien d'espace il y occupe.
5. Dessine l'objet dans ton cercle. Place-le dans la section du cercle correspondant à la section du champ où il apparaît. Reproduis l'objet à l'échelle. En d'autres termes, assure-toi qu'il occupe la même proportion de l'espace à l'intérieur du cercle qu'à l'intérieur du champ.
6. Indique sur ton dessin ce qui y est représenté.
7. Évalue la taille de l'objet sur ton dessin.

## Partie 3: La préparation d'un montage humide

Maintenant que tu connais la façon appropriée d'utiliser un microscope, le moment est venu de préparer et d'examiner tes propres échantillons, sur lame porte-objet, de diverses substances.

### Ce dont tu as besoin

un microscope, des lames porte-objet, des lamelles couvre-objet, un compte-gouttes, une pincette

un petit morceau de papier journal, de l'eau du robinet, d'autres échantillons, du papier pour surfaces optiques

### Consignes de sécurité

- Manipule la pincette et tout autre objet pointu ou tranchant avec précaution.
- Manipule les lames porte-objet et les lamelles couvre-objet avec précaution pour ne pas les briser ni te couper ou t'égratigner.

### Ce que tu dois faire

1. Pour effectuer un montage humide, il te faut une lame porte-objet et une lamelle couvre-objet propres. Lave l'une et l'autre à l'eau, puis sèche-les avec soin à l'aide de papier pour surfaces optiques. **ATTENTION:** Toute lamelle couvre-objet est très mince. Il vaut mieux essuyer ses deux surfaces en même temps en tenant le papier pour surfaces optiques entre le pouce et l'index. Une fois ce nettoyage terminé, manipule la lame porte-objet et la lamelle couvre-objet en les tenant par leurs côtés pour éviter de laisser des empreintes digitales sur leurs surfaces.
2. Déchire un petit morceau de papier journal où il n'y a qu'une seule lettre. Choisis un *e*, un *f*, un *g*, un *s* ou un *h*. Ramasse cette lettre avec la pincette et dépose-la au centre de la lame porte-objet.

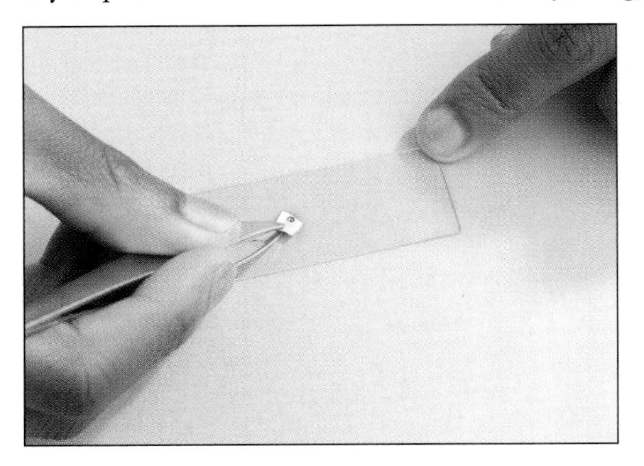

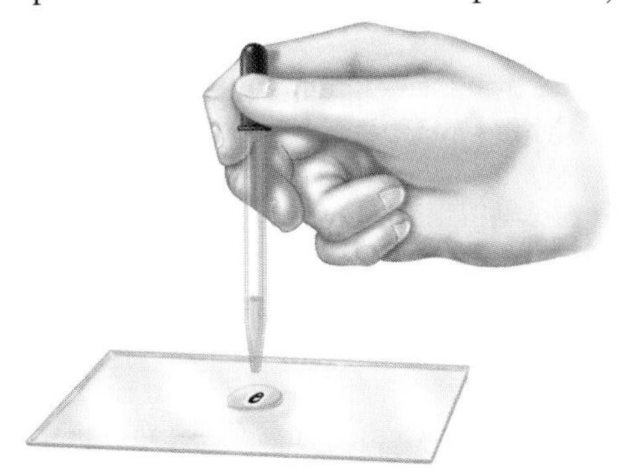

3. À l'aide du compte-gouttes, laisse tomber une toute petite goutte d'eau sur l'échantillon de papier journal. Saisis ensuite délicatement la lamelle couvre-objet par ses côtés et appuie-la à 45° sur la surface de la lame près du bord de l'échantillon de papier journal.

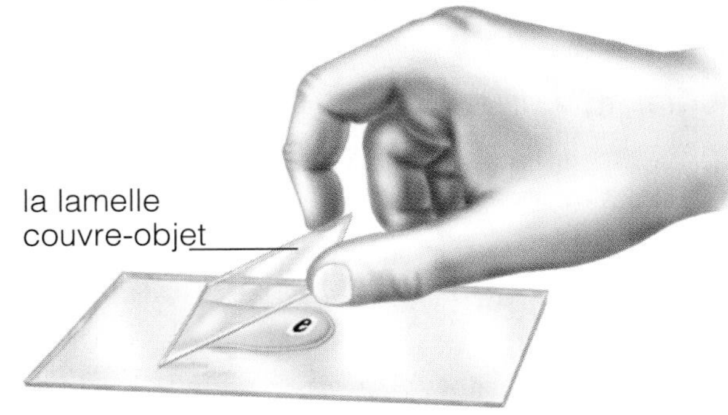


4. Abaisse la lamelle couvre-objet lentement et avec précaution pour la déposer à plat sur l'échantillon. Assure-toi qu'aucune bulle d'air n'est emprisonnée sous la lamelle. Ce mode de préparation de l'échantillon s'appelle un **montage humide**.
5. Règle ton microscope à son plus faible grossissement. Place la lame porte-objet sur la platine et centre l'échantillon au-dessus de l'ouverture de la platine.
   - **a)** Tout en regardant à travers l'oculaire, déplace la lame porte-objet jusqu'à ce que tu puisses voir la lettre. Tourne ensuite la vis macrométrique jusqu'à ce que la lettre soit nette.
   - **b)** Déplace la lame porte-objet de manière à voir l'extrémité déchirée du morceau de papier journal. Tourne lentement la vis micrométrique d'un huitième de tour environ dans chaque direction. Es-tu capable de rendre tout le champ parfaitement net en même temps?

6. Examine la lettre sous l'objectif à moyen grossissement. Rappelle-toi d'observer par le côté pendant que tu fais pivoter le révolver porte-objectifs. N'utilise que la vis micrométrique pour faire la mise au point.
7. Regarde la lettre et tu verras qu'elle se compose de multiples petits points. Afin de révéler la structure de menus objets, un microscope doit faire plus que simplement les grossir. Il doit aussi en montrer les détails. Cette capacité à rendre les détails perceptibles s'appelle la **résolution**, et on la mesure par le **pouvoir séparateur**. Le pouvoir séparateur d'un microscope se définit comme la distance minimale requise entre deux objets pour qu'ils apparaissent séparés l'un de l'autre.

## Dépannage

- *Tu aperçois des formes rondes ou ovales sur la lame porte-objet.* Il s'agit probablement de bulles d'air. Déplace légèrement la lamelle couvre-objet avec ton doigt pour les faire disparaître ou étudie une autre zone de la lame porte-objet.
- *Tu aperçois une ligne droite.* Il pourrait s'agir du bord de la lamelle couvre-objet.

## Pour t'exercer...

1. Avant de faire pivoter le révolver pour augmenter le grossissement, il vaut mieux placer l'objet que l'on examine au centre du champ. Pourquoi ?
2. Pour qu'une lettre provenant d'un journal (tel un *e*) apparaisse à l'endroit lorsqu'on l'examine au microscope, comment faut-il placer la lame porte-objet sur la platine ?
3. Les lettres imprimées dans un journal se composent de nombreux petits points. Selon toi, comment reproduit-on une photographie couleur dans un journal ? Effectue le montage humide d'un échantillon d'une photographie couleur tirée d'un journal et découvre de quoi cette image couleur se compose.
4. Prépare et examine des échantillons sur lame porte-objet de diverses substances telles que des mèches de cheveux, du coton, du Velcro et des grains de sel ou de sable. Fais approuver par ton enseignante ou ton enseignant les substances que tu auras choisies.

# ÉVALUER ET MESURER

La collecte de données scientifiques fait souvent intervenir la mesure de diverses grandeurs. On a mis au point des techniques et des outils particuliers servant à obtenir des mesures exactes. L'**exactitude** indique jusqu'à quel point une mesure est près de la valeur réelle de la grandeur mesurée, comme la longueur ou le volume d'un objet. Certaines des mesures que les scientifiques doivent effectuer sont plus compliquées que d'autres. Qu'elle soit simple ou compliquée, toute mesure doit être prise correctement. Tu vas ici apprendre certaines des techniques en cause et t'exercer à les utiliser afin de pouvoir recueillir tes propres données.

## Évaluer

Dans certains cas, il n'est pas nécessaire ou il n'est pas possible d'obtenir une mesure exacte. Les scientifiques procèdent alors à une évaluation. Imagine, par exemple, que tu travailles dans le domaine de l'écologie et qu'il te faut connaître le nombre d'arbres d'une certaine espèce présents à l'intérieur d'un grand parc provincial. Compter tous ces arbres un à un ne serait pas une solution très réaliste. Cela exigerait trop de temps et d'argent, et tu n'as probablement pas besoin de connaître le nombre *exact*. Si tu connais la superficie totale du parc, tu pourras obtenir une bonne évaluation en définissant une zone d'étude, de 100 m$^2$ par exemple, et en multipliant le nombre d'arbres comptés à l'intérieur de cette zone par le nombre de portions de 100 m$^2$ comprises dans la superficie totale du parc.

### Pour t'exercer...

1. Il te faut évaluer le nombre de micro-organismes qui tapissent une boîte de Petri. Tu ne peux guère examiner toute la surface de la boîte au microscope, mais tu peux aisément compter les micro-organismes à l'intérieur d'un carré de 1 mm sur 1 mm. Suppose que tu as dénombré 15 micro-organismes à l'intérieur de ce carré et que la boîte de Petri a une surface totale de 20 cm$^2$. Évalue le nombre de micro-organismes qui tapissent la boîte. Rappelle-toi que tu dois utiliser partout les mêmes unités pour effectuer ton évaluation.
2. Ornithologue, tu étudies les comportements parentaux chez le merle d'Amérique. Tu as observé qu'un merle visite son nid 29 fois au cours d'une période de huit heures. Évalue le nombre de fois qu'il visite son nid par heure.
3. Un bocal de 1 L (1000 mL) est rempli de haricots rouges secs. Comment peux-tu obtenir une bonne évaluation du nombre de haricots qu'il contient à l'aide d'un récipient de 10 mL?

## Mesurer l'aire

Comme tu le sais, la longueur représente la distance entre deux points. L'**aire** (aussi appelée communément la superficie) désigne quant à elle le nombre d'unités carrées d'un type donné nécessaires pour couvrir exactement une surface. On peut facilement la calculer dans le cas d'une surface carrée ou rectangulaire: il suffit de mesurer la longueur de deux côtés adjacents (c'est-à-dire la longueur et la largeur de la surface) et de multiplier une valeur par l'autre. L'aire d'un rectangle long de 5 cm et large de 4 cm est ainsi de:

$$5 \text{ cm} \times 4 \text{ cm} = 20 \text{ cm}^2$$

Soulignons que l'aire s'exprime en unités carrées.

Pour déterminer l'aire d'un triangle rectangle, on multiplie sa base par sa hauteur (qui forment les deux côtés adjacents à l'angle droit) et on divise le tout par deux. En d'autres termes:

$$\text{aire d'un triangle rectangle} = \frac{1}{2} \times \text{hauteur} \times \text{base}$$

On a besoin d'une formule particulière pour calculer l'aire d'un cercle. Il faut ici mesurer le rayon du cercle ($r$) — soit la distance de son centre à sa circonférence — (ou en diviser le diamètre par deux), élever cette valeur au carré et multiplier le tout par *pi* (3,14), nombre spécial représenté par le symbole $\pi$. Ainsi,

$$\text{Aire d'un cercle} = \pi r^2$$

### Pour t'exercer...

1. Quelle est l'aire d'un rectangle large de 2 cm et long de 3,5 cm?
2. Quelle est l'aire d'un carré de 1 cm de côté?
3. On calcule l'aire d'un carré ou d'un rectangle en multipliant sa longueur par sa largeur. Pourquoi l'aire d'un triangle est-elle égale à la moitié de l'aire d'un rectangle? Pour le découvrir, dessine un rectangle et crée deux triangles à l'intérieur de celui-ci en traçant une ligne reliant deux angles opposés.
4. Tu as la responsabilité de superviser les travaux de rénovation visant à transformer ta classe en laboratoire. Comme les éviers seront installés contre le mur du fond, il faut carreler ce mur

jusqu'à une hauteur de 1,5 m. On utilisera pour ce faire des carreaux de laboratoire standard ayant 10 cm de hauteur et 20 cm de largeur. Combien de carreaux faudra-t-il ?

**a)** Détermine tout d'abord l'unité de mesure qui convient le mieux à l'aire en cause ($mm^2$, $cm^2$ ou $m^2$).

**b)** Mesure la longueur du mur.

**c)** Calcule l'aire du mur à carreler.

**d)** Combien de carreaux faut-il pour couvrir 1 $m^2$ ?

**e)** Multiplie ce nombre par le nombre de mètres carrés à carreler.

**f)** Rappelle-toi d'utiliser partout les mêmes unités. Mêler centimètres et mètres faussera tes calculs.

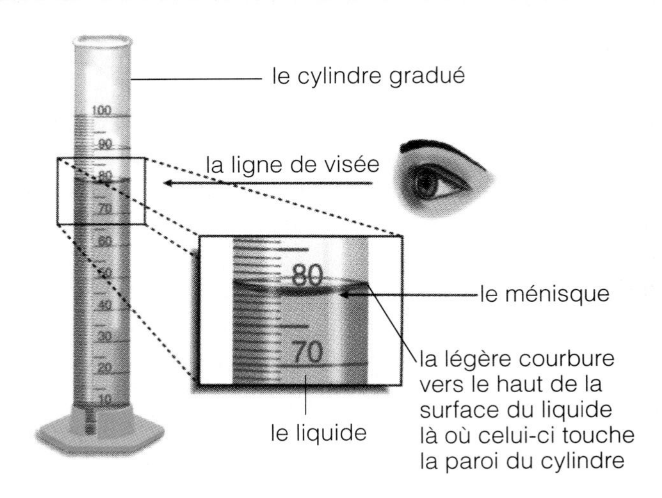


Effectue la lecture au point le plus bas du ménisque en le regardant à l'horizontale.

## Mesurer le volume

Le **volume** d'un objet représente la quantité d'espace qu'il occupe. Il fait intervenir trois dimensions: la longueur, la largeur et la hauteur. Les unités servant à mesurer le volume des solides (tel le $cm^3$) s'appellent des **unités de volume**. Les unités servant à mesurer le volume des liquides s'appellent des **unités de capacité**. Le litre (L) est l'unité de base dans le cas des liquides, mais dans ce cours tu travailleras probablement en millilitres (mL). Comme il est indiqué ci-après, les unités de volume et de capacité sont interchangeables:

$$1\ cm^3 = 1\ mL$$
$$1\ dm^3 = 1\ L$$
$$1\ m^3 = 1\ kL$$

Tu auras besoin d'un cylindre gradué pour mesurer le volume d'un liquide. Après y avoir versé ton échantillon de liquide, dépose le cylindre gradué sur une surface plane. Fais ensuite une lecture au sommet de la colonne de liquide, en adoptant une ligne de visée horizontale (évite de faire une lecture en plongée ou en contre-plongée). Enfin, tiens compte du **ménisque**, légère courbure de la surface du liquide là où celui-ci touche la paroi du cylindre. La plupart des liquides, comme l'eau, s'incurvent légèrement vers le haut, de sorte qu'il faut effectuer la lecture au point le plus bas du ménisque, tel que le montre le schéma en haut à droite.

À l'intérieur d'un thermomètre à mercure, le pourtour de la surface du mercure s'incurve légèrement vers le bas. En pareil cas, fais la lecture au sommet du ménisque.

On peut mesurer le volume des solides de plusieurs manières différentes selon leur forme et leur nature. En présence d'un solide pouvant être versé, comme le sucre, on peut procéder comme pour un liquide, mais la surface de la substance à mesurer doit être le plus plane possible.

Dans le cas d'un solide rectangulaire, mesure la longueur, la largeur et la hauteur de l'objet, puis multiplie les valeurs ensemble. On peut aussi calculer le volume d'un cylindre. Pour ce faire, détermine l'aire de sa base circulaire (voir la formule à la page précédente) et multiplie-la par la hauteur du cylindre.

Quant au volume des objets de forme irrégulière, il est possible de le déterminer à partir de la quantité de liquide qu'ils déplacent. On peut déterminer la quantité d'eau déplacée par un petit objet, comme une pièce de monnaie ou un caillou, à l'aide d'un cylindre gradué. La quantité d'eau déplacée correspond alors au volume de l'objet, tel que l'indique le schéma ci-dessous.

### Pour t'exercer...

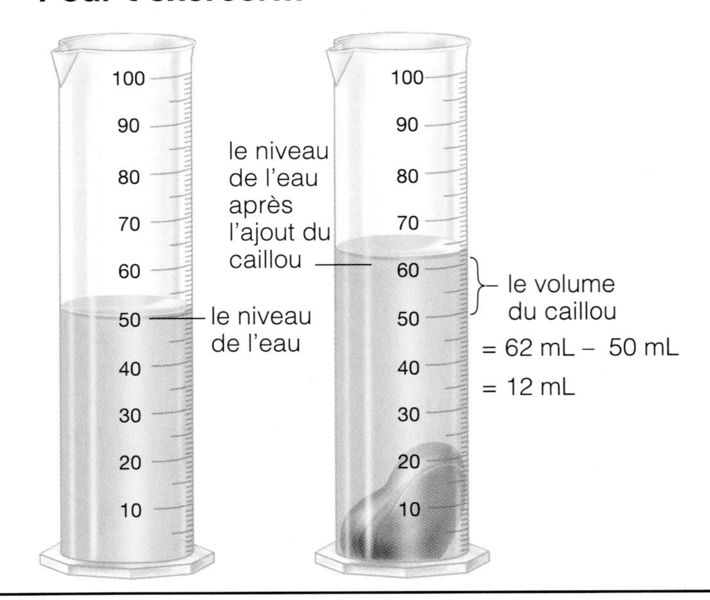

On peut aussi déterminer le volume d'objets plus gros à partir de la quantité d'eau qu'ils déplacent; il suffit d'utiliser un récipient à déversoir. Son déversoir permet à l'eau déplacée par un objet de s'écouler dans un cylindre gradué où on la mesure, tel que le montrent les deux schémas ci-dessous.

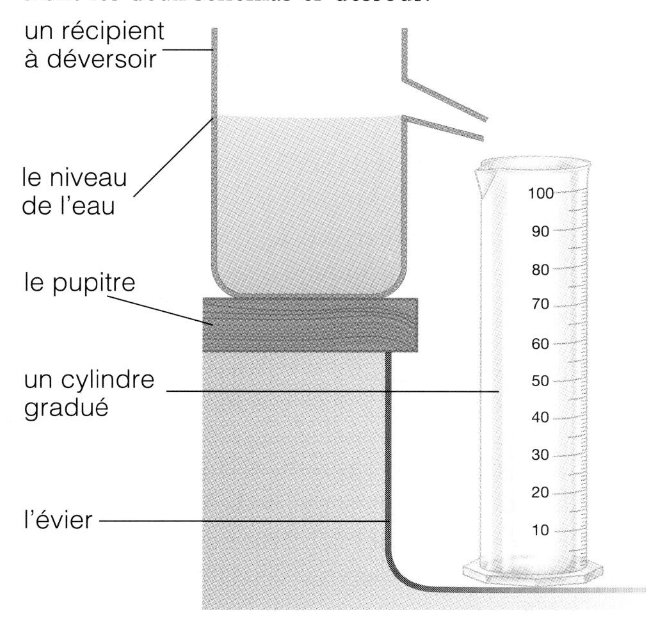


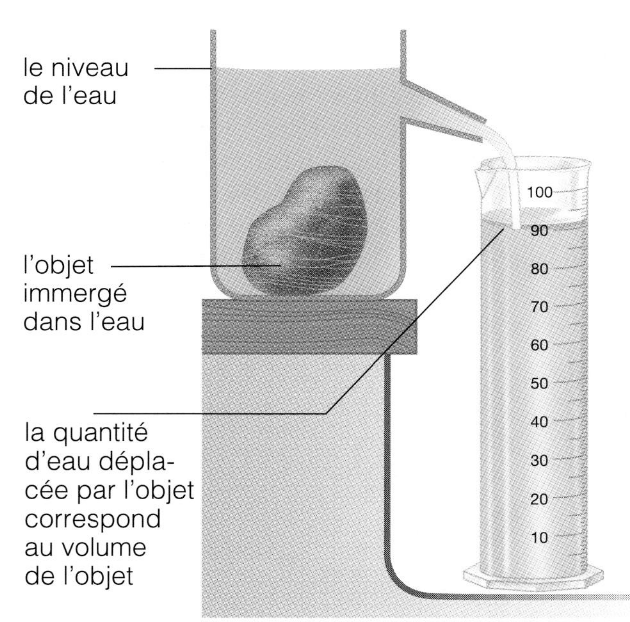


Les questions 1 à 3 se rapportent aux schémas en haut à droite.

1. Quel est le volume indiqué par chacun des cylindres gradués du schéma A?
2. Calcule le volume de l'objet du schéma B.
3. Calcule le volume du cylindre du schéma C.

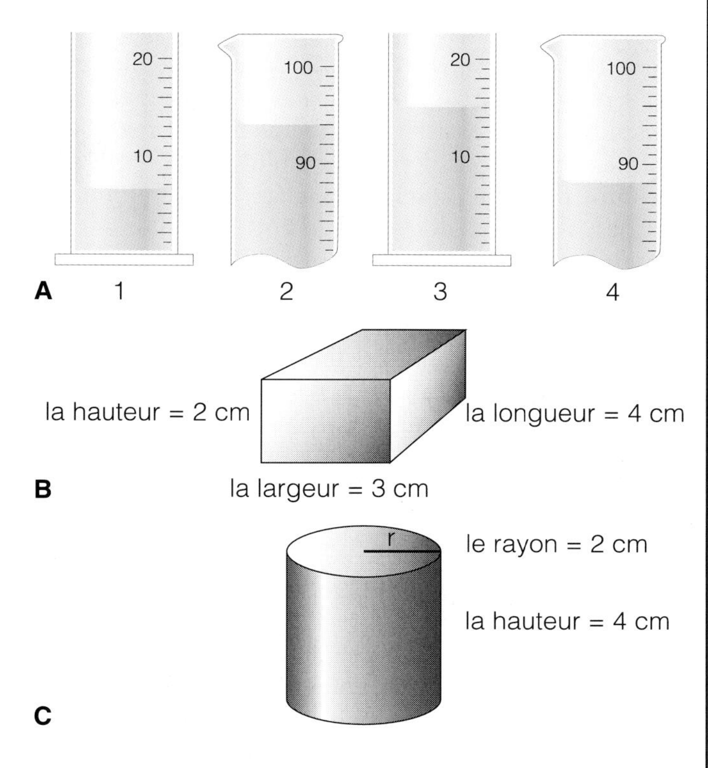


4. Réalise les étapes suivantes pour mesurer le volume d'un objet:
   - **a)** Verse dans un cylindre gradué de 100 mL une quantité d'eau mesurée avec soin (disons 50 mL). Pour ce faire, remplis le cylindre presque jusqu'à la ligne correspondant à 50 mL, puis utilise un compte-gouttes pour ajouter la quantité manquante.
   - **b)** Incline légèrement le cylindre et immerges-y délicatement un objet. Cet objet déplacera une quantité d'eau égale à son volume, et le niveau de l'eau (50 mL) dans le cylindre augmentera d'autant.
   - **c)** Lis le nouveau volume indiqué et soustrais-en la quantité d'eau initiale. Tu obtiendras ainsi le volume de l'objet.
5. Tu peux utiliser un récipient à déversoir et un cylindre gradué pour mesurer le volume d'un objet.
   - **a)** Appuie ton doigt sur l'ouverture du déversoir et remplis le récipient au-delà du niveau du déversoir. Pose le récipient sur une surface plane et enlève ton doigt pour permettre au surplus d'eau de s'écouler dans un évier.
   - **b)** Place un cylindre gradué sous le déversoir du récipient, puis plonge l'objet dans l'eau avec précaution. Assure-toi de ne pas y plonger les doigts. Le volume d'eau qui se déverse dans le cylindre correspond au volume de l'objet.

## Mesurer la masse

La **masse** d'un objet indique la quantité de matière qu'il renferme, mais non l'espace qu'il occupe. Imagine un cube de bois et un cube de plomb ayant les mêmes dimensions. Lequel a la plus grande masse? Le cube de plomb, diras-tu, sachant que le plomb est beaucoup plus dense que le bois. Et si l'on te posait la même question au sujet d'une bille et d'une pièce de 25 cents? La comparaison n'est plus aussi facile. Pour mesurer avec exactitude la masse de chaque objet, il te faut une balance. Tu utiliseras probablement une balance à fléau à trois règles semblable à celle qui apparaît ci-dessous.

Cette balance comporte un plateau d'un côté et un fléau à trois règles de l'autre. Chaque règle présente une échelle graduée et porte un poids ou curseur que l'on peut déplacer le long du fléau. On peut déterminer la masse d'un objet en le déposant directement sur le plateau. Est-ce à dire que pour trouver la masse d'une tasse de sucre tu devras verser le sucre sur le plateau? Non, il y a une manière plus simple de procéder! Découvre-la en effectuant les exercices ci-après.

### Pour t'exercer...

1. Avant de commencer, règle la balance à zéro en faisant glisser les trois curseurs jusqu'au zéro de leur échelle respective, à l'extrémité gauche du fléau. L'aiguille indicatrice à l'extrémité droite du fléau devrait osciller lentement en parcourant une même distance au-dessus et au-dessous du zéro. Si tel n'est pas le cas, tourne la vis de réglage jusqu'à ce que l'aiguille se comporte ainsi.
   - **a)** Pose sur le plateau l'objet dont tu cherches la masse. L'aiguille indicatrice s'élèvera au-dessus du zéro.
   - **b)** Fais glisser le plus gros curseur le long du fléau jusqu'à ce que l'aiguille indicatrice descende sous le zéro. Recule alors le curseur d'un cran.
   - **c)** Fais la même chose en utilisant le deuxième curseur le plus lourd, puis le troisième. Règle la position du dernier curseur de manière que l'aiguille indicatrice oscille en parcourant une même distance au-dessus et au-dessous du zéro.
   - **d)** Trouve la masse en additionnant les trois valeurs lues sur les règles.
2. Quelle est la masse d'une demi-tasse de sucre?
   - **a)** Pose un bécher (ou une tasse) vide sur le plateau de la balance. Détermine la masse du bécher et note-la.
   - **b)** Enlève le bécher de la balance et remplis-le à demi de sucre. Repose ensuite le bécher sur le plateau de la balance et détermine la masse combinée du sucre et du bécher.
   - **c)** Détermine la masse du sucre seulement.
3. Tu peux aussi utiliser la balance de façon inverse pour obtenir une quantité déterminée d'une substance. Suppose que tu as besoin de 100 g de sucre (voir les figures au bas de la page).
   - **a)** Pose un bécher vide sur le plateau de la balance et détermine sa masse.
   - **b)** Fais glisser le curseur approprié pour ajouter 100 g du côté droit de la balance. L'aiguille indicatrice descendra au-dessus de zéro.
   - **c)** Verse du sucre dans le bécher avec précaution jusqu'à ce que l'aiguille indicatrice commence à se déplacer. Il te faut ajouter exactement 100 g pour rétablir l'équilibre de la balance.

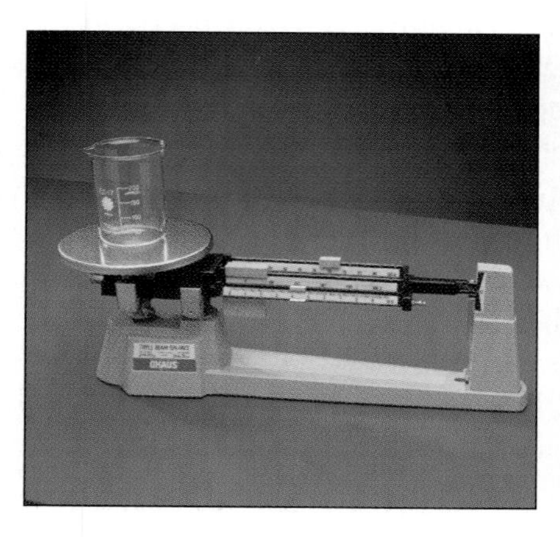

**A** Détermine la masse d'un bécher vide.

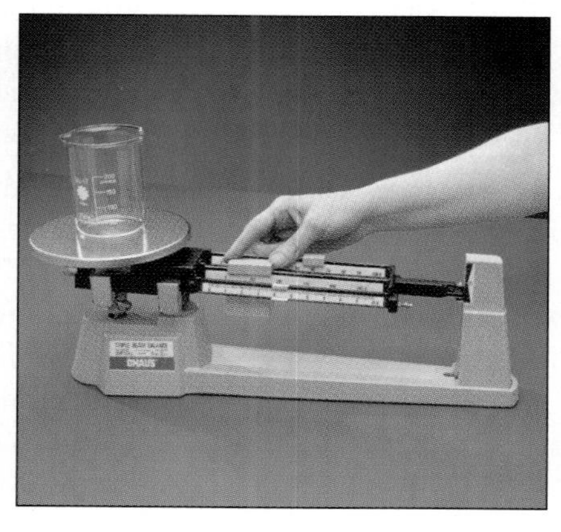

**B** Ajoute 100 g à cette mesure de masse en déplaçant le curseur approprié le long du fléau.

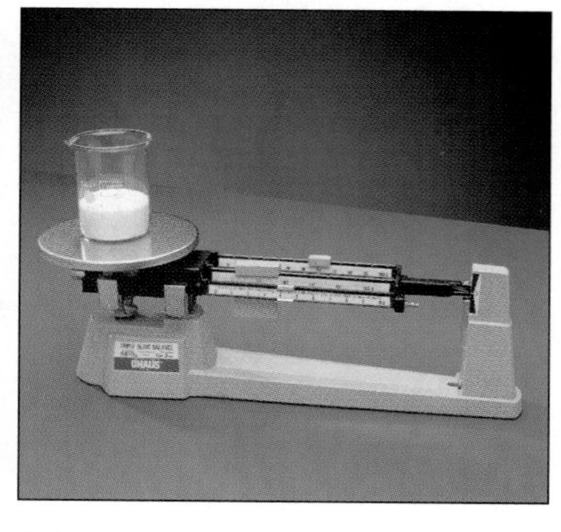

**C** Verse le solide avec précaution dans le bécher posé sur le plateau de la balance. Le fléau sera de nouveau en équilibre lorsque le bécher contiendra 100 g du solide.

# ORDONNER LES RÉSULTATS SCIENTIFIQUES ET LES COMMUNIQUER

Les données scientifiques n'ont guère de valeur à moins qu'on ne les présente de façon claire et concise. Tout en explorant les sciences, tu apprendras à communiquer des renseignements scientifiques d'une façon qui permet de les comprendre aisément. Pour bien faire connaître tes résultats, tu dois d'abord les ordonner d'une manière appropriée. Si cette information comprend des valeurs numériques, tu peux la présenter sous la forme d'un tableau, d'un diagramme à bandes, d'un diagramme circulaire ou d'un diagramme à courbe ou linéaire.

## Les tableaux

Peu importe la présentation finale choisie, on commence souvent par disposer les données en tableau. Les tableaux fournissent également un moyen pratique de structurer les données en vue de les utiliser pour faire des calculs.

### Exemple

Le tableau 1 renferme les données nécessaires pour calculer le nombre d'habitants par kilomètre carré de superficie terrestre dans chaque province et territoire du Canada. Pour apprendre comment réaliser un tel tableau, lis la description des étapes de la marche à suivre tout en examinant le tableau final ci-dessous.

1. Détermine le nombre de colonnes et de rangées que ton tableau comprendra. N'oublie pas de réserver une rangée pour les titres de colonne.
2. Recueille des données sur la population et la superficie terrestre de chaque province et territoire. Inscris ces données dans ton tableau.
3. Calcule les valeurs à indiquer à la dernière colonne en divisant la population par la superficie. En Alberta, par exemple, le nombre d'habitants au km$^2$ est : 2 696 826 habitants ÷ 644 390 km$^2$ = 4,19 habitants au km$^2$. Effectue le même calcul pour chaque province et territoire.
4. Quelle province ou quel territoire compte le plus d'habitants au kilomètre carré ? Quelle province ou quel territoire compte le moins d'habitants au kilomètre carré ?

### Pour t'exercer...

1. Dispose les données ci-après en tableau. Incorpore à ce tableau une colonne indiquant le plus grand écart de température observé dans chaque province et territoire.
   Voici les températures les plus chaudes enregistrées au Canada jusqu'à ce jour : 41,7 °C à Terre-Neuve ; 36,7 °C à l'Île-du-Prince-Édouard ; 39,4 °C au Nouveau-Brunswick ; 38,3 °C en Nouvelle-Écosse ; 40,0 °C au Québec ; 42,2 °C

**Tableau 1** Le nombre d'habitants au kilomètre carré de superficie terrestre dans les provinces et les territoires du Canada (avant le 1er avril 1999)

| Nom | Population | Superficie terrestre (km$^2$) | Nombre d'habitants au km$^2$ |
|---|---|---|---|
| Alberta | 2 696 826 | 644 390 | 4,19 |
| Colombie-Britannique | 3 724 500 | 929 730 | 4,01 |
| Île-du-Prince-Édouard | 134 557 | 5 660 | 23,77 |
| Manitoba | 1 113 898 | 548 360 | 2,03 |
| Nouveau-Brunswick | 738 133 | 72 090 | 10,2 |
| Nouvelle-Écosse | 909 282 | 52 840 | 17,2 |
| Ontario | 10 753 573 | 891 190 | 12,1 |
| Québec | 7 138 795 | 1 356 790 | 5,26 |
| Saskatchewan | 990 237 | 570 700 | 1,74 |
| Terre-Neuve | 551 792 | 371 690 | 1,48 |
| Territoires du Nord-Ouest | 64 402 | 3 293 020 | 0,02 |
| Yukon | 30 766 | 478 970 | 0,06 |

en Ontario; 44,4 °C au Manitoba; 45,0 °C en Saskatchewan; 43,3 °C en Alberta; 44,4 °C en Colombie-Britannique; 36,1 °C au Yukon; et 39,4 °C dans les Territoires du Nord-Ouest.

Voici les températures les plus froides enregistrées au Canada jusqu'à ce jour : –51,1 °C à Terre-Neuve ; –37,2 °C à l'Île-du-Prince-Édouard ; -47,2 °C au Nouveau-Brunswick ; –41,1 °C en Nouvelle-Écosse ; –54,4 °C au Québec ; –58,3 °C en Ontario ; –52,8 °C au Manitoba ; –56,7 °C en Saskatchewan ; –61,1 °C en Alberta ; –58,9 °C en Colombie-Britannique ; –63,0 °C au Yukon ; et –57,2 °C dans les Territoires du Nord-Ouest.

2. Pourquoi certaines des données de ce tableau seraient-elles différentes après le 1er avril 1999 ?

## Les diagrammes

Les diagrammes transmettent des données d'une façon visuelle. En concevant un diagramme, on vise à communiquer une grande quantité de renseignements d'une manière simple et claire.

## Dessiner un diagramme à bandes

Les diagrammes à bandes s'avèrent les plus utiles en présence de valeurs numériques associées à des catégories de lieux ou d'objets. Dans l'exemple ci-après, il s'agit des continents de la planète.

### Exemple

Le tableau 2 renferme les données ayant servi à réaliser le diagramme à bandes présenté à droite, lequel indique la superficie des continents de la planète. Pour apprendre comment préparer un diagramme à bandes, lis la description des étapes de la marche à suivre tout en examinant le diagramme présenté ici.

**Tableau 2** La superficie des continents

| Continent | Superficie (en millions de kilomètres carrés) |
|---|---|
| Afrique | 30,3 |
| Amérique du Nord et Amérique centrale | 24,2 |
| Amérique du Sud | 17,8 |
| Antarctique | 13,2 |
| Asie | 44,5 |
| Europe | 10,5 |
| Océanie | 7,8 |

1. Trace un axe des $x$ et un axe des $y$ sur une feuille de papier quadrillé. Inscris « Continents » le long de l'axe des $x$ et « Superficie » le long de l'axe des $y$. N'oublie pas d'indiquer aussi l'unité de mesure utilisée.
2. Choisis une échelle appropriée. Fais voir cette échelle au moyen de valeurs numériques le long de l'axe des $y$. Le nombre 10, par exemple, représente ici 10 000 000 km$^2$.
3. Décide quelle largeur chaque bande devrait avoir pour rendre ton diagramme facile à lire. Laisse une distance égale entre les différentes bandes.
4. Pour dessiner la bande associée à l'Afrique, déplace-toi le long de l'axe des $x$ de la largeur d'une bande, puis monte le long de l'axe des $y$ jusqu'à un point un peu au-dessus de 30 devant représenter 30,3. À l'aide d'une règle et d'un crayon, trace cette première bande avec des traits légers. Procède de la même façon pour chacun des continents.
5. Une fois que tu auras dessiné toutes les bandes, tu souhaiteras peut-être les colorier pour les mettre en évidence. Si tu décides d'utiliser des couleurs différentes, tu devras peut-être inclure une légende expliquant la signification de chaque couleur. Donne un titre à ton diagramme.

### Pour t'exercer...

Dessine un diagramme à bandes indiquant le plus grand écart de température observé dans chaque province et territoire. Utilise, pour ce faire, les données que tu as disposées en tableau à la rubrique *Pour t'exercer...* de la page précédente.

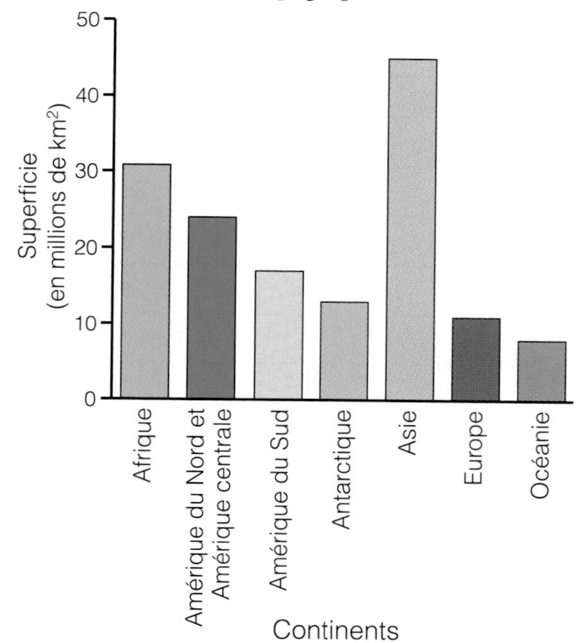

## Dessiner un histogramme

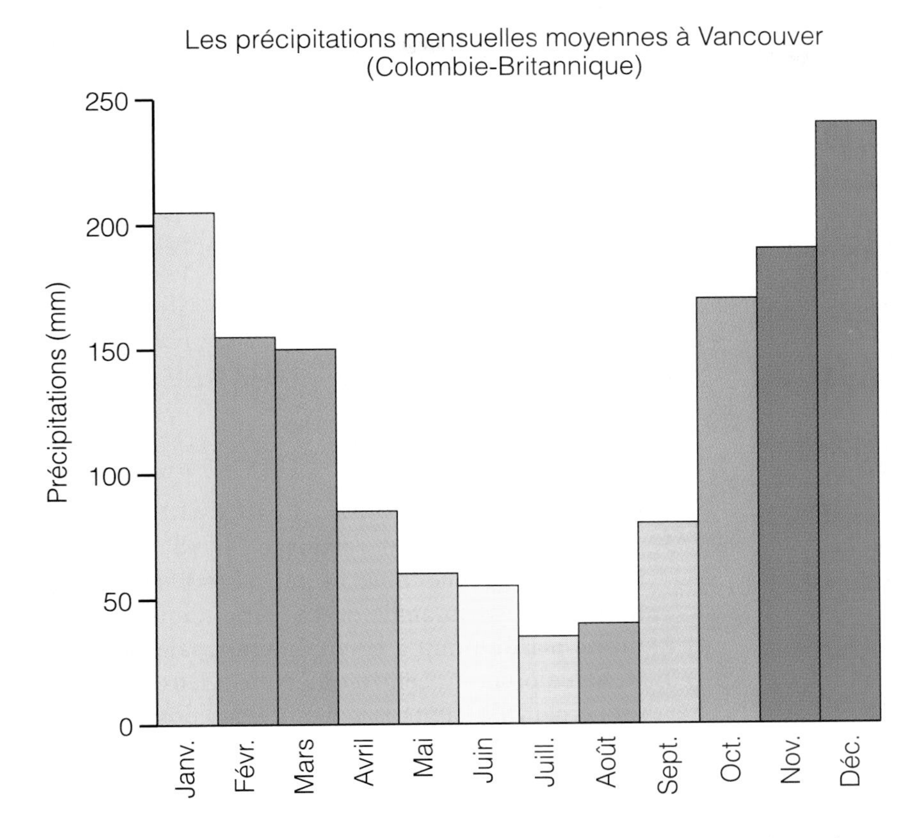


L'axe des x de cet histogramme représente le temps, qui est une variable continue. Les données relatives aux précipitations ont été regroupées selon le mois.

En quoi un histogramme, comme celui qui apparaît ci-dessus, diffère-t-il d'un diagramme à bandes? Tu as sans doute remarqué qu'il n'y a aucun espace entre les bandes. Les bandes d'un histogramme sont contiguës parce que l'axe des $x$ représente une grandeur continue. Sur l'histogramme ci-dessus, la grandeur continue est le temps et chaque intervalle correspond à un mois. La hauteur d'une bande indique le total des données. Dans le cas présent, la hauteur de chaque bande correspond au total des précipitations pour le mois. On dessine un histogramme en procédant de la même façon que dans le cas d'un diagramme à bandes.

**Pour t'exercer...**

Les données ci-dessous représentent la masse, en grammes, de 30 rats de laboratoire adultes ayant reçu une alimentation particulière à titre expérimental. Dessine un histogramme s'y rapportant. Chaque bande doit correspondre à un intervalle de 100 g de masse le long de l'axe des $x$. Choisis une échelle appropriée pour l'axe des $y$, qui doit indiquer le nombre de rats à l'intérieur de chaque intervalle de masse.

756, 677, 811, 472, 591, 744, 714, 891, 903, 623, 767, 819, 922, 717, 858, 727, 512, 907, 537, 735, 681, 913, 836, 654, 789, 827, 638, 701, 873, 750

## Dessiner un diagramme circulaire

Un diagramme circulaire offre un excellent moyen de présenter diverses catégories en proportion d'un tout.

### Exemple

Pour apprendre comment dessiner un diagramme circulaire, prends connaissance des étapes décrites ci-après tout en examinant le diagramme circulaire présenté ici, qui indique le pourcentage de la population nord-américaine appartenant à chaque groupe sanguin.

**Tableau 3** Les groupes sanguins en Amérique du Nord

| Groupe sanguin | Pourcentage au total | Étendue de la pointe de tarte en degré (°) |
|---|---|---|
| A | 38 | 137 |
| B | 14 | 51 |
| AB | 4 | 14 |
| O | 44 | 158 |

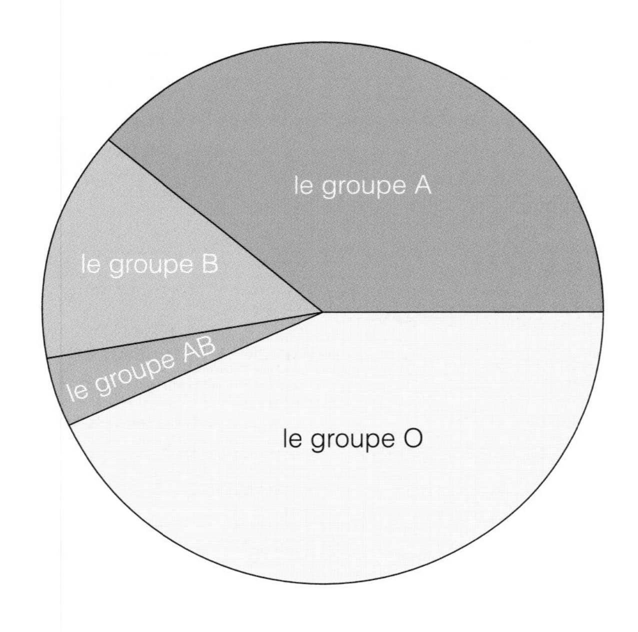


1. Trace un grand cercle sur une feuille de papier et dessine un point en son centre.
2. Utilise la formule suivante pour déterminer le nombre de degrés compris à l'intérieur de chaque « pointe de tarte » ou section correspondant à une catégorie :

$$\text{nombre de degrés} = \frac{\text{pourcentage du total}}{100\,\%} \times 360°$$

Arrondis ta réponse au nombre entier le plus près. L'étendue en degrés de la section correspondant au groupe A, par exemple, est de :

$$\text{nombre de degrés correspondant au groupe A} = \frac{38\,\%}{100\,\%} \times 360° = 137°$$

3. Trace une ligne droite reliant le centre du cercle à sa circonférence. Pose un rapporteur sur cette ligne, mesure un angle de 137° et indiques-en la limite par un point à la circonférence du cercle. Relie ce point au centre du cercle. Cette section du cercle représente la portion de la population appartenant au groupe sanguin A.
4. Reprends les étapes 2 et 3 pour chacun des autres groupes sanguins.

### Pour t'exercer...

Dessine un diagramme circulaire à l'aide des données suivantes relatives aux éléments présents dans le corps humain: l'hydrogène (H), 63,1 % ; l'oxygène (O), 25,4 % ; le carbone (C), 9,4 % ; l'azote (N), 1,4 % ; le calcium (Ca), 0,3 % ; le phosphore (P), 0,2 % ; et les autres, 0,2 %.

## Dessiner un diagramme linéaire

Des diagrammes linéaires montrent la relation entre deux variables telles que le temps et la distance. On peut les utiliser pour prédire la valeur de l'une des variables pour toute valeur donnée de l'autre. Les exemples qui suivent révèlent comment créer des diagrammes linéaires à partir d'un tableau de données et comment les utiliser.

### Exemple 1

Suppose que les gardes d'un parc provincial aient compté le nombre des randonneurs observés au cours d'une journée à certains endroits le long d'un sentier populaire. Les données recueillies figurent au tableau 4, un diagramme de ces données apparaissant en bas à droite. Examine ce tableau et ce diagramme tout en lisant la description des étapes de la réalisation du diagramme qui suit.

**Tableau 4** Le nombre des randonneurs observés le long du sentier au cours d'une journée

| Distance du point de départ du sentier (km) | Nombre de randonneurs |
|---|---|
| 0 (point de départ du sentier) | 38 |
| 1 | 36 |
| 2 | 36 |
| 3 | 25 |
| 5 | 22 |
| 8 | 19 |
| 10 | 3 |
| 12 | 2 |

1. À l'aide d'une règle, trace un axe des *x* et un axe des *y* sur une feuille de papier quadrillé.
2. Inscris « Distance » le long de l'axe des *x* et « Nombre de randonneurs » le long de l'axe des *y*.
3. Détermine l'échelle à utiliser. On a ici deux grandeurs numériques : la distance le long de l'axe des *x* et le nombre de gens le long de l'axe des *y*. L'échelle de l'axe des *x* s'étendra de 0 à 12, tandis que l'échelle de l'axe des *y* devra s'étendre de 0 à au moins 38. Il est généralement plus pratique de terminer le diagramme par un chiffre rond, tel que 40. Choisis une échelle qui rendra la hauteur et la largeur du diagramme à peu près égales.
4. Suis l'axe des *y* avec un crayon jusqu'à ce que tu atteignes 38. Comme il s'agit là du nombre des randonneurs observés au point de départ du sentier, on peut dire que ces gens ont parcouru zéro kilomètre. Fais un point sur l'axe des *y*, lequel représente zéro kilomètre. Les coordonnées de ce point sont (0, 38). Procède de la même façon pour reporter sur ton diagramme chacune des paires de valeurs du tableau.
5. Comme il est impossible de savoir combien de randonneurs ont fait demi-tour entre les différents postes d'observation, nous ignorons quel tracé la ligne devrait suivre entre les points de données. Relie donc simplement chaque point de données au suivant par une ligne droite.
6. Donne un titre à ton diagramme.

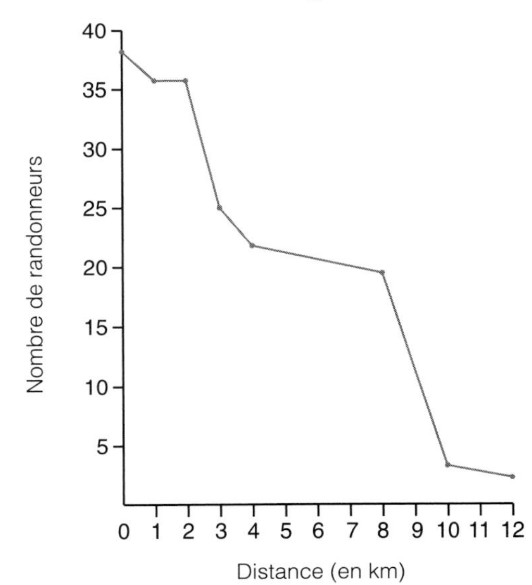

### Exemple 2

Au cours d'une randonnée pédestre, tu laisses tomber une roche du sommet d'une falaise surplombant une rivière après avoir vérifié que cela ne posait aucun danger. Une autre randonneuse affirme qu'elle peut calculer exactement la distance parcourue par une roche en chute libre après tout nombre de secondes. Le tableau 5 présente le résultat de ses calculs. Les points le long de la courbe du diagramme au bas de la page ont été tirés de ce tableau et reportés sur le diagramme de la manière indiquée à l'exemple 1. Tu remarqueras toutefois que ces points ne sont pas reliés par des lignes droites. La différence entre les deux exemples provient du fait que l'on sait qu'une roche en chute libre présente un mouvement régulier et continu. Il faut par conséquent relier les points de données au moyen d'une courbe le plus lisse possible.

**Tableau 5** La distance parcourue par une roche en chute libre au cours de divers intervalles de temps

| Temps (en s) | Distance (en m) |
|---|---|
| 0 | 0,00 |
| 2 | 19,6 |
| 4 | 78,4 |
| 6 | 176 |
| 8 | 314 |
| 10 | 490 |

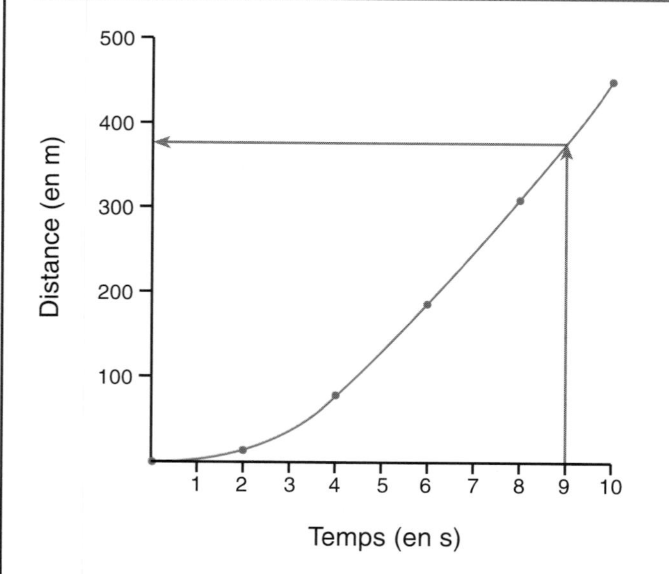


Ce diagramme s'avère utile pour faire des prédictions justes. Imagine, par exemple, qu'un autre randonneur utilise la trotteuse de sa montre pour mesurer le temps écoulé entre le moment où tu laisses tomber la roche et celui où vous entendez un plouf. Selon ce randonneur, la roche a mis 9 s à atteindre l'eau. Tu peux utiliser ce renseignement et le diagramme pour déterminer la hauteur de la falaise. Trouve le point correspondant à 9 s sur l'axe des $x$ et trace une droite verticale de ce point jusqu'à la courbe. Trace maintenant une droite horizontale reliant le point atteint sur la courbe à l'axe des $y$. Cette droite touche l'axe des $y$ un peu au-dessous de 400 m. La hauteur de la falaise est par conséquent d'environ 395 m.

## Pour t'exercer...

Le tableau 6 indique la vitesse d'une balle chaque seconde après qu'on l'a lancée directement vers le ciel à une vitesse initiale de 49 m/s. Dessine un diagramme de la vitesse de la balle en fonction du temps écoulé. Utilise-le pour évaluer la vitesse de la balle au bout de 3,5 s.

**Tableau 6** La vitesse d'une balle lancée vers le ciel

| Temps (en s) | Vitesse (en m/s) |
|---|---|
| 0,0 | 49,0 |
| 1,0 | 39,2 |
| 2,0 | 29,4 |
| 3,0 | 19,6 |
| 4,0 | 9,80 |
| 5,0 | 0,00 |

## Les diagrammes linéaires

Lorsque le graphique d'un diagramme prend la forme d'une droite, on peut obtenir des renseignements importants en déterminant la pente de cette droite.

### Exemple

Un groupe d'élèves a utilisé un interrupteur d'allumage afin de déterminer la position d'un chariot le long d'un rail à coussin d'air à intervalles de 0,1 s. Les points figurant sur le diagramme ci-dessous reflètent les données ainsi recueillies. Il faut ici tracer une droite de meilleur ajustement et déterminer la vitesse du chariot à partir de la pente de la droite. Examine le diagramme tout en lisant la description ci-après des étapes de la marche à suivre.

1. Comme les points de données ne sont pas alignés, il faut déterminer au jugé la position convenant le mieux à la droite. Pose une règle sur le diagramme et déplace-la jusqu'à ce qu'il y ait autant de points au-dessus du bord de la règle qu'au-dessous. Tire une ligne le long de la règle. Il s'agit là de la droite de meilleur ajustement. Ne relie pas simplement le premier point au dernier et ne tiens pas pour acquis que la droite doit passer par l'origine.
2. La pente d'une droite se définit comme la hauteur divisée par la distance horizontale. Pour connaître ce rapport, choisis deux points quelconques de la droite. Abstiens-toi d'utiliser des points de données. Aucun de ces points ne se trouve véritablement sur la droite. Le résultat de tes calculs sera plus exact si tu choisis deux points relativement éloignés l'un de l'autre. Note les coordonnées de ces points. Les points choisis dans le présent cas ont été encerclés sur le diagramme. Ils ont respectivement les coordonnées (0,3, 0,4) et (1,3, 1,6).
3. La hauteur représente la distance verticale entre les deux points. On la calcule en soustrayant l'ordonnée du premier point de l'ordonnée du second. Dans le présent cas, on obtient : 1,6 – 0,4 = 1,2. Comme l'unité utilisée le long de l'axe des $y$ est le mètre, la hauteur est 1,2 m.
4. Il faut maintenant trouver la distance horizontale entre les deux points. On la calcule en soustrayant l'abscisse du premier point de l'abscisse du second. Dans le présent cas, on obtient : 1,3 – 0,3 = 1,0. Comme l'unité utilisée le long de l'axe des $y$ est la seconde, la distance horizontale est 1,0 s.

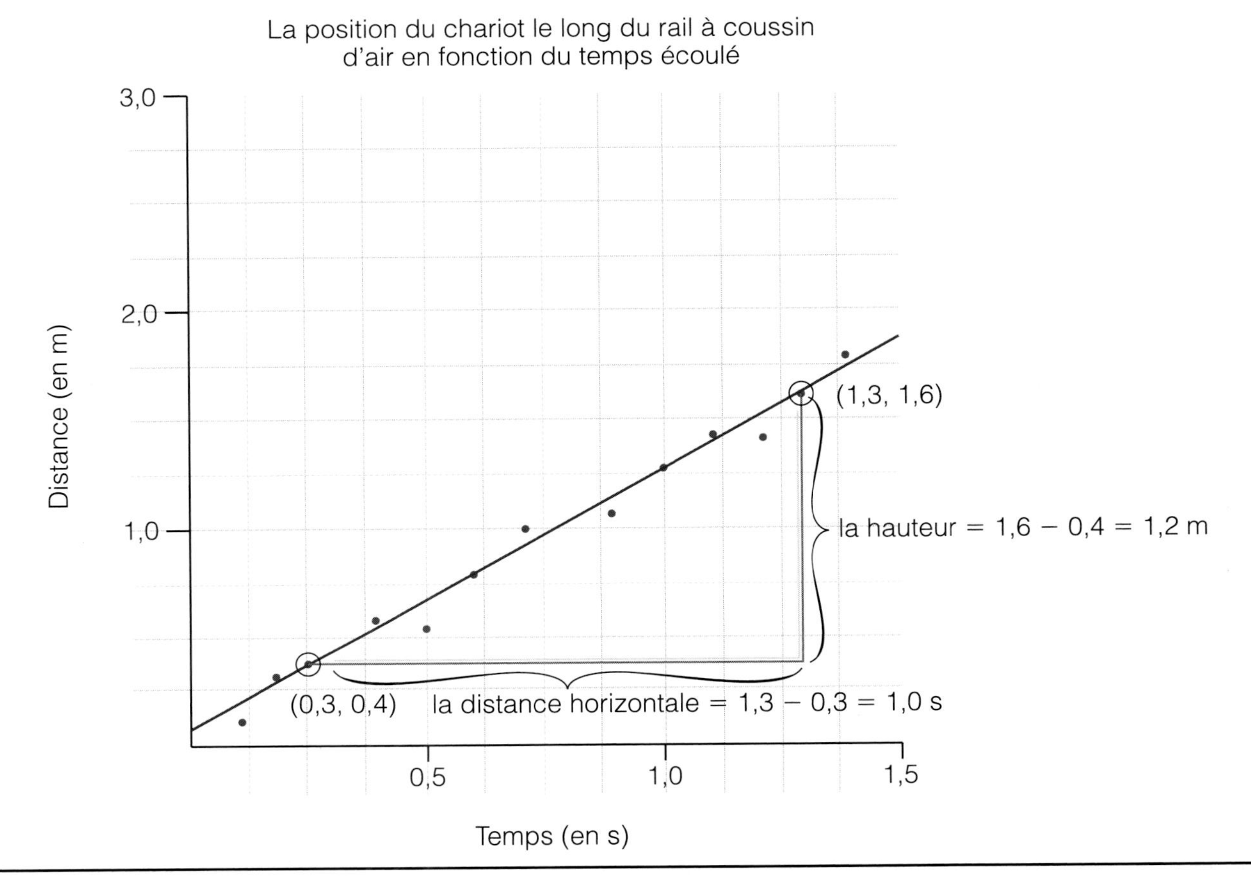

5. Calcule la pente de la droite à l'aide de l'équation suivante :

$$\text{pente} = \frac{\text{hauteur}}{\text{distance horizontale}}$$

$$\text{pente} = \frac{1{,}2\ \text{m}}{1{,}0\ \text{s}}$$

$$\text{pente} = 1{,}2\ \text{m/s}$$

6. La pente s'exprime en mètres par seconde. Il s'agit là d'une unité de vitesse. La pente de toute droite représentant la distance en fonction du temps correspond à la vitesse. Si la ligne obtenue n'est pas droite, on ne peut pas déterminer la pente. Une courbe indique que la vitesse de l'objet varie.

### Pour t'exercer...

Au cours d'un long voyage en automobile, tu essaies de combattre l'ennui en regardant défiler les panneaux indicateurs et en notant le temps écoulé. Imagine que tu as recueilli les données présentées au tableau 7. Reporte ces données sur un diagramme et trace une droite de meilleur ajustement. Utilise ce diagramme pour évaluer la vitesse de l'automobile.

**Tableau 7** La distance parcourue et le temps écoulé

| Distance parcourue (en km) | Temps écoulé (en h) |
|---|---|
| 50 | 0,5 |
| 75 | 1,0 |
| 125 | 1,25 |
| 175 | 2,0 |
| 200 | 2,25 |
| 250 | 2,5 |
| 300 | 3,25 |
| 325 | 3,75 |
| 375 | 4,0 |

Omni
TRUC 8

# L'UTILISATION DE MODÈLES EN SCIENCE

En science, un modèle se définit comme toute chose qui aide à mieux saisir un concept scientifique. Il peut s'agir d'une illustration, d'une représentation mentale, d'une structure ou même d'une expression mathématique. Tu auras parfois besoin d'un modèle parce que les objets que tu étudies sont trop petits pour être visibles ou trop vastes pour être vus dans leur ensemble. Dans certains cas, il s'agit d'objets cachés, tels que l'intérieur de la Terre ou l'intérieur d'un organisme vivant.

Les scientifiques utilisent des modèles pour mieux transmettre leurs idées soit à d'autres scientifiques ou à des étudiants, soit aux deux. Ils s'en servent également pour mettre une idée à l'épreuve et déterminer si elle peut donner les résultats attendus. Les modèles aident aussi les scientifiques à planifier de nouvelles expériences afin d'en apprendre davantage sur le sujet qu'ils étudient. L'acquisition de nouvelles connaissances oblige parfois les scientifiques à modifier leurs modèles.

$$E = mc^2$$

Cette équation constitue sans doute l'un des modèles mathématiques les plus célèbres de tout le domaine des sciences. Elle fait partie de la théorie de la relativité d'Einstein. Selon cette théorie, la matière peut être convertie en énergie. L'équation d'Einstein permet de calculer la quantité d'énergie ($E$) produite lorsqu'une quantité de matière ($m$) est annihilée (réduite à néant) et convertie en énergie. Le $c$ de l'équation désigne la vitesse de la lumière. On a maintes fois mis l'équation d'Einstein à l'épreuve sans jamais pouvoir démontrer qu'elle était erronée.

## Exemples

Un atome est si petit qu'on ne peut pas le voir même à l'aide des plus puissants microscopes. Les scientifiques ont utilisé un éventail de techniques pour se renseigner à son sujet. Tu peux voir ci-contre un modèle en évolution ayant aidé les scientifiques à décrire ce qu'ils avaient appris au sujet de l'atome.

la troisième couche (1 électron)
la deuxième couche (8 électrons)
la première couche (2 électrons)
le noyau (11 protons)

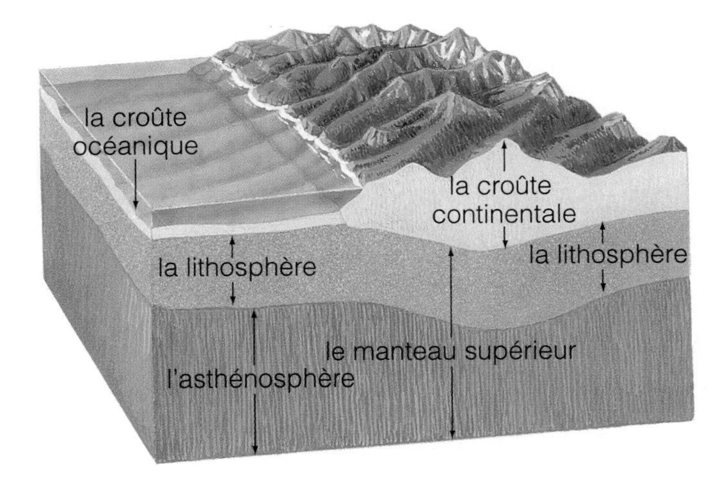


Les scientifiques ont eu recours à de nombreuses techniques pour sonder la structure interne de la Terre. Ils ont pu créer le modèle ci-contre en combinant les résultats de nombreuses expériences et observations.

## Pour t'exercer...

Les premiers astronomes croyaient que les planètes décrivaient une trajectoire ou une orbite circulaire. De nombreuses observations astronomiques s'avéraient toutefois impossibles à expliquer en attribuant aux planètes une orbite circulaire. Dans le but d'expliquer ces observations, le célèbre astronome Johannes Kepler a avancé l'idée que les orbites planétaires étaient elliptiques. Sachant cela, tu peux réaliser un modèle simulant l'orbite des planètes. Produis tout d'abord un cercle, puis utilise une méthode semblable pour exécuter des ellipses.

Tu auras besoin de deux punaises, d'un bout de ficelle de 25 cm, d'un crayon, de papier, d'une règle et d'un carton. Si cela est possible, glisse un tableau de liège sous ton carton. Procède comme suit.

1. Noue les bouts de la ficelle pour faire une boucle.
2. Pose une feuille de papier blanc sur ton carton. Plante une punaise près du centre de la feuille.
3. Accroche la ficelle à la punaise. Si tu disposes d'un tableau de liège, enfonce la punaise dans le liège. Si ce n'est pas le cas, demande à une ou à un partenaire de maintenir fermement la punaise en place.
4. Insère la pointe du crayon à l'intérieur de la boucle et tire jusqu'à ce que la ficelle soit bien tendue. Tout en maintenant la ficelle tendue, déplace ton crayon autour de la punaise jusqu'à ce que tu aies dessiné un cercle parfait.
5. Enfonce une seconde punaise à environ 5 cm de la première.
6. Passe la ficelle autour des deux punaises.
7. Insère la pointe du crayon à l'intérieur de la boucle et tire jusqu'à ce que la ficelle soit bien tendue, tel que le montre le schéma.

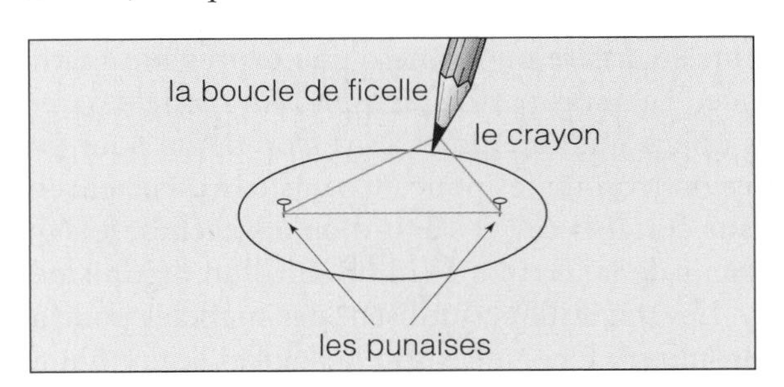


8. Tout en maintenant la ficelle tendue, déplace ton crayon tout autour des deux punaises. Tu viens de dessiner une ellipse. Toute courbe régulière fermée dessinée de cette façon constitue une ellipse. Pour réaliser un modèle exact de l'orbite de la Terre, il faudrait planter les deux punaises très près l'une de l'autre. Si l'on voulait obtenir un modèle de l'orbite d'une comète, les deux punaises devraient au contraire être très éloignées l'une de l'autre.
9. Sers-toi de ce que tu viens d'apprendre pour réaliser un modèle de l'orbite de la Terre.
10. Utilise les renseignements fournis ci-dessus pour réaliser un modèle de l'orbite d'une comète.

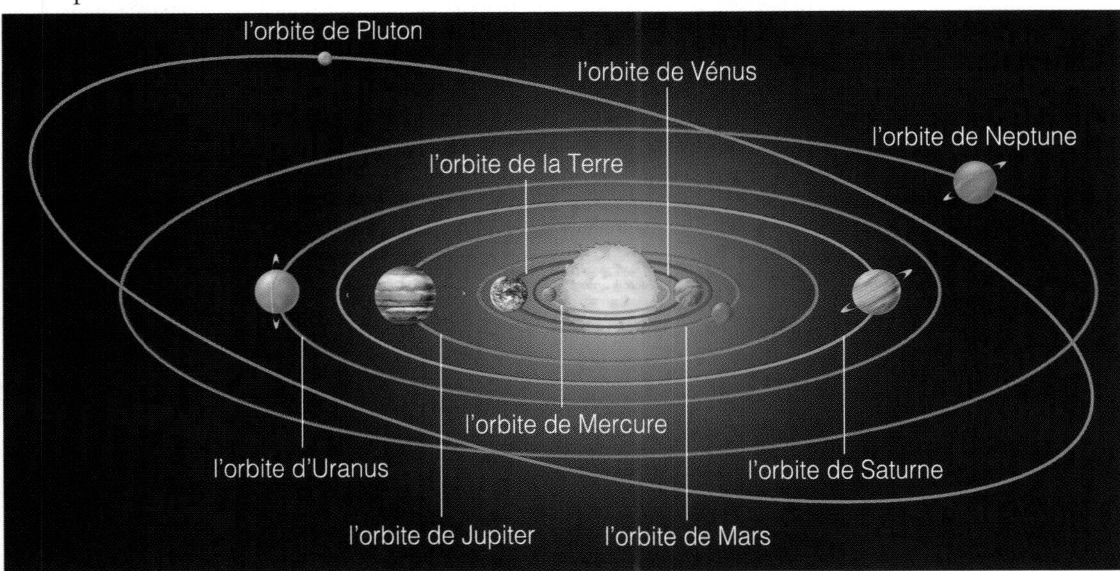


Les planètes décrivent autour du Soleil une orbite elliptique. (Les planètes ne sont pas à l'échelle.)

# LES SYMBOLES DE DANGER

Dans le cadre du programme OMNISCIENCES 9, les symboles présentés ci-dessous veulent attirer ton attention sur un danger possible. Avant d'entreprendre une activité ou une expérience, assure-toi de connaître la signification de tout symbole de danger qui y associé.

| | |
|---|---|
| | **Élimination** Ce symbole dénote la présence de substances dont il faut se débarrasser de la manière appropriée. |
| | **Risque biologique** Ce symbole dénote la présence d'un danger associé à des bactéries, à des champignons ou à des protistes. |
| | **Gare à la chaleur** Ce symbole rappelle qu'il faut manipuler les objets chauds avec précaution. |
| | **Gare aux objets pointus ou tranchants** Ce symbole indique qu'il existe un risque de coupure ou de piqûre associé à la manipulation d'objets pointus ou tranchants. |
| | **Gare aux vapeurs nocives** Ce symbole apparaît lorsqu'un produit ou une réaction chimique peuvent engendrer des vapeurs nocives. |
| | **Électricité et sécurité** Ce symbole indique qu'il faut utiliser le matériel électrique avec précaution. |
| | **Protection de la peau** Ce symbole dénote l'utilisation de produits chimiques caustiques susceptibles d'irriter la peau ou la présence de micro-organismes susceptibles de transmettre une infection par contact. |
| | **Vêtements de protection** Ce symbole indique qu'il convient de porter un tablier de laboratoire. |
| | **Protection contre les incendies** Ce symbole rappelle qu'il faut être prudent à proximité d'une flamme nue. |
| | **Protection des yeux** Ce symbole dénote un danger possible pour les yeux. Il convient de porter des lunettes de protection chaque fois qu'il apparaît. |
| | **Gare aux substances toxiques** Ce symbole dénote l'utilisation de substances toxiques. |
| | **Gare aux produits chimiques** Ce symbole dénote l'utilisation de produits chimiques qui peuvent causer des brûlures ou ont un effet toxique en cas d'absorption cutanée. |

## Les symboles du SIMDUT

Étudie attentivement les symboles de danger du SIMDUT (Système d'information sur les matières dangereuses utilisées au travail) qui apparaissent ci-dessous. On utilise ces symboles partout au Canada pour reconnaître les substances dangereuses présentes dans les différents lieux de travail, y compris les écoles. Assure-toi de connaître la signification de ces symboles. Lorsque tu vois l'un de ces symboles sur un contenant en classe, à la maison ou dans un milieu de travail, prends les précautions qui s'imposent.

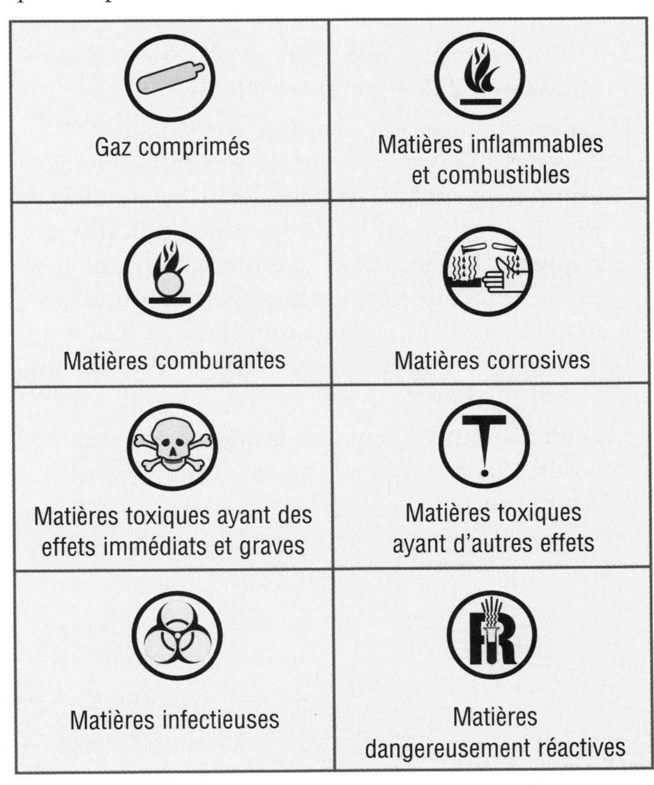


### Pour t'exercer...

1. Trouve quatre des symboles de danger d'OMNISCIENCES 9 dans le présent manuel, là où il est question d'une activité ou d'une expérience. Quels sont les dangers possibles de l'activité ou de l'expérience à laquelle chaque symbole se rapporte ?
2. Trouve deux symboles de danger du SIMDUT sur des contenants à ton école, ou demande à ta mère, à ton père, à ta tutrice ou à ton tuteur d'en chercher dans un milieu de travail. Note le nom des substances qui portent ces symboles. Quels sont les dangers associés à chacune de ces substances ?

# LES DESSINS SCIENTIFIQUES

Un dessin clair et concis peut fréquemment illustrer ou remplacer des propos dans une explication scientifique. En science, les dessins s'avèrent tout particulièrement importants lorsqu'on tente d'expliquer un concept difficile ou de décrire une chose comportant beaucoup de détails. Tout dessin scientifique doit être clair, soigné et fidèle à la réalité.

## Réaliser un dessin scientifique

Procède comme suit pour réaliser un bon dessin scientifique.

1. Utilise du papier non ligné et un crayon bien taillé muni d'une gomme à effacer.
2. Laisse-toi beaucoup d'espace sur le papier. Tu dois t'assurer que ton dessin sera suffisamment grand pour inclure tous les détails nécessaires. Réserve également de l'espace aux indications requises. Tu dois, en effet, nommer chaque partie de l'objet que tu dessines. Inscris toutes ces indications à la droite de ton dessin, à moins qu'il y en ait tellement que cela fait paraître ton dessin surchargé.
3. Étudie attentivement l'objet que tu as à dessiner. Assure-toi de savoir ce que tu dois inclure dans ton dessin.
4. Dessine seulement ce que tu vois, et assure-toi que ton dessin demeure simple. N'essaie pas de représenter les parties de l'objet qui ne sont pas visibles sous l'angle où tu l'as observé. Si tu juges important de montrer une telle partie de l'objet, fais un second dessin et indique l'angle de vue associé à chaque dessin.
5. On évite ordinairement de hachurer ou de colorier un dessin scientifique. Si tu veux indiquer la présence d'une zone plus sombre, pointille-la (parsème-la de points). Tu peux aussi recourir à une ligne double pour représenter les parties épaisses de l'objet.
6. Si tu utilises tout de même la couleur, essaie autant que possible de te conformer à la réalité et choisis des couleurs qui se rapprochent le plus possible des couleurs de l'objet observé.
7. Écris avec soin le nom de chaque partie de l'objet en lettres minuscules. Fais semblant de ne rien connaître de l'objet que tu viens d'observer et songe à ce qu'il te faudrait savoir si tu l'examinais pour la première fois. Rappelle-toi d'inscrire ces indications à la droite de ton dessin, dans la mesure du possible. À l'aide d'une règle, trace

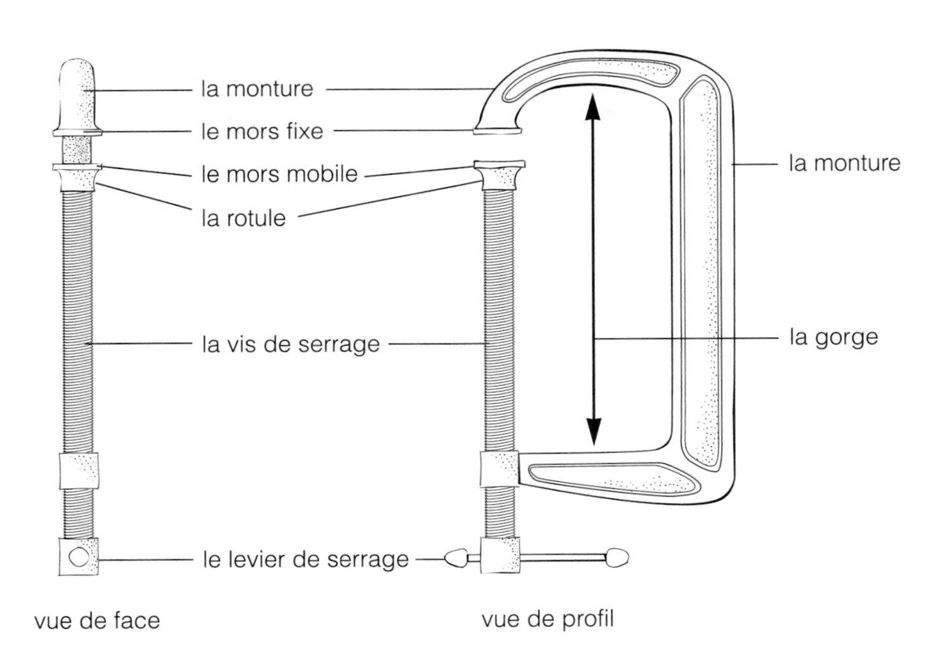

une ligne reliant chaque nom à la partie en cause en t'assurant qu'aucune des lignes ainsi tracées n'en croise une autre.

8. Donne un titre à ton dessin. **Note :** Le dessin d'une amibe reproduit ici est tiré du cahier d'un élève de 9e année. Cet élève a utilisé le pointillage pour faire voir les zones plus sombres, a écrit à l'horizontale le nom de chaque partie visible de la cellule et a donné un titre à son dessin – trois caractéristiques d'un excellent dessin.

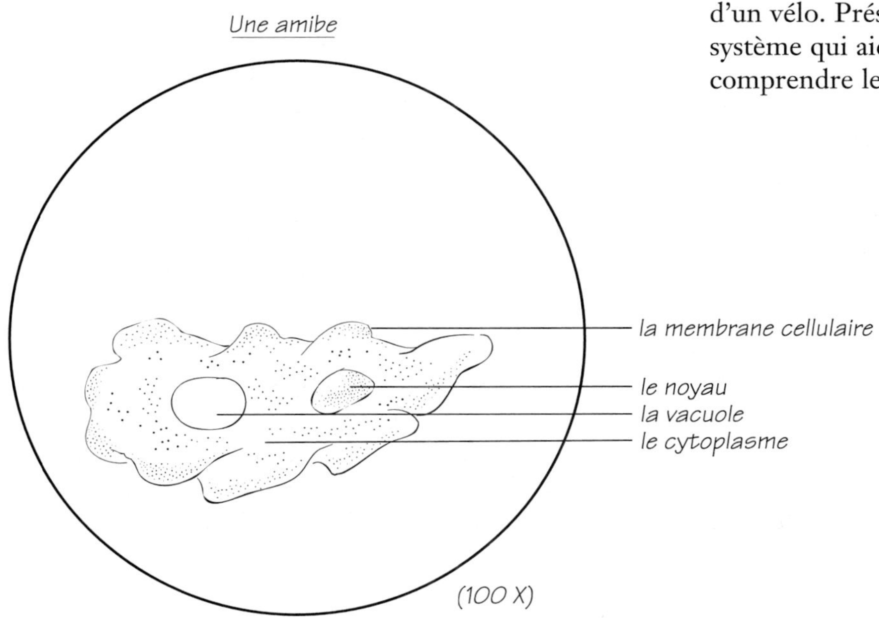


Les points parsemés sur ce dessin d'une amibe observée au microscope indiquent que certaines parties de l'amibe sont plus sombres que les autres.

## Pour t'exercer...

1. Dessine un objet se trouvant dans ta classe et recours au pointillage pour faire voir qu'il a trois dimensions.
2. Dessine une cuillère vue de face et de dos. Montre comment on peut utiliser le pointillage pour faire voir les surfaces concave et convexe de la partie creuse de la cuillère.
3. Choisis un système mécanique dans ta classe ou à la maison, tels les freins ou le dérailleur d'un vélo. Présente deux vues différentes de ce système qui aideraient quelqu'un d'autre à en comprendre le fonctionnement.

# LE BRANCHEMENT ET LA LECTURE DES AMPÈREMÈTRES ET DES VOLTMÈTRES

## Les appareils de mesure à l'intérieur d'un circuit

Un **ampèremètre** est un instrument destiné à mesurer le courant électrique qui traverse un élément (telle une ampoule) à l'intérieur d'un circuit. Le **voltmètre**, quant à lui, sert à mesurer la différence de potentiel électrique entre deux points à l'intérieur d'un circuit (aux bornes d'une ampoule ou d'une pile, par exemple). La figure 1 montre un circuit simple comprenant une pile, un interrupteur, une ampoule, un ampèremètre branché de façon à mesurer le courant qui traverse l'ampoule et un voltmètre branché de façon à mesurer la différence de potentiel aux bornes de l'ampoule.

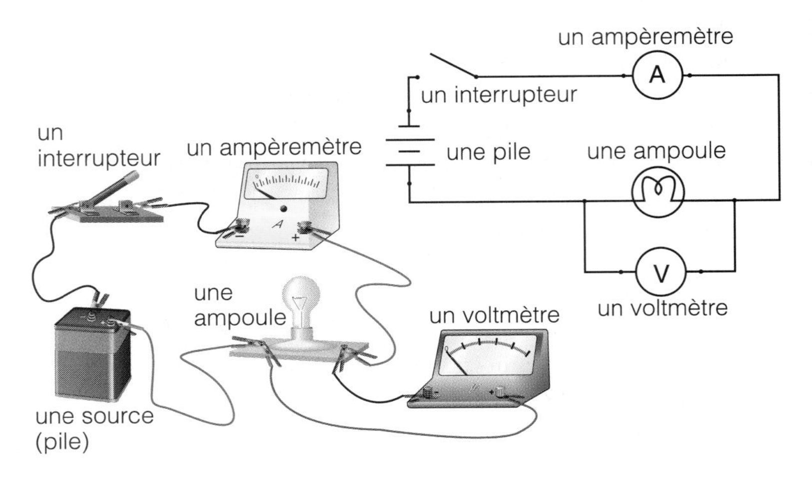


**Figure 1** Pour mesurer le courant qui traverse l'ampoule, l'ampèremètre doit être raccordé à l'ampoule en série. Pour mesurer la différence de potentiel aux bornes de l'ampoule, le voltmètre doit être raccordé à l'ampoule en parallèle.

## La polarité des appareils de mesure

Tant les ampèremètres que les voltmètres comportent deux bornes qu'il faut raccorder au circuit. Leur borne négative (–) est noire et leur borne positive (+) est rouge. Les électrons doivent entrer dans tout appareil de mesure par sa borne négative et en sortir par sa borne positive afin d'éviter d'endommager l'appareil. Comme les électrons quittent la source par sa borne négative, il convient de raccorder la borne négative de l'appareil de mesure à la borne négative de la source. De même, il faut raccorder la borne positive de l'appareil de mesure à la borne positive de la source. Il peut toutefois y avoir d'autres éléments du circuit entre la source et l'appareil de mesure. Si tu suis du doigt le tracé des fils à la figure 1, tu verras que le tout est correctement monté.

## Le branchement d'un ampèremètre

Étant donné que l'on mesure le courant en un point, tout le courant doit traverser l'ampèremètre en ce point. Au moment de brancher un ampèremètre à un circuit, ouvre le circuit en débranchant un fil à l'endroit où tu souhaites mesurer le courant. Branche ensuite l'ampèremètre de façon que les électrons y entrent par sa borne négative et en sortent par sa borne positive. Tu auras généralement besoin d'un fil additionnel pour brancher un ampèremètre à un circuit. La figure 2 montre un circuit qui a été débranché et un ampèremètre que l'on s'apprête à monter en série avec l'ampoule du circuit.

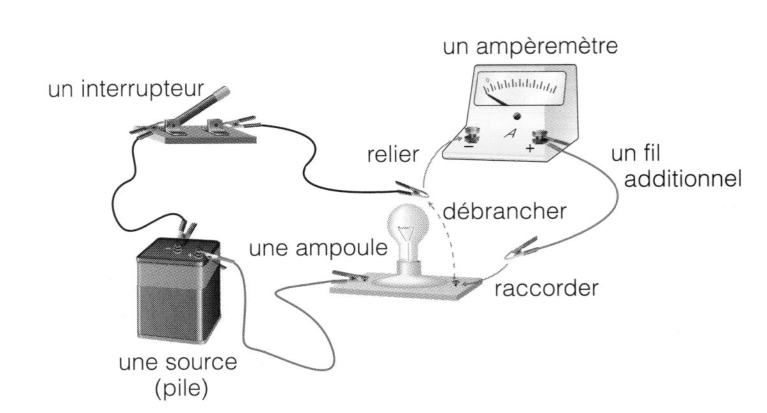


**Figure 2** Le branchement d'un ampèremètre à un circuit

## Le branchement d'un voltmètre

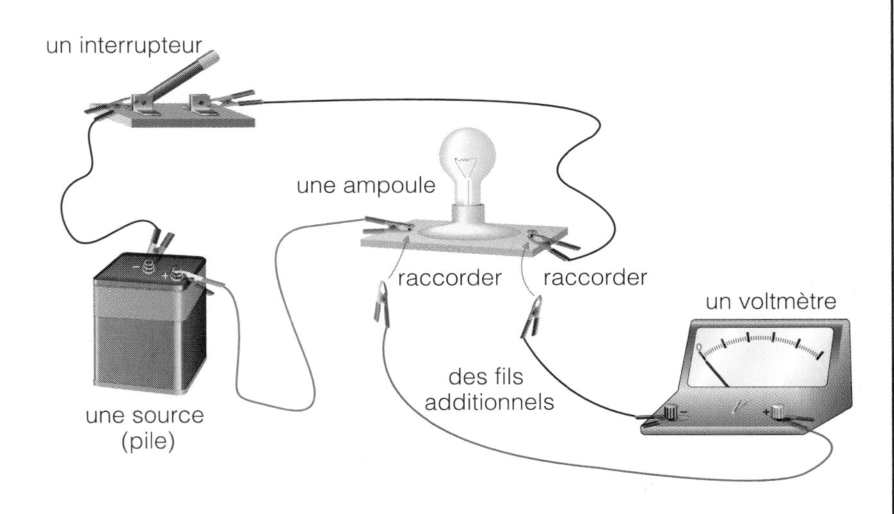


**Figure 3** Le branchement d'un voltmètre à un circuit

Étant donné que l'on mesure la différence de potentiel entre deux points d'un circuit, les bornes du voltmètre doivent être raccordées à ces deux points. Il n'est pas nécessaire d'ouvrir un circuit pour y brancher un voltmètre. À l'aide de deux fils additionnels, raccorde les bornes du voltmètre aux deux extrémités opposées de l'élément à travers lequel tu souhaites mesurer la différence de potentiel. Assure-toi de raccorder la borne négative du voltmètre à la borne négative de la source et la borne positive du voltmètre à la borne positive de la source. La figure 3 montre un circuit dont l'interrupteur est ouvert et un voltmètre que l'on s'apprête à monter en parallèle avec l'ampoule du circuit.

## La lecture des appareils de mesure

Il existe des voltmètres et des ampèremètres de forme et de dimensions variées. Certains affichent directement la valeur mesurée sous la forme d'un nombre, comme on peut le voir à la figure 4 A). D'autres indiquent le résultat obtenu à l'aide d'une aiguille et d'un cadran portant des chiffres, comme on peut le voir à la figure 4 B).

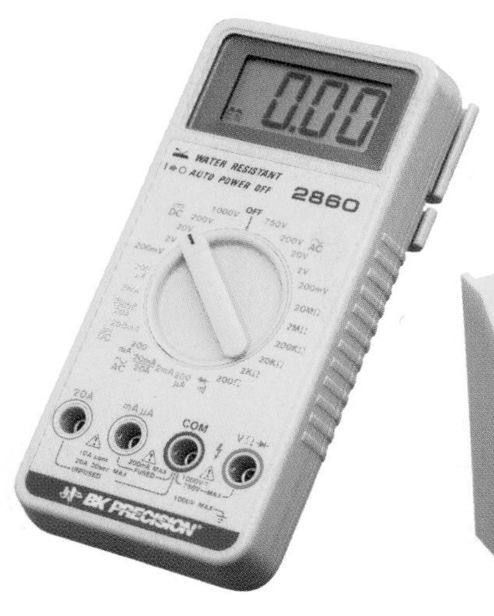


**Figure 4 A)** Les appareils de mesure qui affichent directement la valeur numérique obtenue s'appellent des appareils numériques.

**Figure 4 B)** Les appareils de mesure qui ont une aiguille et un cadran s'appellent des appareils analogiques.

En examinant l'appareil de mesure analogique de la figure 4 B), tu te demanderas peut-être pourquoi son cadran porte trois séries de nombres. Chaque série représente une échelle de mesure différente. Il se peut, par exemple, qu'une échelle englobe les différences de potentiel entre 0 et 2,5 V, tandis qu'une autre s'étende de 0 et 10 V. Un appareil de mesure doit posséder plusieurs échelles parce qu'il renferme des circuits électriques lui permettant de mesurer avec exactitude des niveaux différents de courant ou de tension. Ainsi, un circuit capable de mesurer un courant fort avec exactitude ne peut pas fournir la mesure exacte d'un très faible courant. Lorsqu'on utilise un appareil de mesure, il faut donc choisir le circuit approprié en réglant l'échelle de l'appareil. La meilleure façon de procéder consiste à sélectionner au départ l'échelle la plus longue pour obtenir une valeur approximative, puis de passer ensuite d'une échelle à l'autre par ordre décroissant jusqu'à ce que la valeur lue soit le plus près possible de l'extrémité de l'échelle sans la dépasser.

La figure 5, à la page suivante, présente des appareils de mesure dont on peut sélectionner l'échelle de deux manières différentes. L'appareil de la figure 5 A) est un voltmètre muni d'un bouton rotatif que l'on peut régler à une valeur donnée. Cette valeur est ici de 10.

L'échelle sélectionnée s'étend ainsi jusqu'à une différence de potentiel maximale de 10 V. Pour déterminer la différence de potentiel, cherche à l'extrémité du cadran un nombre ayant le même premier chiffre que 10. L'échelle du haut se termine par la valeur 1, de sorte que 1 représente ici 10 V. Pour effectuer une lecture, prends le nombre indiqué par l'aiguille et multiplie-le par 10. L'appareil affiche une différence de potentiel de 7,2 V.

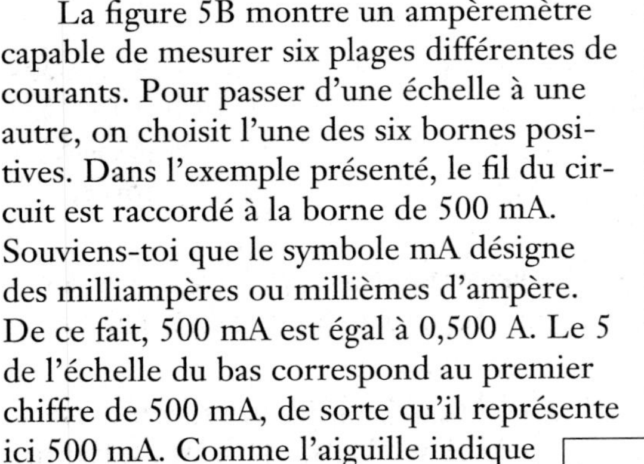

La figure 5B montre un ampèremètre capable de mesurer six plages différentes de courants. Pour passer d'une échelle à une autre, on choisit l'une des six bornes positives. Dans l'exemple présenté, le fil du circuit est raccordé à la borne de 500 mA. Souviens-toi que le symbole mA désigne des milliampères ou millièmes d'ampère. De ce fait, 500 mA est égal à 0,500 A. Le 5 de l'échelle du bas correspond au premier chiffre de 500 mA, de sorte qu'il représente ici 500 mA. Comme l'aiguille indique 4,7, le courant mesuré est de 470 mA.

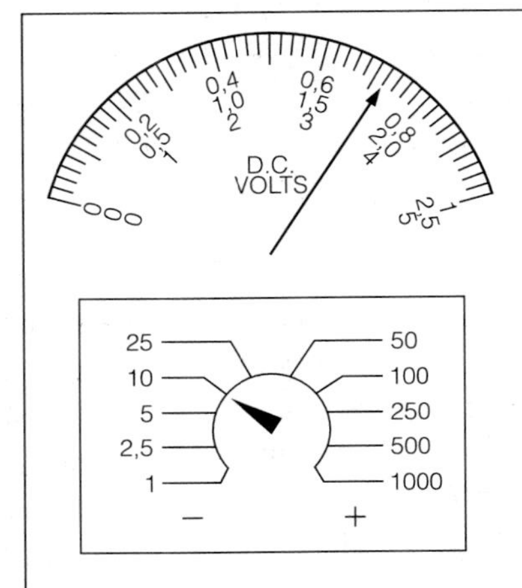


**Figure 5 A)** Ce voltmètre est muni d'un bouton qui en change l'échelle.

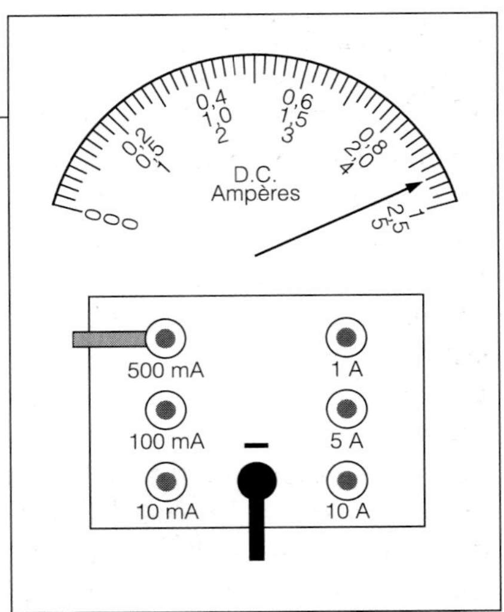


**Figure 5 B)** Cet ampèremètre présente différentes bornes auxquelles on peut raccorder le fil positif.

### Pour t'exercer...

Détermine la valeur du courant ou de la différence de potentiel indiquée par les appareils de mesure des figures 6 A), B), C) et D).

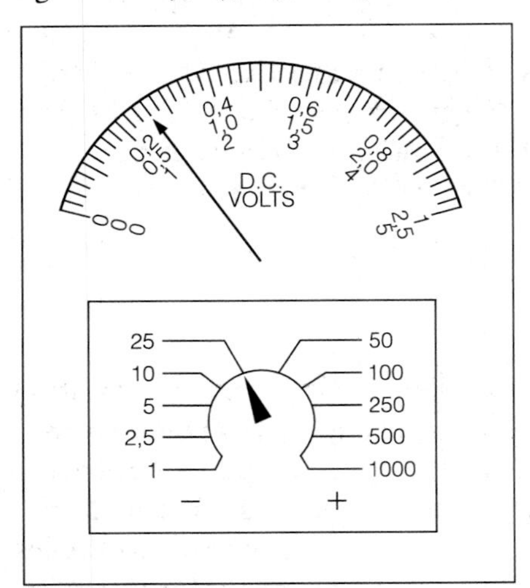


**Figure 6 A)**

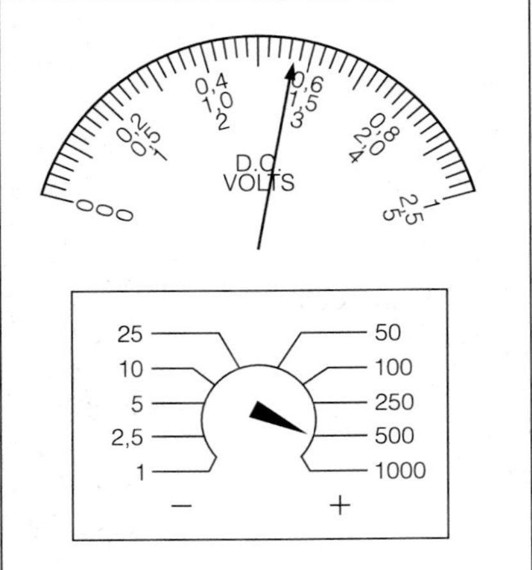


**Figure 6 B)**

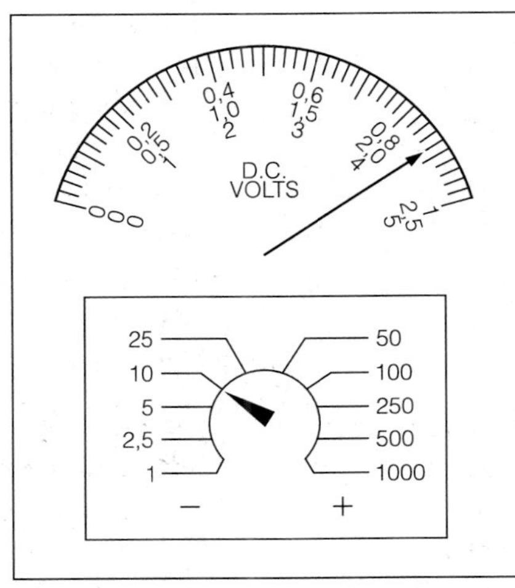


**Figure 6 C)**

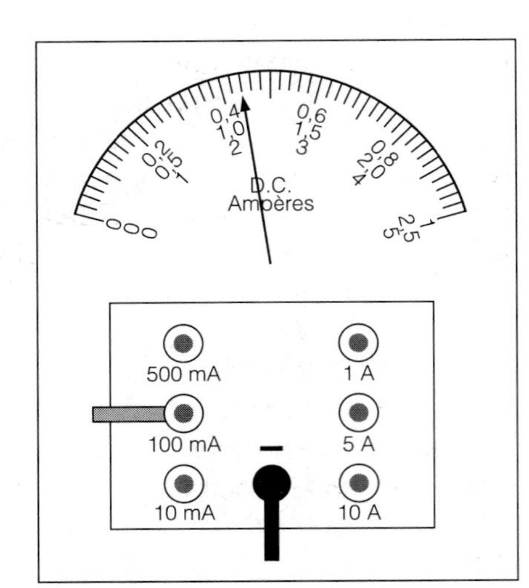


**Figure 6 D)**

# LA RÉSOLUTION DES PROBLÈMES NUMÉRIQUES (PAR LA MÉTHODE SMARP)

Les habiletés en matière de résolution de problèmes revêtent de l'importance dans la vie quotidienne, au travail et à l'école. Que tu en aies ou non conscience, tu résous chaque jour de nombreux problèmes. L'un des premiers qui se posent à toi chaque matin consiste à choisir quels vêtements porter. Pour prendre cette décision, tu disposes en partant de certains renseignements, soit la liste des vêtements que tu possèdes et de ceux qui sont actuellement propres. Tu dois aussi songer à ce que l'on attend de toi au cours de la journée. En effet, tu ne t'habilleras pas de la même façon pour passer une entrevue d'emploi et pour jouer au soccer ou à la balle molle. Après avoir analysé toute cette information, tu fais ton choix, tu t'habilles et tu entreprends une nouvelle journée.

Bien qu'il semble plus difficile de résoudre un problème numérique que de choisir quels vêtements porter, tu peux en arriver à une solution avec les mêmes méthodes dans l'un et l'autre cas. Il est plus facile de résoudre un problème lorsqu'on procède d'une façon logique, étape par étape. Une excellente méthode pour résoudre les problèmes numériques fait intervenir cinq étapes fondamentales, soit : structurer les éléments fournis, mettre en évidence l'élément demandé, analyser, résoudre et présenter. Pour mieux retenir la marche à suivre, songe au sigle formé par l'initiale de ces cinq verbes : **SMARP**. Les étapes de la méthode SMARP t'aideront à maîtriser la résolution des problèmes quantitatifs ou numériques.

## La méthode SMARP

*Structurer les éléments fournis*

La première étape pour résoudre un problème numérique consiste à structurer les données fournies. Lis l'énoncé du problème avec attention et dresse une liste de toutes les grandeurs numériques qui y sont indiquées, de même que tous les autres renseignements qualitatifs importants. Note sur cette liste le symbole, la valeur et l'unité de chaque grandeur numérique. Si l'on te dit, par exemple, que la masse d'une roche est de 3,5 kg, inscris dans ta liste : masse d'une roche, $m$ = 3,5 kg.

*Mettre en évidence l'élément demandé*

La deuxième étape selon la méthode SMARP consiste à déterminer exactement quel élément d'information on te demande de trouver. Écris le nom de la grandeur demandée, son symbole et les unités servant à l'exprimer. Si l'on te demande, par exemple, de déterminer la vitesse d'un objet, écris : vitesse, $v$ (m/s).

*Analyser*

Pour réaliser cette troisième étape, analyse l'énoncé du problème en examinant une à une chacune de ses propositions. Il arrive qu'une proposition contienne à elle seule des renseignements importants. Tu peux appliquer les stratégies suivantes pour mieux analyser le problème :

- Examine les données fournies et la valeur demandée. Note toute relation entre ces grandeurs. Si l'on te fournit, par exemple, l'aire et la pression pour ensuite te demander d'indiquer la force, écris : $P = F/A$.
- Si cela est possible, fais un croquis ou un schéma. Un bon schéma peut souvent fournir la clé du problème.
- Assure-toi que les unités des données fournies sont compatibles entre elles et avec les unités que tu utiliseras pour exprimer ta réponse. Si ce n'est pas le cas, effectue les conversions nécessaires.
- Analyse l'énoncé du problème pour déterminer si tu as besoin de renseignements pouvant être puisés dans un tableau, une annexe ou une autre source de référence. Les manuels de sciences, par exemple, renferment des tableaux indiquant la masse volumique de nombreuses substances. On peut aussi trouver la masse de nombreux objets, de l'électron au Soleil, en consultant des sources imprimées ou électroniques. Cherche et note toute valeur numérique dont tu auras besoin.
- Note toute supposition que tu devras faire pour résoudre le problème.

*Résoudre*

Au cours de cette quatrième étape, trouve la solution du problème en utilisant toutes les données et tous les renseignements que tu as accumulés. Convertis les unités afin d'avoir partout celles qu'il te faut utiliser pour présenter ta réponse. Incorpore ensuite les valeurs fournies aux relations dont tu as pris note et effectue les calculs nécessaires. Inscris à chaque étape les unités utilisées.

*Présenter*

Cette cinquième et dernière étape a pour but de clarifier la signification des calculs que tu viens de faire. Tu dois ici formuler ta solution d'une manière différente, c'est-à-dire présenter ta solution (grandeur, valeur et unités) sous la forme d'une phrase.

## Exemple d'un problème résolu par la méthode SMARP

On a découvert dans un chantier de fouilles une petite couronne métallique brillante de couleur or. Afin de déterminer si elle est en or pur ou en cuivre, les responsables des fouilles ont décidé de calculer sa masse volumique et de la comparer à la masse volumique connue de ces deux métaux. Ils ont mesuré la masse de la couronne et obtenu une valeur de 2,00 kg. Ils ont aussi déterminé son volume, qui est de 225 cm$^3$. Cette couronne est-elle en cuivre ou en or?

*Structurer*
La masse de la couronne, $m = 2{,}00$ kg
Le volume de la couronne, $V = 225$ cm$^3$

*Mettre en évidence*
La masse volumique, $m_V$ (g/cm$^3$)

*Analyser*
Les unités ne sont pas toutes compatibles.
Convertis les kilogrammes en grammes.
Utilise le facteur de conversion suivant: 1 kg = 1000 g.

Pose-le sous la forme $\frac{1000 \text{ g}}{1 \text{ kg}} = 1$

$m_V = \frac{m}{V}$.

Tu auras besoin de la masse volumique du cuivre et de l'or pour faire la de comparaison. Leurs valeurs connues sont:

masse volumique du cuivre, $m_{V\text{Cu}} = 8{,}90$ g/cm$^3$

masse volumique de l'or, $m_{V\text{Au}} = 19{,}30$ g/cm$^3$

Suppose que l'on ait débarrassé la couronne de toute terre avant d'en déterminer la masse et le volume.

*Résoudre*

**1.** Convertis les unités.

$$m = 2{,}00 \cancel{\text{kg}} \times \frac{1000 \text{ g}}{1 \cancel{\text{kg}}} = 2000 \text{ g}$$

**2.**
$$m_V = \frac{m}{V} = \frac{2000 \text{ g}}{225 \text{ cm}^3} = 8{,}90 \text{ g/cm}^3$$

La masse volumique de la couronne est presque la même que la masse volumique connue du cuivre.

*Présenter*
Cette couronne de couleur or présente une masse volumique de 8,89 g/cm$^3$, une valeur presque égale à la masse volumique connue du cuivre. Comme la masse volumique connue de l'or (19,30 g/cm$^3$) est beaucoup plus grande que la masse volumique calculée ici, cette couronne ne peut pas être en or. La couleur et la densité de la couronne correspondent à celles du cuivre. Il faudrait cependant effectuer d'autres analyses pour confirmer cette conclusion.

### Pour t'exercer...

Résous les problèmes suivants à l'aide de la méthode SMARP:

1. Un cube d'aluminium présente une masse de 2,0 kg et un volume de 741 cm$^3$. Quelle est la densité de l'aluminium en g/cm$^3$?
2. Un véhicule blindé peut transporter une masse maximale de 10 000 kg. Le coffre-fort du véhicule a un volume intérieur de 0,600 m$^3$. Peut-il contenir 10 000 kg d'or? Explique.
3. Une statue pesant 10 000 N repose sur une plate-forme. Elle présente une base circulaire de 30 cm de rayon. Quelle pression, en Pa, cette statue exerce-t-elle sur la plate-forme? (Indice: 1 Pa = $\frac{1 \text{ N}}{\text{m}^2}$)

# Glossaire

Ce glossaire définit tous les termes rencontrés en caractères **gras** dans les modules de ce manuel. Il comprend aussi des termes supplémentaires fort utiles.

## A

**Accouplement** Le processus par lequel les organismes combinent leurs gamètes pour la fertilisation.

**Acides aminés** Des composés complexes qui se combinent de plusieurs façons pour former différentes protéines.

**ADN** (acide désoxyribonucléique). La molécule qui détermine les caractéristiques héréditaires d'un organisme.

**ADN recombinant** ADN dont les gènes de différentes sources sont regroupés par l'entremise du génie génétique.

**Agent mutagène** Une cause de mutations (p. ex., les températures de radiation extrêmes ou exposition à des produits chimiques comme des pesticides).

**Aire** Le nombre d'unités carrées (p. ex., $m^2$) nécessaires pour couvrir une surface.

**Alchimiste** Dans le passé, un chercheur qui essayait de découvrir des moyens de transformer certains éléments en d'autres éléments (p. ex., des métaux de base en or).

**Allantoïde** La membrane riche en vaisseaux sanguins qui participe à l'élimination des déchets de l'embryon en cours de développement.

**Allèle** Les différentes formes que peut prendre un gène donné.

**Alliage** Un mélange homogène d'un métal avec un ou plusieurs autres métaux ou non-métaux (p. ex., le laiton est un alliage de cuivre et de zinc).

**Allier** Le processus qui consiste à produire un alliage en mélangeant un métal avec un ou plusieurs autres métaux ou non-métaux.

**Amas galactique ouvert** Un regroupement de 50 à 1000 étoiles qui semblent dispersées le long de la bande principale de la Voie lactée.

**Amas globulaire** Un ensemble de 100 000 à un million d'étoiles agencées selon une forme sphérique originale qui n'apparaît pas sur la bande de la Voie lactée.

**Amnios** La membrane qui forme un sac protecteur rempli de fluide autour de l'embryon en cours de développement.

**Amniosynthèse** L'examen d'un échantillon du fluide entourant le fœtus pour procéder à des tests génétiques.

**Ampère (A)** L'unité de base permettant de mesurer l'intensité du courant électrique.

**Ampèremètre** Un instrument qui permet de mesurer le courant électrique.

**Anaphase** L'étape de la mitose au cours de laquelle les chromosomes doubles se déplacent vers les extrémités opposées de la cellule.

**Angiosperme** Une plante à fleur produisant des graines dans un ovaire qui mûrit pour se transformer en fruit.

**Année-lumière** La distance qu'il faut à un rayon de lumière pour se déplacer dans le vide, en un an. Environ 63 240 UA ou 9,46 milliards de km.

**Anode** Une électrode de charge positive dans une source d'énergie électrique.

**Anomalie génétique.** Désordre causé par des anomalies dans l'ADN.

**Anthère** La partie de l'étamine de la fleur qui contient le pollen.

**Antibiotique** Un produit chimique qui peut bloquer la croissance de certaines bactéries.

**Appareil de Golgi** Un organite formé d'un empilement de sacs aplatis contenant des protéines.

**Appariement homologue** Des paires de chromosomes appariées.

**Aquaculture** L'élevage et la récolte de poissons et de coquillages pour l'usage des humains. Pisciculture.

**Aqueux** Un terme qui s'applique aux solutions où l'eau est le solvant.

**Astérisme** Un motif original formé par des étoiles.

**Astéroïde** L'une des millions de petites planètes entre les orbites de Mars et de Jupiter.

**Atmosphère** L'enveloppe gazeuse qui entoure une planète.

**Atome** La plus petite unité de matière qui peut participer à un changement chimique.

**Aurore australe** Le même phénomène que l'aurore boréale, mais sous les latitudes du sud.

**Aurore boréale** Le motif en mouvement de lumière colorée qui apparaît dans le ciel nocturne sous les latitudes nordiques. L'aurore boréale est causée par la collision entre des particules et des molécules chargées dans la haute atmosphère.

**Autofécondation** Le transfert du pollen de l'étamine au pistil de la même fleur ou d'une autre fleur de la même plante.

## B

**Barre de combustible** Dans un réacteur nucléaire, un dispositif contenant des pastilles d'uranium.

**Base d'azote** La partie de la molécule d'ADN qui joint les deux brins.

**Biorestauration** Le processus qui consiste à utiliser des micro-organismes pour désagréger les composés complexes des déchets toxiques.

**Biosphère** La portion de la planète Terre qui soutient la vie.

**Biotechnologie** L'utilisation ou la modification d'organismes vivants pour fabriquer des biens.

**Blastocyste** Pendant le développement de l'embryon, l'agencement des cellules en une couche interne et externe.

**Borne négative** Dans une pile ou dans toute autre source d'électricité, la plaque ayant un excès d'électrons.

**Borne positive** Dans une pile ou dans toute autre source d'électricité, la plaque qui attire les électrons.

**Bourgeonnement** Le processus de reproduction asexuée au cours duquel un bourgeon se forme sur un organisme, se développe et finalement s'ouvre.

## C

**Caméra à rayons gamma** Un dispositif qui détecte les rayons gamma. En médecine, on l'utilise pour diagnostiquer les anomalies osseuses.

**Canal déférent** L'un des deux tubes qui transportent le sperme de l'épididyme à l'urètre.

**Caryotype** Une photographie des chromosomes d'une cellule indiquant leur agencement, du plus grand au plus petit.

**Cathode** Une électrode de charge négative dans une source d'énergie électrique.

**Cellule somatique** Une cellule du corps qui n'est pas une cellule germinale.

**Centrioles** Dans les cellules animales, les organites qui organisent les fibres fusoriales pendant la mitose.

**Centromère** Dans un chromosome, le point auquel les fibres fusoriales s'attachent.

**Césarienne** L'intervention chirurgicale qui consiste à inciser l'abdomen et l'utérus pour libérer le bébé quand une naissance par voie naturelle ne peut avoir lieu.

**Changement chimique** La modification de la matière au cours de laquelle au moins une nouvelle substance ayant de nouvelles propriétés se forme.

**Changement physique** Un changement de la matière dans lequel aucune nouvelle substance ne se forme.

**Charge d'un circuit** Dans un circuit électrique, le dispositif qui résiste au flux du courant et convertit l'énergie électrique en une autre forme d'énergie (p. ex., une ampoule électrique).

**Charge électrique** La propriété de la matière qui a un surplus ou une déficience d'électrons.

**Charge négative** La charge portée par un électron.

**Charge positive** Charge des protons.

**Chargé** Le terme faisant référence à la matière qui a un excès d'électrons (chargée négativement) ou une déficience d'électrons (chargée positivement).

**Chloroplaste** Le plaste des plantes photosynthétiques qui convertit la lumière en énergie utilisable.

**Chorion** Parmi les trois couches de tissus protecteurs, la couche extérieure autour d'un embryon pendant les premières étapes de son développement.

**Chromatine** Longs brins d'ADN répartis dans le noyau de la cellule.

**Chromosome** Dans le noyau d'une cellule, une structure à double brin, ressemblant à du fil, qui porte le matériau génétique (les instructions pour fabriquer de nouvelles cellules ayant les mêmes caractéristiques que la cellule mère).

**Circuit** Le chemin qu'emprunte le courant électrique.

**Circuit en parallèle** Un circuit électrique dans lequel le courant emprunte deux ou plusieurs chemins.

**Circuit en série** Un circuit électrique où le courant emprunte un seul chemin.

**Classer** Regrouper des idées, de l'information ou des objets en fonction de leurs similarités.

**Clonage** Le processus de production d'un clone.

**Clone** La copie identique d'une molécule, d'un gène, d'une cellule ou d'un organisme entier.

**Codon** Dans une molécule d'ADN ou d'ARN, un triplet de bases contrôlant le placement d'un acide aminé spécifique pendant la fabrication d'une protéine.

**Coefficient de marée** La différence de niveau de l'eau entre la marée haute et la marée basse.

**Col de l'utérus** L'ouverture inférieure de l'utérus.

**Colloïde** Un type de mélange obtenu par agitation mécanique dans lequel de minuscules particules d'une ou de plusieurs substances sont réparties régulièrement et de façon stable dans une ou plusieurs autres substances (p. ex., la crème fouettée est un colloïde de particules de crème dans l'air).

**Combustibilité** L'aptitude d'une substance à brûler au contact de l'air.

**Combustible fossile** Un combustible composé des restes partiellement décomposés d'organismes enterrés il y a des centaines de milliers d'années (p. ex., le charbon, le pétrole brut).

**Comète** Un astre qui parcourt le système solaire et qui, à proximité du Soleil, s'échauffe et se vaporise, libérant des gaz et des poussières (chevelure et queue).

**Composé** Une substance pure composée de deux ou de plusieurs éléments qui se combinent chimiquement (p. ex., l'eau est un composé de deux éléments: l'hydrogène et l'oxygène).

**Composé ionique** Un composé fait d'ions de charge opposée (p. ex., du chlorure de sodium).

**Composé moléculaire** Un composé fait d'atomes qui sont liés par des liens covalents.

**Conducteur** Un matériau qui permet à des charges électriques ou à de la chaleur de se déplacer librement sur ou dans ce matériau.

**Conjugaison** Le processus de recombinaison génétique chez les bactéries et les protistes. La conjugaison repose sur des transferts d'ADN d'un individu à un autre individu.

**Consanguinité (élevage en)** L'élevage d'individus étroitement apparentés.

**Consortia** En biorestauration, des groupes d'organismes, comme les champignons et les bactéries, qui collaborent pour décomposer les déchets toxiques.

**Constante de Hubble** Le rapport entre la vitesse à laquelle les galaxies reculent et la distance qui sépare ces galaxies.

**Constellation** Un groupe d'étoiles formant un motif (p. ex., la Grande Ourse).

**Cordon ombilical** Une structure contenant des vaisseaux sanguins et des tissus associés reliant le placenta à l'embryon.

**Corps céleste** Le terme collectif désignant le Soleil, la Lune, les étoiles, les planètes, les satellites naturels et les comètes.

**Corps jaune** Un corps jaunâtre formé à partir du follicule après l'ovulation.

**Cotylédon** Dans l'embryon d'une plante mère, la structure qui peut devenir la première feuille de la plante.

**Couche électrique** Dans le modèle d'un atome de Bohr, la région sphérique fixe à trois dimensions autour du noyau d'un atome. Les électrons se déplacent rapidement dans la couche d'électrons.

**Coulomb (C)** L'unité de charge électrique. Un coulomb équivaut à la quantité d'électricité transportée en une seconde par un courant de un ampère.

**Courant** Flux de charges électriques.

**Courant alternatif** Un courant électrique dans lequel les électrons changent rapidement de direction, dans les deux sens.

**Courant continu** Le courant électrique dans lequel les électrons se déplacent de façon continue dans une direction.

**Couronne** Un halo irrégulier autour du Soleil.

**Court-circuit** Dans un circuit électrique, l'évitement d'une charge, souvent causé par l'entrée en contact de deux fils de connexion.

**Cycle cellulaire** Le processus continu de la division cellulaire, de la croissance et de l'interphase.

**Cycle menstruel** Le cycle au cours duquel le corps d'un mammifère femelle se prépare à l'éventuelle fertilisation d'un ovule et à la grossesse qui en découle.

**Cytoplasme** La substance ressemblant à du gel dans la membrane d'une cellule qui soutient les structures de la cellule.

## D

**Datation par le carbone** La méthode servant à déterminer l'âge d'objets organiques qui s'appuie sur la décomposition radioactive du carbone-14. La période radioactive du carbone-14 est d'environ 5600 ans.

**Décalage vers le rouge** Décalage de la lumière d'un objet vers l'extrémité rouge (longueur d'ondes plus longue) du spectre à mesure que l'objet s'éloigne de la Terre.

**Définition opérationnelle** Une façon de définir les quantités physiques indiquant comment ces quantités sont observées et mesurées.

**Dessin à l'échelle** Un dessin dans lequel les objets semblent avoir les mêmes proportions que dans la réalité.

**Diagramme à bandes** Un diagramme composé de bandes horizontales ou verticales représentant des données.

**Diamant** Une pierre précieuse qui se compose d'une forme cristalline de carbone.

**Différence de potentiel** La différence entre l'énergie électrique potentielle par coulomb de charge à un point du circuit et l'énergie électrique potentielle par coulomb de charge à un autre point du circuit.

**Différenciation** Le processus par lequel des cellules généralistes se spécialisent pour former des structures comme des tissus et des systèmes d'organes.

**Diploïde** Deux ensembles de chromosomes. Le nombre diploïde pour une cellule humaine est de 46 ($2 \times 23$).

**Disjoncteur** L'interrupteur qui coupe automatiquement un circuit électrique quand une quantité dangereuse de courant circule. Il s'agit d'un dispositif de sécurité.

**Données qualitatives** L'information recueillie à partir d'observations dans lesquelles il n'y a aucune mesure.

**Données quantitatives** Données qui se composent de chiffres et d'unités de mesure. Ces données proviennent de mesures ou de calculs mathématiques.

**Ductilité** La capacité d'un métal de prendre une forme ou d'être étiré en fils sans se briser, ni se fracturer.

**Ectoderme** La couche extérieure d'une gastrula.

**Effet de serre** Un processus naturel qui a lieu dans l'atmosphère et qui emprisonne une partie de la chaleur du Soleil près de la surface de la Terre.

**Effet Doppler** Le changement apparent de fréquence du son, de la lumière et d'autres ondes en raison du mouvement relatif entre l'observateur et la source de l'onde.

**Effet Tyndall** La diffusion de la lumière par des particules colloïdes.

**Électricité statique** Un terme qui fait référence aux charges électriques fixes.

**Électrode** L'une des deux extrémités d'une pile ou d'une autre source d'électricité. Dans une pile, les électrodes s'appellent l'anode et la cathode.

**Électrolyse** Le processus de désagrégation d'un composé chimique en y faisant circuler un courant électrique.

**Électrolyte** Une solution conductrice d'un courant électrique.

**Électron** Une particule de charge négative en orbite autour du noyau d'un atome.

**Électrons de valence** Les électrons de la couche extérieure d'un atome qui déterminent sa capacité de s'associer à d'autres éléments.

**Électroscope** Le dispositif permettant de détecter la présence d'une charge électrique.

**Électrostatique** Qui est propre ou relatif à l'électricité au repos.

**Élément** Un type de substance pure qu'il est impossible de décomposer en parties plus simples par des moyens chimiques ordinaires (p. ex., l'oxygène, l'or).

**Embryon** Un ovule fertilisé au premier stade de son développement.

**Endoderme** La couche intérieure d'une gastrula.

**Endomètre** La paroi intérieure de l'utérus.

**Énergie nucléaire** Un type d'énergie résultant de la fission ou de la fusion de noyaux d'atomes.

**Énergie potentielle électrique** L'énergie électrique stockée dans une pile.

**Enjambement** L'échange d'ADN entre des paires de chromosomes homologues pendant la méiose.

**Enzyme** Une protéine qui augmente le taux de réactions chimiques dans les cellules.

**Épicycle** Un petit cercle dont le centre tourne autour de la circonférence d'un cercle plus grand.

**Épididyme** La structure à côté du testicule dans laquelle le sperme est recueilli et stocké avant de passer dans le canal déférent.

**Épissage de gène** Le fait de couper un segment d'ADN d'un organisme et de l'insérer dans l'ADN d'un autre organisme.

**Épurateur** Un système antipollution qui peut extraire le bioxyde de soufre de la fumée des émissions industrielles de cheminée.

**Éruption solaire** Près des taches solaires, une éruption de gaz à haute température sur le Soleil. Les éruptions solaires provoquent généralement des perturbations radio et magnétiques sur la Terre.

***Escherichia coli*** Une espèce de bactéries qui vit dans le gros intestin de l'humain. Cette espèce est utilisée pour des recherches en génétique.

**Espèce** Un groupe d'organismes qui peuvent se reproduire entre eux et produire une descendance fertile.

**Étamine** La partie de la fleur qui contient le pollen.

**Étincelle** Une décharge électrique causée par des électrons sautant d'un conducteur à un autre dans l'air.

**Étoile à neutrons** Une petite étoile très dense. On pensait qu'il s'agissait des restes broyés d'une grande étoile qui avait explosé, comme une supernova.

**Étoile variable** Une étoile qui pulse et dont la luminosité change au cours d'un cycle régulier.

**Étoiles doubles** Deux étoiles simples en orbite l'une autour de l'autre.

**Expérience scientifique** Une expérience qui repose sur l'application systématique de concepts et de procédures (p. ex., l'expérimentation et la recherche, l'observation et la mesure, l'analyse et la diffusion des données).

## F

**Fait** Un énoncé ou un événement vérifiable, connu pour avoir vraiment existé.

**Famille chimique** Ensemble d'éléments d'une même colonne dans le tableau périodique (syn. groupe).

**Fécondation** Le processus par lequel les gamètes des deux parents se combinent pour former une nouvelle cellule.

**Fécondation externe** Une forme de fertilisation dans laquelle les spermatozoïdes et les ovules se rencontrent à l'extérieur des corps des deux parents.

**Fécondation interne** Une forme de fertilisation dans laquelle le sperme se déplace dans le corps de la femelle à la rencontre de l'ovule.

**Feuillets embryonnaires** Les trois couches d'un embryon en cours de développement : l'ectoderme, le mésoderme et l'endoderme.

**Fibres fusoriales** Minuscules tubules qui s'attachent aux chromosomes pendant la mitose.

**Filament** La partie de l'étamine d'une fleur qui soutient l'anthère.

**Fission binaire** La séparation d'un organisme en deux nouveaux organismes de taille approximativement égale. Les bactéries se reproduisent ainsi, de façon asexuée.

**Fission nucléaire** Le processus au cours duquel un grand noyau atomique, comme celui de l'uranium, se sépare en deux ou en plusieurs parties. Cette réaction s'accompagne de la libération de deux ou de trois neutrons et d'une énorme quantité d'énergie.

**Follicule** La structure de l'ovaire où l'ovule peut se développer.

**Folliculostimuline** Une hormone produite par l'hypophyse pour stimuler le développement des ovules chez les femelles et des spermatozoïdes chez les mâles.

**Formule chimique** Une formule qui utilise des symboles et des chiffres pour représenter les éléments dans une substance pure (p. ex., $H_2O$ est la formule chimique de l'eau).

**Foudre** Dans le ciel, un éclair de lumière vive causé par la décharge d'électricité entre les nuages ou entre les nuages et le sol.

**Fragmentation** Un processus de reproduction asexué dans lequel un petit morceau ou un fragment se sépare et devient un nouvel individu. Les champignons se reproduisent de cette façon.

**Fruit** Chez une plante à fleur, l'ovaire mûr contenant une ou plusieurs graines.

**Fusible** Dans un circuit électrique, un dispositif contenant un câble ou une bande métallique qui fond afin de couper la connexion quand une quantité dangereuse de courant circule. Il s'agit d'un dispositif de sécurité.

**Fusion** Une combinaison, un mélange intime.

**Fusion nucléaire** La réaction dans laquelle deux petits noyaux nucléaires se combinent. Cette réaction s'accompagne de la libération d'énormes quantités d'énergie.

**Galaxie** Une énorme accumulation d'étoiles, de gaz et de poussière maintenus par la force de gravité.

**Gamète** Une cellule spécialisée pour la reproduction (p. ex., un ovule, un spermatozoïde).

**Gamétophyte** L'étape haploïde du cycle de vie d'une plante au cours de laquelle les gamètes sont produits.

**Gastrula** La structure de l'embryon en cours de développement, qui se compose de l'ectoderme, du mésoderme et de l'endoderme.

**Gaz à effet de serre** Un gaz qui emprisonne la chaleur dans l'atmosphère et l'empêche de s'échapper dans l'espace (p. ex., le bioxyde de carbone).

**Gaz rares (ou nobles)** Les éléments du groupe VIIIA.

**Géante rouge** Une grande étoile lumineuse pas très chaude.

**Gène** Un segment d'ADN déterminant un caractère hérédiaire.

**Génie génétique** Le processus consistant à combiner artificiellement des gènes dans une cellule.

**Génome** Tous les gènes qui se trouvent dans un ensemble complet de chromosomes.

**Genre** Un groupe biologique d'espèces similaires et apparentées (p. ex., le genre *Canis* regroupe les espèces comme le loup et le chien domestique).

**Germination** L'émergence d'une plante à partir d'une graine.

**Gestation** La période pendant laquelle l'embryon se développe dans l'utérus.

**Gonade** Un organe reproducteur. Chez les humains, les gonades mâles s'appellent des testicules et les gonades femelles s'appellent des ovaires.

**Grain de pollen** La structure contenant le sperme qui se forme sur les anthères des fleurs.

**Graine** Chez les plantes, un ensemble reproductif complet contenant un embryon, des réserves alimentaires et un tégument.

**Graphite** Une forme de carbone mou et d'un gris noirâtre. S'utilise pour les mines de crayon et comme lubrifiant sec.

**Greffe** La transplantation d'un tissu vivant d'une personne à une autre personne ou à un autre endroit sur la même personne.

**Grossesse ectopique** Fait référence à un embryon qui s'est implanté sur la paroi d'une des trompes de Fallope.

**Groupe (ou famille)** Une colonne verticale d'éléments dans le tableau périodique.

**Gymnosperme** Une plante qui produit des graines exposées plutôt que des graines dans un ovaire (p. ex., les conifères).

## H

**Halogène** N'importe lequel des éléments du groupe VIIA dans le tableau périodique.

**Haploïde** Le fait d'avoir un seul ensemble de chromosomes. Le chiffre haploïde pour une cellule humaine est de 23.

**Herbicide** Un produit chimique qui peut tuer une plante ou bloquer sa croissance.

**Hermaphrodite** Un organisme ayant les organes reproducteurs des deux sexes.

**Hétérogène** Un terme qui s'applique aux mélanges dont la composition n'est pas uniforme (p. ex., minerais).

**Histogramme** Un type de diagramme à bandes dans lequel chaque bande représente un éventail de valeurs et où les données sont continues.

**Homogène** Un terme qui s'applique aux substances pures et aux mélanges dont la composition est uniforme (p. ex., solutions et alliages).

**Hormone** Une substance libérée par des glandes spécifiques pour contrôler des activités corporelles particulières.

**Hormone de croissance bovine (HCB)** L'hormone utilisée pour favoriser la croissance et la production de lait chez le bétail.

**Hormone lutéinisante (LH)** Une hormone libérée par l'hypophyse qui stimule la production d'ovules par les ovaires et le développement du corps jaune.

**Hybride** Un organisme résultant du croisement d'individus de deux espèces différentes mais étroitement apparentées (p. ex., la mule est le résultat du croisement d'un cheval et d'un âne).

**Hydroélectrique** Un terme qui s'applique à l'utilisation de l'énergie hydraulique pour produire de l'électricité.

**Hydrosphère** Toute l'eau qui se trouve à la surface de la Terre.

**Hypophyse** Dans le cerveau, une glande de la taille d'un pois qui sécrète des hormones contrôlant plusieurs fonctions corporelles, y compris la production d'hormones sexuelles.

**Hypothèse** Une proposition vérifiable visant à expliquer une observation ou à prévoir le résultat d'une expérience.

## I

**Implantation** Le processus par lequel un embryon en cours de développement se fixe à la paroi de l'utérus.

***In vitro*** Fait référence à un processus biologique qui se produit à l'extérieur d'un organisme vivant ou d'une cellule, comme dans une éprouvette.

***In vivo*** Fait référence à un processus biologique qui se produit à l'intérieur d'un organisme vivant ou d'une cellule.

**Induction** Le processus par lequel un objet ayant une charge électrique produit la même charge chez un objet avoisinant, sans le toucher.

**Insecticide** Un produit chimique utilisé pour tuer les insectes.

**Insuline** L'hormone qui régule le niveau de glucose dans le sang.

**Interphase** L'étape de la mitose où une cellule ne se divise pas.

**Interrupteur** Un dispositif pour mettre les appareils électriques sous tension et hors tension. Ce dispositif sert en fait à ouvrir et à fermer un circuit électrique.

**Ion** Un atome ayant une charge positive ou négative en raison de la perte ou du gain d'électrons.

**Isolant** Un matériau qui ne permet ni aux charges électriques ni à la chaleur de se déplacer librement dans ou sur ce matériau.

**Isotope** L'une des deux ou de nombreuses formes d'un élément qui ont le même nombre de protons, mais un nombre différent de neutrons (p. ex., le deutérium est un isotope d'hydrogène).

**Kilowatt-heure** L'unité d'énergie des compteurs électriques. La quantité d'énergie transmise par mille watts pendant une période d'une heure.

**Liaison covalente** L'attraction entre des atomes causée par le partage d'électrons.

**Liaison ionique** L'attraction entre les ions positifs et négatifs.

**Loi de Hubble** La loi énonçant que les galaxies s'éloignent à des vitesses qui augmentent en proportion directe de la distance qui les sépare.

**Loi de l'attraction et de la répulsion** La loi énonçant que les charges électriques identiques se repoussent et que les charges électriques différentes s'attirent.

**Loi de la conservation de la masse** La loi énonçant que, dans un changement chimique, la masse totale des nouvelles substances est toujours identique à la masse totale des substances initiales.

**Loi de Ohm** La loi selon laquelle le rapport entre la différence de potentiel entre les extrémités d'un conducteur et le courant circulant dans le conducteur est constant.

**Loi des proportions définies** La loi énonçant que les composés sont des substances pures contenant deux ou plusieurs éléments combinés dans des proportions fixes (ou définies).

**Loi** Une action ou une condition qui a été observée de façon si répétée que les scientifiques sont convaincus qu'elle se reproduira toujours.

**Luminosité** La mesure de la quantité totale d'énergie qu'émet une étoile par seconde.

**Lysosome** Dans une cellule, un organite qui décompose la nourriture et digère les déchets et les parties de cellules abîmées.

**Magnétosphère** L'espace entourant un corps céleste, comme la Terre, dans lequel se trouve le champ magnétique de ce corps.

**Malformation congénitale** Une anomalie présente à la naissance.

**Malléabilité** La mesure dans laquelle un métal se martèle, se presse ou se roule facilement en plaques minces.

**Marcottage** La méthode qui consiste à faire pousser des racines à partir de branches ou de pousses d'une plante mère en recouvrant ces parties de terre.

**Masse atomique** La masse d'un atome moyen d'un élément, en unités de masse atomique.

**Masse** La quantité de matière dans une substance. On mesure souvent la masse avec une balance.

**Masse solaire** La base de comparaison pour mesurer la masse des étoiles. Le Soleil a une masse solaire de 1.

**Masse volumique** La masse que contient le volume donné d'une substance (la masse volumique est égale à la masse divisée par le volume).

**Médecine nucléaire** L'application contrôlée de certains isotopes radioactifs pour le diagnostic ou le traitement du cancer et d'autres maladies graves comme l'ostéoporose.

**Méiose** Dans la division cellulaire, le processus selon lequel chaque gamète est haploïde.

**Mélange obtenu par agitation mécanique** Une substance qui se compose de plus d'une sorte de particules et dans laquelle les particules ne sont pas réparties uniformément.

**Mélange ordinaire obtenu par agitation mécanique** Un mélange dans lequel les différentes parties sont suffisamment grosses pour être visibles et restées mélangées plutôt que de se séparer.

**Membrane cellulaire** La structure perméable de façon sélective entourant le contenu de la cellule.

**Membrane nucléaire** La double membrane fine qui sépare le contenu nucléaire du cytoplasme.

**Ménisque** La légère courbe sur le dessus d'un liquide, à l'endroit où le liquide entre en contact avec les parois du contenant.

**Menstruation** L'élimination mensuelle de la paroi de l'utérus s'il n'y a pas eu de fertilisation.

**Méristème** Des cellules non spécialisées à l'extrémité des racines et des pousses qui donnent naissance à de nouvelles plantes.

**Mésoderme** La couche intermédiaire de cellules dans une gastrula.

**Métal** Un élément chimique comme l'aluminium, l'or ou le fer. Les métaux partagent certaines propriétés, notamment un lustre métallique, la malléabilité, la ductilité et une bonne aptitude à conduire la chaleur et l'électricité.

**Métal alcalin** N'importe lequel des éléments métalliques du groupe 1: lithium, sodium, potassium, rubidium, césium et francium. Tous ces métaux sont extrêmement réactifs, mous et de faible masse volumique.

**Métal alcalinoterreux** N'importe lequel des éléments du groupe 2: béryllium, magnésium, calcium, strontium, baryum et radium. Tous ces métaux sont réactifs, mous et de faible masse volumique.

**Métalloïde** Un élément chimique qui a certaines propriétés des métaux et certaines propriétés des non-métaux. Le silicium et l'antimoine sont des métalloïdes.

**Métallurgie** La science et la technologie qui consistent à obtenir des métaux et à les rendre utiles. Comprend les processus d'extraction, de modification et d'alliage.

**Métamorphose complète** Le processus par lequel un organisme devient adulte en changeant de forme (p. ex., en passant du stade de têtard à celui de grenouille).

**Métamorphose incomplète** Un organisme devient adulte grâce à une succession d'étapes ayant des formes légèrement différentes (p. ex., de la nymphe à la sauterelle).

**Métaphase** L'étape de la mitose où les chromosomes reproduits sont alignés au milieu de la cellule.

**Météore** Un corps solide qui entre dans l'atmosphère de la Terre en provenance de l'espace et qui devient chaud et lumineux en raison de la friction avec l'atmosphère.

**Météorite** Les restes d'un météore qui ne brûlent pas complètement dans l'atmosphère de la Terre. Le météorite tombe sur la Terre sous forme de corps solide composé surtout de roches ou de fer.

**Météorologie** L'étude de l'atmosphère et des systèmes atmosphériques.

**Mettre à la terre** Connecter un conducteur par l'entremise d'un matériau conducteur directement à la terre.

**Microgravité** L'état dans lequel les objets en orbite (p. ex., les vaisseaux spatiaux) semblent être en état d'apesanteur. En fait, la force de gravité agit sur ces objets, mais ses effets sont grandement réduits.

**Milieu interstellaire** L'espace entre les étoiles et les matériaux qui se trouvent dans cet espace.

**Mine à ciel ouvert** Une activité minière qui a lieu en surface ou juste sous la surface.

**Minerai** Un corps ou un dépôt de roches, de gravier, de sable ou de terre duquel on peut extraire les minéraux.

**Minéral** Une substance constituée de matière inorganique.

**Mitochondrie** Un organite de forme ovale qui transforme l'énergie d'une cellule.

**Mitose** Le processus par lequel le matériau génétique reproduit se divise en deux ensembles identiques de chromosomes.

**Modèle** Une représentation verbale, mathématique ou visuelle d'une structure ou d'un processus scientifique permettant aux scientifiques d'élaborer et de vérifier des déductions et des théories.

**Modèle géocentrique** Modèle du système solaire où la Terre est le centre de l'Univers.

**Modèle héliocentrique** Modèle du système solaire où le Soleil est le centre de l'Univers.

**Molécule** L'assemblage d'au moins deux atomes maintenus ensemble, dans un arrangement dégerminé, par des liaisons chimiques.

**Monoculture** L'utilisation de la terre pour cultiver une seule variété de culture.

**Mouvement rétrograde** Dans l'orbite d'un corps céleste, un mouvement réel ou apparent opposé à la course habituelle est-ouest.

**Mue** L'élimination périodique d'un revêtement cutané, comme un exosquelette ou une peau.

**Mutation** Un changement dans les gènes produit par une erreur survenant au cours du processus de copie de l'ADN.

## N

**Naine blanche** Une petite étoile chaude pas très lumineuse.

**Naine noire** L'étape finale d'une naine blanche (une étoile).

**Naine rouge** Une petite étoile froide pas très lumineuse.

**Nébuleuse planétaire** Un objet flou qui n'est pas une planète mais qui, dans un télescope, ressemble à une planète, comme Neptune.

**Nébuleuse** Un vaste nuage de gaz et de poussière qui est peut-être le lieu de naissance des étoiles.

**Neutre** Le terme faisant référence à la matière qui n'a pas de charge électrique.

**Neutrino** Une particule électriquement neutre, de masse informe, capable de traverser toute matière.

**Neutron** Une particule sans charge électrique faisant partie du noyau d'un atome.

**Nombre de masse** Le nombre de protons et de neutrons dans le noyau d'un atome.

**Non-métaux** Un élément chimique qui n'a aucun lustre et est mauvais conducteur d'électricité et de chaleur. L'oxygène et le soufre sont des non-métaux.

**Noyau** La partie centrale d'un atome. Il est formé de proton(s) ou de neutron(s) (sauf pour l'un des isotopes d'hydrogène dont le noyau ne contient qu'un proton). Dans une cellule, un organite muni d'une double membrane poreuse entourant l'ADN.

**Nuage électronique** Une « enveloppe » de charge négative dont le volume est relativement grand, qui est légère par rapport au noyau.

**Nucléole** La zone plus foncée et condensée dans le noyau d'une cellule. Le nucléole produit les ribosomes.

**Nucléotide** Le segment d'ADN composé d'une molécule de sucre, d'un groupement phosphate et de l'une des quatre bases d'azote.

**Numéro atomique** Le nombre de protons dans le noyau d'un atome.

## O

**Objet céleste** Un objet apparaissant naturellement dans le ciel, comme une étoile, une planète ou un astéroïde.

**Octet stable** L'agencement stable de huit électrons dans la couche extérieure d'un atome ou d'un ion.

**Œstrogène** Une hormone qui régule le développement et la fonction des organes sexuels féminins et les caractéristiques sexuelles secondaires.

**Ohm (Ω)** L'unité de la résistance électrique. Un ohm correspond à la résistance d'un conducteur dans lequel circule un courant d'un ampère quand on applique une différence de potentiel de un volt.

**Orage électromagnétique** Une cascade de particules envoyées dans l'espace pendant les éruptions solaires et attirées vers la Terre par son champ magnétique.

**Organite** Une structure dans une cellule qui a une fonction spécifique.

**Ovaire** Chez un animal femelle, l'organe dans lequel les ovules sont produits. Chez une plante, la partie qui contient les jeunes graines.

**Ovulation** Le processus de libération d'un ovule parvenu à maturité de l'ovaire.

**Ovule** La partie de la plante qui devient une graine ou la gamète femelle produite dans les ovaires.

**Oxytocine** Une hormone qui provoque les contractions de l'utérus et qui ouvre le canal de la naissance.

**Ozone ($O_3$)** Une forme d'oxygène qui absorbe une grande partie des rayons ultraviolets du Soleil.

## P

**Parallaxe** Le changement apparent de position d'un objet proche par rapport à un fond lointain quand on l'observe de deux points différents.

**Paratonnerre** Une tige ou un câble métallique fixé à un édifice pour conduire les électrons à la terre et éviter que la foudre cause des dommages.

**Paroi cellulaire** La structure rigide entourant la membrane cellulaire des plantes, des champignons et de certains organismes unicellulaires. Cette paroi protège et soutient la cellule.

**Particule alpha** Une particule chargée positivement et émise du noyau de certains atomes radioactifs.

**Particule bêta** Un électron éjecté du noyau de certains atomes radioactifs.

**Particules subatomiques** Des particules comme les protons, les neutrons et les électrons, qu'on appelle subatomiques parce qu'elles sont plus petites que des atomes.

**Période** Une ligne horizontale d'éléments dans le tableau périodique.

**Pesticide** Un produit chimique utilisé pour tuer les animaux nuisibles.

**Philosophe** Une personne qui étudie la nature et le sens de l'existence ou les principes de l'Univers.

**Photosphère** Autour du Soleil, la région d'où vient la lumière du Soleil.

**Pile** Cellule électrochimique pouvant servir de source de courant électrique continu à tension constante.

**Pile à combustible** Une pile électrique qui est continuellement alimentée en carburant, généralement de l'hydrogène et de l'oxygène, à partir de réservoirs qui se trouvent à l'extérieur.

**Pile humide** Une pile électrique contenant un électrolyte liquide (p. ex., la batterie d'une voiture).

**Pile primaire** Une pile électrique non rechargeable qui ne s'utilise qu'une seule fois.

**Pile sèche** Un dispositif dans lequel les réactions chimiques créent une différence de potentiel. L'agent chimique a la forme d'une pâte pour éviter les fuites (p. ex., la pile d'une lampe de poche).

**Pile secondaire** Une pile électrique rechargeable.

**Pile solaire** Une pile électrique qui fonctionne à l'énergie solaire ou lumineuse.

**Pile voltaïque** Une pile contenant deux électrodes dans un électrolyte liquide. La pile voltaïque utilise les réactions chimiques pour produire de l'énergie électrique.

**Pistil** La partie de la fleur qui produit les graines.

**Placenta** Organe à travers lequel la nourriture est acheminée au fœtus d'un mammifère.

**Plan cartésien** Une grille dans laquelle les points sont nommés sous forme de paires ordonnées (p. ex., (4, 3)).

**Plan solaire** Un disque plat imaginaire s'étendant de l'équateur du Soleil dans toutes les directions, le long duquel les planètes de notre système solaire, à l'exception de Pluton, sont en orbite autour du Soleil.

**Planète** Un corps céleste en orbite autour d'une étoile qui ne produit pas sa propre lumière (p. ex., Mercure, Vénus).

**Planète extrasolaire** Une planète en orbite autour d'une étoile autre que le Soleil.

**Plaque équatoriale** Dans la division cellulaire des plantes, la plaque équatoriale se développe pour former une paroi cellulaire entre les deux nouvelles cellules.

**Plasmide** Une boucle indépendante d'ADN dans un organisme comme une bactérie.

**Pluie acide** Une pluie contenant un niveau d'acidité supérieur à la normale. Elle est causée par les effluents gazeux rejetés dans l'atmosphère.

**Pollinisation** Chez une fleur, le processus par lequel les grains de pollen de l'anthère atteignent le stigmate du pistil.

**Pollution thermique** Une augmentation indésirable de la température d'un lac, d'une rivière ou d'autres nappes d'eau. Cette pollution peut être due aux rejets d'eau chaude d'une usine thermonucléaire ou thermoélectrique.

**Polymère** Une molécule géante créée par l'union de plusieurs molécules similaires ou identiques (p. ex., les protéines, les plastiques, le nylon).

**Population** Tous les représentants d'une espèce occupant une zone géographique donnée pendant un certain temps.

**Précipitateur électrostatique** Un dispositif permettant de contrôler la pollution de l'air à l'aide de charges électriques fixes (il ne s'agit pas de courants).

**Précipité** La substance insoluble résultant d'un changement chimique quand deux substances solubles réagissent.

**Préparation humide** Un type de préparation d'échantillons nécessitant une lame porte-objet, une lamelle et de l'eau.

**Produits de la fission** Les atomes qui restent après la fission nucléaire. Les produits de la fission sont extrêmement radioactifs et peuvent endommager les tissus vivants.

**Progestérone** L'hormone produite par le corps jaune pour préparer l'utérus à la grossesse et protéger la muqueuse utérine pendant la grossesse.

**Projet génome humain** Un projet visant à localiser les 100 000 gènes environ qui se trouvent sur une paire de chromosomes humains.

**Prophase** La première étape de la mitose au cours de laquelle les chromosomes se contractent et le nucléole et la membrane nucléaire disparaissent.

**Propriété chimique** Une caractéristique d'une substance décrivant son aptitude à réagir chimiquement avec d'autres substances (p. ex., si la substance va ou non brûler au contact de l'air).

**Propriété physique** La caractéristique d'une substance qui peut changer sans former de nouvelle substance (p. ex., la masse volumique de l'eau change quand l'eau passe de l'état liquide à l'état gazeux).

**Propriété physique qualitative** La caractéristique d'une substance que l'on peut décrire, que l'on ne peut pas mesurer et qui ne résulte pas dans la formation d'une ou des nouvelles substances.

**Propriété physique quantitative** La caractéristique d'une substance que l'on peut mesurer et qui ne résulte pas dans la formation d'une ou des nouvelles substances.

**Prostate** La glande qui se trouve près de la partie supérieure de l'urètre mâle. La prostate produit les fluides qu'on trouve dans le sperme.

**Protéine** Une longue chaîne d'acides aminés. Les protéines sont nécessaires dans le régime alimentaire. La protéine est une partie essentielle des cellules animales et végétales.

**Proton** Une particule de charge positive qui constitue une partie du noyau d'un atome.

**Protubérance solaire** Une grande éruption de gaz lumineux qui commence sur le Soleil et s'élève très haut au-dessus du Soleil.

**Puberté** La période pendant laquelle une personne peut se reproduire sexuellement et acquiert des caractéristiques sexuelles secondaires.

**Puissance** La fréquence à laquelle on fait un travail ou à laquelle on utilise de l'énergie (la puissance est égale à l'énergie divisée par le temps).

**Pur-sang** La variété d'une espèce animale ou végétale qui produit une descendance ayant les mêmes caractéristiques que celles des parents.

## Q

**Quasar** Un objet céleste qui ressemble à une étoile mais qui émet beaucoup plus d'énergie. On pense que les quasars sont les noyaux explosifs des galaxies qui entrent en collision.

**Radioactif** Qui émet des particules ou des rayons très riches en énergie, à partir du noyau. Les produits radioactifs peuvent s'avérer dangereux pour les tissus vivants (p. ex., l'uranium et le radium sont des éléments radioactifs).

**Radioactivité** La propriété d'une émission spontanée de rayonnements. Certains éléments et isotopes, notamment l'uranium et le radium, possèdent cette propriété.

**Rayon cathodique** Dans un tube à décharge gazeuse, un rayon d'électrons émis par la cathode quand on applique un champ électrique.

**Rayon X** Un rayon électromagnétique dont la longueur d'onde est très courte. Ce rayon pénètre des substances comme la peau et les muscles.

**Rayons gamma** Les rayons dont la fréquence est la plus courte et l'énergie la plus forte de toutes les ondes du spectre électromagnétique. Les rayons gamma proviennent de réactions nucléaires.

**Réacteur CANDU** Le réacteur canadien à l'uranium deutérium dans lequel la fission nucléaire de l'uranium est utilisée pour produire de l'énergie électrique.

**Réaction chimique** Le processus au cours duquel une ou plusieurs substances (réactifs) sont transformées en de nouvelles substances (produits).

**Réactivité** La tendance d'un élément à participer à des réactions chimiques.

**Réagencement des électrons** Le processus par lequel les couches extérieures des atomes perdent, gagnent ou partagent des électrons.

**Réchauffement de la planète** Une augmentation des températures de la planète attribuée à l'emprisonnement de la chaleur dans l'atmosphère par les gaz à effet de serre.

**Régénération** Le processus de reconstitution des cellules blessées ou le fait de faire pousser des parties du corps qui avaient disparu.

**Règne** L'une des cinq principales subdivisions (végétaux, animaux, protistes, champignons et monères) regroupant tous les organismes vivants.

**Réplication** Le processus par lequel le noyau d'une cellule fait des copies de son matériel génétique de sorte qu'il y a deux ensembles complets d'ADN.

**Représentation graphique** Un outil d'apprentissage visuel qui permet de clarifier la relation entre un concept central et des idées ou des termes connexes.

**Reproduction asexuée** La formation d'un nouvel individu à partir d'un seul organisme.

**Reproduction sexuée** Le processus reproducteur faisant intervenir deux sexes (pour la plupart des organismes) et produisant une descendance génétiquement différente des deux parents.

**Réseau conceptuel** Un schéma indiquant les relations entre des concepts.

**Réseau cristallin** Le motif régulier et répété dans le cadre duquel les ions de composés ioniques s'assemblent.

**Résistance** Un composant d'un appareil qui résiste au passage du courant, convertissant l'énergie électrique dans d'autres formes d'énergie (p. ex., une lampe convertit l'énergie électrique en énergie lumineuse).

**Résistance d'une charge** ($R$) La différence de potentiel entre la charge, $V$, et le courant qui passe dans la charge, $I (R = V/I)$.

**Résistance équivalente** Dans un circuit électrique en série ou en parallèle, la résistance de l'une des résistances qui produirait exactement le même courant et la même différence de potentiel que le circuit.

**Résistance ohmique** Un terme qui s'applique à n'importe quel dispositif électrique dont la résistance est constante, quelle que soit la différence de potentiel.

**Résolution** La puissance d'un dispositif optique, comme un microscope, pour produire des images séparées d'objets qui sont très proches les uns des autres.

**Réticulum endoplasmique** Dans le cytoplasme d'une cellule, une membrane repliée qui forme un système de canaux transportant des matériaux vers différentes parties de la cellule.

**Rétroaction** Une boucle dans laquelle l'information produite par le système y retourne comme source d'information.

**Rétroaction négative** Le système dans lequel les produits d'une réaction entraînent une baisse de la fréquence de cette réaction.

**Rétroaction positive** Un système dans lequel les produits d'une réaction augmentent la fréquence de cette réaction.

**Ribosomes** Les petites structures cellulaires granuleuses qui participent à la fabrication des protéines.

**Sac vitellin** Une structure contenant des nutriments pour l'embryon en cours de développement.

**Satellite** Un petit objet en orbite autour d'un objet plus grand. Il peut s'agir d'un satellite naturel, comme la Lune de la Terre, ou d'un satellite artificiel qu'on envoie en orbite pour les communications ou la recherche.

**Satellite géosynchrone** Un satellite en orbite synchrone avec la rotation de la Terre de sorte qu'il reste au-dessus du même point, sur l'équateur terrestre.

**Schéma d'un circuit électrique** Le schéma indiquant le chemin qu'emprunte le courant électrique.

**Scrotum** La peau contenant les testicules à l'extérieur du corps du mâle.

**Segmentation** Le processus de la division cellulaire rapide qui se produit peu de temps après la fertilisation d'un œuf.

**Séquence principale** Sur le diagramme Hertzsprung-Russel, une bande étroite d'étoiles dans laquelle se trouvent la plupart des étoiles, y compris notre Soleil.

**SETI** (Recherche de l'intelligence extraterrestre) Un terme collectif désignant un groupe de programmes en cours visant à explorer l'Univers à la recherche de signaux radio émis par une vie intelligente.

**SI** Le système international d'unités de mesure, incluant des termes comme kilogramme, mètre et seconde.

**SIMDUT** Un acronyme signifiant Système d'information sur les matières dangereuses utilisées au travail.

**Soluté** Une substance qui se dissout dans un solvant (p. ex., le sel est un soluté qui se dissout dans l'eau).

**Solution** Un mélange homogène de deux ou de plusieurs substances pures.

**Solvant** Une substance qui dissout un soluté pour former une solution (p. ex., l'eau est un solvant qui dissout le sel).

**Source d'énergie non renouvelable** Le terme s'applique aux ressources qui ne peuvent être remplacées ou qu'on utilise bien plus vite que la vitesse à laquelle elles se renouvellent (p. ex., le charbon, le pétrole).

**Source d'énergie renouvelable** Le terme qui s'applique aux ressources qui peuvent être remplacées aussi rapidement ou plus rapidement qu'elles ne sont utilisées (p. ex., l'énergie du Soleil et du vent).

**Spectre** La série de bandes de couleur produites lorsque la lumière blanche est décomposée et devient les longueurs d'onde qui la composent.

**Spectre électromagnétique** L'agencement, par longueur d'ondes, des différentes formes de rayonnement électromagnétique.

**Spectroscope** Le dispositif permettant de produire et d'observer le spectre de rayonnement de n'importe quelle source.

**Spermatozoïdes** Les gamètes des animaux mâles.

**Sperme** Un mélange composé de spermatozoïdes et de sécrétions glandulaires nourrissantes qui aident les spermatozoïdes à se déplacer.

**Sphère céleste** Une sphère imaginaire qui, pensait-on, contenait l'Univers et dans laquelle les planètes et les étoiles semblaient être attachées.

**Sporange** Une structure où les spores sont stockées et produites.

**Spore** Une cellule haploïde qui peut devenir un nouvel organisme sans fertilisation.

**Sporophyte** L'étape diploïde du cycle de vie d'une plante pendant laquelle les spores se forment.

**Stigmate** La partie du pistil de la plante qui reçoit le pollen.

**Structure atomique** L'agencement des particules subatomiques dans un atome (p. ex., un atome d'hydrogène a un proton dans son noyau et un électron dans sa couche).

**Structure moléculaire** La structure démontrant l'agencement des atomes dans une molécule.

**Style** La partie du pistil de la plante qui ressemble au pédoncule.

**Supergéante** Une étoile géante rouge extrêmement grande.

**Supernova** Une immense explosion qui signe l'arrêt de mort d'une étoile.

**Sursaut de rayons gamma** Une impulsion très puissante de rayons gamma provenant de n'importe où dans le ciel.

**Suspension** Un mélange obtenu par agitation mécanique, qui se compose d'un liquide ou d'un gaz contenant de petites particules qui se séparent si on laisse la suspension reposer.

**Symbole d'un élément** Un symbole représente un élément (par ex., H pour hydrogène, Na pour sodium).

**Synthèse** La combinaison de différentes parties pour fabriquer un nouveau produit unifié.

**Système de positionnement global (GPS)** Un réseau de satellites artificiels en orbite autour de la Terre qui envoient des signaux continus de positionnement et des signaux horaires. S'utilise comme système de navigation.

**Système solaire** La famille du Soleil ainsi que toutes les planètes et tous les autres corps célestes qui tournent autour.

**Tableau** Un agencement organisé de faits dressé pour pouvoir consulter ces faits facilement.

**Tableau électronique** Un logiciel qui permet d'organiser l'information à l'aide de rangées et de colonnes.

**Tableau périodique** Le tableau dans lequel les éléments sont organisés en lignes et en colonnes selon leur numéro atomique.

**Tache solaire** Une région, sur le Soleil, qui est plus froide et, par conséquent, semble plus sombre que ce qui l'entoure.

**Techniques génésiques** Les techniques visant à augmenter la probabilité de la reproduction.

**Technologie** L'application du savoir pour trouver une solution pratique à des problèmes.

**Télophase** L'étape finale de la mitose pendant laquelle de nouveaux noyaux se forment.

**Test équitable** Une expérience qui a lieu dans des conditions très rigoureusement contrôlées pour s'assurer de l'exactitude des résultats.

**Testicules** Les gonades mâles.

**Testostérone** Une hormone qui régule le développement des caractéristiques sexuelles secondaires chez les mâles.

**Théorie** Une explication d'un événement qui est appuyée par des résultats expérimentaux cohérents et répétés et qui, par conséquent, est acceptée par une majorité de scientifiques.

**Théorie atomique de Dalton** La proposition avancée par John Dalton (1766-1844) pour expliquer de quoi était faite la matière. Cette théorie énonce, entre autres, que toute la matière se compose de petites particules appelées atomes.

**Théorie cellulaire** La principale théorie sur les êtres vivants, énoncée dans les années 1800, qui compte quatre postulats.

**Théorie des nébuleuses solaires** L'hypothèse sur l'évolution de notre système solaire à laquelle adhèrent de nombreux astronomes.

**Théorie du big bang** L'explication scientifique des origines de l'Univers. Selon cette théorie, l'Univers et tout ce qu'il contient sont apparus au cours d'un événement instantané qui s'est produit il y a entre 15 et 20 milliards d'années.

**Théorie particulaire de la matière** Le modèle scientifique de la structure de la matière. Une partie de cette théorie énonce que toute la matière se compose de particules minuscules.

**Thérapie génétique** Une technique permettant aux scientifiques de bloquer les gènes défectueux ou d'ajouter des gènes sains.

**Thermoélectrique** Un terme qui s'applique à l'utilisation de la chaleur pour produire de l'électricité.

**Thermonucléaire** Un terme qui s'applique à l'utilisation de réactions nucléaires pour produire de l'électricité.

**Toxique** Un produit chimique qui est nocif pour les organismes.

**Trait caractéristique** Une caractéristique distincte, comme la couleur des yeux.

**Traitement** En métallurgie, le processus qui consiste à modifier les propriétés d'un métal pur sans avoir recours à un changement chimique (p. ex., en chauffant et en refroidissant brusquement un métal).

**Transformateur** Un dispositif qui augmente ou réduit la différence de potentiel dans les fils conducteurs des lignes de transmission d'énergie.

**Transgénique** Un organisme produit par le déplacement de l'ADN d'un organisme à un autre organisme afin de créer une nouvelle combinaison.

**Travail** Une séquence de contractions musculaires qui ouvrent le col de l'utérus pour préparer la naissance.

**Trempe** Un processus qui augmente la dureté d'un métal.

**Tri génétique** Le fait de déterminer les affections génétiques humaines en examinant les gènes dans les cellules.

**Triangulation** Une méthode permettant de mesurer la distance indirectement en créant un triangle imaginaire entre un observateur et un objet dont il faut évaluer la distance.

**Trimestre** Une tranche de trois mois de la grossesse.

**Trompes utérines (ou trompes de Fallope)** Les conduits que les ovules empruntent pour se rendre des ovaires à l'utérus.

**Trou noir** Dans l'espace, un objet dont la force de gravité est si forte que rien, même pas la lumière, ne peut s'en échapper.

**Tube à décharge gazeuse** Un tube scellé contenant un gaz à basse pression, dans lequel on fait circuler un courant électrique.

**Tube pollinique** Chez une plante, un tube qui se développe, à partir d'un grain de pollen, vers l'ovule.

**Tubes séminifères** Dans les testicules, une masse de serpentins dans lesquels les spermatozoïdes se forment.

**UICPA** Union internationale de chimie pure et appliquée. L'organisme qui énonce les règles concernant les noms et les symboles chimiques.

**Ultrason** Une technique de diagnostic au cours de laquelle des ondes sonores sont réfléchies par les tissus et les organes, et une image est produite par ordinateur.

**Unité astronomique (UA)** Une unité astronomique est égale à la distance entre le centre de la Terre et le centre du Soleil (149 599 000 km).

**Unité cubique** L'unité utilisée pour exprimer le volume d'un solide (p. ex., $cm^3$).

**Unité de capacité** L'unité utilisée pour exprimer le volume d'un liquide (p. ex., $cm^3$).

**Unité de masse atomique (u)** Masse qui correspond exactement au douzième de la masse d'un atome de carbone 12.

**Urètre** Le tube reliant la vessie à l'extérieur du corps.

**Utérus** L'organe musculaire à la paroi épaisse des mammifères femelles dans lequel le fœtus se développe avant la naissance.

**Vacuole** Dans une cellule, un organite rempli de fluide qui stocke l'eau, les aliments, les déchets et d'autres matériaux.

**Vagin** Le passage musculaire allant de l'utérus à l'extérieur du corps de la femelle.

**Variable** Un facteur qui peut influer sur le résultat d'une expérience.

**Variable dépendante (ou liée)** Le facteur, dans une expérience ou une étude, qui change en réponse au changement de la variable indépendante.

**Variable indépendante (ou libre)** Un facteur, dans une expérience ou une étude, qui peut être modifié ou sélectionné.

**Variation** Les différences de caractéristiques causées par des facteurs génétiques et environnementaux.

**Vent solaire** Jets de protons et d'électrons ayant une charge électrique et éjectés par le Soleil. On associe souvent le vent solaire aux taches et aux éruptions solaires.

**Vésicule séminale** Une glande qui produit des fluides. Ces fluides entrent dans le canal déférent et se mélangent au sperme.

**Vie extraterrestre** Une vie autre que la vie sur la Terre.

**Voie lactée** La galaxie qui comprend notre Soleil et notre Terre. Elle ressemble à une bande blanche brumeuse dans le ciel nocturne.

**Volt (V)** L'unité de la différence de potentiel. Un volt fait circuler un courant de un ampère dans un conducteur dont la résistance est de un ohm.

**Voltmètre** Un instrument servant à mesurer la différence de potentiel entre deux points dans un circuit électrique.

**Volume** La mesure de l'espace qu'occupe une substance.

**Watt (W)** Une unité d'énergie électrique équivalente à un joule par seconde. Un watt est égal à la puissance, dans un circuit, où un ampère de courant circule dans une différence de potentiel de un volt.

**Zygote** La nouvelle cellule formée par le processus de la fertilisation.

# Index

Les numéros de page en **gras** renvoient à une définition des termes en cause. La mention *act.* dénote une occurrence associée à une activité.

# Sources des photos

**VI Haut** Bruce Wilson/Tony Stone Images, **Bas** David Allan Brandt/ Tony Stone Images, **Gauche** Bob Thomas/Tony Stone Images; **VII Haut** Michael Busselle/Tony Stone Images, **En bas, de gauche à droite** VALAN/V. Whelan, Charles D. Winters/Science Source/Photo Researchers, VALAN/Karen D. Rooney, VALAN/Jean-Marie Jro, Ken Whitmore/Tony Stone Images; **VIII Haut** Paul Silverman/Fundamental Photographs, **Bas** Charles O'Rear/First Light; **IX Haut** NASA, **Bas** NASA; **PP-1** CORBIS/Roger Wood; **PP-9** Leonardo Da Vinci/Metro Toronto Reference Library; **PP-12** NASA/Tony Stone Images; **1** Penny Gentieu/Tony Stone Images, **Cartouche du haut** COMSTOCK, **Cartouche du bas** Bayard Brattstrom/Visuals Unlimited; **2 Gauche** VALAN/Rob Simpson, **Cartouche** M. Abbey/Science Source/Photo Researchers; **4 À gauche en haut** VALAN/Stephen J. Krasemann, **Au centre en bas** VALAN/Arthur Strange, **À droite en haut** VALAN/ Phillip Norton, **À droite en bas** COMSTOCK/Russ Kinne; **6 À gauche en haut** Science VU/Visuals Unlimited, **Au centre en haut** CORBIS/ Christel Gerstenberg, **À gauche en bas** CORBIS-BETTMANN, **À droite en bas** CORBIS; **7 À gauche en haut** CORBIS-BETTMANN; **8 À gauche en haut et au centre** CORBIS-BETTMANN, **À droite en haut** David M. Phillips/Visuals Unlimited, **En haut à droite au centre** John D. Cunningham/Visuals Unlimited, **En haut à droite en bas,** Michael Dalton/Fundamental Photographs; **9 À droite en haut** R. Calentine/Visuals Unlimited, **À droite au centre** CORBIS-BETTMANN, **À droite en bas** CORBIS-BETTMANN; **11** VALAN/ John Cancalosi; **13 Haut** David M. Phillips/Visuals Unlimited, **Bas** Biophoto Associates/Science Source/Photo Researchers; **16** George Chapman/Visuals Unlimited; **18, 19** M. Abbey/Science Source/Photo Researchers; **20 Au centre en haut** M. Abbey/Science Source/Photo Researchers, **À droite en haut** Eric V. Grave/Science Source/Photo Researchers; **20 Au centre en bas, à droite en bas** R. Calentine/Visuals Unlimited; **21** R. Calentine/Visuals Unlimited; **22 Haut** G. Shih-R. Kessel/Visuals Unlimited, **Bas** Biology Media/Science Source/Photo Researchers; **24 À droite en bas** Treat Davidson/The National Audubon Society Collection/Photo Researchers; **26** VALAN/John Cancalosi; **27 Droite** Dr. Brian Eyden/Science Photo Library/Photo Researchers, **Gauche** Dr. P. Marazzi/Science Photo Library /Photo Researchers; **29 À gauche en haut et en bas** David M. Phillips/Visuals Unlimited, **À droite en haut** Stanley Flegler/Visuals Unlimited; **30** CNRI/Science Photo Library/Photo Researchers; **32 Haut** London School of Hygiene & Tropical Medicine/Science Photo Library/Photo Researchers, **Centre** A. J. Copley/Visuals Unlimited, **Bas** VALAN/John Fowler; **33 Haut** J. Forsdyke/Gene Cox/Science Photo Library/Photo Researchers, **Centre** VALAN/J. A. Wilkinson; **34 Gauche** T. E. Adams/Visuals Unlimited, **Droite** Fred McConnaughey/The National Audubon Society Collection/ Photo Researchers; **35 Gauche** Biophoto Associate/Science Source/ Photo Researchers, **Droite** VALAN/R. Berchin; **36 Haut** Dan Kozlovic, **Bas** Walker England/Science Source/Photo Researchers; **38 Gauche** Gabor Geissler/Tony Stone Images, **Bas** Robert Glenn Ketchum/Tony Stone Images; **40** Sylvan H. Wittwer/Visuals Unlimited; **44** VALAN/ Richard Sears, **Cartouche** Terry Donnelly/Tony Stone Images; **46** Myrleen Cate/Tony Stone Images; **51 Coin supérieur droit** COMSTOCK/ Karl Sommerer, **Centre inférieur** VALAN/J. A. Wilkinson, **Au centre à gauche en bas** VALAN/Herman H. Giethoorn, **Coin supérieur gauche** Stuart Westmorland/Tony Stone Images, **Centre droit supérieur** VALAN/R. LaSalle, **Centre supérieur** Marc Chamberlain/Tony Stone Images; **Au centre à droite** VALAN/Aubrey Lang, **Coin inférieur droit** Nicholas Parfitt/Tony Stone Images, **Coin inférieur gauche** Andrew Martinez/The National Audubon Society Collection/Photo Researchers, **Centre gauche supérieur** VALAN/Stephen J. Krasemann, **Au centre en bas** David Madison/Tony Stone Images; **54 Haut** VALAN/Bob Gurr; **Centre** Ken Lucas/Visuals Unlimited, **Bas** Wayne R. Bilenduke/Tony Stone Images; **55** VALAN/Jeff Foott; **56 À gauche en haut** VALAN/ Jeff Foott, **À droite en haut** Natalie Fobes/Tony Stone Images; **57** Scott Camazine/The National Audubon Society Collection/Photo Researchers; **58 À gauche au centre** Alan Root/The National Audubon Society Collection, **À gauche en bas** VALAN/Stephen J. Krasemann, **À droite en bas** VALAN/Robert C. Simpson; **59** Jacana Annelida/The National Audubon Society Collection/Photo Researchers; **60 Au centre à droite en haut** COMSTOCK; **Coin inférieur droit** John Warden/Tony Stone Images, **Centre** Robert Frerck/Tony Stone Images, **Au centre à gauche** Dave Schiefelbein/Tony Stone Images, **Au centre en bas** VALAN/Joyce Photographics, **À gauche en bas** VALAN/Ken Cole, **À droite en bas** VALAN/Kennon Cooke, **Au centre à droite en haut** Roine Magnusson/ Tony Stone Images, **Coin supérieur gauche** Jean-Marc Truchet/Tony Stone Images, **Au centre à droite en bas** Geoff Bryant/The National Audubon Society Collection/Photo Researchers, **Au centre à gauche en haut** Dave Schiefelbein/Tony Stone Images; **61 À droite en haut** Denis Waugh/Tony Stone Images, **Gauche** VALAN/Tom W. Parkin, **Droite** Pat O'Hara/Tony Stone Images; **63 Gauche** Oliver Meckes/Science Source/Photo Researchers, **Droite** Christoph Burki/Tony Stone Images; **66** Joern Rynio/Tony Stone Images; **67 À droite en haut** VALAN/V. Wilkinson, **À gauche en haut** Karl Maslowski/The National Audubon Society Collection/Photo Researchers, **À droite en bas** Pat Anderson/ Visuals Unlimited, **À gauche en bas** VALAN/Clara Parsons; **68** VALAN/Gilles Delisle; **69** Kathy Merrifield/The National Audubon Society Collection/Photo Researchers; **70 Gauche** VALAN/Aubrey Lang, **Droite** VALAN/J. R. Page; **71** VALAN/Herman H. Giethoorn; **73 À droite en haut** Renee Lynn/The National Audubon Society Collection/Photo Researchers, **À gauche au centre** François Gohier/ The National Audubon Society Collection/Photo Researchers, **À droite au centre et en bas** Tony Stone Images; **74** Fred Marsik/Visuals Unlimited; **78** Rosanne Olson/Tony Stone Images, **Cartouche** Gregory G. Dimijian, MD/The National Audubon Society Collection/Photo Researchers; **80** David Young Wolff/Tony Stone Images; **90** COMSTOCK; **91** David M. Phillips The Population Council/Photo Researchers; **95** Petit Format/Nestle/Science Source/Photo Researchers; **97 À droite en haut** Photography by Saraï Cohn, **À droite en bas** Cabisco/Visuals Unlimited, **Gauche** U. H. B. Trust/Tony Stone Images; **98 Gauche** Tiré de *The Visible Fetus Library à l'adresse www.medphys.ulc.ac.uk/mgi/fetal/*avec la permission de Dr. Jing Deng, University College London, **Droite** Dr. Christopher Kovacs; **101** Science VU/Visuals Unlimited; **108** Canapress Photo Service/Paul Clements; **109** SIU/Visuals Unlimited; **110 Haut** COMSTOCK/Jack Elness, **Bas** David Allan Brandt/Tony Stone Images; **111** Science VU/Visuals Unlimited; **112** Bruce Wilson/Tony Stone Images; **114** Science VU/Visuals Unlimited;**116** A. Barrington Brown/Science Source/Photo Researchers; **117** Lignes aériennes Canadien International; **120** COMSTOCK; **122** David Hanover/Tony Stone Images; **123** Biophoto Associates/Science Source/Photo Researchers; **124** Photo par Rob Teteruk, The Hospital for Sick Children; **125 Gauche** SIU/Visuals Unlimited, **Droite** Nexia Biotechnologies Inc./Sean O'Neill; **127 Gauche** Holt Studios Ltd./The National Audubon Society/Photo Researchers, **Droite** Bob Thomas/Tony Stone Images; **128 Haut** David Newman/Visuals Unlimited, **Bas** Inga Spence/ Visuals Unlimited; **129** Mark E. Gibson/Visuals Unlimited; **130 Haut** Dr. Garth Fletcher, Memorial University of Newfoundland, **Bas** Photographic Services, division of University Relations, Memorial University of Newfoundland; **131** Inga Spence/Visuals Unlimited; **133** Susan Leavines/The National Audubon Society Collection/Photo Researchers; **134 Droite** Alfred Pasienka/Science Photo Library/Photo Researchers, **Gauche** COMSTOCK/Grant Heilman Photography; **135** Simon Fraser/Science Photo Library/Photo Researchers; **136** COMSTOCK; **137** CORBIS; **138** COMSTOCK/Franklin Jay Viola; **139** Gracieuseté du Dr. Jo Gayle Howard, National Zoological Park, Washington, DC, et reproduit avec la permission du Dr. Karen Goodrowe; **140** *Toronto Star*/K. Toughill; **144** David Macgregor; **146** Chris Everard/Tony Stone Images; **151** David Allan Brandt/Tony Stone Images; **152 Cartouche** CORBIS-BETTMANN; **153** Bombardier Aerospace; **154** VALAN/A. Scullion, **Cartouche** CORBIS-BETTMANN; **157 Haut** VALAN/J. R. Page, **Bas** Charles D. Winters/Science Source/Photo Researchers; **159 Haut** NASA, **Bas** VALAN/Karen D. Rooney; **164 De gauche à droite**, VALAN/V. Whelan, Charles D. Winters/Science Source/Photo Researchers, VALAN/Karen D. Rooney, VALAN/Jean-Marie Jro, Ken Whitmore/Tony Stone Images; **165 Gauche** VALAN/Kennon Cooke, **Droite** VALAN/Joan L. Bruneau; **166 Gauche** Robert Frerck/Tony Stone Images, **Droite** Ford du Canada Limitée; **171** Ed Pritchard/Tony Stone Images; **173** VALAN/Halle Flygare; **174** Kip Peticolas/ Fundamental Photographs; **178** CORBIS-BETTMANN; **183** CORBIS-BETTMANN; **190** Charles D. Winters/Science Source/Photo Researchers; **199 Gauche** VALAN/Dennis W. Schmidt, **Droite** NASA; **200** VALAN/J. A. Wilkinson; **203 À droite en haut** Alfred Pasienka/Science Photo Library/Photo Researchers, **Gauche et à droite**

**au centre** Charles D. Winters/Science Source/Photo Researchers; **205 Droite** VALAN/Joyce Photographics, **Gauche** VALANT/Tom W. Parkin; **206** VALAN/J. A. Wilkinson; **208** Denison Mines Ltd.; **212** Vince Streano/Tony Stone Images; **215 À droite en haut et en bas** Collection nationale de monnaies, Banque du Canada, photo par James Zagon, Ottawa, **À droite au centre** Coin design Les pièces de monnaie sont une gracieuseté de la Monnaie Royale canadienne; la photo est l'œuvre de Don Ford; **217** CORBIS-BETTMANN; **226** VALAN/ Phillip Norton, **Cartouche** Michael Busselle/Tony Stone Images; **228** Alfred Pasienka/Science Photo Library/Photo Researchers; **229** Richard Megna/Fundamental Photographs; **231** CORBIS-BETTMANN; **234** Gracieuseté de IBM Corporation, Almaden Research Center; **237** Paul Silverman/Fundamental Photographs; **238 Gauche** CORBIS-BETTMANN, **Droite** AIP Emilio Segrè Visual Archives; **240** COMSTOCK/Russ Kinne; **241** Photo reproduite avec la permission de Ontario Power Generation; **246** Oxford Museum of Science/CORBIS-BETTMANN; **249** VALAN/Richard Nowitz; **252** Sylvia Fedoruk; **253** Alfred Pasienka/Science Photo Library/Photo Researchers; **256** Christopher Bissell/Tony Stone Images; **261 Gauche** Jim Krantz/Tony Stone Images, **Droite** Stephen Johnson/Tony Stone Images; **262 Gauche** Charles D. Winters/Science Source/Photo Researchers, **Droite** VALAN/ Joyce Photographics; **263 Gauche** Lawrence Migdale/Science Source/ Photo Researchers, **Droite** Charles D. Winters/Science Source/Photo Researchers; **266** Claudia Kunin/Tony Stone Images; **267** Dr. Jeremy Burgess/Science Photo Library/Photo Researchers; **272** Rosemary Weller/Tony Stone Images; **273** Paul Silverman/Fundamental Photographs; **277 Haut** VALAN/Philip Norton; **278** VALAN/Anthony Scullion; **279 Haut** Scott Winter/*Great Careers for People Interested in the Human Body* par Lois Edwards, publié par Trifolium Books Inc./Weigl Educational Publishers Limited; **284, 285** Reproduit avec la permission de Institut canadien de conservation, Ministère du Patrimoine canadien, et André Lepine, Marine Archaeologist, Société d'archéologie sous-marine du Québec inc.; **286** Canapress Photo Service; **292** Christopher Morris; **293** Martin Paquette; **294 Gauche** Gracieuseté de la Tour CN, **Droite** Ontario Science Centre; **296 Haut** Dick Hemingway, **Bas** Metro Toronto Library Board; **297 À droite en haut** Hartmann Sachs/ Phototake/First Light; **306** John Cunningham/Visuals Unlimited; **309** Paul Silverman/Fundamental Photographs; **312** Gracieuseté de Petro Canada; **313** Charles O'Rear/First Light; **316 Gauche** Dick Hemingway, **Droite** Ontario Hydro; **317** Tony Stone Images; **322 Centre** Bill Ross/First Light, **Cartouche** Bill Ivy/Ivy Images; **325** Bill Ivy/Ivy Images; **336** Monique Frize; **338** Bill Ivy/Ivy Images; **339** Ken Cole/ VALAN; **343** Canadian Sport Images; **352** Greg Ranieri/Picture It Photography Inc.; **364 À gauche en bas et au centre en bas** Bill Ivy/ Ivy Images; **368** Dick Hemingway; **380 Centre** Kristen Brochmann/ Fundamental Photographs, **Cartouche** Darwin Wigget/First Light; **382 Bas** CORBIS-BETTMANN; **386** Archives nationales du Canada PA 93160; **387 Les deux** Jet Propulsion Laboratory/Caltech; **393 Bas** Gracieuseté de Mercedes Benz Canada Inc.; **394 Haut** NASA; **396 Haut** Ward's Natural Science Establishment; **399** Bill Ivy/Ivy Images, **401** Brian Simmons/Manitoba Hydro; **402** British Columbia Ministry of Energy, Mines and Petroleum Resources; **403 Haut et à gauche en bas** Ontario Hydro, **À droite en bas** Arthus Bertrand/Explorer/Photo Researchers Inc.; **404 Haut** Ken Cole/VALAN, **Bas** Ministère de l'énergie, de la Science et de la Technologie de l'Ontario; **406** Ontario Hydro; **407 Bas** John McDermott/Tony Stone Images; **410 À gauche en haut** Hank Morgan/Science Source/Photo Researchers; **411 À gauche au centre** Ministère de l'Énergie de l'Ontario, **À droite au centre** John Fowler/ Valan, **À droite en bas** James R. Page/Valan; **412 Haut** Nova Scotia Tourism/Canapress; **413 Bas** CORBIS/Roger Ressmeyer; **420** Gerry Kitchen/Trans Alta Utilities Corp.; **426-427** NASA; **430 Haut** V. Wilkinson/Valan, **Bas** Joseph Needham, *Science and Civilization of China*; **428** Wendy Roberts/Cerro Tololo Inter-American Observatory, Chile; **432 Haut** James R. Page/Valan, **Bas** NASA; **433 Haut** NASA; **437 Bas** Yerkes Observatory; **438 Haut** Rob Smythe, **Bas** Andreas Celarius/Mary Evans Picture Library; **433-444 Les deux** NASA; **448-457 Toutes** NASA; **459** Rob Smythe; **460** NASA; **462 Haut** University of Toronto, Department of Public Affairs; **463 Haut** NASA; **466 Bas** Rob Smythe/ TERSCH; **468 Haut** NASA; **470 À gauche en haut** NASA, **À gauche en bas** Bill Iberg/Science Photo Library/Photo Researchers, **Droite** Space Telescope Science Institute/NASA/Science Photo Library/Photo Researchers; **471** Celestial Image Co/Science Photo Library/Photo Researchers; **472** Jerry Lodriguss/Photo Researchers; **473** Photo par Barry Shell tiré du *Great Canadian Scientists*, Polestar, 1997; **474-475 Toutes** NASA; **478** Pam E. Hickman/Valan; **479 Haut** NASA, **Bas** Mark McCaughrean (Max Planck Institute for Astronomy), C. Robert O'Dell (Rice University), and NASA; **485** Rob Smythe/TERSCH; **486** Vincent van Gogh, *La nuit étoilée* (1889). Huile sur canevas, $29 \times 36\frac{1}{4}$ ». Legs fait au Museum of Modern Art, New York, par Lillie P. Bliss Bequest. Photograph © 1999 Museum of Modern Art, New York; **488** National Optical Astronomy Observatories; **489 Haut** American Institute of Physics; **496 Haut** Celestial Image Co/Science Photo Library/Photo Researchers, **Bas** NASA; **497 Bas** Archives CP; **498 Haut** NASA, **Bas** TV Ontario; **499 À gauche en haut** Fred Espenar/Science Photo Library/Photo Researchers, **Droite** Dennis Di Ciccio/First Light **À gauche en bas** Chris Butler/Science Photo Library/Photo Researchers; **500** NASA; **503 Haut** Cal Millar/Canapress; **506** UPI/CORBIS-BETTMANN; **507** Dick Hemingway; **511 Haut** Painting © 1999 par Don Dixon, **À gauche en bas** John Bova/Photo Researchers, satellite NASA, astronome professionnel Dennis Milon/Visuals Unlimited; **512** Sudbury Neutrino Observaroty; **513** TV Ontario; **516 Centre** NASA/Tony Stone Images, **Cartouche** Chuck O'Rear/First Light; **521 Gauche** Canadian Tourism Commission, **Droite** Dick Hemingway; **522 Au centre en haut** Jack Finch/Science Photo Library/Photo Researchers, **Bas** NASA; **523 Bas** Bill Ivy/Ivy Images; **526 Gauche** NASA/ Photo Researchers, **Droite** Photo Researchers; **528 Haut** Jan Bauer/ Associated Press/Canapress/Photo Service, **Bas** La photo est une gracieuseté de Telesat Canada; **529** CORBIS; **530 Haut et à droite en bas** NASA, **À gauche en bas** National Oceanographic and Atmospheric Administration; **531 Haut** Radarsat International/Centre canadien de télédétection, **Bas** NASA/Mark Marten/Photo Researchers; **533 Centre** CORBIS, **Cartouche** NASA; **535 Gauche** NASA, **Droite** Associated Press AP/Canapress/Photo Service; **536 Haut** Georg Gerster/Photo Researchers, **À gauche en bas** NASA, **À droite en bas** Malin Space Science Systems/Jet Propulsion Laboratory; **537** NASA; **538** Chuck O'Rear/First Light; **540 Les deux** NASA; **541 Gauche** NASA, **Droite** JPL/First Light; **542-543** Agence spatiale canadienne; **544** NASA/ Science Photo Library/Photo Researchers; **550 Haut** Eric Choi, **À gauche en bas et à droite** Radarsat International; **553** La galaxie Science Photo Library/Photo Researchers, étoiles Frank Zullo/Photo Researchers; **558** Daniel J. Cox/Tony Stone Images; **Couverture arrière** Module 1 Penny Gentiew/Tony Stone Images, Module 2 Bombardier Aerospace, Module 3 Martin Paquette, Module 4 NASA.

# Sources des textes

**PP-2, PP-15** Galbraith et al, *Analysing Issues: Science, Technology, & Society*, Trifolium Books Inc., 1997, adaptation de parties faites avec permission ; **PP-2, PP-9** Williams, Peter et Jacobson, Saryl, *Take a Technowalk to Learn About Material and Structures*, Trifolium Books Inc., 1997, adaptation de parties faite avec permission ; **99** Tiré de *Life Science*, Laboratory Manual, © 1997 Glencoe/McGraw-Hill ; **115** Adapté de Alberta Agriculture in the Classroom Program ; **139** Données fournies par Dr. Karen Goodrowe ; **214** Extrait de «Truffles Without Tears» par Russ Parsons. © 1999, Los Angeles Times. Reproduit avec permission.

# Sources des illustrations

**12** Tiré de *Life Science* par Lucy Daniel, © 1997 Glencoe/McGraw-Hill ; **17** Tiré de Mader, *Human Biology*, 4e édition, © The McGraw-Hill Companies Inc. ; **18-19, 23, 30, 33** Tiré de *Life Science* par Lucy Daniel, © 1997 Glencoe/McGraw-Hill **48-49, 50** Tiré de Mader, *Human Biology*, 4e édition, © The McGraw-Hill Companies Inc. ; **50** Tiré de Mader, *Inquiry into Life*, © The McGraw-Hill Companies Inc. ; **56, 57, 58, 63, 66, 82, 83, 84 Haut** Tiré de *Life Science* par Lucy Daniel, © 1997 Glencoe/McGraw-Hill ; **88** Tiré de Mader, *Human Biology*, 4e édition © The McGraw-Hill Companies Inc. ; **89, 91** Tiré de *Life Science* par Lucy Daniel, © 1997 Glencoe/McGraw-Hill ; **93 Bas** Tiré de Mader, *Inquiry Into Life*, © The McGraw-Hill Companies Inc. ; **100** Tiré de Starr, *Biology: The Unity and Diversity of Life*, 6e édition, © Wadsworth Publishing ; **109** Tiré de *Science Interactions 3* par Bill Aldridge, © 1998 Glencoe/McGraw-Hill ; **112-113** Tiré de *Life Science* par Lucy Daniel, © 1997 Glencoe/McGraw-Hill ; **172 Haut** Tiré de *Physical Science* par Charles W. McLaughlin, © 1997 Glencoe/McGraw-Hill ; **229 Bas, 231 Haut** Tiré de *Science Interactions 3* par Bill Aldridge, © 1998 Glencoe/McGraw-Hill ; **342, 394, 445** Tiré de *Science Interactions 3* par Bill Aldridge, © 1998 Glencoe/McGraw-Hill ; **501, 509, 519** Tiré de *Earth Science* par Ralph Feather, Jr. © 1997 Glencoe/McGraw-Hill ; **504** Tiré de *Earth Science* par Ralph Feather, Jr., © 1997 Glencoe/McGraw-Hill ; **522 Haut** tiré de *Earth Science* par Ralph Feather, Jr., © 1997 Glencoe/McGraw-Hill ; **559** Tiré de *Life Science* par Lucy Daniel, © 1997 Glencoe/McGraw-Hill ; **595, 596** Tiré de *Earth Science* par Ralph Feather, Jr., © 1997 Glencoe/McGraw-Hill.